JOHANN HEINRICH JUNG-STILLING
LEBENSGESCHICHTE

JOHANN HEINRICH JUNG-STILLING

LEBENSGESCHICHTE

Vollständige Ausgabe, mit Anmerkungen
herausgegeben von
GUSTAV ADOLF BENRATH

1976
WISSENSCHAFTLICHE BUCHGESELLSCHAFT
DARMSTADT

⬤ Bestellnummer 7476

© 1976 by Wissenschaftliche Buchgesellschaft, Darmstadt
Satz: Maschinensetzerei Janß, Pfungstadt
Druck und Einband: Wissenschaftliche Buchgesellschaft, Darmstadt
Printed in Germany
Schrift: Linotype Garamond, 10/12

ISBN 3-534-07476-9

Dorothea Böcher, Thilo Dyroff,
Markus Franke, Sebastian Lange
zugeeignet
3. 3. 1976

INHALTSVERZEICHNIS

EINLEITUNG

Die ›Lebensgeschichte‹ von Johann Heinrich Jung (1740 bis 1817), der sich in seinen literarischen Anfängen der Leserschaft seiner Zeit unter dem Pseudonym Henrich Stilling vorstellte und bald darauf den Doppelnamen Jung-Stilling beilegte, gehört zu den beachtenswerten deutschen Autobiographien des 18. Jahrhunderts. Das Leben dieses ungewöhnlichen Mannes verlief ungewöhnlich[1]. Nach glückloser Tätigkeit als Schneidergeselle, Dorfschulmeister und Hauslehrer in seiner siegerländischen Heimat löste er sich aus den armen, obschon wohlgeordneten Verhältnissen seiner bäuerlichen Familie und Umgebung, um im Bergischen Land zum kaufmännischen Verwalter (1763—1770), zum Arzt und Augenarzt in Elberfeld (1772—1778) und zum Professor der Kameralwissenschaften in Kaiserslautern (1778—1784), Heidelberg (1784—1787) und Marburg (1787—1803) aufzusteigen; als Dreiundsechzigjähriger aber ergriff er schließlich die Aufgabe eines religiöserwecklichen Schriftstellers als seinen eigentlichen, gottgewollten Beruf. Dieses Leben war an überraschenden Wechselfällen so reich, daß es die Aufmerksamkeit der Zeitgenossen bald auf sich zog. Hinzu kam die Darstellungskraft des lebhaften Erzählers, von dem sich, wie mancher andere, auch Goethe beeindrucken ließ, so daß er Jung-Stilling zur Niederschrift

[1] Neueste biographische Skizze in: NDB 10 (1974) 665 ff.; wichtige neuere Monographie: Max Geiger, Aufklärung und Erweckung (1963); Literatur bei: Hans Rudi Vitt, Siegerländer Bibliographie (1972) 365—390. — Spezielle Arbeiten zur Lebensgeschichte Jung-Stillings sind im Literaturverzeichnis zu finden, hier sind auch die im folgenden abgekürzten Titel aufgelöst.

seiner Schicksale anregte. Doch indem er nun einzelne Abschnitte seiner Jugendgeschichte ausarbeitete, verfolgte Jung-Stilling von Anfang an die Absicht, seinen Lesern auch sein eigenes, das eigentliche Verständnis seines Lebensganges nahezubringen: seine Führung durch die göttliche Vorsehung. Für sich selbst erhob er die eigentümliche Folge der Ereignisse seines Lebens je länger, desto eifriger zu seinem besonderen Gottesbeweis. Obwohl er nicht vergaß, daß dieser Gottesbeweis letztlich nur für ihn selbst Gültigkeit haben konnte, suchte er damit jenem zu seiner Zeit sich verbreitenden rein innerweltlichen Verständnis des Geschehens in Natur und Geschichte entgegenzuwirken und verteidigend, werbend und überzeugend für den persönlichen christlichen Gottesglauben einzutreten — eine Absicht, die ihm unter seinen Lesern von jeher sowohl freundlichen Beifall als auch heftigen Widerspruch eingetragen hat. In jedem Fall hat seine Lebensgeschichte Widerhall gefunden bis auf den heutigen Tag.[2]

Fast ungeteilte Anerkennung galt und gilt ihren ersten drei Teilen, die vor zweihundert Jahren in rascher Folge erschienen (›Henrich Stillings Jugend‹ 1777; ›Jünglingsjahre‹, ›Wanderschaft‹ 1778). Der Reiz der Darstellung liegt hier in der gelungenen dichterischen Verklärung der Jugendschicksale. Abgesehen von dem spürbaren literarischen Ehrgeiz des Verfassers, der in der Anwendung der Stilmittel der Geniezeit und des Zeitalters der Empfindsamkeit zu erkennen ist, hat die pseudonyme Verschlüsselung wichtiger Orts- und Eigennamen dazu beigetragen, über jene Jahre einen romanhaften Schleier zu breiten. Dieser Zusammenklang von Dichtung und Wahrheit war es, der schon auf die Zeitgenossen anziehend wirkte und der auch heute den Leser in seinen Bann zu schla-

---

[2] Hierzu einzelnes schon bei Strieder 18 (1819) 261 f., 265, 268, 270; anderes auch bei Hans Kruse, Jung-Stilling im Urteil seiner Zeitgenossen, in: Siegerland 5 (1923) 30—37, sowie bei Paoli, S. 76—84, und Max Geiger, S. 45 f.

gen vermag. Im vierten und im fünften Teil seiner Lebensgeschichte hat Jung-Stilling hingegen, die Dichtung mehr und
mehr vernachlässigend und mit allen Einkleidungen auch
jenen reizvollen Schleier abwerfend, die Ereignisse seines weiteren Lebensweges nur noch chronikartig aneinandergereiht,
während er seinen Leitgedanken, die Führung durch die göttliche Vorsehung, um so nachdrücklicher und manchmal geradezu aufdringlich zur Geltung brachte. Dennoch verdienen auch
diese Teile die volle Aufmerksamkeit des Lesers. Der junge
Henrich Stilling des Sturm und Drang und der alternde Hofrat und Erbauungsschriftsteller Johann Heinrich Jung-Stilling
sind nun einmal eine und dieselbe Person; sie gehören untrenn-
bar zusammen. Wer sich von dem einen begeistern läßt, von
dem anderen aber abwendet, verschließt seine Augen vor der
unbequemen Wahrheit dieser in allen ihren Teilen „wahrhaften Geschichte" und versperrt sich die Einsicht in den besonderen Standpunkt, den der greise Jung-Stilling in bewuß-
ter Wendung gegen den Geist seiner Zeit einnahm und von
dem seine Wirkung im 19. Jahrhundert ausging. So zielt die
vorliegende Neuausgabe darauf hin, dem Leser sowohl jenen
Zusammenklang von Wahrheit und Dichtung in den ersten
als auch den Zusammenhang der Wahrheiten ohne Dichtung
in den letzten Teilen der Lebensgeschichte vor Augen zu führen, indem sie ihm den vollständigen Originaltext darbietet
und anhand der Dokumente und Anmerkungen einen Zugang
zum geschichtlichen Hintergrund dieses Lebens zu eröffnen
versucht. Die folgenden Bemerkungen dienen einem Überblick
über den Inhalt des Ganzen und heben auf die religiösen Leitgedanken der ›Lebensgeschichte‹ ab.

1

Die Entstehung der ›Lebensgeschichte‹ ist im allgemeinen bekannt und durch die Untersuchung von Gotthilf Stecher (1907) hinreichend geklärt.[3] Nachdem Jung-Stilling schon als Zwanzigjähriger mit der Erzählung seiner Schicksale — „Erzählen ist immer so seine Sache gewesen" (S. 197) — gar manchen Zuhörer in Erstaunen versetzt und zu Tränen gerührt hatte, trug er sie als Dreißigjähriger auch Goethe in Straßburg (1770/1771) „auf das anmuthigste" vor (S. 648). In Elberfeld schrieb er dann seine ›Jugend‹ nieder (1772) und sandte die jeweils fertigen Stücke seinen Straßburger Freunden zur gemeinsamen Lektüre zu. Aus der zurückbehaltenen Abschrift las er unterdessen auch den Brüdern Jacobi in Düsseldorf vor. Einzelne „romantische" Stücke fügte er noch hinzu, nachdem er schon von Anfang an bestrebt war, die Geschichte seiner Führung „in einem romantischen blumichten Kleide" (S. 655) darzubieten und das Lehrhaft-Nützliche mit dem Ästhetisch-Angenehmen, das religiöse mit dem dichterischen Moment und seine Glaubensüberzeugung mit der Poesie zu verbinden. Bei seinem Besuch in Elberfeld (Juli 1774) erbat sich Goethe das Manuskript der ›Jugend‹ und nahm es nach Frankfurt mit. Bevor er es aber, erst nach längerer Zeit und ohne Jung-Stillings Wissen, zum Druck gab, milderte er jene ursprüngliche, auf die Straßburger Freunde berechnete bekenntishafte Tendenz ab, indem er mehrere „religiöse Stücke" herausstrich. Vielleicht hat er bei diesem Eingriff auch Umstellungen vorgenommen. Daß er jedoch von sich aus etwas hinzugefügt hätte, ist ganz unwahrscheinlich.

---

[3] Stecher, S. 21—39. Für das Folgende vgl. bes. unten S. 653—658. Einzelne Korrekturen an Stecher ergeben sich unten aus S. 697—703, insbesondere wird Stecher, S. 31 widerlegt durch S. 697 und 698 f., desgleichen auch Stecher, S. 37, s. unten z. B. S. 41, 59, 139, 167 sowie ›Jung-Stillings Tagebuch von 1803‹.

Jung-Stilling hat alle „Verzierungen" ausdrücklich für sich beansprucht, und auch die Erzählung vom Tode des Großvaters Ebert Jung, mit dem die ›Jugend‹ sinnvoll und wirkungsvoll schließt, war sein eigenes Werk. Das Honorar des Verlegers, das er durch Goethe erhielt (Frühjahr 1777), rettete Jung-Stilling und seine Christine überraschend aus peinlicher Geldnot — eine Rettung, die sie damals als „eine sichtbare Darzwischenkunft der hohen Vorsehung" (S. 344) empfanden und priesen [4]. Nach dem Erscheinen der ›Jugend‹ (Herbst 1777) trat Jung-Stilling dann auch an die Abfassung der ›Jünglingsjahre‹ heran. Der Versuchung zu romanhaften Erweiterungen widerstand er, und jedes „Hinzudichten" lehnte er ab. Das Eigentümliche der Kunst erblickte er vielmehr darin, „Natur und Dichtung so zu verweben, daß keins absticht", während er schließlich, ohne sich damit zu widersprechen, beteuern konnte: „alles was Sie in meiner Geschichte lesen, ist Wahrheit ohne Erdichtung" (S. 698 f.). Die innere Einheit, die an den ersten drei Teilen der Lebensgeschichte erkennbar ist, wird von der äußeren Entstehungsgeschichte her nur bestätigt.

›Henrich Stillings Jugend‹ schildert in vier Abschnitten bemerkenswerte Ereignisse der Kindheit Jung-Stillings bis in sein 12. Lebensjahr. Die Erzählung setzt ein (1) mit der Brautwerbung des Vaters und der Heirat und dem Ehestand der Eltern (1739; S. 1—23), sie berichtet sodann (2) von der Geburt Jung-Stillings (1740) und von dem frühen Tod seiner Mutter (1742; S. 23—37), um sich danach (3) ausführlich der

---

[4] Dies Ereignis wird S. 344 ff. und S. 655 ins Jahr 1776 verlegt, gehört aber nach S. 699 sicher ins Jahr 1777. Einige andere Beispiele für spätere Fehldatierungen Jung-Stillings bei Max Geiger, S. 133, 136, 143; s. u. Anm. zu S. 235, 236, 316; auch zu S. 494 f. — Innerhalb der ›Jugend‹ mag für Unstimmigkeiten (vgl. Anm. zu S. 63; vgl. auch die Doppelung der Titel der Lektüre S. 46 und 64) die straffende Hand Goethes in Betracht kommen, im übrigen aber, neben der Möglichkeit reiner Gedächtnisfehler, auch die erklärte Absicht Jung-Stillings, „Tatsachen" so zu „ordnen, daß sie abstechen und frappant ins Auge und aufs Hertz fallen" (S. 698).

sonderbaren Erziehung des heranwachsenden Jungen zuzuwenden (S. 38—66), während (4) Todesahnung und Tod des Großvaters (1751) den ersten Teil abschließen (S. 66—79). Dieser Großvater, ein rechtschaffener, gottesfürchtiger Köhler, das verehrte Oberhaupt seiner Familie, ist die eigentliche Hauptgestalt der ›Jugend‹, obschon auch die zarte Mutter in ihrer „sanften Schwermut" ebenso wie der begabte Oheim „deutlich und lebendig" (S. 648) gezeichnet sind. Der milde Vater aber wird in seiner jahrelangen Trauer, von einem Vertreter des separatistischen Pietismus hierin bestärkt, zum einsiedlerischen, überstrengen Erzieher seines phantasievollen Kindes, das sich, ferngehalten von allen Gespielen, aus der Bibel und aus Lebensbeschreibungen, Historien und Sagen seine eigene, fromme, traumhafte Wirklichkeit schafft — eine Idealwelt, die mit dem dörflichen Alltag in einem seltsamen Einklang und Gegensatz steht.

2

Aus dieser Idealwelt nimmt der Heranwachsende die außerordentliche Empfindsamkeit, vor allem aber den Wissensdurst und Bildungshunger in seine Jünglingsjahre hinüber. Allein, die eigene Begabung und Neigung war mit den Anforderungen des Lebens an ihn nun nicht mehr in Einklang zu bringen. So schildern die ›Jünglingsjahre‹ (1778), der zweite Teil der Lebensgeschichte, nach (1) einem knappen, bis zur Schulentlassung (1755) überleitenden Abschnitt (S. 81—90), den siebenfachen Anlauf und das siebenfache berufliche Scheitern Jung-Stillings im Zeitraum von sieben Jahren (1755—1762): (2) Seinem kurzen Glück als vierzehnjährigem Dorfschullehrer in Lützel (Ostern bis Martini 1755; S. 90—102) machte die selbstherrliche Entscheidung des die Schulaufsicht führenden, ihm im übrigen wohlwollenden Pfarrers Seelbach ein Ende.

(3) Als Hauslehrer bei dem Kaufmann Jost Henrich Stahlschmidt in Himmelmert (Dezember 1755 bis Ostern 1756; S. 103—113) erntete Jung-Stilling nichts als Mißachtung. (4) Seine Anstellung als Lehrer in Kredenbach (Michaelis 1756 bis 1757; S. 114—118) wurde nicht verlängert. (5) In Dreis-Tiefenbach (Michaelis 1757—1759; S. 118—137) legte er sein Amt nach einer kleinen, verzeihlichen Torheit im Unterricht nieder, und (6) aus seiner Schulstelle in Klafeld (Ende 1759 bis Michaelis 1760; S. 141—152) verdrängte ihn der geistliche Inspektor wider alles Recht. Der Feldarbeit, die nach seiner Heimkehr jeweils auf ihn wartete, war er in keiner Weise gewachsen (S. 114, 162), während ihn (7) die Aushilfe als Schneidergeselle bei seinem Vater und bei fremden Meistern (1760/61; S. 161—173) nicht befriedigen konnte. (8) Als sich während einer letzten Übergangszeit als Hauslehrer in Hilchenbach (Januar bis Ostern 1762; S. 173—186) endlich auch die berechtigte Hoffnung auf die Übernahme der Leitung der Hilchenbacher Lateinschule zerschlug, entschloß sich der Einundzwanzigjährige, seine Heimat zu verlassen.

Die quälende Frage nach dem Lebensberuf ist es, die sich durch die ›Jünglingsjahre‹ hindurchzieht. Sie erhält hier — was die innere und äußere Spannung erhöht — nur negative Antworten: Der im Verkleidungsspiel sich äußernde Wunsch des Lateinschülers, dereinst einmal Pastor zu werden (S. 86 f.), ist unerfüllbar. Andererseits ist es seine feste Überzeugung, nicht zum Schneiderhandwerk seines Vaters geboren zu sein (S. 103, 138), während das mehrfache Mißlingen seiner Lehrtätigkeit gegen den Beruf des Schulmeisters spricht (S. 161, 182). Der Vater verzweifelt an seinem Sohn (S. 138), und es kommt zwischen beiden sogar zu einem gewaltsamen Auftritt (S. 164). Zwar deuten vereinzelte Stimmen ahnend-weissagend auf eine bessere Zukunft hin (S. 140 f., 165 f.), aber erst das einem Beichtgespräch ähnelnde Zwiegespräch mit seinem Vetter Goebel in Hadamar und der Ratschlag dieses Vetters lenken

Jung-Stilling schließlich in die richtige Richtung: zur Preisgabe des stolzen Eigenwillens und zur Übergabe seiner selbst an die im Leiden läuternde göttliche Führung und Vorsehung (S. 153 ff., 159 ff.).

3

Nach dem Verlassen der Heimat findet Jung-Stilling auf (1) seiner Reise über Elberfeld und Gemarke (S. 187—194) (2) in Solingen bei dem Schneidermeister Stöcker Arbeit und Brot (April bis Juli 1762; S. 194—200). Gegen die Stimme seines seit seiner „Übergabe" (S. 198 f.) geschärften Gewissens gibt er diese Stellung jedoch (3) zugunsten einer Hauslehrerstelle bei dem Fabrikanten Peter Hartcop auf der Bever bei Hückeswagen wieder auf. Die Zeit auf der Bever (August 1762 bis März 1763; S. 200—210) sollte für ihn zu einer ihn demütigenden Leidenszeit werden, die er auch noch im Alter als einen Tiefpunkt seines Lebensweges ansah. Nach seiner Flucht von dort und (4) nach einem letzten, glücklichen Vierteljahr als Schneidergeselle bei Meister Johann Jakob Becker in Radevormwald (April bis Juli 1763; S. 211—223), trat er (5) für sieben Jahre in die Dienste des Kaufmanns Peter Johannes Flender an der Kräwinklerbrücke bei Radevormwald (August 1763 bis August 1770). Zu der großen Bedeutung, die diese sieben „schönen" Jahre (S. 256) im Hause Flender für das weitere Leben Jung-Stillings gewannen, steht deren knappe Darstellung in der ›Wanderschaft‹ (S. 223—256) in auffälligem Gegensatz — ein Umstand, der wohl als eine Folge der Entfremdung zu erklären ist, die zwischen Jung-Stilling und seinem „lieben Patron" Flender eintrat (S. 256, 686), als er mit der Familie Heyder Freundschaft schloß und sich mit Christine Heyder verlobte (S. 245—255). Demgegenüber ist (6) die eineinhalbjährige Studienzeit in Straßburg (September 1770 bis März 1772) — einschließlich der abenteuerlichen Rheinreise und Verheiratung in Ronsdorf (S. 272 bis 285) — verhältnismäßig ausführlich erzählt (S. 257—288). Die Variationen zum Hauptthema „göttliche Führung und Vorsehung" treten in der ›Wanderschaft‹ immer klarer hervor. So dankt es Jung-Stilling der Leitung der Vorsehung, wenn er in der Fremde bereits am dritten Tage nach dem Abschied aus der Heimat sein Auskommen findet (S. 195). Auch die rasche und freundliche Aufnahme bei Meister Becker in Radevormwald führt er als Beispiel der vorsorgenden Vatergüte Gottes an (S. 210). In der Straßburger Zeit mehren und steigern sich die Fälle einer nahezu vernunftwidrigen göttlichen Durchhilfe (S. 261, 265, 268, 269 f.). Doch wichtiger als diese Beispiele erscheint in der ›Wanderschaft‹ das eine und besondere religiöse Erlebnis, das Jung-Stilling an einem Julisonntag 1762 in Solingen zuteil wurde (S. 198 f.) und das er hier (1778) als Umkehr oder Veränderung, später aber (1801; S. 685) als „bleibende Rührung und Erweckung" und als „unaussprechlich innigen, tief in mein Herz dringenden und mein ganzes Wesen erfüllenden Zug zur Einkehr" (1804; S. 608) kennzeichnete. Es war dies keine Bekehrung von der Gottesleugnung zur Religion, oder von der baren Weltlichkeit zu einem geistlichen Leben, oder aber vom Zweifel am Heil zur Gewißheit des Heils.[5] Vielmehr läßt es sich als die ins Erlebnis verdichtete Wiederholung und unmittelbar überzeugende Erfahrung der Wahrheit eben jener Erkenntnis und jenes Ratschlags von Vetter Goebel (S. 160) verstehen: Jung-Stilling fühlt sich in diesem Erlebnis von der Liebe zu Gott, zu Christus und zu allen Menschen dermaßen stark durchdrungen, daß er auf der Stelle sein Leben hätte hingeben können. Dies treibt ihn zu einer dieser Gottes- und Menschenliebe entsprechenden Wachsamkeit in Gedanken, Worten und Wer-

[5] Die Darstellung bei Hans R. G. Günther (²1948) enthält hierzu (insbesondere S. 26—33) eine Anzahl von Fehlern; einige Fehlurteile auch bei Bernd Neumann, Identität und Rollenzwang (1970) 120—127.

ken. Und endlich — als „Bundesschluß" gefaßt, wie es dem Glied der reformierten Konfession nahelag — mündet es in den festen, unwiderruflichen Vorsatz ein, sich der Führung Gottes zu überlassen und sich um seinetwillen lebenslang auch mit dem Dasein eines Handwerkers zufriedenzugeben (S. 198). Zwar bricht Jung-Stilling diesen Bund (S. 200), als er kurz darauf bei Hartcop Hauslehrer wird. Der Bund muß daher später erneuert werden (S. 214). Doch der Übergabe an die göttliche Führung und Vorsehung von nun an getreu (S. 236), erhält er in seinem 27. Lebensjahr endlich (1767) auch eine Antwort auf das jahrelange Fragen nach seinem Lebensberuf: Sein Gönner Flender macht ihm den überraschenden Vorschlag, Medizin zu studieren (S. 238).[6] Augenblicklich nimmt Jung-Stilling diesen Vorschlag für die Offenbarung des göttlichen Willens selbst. Er begreift ihn als die Enthüllung des Ziels seiner Führung und als die Wende seines Lebens: „Nun wußte er seine Bestimmung" (S. 239). Das Vermächtnis der Rezepte des in der Augenheilkunde erfahrenen katholischen Priesters Johann Baptist Molitor bestätigt ihm diese Offenbarung augenscheinlich (S. 240). Mittellos, wie er war, klammert sich Jung-Stilling von nun an erst recht an seinen alten biblischen Wahlspruch: „Der Herr wird's versehen" (1 Mose 22, 8; S. 240). Ja, er erklärt jetzt sogar: „Ich bin ein Kind der Vorsehung . . . Stilling sagte dies mit Nachdruck und Herzensbewegung, wie er immer thut, wenn er auf diese Materie kommt . . ." (S. 279).

Um diese seine Überzeugung gegenüber eigenen und fremden Zweifeln zu erhärten, greift Jung-Stilling zu einem Schlußverfahren, das letztlich auf das individuelle, persönliche Verhältnis zwischen Gott dem Führer und seinem Geschöpf, dem von ihm geführten Menschen, aufgebaut war. Christine Heyder kleidet diesen Schluß einmal in den ein-

---

[6] Von Jung-Stilling irrig auf 1768 datiert (S. 326); Max Geiger S. 133.

fachen Satz: „Gott hat gewiß diese Sache angefangen. Er wird sie auch gewiß vollenden" (S. 251). Dieser Schluß von Gott dem Führer auf die göttliche, gute Führung des Menschen konnte auch ausgedehnt und sogar umgekehrt, von der Erfahrung der göttlichen, guten Führung ausgehend, auf die Göttlichkeit des Führers gerichtet werden (S. 268). Abgesehen von diesem meist in die Zukunft blickenden Schlußverfahren läßt Jung-Stilling aber auch rückschauend seine Vergangenheit vor sich vorüberziehen (S. 239 f.): Die „ausgesonderte" Erziehung und der frühe Erwerb der Lateinkenntnis in der Jugend, die Neigung zur Mathematik und Naturkunde und die leidvollen Lebenserfahrungen der Jünglingsjahre ebenso wie schließlich die Lust zum Studium der Philosophie, der Logik und der Metaphysik und das Erlernen der griechischen Sprache in den Jahren der Wanderschaft — dies alles konnte er nicht für zufällig halten, sondern nur als sinnvolle, folgerichtige Fügung und Führung verstehen. Beides, jener Schluß ebenso wie diese Reflexion, bestätigt ihm dasselbe: Gott führte ihn, Gott hatte ihn zum Arzt bestimmt. Im Beruf des Arztes sollte und wollte er Gottes- und Menschenliebe üben und, „seinem Trieb gemäß, Gott zu Ehren und dem Nächsten zum Nutzen leben und sterben" (S. 286).

Auch wer unter den zeitgenössischen Lesern diesem Beweis der *providentia Dei specialissima* nicht ohne weiteres folgen mochte, öffnete sich doch noch immer den Hinweisen der Lebensgeschichte auf die *providentia Dei generalis*. Denn in einer anderen Hinsicht war das Schlußverfahren zu Jung-Stillings Zeit noch Allgemeingut des Denkens und Empfindens: im Rückschluß von der als Schöpfung verstandenen Natur auf ihren allmächtigen Schöpfer. „O welch ein wunderbarer Gott —", pflegte der alte Großvater Ebert Jung oftmals zu sagen. Der Dank für die Güte und Liebe Gottes war ein wesentliches Stück seines Lebens und Denkens. Bei seinem Enkel war es nicht anders: Der Anblick der schlichten Schön-

heit der heimatlichen Landschaft entzückte ihn immer wieder
aufs neue: „. . . sein ganzer Geist war Gebet, inniger Friede
und Liebe gegen den Allmächtigen, der alles gemacht hatte"
(S. 92) — „Alles, was er in der Natur sahe, jede Gegend
idealisirte er zum Paradies, alles war ihm schön, und die ganze
Welt beynah ein Himmel" (S. 125). Dieser, die Rätsel, Mühsal
und Zwietracht des Lebens in sich auflösenden Harmonie
zwischen Gott, Natur und Mensch lauschte man damals gern;
man glaubte, liebte und empfand sie unmittelbar. Himmel,
Erde und Menschen waren hier wie in einem Dreieinklang
miteinander verbunden. Gewiß, auch in Jung-Stillings Lebensgeschichte wird die Vergänglichkeit des irdischen Daseins und
manche Ungerechtigkeit der Menschen mit vielen Tränen beklagt und beweint. Aber vor allem in der ›Jugend‹ liegt ein
versöhnlicher Glanz über dem Ganzen. Gott ist allzumal der
„Vater der Menschen", wahrhaft Mensch aber ist der, „der
mit Gott seinem Vater bekannt ist und all seine Gaben in ihrer
Größe schmeckt" (S. 59). Die frohen, freudigen Klänge der
frommen Aufklärung sind hier zu vernehmen.

Das Verhältnis zwischen Mensch und Gott hat in den ersten
Teilen der ›Lebensgeschichte‹ etwas vom Selbstverständlichen
an sich. Beide sind einander zugewandt. Von einer Kluft, die
überbrückt, von der Sünde, die erst gesühnt werden müßte, ist
nicht die Rede. Bisweilen scheint es, als sei hier die Gottesnähe
aus den Zeiten der Erzväter des Alten Bundes wiedergekehrt.
So ist Gott vor allem der sorgende Erhalter der Menschen und
eher der Garant des Rechten und Guten als der fordernde
Herr und strafende Richter. Auf das Glück und die Glückseligkeit seiner Kinder ist er bedacht. Darum darf der Mensch
schon aufgrund seiner Geschöpflichkeit auf ein gutes Schicksal
hoffen, ja wohl gar damit rechnen. Jenes Schlußverfahren
wurde hier noch einmal auf besondere Weise verwendet: Zusammen mit dem Wesen des Menschen hat Gott auch seinen
Trieb und das Wünschen, Wollen und Streben des Herzens

erschaffen. Wenn sein Wollen, sofern es nur lauter ist, beständig in eine und dieselbe Richtung zielt, darf der Mensch auf dessen Stillung und Erfüllung schließen, denn sie entspricht der Zielsetzung des Schöpfers und der Zielgerichtetheit seiner guten Schöpfung.[7] Auf diese Weise durfte die Mutter Jung-Stillings, den frühen Tod vorausahnend, ihrer künftigen Seligkeit gewiß sein (S. 31), und so hoffte auch Jung-Stilling auf die Erfüllung seines geistigen Strebens. Entsetzlich, ja unmöglich erschien ihm der Gedanke, Gott könnte ihm die Befriedigung eben der Neigung versagen, die er doch selbst in seine Seele gelegt hatte (S. 138). An dieser Stelle mündet das Vertrauen auf die göttliche *providentia Dei generalis* und auf die Sinnhaftigkeit der Schöpfung wieder in die individuelle Überzeugung von der *providentia Dei specialissima* ein, mochte sie sich nun im besonderen, wie bei dem wackeren Großvater Jung-Stillings, auf ein gutes Gewissen stützen (S. 61 f.), oder aber, wie bei seinem Vater, auf den „vertraulichen Umgang" mit Gott im Gebet (S. 53). Für Jung-Stilling selbst konnte sich das Gottesverhältnis freilich nicht so einfach gestalten. Der Weg der von Gott erschaffenen Neigung des Herzens zu ihrer von Gott gewollten Erfüllung sollte bei ihm nicht auf einer geraden Linie verlaufen. Vielmehr mußte er in jenem wichtigen Zwiegespräch mit seinem Vetter Goebel erkennen und bekennen, daß sein Trieb nicht selbstlos war und sich nicht allein auf Gottes- und Menschenliebe ausrichtete. Um aber die notwendige Reinheit des Wollens, die Selbstüberwindung und die Preisgabe des Eigenwillens zu erreichen,

---

[7] Man vergleiche einen solchen (hier auch auf die Erlösungstat Christi gestützten) Schluß in Gellerts Lied ›Wie groß ist des Allmächtigen Güte‹ (Vers 3, ursprünglicher Text):

> Schau o mein Geist in jenes Leben
> zu welchem du erschaffen bist,
> da du, von Herrlichkeit umgeben,
> Gott ewig sehn wirst, wie er ist . . .

führte ihn Gottes Führung durch läuterndes Leiden hindurch. Diese letzte, vertiefte Einsicht begleitete Jung-Stilling in die weiteren Abschnitte seines Lebens hinein.

4

Als Jung-Stilling seine ›Wanderschaft‹ fertigstellte (1778), befand er sich auf der Mitte seines Lebens. Damals stand jedoch überraschend eine neue, zweite Wende seines Lebensganges vor ihm: Der Arztberuf, den er bis dahin für das Ziel seines Weges gehalten hatte, wurde durch eine neue „Bestimmung" ersetzt. Jung-Stilling wurde aus Elberfeld zum Professor an die Kameralhochschule nach Kaiserslautern berufen. Elf Jahre später (1789) veröffentlichte er den vierten Teil seiner Lebensgeschichte, der unter dem Titel ›Häusliches Leben‹ (1789) in zwei Hälften (I) von seiner ärztlichen Praxis in Elberfeld (1772—1778; S. 289—368) und (II) von seiner Tätigkeit als akademischer Lehrer in Kaiserslautern (1778 bis 1784), in Heidelberg (1784—1787) und in Marburg (Ostern bis Sommer 1787) erzählt (S. 368—437).[8]

(I) Die Arbeit als Arzt, zu der sich Jung-Stilling ursprünglich bestimmt sah und von der er sich eine segensreiche Wirksamkeit im Dienst der Gottes- und Menschenliebe versprochen hatte, sollte für ihn zur fortgesetzten Feuerprobe, ja zu einem wahren Schmelzofen werden. Dieses düstere Urteil über die Elberfelder Jahre besteht zu Recht, obgleich er dort auch Gutes erlebt und mannigfache innere Fortschritte erzielt hat. Zunächst (1) wurden ihm (1772; S. 289—308) einige Erfolge zuteil, so z. B. die aufsehenerregende Behandlung seines ersten

---

[8] Zusammen mit dem Brief an Lavater (29. 4. 1780; S. 659—666) ist das Vorwort zum ›Lehrbuch der Staats-Polizey-Wissenschaft‹ (12. 1. 1788; S. 666—683) als eine summierende Vorwegnahme des ›Häuslichen Lebens‹ (1789) anzusehen.

Patienten, die Lehrtätigkeit vor jungen, nichtstudierten Wundärzten und die Bekanntschaft mit den Brüdern Jacobi. Aber bald verdroß ihn die medizinische Praxis zutiefst, weil sie nach seiner Meinung keinen festen wissenschaftlichen Grund besaß, sondern der Charlatanerie Spielraum gab. (2) Die folgende Zeit (1773; S. 308—316) brachte ihm neben der ersten, glücklichen Staroperation auch eine kränkende Zurücksetzung durch die ärztliche Aufsichtsbehörde. Während (3) der Besuch von Goethe und Lavater seinen Kummer wenigstens vorübergehend zurücktreten ließ (1774; S. 316—326), stürzte ihn (4) im nächsten Jahr (1775) die mißglückte Behandlung des starblinden Frankfurter Patriziers von Lersner[9] und der Rückgang seiner Praxis in Elberfeld (S. 326—342) in andauernde, bittere Schwermut, aus der ihn (5) auch gelegentliche auswärtige Anerkennung (1776; S. 342—348) nicht mehr zu befreien vermochte. Verachtet und allenthalben von Schulden bedrängt, fühlte er sich (6) im Jahre 1777 wie ein Wanderer über dem Abgrund (S. 348—353). (7) Die tiefste Demütigung ereilte ihn aber zuletzt (1778): Aus seinem Elend hob ihn zunächst die plötzliche, unerwartete Aussicht auf seine Berufung auf die höchste Höhe empor. Doch diese Aussicht zerschlug sich wieder. Seine Erniedrigung war nun vollkommen. Wünschen und Wollen gab er dahin. Schließlich aber wurde die Berufung doch noch verwirklicht, und die sechseinhalbjährige „feurige Prüfung" erreichte nunmehr ihr Ende (S. 353 bis 369).

(II) Von hier führt die zweite Hälfte des ›Häuslichen Lebens‹, im ganzen weit weniger dramatisch, die Schilderung der Ereignisse bis nahe an die Gegenwart Jung-Stillings als Professor in Marburg (seit 1787) heran. (1) Nach der Übersiedelung (S. 369 f.) und einem aufmerksamen Empfang in

[9] Vgl. hierzu die Darstellung Goethes in Dichtung und Wahrheit, IV. Teil, 16. Buch (Ende).

Kaiserslautern (S. 370 ff.) verschaffte ihm die neue Lehrtätigkeit große Befriedigung (1778—1781; S. 372—387). Hätten ihn nicht die alten und zusätzliche neue Schulden gedrückt, so wäre er, allen Machenschaften seiner ihm auch jetzt nicht fehlenden Gegner zum Trotz, in Kaiserslautern glücklich gewesen. Allein, neues Leiden war ihm bestimmt: (2) die Krankheit und der Tod seiner Frau Christine (1781; S. 387—398). (3) Breiten Raum widmet Jung-Stilling der Erzählung von dem Weg zu seiner zweiten Ehe mit Selma von St. George, mit der für ihn „eine neue Periode seines häuslichen Lebens" begann (1782; S. 398—425). Um so merkwürdiger erscheint es demgegenüber, daß er (4) die zweieinhalbjährige Lehrtätigkeit an der Universität Heidelberg (1784—1787), mit der die Kameralhochschule vereinigt worden war, bis auf einen kurzen Höhepunkt, seine Rede beim 400jährigen Jubiläum der Universität (1786), nur eben streift (S. 427 ff.),[10] während er — für den Leser überraschend — (5) nunmehr den Übergang nach Marburg als das Endziel bezeichnete, auf das seine vierzigjährige Führung ausgerichtet gewesen sei (S. 429). Jedenfalls sah sich Jung-Stilling jetzt am „herrlichen Ausgang seiner schweren Schicksale" angelangt. Es war ihm, als hätte er die Heimat erreicht (S. 431).

Die knappe Geschlossenheit der früheren Darstellung geht im ›Häuslichen Leben‹ verloren. An die Stelle der einlinigen Erzählung tritt der breitere, da und dort verweilende, memoirenhafte Erlebnisbericht, der Unterschiedliches bündelt, ohne es immer zu sichten. Daß Jung-Stilling den Blick des Lesers zusehends auf sich selbst lenkt und daß er den Leitgedanken seiner gottgewollten Führung immer stärker in den Vordergrund rückt, steht dazu nicht im Widerspruch. Denn diese Führung verwickelt sich jetzt in doppelter Hinsicht: Einmal nimmt sie, gegen alles, was man am Ende der ›Wander-

---

[10] Über die Motive, die das erklären können: S. 426 f. und 680 f.

schaft‹ erfahren hatte und für die Zukunft erwartete, einen neuen Anlauf: sie führt Jung-Stilling seinem zweiten Beruf zu: er wird Professor. Zum andern löst sie mit dem Tod seiner Frau Christine seinen ersten Ehestand auf und leitet ihn auf einen neuen, zweiten Ehebund hin: er heiratet Selma von St. George. Doch auch diesmal hält die Vorsehung Umwege, Hindernisse und schmerzhafte Leiden für ihn bereit, zumal dann, wenn er ihr „vorlaufen" und sein Schicksal in die eigene Hand nehmen will.

Trotz seines recht bald entstehenden tiefen Widerwillens gegen die medizinische Praxis hält Jung-Stilling zunächst daran fest, daß er von Gott zum Arzt bestimmt sei und bei diesem Beruf bleiben müsse (S. 303, 317). Doch angesichts der beruflichen Rückschläge, die ihn treffen, beginnt er hieran zu zweifeln (S. 336): Er kann sie mit dieser göttlichen Bestimmung nicht länger zusammenreimen. Nur zu gern ergreift er daher die herrliche Aussicht auf die Professur als seine neue, wohl gar seine eigentliche Bestimmung, und rasch bestätigt ihm das ein zweiter, gleichsam ergänzter und revidierter Rückblick auf seinen Lebensweg (S. 354 ff.): Seine natürlichen Fähigkeiten zum Reden und Belehren, seine Kenntnis der Land- und Forstwirtschaft und des Berg- und Hüttenwesens, die bei Flender erworbene kaufmännische Erfahrung und das — ursprünglich sein Medizinstudium vorbereitende — Studium der Physik, Chemie und Naturkunde, seine Beschäftigung mit der Mathematik, die medizinische Praxis selbst und seine in Elberfeld gewonnenen Einblicke in die Industrie, sowie schließlich sein lebhaftes Interesse an Geschichte und Politik — war das nicht eine einzige Vorbereitung auf die ihm angebotene Professur? „... jetzt schmolz diese Masse von Unregelmäßigkeit in den Strom seiner künftigen Bestimmung hinein" (S. 356). Als sich aber Jung-Stilling diese seine neue Bestimmung zu eigen macht, wird sie ihm von der Vorsehung noch einmal entzogen. Seine Hoffnung wird zuschanden. Erst

nach der vollen Demütigung unter Gottes Hand und nach der
Preisgabe seines Eigenwillens wird ihm die Erfüllung ge-
schenkt (S. 358). Nicht anders verfährt die Vorsehung im Blick
auf Jung-Stillings Ehe und Hausstand. Wie seinen ärztlichen
Beruf, so hielt er auch seine Verlobung und Ehe mit Christine
Heyder für das Werk der Vorsehung (S. 397). Aber auch diese
Ehe wird nun durch eine neue, zweite Ehe ersetzt. Selma von
St. George kleidet ihr Jawort in den Satz: „Was die Vorsehung will, das will ich auch." — „Gott hat mich dazu bestimmt, daß ich Ihre Last mit Ihnen tragen soll" (S. 404, 411).
Doch als Jung-Stilling sein Glück in Besitz nehmen will, folgt
auch hier der Entzug augenblicklich: Am Hochzeitstag sieht
er Selma bei einem Fährunglück auf dem Rhein bereits im
Rachen des Todes schweben. So mußte wiederum der vollen
Erfüllung erst der Verzicht auf das eigene Wollen vorange-
gangen sein, so wollte es die „Methode der Vorsehung" (S. 358,
425).

5

Im Jahre 1789 war Jung-Stilling fest davon überzeugt, den
letzten Abschnitt seines Weges erreicht zu haben (S. 441). Aber
er täuschte sich. Sowohl in der Ehe als auch im Beruf sollte er
noch einer weiteren, dritten und letzten Bestimmung zuge-
führt werden. Die große berufliche Wende vollzog sich 1803,
in seinem 63. Lebensjahr. Sie lag erst kurze Zeit hinter ihm,
als er ›Heinrich Stillings Lehr-Jahre‹ verfaßte (1804) und den
fünften Teil seiner Lebensgeschichte, von dem erreichten End-
punkt her blickend und auf ihn hin darstellend, bis zur Gegenwart (1787—1803) fortführte. (1) Nach den ersten drei Jahren
in Marburg, in denen er wachsende Anerkennung fand und
nach der Lektüre Kants die Befreiung von der Gefährdung
seines Glaubens durch den Determinismus erlebte (1787 bis
1789; S. 441—458), führte (2) der Tod seiner zweiten Frau

Selma und die dritte Ehe, die er mit Elise Coing einging (1790; S. 458—469), zu dieser Wende zunächst im Bereich von Haus und Familie. (3) Dann trugen sowohl das Zusammenrücken der Familien Jung und Coing (1791; S. 478) als auch die politischen Ereignisse, vor allem der rechtsrheinische Feldzug der französischen Revolutionsarmee, den Jung-Stilling als Prorektor der Universität Marburg fürchtete und den er als die Einleitung des endzeitlichen Kampfes zwischen Licht und Finsternis beurteilte (S. 469—487), auf verschiedene Weise zu der wichtigen Veränderung seines religiösen Standpunktes bei, der sich ihm (4) über der Abfassung seiner beiden neuartigen Schriften, der ›Scenen aus dem Geisterreich‹ (1793) und des ›Heimwehs‹ (1793/94), verfestigte und ihm die neue Wende nun auch im Blick auf seinen Beruf ankündigte. Jetzt begann er daran zu zweifeln, daß der Beruf des Professors seine eigentliche göttliche Bestimmung sei, und immer stärker empfand er seither den Trieb, „dem Herrn und seinem Reich ganz allein und aus allen Kräften zu dienen" (S. 493), ohne daß er schon eine Möglichkeit zu erblicken vermochte, ob und wie er diesem seinem „religiösen Grundtrieb" Folge leisten könne. (5) Die nächsten, die Verwirklichung vorbereitenden Jahre (1795—1800; S. 499—530) waren von mehreren Reisen und von der erneuten Vergrößerung seines Leserkreises und seines Briefwechsels, insbesondere aber von der Abfassung einer weiteren wichtigen Schrift, seiner ›Siegsgeschichte der christlichen Religion‹ (1798), bestimmt (S. 513—517). Im neuen Jahrhundert vollzog sich dann die berufliche Wende in drei Phasen: (6) im Jahre 1801 (S. 532—564) gab der Tod Lavaters (2. 1. 1801), mit dem Jung-Stilling bis zuletzt korrespondiert hatte und den er als „Blutzeugen der christlichen Wahrheit" bezeichnete, „gleichsam das Signal" zu seiner endgültigen Bestimmung (S. 532), während die erfolgreiche erste Schweizerreise die Tilgung jener alten, drückenden Schulden ermöglichte und damit die Lösung aus dem akademischen Lehramt erleichterte — ein weiteres wichtiges Zeugnis der *providentia specialissima* (S. 548). (7) Im Jahre 1802 (S. 564—583) aber, am Beginn der zweiten Schweizerreise, eröffnete ihm Kurfürst Karl Friedrich von Baden die greifbare Aussicht auf den Übergang aus seiner Marburger Professur in die freie Tätigkeit eines religiösen Schriftstellers. „Die Vorsehung gieng ihren hohen Gang fort" (S. 582). (8) Im Jahre 1803 (S. 583 bis 598), das zunächst mit dem gerade auf ihn gemünzten Kasseler Zensurreskript einen zusätzlichen Anstoß lieferte, traf dann die Berufung nach Baden ein, und mit dem Umzug von Marburg nach Heidelberg war für Jung-Stilling endlich die ersehnte Freistellung und das hohe Ziel erreicht, „als ein Zeuge der Wahrheit für Jesum Christum, seine Religion und sein Reich zu wirken ..." (S. 596).

Gegenüber den früheren Teilen ist in den ›Lehrjahren‹ das subjektive Moment beherrschend. Natur und Landschaft werden, sofern noch berücksichtigt, zum Gegenstand nüchterner Reisebeschreibung. Von den Menschen, vom Menschlichen und vom Menschentum ist nicht mehr die Rede, um so mehr dagegen von dem Individuum Johann Heinrich Jung-Stilling und von seiner besonderen Führung; seine Umgebung zählt fast nur noch insoweit, als sie zu ihm im Verhältnis steht. Nicht mehr als der gütige „Vater der Menschen" kommt Gott in Betracht, sondern einzig als der himmlische Führer Jung-Stillings. Jene schöne Harmonie zwischen Gott, Welt und Mensch ist endgültig dahin, eine spürbare Verarmung ist da. Denn den historischen Merkwürdigkeiten, von denen er berichtet, nimmt Jung-Stilling meist ihren Eigenwert, um sie auf seinen Gesichtspunkt, den Zielpunkt seiner persönlichen Entwicklung und auf die dritte und letzte Wende seines Lebens zu beziehen und ihr unterzuordnen. Auch jenes Moment des Entzugs der Verheißung kurz vor der Erfüllung, mit dem die göttliche Vorsehung die Preisgabe des Eigenwillens erzwang und das der zweiten

Wende seines Lebens die dramatische Note gab, fehlt in den
„Lehrjahren" ganz.

Es wäre verkehrt, diese letzte Wende zu unterschätzen und
die dürre Darstellung einfach auf ein Erlahmen schöpferischer
Kräfte zurückzuführen. Sie hat vielmehr tiefere, bis in die
Jahre 1790—1794 zurückreichende, innere Motive.[11] Sie ist
letztlich die Folge von Jung-Stillings Bruch mit der frommen
Aufklärung,[12] der er bis dahin näher gestanden hatte, als es
ihm bewußt war. In dem ›Rückblick auf Stillings bisherige
Lebensgeschichte‹,[13] den er den ›Lehrjahren‹ anfügte, bringt
Jung-Stilling diesen Bruch voll zum Ausdruck (S. 599—625).
Er begnügt sich hier nicht mehr mit dem dankbaren Hinweis
auf seine Führung, sondern schwingt sich jetzt zu einem
förmlichen Beweis dafür auf, daß Gott sein ganzes Leben von
Anfang an auf diese seine letzte Bestimmung, die Bestimmung
zum religiösen Schriftsteller, hingeführt habe. Sein Urteil über
die einzelnen Stadien seines Lebensweges revidiert er nun
noch einmal. Anstatt ihren Sinn im einzelnen und in ihrem
Verhältnis zueinander zu beleuchten, liegt ihm alles daran,
daß die entscheidenden Ereignisse samt und sonders ohne oder
gar gegen seinen Willen geschehen seien; in positiver Hinsicht
hatte er zu dem herrlichen Ende von 1803 nichts beigetragen.
An die Stelle der Devise der frommen Aufklärung, „Gottes-
und Menschenliebe" zu üben, ist die Losung der Erweckung
getreten. In seiner dritten und letzten Rückschau stellt Jung-
Stilling jetzt fest (S. 605—617), Gott habe von früher Kind-

[11] Hierfür ist aufschlußreich S. 452, 455 f., 469 f., 478, 480—483,
488—494, dazu vor allem aber auch S. 689.

[12] Es ist daher gerade nicht zutreffend, wenn man über das letzte Drit-
tel von Jung-Stillings Leben geurteilt hat: „Ein subtiler Säkularisations-
prozeß beginnt." Dieter Cunz in seiner Ausgabe von Jung-Stillings Lebensgeschichte, S. 422.

[13] Eine Vorwegnahme dieses „Rückblicks" vom Jahresende 1803 ist in
Jung-Stillings Brief an Wilhelm Berger u. a. (7. 1. 1801) zu erkennen
(S. 683—690).

heit an „weit ausgebreitete, ins Große und Ganze gehende
Wirksamkeit für Jesum Christum, seine Religion und sein Reich"
als „Grundtrieb" in ihn eingepflanzt. Der frühe Tod der Mutter, die strenge, fromme Erziehung durch den Vater, das Verlassen der Heimat, das besondere religiöse Erlebnis in Solingen,
der Entschluß zum Studium der Medizin, das Vermächtnis
Molitors, die Verlobung und Eheschließung, der Erfolg der ersten drei Teile der ›Lebensgeschichte‹, die Berufung nach Kaiserslautern, die Abfassung des ›Heimwehs‹, die Schuldentilgung
von 1801 und die Berufung nach Baden — diese Vorgänge
wählte er nun aus, um sie zu einer neuen Beweiskette zusam-
menzuschmieden. Die Lebensabschnitte als ganze, die siebenjährige Mühsal als Schneider und Lehrer, die siebenjährige
Ausbildung bei Flender, das Studium und die nahezu siebenjährige Wirksamkeit als Arzt, ja sogar die fast fünfundzwan-
zigjährige Lehrtätigkeit als Professor einschließlich des zweiten und dritten Ehestandes ließ er entweder außer Betracht
oder nur als planlose oder planwidrige Umwege oder aber als
Maßnahmen der Vorsehung zur Läuterung seines „Grundtriebes" gelten. Es war eine weitgehende Umdeutung, die der
alte Mann vornahm, um seine Lebensgeschichte nun weniger
zum Gottesbeweis, als vielmehr zum Beweis seiner eigenen
Sendung zu erheben. Denn die Überraschung liegt in der
Schlußfolgerung, die er von seinem Leben auf seine Lehre und
von der „Wahrheit" seiner Lebensgeschichte auf die „Wahrheit" des Kerns seiner religiösen Schriften zog. Er schloß
(S. 617 f.): So wahr ihn Gott ohne sein Zutun geführt und zum
„Zeugen der Wahrheit" herangebildet hatte, so wahrhaftig
war auch sein religiöses Zeugnis; es beruhte nicht auf der Bemühung der Vernunft, sondern auf Aufschlüssen im Gemüt
auf dem Grund der Heiligen Schrift. Dieses sein Zeugnis, das
auf dem Grundsatz vom Fall und von der Erlösung der
Menschheit beruhte, faßte er schließlich in einem eigenen acht-
gliedrigen Glaubensbekenntnis zusammen (S. 618—621), das

er der Theologie der Aufklärung und ihrem „Christo-Belial-
schen System" (S. 480 f.) entgegenhielt. Kompromisse mit
ihrer „ungeheuern Gotteslästerung" (S. 624) kann und darf
es nicht geben! Angesichts der Endzeit und des nahenden End-
gerichts gilt es, einzig und allein an dem „wahren altevangelischen System" treulich festzuhalten.

Dreizehn Jahre später griff der Sechsundsiebzigjährige ein
letztes Mal zur Feder (1816). Das Fragment, nach seinem
Tode (2. 4. 1817) von seinem Enkel Wilhelm Schwarz veröffentlicht (S. 629—646), enthält noch die Schilderung einiger
Ereignisse aus der Zeit zwischen September 1803 und August
1804, insbesondere den tagebuchartigen Bericht von der zweiten Reise nach Herrnhut, aber mitten im Satz bricht es dann
ab. Es verrät, daß Jung-Stilling selbst nach der großen Wende
von 1803 vorübergehend mit dem Zweifel rang, ob er vielleicht der Vorsehung „vorausgelaufen" war. Doch wichtiger
als dies erscheint die Einsicht, die, mit einem Bekenntnis verknüpft, aus der Beurteilung seiner Lage am Lebensende
spricht: „... die Gegenwart kommt mir vor wie ein großes
feyerliches Bild, das aber mit einem Schleyer bedeckt ist, den
ich erst lüften werde, wenn meine Hülle im Grabe ruht, und
der Auferstehung entgegenreift." Ganz gewiß war Jung-Stilling von seiner besonderen Führung nach wie vor überzeugt,
nur verzichtete er jetzt auf eine Deutung und einen Beweis.[14]
In dieser Spannung zwischen dem Leben, das er lebte, seinem
Glauben an die göttliche Führung und dem Versuch einer
Beweisführung ist Jung-Stillings Lebensgeschichte, Anregung
und Anstoß bietend, lebendig geblieben.

---

[14] Eine vergleichbare späte Zurückhaltung Jung-Stillings gegenüber der
früher so oft und unbedenklich geübten Verbildlichung und Vergegen-
ständlichung der jenseitigen Wirklichkeiten wird von H. A. Varnhagen
von Ense, Denkwürdigkeiten und Vermischte Schriften III/3 (1843) 361
berichtet.

Henrich Stillings

Jugend.

Eine
wahrhafte Geschichte.

Berlin und Leipzig,
bey George Jacob Decker.
1777

HENRICH STILLINGS JUGEND

Eine wahrhafte Geschichte

In Westphalen liegt ein Kirchsprengel in einem sehr ber-
gichten Landstriche, auf dessen Höhen man viele kleine Grafschaften und Fürstenthümer übersehen kann. Das Kirchdorf
heißt Florenburg; die Einwohner aber haben von Alters her
einen großen Eckel vor dem Namen eines Dorfs gehabt, und
daher, ob sie gleich auch von Ackerbau und Viehzucht leben
müßen, vor den Nachbarn, die bloße Bauren sind, immer
einen Vorzug zu behaupten gesucht, die ihnen aber auch dagegen nachsagten, daß sie vor und nach den Namen Floren-
dorf verdrängt und an dessen Statt Florenburg eingeführet
hätten. Dem sey aber wie ihm wolle, es ist wirklich ein Magistrat daselbst, dessen Haupt zu meiner Zeit Johannes Hen-
rikus Scultetus war. Ungeschlachte, unwissende Leute nannten ihn außer dem Rathhause Meister Hanns, hübsche Bürger
pflegten doch auch wohl Meister Schulde zu sagen.

Eine Stunde von diesem Orte süd-ostwärts liegt ein kleines
Dörfchen Tiefenbach, von seiner Lage zwischen Bergen so genannt, an deren Fuße die Häuser zu beiden Seiten des Wassers
hängen, das sich aus den Thälern von Süd und Nord her just
in die Enge und Tiefe zum Fluß hinsammelt. Der östliche
Berg heißt der Giller, geht steil auf, und seine Fläche nach
Westen gekehrt, ist mit Maibuchen dicht bewachsen. Von ihm
ist eine Aussicht über Felder und Wiesen, die auf beyden Seiten durch hohe verwandte Berge gesperrt wird. Sie sind
ganz mit Buchen und Eichen bepflanzt, und man sieht keine
Lücke, außer wo manchmal ein Knabe einen Ochsen hinauf

treibt und Brennholz auf halbgebahntem Wege zusammen-
schleppt.

Unten am nördlichen Berge, der Geissenberg genannt, der
wie ein Zuckerhut gegen die Wolken steigt, und auf dessen
Spitze Ruinen eines alten Schlosses liegen, steht ein Haus,
worinnen Stillings Eltern und Voreltern gewohnt haben.

Vor ohngefähr dreißig Jahren lebte noch darinn ein ehrwürdiger Greis, Eberhard Stilling, ein Bauer und Kohlenbrenner. Er hielt sich den ganzen Sommer durch im Walde
auf, und brannte Kohlen; kam aber wöchentlich einmal nach
Hause, um nach seinen Leuten zu sehen, und sich wieder auf
eine Woche mit Speisen zu versehen. Er kam gemeiniglich
Sonnabends Abends, um den Sonntag nach Florenburg in die
Kirche gehen zu können, allwo er ein Mitglied des Kirchen-
raths war. Hierinnen bestunden auch die mehresten Geschäfte
seines Lebens. Sechs großgezogene Kinder hatte er, wovon die
zween ältesten Söhne, die vier jüngsten aber Töchter waren.

Einsmals als Eberhard den Berg herunter kam, und mit
dem ruhigsten Gemüthe die untergehende Sonne betrachtete,
die Melodie des Liedes, Der lieben Sonnen Lauf und Pracht
hat nun den Tag vollführet, auf einem Blatt pfif, und dabey
das Lied durchdachte, kam sein Nachbar Stähler hinter ihm
her, der ein wenig geschwinder gegangen war, und sich eben
nicht viel um die untergehende Sonne bekümmert haben
mochte. Nachdem er eine Weile schon nahe hinter ihm gewesen, auch ein paarmal fruchtlos gehustet hatte; fieng er ein
Gespräch an, das ich hier wörtlich beifügen muß.

„Guten Abend, Ebert!"

Dank hab, Stähler! (indem er fortfuhr auf dem Blatt zu
pfeifen.)

„Wenn das Wetter so bleibt, so werden wir unser Gehölze
bald zugerichtet haben. Ich denke, dann sind wir in drey
Wochen fertig."

Es kann seyn. (Nun pfif er wieder fort.)

„Es will so nicht recht mehr mit mir fort, Junge! Ich bin schon acht und sechzig Jahr alt, und du wirst halt siebenzig haben."

Das soll wohl seyn. Da geht die Sonne hinter den Berg unter, ich kann mich nicht genug erfreuen über die Güte und Liebe Gottes. Ich war so eben in Gedanken drüber; es ist auch Abend mit uns, Nachbar Stähler! der Schatten des Todes steigt uns täglich näher, er wird uns erwischen, ehe wirs uns versehen. Ich muß der ewigen Güte danken, die mich nicht nur heute sondern den ganzen Lebenstag durch mit vielem Beistand getragen, erhalten und versorgt hat.

„Das kann wohl seyn!"

Ich erwarte auch wirklich ohne Furcht den wichtigen Augenblick, wo ich von diesem schweren, alten und starren Leib befreyt werden soll, um mit den Seelen meiner Voreltern, und anderer heiligen Männer, in einer ewigen Ruhe umgehen zu können. Da werd' ich finden: Doktor Luther, Calvinus, Oecolampadius, Bucerus, und andere mehr, die mir unser seeliger Pastor, Herr Winterberg, so oft gerühmt, und gesagt hatte, daß sie nächst den Aposteln, die frömmsten Männer gewesen.

„Das kann möglich seyn! Aber sag' mir, Ebert, hast du die Leute, die du da herzählst, noch gekannt?"

Wie schwazest du? die sind über zweihundert Jahr todt.

„So! — das wäre!"

Dabei sind alle meine Kinder groß, sie haben schreiben und lesen gelernt, sie können ihr Brod verdienen, und haben mich und meine Margrethe bald nicht mehr nöthig.

„Nöthig? — hat sich wohl! — Wie leicht kann sich ein Mädchen oder Junge verlaufen, sich irgend mit armen Leuten abgeben, und seiner Familie einen Klatsch anhängen, wann die Eltern nicht mehr Acht geben können!"

Vor dem allen ist mir nicht bange. Gott Lob! daß mein Achtgeben nicht nöthig ist. Ich hab' meinen Kindern durch meine Unterweisung und Leben einen so großen Abscheu gegen das Böse eingepflanzt, daß ich mich nicht mehr zu fürchten brauche.

Stähler lachte herzlich! eben wie ein Fuchs lachen würde, wenn er könnte, der dem wachsamen Hahn ein Hühnchen entführt hat, und fuhr fort:

„Ebert, du hast viel Vertrauen auf deine Kinder. Ich denke aber du wirst wohl die Pfeife in den Sack stecken, wann ich dir alles sagen werde, was ich weiß."

Stilling drehte sich um, stund, und stützte sich auf seine Holzaxt, lächelte mit dem zufriedensten und zuversichlichsten Gesichte, und sagte: Was weißest du denn, Stähler, das mir so weh in der Seele thun soll?

„Hast du gehört, Nachbar Stilling, daß dein Wilhelm, der Schulmeister, heurathet?"

Nein, davon weis ich noch nichts.

„So will ich dir sagen, daß er des vertriebenen Predigers Morizens Tochter zu Lichthausen haben will, und daß er sich mit ihr versprochen hat."

Daß er sich mit ihr versprochen hat, ist nicht wahr; daß er sie aber haben will, das kann seyn.

Nun giengen sie wieder.

„Kann das seyn? Ebert! — Kannst du das leiden? Ein Bettelmensch, das nichts hat, kannst du das deinem Sohn geben?"

Gebettelt haben des ehrlichen Mannes Kinder nie; und wann sie's hätten? — Aber welche Tochter mag es seyn? Moriz hat zwo Töchter.

„Dortchen."

Mit Dortchen will ich mein Leben beschließen. Nie will ich es vergessen! Sie kam einmal zu mir auf einen Sonntag Nachmittag, grüßte mich und Margrethe von ihrem Vater, setzte sich und schwieg. Ich sah ihr an den Augen an, daß sie was wollte, auf den Backen aber daß sie's nicht sagen konnte. Ich fragte sie, braucht ihr was? Sie schwieg und seufzte. Ich ging und holte ihr vier Reichsthaler; da! sagte ich, die will ich euch leihen, biß ihr mir sie wieder geben könnt.

„Du hättest sie ihr wohl schenken können; die bekommst du dein Lebetag nicht wieder."

Das war auch meine Meinung, daß ich ihr das Geld schenken wollte. Hätt' ich es ihr aber gesagt, das Mädchen hätte sich noch mehr geschämt. Ach, sagte sie, bester liebster Vater Stilling! (das gute Kind weinte blutige Thränen) wenn ich seh', wie mein alter Papa sein trocken Brod im Munde herumschlägt, und kann es nicht kauen, so blutet mir das Herz. — Meine Margrethe lief, holte einen großen Topf süße Milch, und seitdem hat sie alle Woche ein paarmal süße Milch dahin geschickt.

„Und du kannst leiden, daß Wilhelm das Mädchen nimmt?"

Wenn er's haben will, von Herzen gern. Gesunde Leute können was verdienen, reiche Leute können das Ihrige verlieren.

„Du hast vorhin gesagt, du wüßtest noch nichts davon. Du weißt doch, wie du sagst, daß er sich noch nicht mit ihr versprochen hat."

Das weis ich! — Er fragt mich gewiß vorher.

„Hör'! Er dich fragen? Ja, da kannst du lange warten!"

Stähler! ich kenne meinen Wilhelm. Ich hab' meinen Kindern immer gesagt, sie könnten so arm und so reich heurathen als sie wollten und könnten, sie sollten nur auf Fleiß und Frömmigkeit sehen. Meine Margrethe hatte nichts, und ich ein Gut mit vielen Schulden. Gott hat mich gesegnet, ich kann jedem hundert Gulden baar mitgeben.

„Ich bin kein Gleichviels-Mann, wie du! Ich muß wissen was ich thue, und meine Kinder sollen heurathen wie ich's vor's beste erkenne."

Ein jeder macht die Schuh nach seinem Leisten, sagte Stilling. Nun war er nah vor seiner Hausthür.

Margaretha Stillings hatte schon ihre Töchter zu Bette gehen lassen. Ein Stück Pfannenkuchen stund für ihren Ebert auf einem irdenen Teller in der heißen Asche; sie hatte auch noch ein wenig Butter dazu gethan. Ein Kümpchen mit gebrockter Milch stund auf der Bank, und sie begann zu sorgen, wo ihr Mann wohl so lange bleiben möchte. Indem rasselte die Klinke an der Thür, und er trat herein. Sie nahm ihm seinen leinenen Queersack von der Schulter, deckte den Tisch und brachte ihm sein Essen. Jemini, sagte Margrethe, der Wilhelm ist noch nicht hier. Es wird ihm doch nicht etwa Unglück begegnet seyn. Sind auch wohl Wölfe hier herum? Hat sich wohl, sagte der Vater, und lachte: denn das war so seine Gewohnheit, er lachte oft hart wenn er ganz allein war.

Der Schulmeister, Wilhelm Stilling, trat hierauf in die Stube. Nachdem er seine Eltern mit einem guten Abend gegrüßt, setzte er sich auf die Bank, legte die Hand an den Backen, und war tiefsinnig. Er sagte lange kein Wort. Der alte Stilling stocherte seine Zähne mit einem Messer, denn das war so seine Gewohnheit nach Tische zu thun, wenn er auch schon kein Fleisch gegessen hatte. Endlich fing die Mutter an: Wilhelm, mir war als bang, dir sollte was wiederfahren seyn, weil du so lange bleibst. Wilhelm antwortete: O! Mutter! das hat keine Noth. Mein Vater sagt ja oft, wer auf seinen Berufswegen geht, darf nichts fürchten. Hier wurd' er bald bleich, bald roth; endlich brach er stammelnd los, und sagte: Zu Lichthausen (so hieß der Ort, wo er Schule hielt, und dabei den Bauren ihre Kleider machte) wohnt ein armer vertriebener Prediger; ich wäre wohl willens seine jüngste Tochter zu heurathen; wenn ihr beide Eltern es zufrieden seyd, so wird sich keine Hinderniß mehr finden. Wilhelm, antwortete der Vater, du bist drei und zwanzig Jahr alt; ich habe dich lehren lassen, du hast Erkenntniß genug, kannst dir aber in der Welt nicht selber helfen, denn du hast gebrechliche Füße; das Mädchen ist arm, und zur schweren Arbeit nicht angeführt; was

hast du für Gedanken dich ins künftige zu ernähren? Der
Schulmeister antwortete: Ich will mit meiner Handthierung
mich wohl durchbringen, und mich im übrigen ganz an die
göttliche Vorsorge übergeben; die wird mich und meine
Dorthe eben sowohl nähren, als alle Vögel des Himmels. Was
sagst du Margreth? sprach der Alte. — Hm! was sollt ich
sagen, versetzte sie: weißt du noch, was ich dir zur Antwort
gab, in unsern Brauttagen? Laß uns Wilhelmen mit seiner Frau
bei uns nehmen, er kann sein Handwerk treiben. Dortee soll
mir und meinen Töchtern helfen, so viel sie kann. Sie lernt
noch immer etwas, denn sie ist noch jung. Sie können mit uns
an den Tisch gehen; was er verdient, das giebt er uns, und wir
versorgen dann beide mit dem Nöthigen: so gehts, meyn' ich,
am besten. Wenn du meinst, erwiederte der Vater, so mag er
das Mädchen holen. Wilhelm! Wilhelm! denke was du thust,
es ist nichts geringes. Der Gott deiner Väter segne dich mit
allem, was dir und deinem Mädchen nöthig ist. Wilhelmen
stunden die Thränen in den Augen. Er schüttelte Vater und
Mutter die Hand, versprach ihnen alle Treue, und gieng zu
Bette. Und nachdem der alte Stilling sein Abendlied gesungen, die Thür mit dem hölzernen Wirbel zugeklemmt, Margrethe aber nach den Kühen gesehen hatte, ob sie alle lägen
und wiederkäueten, so gingen sie auch schlafen.

   Wilhelm kam auf seine Kammer, an welcher nur ein Laden
war, der aber eben so genau nicht schloß, daß nicht so viel
Tag hätte durchschimmern können um zu wissen, ob man aufstehen müsse. Dieses Fenster war noch offen, daher trat er an
dasselbe, es sah gerade gegen den Wald hin, alles war in tiefer
Stille, nur zwo Nachtigallen sangen wechselsweise auf das
allerlieblichste. Dieses war Wilhelmen öfters ein Wink gewesen. Er sank an der Wand nieder. O Gott! seufzte er, dir dank
ich, daß du mir solche Eltern gegeben hast! O laß sie Freude
an mir sehen! Laß mich ihnen nicht zur Last seyn! Dir dank
ich, daß du mir eine tugendhafte Frau giebst! O segne mich! —

Thränen und Empfindungen hemmten ihm die Sprache, und da redete sein Herz unaussprechliche Worte, welche nur die Seelen empfinden und kennen, die sich in gleicher Lage befunden haben.

Nie hat jemand sanfter geschlafen als der Schulmeister. Sein inniges Vergnügen weckte ihn des Morgens früher als sonst. Er stund auf, ging heraus in den Wald, und erneuerte alle seine heilige Vorsätze die er je in seinem Leben sich vorgenommen hatte. Um sieben Uhr gieng er wieder nach Haus, und aß mit seinen Eltern und Schwestern die süße Milchsuppe, und ein Butterbrod. Nachdem sich nun der Vater zuerst, hernach auch der Sohn den Bart abgemacht, die Mutter aber mit den Töchtern sich berathschlaget, wer unter ihnen zu Hause bleiben, und wer in die Kirche gehen sollte, so zog man sich an. Dieses alles war in einer halben Stunde geschehen; sodann gingen die Töchter vor, darnach Wilhelm, und zu hinterst der Vater mit seinem dicken Dornenstocke. Wenn der alte Stilling mit seinen Kindern ausging, so mußten sie allemal vor ihm gehn, damit er, wie er zu sagen pflegte, den Gang und die Sitten seiner Kinder sehen und sie zur Ehrbarkeit anführen könnte.

Nach der Predigt ging Wilhelm wieder nach Lichthausen, wo er Schulmeister war, und wo auch sein älterer verheyratheter Bruder, Johann Stilling, wohnte. In einem andern Nachbarhause hatte der alte Pastor Moriz mit seinen zwo Töchtern ein paar Kammern gemiethet, in welchen er sich aufhielte. Nachdem nun den Nachmittag Wilhelm seinen Bauern eine Predigt in der Capelle vorgelesen, und mit ihnen nach altem Brauch ein Lied gesungen, so eilte er, so geschwind als es nur seine gebrechliche Füße zulassen wollten, nach Herr Morizen. Der alte Mann saß eben vor seinem Clavier, und spielte ein geistlich Lied. Sein Schlafrock war sehr reinlich, und schön gewaschen, nirgend sah man einen Riß, aber wohl hundert Lappen. Neben ihm auf einer Kiste saß Dorothe, ein Mädchen von zwei und zwanzig Jahren, ebenfalls sehr reinlich, aber ärmlich, angezogen, die gar anmuthig das Lied zu ihres Vaters Melodie sang. Sie winkte ihrem Wilhelm heiterlächelnd. Er setzte sich bei sie und sang mit ihr aus ihrem Buch. Sobald das Lied zu Ende war, grüßte der Pastor Wilhelmen und sagte: Schulmeister, ich bin nie vergnügter, als wenn ich spiele und singe. Wie ich noch Prediger war, da ließ ich manchmal lange singen, weil unter so viel vereinigten Stimmen das Herz weit über alles Irdische sich wegschwingt. Doch ich muß etwas anders mit euch reden. Mein Dortchen hat mir gestern Abend herausgestammelt, daß es euch lieb habe; ich bin aber arm; was sagen eure Eltern? Sie sind mit allem herzlich wohl zufrieden, antwortete Wilhelm. Dortchen drungen Thränen aus ihren hellen Augen, und der alte ehrwürdige Mann stand auf, nahm seiner Tochter rechte Hand, gab sie Wilhelmen und sagte: Ich habe nichts in der Welt als zwo Töchter; diese ist mein Augapfel; nimm sie, Sohn! nimm sie! — Er weinte — „der Seegen Jehova triefe auf euch herunter, und mache euch gesegnet vor ihm und seinen Heiligen und gesegnet vor der Welt! Eure Kinder müßen wahre Christen werden, eure Nachkommen seyen groß! Sie müßen angeschrieben stehn im Buche des Lebens! Mein ganzes Leben war Gott geheiliget; unter vielen Schwachheiten, aber ohne Anstoß hab' ich gewandelt und alle Menschen geliebt; dies sey auch eure Richtschnur, so werden meine Gebeine im Frieden ruhen!" Er wischte sich hier die Augen. Beide Verlobten küßten ihm Hände, Backen und Mund, und hernach auch sich selbst zum erstenmale, und so saßen sie wieder nieder. Der alte Herr fing hierauf an: Aber Dortchen, dein Bräutigam hat gebrechliche Füsse, hast du das noch nicht gesehn? Ja, Papa, sagte sie, ich hab's gesehn; aber er redet immer so gut und so fromm mit mir, daß ich selten Acht auf seine Füße gebe.

„Gut, Dortchen, die Mädchen pflegen doch auch wohl auf die Leibesgestalt zu sehen."

Ich auch, Papa, gab sie zur Antwort; aber Wilhelm gefällt
mir so, wie er ist. Hätte er nun gerade Füße, so wäre er Wilhelm Stilling nicht, und wie würde ich ihn denn lieb haben
können?

Der Pastor lächelte zufrieden und fuhr fort: Du wirst nun
diesen Abend auch die Küche bestellen müssen, denn der
Bräutigam muß mit dir essen. Ich hab' nichts, sagte die unschuldige Braut, als ein wenig Milch, Käse und Brod; wer
weiß aber, ob mein Wilhelm damit zufrieden ist? Ja, versetzte
Wilhelm, ein Stück trocken Brod mit euch zu essen, ist angenehmer, als fette Milch mit Weisbrod und Eyerpfannen-
kuchen. Herr Moriz zog indessen seinen abgetragenen braunen Rock mit schwarzen Knöpfen und Knopflöchern an,
nahm sein lakirt gewesenes Rohr, ging und sagte: Da will ich
zum Amtsverwalter gehn, er wird mir seine Flinte leihen, und
dann will ich sehn, ob ich etwas schießen kann. Das that er
oft, denn er war in seiner Jugend ein Freund von der Jagd
gewesen.

Nun waren unsere Verlobte allein, und das hatten sie beide
gewünscht. Wie er fort war, schlugen sie die Hände in einander, saßen neben einander, und erzählten sich, was ein jedes
empfunden, geredt und gethan, seitdem sie sich einander gefallen hatten. Sobald sie fertig waren, fingen sie wieder von
vorne an, und gaben der Geschichte vielerlei Wendungen; so
war sie immer neu: für alle Menschen langweilig, nur für sie
nicht.

Friederike, Morizens andere Tochter, unterbrach dieses
Vergnügen. Sie stürmte herein, indem sie ein altes Historien-
Lied dahersang. Sie stutzte. Stör' ich euch? fragte sie. — Du
stöhrst mich nie, sagte Dortchen; denn ich gebe niemals Acht
auf das, was du sagst oder thust. Ja du bist fromm, versetzte
jene; aber du darfst doch so nah bei den Schulmeister sitzen?
doch der ist auch fromm. — Und noch dazu dein Schwager,
fiel ihr Dorothe in die Rede, heute haben wir uns versprochen.

— Das giebt also eine Hochzeit für mich, sagte Friederike, und hüpfte wieder zur Thür hinaus.

Indem sie so vergnügt beysammen saßen, stürmte Friederike wüthend wieder in die Kammer. Ach! rief sie stammelnd, da bringen sie meinen Vater blutig ins Dorf. Jost der Jäger schlägt ihn noch immer, und drei von des Junkers Knechten schleppen ihn fort. Ach! sie schlagen ihn todt! Dortchen that einen hellen Schrei und floh zur Thür hinaus. Wilhelm eilte ihr nach, aber der gute Mensch konnte nicht so geschwind fort, wie die Mädchen. Sein Bruder Johann wohnte nah bei Morizen, dem rief er. Diese beide gingen dann auf den Lärm zu. Sie fanden Morizen in dem Wirthshause auf einem Stuhl sitzen; seine grauen Haare waren von Blut zusammengebacken; die Knechte und der Jäger stunden um ihn, fluchten, spotteten, knüpften ihm Fäuste vor die Nase, und eine geschossene Schnepfe lag vor Morizen auf dem Tisch. Der unpartheyische Wirth trug ruhig Brandwein zu. Friederike bat flehentlich um Gnade, und Dortchen um ein wenig Brandwein, dem Vater den Kopf zu waschen; allein sie hatte kein Geld zu bezahlen, und der Schade war auch zu groß für den Wirth, ihr ein halbes Glas zu schenken. Doch wie die Weiber von Natur barmherzig sind, so brachte die Wirthin einen Scherben, der unter dem Zapfen des Brandweinfasses gestanden, und daraus wusch Dortchen dem Vater den Kopf. Moriz hatte schon vielmal gesagt, daß ihm der Junker Erlaubnis gegeben, so viel zu schießen, als ihm beliebte; allein, der war nun jetzt zum Unglücke verreiset; der Pastor schwieg daher still und entschuldigte sich nicht mehr. So stunden die Sachen, als die Gebrüder Stilling ins Wirthshaus kamen. Die erste Rache die sie nahmen, war an einem Brandweinglase, womit der Wirth aus dem Keller kam, und es sehr behutsam trug, um nichts zu verschütten; wiewohl diese Vorsicht eben so gar nöthig nicht war, denn das Glas war über ein Viertel leer. Johann Stilling wischte dem Wirth über die Hand, daß das

Glas gegen die Wand fuhr und in tausend Stücken sprang. Wilhelm aber war schon in der Stube, griff seinen Schwiegervater an der Hand, und führte ihn mit solchem Ernst aus der Stube, gleich als wenn er der Junker selbst gewesen wäre; sagte aber niemand etwas, sondern schwieg ganz still. Der Jäger und die Knechte drohten, hielten bald hie, bald da; allein Wilhelm, der desto stärker in den Armen war, je schwächer seine Füße waren, sah und hörte nicht, schwieg immer still und arbeitete nur Morizen los. Wo er an seinem Rock eine zugeklemmte Hand fand, die brach er auf, und so brachte er ihn vor die Thür. Johann Stilling aber redete mit den Jägern und den Knechten, und seine Worte waren lauter Messer für sie; denn ein jeder wußte, wie hoch er bey dem Junker angeschrieben stund, und wie oft er mit ihm zu Abend speisen mußte. Die Sache lief am Ende dahin aus, daß der Jäger bei der Wiederkunft des Junkers abgesetzt, Morizen aber zwanzig Thaler für seine Schmerzen ausgezahlt wurden. Was ihnen noch schneller durchhalf, war, daß der ganze Platz vor dem Hause voller Bauren stand, welche Tobak rauchten, und sich mit dem Zusehn belustigten; und wo es nur darauf ankam, daß einer unter ihnen die Frage aufwarf, ob nicht durch diesen Vorfall Eingriff in ihre Freyheit geschehen sey? Plötzlich würden hundert Fäuste bereit gewesen seyn, ihre christliche Liebe gegen Morizen auf dem Nacken Jostens und seiner Gefährten zu beweisen. Auch war der Wirth eine feige Memme, der oft Ohrfeigen von seiner Frau verschlucken mußte; und endlich muß ich noch hinzufügen, der alte Stilling und seine Söhne hatten sich durch ihre ernste und abgesonderte Aufführung eine solche Hochachtung erworben, daß fast niemand das Herz hatte in ihrer Gegenwart nur zu scherzen; wozu noch kommt, was ich oben schon berührt, daß Johann Stilling bei dem Junker in großer Gnade stand. Nun wieder zur Geschichte.

Der alte Moriz wurde in wenig Tagen wieder besser, und

man vergaß diese verdrießliche Sache um so eher, weil man
sich mit viel vergnügteren Dingen beschäftigte, nemlich mit
den Zurüstungen zur Hochzeit, welche der alte Stilling und
seine Margrethe ein- für allemal in ihrem Hause haben wollten. Sie mästeten ein paar Hüner zu Suppen; und ein fettes
Milchkalb wurde dazu bestimmt, auf großen irdenen Schüsseln gebraten zu werden; gebackene Pflaumen die Menge, und
Reis zu Breien, nebst Rosinen und Corinthen in die Hüner-
suppen, wurden im Ueberfluß angeschafft. Der alte Stilling
hat sich wohl verlauten lassen, daß ihn diese Hochzeit, nur
allein an Speisen und Victualien bei zehn Reichsthaler ge-
kostet habe. Dem sey aber wie ihm wolle, alles war doch aufgeräumt. Wilhelm hatte vor der Zeit die Schule ausgesetzt;
denn in solchen Zeiten ist man zu keinem Berufsgeschäfte aufgelegt. Auch brauchte er die Tage nothwendig, seiner Braut
und Schwestern neue Kleider auf die Hochzeit zu machen, und
sonst mancherlei zu handthieren. Stillings Töchter verlangten
ebenfalls. Sie probirten öfters ihre neue Wämser und Röcke
von feinem schwarzen Tuch; die Zeit wurd' ihnen Jahre lang,
biß sie sie einmal einen ganzen Tag anhaben könnten.

Endlich brach dann der längst gewünschte Donnerstag an.
Alles war den Morgen vor der Sonne in Stillings Hause wak-
ker; nur der Alte, der den Abend vorher spät aus dem Wald
gekommen war, schlief ruhig bis es Zeit war, mit den Braut-
leuten zur Kirche zu gehen. Nun gieng man in geziemender
Ordnung nach Florenburg, allwo die Braut mit ihrem Gefolge
schon angekommen war. Die Copulation ging ohne Widerspruch vor sich, und alle zusammen verfügten sich nun nach
Tiefenbach zum Hochzeitmale. Zwei lange Bretter waren in
der Stuben neben einander auf hölzerne Böcke gelegt, anstatt
des Tisches; Margrethe hatte ihre feinste Tischtücher drüber
gespreitet, und nun wurden die Speisen aufgetragen. Die Löffel waren von Ahornholz, schön glatt, mit ausgestochenen Ro-
sen, Blumen und Laubwerk gearbeitet. Die Zulegmesser hat-

ten schöne gelbe hölzerne Stiele; so waren auch die Teller
schön rund und glatt vom härtesten weißen Buchenholz ge-
drechselt. Das Bier schäumte in weißen steinernen Krügen mit
blauen Blumen. Doch stellte Margrethe auch einem jeden frei,
anstatt des Biers von ihrem angenehmen Birnmost zu trinken,
wenn jemand dazu Belieben tragen möchte.

Nachdem alle zur Gnüge gegessen und getrunken hatten,
so wurden vernünftige Gespräche angestellt. Wilhelm aber
und seine Braut wollten lieber allein seyn und reden; sie giengen daher tief in den Wald hinein. Mit der Entfernung von
den Menschen wuchs ihre Liebe. Ach, wären keine Bedürfnisse
des Lebens! keine Kälte, Frost und Nässe, was würde diesem
Paar an einer irdischen Seeligkeit gemangelt haben? Die beiden alten Väter, die sich indessen mit einem Krug Bier allein
gesetzt hatten, verfielen in ein ernstes Gespräch. Stilling redete
also:

„Herr Mitvater, mir hat immer gedäucht, ihr hättet besser
gethan, wann ihr euch an das Laboriren gar nicht gekehrt
hättet."

Warum, Mitvater?

„Wenn ihr eure Uhrmacherei beständig getrieben hättet, so
hättet ihr reichlich euer Brod erwerben können; nun aber hat
euch eure Arbeit nichts geholfen, und dasjenige, was ihr
hattet, ist noch dazu drauf gegangen."

Ihr habt Recht und auch Unrecht. Wenn ich gewußt hätte,
daß dreißig bis vierzig Jahr hingehen würden, eh ich den Stein
der Weisen würde gefunden haben, so hätte ich mich freilich
bedacht, ehe ich angefangen hätte. Nun aber, da ich durch die
lange Erfahrung etwas gelernt habe, und tief in die Erkenntnisse der Natur eingedrungen bin, nun würd' es mir leid thun,
wenn ich mich umsonst sollte so lange geplagt haben.

„Ihr habt euch gewiß so lange umsonst geplagt, denn ihr
habt euch einmal bisher kümmerlich beholfen. Ihr mögt nun
so reich werden als ihr wollt, ihr könnt doch das Elend so

vieler Jahre nicht in Glückseeligkeit verwandeln; und zudem glaub ich nicht, daß ihr ihn jemals bekommt. Wenn ich die Wahrheit sagen soll, ich glaube nicht, daß es einen Stein der Weisen giebt."

Ich kann euch beweisen, daß es einen Stein der Weisen giebt. Ein gewisser Doktor Helvetius im Haag, hat ein klein Büchlein geschrieben, das güldne Kalb genannt; darinn ist es deutlich bewiesen, so daß niemand, auch der größte Ungläubige, wenn er's lieset, nicht mehr zweifeln kann. Ob ich denselben aber bekommen werde, das ist eine andere Frage. Warum nicht eben sowohl als ein anderer? da er ein freies Geschenk Gottes ist.

„Wenn euch Gott den Stein der Weisen schenken wollte, ihr hättet ihn schon lange! Warum sollte er ihn euch so lange vorenthalten? Zudem ist's ja nicht nöthig, daß ihr ihn habt; wie viel Menschen leben ohne den Stein der Weisen!"

Das ist wahr; aber wir sollen uns so glücklich machen, als wir können.

„Ein dreißigjährig Elend ist gewiß kein Glück; aber nehmt mir nicht übel (er schüttelte ihm die Hand), ich habe, so lang ich lebe, keinen Mangel gehabt, bin gesund gewesen und alt geworden, meine Kinder hab' ich erzogen, lernen lassen, und ordentlich gekleidet. Ich bin recht vergnügt, und also glücklich. Man konnte mir den Stein der Weisen nicht schenken."

„Aber hört, Mitvater! ihr singt recht gut, und schreibt schön; werdet Schulmeister hier im Dorfe! Friederiken könnt ihr vermiethen. Da hab' ich noch eine Kleiderkammer, darein will ich ein Bett stellen, so könnt ihr bei mir wohnen, und also immer bey euren Kindern seyn."

Euer Anerbieten, Mitvater, ist sehr gut; ich werd' es auch annehmen, wenn ich nur noch einen Versuch werde gemacht haben.

„Macht keine Probe mehr, Mitvater! sie wird euch gewiß fehlen. Aber laßt uns von etwas anders reden. Ich bin ein so großer Liebhaber von der Sternwissenschaft; kennt ihr auch wohl den Sirius im großen Hund?"

Ich bin eben kein Sternkundiger, doch aber kenn ich ihn.

„Er steht gemeiniglich des Abends gegen Mittag. Er flammt so grünröthlich. Wie weit mag der wohl von der Erde seyn? Sie sagen, er soll wohl noch viel höher seyn als die Sonne."

O! wohl tausendmal höher!

„Wie ist das möglich? Ich bin so ein Liebhaber von den Sternen. Ich meyn' immer, ich war schon dabei wenn ich sie besehe. Aber kennt ihr auch den Wagen und den Pflug?"

Ja, man hat sie mir wohl gewiesen.

„O welch ein wunderbarer Gott."

Margrethe Stillings hörte dieses Gespräch; sie kam und setzte sich bei ihrem Mann. Ach Ebert! sagte sie, ich kann wohl an einer Blume seh'n, daß Gott wunderbar ist. Laßt uns die begreifen lernen! Wir wohnen bei dem Gras und den Blumen; die laßt uns hier bewundern; wann wir im Himmel sind, dann wollen wir die Sterne betrachten.

Das ist recht, sagte Moriz, es sind so viele Wunder in der Natur; wenn wir die recht betrachten, so können wir die Weisheit Gottes wohl kennen lernen. Doch ein jeder hat so etwas, wozu er besonders Lust hat.

So vertrieben die Hochzeitgäste den Tag. Wilhelm Stilling und seine Braut verfügten sich auch nach Hause, und fingen ihren Ehestand an; wovon ich im folgenden Capitel mehreres werde sagen.

Stillings Töchter aber saßen in der Dämmerung unter dem Kirschbaum und sungen folgendes schöne weltliche Liedlein:

> Es ritt ein Ritter wohl über's Feld.
> Er hatte kein'n Freund, kein Gut, kein Geld.
> Sein Schwesterlein war hübsch und fein.
> „Ach Schwesterlein! ich sage dir Adie.
> Ich sehe dich ja nimmermehr.

Ich reite weg, in ein fremdes Land.
Reich du mir deine weiße Hand!"
    Adie! Adie! Adie!

Ich sah, mein schönstes Brüderlein,
Ein buntig, artig Vögelein.
Es hüpfte im Wacholderbaum.
Ich warfs mit meinem Ringelein,
Es nahm ihn in sein Schnäbelein
Und flog weg in den Walde fort;
Mein Ringelein war ewig fort.
    Adie! Adie! Adie!

„Schließ du dein Schloß wohl feste zu,
Halt dich fein still in guter Ruh.
Laß niemand in dein Kämmerlein!
Der Ritter mit dem schwarzen Pferd
Hat dich zumalen lieb und werth.
Nimm dich vor ihm gar wohl in Acht!
Mannich Mägdlein hat er zu Fall gebracht."
    Adie! Adie! Adie!

Das Mägdlein weinte bitterlich,
Der Bruder sah noch hinter sich,
Und grüßte sie noch einmal schön.
Da ging sie in ihr Kämmerlein,
Und konnte da nicht frölich seyn.
Den Ritter mit dem schwarzen Pferd.
Hätt' sie vor allem lieb und werth.
    Adie! Adie! Adie!

Der Ritter mit dem schwarzen Roß
Hätt' Güter und viel Reichthum groß.
Er kame zum Jungfräulein zart.
Er kame oft um Mitternacht
Und gienge wann der Tag anbrach.
Er führt sie in sein Schlösselein
Zum anderen Jungfräulein fein.
    Adie! Adie! Adie!

Sie kam dahin in schwarzer Nacht.
Sie sah daß er zu Fall gebracht
Viel edele Jungfrauen zart.
Sie nahm wohl einen kühlen Wein
Und goß ein schnödes Gift hinein
Und trunk's dem schwarzen Ritter zu.
Es giengen beiden die Aeugelein zu.
    Adie! Adie! Adie!

Sie begruben den Ritter im Schlosse fein,
Das Mägdlein inbey ein Brünnelein.
Sie schläft da im kühlen Gras.
Um Mitternacht da wandelt sie umher
Am Mondeschein dann seufzet sie so sehr.
Sie wandelt da in weisigem Kleid
Und klaget da dem Wald ihr Leid.
    Adie! Adie! Adie!

Der edle Bruder eilt herein
Bey diesem klaren Brünnelein,
Und sah' es sein Schwesterlein zart.
Was machst du mein Schwesterlein allhier?
Du seufzest so, was fehlt dann dir?
„Ich hab den Ritter in schwarzer Nacht,
Und mich, mit bösem Gift umgebracht."
    Adie! Adie! Adie!

Wie Nebel in dem weiten Raum
Flog auf das Mägdlein durch den Baum.
Man sah' sie wohl nimmermehr.
Ins Kloster gieng der Rittersmann
Und fing ein frommes Leben an.
Da betete er vor's Schwesterlein
Auf daß sie möchte selig seyn.
    Adie! Adie! Adie!

Eberhard Stilling und Margrethe, seine eheliche Hausfrau erlebten nun eine neue Periode in ihrer Haushaltung. Da war nun ein neuer Hausvater und eine neue Hausmutter in ihrer Familie entstanden. Die Frage war also: Wo sollen diese beide sitzen, wenn wir speisen? — Um die Dunkelheit im Vortrag zu vermeiden, muß ich erzählen, wie eigentlich Vater Stilling seine Ordnung und Rang am Tische beobachtete. Oben in der Stube war eine Bank von einem eichenen Bret längs der Wand genagelt, die bis hinter den Ofen reichte. Vor dieser Bank dem Ofen gegen über stund der Tisch, als Klappe an die Wand befestigt, damit man ihn an dieselbe aufschlagen konnte. Er war aus einer eichenen Diele von Vater Stilling selbsten ganz fest und treuherzig ausgearbeitet. An diesem Tisch saß Eberhard Stilling oben an der Wand, wo er durch das Brett befestigt war, und zwar vor demselben. Vielleicht darum hatte er sich diesen vortheilhaften Platz gewählt, damit er seinen linken Ellenbogen auf das Bret stützen, und zugleich ungehindert mit der rechten Hand essen könnte. Doch davon ist keine Gewißheit, denn er hat sich nie in seinem Leben deutlich darüber erkläret. An seiner rechten Seiten vor dem Tisch saßen seine vier Töchter, damit sie ungehindert ab und zu gehen könnten. Zwischen dem Tisch und dem Ofen hatte Margrethe ihren Platz; eines Theils weil sie leicht fror, und andern Theils damit sie füglich über den Tisch sehen könnte, ob etwa hier oder dort etwas fehlte. Hinter dem Tisch hatten Johann und Wilhelm gesessen, weil aber der eine verheyrathet war, und der andere Schule hielt, so waren diese Plätze leer, biß jezo, da sie dem jungen Ehepaar, nach reiflicher Ueberlegung, angewiesen wurden.

Zuweilen kam Johann Stilling seine Eltern zu besuchen. Das ganze Haus freute sich, wann er kam; denn er war ein besonderer Mann. Ein jeder Bauer im Dorf hatte auch Ehrfurcht für ihn. Schon in seiner frühen Jugend hatte er einen hölzernen Teller zum Astrolabium, und eine feine schöne

Butterdose von schönem Buchenholz zum Compas umge-
schaffen, und von einem Hügel geometrische Observationen
angestellt. Denn zu der Zeit ließ der Landesfürst eine Landcharte verfertigen. Johann hatte zugesehen, wann der Ingenieur operirte. Zu dieser Zeit aber war er wirklich ein geschickter Landmesser, wurde auch von Edeln und Unedeln bei
Theilung der Güter gebraucht. Große Künstler haben gemeiniglich die Tugend an sich, daß ihr erfinderischer Geist immer
etwas neues sucht; daher ist ihnen dasjenige, was sie schon
erfunden haben, und was sie wissen, viel zu langweilig, es
ferner zu verfeinern. Johann Stilling war also arm; denn was
er konnte, versäumte er, um dasjenige zu wissen, was er nicht
konnte. Seine gute einfältige Frau wünschte oft, daß ihr Mann
seine Künsteleien auf Feld und Wiesen zu verbessern wenden
möchte, damit sie mehr Brod hätten. Allein laßt uns der guten
Frauen ihre Einfalt verzeihen; sie verstund es nicht besser;
wenigstens Johann war klug genug hiezu. Er schwieg oder
lächelte.

Die Quadratur des Zirkels und die immerwährende Bewegung beschäftigten ihn zu dieser Zeit. War er nun in ein Geheimniß tiefer eingedrungen, so lief er geschwind nach Tiefenbach um seinen Eltern und Geschwistern seine Entdeckung zu
erzählen. Kam er denn unten durchs Dorf herauf, und es
erblickte ihn jemand aus Stillings Hause, so lief man gleich
und rief alle zusammen, um ihn an der Thüre zu empfangen.
Ein jedes arbeitete dann mit doppeltem Fleiß, um nach dem
Abendessen nichts mehr zu thun zu haben. Dann setzte man
sich um den Tisch, stützte die Ellenbogen drauf, und die
Hände an die Backen, aller Augen waren auf Johanns Mund
gerichtet.

Alle halfen denn an der Quadratur des Zirkels erfinden;
selbst der alte Stilling verwendete vielen Fleiß auf diese Sache.
Ich würde dem erfinderischen, oder besser, dem guten und
natürlichen Verstande dieses Mannes Gewalt anthun, wenn

ich sagen sollte: er hätte nichts in dieser Sache geleistet. Bei seinem Kohlenbrennen beschäftigte er sich damit. Er zog eine Schnur um sein Birnmostfaß, schnitt sie mit seinem Brodmesser ab; sägte dann ein Bret genau vierkantig, und schabte es so lange, bis die Schnur just drum paßte. Nun mußte ja das viereckigte Bret genau so groß seyn, als der Zirkel des Mostfasses. Eberhard sprang auf einem Fuß herum, verlachte die großen gelehrten Köpfe, daß sie aus dem einfältigen Dinge so viel Werks machten, und erzählte bei nächster Gelegenheit seinem Johann die Erfindung. Wir wollen die Wahrheit gestehn. Vater Stilling hatte wohl nichts höhnisches in seinem Charakter; doch lief hier eine kleine Satyre mit unter; aber der Landmesser machte bald der Freude ein Ende, indem er sagte: Es ist die Frage nicht, Vater! ob ein Schreiner einen viereckigten Kasten machen könne, der just so viel Haber enthalte, als eine runde cylindrische Tonne; sondern es muß ausgemacht seyn, wie sich der Diameter des Zirkels gegen seine Peripherie verhalte, und dann, wie groß eine Seite des Quadrats seyn müsse, wann es so groß als der Zirkel seyn soll. Aber in beiden Fällen darf an einem Facit nicht der tausendste Theil eines Haars fehlen. Es muß in der Theorie durch die Algeber bewirkt werden können, daß es wahr ist.

Der alte Stilling würde sich geschämt haben, wenn nicht die Gelehrsamkeit seines Sohns, und seine unmäßige Freude darüber, alles Schämen bey ihm verdrängt hätte. Er sagte deswegen nichts weiter, als: Mit Gelehrten ist nicht gut disputiren; lachte, schüttelte den Kopf, und fuhr fort von einem birkenen Klotz Späne zu schneiden, womit man Feuer und Lichter, auch allenfalls eine Pfeife Tobak anzünden konnte. Dieses war so seine Beschäftigung bei müßigen Stunden.

Stillings Töchter waren stark und arbeitsam. Sie pflegten die Erde, und sie gab ihnen reichliche Nahrung im Garten und Felde. Dortchen aber hatte zarte Glieder und Hände, sie wurde geschwind müde, und dann seufzte sie und weinte. Un-

barmherzig waren nun die Mädchen eben nicht; aber sie konnten doch nicht begreifen, warum ein Weibsmensch, das eben
so groß als ihrer eine war, nicht auch eben so gut sollte arbeiten können. Doch mußte ihre Schwägerin oft ausruhen, auch
sagten sie ihren Eltern niemals, daß sie kaum ihr Brod verdiente. Wilhelm sah es bald ein; er erhielt daher von der ganzen Familie, daß seine Frau ihm am Nähen und Kleider-
machen helfen sollte. Dieser Vertrag wurde geschlossen, und
alle befanden sich wohl dabei.

Der alte Pastor Moriz besuchte nun auch zum erstenmal
seine Tochter. Dortchen weinte für Freuden wie sie ihn sah,
und wünschte Hausmutter zu seyn, um ihm recht gütlich thun
zu können. Er saß den ganzen Nachmittag bei seinen Kindern, und redete mit ihnen von geistlichen Sachen. Er schien
ganz verändert, kleinmüthig und betrübt zu seyn. Gegen
Abend sagte er: Kinder! führt mich einmal auf das Geißen-
berger Schloß. Wilhelm legte seinen eisernen schweren Fingerhut ab, und spuckte in die Hände; Dortchen aber steckte ihren
Fingerhut an den kleinen Finger, und nun stiegen sie zum
Wald auf. Kinder! sagte Moriz, mir ist hier so wohl unter dem
Schatten der Maibuchen. Je höher wir kommen, je freier
werd' ich. Es ist mir eine Zeit her gewesen, als einem der nicht
zu Hause ist. Dieser Herbst muß wohl der letzte meines Lebens seyn. Wilhelm und Dortchen hatten Thränen in den
Augen. Oben auf dem Berge, wo sie biß an den Rhein, und
die ganze Gegend übersehen konnten, setzten sie sich an eine
zerfallene Mauer des Schlosses. Die Sonne stand in der Ferne
nicht hoch mehr über dem blauen Gebürge. Moriz sah starr
dorthin, und schwieg lange; auch sagten seine Begleiter nicht
ein Wort. Kinder! sprach er endlich, ich hinterlaß euch nichts,
wenn ich sterbe. Ihr könnt mich wohl missen. Niemand wird
um mich weinen. Ich habe mein Leben mühsam und unnütz
zugebracht, und niemand glücklich gemacht. Mein lieber Vater! antwortete Wilhelm, ihr habt doch mich glücklich ge-

macht. Ich und Dortchen werden herzlich um euch weinen. Kinder! versetzte Moriz, unsere Neigungen führen uns leicht zum Verderben. Wie viel würde ich der Welt haben nutzen können, wenn ich kein Alchymist geworden wäre! Ich würde euch und mich glücklich gemacht haben! (Er weinte laut.) Doch denke ich immer daran, daß ich meinen Fehler erkannt habe, und nun noch will ich mich ändern. Gott ist ein Vater, auch über die irrende Kinder. Nun höret noch eine Ermahnung von mir, und folgt derselben: Alles was ihr thut, das überlegt vorher wohl, ob es auch andern nützlich seyn könne. Findet ihr, daß es nur euch dienlich ist, so denkt: das ist ein Werk ohne Belohnung. Nur wo wir dem Nächsten dienen, da belohnt uns Gott. Ich habe arm und unbemerkt in der Welt dahingewandelt, und wann ich todt bin, dann wird man meiner bald vergessen; ich aber werde Barmherzigkeit finden vor dem Thron Christi, und selig seyn. Nun gingen sie wieder nach Haus, und Moriz blieb immer traurig. Er ging umher, tröstete die Armen und betete mit ihnen. Auch arbeitete er und machte Uhren, womit er sein Brod erwarb, und noch etwas übrig behielt. Doch dieses währte nicht lange, denn den folgenden Winter verlohr man ihn; man fand ihn nach dreien Tagen unter dem Schnee und war todt gefroren.

Nach diesem traurigen Zufall entdeckte man in Stillings Hause eine wichtige Neuigkeit. Dortchen war gesegneten Leibes, und jedermann freuete sich auf ein Kind, deren in vielen Jahren kein's im Hause gewesen war. Mit was für Mühe und Fleiß man sich auf Dortchens Entbindung gerüstet, ist nicht zu sagen. Der alte Stilling selbst freuete sich auf einen Enkel, und hoffte noch einmal vor seinem Ende seine alte Wiegenlieder zu singen, und seine Erziehungskunst zu beweisen.

Nun nahte der Tag der Niederkunft heran, und 1740 den 12ten September, Abends um 8 Uhr, wurde Henrich Stilling gebohren. Der Knabe war frisch, gesund und wohl, und seine

Mutter wurde gleichfalls, gegen die Weissagungen der Tiefenbacher Sybillen, geschwind wieder besser.

Das Kind wurde in der Florenburger Kirche getauft. Vater Stilling aber, um diesen Tag feyerlicher zu machen, richtete ein Mahl an, bei welchem er den Herrn Pastor Stollbein zu sehen wünschte. Er schickte daher seinen Sohn Johann ans Pfarrhaus, und ließ den Herrn ersuchen, mit nach Tiefenbach zu gehen, um seinem Mahle beizuwohnen. Johann gieng, er that schon den Hut ab, als er in den Hof kam, um nichts zu versehen; aber leider, wie oft ist alle menschliche Vorsicht unnütz! Es sprang ein großer Hund hervor; Johann Stilling griff einen Stein, warf, und traf den Hund in eine Seite, daß er abscheulich zu heulen anfing. Der Pastor sah durchs Fenster was passirte; voll von Eifer sprang er heraus, knüpfte dem armen Johann eine Faust vor die Nase; Du lumpigter Flegel! krisch er, ich will dich lernen meinem Hund begegnen! Stilling antwortete: Ich wußte nicht, daß es Ew. Ehrwürden Hund war. Mein Bruder und meine Eltern lassen den Herrn Pastor ersuchen, mit nach Tiefenbach zu gehen, um der Taufmahlzeit beizuwohnen. Der Pastor ging und schwieg still. Doch murrte er aus der Hausthür zurück: Wartet, ich will mitgehen. Er wartete fast eine Stunde im Hof, liebkosete den Hund, und das arme Thier war auch wirklich versöhnlicher, als der große Gelehrte, der nun aus der Hausthüre herausging. Der Mann wandelte mit Zuversicht an seinem Rohrstab. Johann trabte furchtsam hinter ihm mit dem Hut unterm Arm; den Hut aufsetzen war eine gefährliche Sache; denn er hatte in seiner Jugend manche Ohrfeige von dem Pastor bekommen, wenn er ihn nicht früh genug, das ist, so bald er ihn in der Ferne erblickte, abgezogen hatte. Doch aber eine ganze Stunde lang mit bloßem Haupt, im September, unter freiem Himmel zu gehen, war doch auch entsetzlich! Daher sann er auf einen Fund wie er füglich seinen Kopf bedecken möchte. Plötzlich fiel der Herr Stollbein zur Erde, daß es platschte.

Johann erschrack. Ach! rief er, Herr Pastor, habt ihr euch
Schaden gethan? Was gehts euch an, Schlingel! war die heldenmüthige Antwort dieses Mannes, indem er sich aufrafte. Nun
gerieth Johanns Feuer in etwas in Flammen, daß er heraus-
fuhr: So freue ich mich denn herzlich, daß ihr gefallen seyd,
und lächelte noch dazu. Was! Was! rief der Pastor. Aber Johann setzte den Hut auf, ließ den Löwen brüllen, ohne sich zu
fürchten, und gieng. Der Pastor gieng auch, und so kamen sie
denn endlich nach Tiefenbach.

Der alte Stilling stund vor der Thüre, mit bloßem Haupt;
seine schönen grauen Haare spielten am Mund; er lächelte
den Herrn Pastor an, und sagte, indem er ihm die Hand gab:
Ich freue mich, daß ich in meinem Alter den Herrn Pastor an
meinem Tisch sehen soll; aber ich würde so kühn nicht gewesen seyn, wenn meine Freude über einen Enkel nicht so groß
wäre. Der Pastor wünschte ihm Glück, doch mit angehängter
wohlmeinender Drohung, daß, wenn ihn nicht der Fluch des
Eli treffen sollte, er mehr Fleiß auf die Erziehung seiner Kinder anwenden müßte. Der Alte stund da in seinem Vermögen
und lächelte, doch schwieg er stille und führte Seine Ehrwürden in die Stube. Ich will doch nicht hoffen, sagte der Herr
Pastor, daß ich hier unter dem Schwarm von Bauren speisen
soll. Vater Stilling antwortete: Hier speißt niemand, als ich
und meine Frau und Kinder, ist euch das ein Baurenschwarm?
Ei, was anders! antwortete jener. So muß ich euch erinnern,
Herr! — versetzte Stilling, daß ihr nichts weniger als ein
Diener Christi, sondern ein Pharisäer seyd. Er saß bei den
Zöllnern und Sündern, und aß mit ihnen. Er war überall
klein und niedrig und demüthig. Herr Pastor! … meine
grauen Haare richten sich in die Höhe; setzt euch oder geht
wieder. Hier pocht etwas, ich möchte mich sonst an eurem
Kleide vergreifen, wofür ich doch sonsten Respekt habe …
Hier! Herr! hier vor meinem Hause ritt der Fürst vorbei; ich
stund da vor meiner Thür; er kannte mich. Da sagte er: Gu-

ten Morgen, Stilling! Ich antwortete: Guten Morgen, Ihr
Durchlaucht! Er stieg vom Pferd, er war müde von der Jagd.
Hohlt mir einen Stuhl, sprach er, hier will ich ein wenig ruhen.
Ich habe eine luftige Stube, antwortete ich, gefällt es Ihro
Durchlaucht in die Stube zu gehen, und da bequem zu sitzen?
Ja! sagte er. Der Oberjägermeister gieng mit hinein. Da saß
er, wo ich euch meinen besten Stuhl hingestellt habe. Meine
Margrethe mußte ihm fette Milch einbrocken und ein Butterbrod machen. Wir beiden mußten mit ihm essen, und er versicherte, daß ihm niemalen eine Mahlzeit so gut geschmeckt
habe. Wo Reinlichkeit ist, da kann ein jeder essen. Nun entschließt euch, Herr Pastor! — Wir alle sind hungrig. Der Pastor setzte sich und schwieg still. Da rief Stilling allen seinen
Kindern, aber keines wollte kommen, auch selber Margrethe
nicht hinein. Sie füllte dem Prediger ein irdenes Kümpchen
mit Hünerbrüh, gab ihm einen Teller Cappes mit einem hübschen Stück Fleisch und einem Krug Bier. Stilling trug es selber auf; der Pastor aß und trank geschwind, redete nichts, und
ging wieder nach Florenburg. Nun setzte sich alles zu Tische.
Margrethe betete, und man speisete mit größtem Appetit.
Auch selbst die Kindbetterin saß an Margrethens Stelle mit
ihrem Knaben an der Brust. Denn Margrethe wollte ihren
Kindern selbst dienen. Sie hatte ein sehr feines weißes Hemd,
welches noch ihr Brauthemd war, angezogen. Die Ermel davon hatte sie bis hinter die Ellenbogen aufgewickelt. Von feinem schwarzen Tuch hatte sie ein Leibchen und Rock, und
unter der Haube stunden graue Locken hervor, schön gepudert
von Ehre und Alter. Es ist würklich unbegreiflich, daß während der ganzen Mahlzeit nicht ein Wort vom Pastor geredt
wurde; Doch halte ich davor, die Ursache war, daß Vater
Stilling nicht davon anfing.

Indem man so da saß und mit Vergnügen speiste, klopfte
eine arme Frau an die Thüre. Sie hatte ein klein Kind auf
dem Rücken in einem Tuch hängen, und bat um ein Stücklein

Brod. Mariechen war hurtig. Die Frau kam in zerlumpten besudelten Kleidern, die aber doch die Form hatten, als wenn sie ehemals einem vornehmen Frauenzimmer zugehört hätten. Vater Stilling befahl, man sollte sie an die Stubenthüre sitzen lassen, und ihr von allem etwas zu essen geben. Dem Kinde kannst du etwas Reisbrei zu essen darreichen, Mariechen, sagte er ferner. Sie aß und es schmeckte ihr herzlich gut. Nachdem nun sie und ihr Kind satt waren, dankte sie mit Thränen und wollte gehen. Nein! sagte der alte Stilling, sitzet und erzählet uns, wo ihr her seyd, und warum ihr so gehen müßt. Ich will euch auch Bier zu trinken geben. Sie setzte sich und erzählte.

Ach lieber Gott! sprach sie. Leider ja! muß ich so gehen (Stillings Mariechen hatte sich neben sie, doch etwas von ihr abgesetzt, sie horchte mit größter Aufmerksamkeit, auch waren ihre Augen schon feucht). Ich bin ja leider ein armes Mensch. Vor zehn Jahren möchtet ihr Leute euch wohl eine Ehre draus gemacht haben, wann ich mit euch gespeist hätte.

Wilhelm Stilling. Das wäre!

Johann Stilling. Es sey denn, daß ihr eine Stollbeinische Natur gehabt hättet.

Vater Stilling. Seyd still, Kinder! Lasset die Frau reden!

„Mein Vater ist Pastor zu —"

Mariechen. Jemini! Euer Vater ein Pastor? (sie rückt näher.)

„Ach ja! Freilich ist er Pastor. Ein sehr gelehrter und reicher Mann."

Vater Stilling. Wo ist er Pastor?

„Zu Goldingen im Barchinger Land. Ja freilich! Leider ja!"

Johann Stilling. Das muß ich doch auf der Landcharte suchen. Das muß nicht weit vom Mühlersee seyn, oben an der Spitze, gegen Septentrio zu.

„Ach, mein junger Herr! ich weiß keinen Ort nahe dabei, der Schlendrian heißt."

Mariechen. Unser Johann sagte nicht Schlendrian. Wie sagtest du?

Vater Stilling. Redet ihr fort! St! Kinder!

„Nun war ich dazumal eine hübsche Jungfer, hatte auch schöne Gelegenheiten zu heyrathen" (Mariechen besah sie vom Haupt bis zum Fuß.) „allein keiner war meinem Vater recht. Der war ihm nicht reich genug, der andere nicht vornehm genug, der dritte ging nicht viel in die Kirche."

Mariechen. Sage, Johann, wie heißen die Leute die nicht in die Kirche gehen?

Johann Stilling. St! Mädchen! Separatisten.

„Gut! was soll mir geschehn, ich sahe wohl, ich würde keinen bekommen, wann ich mir nicht selber hülfe. Da war ein junger Barbiergesell. —"

Mariechen. Was ist das, ein Barbiergesell?

Wilhelm Stilling. Schwesterchen, frag hernach um alles. Laß jetzt nur die Frau reden. Es sind Bursche die den Leuten den Bart abmachen.

„Das bitte ich mir aus, hat sich wohl! Mein Mann konnte, trotz dem besten Doktor, kuriren. Ach ja! viel, viel Kuren that er. Kurz, ich ging mit ihm fort. Wir setzten uns zu Spelterburg. Das liegt am Spafluß."

Johann Stilling. Ja, da liegt es. Ein paar Meilen herauf, wo die Milder hineinfließt.

„Ja, da liegts. Ich unglückliches Mensch! — Da wurde ich gewahr, daß mein Mann mit gewissen Leuten Umgang hatte."

Mariechen. Waret ihr schon kopulirt?

„Wer wollte uns kopuliren? lieber Gott! O ja nicht! —" (Mariechen rückte mit ihrem Stuhl ein wenig weiter von der Frauen ab) „Ich wollte es absolut nicht haben, daß mein Mann mit Spitzbuben umging; denn obgleich mein Vater nur ein Schuhflicker war. —" Die Frau packte ihr Kind auf den Nacken, und lief was sie laufen konnte.

Vater Stilling, seine Frau und Kinder, konnten nicht be-greifen, warum die Frau mitten in der Erzählung abbrach und davon lief. Es gehörte auch wirklich eine wahre Logik dazu, die Ursachen einzusehen. Ein jeder gab seine Stimme, doch waren alle Ursachen zweifelhaft. Das vernünftigste Ur-theil, und zugleich auch das wahrscheinlichste, war wohl, daß der Frauen von dem vielen und ungewohnten Essen etwas übel geworden, und man beruhigte sich auch dabei. Vater Stilling zog aber, seiner Gewohnheit nach, die Lehre aus dieser Erzählung, daß es am besten sey, seinen Kindern Religion und Liebe zur Tugend einzuprägen, und dann im gehörigen Alter ihnen die freie Wahl im Heurathen zu vergönnen, wenn sie nur so wählten, daß die Familie nicht wirklich dadurch geschimpft würde. Ermahnen, sagte er, müssen freilich die Eltern ihre Kinder; allein Zwang hilft nichts mehr, wenn der Mensch sein männliches Alter erreicht hat; er glaubt alsdenn alles so gut zu verstehen als seine Eltern.

Während dieser weisen Rede, wobei alle Anwesenden höchst aufmerksam waren, saß Wilhelm in tiefen Betrachtun-gen. Er hatte eine Hand an den Backen gelegt, und sahe starr gerade vor sich hin. Hum! sagte er, alles, was die Frau erzählt hat, scheint mir verdächtig. Im Anfang sagte sie, ihr Vater wäre Pastor zu ... zu ...

Mariechen. Zu Holdingen im Barchinger Land.

Ja, da war es. Und am Ende sagte sie, ihr Vater sey ein Schuhflicker gewesen. Alle Anwesende schlugen die Hände zusammen, und entsetzten sich sehr. Nun erkannte man, war-um die Frau weggelaufen war; man entschloß sich also, an jeder Thüre und Oefnung im Hause vorsichtige Klinken und Klammern zu machen, und das wird auch niemand der Stil-lingschen Familie verdenken, wer einigermaßen den Zusam-menhang der Dinge einzusehen gelernt hat.

Dortchen redete die ganze Zeit durch nichts. Warum? kann ich eben nicht sagen. Sie säugte ihren Henrich alle Augen-

blicke, denn das war nun einmal ihr Alles. Der Junge war
auch hübsch dick und fett. Die erfahrenste Nachbarinnen
konnten schon gleich nach der Geburt in dem Gesichte des
Kindes eine völlige Aehnlichkeit mit seinem Vater entdecken.
Besonders aber wollte man auch schon auf dem linken obern
Augenlied die Grundlage einer künftigen Warze spüren, als
welche der Vater daselbst hatte. Dennoch aber mußte eine
verborgene Partheilichkeit alle Nachbarinnen zu diesem falschen Zeugniß bewogen haben; denn der Knabe hatte und
bekam der Mutter Gesichtszüge und ihr sanftes gefühliges
Herz gänzlich.

Vor und nach verfiel Dortchen in eine sanfte Schwermuth.
Sie hatte an nichts in der Welt Vergnügen mehr, aber auch an
keinem Theile Verdruß. Sie genoß beständig die Wonne der
Wehmuth, und ihr zartes Herz schien sich ganz in Thränen
zu verwandeln, in Thränen ohne Harm und Kummer. Gieng
die Sonne schön auf, so weinte sie, und betrachtete sie tiefsinnig; sprach auch wohl zuweilen: Wie schön muß der seyn,
der sie gemacht hat! Gieng sie unter, so weinte sie. Da gehet
der tröstliche Freund wieder von uns, sagte sie dann oft, und
sehnte sich weit weg in den Wald, zur Zeit der Dämmerung.
Nichts aber war ihr rührender, als der Mond; sie fühlte dann
was unaussprechliches, und ging ganze Abende unten an dem
Geisenberg. Wilhelm begleitete sie fast immer und redete sehr
freundlich mit ihr. Sie hatten beide etwas ähnliches in ihrem
Charakter. Sie hätten die ganze Welt voll Menschen missen
können, nur eins das andere nicht; dennoch empfanden sie
jedes Elend und jeden Druck des Nebenmenschen.

Beinahe anderthalb Jahr war Henrich Stilling alt, als
Dortchen an einem Sonntag Nachmittag ihren Mann ersuchte,
mit ihr nach dem Geisenberger Schlosse zu spazieren. Noch
niemalen hatte ihr Wilhelm etwas abgeschlagen. Er ging mit
ihr. So bald sie in den Wald kamen, schlungen sie sich in ihre
Arme und gingen Schritt vor Schritt unter dem Schatten der

Bäume, und dem vielfältigen Zwitschern der Vögel den Berg hinauf. Dortchen fing an:

„Was meinst du, Wilhelm, sollte man sich wohl im Himmel kennen?"

O ja! liebes Dortchen! Christus sagt ja, von dem reichen Mann, daß er Lazarum in dem Schooße Abrahams gekannt habe, und noch dazu war der reiche Mann in der Hölle; daher glaub ich gewiß, wir werden uns in jener Ewigkeit kennen.

„O Wilhelm! wie sehr freue ich mich, wenn ich daran denke, daß wir dann die ganze Ewigkeit durch ganz ohne Kummer, in lauter himmlischer Lust und Vergnügen werden bei einander seyn! Mich dünkt auch immer, ich könnte im Himmel ohne dich nicht seelig seyn. Ja, lieber Wilhelm! gewiß! gewiß werden wir uns da kennen! Hör einmal, ich wünsche das nun so herzlich! Gott hat ja meine Seele und mein Herz gemacht, das so wünschet; er würde es nicht so gemacht haben, wenn ich unrecht wünschte, und wenn es nicht so wäre! Ja, ich werde dich kennen, und dich unter allen Menschen suchen, und dann werd ich seelig seyn!"

Wir wollen uns bei einander begraben lassen, so brauchen wir nicht lange zu suchen.

„O möchten wir doch in einem Augenblick sterben. Aber wo bliebe dann mein lieber Junge?"

Der würde hier bleiben, und wohl erzogen werden, und endlich zu uns kommen.

„Ich würde aber doch viele Sorge um ihn haben, ob er auch fromm werden würde."

Höre, Dortchen! du bist schon lange her, so besonders schwermüthig gewesen. Wenn ich die Wahrheit sagen soll, du machst mich mit dir betrübt. Warum bist du so gern mit mir allein! Meine Schwestern glauben, du habest sie nicht lieb.

„Doch liebe ich sie recht von Herzen."

Du weinst oft, als wenn du mißmuthig wärest; das thut mir dann leid. Ich werde auch traurig. Hast du etwas auf

dem Herzen, liebes Kind — das dich quält? Sag es mir. Ich
werde dir Ruhe schaffen, es koste auch was es wolle.

„O nein! ich bin nicht mißmuthig, liebes Kind! ich bin nicht
unzufrieden. Ich habe dich lieb, ich habe unsere Eltern und
Schwestern lieb, ja, ich habe alle Menschen lieb. Aber ich will
dir sagen, wie es mir ist. Wenn ich im Frühling sehe, wie alles
aufgeht, die Blätter an den Bäumen, die Blumen und die
Kräuter, so ist mir, als wenn es mich gar nicht angienge; es ist
mir dann, als wenn ich in einer Welt wäre, worinn ich nicht
gehörte. Sobald ich aber ein gelbes Blatt, eine verwelkte
Blume, oder dürres Kraut finde, dann werden mir die Thränen los, und mir wird so wohl, so wohl, daß ich es dir nicht
sagen kann; und doch bin ich nie freudig dabei. Sonsten
machte mich das alles betrübt, und ich war nie fröhlicher, als
im Frühling."

Ich kenne das nicht. So viel aber ist doch wahr, daß es mich
recht empfindlich macht.

Indem sie so redeten, kamen sie zu den Ruinen des Schlosses auf die Seite des Berges, und empfanden die kühle Luft
vom Rhein her, und sahen wie sie mit den langen dürren Gras-
halmen und Epheublättern an den zerfallenen Mauren spielte
und darum pfiff. Hier ist recht mein Ort, sagte Dortchen, hier
müßt ich wohnen. Erzähle mir doch noch einmal die Geschichte vom Johann Hübner, der hier auf dem Schlosse gewohnt hat. Laß uns aber hier auf den Wall gegen die Mauren
über sitzen. Ich dürfte um die Welt nicht zwischen den
Mauern seyn, wenn du das erzählest, denn ich graue immer,
wenn ich's höre. Wilhelm erzählte:

Auf diesem Schlosse haben vor Alters Räuber gewohnt, die
gingen des Nachts ins Land umher, stahlen den Leuten das
Vieh und trieben es dort in den Hof; da war ein großer Stall;
und hernach verkauften sie's weit weg an fremde Leute. Der
letzte Räuber, der hier gewohnt hat, hieß Johann Hübner. Er
hatte eiserne Kleider an, und war stärker, als alle andere

Bursche im ganzen Lande. Er hatte nur ein Auge, und einen großen krausen Bart und Haare. Am Tage saß er mit seinen Knechten, die alle sehr stark waren, dort an der Ecke, wo du noch das zerbrochene Fensterloch siehst; da hatten sie eine Stube, da saßen sie und soffen Bier. Johann Hübner sah mit dem einen Auge sehr weit durchs ganze Land umher. Wenn er dann einen Reuter sahe, da rief er: Hehloh! — da reitet ein Reuter! ein schönes Roß, Hehloh! Und dann gaben sie Acht auf den Reuter, nahmen ihm das Roß und schlugen ihn todt. Da war aber ein Fürst von Dillenburg, der schwarze Christian genannt, ein sehr starker Mann; der hörte immer von Johann Hübners Räubereien; denn die Bauern kamen und klagten über ihn. Dieser schwarze Christian hatte einen klugen Knecht, der hieß Hanns Flick; den schickte er über Land, dem Johann Hübner aufzupassen. Der Fürst aber lag hinten im Giller, den du da siehst, und hielt sich da mit seinen Reutern verborgen; dahin brachten ihm auch die Bauern Brod und Butter und Käse. Hanns Flick kannte den Johann Hübner nicht. Er streifte im Lande herum, und fragte ihn aus. Endlich kam er an eine Schmiede, wo Pferde beschlagen wurden. Da stunden viele Wagenräder an der Wand, die auch beschlagen werden sollten. Auf dieselbe hatte sich ein Mann mit dem Rücken gelehnt, er hatte nur ein Auge und ein eisernes Wams an. Hanns Flick ging bei ihm und sagte: Gott grüß dich, eiserner Wams-Mann mit einem Auge! heißest du nicht Johann Hübner vom Geissenberg? Der Mann antwortete: Johann Hübner vom Geissenberg liegt auf dem Rad. Hanns Flick verstunde das Rad auf dem Gerichtsplatz, und sagte: War das kürzlich? Ja, sprach der Mann, erst heut. Hanns Flick glaubte doch nicht recht, und blieb bey der Schmiede, und gab auf den Mann Acht, der auf dem Rade lag. Der Mann sagte dem Schmidt ins Ohr: Er sollte ihm sein Pferd verkehrt beschlagen, so daß das vorderste Ende des Hufeisens hinten käme. Der Schmidt that es, und Johann Hübner ritt weg. Wie er aufsah, sagte er dem Hanns Flick: Gott grüß dich, braver Kerl! sage deinem Herrn: Er solle mir Fäuste schicken, aber keine Leute die hinter den Ohren lausen. Hanns Flick blieb stehen, und sah, wo er übers Feld in den Wald ritt, lief ihm nach, um zu sehen, wo er bliebe. Er wollte seiner Spur nachgehen, Johann Hübner aber ritt hin und her, die Creuz und Queer, und Hanns Flick wurde bald in den Fußtapfen des Pferdes irre; denn, wo er hingeritten war, da gingen die Fußtapfen zurück; darum verlohr er ihn bald, und wuste nicht, wo er geblieben war. Endlich aber ertappte ihn doch Hanns Flick, wie er mit seinen Knechten dort auf der Heide im Wald lag und geraubt Vieh hütete. Es war in der Nacht am Mondschein. Er lief und sagte es dem Fürsten Christian; der ritt in der Stille mit seinen Kerlen unten durch den Wald. Sie hatten den Pferden Moos unter die Füße gebunden, kamen auch nahe bei ihm, sprangen auf ihn zu, und sie kämpften zusammen. Fürst Christian und Johann Hübner hieben sich auf die eisernen Hüte und Wämsger, daß es klang; endlich aber blieb Johann Hübner todt, und der Fürst zog hier ins Schloß. Den Johann Hübner begruben sie da unten in die Ecke, und der Fürst legte viel Holz um den großen Thurm, auch untergruben sie ihn. Er fiel am Abend um, wie die Tiefenbacher die Kühe molken; das ganze Land zitterte umher von dem Fall. Da siehst du noch den langen Steinhaufen, den Berg hinab; das ist der Thurm, wie er gefallen ist. Noch jetzo spukt hier des Nachts zwischen eilf und zwölf Uhr Johann Hübner mit dem einzigen Auge. Er sitzt auf einem schwarzen Pferd und reitet um den Wall herum. Der alte Neuser, unser Nachbar, hat ihn oft gesehn. Dortchen zitterte, und fuhr zusammen, wenn ein Vogel aus einem Strauch in die Höhe flog. Ich höre die Erzählung noch immer gern, sagte sie; wenn ich hier so sitze, und wenn ich es noch zehnmal höre, so werde ich es doch nicht müde. Laßt uns ein wenig um den Wall spazieren. Sie gingen zusammen um den Wall und Dortchen sang:

Es leuchten drei Sterne über ein Königes Haus.
    Drei Jungfräulein wohnten darinn : :
Ihr Vater war weit über Land hinaus
    Auf ein'm weißen Rösselein.
        Sternelein blinzet zu Leide.

Siehst du es, das weiße Rößlein, noch nicht,
    Ach Schwesterlein, muthig im Thal? : :
Ich seh es, mein's Vaters Rösselein, licht,
    Es trabet da muthig im Thal.
        Sternelein blinzet zu Leide.

Ich seh es, das Rößlein, mein Vater nicht drauf.
    Ach Schwesterlein! Vater ist todt! : :
Mein Herzel ist mir es betrübet.
    Wie ist mir der Himmel so roth!
        Sternelein blinzet zu Leide.

Da trat ein Reuter im blutigen Rock
    In's dunkle Kämmerlein klein : :
Ach, blutiger Mann, wir bitten dich hoch,
    Laß leben uns Jungfräuelein.
        Sternelein blinzet zu Leide!

Ihr könnt nicht leben, ihr Jungfräulein zart;
    Mein Weiblein frisch und schön : :
Erstach mir eu'r Vater im Garten so hart,
    Ein Bächlein von Blut floß daher.
        Sternelein blinzet zu Leide.

Ich fand ihn, den Mörder, im Walde grün,
    Ich nahm ihm sein Rößlein ab : :
Und stach ihm das Messer ins Herz;
    Er fiel drauf den Felsen herab.
        Sternelein blinzet zu Leide!

Auch hatt'st du die liebe Mutter mein
    Getödtet am holigen Weg : :
Ach, Schwesterlein, lasset uns frölich seyn!
    Wir sterben ja wundergern.
        Sternelein blinzet zu Leide!

> Der Mann nahm ein Messer scharf und spitz,
> Und stieß es den Jungfräulein zart ::
> In ihr betrübtes Herzelein,
> Zur Erde fielen sie hart.
>   Sternelein blinzet zu Leide!
>
> Da fließet ein klares Bächelein hell
> Herunter im grünigen Thal ::
> Fließ krumm herum, du Bächlein hell,
> Bis in die weite See!
>   Sternelein blinzet zu Leide!
>
> Da schlafen die Jungfräulein alle drei
> Bis an den jüngsten Tag ::
> Sie schlafen da in kühliger Erd'
> Bis an den jüngsten Tag.
>   Sternelein blinzet zu Leide!

Nun begann die Sonne unterzugehen, und Dortchen mit ihrem Wilhelm hatten recht die Wonne der Wehmuth gefühlt. Wie sie den Wald hinab gingen, durchdrang ein tödtlicher Schauer Dortchens ganzen Leib. Sie zitterte von einer kalten Empfindung, und es ward ihr sauer Stillings Haus zu erreichen. Sie verfiel in ein hitziges Fieber. Wilhelm war Tag und Nacht bey ihr. Nach vierzehn Tagen sagte sie des Nachts um zwölf Uhr zu Wilhelmen: Komm, lege dich zu Bette. Er zog sich aus, und legte sich zu ihr. Sie faßte ihn in ihren rechten Arm, er lag mit seinem Kopf an ihre Brust. Auf einmal wurde er gewahr, daß das Pochen ihres Pulses nachließ, und dann wieder ein paarmal klopfte. Er erstarrte und rief seelzagend! Mariechen! Mariechen! Alles wurde wacker und lief herzu. Da lag Wilhelm und empfieng Dortchens letzten Athemzug in seinen Mund. Sie war nun todt. Wilhelm war betäubt, und seine Seele wünschte nicht wieder zu sich selbst zu kommen; doch endlich stieg er aus dem Bette, weinte und klagte laut. Selbst Vater Stilling und seine Margrethe gingen zu ihr, und hielten ihr die Augen fest zu, und schluchzeten. Es sah betrübt aus, wie die beiden alten Grauköpfe naß von Thränen zärtlich auf den verblichenen Engel blickten. Auch die Mädchen weinten laut, und erzählten sich untereinander alle die letzten Worte und Liebkosungen die ihnen ihre seelige Schwägerin gesagt hatte.

Wilhelm Stilling hatte mit seinem Dortchen in der stark bevölkerten Landschaft allein gelebt; nun war sie todt und begraben, und er fand daher, daß er jetzt ganz allein in der Welt lebte. Seine Eltern und Geschwister waren um ihn, ohne daß er sie bemerkte. In dem Gesichte seines verwaiseten Kindes, sahe er nur Dortchens Lineamente; und wenn er des Abends schlafen ging, so fand er sein Zimmer still und öde. Oft glaubte er den rauschenden Fuß Dortchens zu hören, wie sie ins Bette stieg. Er fuhr dann in einander, Dortchen zu sehen, und sah sie nicht. Er durchdachte alle Tage die sie mit einander gelebet hatten, fand in jedem ein Paradies, und verwunderte sich, daß er nicht damalen vor lauter Wonne gejauchzt hatte. Dann nahm er seinen Henrichen in die Arme, weinte ihn naß, drückte ihn an seine Brust, und schlief mit ihm. Dann träumte er oft, wie er mit Dortchen im Geisenberger Wald spaziere, wie er so froh sey, daß er sie wieder habe. Im Traum fürchtete er wacker zu werden, und dennoch erwachte er: seine Thränen wurden dann neu und sein Zustand war trostlos. Vater Stilling sah das alles, und doch tröstete er seinen Wilhelmen niemals. Margarethe und die Mädchen versuchten es oft, aber sie machten nur übel ärger; denn, alles beleidigte Wilhelmen, was nur dahin zielte ihn aus seiner Trauer zu ziehen. Sie konnten aber gar nicht begreifen wie es doch möglich seyn könnte, daß ihr Vater gar keine Mühe anwendete Wilhelmen aufzumuntern. Sie vereinigten sich daher ihren Vater dazu zu ermahnen, so bald Wilhelm einmal im Geisenberger Wald herumirren, und seines Dortchens Gänge und Fußtritte aufsuchen und beweinen würde. Das that er oft, und daher währete es nicht lange, bis sie Gelegenheit fanden ihr Vorhaben auszuführen. Margarethe nahm es auf sich, so bald der Tisch abgetragen und Wilhelm fort war, Vater Stilling aber an seinen Zähnen stocherte, und grade vor sich hin auf einen Fleck sah. Ebert, sagte sie, warum lässest du den Jungen so herum gehen? du nimmst dich seiner gar nicht an, redest ihm nicht ein wenig zu, sondern thust als wenn er dich gar nichts angienge. Der arme Mensch sollte vor lauter Traurigkeit die Auszehrung bekommen. Margret, antwortete der Alte lächelnd, was meinst du wohl, daß ich ihm sagen könnte, ihn zu trösten? Sag ich ihm, er sollte sich zufrieden geben, sein Dortchen sey im Himmel, sie sey selig: so kommt das eben heraus, als wenn dir jemand alles, was du auf der Welt am liebsten hast, abnähme, und ich käme dann her und sagte: Gieb dich zufrieden! deine Sachen sind ja wohl verwahrt, über sechzig Jahr bekommst du sie ja wieder, es ist ein braver Mann der sie hat u. s. w. Würdest du nicht recht bös auf mich werden und sagen: Wo leb ich aber die sechzig Jahr von? Soll ich Dortchens Fehler all aufzählen, und suchen, ihn zu überreden, er habe nichts so gar kostbares verlohren: so würde ich ihre Seele beleidigen, ein Lügner oder Lästerer seyn, weiter aber nichts ausrichten, als Wilhelmen mir auf immer zum Feinde machen; Er würde alle ihre Tugenden dagegen aufzählen, und ich würde in der Rechnung zu kurz kommen. Soll ich ihm ein anderes Dortchen aufsuchen? Das müste just ein Dortchen seyn, und doch würd es ihm vor ihr eckeln. Ach! es giebt kein Dortchen mehr! — Ihm zitterten die Lippen und seine Augen waren naß. Nun weinten sie wieder alle, vornehmlich darum, weil ihr Vater weinte.

Bei diesen Umständen war Wilhelm nicht im Stande sein Kind zu versorgen, oder sonst etwas nützliches zu verrichten. Margarethe nahm also ihren Enkel in völlige Verpflegung, futterte und kleidete ihn auf ihre altfränkische Manier aufs reinlichste. Die Mädchen gängelten ihn, lehrten ihn beten und andächtige Reimchen hersagen, und wenn Vater Stilling Samstags Abends aus dem Walde kam und sich bei den Ofen gesetzt hatte, so kam der Kleine gestolpert, suchte auf seine Knien zu klettern, und nahm jauchzend das auf ihn gesparte Butterbrod; mauste auch wohl selbsten im Quersack um es zu finden; es schmeckte ihm besser als sonst der allerbeste Reisbrei Kindern zu thun pfleget, wie wohl es allezeit von der Luft hart und vertrocknet war. Dieses vertrocknete Butterbrod verzehrte Henrich auf seines Großvaters Schos, wobei ihm derselbe entweder das Lied: Gerberli hieß mein Hüneli; oder auch: Reuter zu Pferd, da kommen wir her, vorsang, wobei er immer die Bewegung eines trabenden Pferds mit dem Knie machte. Mit einem Wort! Vater Stilling hatte den Kunstgrif in seiner Kindererziehung, er wuste alle Augenblick eine neue Belustigung für Henrichen, die immer so beschaffen waren, daß sie seinem Alter angemessen, das ist, ihm begreiflich waren; doch so, daß immer dasjenige, was den Menschen ehrwürdig seyn muß, nicht allein nicht verkleinert, sondern gleichsam im Vorbeigang groß und schön vorgestellt wurde. Dadurch gewann der Knabe eine Liebe zu seinem Grosvater die über alles gieng; und daher hatten denn die Begriffe, die er ihm beibringen wollte, Eingang bei ihm. Was ihm sein Grosvater sagte, das glaubte er ohne weiteres Nachdenken.

Die stille Wehmuth Wilhelms verwandelte sich nun vor und nach in eine gesprächige und vertrauliche Traurigkeit. Nun sprach er wieder mit seinen Leuten; ganze Tage redeten sie von Dortchen, sangen ihre Lieder, besahen ihre Kleider, und dergleichen Dinge mehr. Wilhelm fing an ein Wonnegefühl in ihrem Andenken zu empfinden, und einen Frieden zu schmecken der über alles ging, wenn er sich vorstellte, daß über kurze Jahre auch ihn der Tod würde abfordern, wo er denn, ohne einiges Ende zu befürchten, ewig in Gesellschaft seines Dortchens die höchste Glückseligkeit, deren der Mensch nur fähig ist, würde zu geniessen haben. Dieser große Gedanke zog eine ganze Lebensänderung nach sich, wozu folgender Vorfall noch ein großes mit beitrug. Etliche Stunden von Tiefenbach ab, war ein großes adeliches Haus, welches durch eine Erbschaft an einen gewissen Grafen gefallen war.

Auf diesem Schloß hatte sich eine Gesellschaft frommer Leute eingepachtet. Sie hatten eine Fabrike von halbseidenen Stoffen unter sich angelegt, wovon sie sich nähreten. Was nun kluge Köpfe waren, die die Moden und den Wohlstand in der Welt kannten, oder mit einem Wort, wohllebende Leute, die hatten gar keinen Geschmack an dieser Einrichtung. Sie wusten, wie schimpflich es in der großen Welt wäre, sich öffentlich zu Jesu Christo zu bekennen, oder Unterredungen zu halten, worinnen man sich ermahnte dessen Lehre und Leben nachzufolgen. Daher waren denn auch diese Leute in der Welt verachtet, und hatten keinen Werth; sogar fanden sich Menschen, die wollten gesehen haben, daß sie auf ihrem Schlosse allerhand Greuel verübten, wodurch dann die Verachtung noch größer wurde. Mehr konnte man sich aber nicht ärgern, als wenn man hörte: daß diese Leute über solche Schmach noch froh waren, und sagten, daß es ihrem Meister eben so ergangen. Unter dieser Gesellschaft war einer Nahmens Niclas, ein Mensch von ungemeinem Genie und Naturgaben. Er hatte Theologie studiert, dabei aber die Mängel aller Systeme entdeckt, auch öffentlich dagegen geredet und geschrieben; weswegen er ins Gefängniß gelegt, hernach aber daraus wieder befreiet worden, und mit einem gewissen Herrn lange auf Reisen gewesen war. Er hatte sich, um ruhig und frei zu leben, unter diese Leute begeben, und da er von ihrem Handwerck nichts verstund, so trug er ihre verfertigte Zeuge weit umher feil, oder, wie man zu sagen pflegt, er ging damit hausieren. Dieser Niclas war oft in Stillings Hause gewesen; weil er aber wuste, wie feste man daselbst an den Grundsätzen der reformirten Religion und Kirche hinge, so hatte er sich nie herausgelassen; zu dieser Zeit aber, da Wilhelm Stilling anfing aus dem schwärzesten Kummer sich loszuwinden, fand er Gelegenheit mit ihm zu reden. Dieses Gespräch ist wichtig; darum will ich es hier beifügen, so wie mirs Niclas selbsten erzählt hat.

Nachdem sich Niclas gesetzt, fing er an: Wie gehts euch nun Meister Stilling, könnt ihr euch auch in das Sterben eurer Frau schicken?

„Nicht zu wohl! das Herz ist noch so wund daß es blutet; doch fange ich an mehrern Trost zu finden."

So gehts, Meister Stilling, wenn man mit seinen Begierden sich zu sehr an etwas Vergängliches anfesselt. Und wir sind gewiß glücklicher wenn wir Weiber haben, als hätten wir keine. Wir können sie von Herzen lieben; allein wie nützlich ist es doch auch, wenn man sich übet, auch diesem Vergnügen abzusterben, und es zu verläugnen; gewiß wird uns denn der Verlust nicht so schwer fallen.

„Das läßt sich recht gut predigen, aber thun, thun, leisten, halten, das ist eine andere Sache."

Niclas lächelte und sagte: Freilich ist es schwer, besonders wenn man ein solches Dortchen gehabt hat; doch aber wenns nur jemand ein Ernst ist, ja wenn nur jemand glaubt, daß die Lehre Jesu Christi zur höchsten Glückseligkeit führet, so wirds einem Ernst. Alsdenn ist es wirklich so schwer nicht, als man sichs vorstellt. Laßt mich euch die ganze Sache kürzlich erklären. Jesus Christus hat uns eine Lehre hinterlassen, die der Natur der menschlichen Seele so angemessen ist, daß sie, wann sie nur befolgt wird, nothwendig vollkommen glücklich machen muß. Wenn wir alle Lehren aller Weltweisen durchgehen, so finden wir eine Menge Regeln, die so zusammenhangen, wie sie sich ihr Lehrgebäude geformt hatten. Bald hinken sie, bald laufen sie, und dann stehen sie still; nur die Lehre Christi, aus den tiefsten Geheimnissen der menschlichen Natur herausgezogen, fehlet nie, und beweiset, dem der es recht einsieht, vollkommen, daß ihr Verfasser den Menschen selber müsse gemacht haben, indem er ihn bis auf den ersten Grundtrieb kannte. Der Mensch hat einen unendlichen Hunger nach Vergnügen, nach Vergnügen, die im Stande sind ihn zu sättigen, die immer was neues ausliefern, die eine unaufhörliche Quelle neuer Vergnügen sind. In der ganzen Schöpfung finden wir keine von solcher Art. Sobald wir ihrer durch den Wechsel der Dinge verlustig werden, so lassen sie eine Quaal zurück, wie ihr zum Exempel bei eurem Dortchen gewahr worden. Dieser göttliche Gesetzgeber wuste, daß der Grund aller menschlichen Handlungen die wahre Selbstliebe sey. Weit davon entfernt, diesen Trieb, der viel Böses anrichten kann, zu verdrängen, so giebt er lauter Mittel an die Hand, denselben zu veredlen und zu verfeinern. Er befiehlt, wir sollen andern das beweisen, was wir wünschen, daß sie uns beweisen sollen; thun wir nun das, so sind wir ihrer Liebe gewiß, sie werden uns wohl thun und viel Vergnügen machen, wenn sie anders keine böse Menschen sind. Er befiehlt, wir sollen die Feinde lieben; so bald wir nun einem Feinde Liebes und Gutes erzeigen, so wird er gewiß auf das äusserste gefoltert, bis er sich mit uns ausgesöhnt hat; wir selbsten aber geniessen bei der Ausübung dieser Pflichten, die uns nur im Anfang ein wenig Mühe kosten, einen innern Frieden, der alle sinnliche Vergnügen weit übertrifft. Ueberdas ist der Stolz eigentlich die Quelle aller unserer gesellschaftlicher Laster, alles Unfriedes, Hasses und Störens der Ruhe. Wider diese Wurzel alles Uebels nun ist kein besser Mittel, als obige Gesetze Jesu Christi. Ich mag mich für jetzo nicht weiter darüber erklären; ich wollte euch nur so viel sagen: daß es wohl der Mühe werth sey, Ernst anzuwenden, der Lehre Christi zu folgen, weil sie uns dauerhafte und wesentliche Vergnügen verschaffet, die uns im Verlust anderer die Wage halten können.

„Sagt mir doch dieses alles vor, Freund Niclas! ich muß es aufschreiben, ich glaube daß es wahr ist, was ihr sagt."

Niclas wiederholte es von Herzen, und immer mit einem bißgen mehr oder weniger, und Wilhelm schrieb es auf, so wie ers ihm vorsagte.

„Aber, fuhr er fort, wenn wir durch die Nachfolge der

Lehre Christi selig werden, wofür ist dann sein Leiden und Sterben? Die Prediger sagen ja, wir könnten die Gebote nicht halten, sondern wir würden nur durch den Glauben an Christum und durch sein Verdienst gerecht und selig."

Niclas lächelte und sagte: Davon läßt sich all einmal weiter reden. Nehmts nur eine Weile so, daß wie er uns durch sein heiliges reines Leben, da er in der Gnade vor Gott und den Menschen hinwandelte, eine freye Aussicht über unser Leben, über die verworrne Erdhändel verschafft hat, daß wir durch einen Blick auf ihn muthig werden, und offen der Gnade die über uns waltet, zur größern Einfalt des Herzens, mit der man überall durchkommt, so hat er auch, sag ich, sein Kreuz hin in die Nacht des Todes gepflanzt, wo die Sonne untergeht und der Mond sein Licht verliert, daß wir da hinauf blicken, und ein „Gedenke mein!" in demüthiger Hoffnung rufen. So werden wir durch sein Verdienst selig, wenn ihr wollt; denn er hat sich die Freiheit der Seinen vom ewigen Tod scharf und sauer genug verdient, und so werden wir durch den Glauben selig, denn der Glaube ist Seligkeit. Laßt euch indessen das all nicht anfechten, und seyd im Kleinen treu, sonst werdet ihr im Großen nichts ausrichten. Ich will euch ein Paar Blätter hier lassen, die aus dem französischen des Erzbischofs Fenelon übersetzt sind; sie handeln von der Treue in kleinen Dingen; auch will ich euch die Nachfolge Christi des Thomas von Kempis mitbringen, ihr könnt da weiter Nachricht bekommen.

Ich kann nicht eigentlich sagen, ob Wilhelm aus wahrer Ueberführung diese Lehre angenommen, oder ob der Zustand seines Herzens so beschaffen gewesen, daß er ihre Schönheit empfunden, ohne ihre Wahrheit zu untersuchen. Gewiß, wenn ich mit kaltem Blut den Vortrag dieses Niclasens durchdenke, so find ich daß ich nicht alles reimen kann, aber im Ganzen ists doch herrlich und gut.

Wilhelm kaufte von Niclasen einige Ellen Stof, ohne sie

nöthig zu haben, und da nahm der gute Prediger sein Bündel
auf den Nacken und ging, doch mit dem Versprechen, bald
wieder zu kommen; und gewis wird Niclas den ganzen Giller
durch Gott recht herzlich für die Bekehrung Wilhelms gedankt haben. Dieser nun fand eine tiefe unwiderstehliche Neigung in seiner Seele, die ganze Welt dran zu geben und mit
seinem Kinde oben im Hause auf einer Kammer allein zu
wohnen. Seine Schwester Elisabeth wurde an einen Leineweber Simon an seine Stelle ins Haus verheurathet, er aber
bezog seine Kammer, schaffte sich einige Bücher an, die ihm
von Niclas vorgeschlagen wurden, und so verlebte er daselbst
mit seinem Knaben viele Jahre.

Die ganze Beschäftigung dieses Mannes ging während dieser Zeit dahin, mit seinem Schneiderhandwerke seine Bedürfnisse zu erwerben; (denn er gab für sich und sein Kind
wöchentlich ein erträgliches Kostgeld ab an seine Eltern) und
dann, alle Neigungen seines Herzens, die nicht auf die Ewigkeit abzielten, zu dämpfen; endlich aber auch seinen Sohn in
eben den Grundsätzen zu erziehen, die er sich als wahr und
festgegründet eingebildet hatte. Des Morgens um vier Uhr
stund er auf, und fing an zu arbeiten; um sieben weckte er
seinen Henrichen, und beym ersten Erwachen erinnerte er ihn
freundlich an die Gütigkeit des Herrn, der ihn die Nacht
durch von seinen Engeln bewachen lassen. Danke ihm dafür,
mein Kind! sagte Wilhelm, indem er den Knaben ankleidete.
War dieses geschehen, so muste er sich in kaltem Wasser waschen, und dann nahm ihn Wilhelm bei sich, schloß die Kammer zu, und fiel mit ihm vor dem Bette auf die Kniee, und
betete mit der größten Inbrunst des Geistes zu Gott, wobei
ihm die Thränen oft häufig zur Erde flossen. Dann bekam der
Junge sein Frühstück, welches er mit einem Anstand und Ordnung verzehren muste, als wenn er in Gegenwart eines Prinzen gespeiset hätte. Nun muste er ein kleines Stück im Catechismus lesen, und vor und nach auswendig lernen; auch war

ihm erlaubt, alte anmuthige und einem Kinde begreifliche
Geschichten, theils geistliche, theils weltliche, zu lesen, als da
war: der Kaiser Oktavianus mit seinen Weib und Söhnen;
die Historie von den vier Haymons Kindern; die schöne Melusine und dergleichen. Wilhelm erlaubte niemalen dem Knaben mit andern Kindern zu spielen, sondern er hielt ihn so
eingezogen, daß er im siebenten Jahr seines Alters noch keine
Nachbars Kinder, wohl aber eine ganze Reihe schöner Bücher
kannte. Daher kam es denn, daß seine ganze Seele anfing sich
mit Idealen zu belustigen; seine Einbildungskraft ward erhöht, weil sie keine andere Gegenstände bekam, als idealische
Personen und Handlungen. Die Helden alter Romanzen,
deren Tugenden übertrieben geschildert wurden, setzten sich
unvermerkt, als so viel nachahmungswürdige Gegenstände in
sein Gemüth feste, und die Laster wurden ihm zum größesten
Abscheu; doch aber, weil er beständig von Gott und frommen
Menschen reden hörte, so wurde er unvermerkt in einen Gesichtspunkt gestellt, aus dem er alles beobachtete. Das erste
wornach er fragte, wenn er von jemand etwas las oder reden
hörte, bezog sich auf seine Gesinnung gegen Gott und Christum. Daher, als er einmal Gottfried Arnolds Leben der Altväter bekam, konnte er gar nicht mehr aufhören zu lesen, und
dieses Buch, nebst Reizens Historie der Wiedergebohrnen,
blieb sein bestes Vergnügen in der Welt, bis ins zehnte Jahr
seines Alters; aber alle diese Personen, deren Lebensbeschreibungen er las, blieben so fest in seiner Einbildungskraft ideali-
sirt, daß er sie nie in seinem Leben vergessen hat.

Am Nachmittag, von zwo bis drei Uhr, oder auch etwas
länger, lies ihn Wilhelm in den Baumhof und Geisenberger
Wald spatzieren; er hatte ihm daselbst einen Distrikt angewiesen, den er sich zu seinen Belustigungen zueignen, aber
über welchen er nicht weiter ohne Gesellschaft seines Vaters
hinausgehen durfte. Diese Gegend war nicht größer, als Wilhelm aus seinem Fenster übersehen konnte, damit er ihn nie

aus den Augen verlieren möchte. War denn die gesetzte Zeit um, oder wenn sich auch ein Nachbars Kind Henrichen von weiten näherte, so pfif Wilhelm, und auf dieses Zeichen war er den Augenblick wieder bei seinem Vater.

Diese Gegend, Stillings Baumhof und ein Strich Waldes, der an den Hof gränzte, wurde von unserm jungen Knaben also täglich bei gutem Wetter besucht, und zu lauter idealischen Landschaften gemacht. Da war eine egyptische Wüste, in welcher er einen Strauch zur Höle umbildete, in welche er sich verbarg und den heiligen Antonius vorstellte, betete auch wohl in diesem Enthusiasmus recht herzlich. In einer andern Gegend war der Brunn der Melusine; dort war die Türkei, wo der Sultan und seine Tochter, die schöne Marcebilla, wohnten; da war auf einem Felsen das Schloß Montalban, in welchem Reinold wohnte u. s. w. Nach diesen Oertern wallfahrte er täglich, kein Mensch kann sich die Wonne einbilden die der Knabe daselbst genoß; sein Geist floß über, er stammelte Reimen und hatte dichterische Einfälle. So war die Erziehung dieses Kindes beschaffen bis ins zehnte Jahr. Eins gehört noch hierzu. Wilhelm war sehr scharf; die mindeste Uebertretung seiner Befehle bestrafte er aufs schärfeste mit der Ruthe. Daher kam zu obigen Grundlagen eine gewisse Schüchternheit in des jungen Stillings Seele, und aus Furcht für den Züchtigungen suchte er seine Fehler zu verhelen und zu verdecken, so daß er sich nach und nach zum Lügen verleiten ließ; eine Neigung die ihm zu überwinden bis in sein zwanzigstes Jahr viele Mühe gemacht hat. Wilhelms Absicht war, seinen Sohn beugsam und gehorsam zu erziehen, um ihn zu Haltung göttlicher und menschlicher Gesetze fähig zu machen; und eine gewissenhafte Strenge führte, däuchte ihn, den nächsten Weg zum Zwecke; und da konnte er gar nicht begreifen, woher es doch käme, daß seine Seligkeit, die er an den schönen Eigenschaften seines Jungens genoß, durch das Laster der Lügen, auf welchem er ihn oft ertappte, so häßlich

versalzen würde. Er verdoppelte seine Strenge, besonders wo
er eine Lüge gewahr wurde; allein er richtete dadurch weiter
nichts aus, als daß Henrich alle erdenkliche Kunstgriffe anwendete seine Lügen wahrscheinlicher zu machen; und so
wurde denn doch der gute Wilhelm betrogen. Sobald merkte
der Knabe nicht daß es ihm gelung, so freute er sich und
dankte noch wohl Gott, daß er ein Mittel gefunden, einem
Strafgericht zu entgehen. Doch muß ich auch dieses zu seiner
Ehrenrettung sagen; er log nicht, als nur dann, wann er
Schläge damit abwenden konnte.

Der alte Stilling sah alles dieses ganz ruhig an. Die strenge
Lebensart seines Sohnes beurtheilte er nie; lächelte aber wohl
zuweilen und schüttelte die grauen Locken, wann er sah, wie
Wilhelm nach der Ruthe grif, weil der Knabe etwas gegessen
oder gethan hatte, das gegen seinen Befehl war. Dann sagte er
auch wohl in Abwesenheit des Kindes: Wilhelm! wer nicht
will, daß seine Gebote häufig übertreten werden, der muß
nicht viel befehlen. Alle Menschen lieben die Freiheit. — Ja,
sagte Wilhelm dann, so wird mir aber der Junge eigenwillig.
Verbeut du ihm, erwiederte der Alte, seine Fehler, wann er
sie eben begehen will, und unterrichte ihn warum; hast du es
aber vorhin verboten, so vergißt der Knabe die vielen Gebote
und Verbote, fehlt immer, du aber must dein Wort hand-
haben, und so giebts immer Schläge. Wilhelm erkannte dieses,
und ließ vor und nach die mehresten Regeln in Vergessenheit
kommen; er regierte nun nicht mehr so sehr nach Gesetzen,
sondern ganz monarchisch; er gab seinen Befehl immer wenns
nöthig war, richtete ihn nach den Umständen ein, und nun
wurde der Knabe nicht mehr so viel gezüchtigt, seine ganze
Lebensart wurde in etwas aufgeweckter, freier und edler.

Henrich Stilling wurde also ungewöhnlich erzogen, ganz
ohne Umgang mit andern Menschen; er wuste daher nichts
von der Welt, nichts von Lastern, er kannte gar keine Falschheit und Ausgelassenheit; beten, lesen und schreiben war seine

Beschäftigung; sein Gemüth war also mit wenigen Dingen angefüllt: aber alles was darinn war, war so lebhaft, so deutlich,
so verfeinert und veredelt, daß seine Ausdrücke, Reden und
Handlungen sich nicht beschreiben lassen. Die ganze Familie
erstaunte über den Knaben, und der alte Stilling sagte oft:
Der Junge entfleugt uns, die Federn wachsen ihm größer, als
je einer in unserer Freundschaft gewesen; wir müssen beten,
daß ihn Gott mit seinem guten Geist regieren wolle. Alle
Nachbarn, die wohl in Stillings Hause kamen, und den Knaben sahen, verwunderten sich; denn sie verstunden nichts von
allem was er sagte, ob er gleich gut deutsch redete. Unter
andern kam einmal Nachbar Stähler hin, weilen er von Wilhelmen ein Camisol gemacht haben wollte; doch war wohl
seine Hauptabsicht dabei, unter der Hand sein Mariechen zu
versorgen; denn Stilling war im Dorf angesehen, und Wilhelm war fromm und fleißig. Der junge Henrich mochte acht
Jahr alt seyn; er saß in einem Stuhl und las in einem Buch,
sah seiner Gewohnheit nach ganz ernsthaft, und ich glaube
nicht, daß er zu der Zeit noch in seinem Leben stark gelacht
hatte. Stähler sah ihn an und sagte: Henrich was machst du
da?

„Ich lese."

Kannst du denn schon lesen?

Henrich sah ihn an, verwunderte sich und sprach: Das ist
ja eine dumme Frage, ich bin ja ein Mensch. — Nun las er
hart, mit Leichtigkeit, gehörigem Nachdruck und Unterschei-
dung. Stähler entsetzte sich und sagte: Hol' mich der T ... so
was hab ich mein lebtag nicht gesehn. Bei diesem Fluch sprang
Henrich auf, zitterte und sah schüchtern um sich; wie er endlich sah, daß der Teufel ausblieb, rief er: Gott, wie gnädig
bist du! — trat darauf vor Stählern und sagte: Mann! habt
ihr den Satan gesehen? Nein, antwortete Stähler. So ruft ihm
nicht mehr, versetzte Henrich, und ging in eine andere Kammer.

Das Gerücht von diesem Knaben erscholl weit umher; alle Menschen redeten von ihm und verwunderten sich. Selbst der Pastor Stollbein wurde neugierig ihn zu sehen. Nun war Henrich noch nie in der Kirche gewesen, hatte daher auch noch nie einen Mann mit einer großen weissen Perücke und feinen schwarzen Kleide gesehen. Der Pastor kam nach Tiefenbach hin, und weil er vielleicht eh in ein ander Haus gegangen war, so wurde seine Ankunft in Stillings Hause vorhin ruchtbar, wie auch warum er gekommen war. Wilhelm unterrichtete seinen Henrichen also, wie er sich betragen müste, wenn der Pastor käme. Er kam dann endlich, und mit ihm der alte Stilling. Henrich stund an der Wand grad auf, wie ein Soldat der das Gewehr präsentirt; in seinen gefalteten Händen hielt er seine aus blauen und grauen tuchenen Lappen zusammen gesetzte Mütze, und sah dem Pastor immer starr in die Augen. Nachdem sich Herr Stollbein gesetzt, und ein und ander Wort mit Wilhelmen geredet hatte, drehte er sich gegen die Wand, und sagte: Guten Morgen Henrich! —

„Man sagt guten Morgen sobald man in die Stube kommt."

Stollbein merkte mit wem er's zu thun hatte, daher drehte er sich mit seinem Stuhl neben ihn und fuhr fort: Kannst du auch den Catechismus?

„Noch nicht all."

Wie noch nicht all, das ist ja das erste was die Kinder lernen müssen.

„Nein, Pastor, das ist nicht das erste; Kinder müssen erst beten lernen, daß ihnen Gott Verstand geben möge, den Catechismus zu begreifen."

Herr Stollbein war schon im Ernst ärgerlich, und eine scharfe Strafpredigt an Wilhelmen war schon ausstudirt; doch diese Antwort machte ihn stutzig. Wie betest du denn? fragte er ferner.

„Ich bete: lieber Gott! gieb mir doch Verstand, daß ich begreifen kann, was ich lese."

Das ist recht, mein Sohn, so bete fort!

„Ihr seyd nicht mein Vater."

Ich bin dein geistlicher Vater.

„Nein, Gott ist mein geistlicher Vater; ihr seyd ein Mensch, ein Mensch kann kein Geist seyn."

Wie, hast du denn keinen Geist, keine Seele?

„Ja freylich! wie könnt ihr so einfältig fragen? Aber ich kenne meinen Vater."

Kennst du denn auch Gott, deinen geistlichen Vater?

Henrich lächelte. „Sollte ein Mensch Gott nicht kennen?"

Du kannst ihn ja doch nicht sehen.

Henrich schwieg, und hohlte seine wohlgebrauchte Bibel, und wies dem Pastor den Spruch Röm. I. V. 19. und 20.

Nun hatte Stollbein genug. Er hieß den Knaben hinaus gehen, und sagte zu dem Vater: Euer Kind wird alle seine Voreltern übertreffen; fahret fort, ihn wohl unter der Ruthe zu halten; der Junge wird ein großer Mann in der Welt.

Wilhelm hatte noch immer seine Wunde über Dortchens Tod; er seufzte noch beständig um sie. Nunmehr nahm er auch zuweilen seinen Knaben mit nach dem alten Schloß, zeigte ihm seiner verklärten Mutter Tritte und Schritte, alles was sie hier und da geredet und gethan hatte. Henrich verliebte sich so in seine Mutter, daß er alles was er von ihr hörte, in sein eignes verwandelte, welches Wilhelmen so wohl gefiel, daß er seine Freude nicht bergen konnte.

Einsmals an einem schönen Herbstabend gingen unsere beyde Liebhaber des selgen Dortchens in den Ruinen des Schlosses herum, und suchten Schneckenhäuschen, die daselbst sehr häufig waren. Dortchen hatte daran ihre größte Belustigung gehabt. Henrich fand neben einer Mauer unter einem Stein ein Zulegmesserchen mit gelben Buckeln und grünen Stiel. Es war noch gar nicht rostig, theils, weil es am Trocknen lag, theils weil es so bedeckt gelegen, daß es nicht drauf regnen konnte. Henrich war froh über diesen Fund, lief zu seinem Vater und zeigte es ihm. Wilhelm besah es, wurde blaß, fing an zu schluchsen und zu heulen. Henrich erschrack, ihm stunden auch schon die Thränen in den Augen, ohne zu wissen warum; auch durfte er nicht fragen. Er drehte das Messer herum, und sah daß auf der Klinge mit Etzwasser geschrieben stund, Johanna Dorothea Catharina Stillings. Er schrie laut, und lag da wie ein Todter. Wilhelm hörte sowohl das Lesen des Nahmens, als auch den lauten Schrey; er setzte sich neben den Knaben, schüttelte an ihm, und suchte ihn wieder zurechte zu bringen. Indem er damit beschäftiget war, wurd ihm wohl in seiner Seele; er fand sich getröstet; er nahm den Knaben in seine Arme, drückte ihn an seine Brust, und empfand ein Vergnügen das über alles ging. Er nahete sich zu Gott wie zu seinem Freund, und meinte bis in die Herrlichkeit des Himmels aufgezogen zu seyn und Dortchen unter den Engeln zu sehen. Indeß kam Henrich wieder zu sich, und fand sich in seines Vaters Armen. Er wußte sich nicht zu besinnen, daß ihn sein Vater jemals in den Armen gehabt. Seine ganze Seele wurde durchdrungen, Thränen der stärksten Empfindung flossen über seine schneeweisse volle Wangen herab. Vater, habt ihr mich lieb? — fragte er. Niemals hatte Wilhelm mit seinem Kinde weder gescherzt noch getändelt; daher wuste der Knabe von keinem andern Vater als einem ernsthaften und strengen Mann, den er fürchten und verehren muste. Wilhelms Kopf sank Henrichen auf die Brust; er sagte: ja! und weinte laut. Henrich war ausser sich, und eben im Begriff wieder ohnmächtig zu werden; doch der Vater stund plötzlich auf und stellte ihn auf die Füße. Kaum konnt' er stehen. Komm, sagte Wilhelm, wir wollen ein wenig herumgehen. Sie suchten das Messer, konnten es aber gar nicht wieder finden; es war ganz gewiß zwischen den Steinen tief hinab gefallen. Sie suchten lange, aber sie fundens nicht. Niemand war trauriger als Henrich; doch der Vater führte ihn weg und redete folgendes mit ihm.

Mein Sohn! du bist nun bald neun Jahr alt. Ich hab dich gelehrt und unterrichtet so gut ich gekonnt habe; du hast nun bald so viel Verstand, daß ich vernünftig mit dir reden kann. Du hast noch vieles in der Welt vor dir, und ich selber bin noch jung. Wir werden unser Leben auf unserer Kammer nicht beschliessen können; wir müssen wieder mit Menschen umgehen; ich will wiederum Schule halten, und du sollst mit mir gehen und ferner lernen. Befleißige dich auf alles wozu du Lust hast, es soll dir an Büchern nicht fehlen; doch aber, damit du etwas gewisses habest, womit du dein Brod erwerben könnest, so must du mein Handwerk lernen. Wird dich denn der liebe Gott in einen bessern Beruf setzen, so hast du Ursach ihm zu danken; niemand wird dich verachten, daß du mein Sohn bist, und wenn du auch ein Fürst würdest. Henrich empfand Wonne über seines Vaters Vertraulichkeit; seine Seele wurde unendlich erweitert; er fühlte eine so sanfte unbezwingbare Freyheit, dergleichen sich nicht vorstellen läßt, mit einem Wort, er empfand jetzt zum erstenmal, daß er ein Mensch war. Er sah seinen Vater an, und sagte: Ich will alles thun, was ihr haben wollt. Wilhelm lächelte ihn an, und fuhr fort: Du wirst glücklich seyn; nur must du nie vergessen mit Gott vertraulich umzugehen; der wird dich alsdenn in seinen Schutz nehmen und dich für allem Bösen bewahren. Unter diesen Gesprächen kamen sie wieder nach Haus und auf ihre Kammer. Von dieser Zeit an schien Wilhelm ganz verändert; sein Herz war wieder geöfnet worden, und seine frommen Gesinnungen hinderten ihn nicht unter die Leute zu gehn. Alle Menschen, auch die wildesten, empfanden Ehrfurcht in seiner Gegenwart; denn sein ganzer Mensch hatte in der Einsamkeit einen unwiderstehlichen, sanften Ernst angenommen, aus dem eine reine einfältige Seele hervorblickte. Oefters nahm er auch seinen Sohn mit, zu dem er eine ganz neue, warme Liebe spürte. Beym Finden des Messers war er Dortchens ganzen Charakter an dem Knaben gewahr geworden; es war sein und

Dortchens Sohn; und über diesen Aufschluß stürzte alle seine Neigung auf Henrichen, und er fand Dortchen in ihm wieder.

Nun führte Wilhelm seinen Henrichen zum erstenmal in die Kirche. Er erstaunte über alles was er sah; sobald aber die Orgel anfing zu gehen, da wurde seine Empfindung zu mächtig, er bekam gelinde Zückungen; eine jede sanfte Harmonie zerschmolz ihn, die Molltöne machten ihn in Thränen fliessen, und das rasche Allegro machte ihn aufspringen. Wie erbärmlich auch sonst der gute Organist sein Handwerk verstund, so war es doch Wilhelmen unmöglich seinen Sohn davon abzubringen, nicht nach geendigter Predigt den Organisten und seine Orgel zu sehen. Er sah sie, und der Virtuose spielte ihm zu Gefallen ein Andante, welches vielleicht das erstemal in der Florenburger Kirche war, daß dieses einem Baurenjungen zu Gefallen geschah.

Nun sah auch Henrich zum erstenmal seiner Mutter Grab. Er wünschte nur ihre noch übrige Gebeine zu sehen; da das aber nicht geschehen konnte, so setzte er sich auf den Grabeshügel, pflückte einige Herbstblumen und Kräuter auf demselben, steckte sie vor sich in seine Knopflöcher und ging weg. Er empfand hier nicht so viel als bei Findung des Messers; doch hatte er sich, nebst seinem Vater, die Augen roth geweint. Jener Zufall war plötzlich und unerwartet, dieser aber vorbedächtlich überlegt; auch war die Empfindung der Kirchenmusik noch allzu stark in seinem Herzen.

Der alte Stilling bemerkte nun auch die Beruhigung seines Wilhelms. Mit innigem Vergnügen sahe er alle das Gute und Liebe an ihm und seinem Kinde; er wurde dadurch noch mehr aufgeheitert und fast verjüngt.

Als er einsmal im Frühling auf einen Montag Morgen nach dem Walde zu seiner Handthierung ging, ersuchte er Wilhelmen ihm seinen Enkel mitzugeben. Dieser gab es zu, und Henrich freute sich zum höchsten. Wie sie den Giller hinauf gingen, sagte der Alte: Henrich, erzähl uns einmal die Historie

von der schönen Melusine; ich höre so gern alte Historien; so
wird uns die Zeit nicht lang. Henrich erzählte sie ganz umständlich mit der größten Freude. Vater Stilling stellte sich,
als wenn er über die Geschichte ganz erstaunt wäre, und als
wenn er sie in allen Umständen wahr zu seyn glaubte. Dies
muste aber auch geschehen, wenn man Henrichen nicht ärgern
wollte; denn er glaubte alle diese Historien so fest als die
Bibel. Der Ort, wo Stilling Kohlen brannte, war drei Stunden von Tiefenbach; man ging beständig bis dahin im Wald.
Henrich, der alles idealisirte, fand auf diesem ganzen Wege
lauter Paradies; alles war ihm schön und ohne Fehler. Eine
recht düstere Maybuche, die er in einiger Entfernung vor sich
sah, mit ihrem schönen grünen Licht und Schatten, machte
einen Eindruck auf ihn; alsofort war die ganze Gegend ein
Ideal und himmlisch schön in seinen Augen. Sie gelangten
dann endlich auf einem sehr hohen Berg zum Arbeitsplatz.
Die mit Rasen bedeckte Köhlershütte fiel dem jungen Stilling
sogleich in die Augen; er kroch hinein, sah das Lager von
Moos und die Feuerstätten zwischen zween rauhen Steinen,
freute sich und jauchzte. Während der Zeit, daß der Großvater arbeitete, ging er im Wald herum, und betrachtete alle
Schönheiten der Gegend und der Natur; alles war ihm neu
und unaussprechlich reizend. An einem Abend, wie sie des
andern Tages wieder nach Hause wollten, saßen sie vor der
Hütte, da eben die Sonne untergegangen war. Großvater!
sagte Henrich, wann ich in den Büchern lese, daß die Helden
so weit zurück haben rechnen können, wer ihre Voreltern gewesen, so wünsch ich daß ich auch wüste, wer meine Voreltern
gewesen sind. Wer weis, ob wir nicht auch von einem Fürsten
oder großen Herrn herkommen. Meiner Mutter Vorfahren
sind alle Prediger gewesen, aber die eurigen weis ich noch
nicht; ich will sie mir alle aufschreiben, wenn ihr sie mir sagt.
Vater Stilling lächelte, und antwortete: wir kommen wohl
schwerlich von einem Fürsten her; das ist mir aber auch ganz

einerlei; du must das auch nicht wünschen. Deine Vorfahren sind alle ehrbare fromme Leute gewesen; es giebt wenig Fürsten die das sagen können. Laß' dir das die größte Ehre in der Welt seyn, daß dein Großvater, Urgroßvater und ihre Väter alle Männer waren, die zwar ausser ihrem Hause nichts zu befehlen hatten, doch aber von allen Menschen geliebt und geehrt wurden. Keiner von ihnen hat sich auf unehrliche Art verheurathet, oder sich mit einer Frauensperson vergangen; keiner hat jemahls begehrt, das nicht sein war; und alle sind großmüthig gestorben in ihrem höchsten Alter. Henrich freute sich und sagte: ich werde also alle meine Voreltern im Himmel finden? Ja, erwiederte der Großvater, das wirst du; unser Geschlecht wird daselbst grünen und blühen. Henrich! erinnre dich an diesen Abend so lang du lebst. In jener Welt sind wir von großem Adel; verlier diesen Vorzug nicht! Unser Segen wird auf dir ruhen, so lange du fromm bist; wirst du gottlos werden und deine Eltern verachten, so werden wir dich in der Ewigkeit nicht kennen. Henrich fing an zu weinen, und sagte: Seyd dafür nicht bang, Großvater! ich werde fromm und froh seyn, daß ich Stilling heisse. Erzählet mir aber, was ihr von unsern Voreltern wisset. Vater Stilling erzählte: Meines Urgroßvaters Vater hieß Ulli Stilling. Er war ohngefähr Anno 1500 gebohren. Ich weiß aus alten Briefen, daß er nach Tiefenbach gekommen, wo er im Jahr 1530 Hans Stählers Tochter geheurathet. Er ist aus der Schweiz hergekommen, und mit Zwinglius bekannt gewesen. Er war ein sehr frommer Mann, auch so stark, daß er einsmalen fünf Räubern seine vier Kühe wieder abgenommen, die sie ihm gestohlen hatten. Anno 1536 bekam er einen Sohn, der hieß Reinhard Stilling; dieser war mein Urgroßvater. Er war ein stiller eingezogener Mann, der jedermann Gutes that; er heurathete im 50sten Jahr eine ganz junge Frau, mit der er viele Kinder hatte; in seinem 60sten Jahr gebahr ihm seine Frau einen Sohn, den Henrich Stilling, der mein Großvater gewesen. Er war 1596 gebohren, er wurde 101 Jahr alt, daher hab ich ihn noch eben gekannt. Dieser Henrich war ein sehr lebhafter Mann, kaufte sich in seiner Jugend ein Pferd, wurde ein Fuhrmann und fuhr nach Braunschweig, Brabant und Sachsen. Er war ein Schirrmeister, hatte gemeiniglich 20 bis 30 Fuhrleute bei sich. Zu der Zeit waren die Räubereyen noch sehr im Gange, und noch wenig Wirthshäuser an den Strassen; daher nahmen die Fuhrleute Proviant mit sich. Des Abends stellten sie die Karren in einen Kreis herum, so daß einer an den andern stieß; die Pferde stellten sie mitten ein, und mein Großvater mit den Fuhrleuten waren bei ihnen. Wann sie dann gefüttert hatten, so rief er: Zum Gebet, ihr Nachbarn! dann kamen sie alle, und Henrich Stilling betete sehr ernstlich zu Gott. Einer von ihnen hielt die Wache, und die anderen krochen unter ihre Karren an's Trockne, und schliefen. Sie führten aber immer scharf geladen Gewehr und gute Säbel bey sich. Nun trug es sich einmal zu, daß mein Großvater selbst die Wache hatte; sie lagen im Hessenland auf einer Wiesen, ihrer waren sechs und zwanzig starke Männer. Gegen eilf Uhr des Abends hörte er einige Pferde auf der Wiese reiten; er weckte in der Stille alle Fuhrleute und stund hinter seinem Karren. Henrich Stilling aber lag auf seinen Knien, und betete bei sich selbst ernstlich. Endlich stieg er auf seinen Karren, und sah umher. Es war genug Licht, so, daß der Mond eben untergehen wollte. Da sah er ungefähr zwanzig Männer zu Pferd, wie sie abstiegen und leise auf die Karren losgingen. Er kroch wieder herab, ging unter die Karre, damit sie ihn nicht sähen; gab aber wohl Acht was sie anfingen. Die Räuber gingen rund um die Wagenburg herum, und als sie keinen Eingang fanden, fingen sie an, an einem Karren zu ziehen. Stilling, sobald er das sah, rief: im Namen Gottes schießt! Ein jeder von den Fuhrleuten hatte den Hahnen aufgezogen und schossen unter den Karren heraus, so daß der Räuber sofort sechse niedersunken; die andern Räuber erschracken, zogen sich ein wenig zurück und redeten zusammen. Die Fuhrleute luden wieder ihre Flinten; nun sagte Stilling, gebt Acht, wenn sie wieder näher kommen, denn schießt! sie kamen aber nicht, sondern ritten fort. Die Fuhrleute spannten mit Tages Anbruch wieder an, und fuhren weiter; ein jeder trug seine geladne Flinte und seinen Degen, denn sie waren nicht sicher. Des Vormittags sahen sie aus einem Wald wieder einige Reuter auf sie zureiten. Stilling fuhr zuförderst, und die andern alle hinter ihm her. Da rief er: Ein jeder hinter seinen Karren, und den Hahnen gespannt! Die Reuter hielten stille; der vornehmste unter ihnen ritt allein auf sie zu, ohne Gewehr, und rief: Schirrmeister, hervor! Mein Großvater trat hervor, die Flinte in der Hand und den Degen unterm Arm. Wir kommen als Freunde, rief der Reuter. Henrich traute nicht und stund da. Der Reuter stieg ab, bot ihm die Hand und sagte: Seyd ihr verwichene Nacht von Räubern angegriffen worden? Ja, antwortete mein Großvater, nicht weit von Hirschfeld auf einer Wiese. Recht so, antwortete der Reuter, wir haben sie verfolgt, und kamen eben bei der Wiese an, wie sie fortjagten und ihr einigen das Licht ausgeblasen hattet; ihr seyd wackre Leute. Stilling fragte, wer er wäre? der Reuter antwortete: Ich bin der Graf von Wittgenstein, ich will euch zehn Reuter zum Geleit mitgeben, denn ich habe doch Mannschaft genug dort hinten im Walde bei mir. Stilling nahms an, und accordirte mit dem Grafen, wie viel er ihm jährlich geben sollte, wenn er ihn immer durchs Heßische geleitete. Der Graf gelobts ihm, und die Fuhrleute fuhren nach Hause. Dieser mein Großvater hatte im zwei und zwanzigsten Jahr geheurathet, und im 24sten, nemlich 1620 bekam er einen Sohn, Hanns Stilling, dieser war mein Vater. Er lebte ruhig, wartete seines Ackerbaues und diente Gott. Er hatte den ganzen dreyßigjährigen Krieg erlebt, und war öfters in die äusserste Armuth gerathen. Er hat zehn Kinder gezeugt, unter welchen ich der jüngste bin. Ich wurde 1680 gebohren, eben da mein Vater 60 Jahr alt war. Ich habe, Gott sey Dank! Ruhe genossen und mein Gut wiederum von allen Schulden befreyet. Mein Vater starb 1704, im 104ten Jahr seines Alters; ich hab ihn wie ein Kind verpflegen müssen, und liegt zu Florenburg bei seinen Voreltern begraben.

Henrich Stilling hatte mit größter Aufmerksamkeit zugehöret. Nun sprach er: Gott sey Dank, daß ich solche Eltern gehabt habe! Ich will sie alle nett aufschreiben, damit ichs nicht vergesse. Die Ritter nennen ihre Voreltern Ahnen, ich will sie auch meine Ahnen heissen. Der Großvater lächelte und schwieg.

Des andern Tages gingen sie wieder nach Hause, und Henrich schrieb alle die Erzählung in ein altes Schreibbuch, das er umkehrte, und die hinten weiß gebliebene Blätter mit seinen Ahnen vollpfropfte.

Mir werden die Thränen los, da ich dieses schreibe. Wo seyd ihr doch hingeflohen, ihr selge Stunden? Warum bleibt nur euer Andenken dem Menschen übrig! Welche Freude überirrdischer Fülle schmeckt der gefühlige Geist der Jugend! Es giebt keine Niedrigkeit des Standes, wenn die Seele geadelt ist. Ihr meine Thränen, die mein durchbrechender Geist herauspreßt, sagts jedem guten Herzen, sagts ohne Worte, was ein Mensch sey, der mit Gott seinem Vater bekannt ist, und all seine Gaben in ihrer Größe schmeckt!

Henrich Stilling war die Freude und Hoffnung seines Hauses; denn ob gleich Johann Stilling einen ältern Sohn hatte, so war doch niemand auf denselben sonderlich aufmerksam. Er kam oft, besuchte seine Großeltern, aber wie er kam, so ging er auch wieder. Eine seltsame Sache! — Eberhard Stilling war doch warlich nicht partheyisch. Doch was halt ich mich hierbei auf? Wer kann davor, wenn man einen Menschen vor dem andern mehr oder weniger lieben muß? Pastor Stollbein sah wohl, daß unser Knabe etwas werden würde, wenn man nur was aus ihm machte; daher kam es bei einer Gelegenheit, da er in Stillings Hause war, daß er mit dem Vater und Großvater von dem Jungen redete, und ihnen vorschlug, Wilhelm sollte ihn Latein lernen lassen. Wir haben ja zu Florenburg einen guten lateinischen Schulmeister; schickt ihn hin, es wird wenig kosten. Der alte Stilling saß am Tisch, kaute an einem Spänchen; so pflegte er wohl zu thun wenn er Sachen von Wichtigkeit überlegte. Wilhelm legte den eisernen Fingerhut auf den Tisch, schlug die Arme vor der Brust über einander und überlegte auch. Margrethe hatte die Hände auf dem Schooß gefalten, knickelte mit den Daumen gegen einander, blinzte gegen über auf die Stubenthüre und überlegte auch. Henrich aber saß, mit seiner wollenen Lappmütze in der Hand, auf einem kleinen Stuhl, und überlegte nicht, sondern wünschte nur. Stollbein saß auf einem Lehnstuhl, eine Hand auf dem Knopf des Rohrstabes und die andere in der Seiten, und wartete der Sachen Ausschlag. Lange schwiegen sie, endlich sagte der Alte: Nu, Wilhelm, es ist dein Kind; was meinst du?

„Vater, ich weiß nicht woher ich die Kosten bestreiten soll.“

Ist das deine schwerste Sorge, Wilhelm? Wird dir dein lateinischer Junge auch noch Freude machen? da sorg nur!

„Was Freude! sagte der Pastor; mit eurer Freude! Hier ist die Frage, ob ihr was rechts aus dem Knaben machen wollt, oder nicht. Soll was rechts aus ihm werden, so muß er Latein lernen, wo nicht so bleib er ein Lümmel wie — “

Wie seine Eltern, sagte der alte Stilling.

„Ich glaube ihr wollt mich foppen, versetzte der Prediger."

Nein, Gott bewahr uns! erwiederte Eberhard, nehmt mir nicht übel; denn euer Vater war ja ein Wollenweber, und konnte auch kein Latein; doch sagten die Leute, er wäre ein braver Mann gewesen, wiewohl ich nie Tuch bei ihm gekauft habe. Hört, lieber Herr Pastor, ein ehrlicher Mann liebt Gott und den Nächsten, er thut recht und scheut niemand, er ist fleißig, sorgt für sich und die Seinigen, damit sie Brod haben mögen. Warum thut er doch das alles? —

„Ich glaube wahrhaftig ihr wollt mich catechisiren, Stilling! Braucht Respekt und wisst mit wem ihr redet. Das thut er, weil es recht und billig ist daß ers thut."

Zürnet nicht daß ich euch widerspreche; er thuts darum, damit er hier und dort Freude haben möge.

„Ei was! damit kann er doch noch zur Hölle fahren."

Mit der Liebe Gottes und des Nächsten?

„Ja! ja! wenn er den wahren Glauben an Christum nicht hat."

Das versteht sich nun endlich von selber, daß man Gott und den Nächsten nicht lieben kann, wann man an Gott und sein Wort nicht glaubt. Aber antworte du, Wilhelm! Was dünkt dich?

Mich dünkt, wenn ich wüste, woher ich die Kosten nehmen sollte, so würde ich den Jungen wohl hüten, daß er nicht zu lateinisch würde. Er soll immer die müßigen Tage Cameelhaar-Knöpfe machen und mir nähen helfen, bis man sieht was Gott aus ihm machen will.

Das gefällt mir nicht übel, Wilhelm, sagte Vater Stilling; so rath ich auch. Der Junge hat einen unerhörten Kopf etwas zu lernen; Gott hat diesen Kopf nicht umsonst gemacht; laß ihn lernen was er kann und was er will; gib ihm zuweilen Zeit dazu, aber nicht zu viel, sonst kommt er dirs an's Müßiggehen, und liest auch nicht so fleißig; wenn er aber brav auf dem

Handwerk geschaft hat und er wird auf die Bücher recht hungrig, denn laß ihn eine Stunde lesen, das ist genug. Nur mach daß er ein Handwerk rechtschaffen lernt, so hat er Brod bis er sein Latein brauchen kann und ein Herr wird.

„Hm! Hm! ein Herr wird, brummte Stollbein, er soll kein Herr werden, er soll mir ein Dorfschulmeister werden, und dann ists gut wann er ein wenig Latein kann. Ihr Bauersleute meint, das ging so leicht ein Herr zu werden. Ihr pflanzt den Kindern den Ehrgeiz ins Herz, der doch vom Vater dem Teufel herkommt."

Dem alten Stilling heiterten sich seine grossen hellen Augen auf; er stund da wie ein kleiner Riese (denn er war ein langer ansehnlicher Mann) schüttelte sein weißgraues Haupt, lächelte und sprach: Was ist Ehrgeitz? Herr Pastor!

Stollbein sprang auf und rief: Schon wieder eine Frage, ich bin euch nicht schuldig zu antworten, sondern ihr mir. Gebt Acht in der Predigt, da werdet ihr hören was Ehrgeitz ist. Ich weis nicht, ihr werdet so stolz, Kirchenältester! ihr wart sonst ein sittsamer Mann.

Wie Ihrs aufnehmt, stolz oder nicht stolz. Ich bin ein Mann; ich hab Gott geliebt und ihm gedient, jedermann das Seinige gegeben, meine Kinder erzogen, ich war treu; meine Sünden vergiebt mir Gott, das weis ich; nun bin ich alt, mein Ende ist nah; ob ich wohl recht gesund bin, so muß ich doch sterben; da freu ich mich nun drauf, wie ich bald werde von hinnen reisen. Laßt mich stolz drauf seyn, wie ein ehrlicher Mann mitten unter meinen großgezogenen frommen Kindern zu sterben. Wenn ichs so recht bedenk', bin ich munterer als wie ich mit Margrethen Hochzeit machte.

„Man geht so mit Strümpf und Schuh nicht in Himmel!" sagte der Pastor.

Die wird mein Großvater auch ausziehen, eh er stirbt, sagte der kleine Henrich.

Ein jeder lachte, selbst Stollbein muste lachen.

Margrethe machte der Ueberlegung ein Ende. Sie schlug vor, sie wollte Morgens den Jungen satt füttern, ihm alsdenn ein Butterbrod für den Mittag in die Tasche geben, des Abends könnte er sich wieder daheim satt essen; und so kann der Junge Morgens früh nach Florenburg in die Schule gehen, sagte sie, und des Abends wieder kommen. Der Sommer ist ja vor der Thür; den Winter sieht man wie man's macht.

Nun wars fertig. Stollbein ging nach Hause.

Zu dieser Zeit ging eine große Veränderung in Stillings Hause vor, die drei ältesten Töchter heuratheten auswärts, und also machte Eberhard und seine Margrethe, Wilhelm, Mariechen und Henrich die ganze Familie aus. Eberhard beschloß auch nunmehr sein Kohlbrennen aufzugeben, und blos seiner Feldarbeit zu warten.

Die Tiefenbacher Dorfschule wurde vacant, und ein jeder Bauer hatte Wilhelm Stilling im Auge ihn zum Schulmeister zu wählen. Man trug ihm die Stelle auf; er nahm sie ohne Widerwillen an, ob er sich gleich innerlich ängstigte, daß er mit solchem Leichtsinn sein einsames heiliges Leben verlassen und sich unter die Menschen begeben wollte. Der gute Mann hatte nicht bemerkt, daß ihn nur der Schmerz über Dortchens Tod, der kein ander Gefühl neben sich litt, zum Einsiedler gemacht hatte, und daß er, da dieser erträglicher wurde, wieder Menschen sehen, wieder an einem Geschäfte Vergnügen finden konnte. Er legte sichs ganz anders aus. Er glaubte, jener heilige Trieb fange an bei ihm zu erkalten, und nahm daher mit Furcht und Zittern die Stelle an. Er bekleidete sie mit Treue und Eifer, und fing zuletzt an zu muthmassen, daß es Gott nicht ungefällig seyn könnte, wenn er mit seinem Pfund wucherte und seinem Nächsten zu dienen suchte.

Nun fing auch unser Henrich an in die lateinische Schule zu gehen. Man kann sich leicht vorstellen, was er für ein Aufsehen unter den andern Schulknaben machte. Er war blos in Stillings Haus und Hof bekannt, und war noch nie unter

Menschen gekommen; seine Reden waren immer ungewöhnlich, und wenig Menschen verstunden was er wollte; keine
jugendliche Spiele, wornach die Knaben so brünstig sind,
rührten ihn, er ging vorbei und sah sie nicht. Der Schulmeister
Weiland merkte seinen fähigen Kopf und großen Fleiß; daher lies er ihn ungeplagt; und da er merkte daß ihm das lang-
weilige Auswendiglernen unmöglich war, so befreite er ihn
davon, und wirklich Henrichs Methode Latein zu lernen war
für ihn sehr vortheilhaft. Er nahm einen lateinischen Text vor
sich, schlug die Worte im Lexicon auf, da fand er dann was
jedes für ein Theil der Rede sei; suchte ferner die Muster der
Abweichungen in der Grammatik u. s. f. Durch diese Methode
hatte sein Geist Nahrung in den besten lateinischen Schrift-
stellern, und die Sprache lernte er hinlänglich schreiben, lesen
und verstehen. Was aber sein größtes Vergnügen ausmachte,
war eine kleine Bibliotheck des Schulmeisters, die er Freyheit
zu brauchen hatte. Sie bestund aus allerhand nützlichen Cöllnischen Schriften; vornemlich: der Reinecke Fuchs mit vortreflichen Holzschnitten, Kaiser Octavianus nebst seinem
Weib und Söhnen; eine schöne Historie von den vier Haimons
Kindern; Peter und Magelone; die schöne Melusine, und endlich der vortrefliche Hanns Clauert. So bald nun Nachmittags die Schule aus war, so machte er sich auf den Weg nach
Tiefenbach und las eine solche Historie unter dem Gehen. Der
Weg ging durch grüne Wiesen, Wälder und Gebüsche, Berg
auf und ab, und die reine wahre Natur um ihn machte die
tiefsten feierlichsten Eindrücke in sein offenes freies Herz.
Abends kamen dann unsere fünf liebe Leute zusammen; sie
speisten, schütteten eins dem andern seine Seele aus, und sonderlich erzählte Henrich seine Historien, woran sich alle, Margrethe nicht ausgenommen, ungemein ergötzten. Sogar der
ernste pietistische Wilhelm hatte Freude daran, und las sie
wohl selbsten Sonntags Nachmittags, wenn er nach dem alten
Schloß walfahrtete. Henrich sah ihm denn immer ins Buch wo

er las, und wenn bald eine rührende Stelle kam, so jauchzte er in sich selber, und wenn er sah, daß sein Vater dabei empfand, so war seine Freude vollkommen.

Indessen ging doch des jungen Stillings latein lernen vortreflich von statten, wenigstens lateinische Historien zu lesen, zu verstehen, lateinisch zu reden und zu schreiben. Ob das nun genug sey, oder ob mehr erfordert werde, weis ich nicht, Herr Pastor Stollbein wenigstens forderte mehr. Nachdem Henrich ohngefehr ein Jahr in die lateinische Schule gegangen, so fiel es gemeldetem Herrn einmal ein, unsern Studenten zu examiniren. Er sah ihn aus seinem Stubenfenster vor der Schule stehen, er pfif, und Henrich flog zu ihm. Lernst auch brav?

„Ja, Herr Pastor."

Wie viel *Verba anomala* sind?

„Ich weiß es nicht."

Wie, Flegel, du weist's nicht? Es möchte leicht, ich gäb dir eins auf's Ohr. *Sum, possum*, nu! wie weiter?

„Das hab ich nicht gelernt."

He, Madlene! ruf den Schulmeister.

Der Schulmeister kam.

Was laßt ihr den Jungen lernen?

Der Schulmeister stand an der Thüre, den Hut unterm Arm, und sagte demüthig:

„Latein."

Da! ihr Nichtsnutziger, er weis nicht einmal, wie viel *verba anomala* sind.

„Weist du das nicht, Henrich?"

Nein, sagte dieser, ich weis es nicht.

Der Schulmeister fuhr fort: *Nolo* und *Malo* was sind das vor Wörter?

„Das sind *verba anomala*."

Fero und *Volo* was sind das?

„*Verba anomala*."

Nun, Herr Pastor, fuhr der Schulmeister fort, so kennt der Knabe alle Wörter.

Stollbein versetzte: Er soll aber die Regeln alle auswendig lernen; geht nach Haus, ich wills haben!

(Beyde.)

Ja, Herr Pastor!

Von der Zeit an, lernte Henrich mit leichter Mühe auch alle Regeln auswendig, doch vergaß er sie bald wieder. Das schien seinem Charakter eigen werden zu wollen; was sich nicht leicht bezwingen ließ, da flog sein Genie über weg. Nun genug von Stillings Latein lernen! wir gehen weiter.

Der alte Stilling fing nunmehro an seinen Vater-Ernst abzulegen und gegen seine wenige Hausgenossen zärtlicher zu werden; besonders hielt er Henrichen, der nunmehr 11 Jahr alt war, viel von der Schul zurück, und nahm ihn mit sich, wo er seiner Feldarbeit nachging; redete viel mit ihm von der Rechtschaffenheit eines Menschen in der Welt, besonders von seinem Verhalten gegen Gott; empfahl ihm gute Bücher, sonderlich die Bibel zu lesen, hernach auch was Doktor Luther, Calvinus, Oecolampadius und Bucerus geschrieben haben. Einsmalen gingen Vater Stilling, Mariechen und Henrich des Morgens früh in den Wald um Brennholz zuzubereiten. Margrethe hatte ihnen einen guten Milchbrei mit Brod und Butter in einen Korb zusammen gethan, welchen Mariechen auf dem Kopf trug; sie ging den Wald hinauf voran, Henrich folgte und erzählte mit aller Freude die Historie von den vier Heymons Kindern, und Vater Stilling schritt auf seine Holzaxt sich stützend seiner Gewohnheit nach, mühsam hinten drein und hörte fleißig zu. Sie kamen endlich zu einem weit entlegenen Ort des Waldes, wo sich eine grüne Ebne befand, die am einen Ende einen schönen Brunnen hatte. Hier laßt uns bleiben, sagte Vater Stilling, und setzte sich nieder; Mariechen nahm ihren Korb ab, stellte ihn hin und setzte sich auch. Henrich aber sah in seiner Seele wieder die Egyptische Wüste

vor sich, worinnen er gern Antonius geworden wäre; bald
darauf sah er den Brunnen der Melusine vor sich, und
wünschte daß er Raymund wäre; dann vereinigten sich beyde
Ideen und es wurde eine fromme romantische Empfindung
draus, die ihn alles Schöne und Gute dieser einsamen Gegend
mit höchster Wollust schmecken ließ. Vater Stilling stund endlich auf und sagte: Kinder bleibt ihr hier, ich will ein wenig
herumgehen und abständig Holz suchen; ich will zuweilen
rufen, ihr antwortet mir dann, damit ich euch nicht verliere.
Er ging.

Indessen sassen Mariechen und Henrich beysammen und
waren vertraulich. Erzähle mir doch, Baase! sagte Henrich,
die Historie von Joringel und Jorinde noch einmal. Mariechen
erzählte:

„Es war einmal ein altes Schloß mitten in einem großen
dicken Wald; darinnen wohnte eine alte Frau ganz allein, das
war eine Erzzauberinn. Am Tage machte sie sich bald zur
Katze, oder zum Hasen, oder zur Nachteule; des Abends aber
wurde sie ordentlich wieder wie ein Mensch gestaltet. Sie
konnte das Wild und die Vögel herbeylocken, und dann
schlachtete sie's, kochte und bratete es. Wenn jemand auf hundert Schritte nah bey's Schloß kam, so muste er stille stehen
und konnte sich nicht von der Stelle bewegen, bis sie ihn los
sprach; wenn aber eine reine keusche Jungfer in diesen Kreis
kam, so verwandelte sie dieselbe in einen Vogel und sperrte
sie denn in einen Korb ein, in die Kammern des Schlosses. Sie
hatte wohl sieben tausend solcher Körbe mit so raren Vögeln
im Schlosse.

Nun war einmal eine Jungfer, die hieß Jorinde; sie war
schöner als alle andere Mädchens, die, und dann ein gar
schöner Jüngling, Namens Joringel, hatten sich zusammen
versprochen. Sie waren in den Brauttagen, und hatten ihr größtes Vergnügen eins am andern. Damit sie nun einsmalen vertraut zusammen reden könnten, gingen sie in den Wald spat-

zieren. Hüte dich, sagte Joringel, daß du nicht zu nah an das Schloß kommst! Es war ein schöner Abend, die Sonne schien zwischen den Stämmen der Bäume hell ins dunkle Grün des Walds, und die Turteltaube sang kläglich auf den alten Maybuchen. Jorinde weinte zuweilen, setzte sich hin in Sonnenschein und klagte. Joringel klagte auch; sie waren so bestürzt als wenn sie hätten sterben sollen; sie sahen sich um, waren irre, und wusten nicht wohin sie nach Hause gehen sollten. Noch halb stund die Sonne über dem Berg und halb war sie unter. Joringel sah durchs Gebüsch und sah die alte Mauer des Schlosses nah bei sich, er erschrack und wurde todbang, Jorinde sang:

> Mein Vögelein mit dem Ringelein roth,
> Singt Leide Leide Leide;
> Es singt dem Täubelein seinen Tod,
> Singt Leide Lei — Zicküth Zicküth
> Zicküth.

Joringel sah nach Jorinde. Jorinde war in eine Nachtigal verwandelt, die sang Zicküth Zicküth. Eine Nachteule mit glühenden Augen flog dreymal um sie herum und schrie dreymal Schu — hu — hu — hu. Joringel konnte sich nicht regen; er stand da wie ein Stein, konnte nicht weinen, nicht reden, nicht Hand noch Fuß regen. Nun war die Sonne unter; die Eule flog in einen Strauch, und gleich darauf kam eine alte krumme Frau aus diesem Strauch hervor, gelb und mager, große rothe Augen, krumme Nase, die mit der Spitze an's Kinn reichte. Sie murmelte und fing die Nachtigal, trug sie auf der Hand fort. Joringel konnte nichts sagen, nicht von der Stelle kommen; die Nachtigal war fort; endlich kam das Weib wieder und sagte mit dumpfer Stimme: Grüß' dich Zachiel! Wenns Möndel ins Körbel scheint, bind los Zachiel zu guter Stund! Da wurd Joringel los; er fiel vor dem Weib auf die Knie, und bat, sie möchte ihm seine Jorinde wieder geben; aber sie sagte, er sollte sie nie wieder haben und ging fort. Er

rief, er weinte, er jammerte, aber alles umsonst. Nu! was soll
mir geschehn? Joringel ging fort und kam endlich in ein fremdes Dorf; da hütet er die Schafe lange Zeit. Oft ging er rund
um das Schloß herum, aber nicht zu nahe dabei; endlich
träumte er einmal des Nachts, er fänd eine blutrothe Blume,
in deren Mitte eine schöne große Perle war; die Blume bräch
er ab, ging damit zum Schlosse; alles was er mit der Blume
berührte, ward von der Zauberei frei; auch träumte er, er
hätte seine Jorinde dadurch wieder bekommen. Des Morgens
als er erwachte, fing er an durch Berg und Thal zu suchen, ob
er eine solche Blume fände; er suchte bis an den neunten Tag,
da fand er die blutrothe Blume am Morgen früh. In der Mitte
war ein großer Thautropfe, so groß wie die schönste Perle.
Diese Blume trug er Tag und Nacht bis zum Schloß. Nu! es
war mir gut! Wie er auf hundert Schritt nahe bei's Schloß
kam, da wurd er nicht fest, sondern ging fort, bis ans Thor.
Joringel freute sich hoch, berührte die Pforte mit der Blume
und sie sprang auf; er ging hinein, durch den Hof, horchte wo
er die vielen Vögel vernähm. Endlich hört er's; er ging und
fand den Saal; darauf war die Zauberinn, fütterte die Vögel
in den sieben tausend Körben. Wie sie den Joringel sah, ward
sie bös, sehr bös, schalt, spie Gift und Galle gegen ihn aus,
aber sie konnt auf zwei Schritte nicht an ihn kommen. Er
kehrte sich nicht an sie, und ging, besah die Körbe mit den
Vögeln; da waren aber viel hundert Nachtigallen; wie sollte
er nun seine Jorinde wieder finden? Indem er so zusah, merkt
er, daß die Alte heimlich ein Körbchen mit einem Vogel
nimmt und damit nach der Thüre geht. Flugs sprang er hinzu,
berührte das Körbchen mit der Blume, und auch das alte
Weib; nun konnte sie nichts mehr zaubern; und Jorinde stund
da, hatte ihn um den Hals gefaßt, so schön als sie ehemals
war. Da machte er auch all die andern Vögel wieder zu Jungfern, und da ging er mit seiner Jorinde nach Hause, und lebten
lange vergnügt zusammen."

Henrich saß wie versteinert, seine Augen starrten grad aus, und der Mund war halb offen. Baase! sagte er endlich, das könnt einem des Nachts bang machen. Ja, sagte sie, ich erzähls auch des Nachts nicht, sonst werd ich selber bang. Indem sie so sassen, pfif Vater Stilling. Mariechen und Henrich antworteten mit einem He! He! Nicht lange hernach kam er; er sah munter und fröhlich aus, als wenn er etwas gefunden hätte; lächelte wohl zuweilen, stand, schüttelte den Kopf, sah auf eine Stelle, faltete die Hände, lächelte wieder. Mariechen und Henrich sahen ihn mit Verwunderung an; doch durften sie ihn nicht fragen; denn er thäts wohl oft so, daß er vor sich allein lachte. Doch Stillingen war das Herz zu voll; er setzte sich zu ihnen nieder und erzählte; wie er anfing so stunden ihm die Augen voll Wasser. Mariechen und Henrich sahen es, und schon liefen ihnen auch die Augen über.

Wie ich von euch in Wald hinein ging, sah ich weit vor mir ein Licht, eben so als wenn Morgens früh die Sonne aufgeht. Ich verwunderte mich sehr. Ei! dacht ich, dort steht ja die Sonne am Himmel; ist das denn eine neue Sonne? Das muß ja was wunderlichs seyn, das muß ich sehen. Ich ging drauf an; wie ich vorn hin kam, siehe da war vor mir eine Ebne, die ich mit meinen Augen nicht übersehen konnte. Ich hab mein lebtag so herrlichs nicht gesehen; so ein schöner Geruch, so eine kühle Luft kam da'rüber her, ich kanns euch nicht sagen. Es war so weiß Licht durch die ganze Gegend, der Tag mit der Sonne ist Nacht dagegen. Da standen viel tausend prächtige Schlösser, eins nah beym andern. Schlösser! — ich kanns euch nicht beschreiben! als wenn sie von lauter Silber wären. Da waren Gärten, Büsche, Bäche. O Gott wie schön! — Nicht weit von mir stand ein großes herrliches Schloß. (Hier liefen dem guten Stilling die Thränen häufig die Wangen herunter, Mariechen und Henrichen auch.) Aus der Thür dieses Schlosses kam jemand heraus, auf mich zu, wie eine Jungfrau. Ach! ein herrlicher Engel! — Wie sie nah bei mir war, ach Gott! da war es unser seliges Dortchen! (Nun schluchsten sie alle drei, keins konnte etwas reden, nur Henrich rief und heulte: O meine Mutter! meine liebe Mutter!) — Sie sagte gegen mich so freundlich, eben mit der Mine die mir ehemal so oft das Herz stahl: Vater, dort ist unsere ewige Wohnung, ihr kommt bald zu uns. — Ich sah, und siehe alles war Wald vor mir; das herrliche Gesicht war weg. Kinder, ich sterbe bald; wie freu ich mich drauf! Henrich konnte nicht aufhören zu fragen, wie seine Mutter ausgesehen, was sie angehabt, und so weiter. Alle drei verrichteten den Tag durch ihre Arbeit, und sprachen beständig von dieser Geschichte. Der alte Stilling aber war von der Zeit an, wie einer der in der Fremde und nicht zu Hause ist.

Ein altes Herkommen, dessen ich (wie vieler andern) noch nicht erwähnt, war; daß Vater Stilling alle Jahr selbsten ein Stück seines Hausdaches, das Stroh war, eigenhändig decken muste. Das hatte er nun schon acht und vierzig Jahr gethan, und diesen Sommer sollt es wieder geschehen. Er richtete es so ein, daß er alle Jahr so viel davon neu deckte, so weit das Roggenstroh reichte, das er für dies Jahr gezogen hatte.

Die Zeit des Dachdeckens fiel gegen Michaelstag, und rückte nun mit Macht heran; so daß Vater Stilling anfing darauf zu Werk zu legen. Henrich war dazu bestimmt ihm zur Hand zu langen, und also wurde die lateinische Schule auf acht Tage ausgesetzt. Margrethe und Mariechen hielten täglich in der Küche geheimen Rath, über die bequemsten Mittel wodurch er vom Dachdecken zurückgehalten werden möchte. Sie beschlossen endlich beide, ihm ernstliche Vorstellungen zu thun, und ihn vor Gefahr zu warnen; sie hatten die Zeit während dem Mittagessen dazu bestimmt.

Margrethe brachte also eine Schüssel Muß, und auf derselben vier Stücke Fleisches, die so gelegt waren, daß ein jedes just vor den zu stehen kam, für den es bestimmt war. Hinter ihr her kam Mariechen mit einem Kumpen voll gebrockter

Milch. Beyde setzten ihre Schüsseln auf den Tisch, an welchem
Vater Stilling und Henrich schon an ihrem Ort sassen, und mit
wichtiger Mine von ihrer nun Morgen anzufangenden Dachdeckerei redeten. Denn, im Vertrauen gesagt, wie sehr auch
Henrich auf Studieren, Wissenschaften und Bücher verpicht
seyn mochte, so wars ihm doch eine weit größere Freude, in
Gesellschaft seines Großvaters, zuweilen entweder im Wald,
auf dem Feld oder gar auf dem Hausdach zu klettern; denn
dieses war nun schon das dritte Jahr, daß er seinem Großvater als Diakonus bei dieser jährlichen Solennität beygestanden. Es ist also leicht zu denken, daß der Junge herzlich verdrüßlich werden muste, als er Margrethens und Mariechens
Absichten zu begreifen anfieng.

Ich weiß nicht, Ebert, sagte Margrethe, indem sie ihre linke
Hand auf seine Schultern legte, du fängst mir so an zu verfallen. Spürst du nichts in deiner Natur?

„Man wird als alle Tage älter, Margrethe."

O Herr ja! Ja freylich, alt und steif.

Ja wohl, versetzte Mariechen und seufzte.

Mein Großvater ist noch recht stark vor sein Alter, sagte
Henrich.

„Ja wohl, Junge, antworte der Alte. Ich wollte noch wohl
in die Wette mit dir die Leiter nauf laufen."

Henrich lachte hart. Margrethe sah wohl, daß sie auf dieser
Seite die Vestung nicht überrumpeln würde; daher suchte sie
einen andern Weg.

Ach ja, sagte sie, es ist eine besondere Gnade, so gesund in
seinem Alter zu seyn; du bist, glaub ich, nie in deinem Leben
krank gewesen, Ebert?

„In meinem Leben nicht, ich weiß nicht was Krankheit ist;
denn an den Pocken und Rötheln bin ich herumgegangen."

Ich glaub doch, Vater! versetzte Mariechen, ihr seyd wohl
verschiedene malen vom Fallen krank gewesen; denn ihr habt
uns wohl erzählet, daß ihr oft gefährlich gefallen seyd.

„Ja, ich bin dreymal tödtlich gefallen."

Und das viertemal, fuhr Margrethe fort, wirst du dich todt fallen, mir ahnt es. Du hast letzthin im Wald das Gesicht gesehen; und eine Nachbarinn hat mich kürzlich gewarnt und gebeten, dich nicht aufs Dach zu lassen; denn sie sagte, sie hätte des Abends, wie sie die Küh gemolken, ein Poltern und klägliches Jammern neben unserm Hause im Wege gehört. Ich bitte dich, Ebert! thu mir den Gefallen, und laß jemand anders das Haus decken, du hasts ja nicht nöthig.

„Margrethe! — kann ich, oder jemand anders denn nicht in der Strasse ein ander Unglück bekommen? Ich hab das Gesicht gesehen, ja, das ist wahr! — unsere Nachbarin kann auch diese Vorgeschicht gehört haben; Ist dieses gewiß? wird dann derjenige dem entlaufen, was Gott über ihn beschlossen hat? Hat er beschlossen, daß ich meinen Lauf hier in der Strasse endigen soll, werd ich, armer Dummkopf von Menschen! das wohl vermeiden können? und gar wenn ich mich todt fallen soll, wie werd ich mich hüten können? Gesetzt, ich blieb vom Dach, kann ich nicht heut oder morgen da in der Strassen einen Karren Holz losbinden wollen, drauf steigen, straucheln und den Hals abstürzen? Margrethe! laß mich in Ruh; ich werde so ganz grade fortgehen, wie ich bis dahin gegangen bin; wo mich dann mein Stündchen überrascht, da werd ichs willkommen heissen."

Margrethe und Mariechen sagten noch ein und das andere, aber er achtete nicht drauf, sondern redete mit Henrichen von allerhand die Dachdeckerei betreffenden Sachen; daher sie sich zufrieden gaben und sich das Ding aus dem Sinne schlugen.

Des andern Morgens stunden sie frühe auf, und der alte Stilling fing an, während daß er ein Morgenlied sang, das alte Stroh loszubinden und abzuwerfen, womit er denn diesen Tag auch hübsch fertig wurde; so daß sie des folgenden Tages schon anfingen das Dach mit neuem Stroh zu belegen; mit einem Wort, das Dach ward fertig, ohne die mindeste Gefahr oder Schreck dabei gehabt zu haben; ausser daß es noch einmal bestiegen werden muste, um starke und frische Rasen oben über den First zu legen. Doch damit eilte der alte Stilling so sehr nicht; es gingen wohl noch acht Tage über, eh es ihm einfiel dies letzte Stück Arbeit zu verrichten.

Des folgenden Mittwochs Morgens stund Eberhard ungewöhnlich früh auf, ging im Hause umher von einer Kammer zur andern, als wenn er was suchte. Seine Leute verwunderten sich, fragten ihn, was er suche? Nichts, sagte er. „Ich weiß nicht, ich bin so wohl, doch hab ich keine Ruhe, ich kann nirgend still seyn, als wenn etwas in mir wäre, das mich triebe, auch spür ich so eine Bangigkeit, die ich nicht kenne. Margrethe rieth ihm, er sollte sich anziehen und mit Henrichen nacher Lichthausen gehen, seinen Sohn, Johann, zu besuchen. Er war damit zufrieden; doch wollte er zuerst die Rasen oben auf den Hausfirst legen, und dann des andern Tages seinen Sohn besuchen. Dieser Gedanke war seiner Frauen und Tochter sehr zuwider. Des Mittags über Tisch ermahnten sie ihn wieder ernstlich vom Dach zu bleiben; selbst Henrich bat ihn jemand vor Lohn zu kriegen, der vollends mit der Deckerei ein Ende mache. Allein der vortrefliche Greiß lächelte mit einer unumschränkten Gewalt um sich her; Ein Lächeln, das so manchem Menschen das Herz geraubt und Ehrfurcht eingeprägt hatte! Dabei sagte er aber kein Wort. Ein Mann, der mit einem beständig guten Gewissen alt geworden, sich vieler guten Handlungen bewust ist, und von Jugend auf sich an einen freyen Umgang mit Gott und seinem Erlöser gewöhnt hat, gelangt zu einer Größe und Freiheit, die nie der größte Eroberer erreicht hat. Die ganze Antwort Stillings auf diese, gewiß treugemeinte Ermahnungen der Seinigen, bestund darinn: Er wollte da auf den Kirschbaum steigen, und sich noch einmal recht satt Kirschen essen. Es war nemlich ein Baum, der hinten im Hof stund, und sehr spät, aber desto vortrefflichere Früchte trug. Seine Frau und Tochter verwunderten sich über diesen Einfall, denn er war wohl in zehen Jahren auf keinem Baum gewesen. Nun dann! sagte Margrethe, du must nun vor diese Zeit in die Höh, es mag kosten was es wolle. Eberhard lachte und antwortete: Je höher, je näher zum Himmel! Damit ging er zur Thür hinaus, und Henrich hinter ihm her auf den Kirschbaum zu. Er faßte den Baum in seine Arme und die Knie, und kletterte hinauf bis oben hin, setzte sich in eine Furke des Baums, fing an, aß Kirschen, und warf Henrichen zuweilen ein Aestchen herab. Margrethe und Mariechen kamen ebenfalls. Halt! sagte die ehrliche Frau, heb mich ein wenig Mariechen, daß ich nur die unterste Aeste fassen kann, ich muß da probieren, ob ich auch noch hinauf kann. Es gerieth, sie kam hinauf. Stilling sah herab und lachte herzlich, und sagte, das heißt recht verjüngt werden, wie die Adler. Da saßen beyde ehrliche alte Grauköpfe in den Aesten des Kirschbaumes, und genossen noch einmal zusammen die süßen Früchte ihrer Jugend; besonders war Stilling aufgeräumt. Margrethe stieg wieder herab und ging mit Mariechen in den Garten, der eine ziemliche Strecke unterhalb dem Dorf war. Eine Stunde hernach stieg auch Eberhard herab, ging und hatte einen Haken, um Rasen damit abzuschälen. Er ging des Endes oben ans Ende des Hofs an den Wald; Henrich blieb gegen dem Hause über unter dem Kirschbaum sitzen; endlich kam Eberhard wieder, hatte einen großen Rasen um den Kopf hangen, bückte sich zu Henrichen, sah ganz ernsthaft aus und sagte: Sieh, welch eine Schlafkappe! — Henrich fuhr in einander, und ein Schauer ging ihm durch die Seele. Er hat mir hernach wohl gestanden, daß dieses einen unvergeßlichen Eindruck auf ihn gemacht habe.

Indessen stieg Vater Stilling mit dem Rasen das Dach hinauf. Henrich schnitzelte an einem Hölzchen; indem er darauf sah, hörte er ein Gepolter; er sah hin, vor seinen Augen wars schwarz wie die Nacht — Lang hingestreckt lag da der theure liebe Mann unter der Last von Leitern, seine Hände vor der

Brust gefalten; die Augen starrten, die Zähne klapperten und alle Glieder bebten, wie ein Mensch im starken Frost. Henrich warf eiligst die Leitern von ihm, streckte die Arme aus, und lief wie ein Rasender das Dorf hinab und erfüllte das ganze Thal mit Zeter und Jammer. Margrethe und Mariechen hörten im Garten kaum halb die Seelzagende kenntliche Stimme ihres geliebten Knaben; Mariechen that einen hellen Schrei, rung die Hände über dem Kopf und flog das Dorf hinauf. Margrethe strebte hinter ihr her, die Hände vorwärts ausgestreckt, die Augen starrten umher; dann und wann machte ein heiserer Schrei der beklemmten Brust ein wenig Luft. Mariechen und Henrich waren zuerst bei dem lieben Manne. Er lag da, lang ausgestreckt, die Augen und der Mund waren geschlossen, die Hände noch vor der Brust gefalten, und sein Odem ging langsam und stark, wie bey einem gesunden Menschen der ordentlich schläft; auch bemerkte man nirgend daß er blutrüstig war. Mariechen weinte häufige Thränen auf sein Angesicht und jammerte beständig: Ach! mein Vater! mein Vater! Henrich saß zu seinen Füßen im Staub, weinte und heulte. Indessen kam Margrethe auch hinzu; sie fiel neben ihm nieder auf die Knie, faßte ihren Mann um den Hals, rief ihm mit ihrer gewohnten Stimme ins Ohr, aber er gab kein Zeichen von sich. Die heldenmüthige Frau stund auf, faßte Muth; auch war keine Thräne aus ihren Augen gekommen. Einige Nachbarn waren indessen hinzugekommen; vergossen Alle Thränen, denn er war allgemein geliebt gewesen. Margrethe machte geschwind in der Stube ein niedriges Bette zurecht; sie hatte ihre beste Betttücher, die sie vor etlich und vierzig Jahren als Braut gebraucht hatte, übergespreitet. Nun kam sie ganz gelassen heraus, und rief: Bringt nur meinen Eberhard herein aufs Bett! Die Männer faßten ihn an, Mariechen trug am Kopf, und Henrich hatte beide Füße in seinen Armen; sie legten ihn aufs Bett und Margrethe zog ihn aus und deckte ihn zu. Er lag da, ordentlich wie ein gesunder Mensch der schläft.

Nun wurde Henrich beordert nach Florenburg zu laufen, um einen Wundarzt zu holen. Der kam auch denselben Abend, untersuchte ihn, ließ ihm zur Ader und erklärte sich, daß zwar nichts zerbrochen sey, aber doch sein Tod binnen dreyen Tagen gewiß seyn würde, indem sein Gehirn ganz zerrüttet wäre.

Nun wurden Stillings Kinder alle sechs zusammen berufen, die sich auch des andern Morgens Donnerstags zeitig einfanden; Sie setzten sich alle rings ums Bette, waren stille, klagten und weinten. Die Fenster wurden mit Tüchern zugehangen, und Margrethe wartete ganz gelassen ihrer Hausgeschäfte. Freytags Nachmittags fing der Kopf des Kranken an zu beben, die oberste Lippe erhob sich ein wenig und wurde blaulicht, und ein kalter Schweiß duftete überall hervor. Seine Kinder rückten näher ums Bette zusammen. Margrethe sah es auch; sie nahm einen Stuhl und setzte sich zurück an die Wand ins Dunkele; alle sahen vor sich nieder und schwiegen. Henrich saß zu den Füßen seines Großvaters, sah ihn zuweilen mit nassen Augen an und war auch stille. So saßen sie alle bis Abends neun Uhr. Da bemerkte Cathrine zuerst, daß ihres Vaters Odem still stand. Sie rief ängstlich: Mein Vater stirbt! — Alle fielen mit ihrem Angesicht auf das Bette, schluchsten und weinten. Henrich stund da, ergriff seinem Großvater beide Füße und weinte bitterlich. Vater Stilling hohlte alle Minuten tief Odem, wie einer der tief seufzet, und von einem Seufzer zum andern war der Odem ganz stille; an seinem ganzen Leibe regte und bewegte sich nichts als der Unterkiefer, der sich bei jedem Seufzer ein wenig vorwärts schob.

Margrethe Stillings hatte bis dahin bei all ihrer Traurigkeit noch nicht geweint; so bald sie aber Catharinen rufen hörte, stund sie auf, ging ans Bett, und sah ihrem sterbenden Manne ins Gesicht; nun fielen einige Thränen die Wangen herunter; sie dehnte sich aus (denn sie war vom Alter ein wenig gebückt) richtete ihre Augen auf und reckte die Hände gen Himmel, und betete mit dem feurigsten Herzen; sie holte jedesmal aus tiefster Brust Odem, und den verzehrte sie in einem brünstigen Seufzer. Sie sprach die Worte plattdeutsch nach ihrer Gewohnheit aus, aber sie waren alle voll Geist und Leben. Der Inhalt ihrer Worte war, daß ihr Gott und Erlöser ihres lieben Mannes Seele gnädig aufnehmen, und zu sich in die ewige Freude nehmen möge. Wie sie anfing zu beten, sahen alle ihre Kinder auf, erstaunten, sunken im Bett auf die Knie und beteten in der Stille mit. Nun kam der letzte Herzensstoß; der ganze Körper zog sich; er stieß einen Schrei aus; nun war er verschieden. Margrethe hörte auf zu beten, faßte dem entseelten Manne seine rechte Hand an, schüttelte sie und sagte: Leb wohl, Eberhard! in dem schönen Himmel! bald sehen wir uns wieder! So wie sie das sagte, sank sie nieder auf ihre Knie; alle ihre Kinder fielen um sie herum. Nun weinte auch Margrethe die bittersten Thränen und klagte sehr.

Die Nachbarn kamen indessen, um den Entseelten anzukleiden. Die Kinder stunden auf, und die Mutter hohlte das Todtenkleid. Bis den folgenden Montag lag er auf der Baare; da führte man ihn nach Florenburg, um ihn zu begraben.

Herr Pastor Stollbein ist aus dieser Geschichte als ein störrischer wunderlicher Mann bekannt, allein ausser dieser Laune war er gut und weichherzig. Wie Stilling ins Grab gesenkt wurde, weinte er helle Thränen; und auf der Kanzel waren unter beständigem Weinen seine Worte: Es ist mir leid um dich, mein Bruder Jonathan! Wollte Gott, ich wäre für dich gestorben! und der Text zur Leichenrede war: Ei du frommer und getreuer Knecht! du bist über weniges getreu gewesen, ich will dich über viel setzen; gehe ein zu deines Herrn Freude!

Sollte einer meiner Leser nach Florenburg kommen, gegen der Kirchthür über, da wo der Kirchhof am höchsten ist, da

schläft Vater Stilling auf dem Hügel. Sein Grab bedeckt kein
prächtiger Leichstein; aber oft fliegen im Frühling ein Paar
Täubchen einsam hin, girren und liebkosen sich zwischen dem
Gras und Blumen, die aus Vater Stillings Moder hervorgrü-
nen.

Henrich Stillings
Jünglings = Jahre.

Eine wahrhafte Geschichte.

Berlin und Leipzig,
bey George Jacob Decker.
1 7 7 8.

Chodowiecki inv. et sc.

HENRICH STILLINGS JÜNGLINGS-JAHRE

EINE WAHRHAFTE GESCHICHTE

Vater Stilling war zu den ruhigen Wohnungen seiner Vorältern hingegangen, und in seinem Hause ruhte alles in trauriger Todesstille. Seit mehr als hundert Jahren hatte eine jede Holzart, ein jedes Milchfaß, und jedes andre Hausgeräthe, seinen bestimmten Ort, der vom langen Gebrauch glatt und polirt war. Ein jeder Nachbar und Freund, aus der Nähe und Ferne, fand immer alles in gewohnter Ordnung; und das macht vertraulich. — Man trat in die Hausthür, und war daheim. — Aber nun hieng alles öd und still; Gesang und Freude schwiegen, und am Tisch blieb seine Stelle leer; niemand getrauete sich, sich hinzusetzen, bis sie Henrich endlich einnahm, aber er füllte sie nur halb aus.

Margarethe trauerte indessen still und ohne Klagen; Henrich aber redete viel mit ihr von seinem Großvater. Er dachte sich den Himmel wie eine herrliche Gegend von Wäldern, Wiesen und Feldern, wie sie im schönsten May grünen und blühen, wenn der Südwind drüber her fächelt, und die Sonne jedem Geschöpfe Leben und Gedeihen einflößt. Dann sah er Vater Stilling mit hellem Glanz ums Haupt einhertreten, und ein silberweiß Gewand um ihn herabfließen.

Auf diese Vorstellung bezogen sich alle seine Reden. Einsmals fragte ihn Margrethe: Was meinst du, Henrich! was dein Großvater jetzt machen wird? Er antwortete, er wird nach dem Orion, nach dem Sirius, dem Wagen, und dem Siebengestirn reisen, und alles wohl besehen, und dann wird er sich erst recht verwundern, und sagen, wie er so oft gesagt hat:

O welch ein wunderbarer Gott! — Da hab ich aber keine Lust
zu, erwiederte Margrethe; was werd ich denn da machen?
Henrich versetzte: so wie es Maria machte, die zu den Füßen
Jesus saß. Mit dergleichen Unterredungen wurde das Andenken an den seligen Mann öfters erneuert.

Die Haushaltung konnte auf dem Fuß, so wie sie jetzt
stund, nicht lange bestehen, deswegen forderte die alte Mutter
ihren Eidam Simon mit seiner Frauen Elisabeth wieder nach
Haus. Denn sie hatten an einem andern Ort Haus und Hof
gepachtet, so lange der Vater lebte. Sie kamen mit ihren Kindern und Geräthe, und übernahmen das väterliche Erbe; alsbald wurde alles fremd, man brach eine Wand der Stube ein,
und baute sie vier Fuß weiter in den Hof. Simon hatte nicht
Raum genug, er war kein Stilling — und der eichene Tisch
voll Segen und Gastfreiheit, der alte biedere Tisch, wurde mit
einem gelben ahornenen, voller verschlossener Schubladen
verwechselt; er bekam seine Stelle auf dem Balken hinter dem
Schornstein. — Henrich wallfahrtete zuweilen hin, legte sich
neben ihn auf den Boden, und weinte. Simon fand ihn einmal
in dieser Stellung, er fragte: Henrich! was machst du da? Dieser antwortete: ich weine um den Tisch. Der Oheim lachte,
und sagte: Du magst wohl um ein altes eichenes Bret weinen!
Henrich wurde ärgerlich, und versetzte: dieses Gewerbe dahinten, und diesen Fuß da, und diese Ausschnitte am Gewerbe
hat mein Großvater gemacht, — wer ihn lieb hat, kann das
nicht zerbrechen. Simon wurde zornig, und erwiederte: er war
mir nicht groß genug, und wo sollt ich denn den meinigen
lassen? Ohm! sagte Henrich, den solltet ihr hieher gestellt
haben, bis meine Großmutter todt ist, und wir andern fort
sind.

Indessen veränderte sich alles; das sanfte Wehen des Stillingschen Geistes verwandelte sich ins Gebrause einer ängst-
lichen Begierde nach Geld und Gut. Margrethe empfand dieses, und mit ihr ihre Kinder; sie zog sich zurück in einen

Winkel hinter dem Ofen, und da verlebte sie ihre übrigen Jahre; sie wurde staarblind, doch hinderte sie dieses nicht an ihrem Flachsspinnen, womit sie ihre Zeit zubrachte.

Vater Stilling ist hin, nun will ich seinem Enkel, dem jungen Henrich, auf dem Fuß folgen, wo er hingeht, alles andre soll mich nicht aufhalten.

Johann Stilling war nun Schöffe und Landmesser; Wilhelm Schulmeister zu Tiefenbach; Mariechen Magd bey ihrer Schwester Elisabeth; die andern Töchter waren aus dem Hause verheirathet, und Henrich gieng nach Florenburg in die lateinische Schule.

Wilhelm hatte eine Kammer in Stillings Haus, auf derselben stund ein Bett, worin er mit seinem Sohn schlief, und am Fenster war ein Tisch mit dem Schneidergeräthe; denn sobald als er von der Schule kam, arbeitete er an seinem Handwerk. Des Morgens früh nahm Henrich seinen Schulsack, worinn nebst den nöthigen Schulbüchern, und einem Butterbrod für den Mittag, auch die Historia von den vier Heymonskindern, oder sonst ein ähnliches Buch, nebst einer Hirtenflöte, sich befande; sobald er dann gefrühstückt hatte, machte er sich auf den Weg, und wenn er hinaus vors Dorf kam, so nahm er sein Buch heraus, und lase während dem Gehen; oder er trillerte alte Romanzen und andere Melodien auf seiner Flöte. Das Lateinlernen wurde ihm gar nicht schwer, und er behielt dabey Zeit gnug, alte Geschichten zu lesen. Des Sommers gieng er alle Abend nach Haus, des Winters aber kam er nur Samstags Abends, und ging des Montags Morgens wieder fort; dieses währte vier Jahre, doch blieb er aufs letzte des Sommers über viel zu Haus, und half seinem Vater am Schneiderhandwerk, oder er machte Knöpfe.

Der Weg nach Florenburg, und die Schule selber, machten ihm manche vergnügte Stunde. Der Schulmeister war ein sanfter vernünftiger Mann, und wußte zu geben und zu nehmen. Des Mittags nach dem Essen sammlete Stilling einen Haufen Kinder um sich her, ging mit ihnen hinaus aufs Feld, oder an einen Bach, und dann erzählte er ihnen allerhand schöne empfindsame Historien, und wenn er sich ausgeleert hatte, so mußten andere erzählen. Einsmals waren ihrer auch etliche zusammen auf einer Wiesen, es fand sich ein Knabe herzu, dieser fieng an: Hört, Kinder! ich will euch was erzählen: „Neben uns wohnt der alte Frühling, ihr wißt, wie er daher geht, und so an seinem Stock zittert; er hat keine Zähne mehr, auch hört und sieht er nicht viel. Wenn er denn so da am Tisch saß und zitterte, so verschüttete er immer vieles, auch floß ihm zuweilen etwas wieder aus dem Mund. Das ekelte dann seinem Sohn und seiner Schnur, und deswegen mußte der alte Großvater endlich hinter dem Ofen im Eck essen, sie gaben ihm etwas in einem irdenen Schüsselchen, und noch dazu nicht einmal satt, ich hab ihn wohl sehen essen, er sah so betrübt nach dem Tisch, und die Augen waren ihm dann naß. Nun hat er ehgestern sein irdenes Schüsselchen zerbrochen. Die junge Frau keiffte sehr mit ihm, er sagte aber nichts, sondern seufzte nur. Da kauften sie ihm ein hölzernes Schüsselchen für ein paar Heller, da mußte er gestern Mittag zum erstenmal aus essen; wie sie so da sitzen, so schleppt der kleine Knabe von viertehalb Jahr auf der Erden kleine Bretchen zusammen. Der junge Frühling fragt: was machst du da, Peter? Ho! sagt das Kind, ich mach ein Tröglein, daraus sollen Vater und Mutter essen, wenn ich groß bin. Der junge Frühling und seine Frau sahen sich eine Weile an, fiengen endlich an zu weinen, und hohlten alsofort den alten Großvater an den Tisch, und ließen ihn mit essen."

Die Kinder sprungen in die Höhe, klatschten in die Hände, lachten und riefen: das ist recht artig; sagte das der kleine Peter? ja, versetzte der Knabe, ich hab dabey gestanden, wie's geschah. Henrich Stilling aber lachte nicht, er stund und sah vor sich nieder; die Geschichte drung ihm durch Mark und Bein, bis ins Innerste seiner Seelen; endlich fing er an: das sollte meinem Großvater wiederfahren seyn! ich glaube, er wäre von seinem hölzernen Schüsselchen aufgestanden, in die Ecke der Stuben gegangen, und dann hätte er sich hingestellt und gerufen: Herr, stärke mich in dieser Stunde, daß ich mich einst räche an diesen Philistern! dann hätte er sich gegen den Eckpfosten gesträubt, und das Haus eingeworfen. Sachte!

sachte! Stilling! redete ihm der größten Knaben einer ein, das wäre doch von deinem Großvater ein wenig zu arg gewesen, Du hast recht! sagte Henrich; aber denk! es ist doch recht satanisch; wie oft hat wohl der alte Frühling seinen Jungen auf dem Schoos gehabt, und ihm die beste Brocken in Mund gesteckt? es wär doch kein Wunder, wenn einmal ein feuriger Drache um Mitternacht, wenn das Viertel des Monds eben untergegangen ist, sich durch den Schornstein eines solchen Hauses hinunter schlengerte, und alles Essen vergiftete. Wie er eben auf den Drachen kam, ist kein Wunder, denn er hatte selbsten vor kurzen Tagen des Abends, als er nach Hause ging, einen großen durch die Luft fliegen sehen, und er glaubte vor die Zeit noch fest, daß es einer von den obersten Teufeln selbst gewesen.

So verfloß die Zeit unter der Hand, und es war nun bald an dem, daß er die lateinische Schule nach und nach verlassen, und seinem Vater am Handwerk helfen mußte; doch dieses war schweres Leiden für ihn; er lebte nur in den Büchern, und es dauchte ihn immer, man ließe ihm nicht Zeit gnug zum Lesen; deswegen sehnte er sich unbeschreiblich, einmal Schulmeister zu werden; dieses war in seinen Augen die höchste Ehrenstelle, die er jemals zu erreichen glaubte. Der Gedanke, ein Pastor zu werden, war zu weit jenseits seiner Sphäre. Wenn er sich aber zuweilen hinauf schwung, sich auf die Canzel dachte, und sich dazu vorstellte, wie selig es sey, ein ganzes Leben unter Büchern hinzubringen, so erweiterte sich sein Herz, er wurde von Wonne durchdrungen, und dann fiel ihm wohl zuweilen ein: Gott hat mir diesen Trieb nicht umsonst eingeschaffen, ich will ruhig seyn, Er wird mich leiten, und ich will ihm folgen.

Dieser Enthusiasmus verleitete ihn zuweilen, wenn seine Leute nicht zu Haus waren, eine lustige Comödie zu spielen; er versammlete so viel Kinder um sich her, als er zusammen treiben konnte, hing einen Weiberschurz auf den Rücken, machte sich einen Kragen von weißem Papier, trat alsdann auf einen Lehnstuhl, so, daß er die Lehne vor sich hatte, und dann fieng er mit einem Anstand an zu predigen, der alle Zuhörer in Erstaunen setzte. Dieses that er oft, denn es war auch nur sein einziges Kinderspiel, das er jemalen mag getrieben haben.

Nun trug es sich einsmalen zu, als er recht heftig declamirte, und seinen Zuhörern die Hölle heiß machte, daß Herr Pastor Stollbein auf einmal in die Stube trat; er lächelte nicht oft, doch konnte ers jetzt nicht verbeißen; Henrich lachte aber nicht, sondern er stund wie eine Bildsäule, blaß wie die Wand, und das Weinen war ihm näher als das Lachen; seine Zuhörer stellten sich alle an die Wand und falteten die Hände. Henrich sahe den Pastor furchtsam an, ob er vielleicht den Rohrstab aufheben möchte, um ihn zu schlagen; denn das war so seine Gewohnheit, wenn er die Kinder spielen sah; doch er that's jetzt nicht, er sagte nur: geh herunter, und stell dich dahin, wirf den närrischen Anzug von dir! Henrich gehorchte gern; Stollbein fuhr fort:

„Ich glaub, du hast wohl den Pastor im Kopf?"

Ich hab kein Geld, zu studiren.

„Du sollst nicht Pastor, sondern Schulmeister werden!"

Das will ich gern, Herr Pastor! aber wenn unser Herr Gott nun haben wollte, daß ich Pastor, oder ein anderer gelehrter Mann werden sollte, muß ich dann sagen: Nein, lieber Gott! ich will Schulmeister bleiben, der Herr Pastor wills nicht haben?

„Halt's Maul, du Esel! weißt du nicht, wen du vor dir hast?"

Nun catechisirte der Pastor die Kinder alle, darinnen hatte er eine vortrefliche Gabe.

Bey nächster Gelegenheit suchte Herr Stollbein Wilhelmen zu bereden, er möchte doch seinen Sohn studiren lassen, er versprach sogar, Vorschub zu verschaffen; allein dieser Berg war zu hoch, er ließ sich nicht ersteigen.

Henrich kämpfte indessen in seinem beschwerlichen Zustand rechtschaffen; seine Neigung zum Schulhalten war unaussprechlich; aber nur bloß aus dem Grund, um des Handwerks los zu werden, und sich mit Büchern beschäftigen zu
können; denn er fühlte selbst gar wohl, daß ihm die Unter-
richtung anderer Kinder ew'ge Langeweile machen würde.
Doch machte er sich das Leben so erträglich, als es ihm möglich
war. Die Mathematik nebst alten Historien und Ritter-
geschichten war sein Fach; denn er hatte würklich den Tobias
Beutel und Bions mathematische Werkschule ziemlich im
Kopf; besonders ergötzte ihn die Sonnuhrkunst über die
Maße; es sahe comisch aus, wie er sich den Winkel, in welchem er saß und nähte, so nach seiner Phantasie ausstaffirt
hatte; die Fensterscheiben waren voll Sonnenuhren, inwendig
vor dem Fenster stund ein viereckigter Klotz, in Gestalt eines
Würfels, mit Papier überzogen, und auf allen fünf Seiten mit
Sonnenuhren bezeichnet, deren Zeiger abgebrochene Nähnadel waren; oben unter der Stubendecke war gleichfalls eine
Sonnenuhr, die von einem Stücklein Spiegel im Fenster erleuchtet wurde; und ein astronomischer Ring von Fischbein
hing an einem Faden vor dem Fenster; dieser mußte auch die
Stelle der Taschenuhr vertreten, wenn er ausging. Alle diese
Uhren waren nicht allein gründlich und richtig gezeichnet,
sondern er verstand auch schon dazumal die gemeine Geometrie, nebst Rechnen und Schreiben aus dem Grund, ob er gleich
nur ein Knabe von zwölf Jahren und ein Lehrjunge im
Schneiderhandwerk war.

Der junge Stilling fing auch nunmehr an, zu Herrn Stollbein in die Catechisation zu gehen; das war ihm nun zwar
eine Kleinigkeit, allein es hatte doch auch seine Beschwerden;
denn da der Pastor immer ein Auge auf ihn hatte, so entdeckte
er auch immer etwas an ihm, das ihm nicht gefiel; zum Beispiel: Wenn er in die Kirche, oder in die Catechisationsstube
kam, so war er immer der Vorderste, und hatte also auch
immer den obersten Stand; dieses konnte nun der Pastor gar
nicht leiden, denn er liebte an andern Leuten die Demuth
ungemein. Einsmals fuhr er ihn an, und sagte:

„Warum bist du immer der Vorderste?" er antwortete:
Wenns Lernen gilt, so bin ich nicht gern der Hinterste.

„Ey, weißt du Schlingel kein Mittel zwischen hinten und
vornen?"

Stilling hätte gern noch ein Wörtchen dazu gesetzt, allein er
furchte sich, den Pastor zu erzürnen. Herr Stollbein spazierte
die Stube ab, und indem er wiederum herauf kam, sagte er
lächelnd: „Stilling, was heißt das zu deutsch: *medium tenuere
beati*?"

Das heißt: die Seeligen haben den Mittelweg gehalten; doch
deucht mir, man könnte auch sagen, *plerique medium tenentes
sunt damnati.* (Die mehresten Leute sind verdammt, die das
Mittel gehalten haben, das ist: Die weder kalt noch warm
sind). Herr Stollbein stutzte, sah ihn an, und sagte: Junge! ich
sage dir, du sollst das Recht haben, voran zu stehen, du hast
vortreflich geantwortet. Doch nun stund er nie wieder vornen, damit ihm die andre Kinder nicht bös werden möchten.
Ich weiß nicht, ob es Feigherzigkeit, oder ob es Demuth war.
Nun fragte ihn Herr Stollbein wieder: Warum gehst du nicht
an deinen Ort? Er antwortete: Wer sich selbst erniedriget, der
soll erhöhet werden. Schweig! erwiederte der Pastor, du bist
ein vorwitziger Bursche. Dieses ging nun so seinen Gang fort,
bis im Jahr 1755 auf Ostern, da Henrich Stilling vierzehn
und ein halb Jahr alt war; vierzehn Tage vor dieser Zeit ließ

ihn Herr Pastor Stollbein allein vor sich kommen, und sagte zu ihm: Hör, Stilling, ich wollte gern einen braven Kerl aus dir machen, du mußt aber hübsch fromm, und mir, deinem Vorgesetzten, gehorsam seyn; auf Ostern will ich dich, mit noch andern, die älter sind, als du, zum heiligen Abendmahl einsegnen, und dann will ich sehen, ob ich dich nicht zum Schulmeister machen kann. Stillingen hüpfte das Herz für Freuden, er dankte dem Pastor, und versprach, alles zu thun, was er haben wollte. Das gefiel dem alten Manne von Herzen, er ließ ihn im Frieden gehen, und hielte sein Wort treulich, denn auf Ostern gieng er zum Nachtmahl, und alsofort wurde er zum Schulmeister nach Zellberg bestimmt, welches Amt er den ersten May antreten mußte. Die Zellberger verlangten auch mit Schmerzen nach ihm, denn sein Ruhm war weit und breit erschollen. Die Wonne läßt sich nicht aussprechen, welche der junge Stilling hierüber empfand, er konnte kaum den Tag erwarten, der zum Antritt seines Amts bestimmt war.

Zellberg liegt eben hinter der Spitze des Gillers, man geht von Tiefenbach gerade den Wald hinauf; so bald man auf die Höhe kommt, hat man vor sich ein großes ebenes Feld, nahe zur rechten Seiten den Wald, dessen hundertjährige Eichen und Maybuchen in gerader Linie gegen Osten zu, wie eine Preußische Wachtparade, hingepflanzt stehen, und den Himmel zu tragen scheinen; fast ostwärts, am Ende des Waldes, erhebt sich ein buschigter Hügel, auf dem Höchsten, oder auch der Hänsgesberg genannt; dieses ist der höchste Gipfel von ganz Westphalen. Von Tiefenbach bis dahin hat man drey Viertelstund beständig gerad und steil auf zu steigen. Linker Hand liegt eine herrliche Flur, die sich gegen Norden in einen Hügel von Saatland erhebt, dieser heißt: auf der Antonius-Kirche. Vermuthlich hat in alten Zeiten eine Capelle da gestanden, die diesem Heiligen gewidmet gewesen. Vor diesem Hügel, südwärts, liegt ein schöner herrschaftlicher Meyerhof, der von Pachtern bewohnt wird. Nordostwärts senkt sich die

Fläche in eine vortrefliche Wiese, die sich zwischen buschigten Hügeln herumdrängt; zwischen dieser Wiese und dem Höchsten geht durchs Gebüsche ein grüner Rasenweg vom Feld aus, längs die Seite des Hügels fort, bis er sich endlich im feierlichen Dunkel dem Auge entzieht; es ist ein bloßer Holzweg, und von der Natur und dem Zufall so entstanden. Sobald man über den höchsten Hügel hin ist, so kommt man an das Dorf Zellberg; dieses liegt also an der Ostseite des Gillers, da, wo in einer Wiesen ein Bach entspringt, der endlich zum Fluß wird, und nicht weit von Cassel in die Weser fällt. Die Lage dieses Orts ist bezaubernd schön, besonders im späteren Frühling, im Sommer und im Anfange des Herbsts; der Winter aber ist daselbst fürchterlich. Das Geheul des Sturms, und der Schwall von Schnee, welcher vom Wind getrieben, hinstürzt, verwandelt dieses Paradies in eine Norwegische Landschaft. Dieser Ort war also der erste, wo Henrich Stilling die Probe seiner Fähigkeiten ablegen sollte.

Auf den kleinen Dörfern in diesen Gegenden wird vom ersten May bis auf Martini, und also den Sommer durch, wöchentlich nur zween Tage, nemlich Freytags und Samstags, Schul gehalten; und so wars auch zu Zellberg. Stilling ging Freytags Morgens mit Sonnen-Aufgang hin, und kam des Sonntags Abends wieder. Dieser Gang hatte für ihn etwas unbeschreibliches; — besonders wenn er des Morgens vor Sonnen-Aufgang auf der Höhe aufs Feld kam, und die Sonne dort aus der Ferne, zwischen den buschigten Hügeln aufstieg; vor ihr her säuselte ein Windchen, und spielte mit seinen Lokken; dann schmolz sein Herz, er weinte oft, und wünschte Engel zu sehen, wie Jacob zu Mahanaim. Wenn er nun da stund, und in Wonnegefühl zerschmolz, so drehte er sich um, sahe Tiefenbach unten im nächtlichen Nebel liegen. Zur Linken senkte sich ein großer Berg, der Hitzige Stein genannt, vom Giller herunter, zur Rechten vorwärts lagen ganz nahe die Ruinen des Geisenberger Schlosses. Da traten dann alle

Scenen, die da zwischen seinem Vater und seiner seligen Mutter, zwischen seinem Vater und ihm, vorgegangen waren, als so viele vom herrlichsten Licht erleuchtete Bilder vor die Seele, er stund wie ein Trunkener, und überließ sich ganz der Empfindung. Dann schaute er in die Ferne; zwölf Meilen südwärts lag der Taunus oder Feldberg nahe bey Frankfurth, acht bis neun Meilen westwärts lagen vor ihm die sieben Berge am Rhein, und so fort eine unzählbare Menge weniger berühmter Gebirge; aber nordwestlich lag ein hoher Berg, der mit seiner Spitze dem Giller fast gleich kam; dieser verdeckte Stillingen die Aussicht über die Schaubühne seiner künftigen großen Schicksale.

Hier war der Ort, wo Henrich eine Stunde lang verweilen konnte, ohne sich selbst recht bewußt zu seyn; sein ganzer Geist war Gebeth, inniger Friede, und Liebe gegen den Allmächtigen, der das alles gemacht hatte.

Zuweilen wünschte er auch wohl ein Fürst zu seyn, um eine Stadt auf dieses Gefilde bauen zu können; alsofort stund sie schon da vor seiner Einbildung; auf der Antonius-Kirche hatte er seine Residenz, auf dem Höchsten sah er das Schloß der Stadt, so wie Montalban in den Holzschnitten im Buch von der schönen Melusine; dieses Schloß sollte Henrichsburg heißen, wegen des Namens der Stadt stund er noch immer im Zweifel, doch war ihm der Name Stillingen der schönste. Unter diesen Vorstellungen stieg er auf vom Fürsten zum Könige, und wenn er Aufs Höchste gekommen war, so sah er Zellberg vor sich liegen, und war nichts weiter, als zeitiger Schulmeister daselbst, und so wars ihm dann auch recht, denn er hatte Zeit zu lesen.

An diesem Ort wohnte ein Jäger, Namens Krüger, ein redlicher braver Mann; dieser hatte zween junge Knaben, aus denen er gern etwas rechts gemacht hätte. Er hatte den alten Stilling herzlich geliebt, und so liebte er auch seine Kinder. Diesem war es Seelenfreude, den jungen Stilling als Schulmeister in seinem Dorf zu sehen. Daher entschloß er sich, denselben bey sich ins Haus zu nehmen. Henrichen war dieses eben recht, sein Vater machte alle Kleider für den Jäger und seine Leute, und deswegen war er daselbst am mehresten bekannt; überdem wußte er, daß Krüger viel rare Bücher hatte, die er recht zu nutzen gedachte. Er quartirte sich daselbst ein; und das erste, was er vornahm, war die Untersuchung der Krügerischen Bibliothek; er schlug einen alten Folianten auf, und fand eine Uebersetzung Homers in teutsche Verse; er hüpfte für Freuden, küßte das Buch, drückte es an seine Brust, bat sichs aus, und nahm es mit in die Schule; wo ers in der Schublade unter dem Tisch sorgfältig verschloß, und so oft darinnen lase, als es ihm nur möglich war. Auf der lateinischen Schule hatte er den Virgilius erklärt, und bey der Gelegenheit so viel vom Homer gehört, daß er vorher Schätze darum gegeben hätte, um ihn nur einmal lesen zu können; nun bot sich ihm hier die Gelegenheit von selbst dar, und er nutzte sie auch rechtschaffen.

Schwerlich ist die Ilias seit der Zeit, daß sie in der Welt gewesen, mit mehrerem Entzücken und Empfindung gelesen worden. Hector war sein Mann, Achill aber nicht, Agamemnon noch weniger; mit einem Wort: er hielt es durchgehends mit den Trojanern, ob er gleich den Paris mit seiner Helenen kaum des Andenkens würdigte; besonders weil er immer zu Haus blieb, da er doch die Ursache des Kriegs war. Das ist doch ein unerträglicher schlechter Kerl! dachte er oft bey sich selber. Niemand dauerte ihn mehr als der alte Priam. Die Bilder und Schilderungen des Homers waren so sehr nach seinem Geschmack, daß er sich nicht enthalten konnte, laut zu jauchzen, wenn er ein so recht lebhaftes fand, das der Sache angemessen war; damals wär die rechte Zeit gewesen, den Ossian zu lesen.

Diese hohe Empfindung hatte aber auch noch Nebenursachen; die ganze Gegend trug dazu bey. Man denke sich

einen bis zur höchsten Stufe des Enthusiasmus empfindsamen
Geist, dessen Geschmack natürlich, und noch nach keiner Mode
gestimmt war, sondern der nichts als wahre Natur empfunden, gesehen und studirt hatte, der ohne Sorge und Gram
höchst zufrieden mit seinem Zustand lebte, und allem Vergnügen offen stunde; ein solcher Geist liest den Homer in der
schönsten und natürlichsten Gegend von der Welt, und zwar
des Morgens in der Frühstunde. Man stelle sich die Lage dieses
Orts vor; er saß auf der Schule an zweyen Fenstern, die nach
Osten gekehret waren; diese Schule stand an der Mittagsseite,
am Abhang des höchsten Hügels, um dieselbe her waren alte
Birken mit schneeweißen Stämmen auf einem grünen Rasen
gepflanzt, deren dunkelgrüne Blätter beständig fort im ewigen Winde flisperten. Gegen Sonnenaufgang war ein prächtiges Wiesenthal, das sich an buschigte Hügel und Gebirge anschloß. Gegen Mittag lag, etwas niedriger, das Dorf, hinter
demselben eine Wiese, und dann stieg unvermerkt eine Flur
von Feldern auf, die ein Wald begränzte. Gegen Abend in der
Nähe war der hohe Giller mit seinen tausend Eichen. Hier las
Stilling den Homer im May und Junius, wenn ohne das die
ganze halbe Welt schön ist, und in der Kraft ihres Erhalters
jauchzet.

Ueber das alles waren auch seine Bauern gute natürliche
Leute, die beständig mit alten Sagen und Erzählungen schwan-
ger gingen, und bey jeder Gelegenheit damit herauskramten;
dadurch wurde der Schulmeister vollends recht mit seinem
Element genährt, und zu Empfindungen aufgelegt. Er ging
einsmals hinter der Schule den höchsten Hügel hinauf spazieren, oben auf der Spitze traf er einen alten Bauer aus seinem
Dorf, der Holz sammlete, so bald dieser den Schulmeister
kommen sahe, hörte er auf zu arbeiten, und sagte:

„Es ist gut, Schulmeister, daß du kommst, ich bin doch
müde, nun hör, was ich dir sagen will; ich denke so eben dran.
Ich und dein Großvater haben vor dreißig Jahren einmal hier

Kohlen gebrennt, da hatten wir viel Freude! wir kamen immer bey einander, aßen und trunken zusammen, und redeten dann immer von alten Geschichten. Du siehst hier rund umher, so weit dein Auge trägt, keinen Berg, oder wir besannen uns auf seinen Namen, und den Ort, wo er am nächsten liegt; das war uns dann nun so recht eine Lust, wenn wir da so lagen, und uns Geschichten erzählten, und zugleich den Ort zeigen konnten, wo sie geschehen waren." Nun hielte der Bauer die linke Hand über die Augen, und mit der rechten wies er gegen Abend und Nordwest hin, und sagte: „Da etwas niederwärts siehst du das Geisenberger Schloß, gerad hinter demselben, dort weit weg, ist ein hoher Berg mit dreyen Köpfen, der mittelste heißt noch der Kindelsberg, da stand vor uralten Zeiten ein Schloß, das auch so hieß; da wohnten Ritter drauf, das waren sehr gottlose Leute. Da zur Rechten hatten sie, an dem Kopf, ein sehr schönes Silber-Bergwerk, wovon sie stockreich wurden. Nu, was geschah! Der Uebermuth ging so weit, daß sie sich silberne Kegel machten; wenn sie spielten, so warfen sie diese Kegel mit silbernen Klötzen; dann bucken sie große Kuchen von Semmelmehl, wie Kutschenräder, machten mitten Löcher darein, und steckten sie an die Achsen; das war nun eine himmelschreyende Sünde, denn wie viele Menschen haben kein Brod zu essen. Unser Herr Gott ward es auch endlich müde; denn es kam des Abends spät ein weißes Männchen ins Schloß, der sagte ihnen an, daß sie alle binnen drey Tagen sterben müßten, und zum Wahrzeichen gab er ihnen, daß diese Nacht eine Kuh zwey Lämmer werfen würde. Das geschah auch, aber niemand kehrte sich dran, als der jüngste Sohn, der Ritter Sigmund hieß, und eine Tochter, die eine gar schöne Jungfrau war. Diese beteten Tag und Nacht. Die andern sturben alle an der Pest, und diese beyde blieben am Leben. Nun war aber hier auf dem Geisenberg auch ein junger kühner Ritter, der ritte beständig ein großes schwarzes Pferd, deswegen hieß man ihn auch nicht anders, als den Ritter mit

dem schwarzen Pferd. Er war ein gottloser Mensch, der immer
raubte und mordete. Dieser Ritter gewann die schöne Jungfrau auf dem Kindelsberg lieb, und wollte sie absolut haben,
aber es nahm ein schlechtes Ende. Ich kann noch ein altes Lied
von der Geschichte."

Der Schulmeister sagte: ich bitt' euch, Kraft, (so hieß
der Bauer) sagt mir doch das Lied vor! Kraft antwortete:
das will ich gern thun, ich will dirs wohl singen. Er
fing an:

> Zu Kindelsberg auf dem hohen Schloß,
>   Steht eine alte Linde :,:
> Von vielen Aesten kraus und groß,
>   Sie saust am kühligen Winde :,:
>
> Da steht ein Stein, ist breit, ist groß,
>   Gar nah an dieser Linde :,:
> Ist grau und rauh von altem Moos,
>   Steht fest im kühligen Winde :,:
>
> Da schläft eine Jungfrau den traurigen Schlaf,
>   Die treu war ihrem Ritter :,:
> Das war von der Mark ein edler Graf,
>   Ihr wurde das Leben bitter :.:
>
> Er war mit dem Bruder ins weite Land
>   Zur Ritter-Fehde gegangen :,:
> Er gab der Jungfrau die eiserne Hand,
>   Sie weinte mit Verlangen :,:
>
> Die Zeit die war nun lang vorbey,
>   Der Graf kam noch nicht wieder :,:
> Mit Sorg und Thränen mancherley,
>   Saß sie bey der Linde nieder :,:
>
> Da kam der junge Rittersmann,
>   Auf seinem schwarzen Pferde :,:
> Der sprach die Jungfrau freundlich an,
>   Ihr Herze er stolz begehrte :,:

Die Jungfrau sprach: du kannst mich nie
   Zu deinem Weiblein haben :,:
Wenns dürr ist das grüne Lindlein hie,
   Dann will ich dein Herze laben :,:

Die Linde war noch jung und schlank,
   Der Ritter sucht im Lande :,:
Ein' dürre Linde so groß, so lang,
   Bis er sie endlich fande :,:

Er ging wohl in dem Mondenschein
   Grub aus die grüne Linde :,:
Und setzt die dürre dahinein,
   Belegt's mit Rasen geschwinde :,:

Die Jungfrau stand des Morgens auf,
   Am Fenster war's so lichte :,:
Des Lindleins Schatten spielte nicht drauf,
   Schwarz ward's ihr vor dem Gesichte :,:

Die Jungfrau lief zur Linde hin,
   Setzt' sich mit Weinen nieder :,:
Der Ritter kam mit stolzem Sinn,
   Begehrt' ihr Herze wieder :,:

Die Jungfrau sprach in großer Noth:
   Ich kann dich nimmer lieben! :,:
Der stolze Ritter stach sie todt,
   Das thät den Graf betrüben :,:

Der Graf kam noch denselben Tag,
   Er sah mit traurigem Muthe :,:
Wie da bey dürrer Linde lag
   Die Jungfrau in rothem Blute :,:

Er machte da ein tiefes Grab,
   Der Braut zum Ruhebette :,:
Und sucht' eine Linde Berg auf und ab,
   Die setzt' er an die Stätte :,:

Und einen großen Stein dazu,
Der steht noch in dem Winde :,:
Da schläft die Jungfrau in guter Ruh,
Im Schatten der grünen Linde :,:

Stilling lauschte still, er durfte kaum Odem holen, die
schöne Stimme des alten Krafts, die rührende Melodie und die
Geschichte selber würkten dergestalt auf ihn, daß ihm das
Herz pochte, er besuchte den alten Bauer oft, der ihm dann
das Lied so oft vorsang, bis ers auswendig konnte. Nun senkte
sich die Sonne hinter den fernen blauen Berg; Kraft und der
Schulmeister giengen den Hügel herab, die braunen und
scheckigten Kühe grasten in der Trift, ihre heisere Schellen
klangen wiederhallend hin und her. Die Knaben liefen in den
Höfen herum, und theilten ihr Butterbrod und Käse zusammen; die Hausmütter machten den Stall zurecht, und die Hüner flatschten eins nach dem andern hinauf zu ihrem Loch;
noch einmal drehte sich der orangegelbe und rothbraune Hahn
auf seinem Pfahl vor dem Loch herum, und krähte seinen
Nachbarn gute Nacht; durch den Wald herab sprachen die
Kohlbrenner, die Quersäcke auf den Nacken, und freuten sich
der nahen Ruhe.

Henrich Stillings Schulmethode war seltsam, und so eingerichtet, daß er wenig oder nichts dabey verlor. Des Morgens,
sobald die Kinder in die Schule kamen, und alle beysammen
waren, so betete er mit ihnen, und catechisirte sie in den ersten
Grundsätzen des Christenthums nach eigenem Gutdünken
ohne Buch; dann ließ er einen jeden ein Stück lesen, wenn das
vorbey war, so ermunterte er die Kinder, den Catechismus zu
lernen, indem er ihnen versprach, schöne Historien zu erzählen, wenn sie ihre Aufgabe recht gut auswendig können würden; während der Zeit schrieb er ihnen vor, was sie nach-
schreiben sollten, ließ sie noch einmal alle lesen, und denn
kam's zum Erzählen, wobey vor und nach alles erschöpft
wurde, was es jemals in der Bibel, im Kaiser Octavianus, der

schönen Magelone, und andern mehr gelesen hatte; auch die
Zerstörung der königlichen Stadt Troja wurde mit vorgenommen. So war es auf seiner Schule Sitte und Gebrauch von
einem Tag zum andern. Es läßt sich nicht aussprechen, mit
welchem Eifer die Kinder lernten, um nur früh ans Erzählen
zu kommen; waren sie aber muthwillig, oder nicht fleißig gewesen, so erzählte der Schulmeister nicht, sondern lase selbsten.

Niemand verlor bey dieser seltsamen Manier zu unterwei-
sen, als die Abc-Schüler, und die am Buchstabiren waren; dieser Theil des Schulamts war Stilling viel zu langweilig. Des
Sonntags Morgens versammleten sich die Schulkinder um
ihren angenehmen Lehrer, und so wanderte er mit seinem Gefolge unter den schönsten Erzählungen nach Florenburg in die
Kirche, und nach der Predigt in eben der Ordnung wieder
nach Haus.

Die Zellberger waren indessen mit Stilling recht gut zufrieden, sie sahen, daß ihre Kinder lernten, ohne viel gezüchtiget
zu werden; verschiedene hatten sogar ihre Freude an all den
schönen Geschichten, welche ihnen ihre Kinder zu erzählen
wußten. Besonders liebte ihn Krüger aus der maßen, denn er
konnte vieles mit ihm aus dem Paralacelsus reden, (so sprach
der Jäger das Wort Paracelsus aus); er hatte eine alte teutsche
Uebersetzung seiner Schriften, und da er ein sclavischer Verehrer aller der Männer war, von denen er glaubte, daß sie den
Stein *Lapis* gehabt hätten, so waren ihm Jacob Böhms, Graf
Bernhards, und des Paracelsus Schriften, große Heiligthümer.
Stilling selber fand Geschmack darinnen, nicht bloß wegen des
Steins der Weisen, sondern weilen er ganz hohe und herrliche
Begriffe, besonders im Böhm, zu finden glaubte; wenn sie das
Wort: Rad der ewigen Essenzien, oder auch schielender Blitz,
und andre mehr aussprachen, so empfunden sie eine ganz be-
sondere Erhebung des Gemüths. Ganze Stunden lang forsch-
ten sie in magischen Figuren, bis sie manchmal Anfang und

Ende verloren, und meynten, die vor ihnen liegende Zauber-
bilder lebten und bewegten sich; das war dann so rechte Seelenfreude, im Taumel groteske Ideen zu haben, und lebhaft
zu empfinden.

Allein dieses paradiesische Leben war von kurzer Dauer.
Herr Pastor Stollbein und Herr Förster Krüger waren Todfeinde. Dieses kam daher: Stollbein war ein unumschränkter
Monarch in seinem Kirchspiel; sein geheimes Raths-Colle-
gium, ich meyne das Consistorium, bestund aus lauter Männern, die er selber angeordnet hatte, und von denen er voraus
wußte, daß sie einfältig gnug waren, immer Ja zu sagen.
Vater Stilling war der letzte gewesen, der noch vom vorigen
Prediger bestellet worden; daher fand er nirgends Widerstand. Er erklärte Krieg und schloß Frieden, ohne jemand zu
Rath zu ziehen, alles fürchtete ihn, und zitterte in seiner Gegenwart. Doch kann ich nicht sagen, daß das gemeine Wesen
unter seiner Regierung sonderlich gelitten hätte, er hatte bey
seinen Fehlern eine Menge guter Eigenschaften. Nur Krüger
und einige der Vornehmsten zu Florenburg haßten ihn so
sehr, daß sie fast gar nicht in die Kirche gingen, vielweniger
bey ihm communicirten. Krüger sagte öffentlich: er sey vom
bösen Geist besessen; und daher that er immer gerade das
Gegentheil von dem, was der Pastor gern sahe.

Nachdem Stilling einige Wochen zu Zellberg gewesen war,
so beschloß Herr Stollbein, seinen neuen Schulmeister daselbst
einmal zu besuchen; er kam des Vormittags um neun Uhr in
die Schule; zum Glück war Stilling weder am Erzählen noch
Lesen. Er wußte aber schon, daß er bey Krügern im Hause
war, daher sah er ganz mürrisch aus, schaute umher, und
fragte: Was macht ihr mit den Schiefersteinen auf der Schul?
— (Stilling hielte des Abends eine Rechenstunde mit den Kindern). Der Schulmeister antwortete: Darauf rechnen die Kinder des Abends. Der Pastor fuhr fort:

„Das kann ich wohl denken, aber wer heißt euch das!"

Henrich wußte nicht, was er sagen sollte; er sah dem Pastor ins Gesicht, und verwunderte sich, endlich erwiederte er lächelnd: Der mich geheißen hat, die Kinder Lesen, Schreiben und den Catechismus zu lehren, der hat mich auch geheißen, sie im Rechnen zu unterrichten.

„Ihr ... ich hätte bald was gesagt! lehrt sie erst einmal das Nöthigste, und wenn sie das können, so lehrt sie auch rechnen."

Nun fing es an, Stillingen weich ums Herz zu werden. Das ist so seiner Natur gemäß, anstatt daß andre Leute bös und launigt werden, schießen ihm die Thränen in die Augen und die Backen herunter; es giebt aber auch einen Fall, in welchem er recht zornig werden kann: Wenn man ihn, oder auch sonsten eine ernste und empfindsame Sache satyrisch behandelt. Gott! versetzte er, wie soll ichs doch machen? Die wollen haben, ich soll die Kinder rechnen lehren, und der Herr Pastor will's nicht haben! Wem soll ich nun folgen?

„Ich hab' in Schulsachen zu befehlen", sagte Stollbein, „und eure Bauern nicht!" und damit ging er zur Thür hinaus.

Stilling befahl alsofort, alle Schiefersteine herab zu nehmen, und auf einen Haufen hinter dem Ofen unter die Bank zu legen; das wurde befolgt, doch schrieb ein jeder seinen Namen mit dem Griffel auf den seinigen.

Nach der Schule ging er zu dem Kirchen-Aeltesten, erzählte ihm den Vorfall, und fragte ihn um Rath. Der Mann lächelte und sagte: Der Pastor wird so seine böse Laune gehabt haben, legt ihr die Steine zurück, daß er sie nicht sieht, wenn er wieder kommen sollte; fahrt ihr aber fort, die Kinder müssen doch rechnen lernen! Er erzählte es auch Krügern, dieser glaubte, der Teufel habe ihn besessen, und nach seiner Meynung sollten nun auch die Mädchen sich Schiefersteine anschaffen, und das Rechnen lernen, seine Kinder wenigstens sollten es nun zuerst vornehmen. Und das geschah auch, Stil-

ling mußte den größten Knaben sogar in der Geometrie unterrichten.

So stunden die Sachen den Sommer über, aber niemand
vermuthete, was den Herbst geschah. Vierzehn Tage vor Martini kam der Aelteste in die Schule, und kündigte Stilling im
Namen des Pastors an, auf Martini die Schule zu verlassen,
und zu seinem Vater zurück zu kehren. Dieses war dem Schulmeister und den Schülern ein Donnerschlag, sie weinten allzusammen. Krüger und die übrigen Zellberger wurden fast
rasend, sie stampften mit den Füßen und schwuren: der Pastor sollte ihnen ihren Schulmeister nicht nehmen. Allein Wilhelm Stilling, wie sehr er sich auch ärgerte, fand doch rath-
samer, seinen Sohn bey sich zu nehmen, um ihn an seinem
fernern Glück nicht zu hindern. Des Sonntags Nachmittags
vor Martini stopfte der gute Schulmeister sein Bißgen Kleider
und Bücher in einen Sack, hieng ihn auf den Rücken, und
wanderte aus Zellberg das Höchste hinauf, seine Schüler gingen truppweise hinten nach und weinten, er selbsten vergoß
tausend Thränen, und beweinte die süße Zeiten, die er zu
Zellberg zugebracht hatte. Der ganze westliche Himmel sah
ihm traurig aus, die Sonne verkroch sich hinter ein schwarzes
Wolkengebirge, und er wanderte im Dunkel des Waldes den
Giller hinunter.

Des Montags Morgens setzte ihn sein Vater wieder in seinen alten Winkel an die Nähnadel. Das Schneiderhandwerk
war ihm nun doppelt verdrießlich, nachdem er die Süßigkeit
des Schulhaltens geschmeckt hatte. Das einzige, was ihm noch
übrig bliebe, war, daß er seine alte Sonnenuhren wiederum in
Ordnung brachte, und seiner Großmutter die Herrlichkeit des
Homers erzählte, die sich dann auch alles wohl gefallen ließ,
und wohl gar Geschmack daran hatte, nicht so sehr aus eignem
Naturtrieb, sondern weilen sie sich erinnerte, daß ihr seeliger
Eberhard ein großer Liebhaber von dergleichen Sachen gewesen war.

Henrich Stillings Leiden stürmten nun mit voller Kraft auf ihn zu, er glaubte fest, er sey nicht zum Schneiderhandwerk gebohren, und er schämte sich von Herzen, so da zu sitzen, und zu nähen; wenn daher jemand Ansehnliches in die Stube kam, so wurde er roth im Gesicht.

Einige Wochen hernach begegnete dem Ohm Simon Herr Pastor Stollbein im Fuhrweg; als er den Pastor von Ferne her reiten sahe, arbeitete er sich über Hals und Kopf mit dem Ochsen und seiner Karre aus dem Wege auf das Feld, stellte sich mit dem Hut in der Hand neben den Ochsen hin, bis Herr Stollbein herzukam.

„Nu, was macht euers Schwagers Sohn?"

Er sitzt am Tisch und näht!

„Das ist recht! so will ich's haben!"

Stollbein ritte fort, und Simon fuhr seiner Wege nach Haus. Alsofort erzählte er Wilhelmen, was der Pastor gesagt hatte; Henrich hörte es mit größtem Herzeleid; ermunterte sich aber wieder, als er sahe, wie sein Vater mit aufgebrachtem Gemüth das Nähzeug von sich warf, aufsprang, und mit Heftigkeit sagte: und ich will haben, er soll Schul halten, sobald sich Gelegenheit dazu äußert! Simon versetzte, ich hätt' ihn zu Zellberg gelassen, der Pastor wird doch noch zu bezwingen seyn. Das hätte wohl geschehen können, antwortete Wilhelm, aber man hat ihn hernach doch immer auf den Hals, und wird seines Lebens nicht froh. Leiden ist besser als Streiten. Meinetwegen, fuhr Simon fort, ich schier mich nichts um ihn, er sollte mir nur einmal zu nahe kommen! Wilhelm schwieg, und dachte: das läßt sich in der Stube hinterm Ofen gut sagen.

Die mühselige Zeit des Handwerks dauerte vorjetzo nicht lange, denn vierzehn Tage vor Weihnachten kam ein Brief von Dorlingen aus der Westphälischen Grafschaft Mark in Stillings Hause an. Es wohnte daselbst ein reicher Mann, Namens Steifmann, welcher den jungen Stilling zum Haus-Informator verlangte. Die Bedinge waren: daß Herr Steifmann von Neujahr an bis nächste Ostern Unterweisung für seine Kinder verlangte; dafür gab er Stillingen Kost und Trank, Feuer und Licht; fünf Reichsthaler Lohn bekam er auch, allein dafür mußte er von den benachbarten Bauern so viel Kinder in die Lehre nehmen, als sie ihm schicken würden, das Schulgeld davon zog Steifmann; auf die Weise hatte er die Schule fast umsonst.

Die alte Margrethe, Wilhelm, Elisabeth, Mariechen und Henrich, berathschlagten sich hierauf über diesen Brief. Margrethe fing nach einiger Ueberlegung an: Wilhelm, behalt den Jungen bey dir! denk einmahl! ein Kind so weit in die Fremde zu schicken, ist kein Spas, es giebt wohl hier in der Nähe Gelegenheit vor ihn. Das ist auch wahr! sagte Mariechen, mein Bruder Johann sagt oft: daß die Bauern daherum so grobe Leute wären, wer weiß, was sie mit dem guten Jungen anfangen werden, behalt ihn hier, Wilhelm! Elisabeth gab auch ihre Stimme; sie hielte aber dafür, daß es besser sey, wenn sich Henrich etwas in der Welt versuchte; wenn sie zu befehlen hätte, so müßte er ziehen. Wilhelm schloß endlich, ohne zu sagen warum; wenn Henrich Lust zu gehen hätte, so wär' es wohl zufrieden. Ja wohl bin ich's zufrieden! fiel er ein, ich wollte, daß ich schon da wär'! Margrethe und Mariechen wurden traurig, und schwiegen still. Der Brief wurde also von Wilhelmen beantwortet, und alles eingewilligt.

Dorlingen lag neun ganzer Stunden von Tiefenbach ab. Vielleicht war seit hundert Jahren niemand aus der Stillingschen Familie so weit fort gewandert, und so lang abwesend gewesen. Einige Tage vor Henrichs Abreise trauerten und weinten alle, nur er selber war innig froh. Wilhelm verbarg seinen Kummer so viel er konnte. Margrethe und Mariechen empfanden zu sehr, daß er Stilling war, deswegen weinten sie am meisten; welches in den blinden Staar-Augen der alten Großmutter erbärmlich aussahe.

Der letzte Morgen kam, alles versank in Wehmuth. Wilhelm stellte sich hart gegen ihn; allein der Abschied machte ihn nur desto weicher. Henrich vergoß auch viele Thränen, aber er lief, und wischte sie ab. Zu Lichthausen kehrte er bey seinem Ohm, Johann Stilling, ein, der ihm viel schöne Lehren gab. Nun kamen die Fuhrleute, die ihn mitnehmen sollten, und Henrich reiste freudig mit ihnen fort.

Die Gegenden, welche er in dieser Jahrszeit durch zu reisen hatte, sahen recht melancholisch aus. Sie machten Eindrücke auf ihn, die ihn in eine gewisse Niedergeschlagenheit versetzten. Wenn Dorlingen in einer solchen Gegend liegt, dachte er immer, so wird mirs doch da nicht gefallen. Die Fuhrleute, mit denen er reiste, waren von daher zu Haus; er merkte oft, wie sie zusammen hinter ihm her giengen, und über ihn spotteten; denn weilen er nichts mit ihnen sprach, und vor die Zeit etwas blöd aussahe, so hielten sie ihn für einen Schaafskopf, mit dem man machen könnte, was man wollte. Zuweilen zupfte ihn einer von hinten her, und wenn er dann umsahe, so stellten sie sich, als wenn sie wichtige Sachen unter sich auszumachen hätten. Dergleichen Behandlungen waren nun eben fähig, seinen Zorn zu reizen; er litte das ein Paarmal, endlich drehte er sich um, sahe sie scharf an, und sagte: Hört, ihr Leute, ich bin und werde euer Schulmeister zu Dorlingen, und wenn eure Kinder so ungezogene Bengels sind, wie ich vermuthe, so werd ich Mittel wissen, ihnen andre Sitten beyzubringen, das könnt ihr ihnen sagen, wenn ihr nach Haus kommt! Die Fuhrleute sahen sich an, und bloß um ihrer Kinder willen ließen sie ihn zufrieden.

Des Abends spät um neun Uhr kam er zu Dorlingen an. Steifmann betrachtete ihn von Haupt bis Fuß, so auch seine Frau, Kinder und Gesinde. Man gab ihm zu essen, und darauf legte er sich schlafen. Als er des Morgens früh erwachte, erschrack er sehr, denn er sahe die Sonne, seinem Begriff nach, in Westen aufgehen, sie rückte gegen Norden in die Höhe,

und gieng des Abends in Osten unter. Das wollte ihm gar
nicht in den Kopf; und doch hatte er so viel von der Astrono-
mie und Geographie begriffen, daß er wohl wußte, die Zellberger und Tiefenbacher Sonne sey eben dieselbe, die auch zu
Dorlingen leuchtete. Dieser seltsame Vorfall verrückte ihm
sein Concept, und jetzt wünschte er von Herzen, seines Oh-
men Johanns Compaß zu haben, um zu sehen, ob auch die
Magnetnadel mit der Sonnen einig sey, ihn zu betrügen. Er
erfand zwar endlich die Ursache dieser Erscheinung; er war
den vorigen Abend spät angekommen, und hatte die allmäh-
lige Krümmung des Thals nicht bemerkt. Allein er konnte
doch seine Einbildung nicht bemeistern, alle Aussichten in die
rohe und öde Gegenden kamen ihm auch aus diesem Grunde
traurig und fatal vor.

Steifmann war reich, er hatte viel Geld, Güter, Ochsen,
Kühe, Schaafe, Ziegen und Schweine, dazu seine Stahl-
fabrique, worinnen Waaren verfertiget wurden, mit denen er
Handlung trieb. Er hatte jetzt nur erst die zweyte Frau, hernach aber hat er die dritte, oder wohl gar die vierte, geheyrathet; das Glück war ihm so günstig, daß er verschiedene
Frauen nach einander nehmen konnte, wenigstens schien ihm
das Sterben und Wiedernehmen der Weiber eine besondere
Belustigung zu seyn. Die jetzige Frau war ein gutes Schaaf,
ihr Mann redete oft gar erbaulich mit ihr von den Tugenden
seiner ersten Frauen, so, daß sie, aus großer Empfindung des
Herzens, oft blutige Thränen weinte. Sonsten war er gar nicht
zum Zorn aufgelegt; er redete nicht viel, was er aber sagte,
das war von Gewicht und Nachdruck, weilen es gemeiniglich
jemand, der gegenwärtig war, beleidigte. Er ließ sich auch
anfänglich mit seinem neuen Schulmeister in Gespräche ein,
allein er gefiel ihm nicht. Von allem, was Stilling gewohnt war
zu reden, verstund er nicht ein Wort, eben so wenig, als Stilling begriff, wovon sein Patron redete. Daher schwiegen sie
beyde, wenn sie beysammen waren.

Des folgenden Montags Morgens gieng die Schule an; Steifmanns drey Knaben machten den Anfang. Vor und nach fanden sich bey achtzehn große vierschrötige Jungens ein, die sich gegen ihren Schulmeister verhielten, wie so viel Patagonier gegen einen Franzosen. Zehn bis zwölf Mädchen von eben dem Schrot und Korn kamen auch, und setzten sich hinter den Tisch. Stilling wußte nicht recht, was er mit diesem Volk anfangen sollte. Ihm war bang für so vielen wilden Gesichtern; doch versuchte er die gewöhnliche Schulmethode, und ließ sie beten, singen, lesen und den Catechismus lernen.

Dieses gieng ungefehr vierzehn Tage seinen ordentlichen Gang; allein nun war es auch geschehen, ein oder anderer Cosaken-ähnlicher Junge versuchte es, den Schulmeister zu nekken. Stilling brauchte den Stock rechtschaffen, aber mit so widrigem Erfolg, daß, wenn er sich müde auf dem starken Buckel zerdroschen hatte, der Schüler aus vollem Hals lachte, der Schulmeister aber weinte. Das war dann dem Herrn Steifmann so seine liebste Belustigung; wenn er in dem Schulstübchen Lerm hörte, so kam er, that die Thür auf, und ergötzte sich von Herzen.

Dieses Verfahren gab Stillingen den letzten Stoß. Seine Schule wurde zum polnischen Reichstag, wo ein jeder that, was ihn recht dauchte. So wie nun der arme Schulmeister in der Schule alles gebrannte Herzeleid ausstund, so hatte er auch außer derselben keine frohe Stunde. Bücher fand er wenig, nur eine große Baseler Bibel, deren Holzschnitte er durch und durch wohl studirte, auch wohl darinnen lase, wiewohl er sie oft durch gelesen hatte. Zions Lehr und Wunder von Doctor Mel, nebst noch einigen alten Postillen und Gesangbüchern, stunden auf der Kleiderkammer auf einem Brett in guter Ruhe, und waren wohl, seitdem sie Herr Steifmann geerbt hatte, wenig gebraucht worden. In dem Hause selbsten war ihm niemand hold, alle sahen ihn für einen einfältigen dummen Knaben an; denn ihre niederträchtige, ironisch-zotigte und zweydeutige Reden verstund er nicht, er antwortete immer gutherzig, wie ers meynte nach dem Sinn der Worte, suchte überhaupt einen jeden mit Liebe zu gewinnen, und dieses war eben der gerade Weg, eines jeden Schuhputzer zu werden.

Doch trug sich einsmalen etwas zu, das ihn leicht das Leben hätte kosten können, wenn ihn der gütige Vater der Menschen nicht sonderlich bewahrt hätte. Er mußte sich des Morgens selbsten Feuer in den Ofen machen; als er nun einmal kein Holz fand, so wollte er sich etwas holen; nun war über der Küchen her eine Rauchkammer, wo man das Fleisch räucherte, und zugleich das Holz trocknete. Die Dreschtenne stieß an die Küche, und von dieser Tenne ging eine Treppe nach der Rauchkammer. Es waren just sechs Taglöhner am Dreschen. Henrich lief die Treppe hinauf, machte die Thür auf, aus welcher der Rauch, wie eine dicke Wolke, herauszog; er ließ die Thür offen, that einen Sprung nach dem Holz, griff etliche Stücke, indessen wirbelte einer von den Dreschern auswendig die Thür zu. Der arme Stilling gerieth in Todesangst, der Rauch erstickte ihn, es war stockfinster da, er wurde irre, und wußte nicht mehr, wo die Thür war. In diesem erschrecklichen Zustand that er einen Sprung gegen die Wand, und traf just gerade gegen die Thür, dergestalt, daß der Wirbel zerbrach, und die Thür aufsprung. Stilling stürzte die Treppe herunter bis auf die Tenne, wo er betäubt und sinnlos hingestreckt lag. Als er wieder zu sich selbst kam, sahe er die Drescher nebst Herrn Steifmann um sich stehen, und aus vollem Halse lachen. Des sollte doch der T . . . nicht lachen! sagte Steifmann. Dieses ging Stillingen durch die Seele. Ja! antwortete er, der lacht würklich, daß er endlich einmal seines Gleichen gefunden hat. Das gefiel seinem Patron außerordentlich, und er pflegte wohl zu sagen: das sey das erste und auch das letzte gescheute Wort gewesen, das er von seinem Schulmeister gehört habe.

Das Beste indessen bey der Sache war, daß Stilling keinen Schaden genommen hatte; er überließ sich gänzlich der Wehmuth, weinte sich die Augen roth, und erlangte weiter nichts dadurch, als Spott. So traurig gieng seine Zeit vorüber, und seine Wonne am Schulhalten wurde ihm häßlich versalzen.

Sein Vater Wilhelm Stilling war indessen zu Haus mit angenehmern Sachen beschäftiget. Die Wunde über Dorthchens Tod war heil, er erinnerte sich allezeit mit Zärtlichkeit an sie; allein, er trauerte nicht mehr, sie war nun vierzehn Jahr todt, und seine strenge mystische Denkungsart milderte sich in so weit, daß er jetzt mit allen Menschen Umgang pfloge, doch war alles mit freundlichem Ernst, Gottesfurcht und Rechtschaffenheit vermischt, so, daß er Vater Stilling ähnlicher wurde, als eins seiner Kinder. Er wünschte nun auch einmal Hausvater zu werden, eigenes Haus und Hof zu haben, und den Ackerbau neben seinem Handwerk zu treiben; deswegen suchte er sich jetzt eine Frau, die neben den nöthigen Eigenschaften, Leibes und der Seelen, auch Haus und Güter hätte; er fand bald, was er suchte. Zu Leindorf, zwo Stunden von Tiefenbach westwärts, war eine Wittwe von acht und zwanzig Jahren, eine ansehnliche brave Frau; sie hatte zwey Kinder aus der ersten Ehe, wovon aber eins bald nach ihrer Hochzeit starb. Diese war recht froh, als sie Wilhelm begehrte, ob er gleich gebrechliche Füße hatte. Die Heyrath wurde geschlossen, der Hochzeitstag bestimmt, und Henrich bekam einen Brief nach Dorlingen, der in den wärmsten und zärtlichsten Ausdrücken, deren sich nur ein Vater gegen seinen Sohn bedienen kann, die ganze Sache bekannt machte, und ihn auf den bestimmten Tag zur Hochzeit einlud. Henrich las diesen Brief, legte ihn hin, stund und bedachte sich, er mußte sich erst tief prüfen, ehe er finden konnte, ob ihm wohl oder weh dabey ward; so ganz verschiedene Empfindungen stiegen in seinem Gemüth auf. Endlich schritte er ein Paarmal vor sich hin, und sagte zu sich selbst: Meine Mutter ist im Himmel, mag diese einsweilen in diesem Jammerthal bey mir und meinem Vater ihre Stelle vertreten. Dereinsten werd ich doch diese verlassen, und jene suchen. Mein Vater thut wohl! — Ich will sie doch recht lieb haben, und ihr allen Willen thun, so gut ich kann, so wird sie mich wieder lieben, und ich werde Freude haben.

Nun machte er Steifmann die Sache bekannt, forderte etwas Geld, und reiste nach Tiefenbach zurück. Er wurde daselbst von allen mit tausend Freuden empfangen, besonders von Wilhelmen, dieser hatte ein wenig gezweifelt, ob sein Sohn auch wohl murren würde; da er ihn aber so heiter kommen sah, flossen ihm die Thränen aus den Augen, er sprung auf ihn zu, und sagte:

Willkommen, Henrich!

„Willkommen, Vater! ich wünsche euch von Herzen Glück zu eurem Vorhaben, und ich freue mich sehr, daß ihr nun in eurem Alter Trost haben könnt, wenns Gott gefällt."

Wilhelm sunk auf einen Stuhl, hielt beyde Hände vors Gesicht und weinte. Henrich weinte auch. Endlich fing Wilhelm an: du weißt, ich hab mir in meinem Wittwerstand fünfhundert Reichsthaler erspart; ich bin nun vierzig Jahr alt, und ich hätte vielleicht noch vieles ersparen können, dieses alles entgeht dir nun; du wärst doch der einzige Erbe davon gewesen!

„Vater, ich kann sterben, ihr könnt sterben, wir beyde können noch lange leben, ihr könnt kränklich werden, und mit eurem Gelde nicht einmal auskommen. Aber, Vater! ist meine neue Mutter meiner seligen Mutter ähnlich?"

Wilhelm hielt wiederum die Hände vor die Augen. Nein! sagte er, aber sie ist eine brave Frau.

Auch gut, sagte Henrich, und stund ans Fenster, um noch einmal seine alte romantische Gegenden zu schauen. Es lag kein Schnee. Die Aussicht in den nahen Wald kam ihm so angenehm vor, ob es gleich in den letzten Tagen des Februars

war, daß er beschloß, hin zu spazieren; er ging den Hof hinauf und in den Wald hinein. Nachdem er eine Weile umher
gewandelt, und sich ziemlich von den Häusern entfernt hatte,
wurde es ihm so wohl in seiner Seelen, er vergaß der ganzen
Welt, und wandelte, in Gedanken vertieft, vor sich hin; indessen kam er unvermerkt an die Westseite des Geisenberger
Schlosses. Schon sah er zwischen den Stämmen der Bäume
durch, auf dem Hügel die zerfallene Mauern liegen. Das
überraschte ihn ein wenig. Nun rauschte etwas zur Seiten im
Gesträuche, er schaute hin, und sahe ein anmuthiges Weibs-
bild stehen, blaß, aber zärtlich im Gesicht, in Leinen und
Baumwolle gekleidet. Er schauderte, und das Herz klopfte
ihm, da es aber noch früh am Tage war, so furchte er sich
nicht; sondern fragte: Wo seyd ihr her? Sie antwortete: von
Tiefenbach. Das kam ihm fremd vor, denn er kannte sie nicht.
Wie heißt ihr denn? — Dorthchen. Stilling that einen hellen
Schrey, und sank zur Erden in Ohnmacht. Das gute Mädchen
wußte nicht, wie ihr geschah; sie kannte den jungen Burschen
auch nicht. Denn sie war erst als Magd auf Neujahr nach
Tiefenbach gekommen. Sie lief bey ihn, kniete bey ihn auf die
Erde und weinte. Sie verwunderte sich sehr über den jungen
Menschen, besonders, daß er so weiche Hände, und ein so
weißes Gesicht hatte; auch waren seine Kleider reiner und
sauberer, auch wohl ein wenig besser, als der andern Burschen
ihre. Der Fremde gefiel ihr. Indessen kam Stilling wieder zu
sich selber, er sahe die Weibsperson nahe bey sich, er richtete
sich auf, sah sie starr an, und fragte zärtlich: was macht ihr
hier? Sie antwortete sehr freundlich: ich will dürres Holz lesen.
Wo seyd ihr her? Er erwiederte: ich bin auch von Tiefenbach,
Wilhelm Stillings Sohn. Nun hörte er, daß sie seit Neujahr
erst Magd daselbst war; und sie hörte seine Umstände, es that
beyden leid, daß sie sich verlassen mußten. Stilling spazierte
nach dem Schloß, und sie lase Holz. Es hat wohl zwey Jahr
gedauert, eh das Bild dieses Mädchens in seinem Herzen ver-

losch, so vest hatte es sich seiner Seelen eingepräget. Als die
Sonne sich zum Untergang neigte, gieng er wieder nach Haus;
er erzählte aber nichts von dem, was vorgefallen war, nicht so
sehr aus Verschwiegenheit, sondern aus andern Ursachen.

Des andern Tages gieng er mit seinem Vater und andern
Freunden nach Leindorf zur Hochzeit; seine Stiefmutter empfing ihn mit aller Zärtlichkeit, er gewann sie lieb, und sie liebte
ihn wieder; Wilhelm freute sich dessen von Herzen. Nun erzählte er auch seinen Eltern, wie betrübt es ihm zu Dorlingen
gienge. Die Mutter riethe, er sollte zu Haus bleiben, und nicht
wieder hingehen; allein Wilhelm sagte: „Wir haben noch immer Wort gehalten, es darf an dir nicht fehlen; thun's andre
Leute nicht, so müssen sie's verantworten; du mußt aber deine
Zeit aushalten." Dieses war Stillingen auch nicht sehr zuwider. Des andern Morgens reiste er wieder nach Dorlingen.
Allein seine Schüler kamen nicht wieder; das Frühjahr rückte
heran, und ein jeder begab sich aufs Feld. Da er nun nichts zu
thun hatte, so wies man ihm verächtliche Dienste an, so, daß
ihm sein tägliches Brod recht sauer wurde.

Noch vor Ostern, ehe er abreiste, hatten Steifmanns Knechte beschlossen, ihn recht trunken zu machen, um so recht ihre
Freude an ihm zu haben. Als sie des Sonntags aus der Kirche
kamen, sagte einer zum andern: laßt uns ein wenig wärmen,
ehe wir uns auf den Weg begeben, denn es war kalt, und sie
hatten eine Stunde zu gehen. Nun war Stilling gewohnt, in
Gesellschaft nach Haus zu gehen; er trat deswegen mit hinein, und setzte sich bey dem Ofen. Nun giengs ans Brandte-
weintrinken, der mit einem Syrup versüßt war; der Schulmeister mußte mit trinken; er merkte bald, wo das hinaus
wollte, daher nahm er den Mund voll, spie ihn aber unvermerkt wieder aus, unter den Ofen ins Steinkohlengefäß. Die
Knechte bekamen also zuerst einen Rausch, und nun merkten
sie nicht mehr auf den Schulmeister, sondern sie betrunken sich
selbsten aufs beste; unter diesen Umständen suchten sie end-

lich Ursache an Stilling, um ihn zu schlagen, und kaum ent-
kam er aus ihren Händen. Er bezahlte seinen Antheil an der
Zeche, und gieng heimlich fort. Als er nach Haus kam, erzählte er Herrn Steifmann den Vorfall; allein der lachte
darüber. Man sah ihm an, daß er den mißlungenen Anschlag
bedauerte. Die Knechte wurden nun vollends wütend, und
suchten allerhand Gelegenheit, ihm eins zu versetzen; allein
Gott bewahrte ihn. Noch zween Tage vor seiner Abreise traf
ihn ein Baurensohn aus dem Dorf auf dem Feld; er war mit
bey der Brandtweinszeche gewesen, dieser grif ihn am Kopf
und runge mit ihm, ihn zur Erde zu werfen; es war aber zu
gutem Glück ein alter Greis nahe dabey im Hof, dieser kam
herzu, und fragte: was ihm der Schulmeister gethan habe? Der
Bursche antwortete: Er hat mir nichts gethan, ich will ihm nur
ein Paar um die Ohren geben. Der alte Bauer aber griff ihn,
und sagte gegen Stilling: geh du nach Haus! und darauf gab
er ihm einige derbe Maulschellen, und versetzte: nun geh du
auch nach Haus, das hab ich nur so vor Spaß gethan.

Den zweyten Ostertag nahm Stilling seinen Abschied zu
Dorlingen, und des Abends kam er wiederum bey seinen Aeltern zu Leindorf an.

Nun war er in so weit wiederum in seinem Element, er
mußte freylich wacker auf dem Handwerk arbeiten; allein,
er wußte doch nun wieder Gelegenheit, an Bücher zu kommen. Den ersten Sonntag ging er nach Zellberg und holte den
Homer, und wo er sonst etwas wußte, das nach seinem Geschmack schön zu lesen war, das holte er herbey, so daß in
kurzem das Brett über den Fenstern her, wo sonsten allerhand Geräthe gestanden hatte, ganz voll Bücher stund. Wilhelm war dessen so gewohnt, er sah es gern; allein, der Mutter waren sie zuweilen im Wege, so, daß sie fragte: Henrich,
was willst du mit allen den Büchern machen? Er lase also des
Sonntags, und während dem Essen; seine Mutter schüttelte
dann oft den Kopf und sagte: das ist doch ein wunderlicher

Junge! — Wilhelm lächelte dann so, auf Stillings Weise, und
sagte: Grethchen, laß ihn halt machen! —

Nach einigen Wochen fieng nun die schwerste Feldarbeit an.
Wilhelm mußte darin seinen Sohn auch brauchen, wenn er
keinen Taglöhner an seine Stelle nehmen wollte, und damit
würde die Mutter nicht zufrieden gewesen seyn; allein, dieser
Zeitpunkt war der Anfang von Stillings schwerem Leiden; er
war zwar ordentlich groß und stark, aber von Jugend auf
nicht dazu gewöhnt, und er hatte kein Glied an sich, das zu
dergleichen Geschäften gemacht war. Sobald er anfieng zu
haken oder zu mähen, so zogen sich alle seine Glieder an dem
Werkzeug, als wenn sie hätten zerbrechen wollen; er meynte
oft vor Müdigkeit und Schmerzen nieder zu sinken, aber da
half alles nichts; Wilhelm fürchtete Verdruß im Hause, und
seine Frau glaubte immer, Henrich würde sich vor und nach
daran gewöhnen. Diese Lebensart wurde ihm endlich unerträglich; er freute sich nunmehr, wenn er zuweilen an einem
regnigten Tage am Handwerk sitzen, und seine zerknirschten
Glieder erquicken konnte; er seufzte unter diesem Joch, gieng
oft allein, weinte die bitterste Thränen, und flehte zum himmlischen Vater um Erbarmung, und um Aenderung seines Zu-
standes.

Wilhelm litte heimlich mit ihm. Wenn er des Abends mit
geschwollenen Händen voller Blasen nach Haus kam, und von
Müdigkeit zitterte, so seufzte sein Vater, und beyde sehnten
sich mit Schmerzen wieder nach einem Schuldienst. Dieser
fand sich auch endlich nach einem sehr schweren und mühseligen Sommer ein. Die Leindorfer, wo Wilhelm wohnte, beriefen ihn auf Michaelis 1756 zu ihrem Schulmeister. Stilling
willigte in diesen Beruf mit Freuden; er war nun glückseelig,
und trat mit seinem siebenzehnten Jahr dieses Amt wieder an.
Er speiste bey seinen Bauern um die Reihe, vor und nach der
Schule aber, mußte er seinem Vater am Handwerk helfen.
Auf diese Weise blieb ihm keine Zeit zum Studiren übrig, als

nur, wenn er auf der Schule war; und da war der Ort nicht, um selber zu lesen, sondern andre zu unterrichten. Doch stahl er manche Stunde, die er auf die Mathematik und andere Künsteleyen verwandte. Wilhelm merkte das, er stellte ihn darüber zur Rede, und schärfte ihm das Gewissen. Stilling antwortete mit betrübtem Herzen: „Vater! meine ganze Seele ist auf die Bücher gerichtet, ich kann meine Neigung nicht bändigen, gebt mir vor und nach der Schule Zeit, so will ich kein Buch auf die Schule bringen." Wilhelm erwiederte: das ist doch zu beklagen! alles, was du lernst, bringt dir ja kein Brod und Kleider ein, und alles, was dich ernähren könnte, dazu bist du ungeschickt. Stilling betrauerte selber seinen Zustand, denn das Schulhalten war ihm auch zur Last, wenn er dabey keine Zeit zum Lesen hatte; er sehnte sich derowegen von seinem Vater ab, und an einen andern Ort zu kommen.

Zu Leindorf waren indessen die Leute ziemlich mit ihm zufrieden, obgleich ihre Kinder in der Zeit mehr hätten lernen können; denn sein Wesen und sein Umgang mit den Kindern gefiel ihnen. Auch der Herr Pastor Dahlheim, zu dessen Kirchspiel Leindorf gehörte, ein Mann, der seinem Amt Ehre machte, liebte ihn. Stilling wunderte sich über die Maßen, als er das erstemal bey diesem vortreflichen Mann auf sein Zimmer kam; er war ein Greis von achtzig Jahren, und lag just auf einem Ruhebettchen, als er zur Thür herein trat; er sprung auf, bot ihm die Hand, und sagte: „Nehmt mir nicht übel, Schulmeister! daß ihr mich auf dem Bette findet, ich bin alt und meine Kräfte wanken." Stilling wurde von Ehrfurcht durchdrungen, ihm flossen die Thränen die Wangen herab. Herr Pastor! antwortete er, es freut mich recht sehr, unter Ihrer Aufsicht Schule zu halten! Gott gebe Ihnen viel Freude und Seegen in Ihrem Alter! Ich danke euch, lieber Schulmeister! erwiederte der edle Alte, ich bin, Gott sey Dank! nahe an dem Ziel meiner Laufbahn, und ich freue mich recht auf meinen großen Sabbath. Stilling gieng nach Hause, und unterwegens

machte er die besondere Anmerkung: Herr Dahlheim müßte
entweder ein Apostel, oder Herr Stollbein ein Baalspfaffe
seyn.

Herr Dahlheim besuchte zuweilen die Leindorfer Schule,
wenn er auch dann eben nicht alles in gehöriger Ordnung
fande, so fuhr er nicht aus, wie Herr Stollbein, sondern er
ermahnte Stillingen ganz liebreich, dieses oder jenes abzuändern; und das that bey einem so empfindsamen Gemüth
immer die beste Wirkung. Diese Behandlung des Herrn Pastors war würklich zu bewundern, denn er war ein gähzorni-
ger hitziger Mann, aber nur gegen die Laster, nicht gegen die
Fehler; dabey war er auch gar nicht herrschsüchtig. Um den
Character dieses Mannes meinen Lesern zu schildern, will ich
eine Geschichte erzählen, die sich mit ihm zugetragen hat, als
er noch Hofprediger bey einem Fürsten zu R . . . gewesen war.
Dieser Fürst hatte eine vortrefliche Gemahlin, und mit derselben auch verschiedene Prinzessinnen, dennoch verliebte er
sich in eine Bürgerstochter in seiner Residenzstadt, bey welcher er, seiner Gemahlinn zum höchsten Leidwesen, ganze
Nächte zubrachte. Dahlheim konnte das ungeahndet nicht
hingehen lassen; er fieng auf der Canzel an, unvermerkt dagegen zu predigen, doch fühlte der Fürst wohl, wohin der
Hofprediger zielte, daher blieb er aus der Kirchen, und fuhr
während der Zeit auf sein Lusthaus in den Thiergarten. Einsmals kam Dahlheim und wollte in die Kirche gehen zu predigen, er traf den Fürsten just auf dem Platz, als er in die
Kutsche steigen wollte; der Hofprediger trat herzu, und
fragte: wo gedenken Eure Durchlaucht hin? Was liegt dir
Pfaff daran? war die Antwort. Sehr viel! versetzte Dahlheim,
und gieng in die Kirche, allwo er mit trocknen Worten gegen
die Ausschweifungen der Großen dieser Welt angieng, und
ein Weh über das andre gegen sie ausrief. Nun war die Für-
stinn in der Kirche, sie ließ ihn zur Mittagstafel bitten, er
kam, und sie bedauerte seine Freymüthigkeit, und befürch-

tete üble Folgen. Indessen kam der Fürst wieder, fuhr aber auch alsofort wieder in die Stadt zu seiner Maitresse, welche zum Unglück auch in der Hofcapelle gewesen war, und Herrn Dahlheim gehöret hatte. Sowohl der Hofprediger, als auch die Fürstin, hatten sie gesehen, sie konnten leicht das Gewitter voraus sehen, welches Herrn Dahlheim über dem Haupt schwebte; dieser aber kehrte sich an nichts, sondern sagte der Fürstin, daß er alsofort hingehen und dem Fürsten die Wahrheit ins Gesicht sagen wollte, er ließ sich auch gar nicht warnen, sondern gieng alsofort hin, und gerade zum Fürsten ins Zimmer. Als er hineintrat, stutzte derselbige, und fragte: was habt ihr hier zu machen? Dahlheim antwortete: „Ich bin gekommen, Ew. Durchlaucht Seegen und Fluch vorzulegen, werden Dieselben diesem ungeziemenden Leben nicht absagen, so wird der Fluch Dero hohes Haus und Familie treffen, und Stadt und Land werden Fremde erben." Darauf gieng er fort, und des folgenden Tages wurde er abgesetzt und des Landes verwiesen. Doch hatte der Fürst hiebey keine Ruhe, denn nach zweyen Jahren rief er ihn mit Ehren wieder zurück, und gab ihm die beste Pfarre, die er in seinem Lande hatte. Dahlheims Weißagung wurde indessen erfüllt. Schon vor mehr als vierzig Jahren ist kein Zweig mehr von diesem fürstlichen Hause übrig gewesen. Doch ich kehre wieder zu meiner Geschichte.

Stilling konnte mit aller seiner Gutherzigkeit doch nicht verhüten, daß sich nicht Leute fanden, denen er zu viel auf der Schule in Büchern lase, es gab ein Gemurmel im Dorf, und viele vermutheten, daß die Kinder versäumt würden. Ganz unrecht hatten die Leute wohl nicht, aber doch auch nicht ganz recht; denn er sorgte noch so ziemlich, daß auch der Zweck, warum er da war, erreicht wurde. Es kam freylich den Bauern seltsam vor, so unerhörte Figuren an den Schulfenstern zu sehen, wie seine Sonnenuhren waren. Oftmalen stunden zween oder mehrere auf der Straßen still, und sahen ihn

im Fenster durch ein Gläschen nach der Sonne gucken; da
sagte dann der eine: der Kerl ist nicht gescheut! — der andere
vermuthete! er betrachte den Himmelslauf, und beyde irrten
sehr, es waren nur Stücke zerbrochener Füße von Brandt-
weinsgläsern. Diese hielte er vors Auge, und betrachtete gegen
die Sonne die herrlichen Farben in ihren mancherley Gestalten, welches ihn, nicht ohne Ursache, königlich ergötzte.

Dieses Jahr gieng nun wiederum so seinen Gang fort;
Handwerksgeschäfte, Schulhalten, und verstohlne Lesestunden, hatten darinnen beständig abgewechselt, bis er, kurz vor
Michaelis, da er eben sein achtzehntes Jahr angetreten hatte,
einen Brief vom Herrn Pastor Goldmann empfieng, der ihm
eine schöne Schule an einer Capelle zu Preysingen antrug.
Dieses Dorf liegt zwo Stunden südwärts von Leindorf ab, in
einem herrlichen breiten Thal. Stilling wurde über diesen Beruf so entzückt, daß er sich nicht zu lassen wußte; sein Vater
und seine Mutter selber freuten sich über die Maßen. Stilling
dankte Herrn Goldmann schriftlich für diese vortrefliche Re-
commendation, und versprach ihm Freude zu machen.

Dieser Prediger war ein weitläuftiger Anverwandter des
seligen Dorthchens, mithin auch des jungen Stillings. Diese
Ursache nebst dem allgemeinen Ruf von seinen seltnen Gaben, hatten den braven Pastor Goldmann bewogen, ihn der
Preysinger Gemeinde vorzuschlagen. Er wanderte also auf
Michaelis nach seiner neuen Bestimmung. So wie er auf die
Höhe kam, und das herrliche Thal vor sich sahe, mit seinen
breiten und grünen Wiesen, gegenüber ein schönes grünes Gebirge von lauter Wäldern und Feldern. Mitten in der Ebene
lag das Dorf Preysingen rund und gedrang zusammen, die
grüne Obstbäume, und die weiße Häuser dazwischen, machten ein anmuthiges Ansehen. Gerad in der Mitten ragte der
Capellenthurn, mit blauen Schiefersteinen gedeckt und bekleidet, über alles empor, und hinter dem Dorf her schimmerte das Flüßchen Sal im Glanz der Sonne. So brach er in

Thränen aus, setzte sich eine Weile auf die Rasen nieder, und ergötzte sich an der herrlichen Aussicht. Hier fieng er zuerst an, ein Lied zu versuchen, es gelung ihm auch so ziemlich, denn er hatte eine natürliche Anlage dazu. Ich habe es unter seinen Papieren nachgesucht, aber nicht finden können.

Hier nahm er sich nun vest und unwiderruflich vor, Fleiß und Eifer auf die Schule zu verwenden, die übrige Zeit aber in seinem mathematischen Studium fortzufahren. Als er diesen Bund mit sich selber geschlossen hatte, so stund er auf, und wanderte vollends nach Preysingen hin.

Seine Wohnung wurde ihm bey einer reichen, vornehmen und dabey über die Maßen dicken Wittwe, angewiesen, die sich Frau Schmoll nennte, und zwo schöne sittsame Töchter hatte, wovon die älteste Maria hieß, und zwanzig Jahr alt war; die andre aber hieß Anna, und war achtzehn Jahr alt. Beyde Mädchen waren recht gute Kinder, so wie auch ihre Mutter. Sie lebten zusammen wie die Engel, in der edelsten Harmonie, und so zu sagen, in einem Ueberfluß von Freuden und Vergnügen, denn es fehlte ihnen nichts, und das wußten sie auch zu nutzen, daher brachten sie ihre Zeit, nebst den Hausgeschäften, mit Singen und allerhand erlaubten Ergötzlichkeiten zu. Stilling liebte zwar das Vergnügen, allein, die Unthätigkeit des menschlichen Geistes war ihm zuwider, daher konnte er nicht begreifen, daß die Leute keine Langeweile hatten. Doch befand er sich unvergleichlich in ihrer Gesellschaft; wenn er sich zuweilen in Betrachtungen und Geschäften ermüdet hatte, so war es eine süße Erholung für ihn, mit ihnen umzugehen.

Stilling hatte noch an keine Frauenliebe gedacht; diese Leidenschaft und das Heyrathen war in seinen Augen eins, und jedes ohne das andre ein Gräuel. Da er nun gewiß wußte, daß er keine von den Jungfern Schmoll heyrathen konnte, indem keine, weder einen Schneider, noch einen Schulmeister nehmen durfte, so unterdrückte er jeden Keim der Liebe, der

so oft, besonders zu Maria, in seinem Herzen aufblühen
wollte. Doch, was sage ich vom Unterdrücken! wer vermag
das aus eigner Kraft? — Stillings Engel, der ihn leitete, kehrte
die Pfeile von ihm ab, die auf ihn geschossen wurden. Die
beyden Schwestern dachten indessen ganz anders; der Schulmeister gefiel ihnen im Herzen, er war in seiner ersten Blüthe,
voller Feuer und Empfindung; denn ob er gleich ernst und
still war, so gab es doch Augenblicke, wo sein Licht aus allen
Winkeln des Herzens hervorglänzte; dann breitete sich sein
Geist aus, er floß über von mittheilender heiterer Freude, und
dann war's gut seyn in seiner Gegenwart. Aber es giebt der
Geister wenig, die da mit empfinden können; es ist so etwas
Geistiges und Erhabenes, von roher lärmender Freude so Ent-
ferntes, daß die wenigsten begreifen werden, was ich hier sagen will. Frau Schmoll und ihre Töchter indessen fühltens,
und empfandens in aller seiner Kraft. Andre Leute, von
gemeinem Schlag, saßen dann oft und horchten; der eine rief:
Paule, du rasest! der andre saß und staunte, und der dritte
glaubte: er sey nicht recht gescheut. Die beyden Mädchen
ruhten dann dort in einem dunklen Winkel, um ihn ungestört
beobachten zu können, sie schwiegen und hefteten ihre Augen
auf ihn. Stilling merkte das mit tiefem Mitleiden; allein, er
war vest entschlossen, keinen Anlaß zu mehrerem Ausbruch
der Liebe zu geben. Sie waren beyde sittsam und blöde, und
deswegen weit davon entfernt, sich an ihn zu entdecken. Frau
Schmoll saß dann, spielte mit ihrer schwarzen papiernen
Schnupftabacksdose auf dem Schooß, und dachte nach, unter
welche Sorte Menschen der Schulmeister wohl eigentlich gehören möchte; fromm und brav war er in ihren Augen, und
recht gottesfürchtig dazu; allein, da er von allem redete, nur
nicht von Sachen, womit Brod zu verdienen war, so sagte sie
oft, wenn er zur Thür hinaus gieng: der arme Schelm, was
will noch aus ihm werden! Das kann man nicht wissen; versetzte denn wohl Maria zuweilen, ich glaube: er wird noch ein

vornehmer Mann in der Welt. Die Mutter lachte, und erwiederte oft: Gott laß es ihm wohl gehen! er ist ein recht lieber Bursche; auf einmal wurden ihre Töchter lebendig.

Ich darf behaupten, daß Stilling die Preysinger Schule nach Pflicht und Ordnung bediente; er suchte nun, bey reiferen Jahren und Einsichten, seinen Ruhm in Unterweisung der Jugend zu bevestigen. Allein, es war Schade, daß es nicht aus natürlicher Neigung herfloß. Wenn er eben sowohl nur acht Stunden des Tages zum Schneiderhandwerk, als zum Schulamt, hätte verwenden dürfen, so wär er gewiß noch lieber am Handwerk geblieben; denn das war für ihn ruhiger, und nicht so vieler Verantwortung unterworfen. Um sich nun die Schule angenehmer zu machen, erdachte er allerhand Mittel, wie er mit leichterer Mühe die Schüler zum Lernen aufmuntern möchte. Er führte eine Rangordnung ein, die sich auf die größere Geschicklichkeit bezog; er erfand allerhand Wettspiele im Schreiben, Lesen und Buchstabiren; und da er ein großer Liebhaber vom Singen und der Musik war, so suchte er schöne geistliche Lieder zusammen, lernte selber die Musiknoten mit leichter Mühe, und führte das vierstimmige Singen ein. Dadurch wurde nun ganz Preysingen voller Leben und Gesang. Des Abends vor dem Essen hielt er eine Rechenstunde, und nach demselben eine Singstunde. Wenn dann der Mond so still und feyerlich durch die Bäume schimmerte, und die Sterne vom blauen Himmel herunter äugelten, so gieng er mit seinen Sängern heraus an den Preysinger Hügel, da setzten sie sich ins Dunkel, und sungen, daß es durch Berg und Thal erscholl; dann giengen Mann, Weib und Kinder im Dorf vor die Thür stehen und horchten; sie segneten ihren Schulmeister, giengen dann hinein, gaben sich die Hand, und legten sich schlafen. Oft kam er mit seinem Gefolge hinter Schmolls Haus in den Baumhof, und dann sungen sie sanft und still: entweder, O du süße Lust! oder Jesus ist mein Freudenlicht! oder Die Nacht ist vor der Thür! und was dergleichen schöne Lieder mehr

waren; dann giengen die Mädchen ohne Licht oben auf ihre
Kammer, setzten sich hin und versunken in Empfindung. Oft
fand er sie noch so sitzen, wenn er nach Hause kam und schla-
fen gehen wollte; denn alle Kammern im Hause waren ge-
meinschaftlich, der Schulmeister hatte überall freyen Zutritt.
Niemand war weniger sorgfältig für ihre Töchter, als Frau
Schmoll; und sie war glückselig, daß sie es auch nicht nöthig
hatte. Wenn er dann Maria und Anna so in einem finstern
Winkel mit geschlossenen Augen fand, so giengs ihm durchs
Herz, er faßte sie an der Hand, und sagte: Wie ists dir, Maria? Sie seufzte dann tief, drückte ihm die Hand, und sagte:
Mir ists wohl von eurem Singen! Dann erwiederte er oft:
Laßt uns fromm seyn, liebe Mädchen! im Himmel wollen wir
erst recht singen; und dann gieng er flüchtig fort, und legte sich
schlafen; er fühlte wohl oft das Herz pochen, aber er hatte
nicht Acht darauf. Ob die Mädchen mit dem Trost auf jene
Welt so völlig zufrieden gewesen, das läßt sich nicht wohl
ausmachen, weil sie sich nie darüber erklärt haben.

Des Morgens vor der Schule, und des Mittags vor und nach
derselben, durcharbeitete er die Geographie, und Wolfs Anfangsgründe der Mathematik ganz; auch fand er Gelegenheit,
seine Kenntnisse in der Sonnenuhrkunst noch höher zu treiben, denn er hatte auf der Schule, deren Fenster eins gerade
gegen Mittag stund, oben unter der Decke mit schwarzer Oelfarbe eine Sonnenuhr gemahlt, so groß als die Decke war, in
dieselbe hatte er die zwölf himmlische Zeichen genau eingetragen, und jedes in seine dreißig Grad eingetheilet; oben im
Zenith der Uhr, oberhalb dem Fenster, stund mit römischen
zierlich gemahlten Buchstaben geschrieben: *Cœli enarrant
gloriam Dei* (Die Himmel erzählen die Ehre Gottes.) Vor
dem Fenster war ein runder Spiegel bevestiget, über welchen
eine Kreuzlinie mit Oelfarbe gezogen war; dieser Spiegel
stralte dann oben unter, und zeigte nicht allein die Stunden
des Tages, sondern auch ganz genau den Stand der Sonne in

dem Thierkreis. Vielleicht steht diese Uhr noch da, und jeder Schulmeister kann sie nutzen, und dabey wahrnehmen, was für einen Antecessor er ehmals gehabt habe.

Um diese Zeit hatte er im historischen Fach noch nichts gelesen, als Kirchenhistorie, Martergeschichten, Lebensbeschreibungen frommer Menschen, desgleichen auch alte Kriegshistorien vom dreyßigjährigen Krieg und dergleichen. Im Poetischen fehlt's ihm noch; da war er noch immer nicht weiter gekommen, als vom Eulenspiegel bis auf den Kayser Octavianus, den Reinike Fuchs mit eingeschlossen. Alle diese vortrefliche Werke der alten Teutschen hatte er wohl hundertmal gelesen, und wieder andern erzählt; er sehnte sich nun nach neueren. Den Homer rechnete er nicht zu dieser Lectüre, es war ihm um vaterländische Dichter zu thun. Stilling fand, was er suchte. Herr Pastor Goldmann hatte einen Eidam, der ein Chirurgus und zugleich Apotheker war; dieser Mann hatte einen Vorrath von schönen poetischen Schriften, besonders aber von Romanen; er lehnte sie dem Schulmeister gern, und das erste Buch, welches er mit nach Hause nahm, war die Asiatische Banise.

Dieses Buch fieng er an einem Sonntag Nachmittag an zu lesen. Die Schreibart war ihm neu und fremd. Er glaubte in ein fremdes Land gekommen zu seyn, und eine neue Sprache zu hören, aber sie entzückte und rührte ihn bis auf den Grund seines Herzens. Blitz, Donner und Hagel, als die rächenden Werkzeuge des gerechten Himmels — war ein Ausdruck für ihn, dessen Schönheit er nicht genug zu rühmen wußte. Goldbedeckte Thürne — welche herrliche Kürze! und so bewunderte er das ganze Buch durch, die Menge von Metaphern, in welchen der Styl des Herrn von Ziegler gleichsam schwomme. Ueber alles aber schien ihm der Plan dieses Romans ein Meisterstück der Erdichtung zu seyn, und der Verfasser desselben war in seinen Augen der größte Poet, den jemals Teutschland hervorgebracht hatte. Als er im Lesen dahin kam, wo Balacin

seine Banise im Tempel errettet, und den Chaumigrem er-
mordet, so überlief ihn der Schauer der Empfindung dergestalt, daß er fortlief, in einen geheimen Winkel niederkniete,
und Gott dankte, daß Er doch endlich den Gottlosen ihren
Lohn auf ihr Haupt bezahle, und die Unschuld auf den Thron
setze. Er vergoß milde Thränen, und lase mit eben der Wärme
auch den zweyten Theil durch. Dieser gefiel ihm noch besser;
der Plan ist verwickelter, und im Ganzen mehr romantisch.
Darauf lase er die zween Quartbände von der Geschichte des
christlichen teutschen Großfürsten Hercules, und der Königlich Böhmischen Prinzessin Valiska, und dieses Buch gefiel ihm
gleichfalls über die Maßen; er las es im Sommer während der
Heuerndte, als er einige Tage Ferien hatte, aneinander ganz
durch, und vergaß die ganze Welt dabey. Was das für eine
Glückseligkeit sey, eine solche neue Schöpfung von Geschichten zu lesen, gleichsam mit anzusehen, und alles mit den han-
delnden Personen zu empfinden, das läßt sich nur denen sagen, die ein Stillings Herz haben.

Es war einmal eine Zeit, da man sagte: der Hercules, die
Banise und dergleichen, ist das größte Buch, das Teutschland
hervorgebracht hat. Es war auch einmal eine Zeit, da mußten
die Hüte der Mannspersonen dreyeckigt hoch in die Luft stehen, je höher, je schöner. Der Kopfputz der Weiber und Jungfrauen stand derweil in die Queere, je breiter, je besser. Jetzt
lacht man der Banise und des Hercules, eben so, wie man eines
Hagestolzen lacht, der noch mit hohem Hut, steifen Rock-
schößen, und ellenlangen herabhangenden Aufschlägen ein-
hertritt. Anstatt dessen trägt man Hütchen, Röckchen, Man-
schettchen, liest Amourettchen, und buntschäckigte Romän-
chen, und wird unter der Hand so klein, daß man einen Mann
aus dem vorigen Jahrhundert, wie einen Riesen ansieht, der
von Grobheit strotzt. Dank sey's vorab Klopstock, und so die
Reihe herunter bis auf — daß sie dem unteutschen tändelnden
Ton die Spitze geboten, und ihn auf die Neige gebracht ha-

ben. Es wird noch einmal eine Zeit kommen, wo man große Hüte tragen, und also auch die Banise als eine herrliche Antiquität lesen wird.

Die Wirkungen dieser Lectüre auf Stillings Geist waren wunderbar, und gewiß ungewöhnlich; es war etwas in ihm, das seltene Schicksale in seinem eigenen Leben ahndete; er freute sich recht auf die Zukunft, faßte Zutrauen zum lieben himmlischen Vater, und beschloß großmüthig: so gerade zu, blindlings dem Faden zu folgen, wie ihn ihm die weise Vorsicht in die Hand geben würde. Desgleichen fühlte er einen himmlischsüßen Trieb, in seinem Thun und Lassen recht edel zu seyn, eben so, wie die Helden in gemeldeten Büchern vorgestellet werden. Er lase dann mit einem recht empfindsam gemachten Herzen die Bibel, und geistliche Lebensgeschichten frommer Leute: als Gottfried Arnolds Leben der Altväter, seine Kirchen- und Ketzerhistorie und andere von der Art mehr. Dadurch erhielt nun sein Geist eine höchst seltsame Richtung, die sich mit nichts vergleichen, und nichts beschreiben läßt. Alles, was er in der Natur sahe, jede Gegend idealisirte er zum Paradies, alles war ihm schön, und die ganze Welt beynah ein Himmel. Böse Menschen rechnete er mit zu den Thieren, und was sich halb gut auslegen ließ, das war nicht mehr böse in seinen Augen. Ein Mund, der anders sprach, als das Herz dachte, jede Ironie, und jede Satyre, war ihm ein Gräuel, alle andre Schwachheiten konnte er entschuldigen.

Die Frau Schmoll lernte ihn auch immer mehr und mehr kennen, und so wuchs auch ihre Liebe zu ihm. Sie bedauerte nichts mehr, als daß er ein Schneider und Schulmeister war, beyde Theile waren in ihren Augen schlechte Mittel ans Brod zu kommen; sie hatte auf ihre Weise ganz recht; Stilling wußte das so gut wie sie; aber seine Nebengeschäfte gefielen ihr eben so wenig, sie sagte wohl zuweilen im Scherz: Entweder der Schulmeister kommt noch einst an meine Thür und bettelt, oder er kommt geritten und ist zum Herrn geworden, so, daß wir uns tief vor ihm bücken müssen. Dann präsentirte sie ihm ihre Schnupftabacksdose, klopfte ihm auf die Schulter, und sagte: Nehmt einmal ein Prieschen, wir erleben noch etwas zusammen. Stilling lächelte dann, nahm's und sagte: Der Herr wird's versehen. Dieses währte so fort, bis ins zweyte Jahr seines Schulamts zu Preysingen. Da fiengen die beyden Mädchen an, ihre Liebe gegen den Schulmeister mehr und mehr zu äußern. Maria bekam Muth, sich klärer zu entdecken, und die Hindernisse demselben leichter zu machen; er fühlte recht innig, daß er sie lieben konnte, aber ihm graute vor den Folgen; daher fuhr er fort, jeden Gedanken an sie zu widerstehen, doch war er immer ins Geheim zärtlich gegen sie; es war ihm unmöglich, spröde zu seyn. Anna sah das, und verzweifelte; sie entdeckte sich nicht, schwieg und verbiß ihren Gram. Stilling merkte aber davon nichts, er ahndete nicht einmal etwas verdrießliches; sonst würde er klug genug gewesen seyn, um ihr auch zärtlich zu begegnen. Sie wurde still und melancholisch; niemand wußte, was ihr fehlte. Man suchte ihr allerhand Veränderungen zu machen, aber alles war vergebens. Endlich wünschte sie, ihre Tante zu besuchen, die eine starke Stunde von Preysingen, nahe bey der Stadt Salen, wohnte. Man erlaubte ihr dieses gern, und sie gieng mit einer Magd fort, welche desselbigen Abends wiederkam, und versicherte, daß sie ganz munter geworden sey, als sie bey ihre Freunde gekommen wäre. Nach einigen Tagen fing man an, sie zu erwarten; allein, sie blieb aus, und man hörte und sahe gar keine Nachricht von da her. Die Frau Schmoll fieng an zu sorgen, sie konnte nicht begreifen, wo das Mädchen bliebe, sie fuhr allemal zusammen, wenn des Abends die Thür aufgieng, und fürchtete eine Trauerpost zu hören. Des folgenden Samstags Mittags ersuchte sie den Schulmeister, ihr Annchen wieder zu holen, er war nicht abgeneigt dazu, machte sich fertig und gieng fort.

Es war spät im October, die Sonne stund niedrig in Süden, an den Bäumen hieng noch da und dort ein grüngelbes Blatt, und ein kältlicher Ostwind pfiff in den blätterlosen Birken. Er mußte über eine große lange Heide gehen; hier fühlte er so etwas Schauderhaftes und Melancholisches, er dachte die Vergänglichkeit aller Dinge; ihm war's beym Abschied der schönen Natur, wie bey dem Abschied einer lieben Freundin; allein, ihn schreckte auch ein dunkeles Ahnden, so, als wenn man beym Mondschein an einem berüchtigten einsamen Ort vorbeygeht, wo man Gespenster vermuthet. Er gieng und kam bey der Tante an. So wie er zur Thür herein trat, hüpfte ihm Anna mit fliegenden Haaren und vernachläßigten Kleidern entgegen, hüpfte ein paarmal um ihn herum und sagte:

„Du bist mein lieber Knabe! du liebst mich aber nicht. Wart' du! sollst auch kein Blumensträuschen haben! — So ein Sträuschen — von Blumen, die an Felsen und Klippen wachsen, — so ein Feldkümmelsträuschen, das ist für dich! —"

Stilling erstarrte, er stund und sagte kein Wort. Die Tante sah ihn an und weinte, sie aber hüpfte und tanzte wieder fort, und sung:

> Es graste ein Schäflein am Felsenstein,
> Fand keine süße Weide,
> Der Schäfer gieng und pflegte nicht sein,
> Das that dem Schäflein so leide.

Zwey Tage vorher war sie des Abends vernünftig und gesund zu Bett gegangen, des Morgens aber war sie eben so gewesen, wie sie Stilling nun fand, niemand konnte die Ursache errathen, woher dieses Unglück seinen Ursprung genommen, der Schulmeister selber wußte sie damals noch nicht, bis er sie hernach aus ihren Reden erfahren hat.

Die ehrliche Frau wollte beyde heute nicht gehen lassen, sondern sie ersuchte Stillingen, die Nacht da zu bleiben, und morgen mit der armen Nichte nach Haus zu gehen, er entschloß sich willig dazu, und blieb da.

Des Abends, während dem Essen, saß sie ganz still am Tisch, aß aber sehr wenig. Stilling fragte sie: Sage mir, Anna, schmeckt dir das Essen nicht? Sie antwortete: Ich habe gegessen, aber es bekommt mir nicht gut, habe Herzweh! Sie sah wild aus. Stille! fuhr der Schulmeister fort, du mußt ruhig seyn; du warst sonst ein sanftes ruhiges Mädchen, wie ist das, daß du dich so verändert hast? Du siehst, die Tante weint über dich, thut dir das nicht leid? ich selber habe über dich weinen müssen, besinne dich doch einmal! du warst sonst nicht, wie du nun bist, sey doch wie du sonst warst! Sie versetzte: Höre! soll ich dir ein fein Stückchen erzählen?

„Es war einmal eine alte Frau."

Nun stund sie auf, machte sich krumm, nahm einen Stock in die Hand, gieng in der Stube herum, und machte die Figur einer alten Frauen ganz natürlich nach.

„Du hast wohl ehe eine alte Frau sehn betteln gehen. Diese alte Frau bettelte auch, und wenn sie etwas bekam, dann sagte sie: Gott lohn euch! Nicht wahr? so sagen die Bettelleute, wenn man ihnen etwas giebt? — Die Bettelfrau kam an eine Thür — an eine Thür! — Da stund ein freundlicher Schelm vom Jungen am Feuer und wärmte sich — Das war so ein Junge, als —"

Sie winkte den Schulmeister an.

„Der Junge sagte freundlich zu der armen alten Frauen, wie sie so an der Thür stund und zitterte: Kommt, Altmutter, und wärmt euch!" Sie kam herzu.

Nun gieng sie auch wieder ganz bebend, kam und stand krumm neben Stillingen.

„Sie gieng aber zu nah ans Feuer stehn; — ihre alte Lumpen fiengen an zu brennen, und sie wards nicht gewahr. Der Jüngling stund und sah das. — Er hätt's doch löschen sollen, nicht wahr, Schulmeister? — Er hätt's löschen sollen?"

Stilling schwieg. Er wußte nicht, wie ihm war; er hatte so eine dunkle Ahndung, die ihn sehr melancholisch machte. Sie wollte aber eine Antwort haben; sie sagte:

„Nicht wahr, er hätte löschen sollen? — Gebt mir eine Antwort, so will ich auch sagen: Gott lohn euch!"

Ja! erwiederte er, er hätte löschen sollen. Aber, wenn er nun kein Wasser hatte, nicht löschen konnte! — Stilling stund auf, er fand keine Ruhe mehr, doch durfte er sich's nicht merken lassen.

„Ja! (fuhr Anna fort und weinte) dann hätte er alles Wasser in seinem Leibe zu den Augen heraus weinen sollen, das hätte so zwey hübsche Bächlein gegeben zu löschen."

Sie kam wieder und sah ihm scharf ins Gesicht; die Thränen stunden ihm in die Augen.

„Nun, die will ich dir doch abwischen!"

Sie nahm ihr weißes Schnupftüchlein, wischte sie ab, und setzte sich wieder still an ihren Ort. Alle waren still und traurig. Drauf giengen sie zu Bett.

Stillingen kam kein Schlaf in die Augen; er meynte nicht anders, als wenn ihm das Herz im Leibe für lauter Mitleid und Erbarmen zerspringen wollte. Er besann sich, was da wohl seine Pflicht wäre? — Sein Herz sprach für sie um Erbarmung, sein Gewissen aber forderte die strengste Zurückhaltung. Er untersuchte nun, welcher Forderung er folgen müßte? Das Herz sagte: Du kannst sie glückselig machen. Das Gewissen aber: Diese Glückseligkeit ist von kurzer Dauer, und dann folgt ein unabsehlich langes Elend darauf. Das Herz meynte: Gott könnte die zukünftigen Schicksale wohl recht glücklich ausfallen lassen; das Gewissen aber urtheilte: man müßte Gott nicht versuchen, und nicht von ihm erwarten, daß er, um ein Paar Leidenschaften zweyer armer Würmer willen, eine ganze Verkettung vieler auf einander folgender Schicksale, wobey so viele andre Menschen interessirt sind, zerreißen und verändern solle. Das ist auch wahr! sagte Stilling, sprang aus dem Bett, und wandelte auf und ab, ich will freundlich gegen sie seyn, aber mit Ernst und Zurückhaltung.

Des Sonntags Morgens begab sich der Schulmeister mit der armen Jungfer auf den Weg. Sie wollte absolut an seinem Arm gehen; er ließ das nicht gern zu, weil es ihm sehr übel würde genommen worden seyn, wenn es ehrbare Leute gesehen hätten. Doch er überwand dieses Vorurtheil, und führte sie am rechten Arm. Als sie auf oben gedachte Heide kamen, verließ sie ihn, spazierte umher, und pflückte Kräuter, aber keine grüne, sondern solche, die entweder halb, oder ganz welk und dürre waren. Dabey sunge sie folgendes Lied.

> Es saß auf grüner Heide,
>   Ein Schäfer grau und alt :,:
> Es grasten auf der Weide
>   Die Schäflein langs den Wald.
> Sonne, noch einmal, blicke zurücke!
>
> Der Schäfer, krumm und müde,
>   Stieg bey der Heerde her :,:
> Und wann die Sonne glühte,
>   Dann war sein Gang so schwer.
> Sonne, noch einmal, blicke zurücke!
>
> Sein Mädchen jung und schöne,
>   Sein einzigs Töchterlein :,:
> War vieler Schäfer-Söhne,
>   Ihr einz'ger Wunsch allein.
> Sonne, noch einmal, blicke zurücke!
>
> Doch einer unter allen,
>   Der edle Faramund :,:
> Thät ihr allein gefallen
>   In ihres Herzens Grund.
> Sonne, noch einmal, blicke zurücke!
>
> Es hatte ihn gebissen
>   Ein fremder Schäferhund :,:
> Sein Fleisch war ihm zerrissen,

Sein Fuß war ihm verwundt.
Sonne, noch einmal, blicke zurücke!

Sie giengen einmal beyde
    Im Walde hin und her :,:
Eins an des andern Seite,
    Das Herz war jedem schwer.
Sonne, noch einmal, blicke zurücke!

Sie kamen nah zur Heide,
    Allwo der Vater saß :,:
Es trauerten an der Weide
    Die Schäflein in dem Gras.
Sonne, noch einmal, blicke zurücke!

Auf einem grünen Rasen
    Stand Faramund starr und vest :,:
Die bangen Vögelein saßen
    Ganz still in ihrem Nest.
Sonne, noch einmal, blicke zurücke!

Er fiel, mit blanken Zähnen,
    Sein armes Mädchen an :,:
Sie rief mit tausend Thränen
    Ihn um Erbarmen an.
Sonne, noch einmal, blicke zurücke!

Das bange Seelenzagen
    Hört nun der Vater bald :,:
Des Mädchens Ach und Klagen
    Erscholl im ganzen Wald.
Sonne, noch einmal, blicke zurücke!

Der Vater, steif und bebend,
    Lief langsam stolpernd hin :,:
Er fand sie kaum mehr lebend,
    Ihm starrte Muth und Sinn.
Sonne, noch einmal, blicke zurücke!

Der Jüngling kehrte wieder
    Von seiner Raserey :,:

Und fiele sterbend nieder,
    Zog Lorens Haupt herbey.
Sonne, noch einmal, blicke zurücke!

Und unter tausend Küssen
    Flog hin das Seelenpaar :,:
In matten Thränengüssen
    Entflohn sie der Gefahr.
Sonne, noch einmal, blicke zurücke!

Nun wankt, im Seelenleiden,
    Der Vater hin und her :,:
Ihn fliehen alle Freuden,
    Kein Sternlein glänzt ihm mehr.
Sonne, noch einmal, blicke zurücke!

Stilling mußte sich mit Gewalt halten, daß er nicht hart
weinte und heulte. Sie stund oft gegen der Sonne über, sah
sie zärtlich an, und sung dann: Sonne, noch einmal, blicke
zurücke! Ihr Ton war sanft, wie einer Turteltauben, wenn
sie vor dem Untergang der Sonne noch einmal girrt. Ich
wünschte, daß meine Leser nur die sanfte harmonische Melodien dieses und anderer in dieser Geschichte vorkommenden
Lieder hätten, sie würden dieselben doppelt empfinden; doch
werde ich sie vielleicht dereinsten auch drucken lassen.

Endlich sprung sie wieder an seinen Arm, und gieng mit
ihm fort. Du weinst, Faramund! sagte sie, aber du beißest
mich doch nicht, heiß mich Lore, ich will dich Faramund heißen; willst du? Ja! sagte Stilling mit Thränen, sey du Lore, ich
bin Faramund. Arme Lore! was wird die Mutter sagen?

„Hab ihr da so ein welkes Sträuschen gebunden, mein Faramund! aber du weinst?"

Ich weine um Lore.

„Lore ist ein gutes Mädchen. Bist du wohl in der Hölle
gewesen? Faramund?"

Davor bewahr uns Gott!

Nun griff sie seine rechte Hand, legte sie unter ihre linke

Brust, und sagte: Wie's da klopft! — da ist die Hölle — da gehörst du hinein, Faramund! — Sie knirschte auf den Zähnen, sahe wild um sich her. Ja! fuhr sie fort, du bist schon dadrinnen! — aber — wie ein böser Engel! — Hier hielt sie ein, weinte. Nein, sagte sie, so nicht, so nicht.

Unter dergleichen Reden, die dem guten Stilling scharfe Messer im Herzen waren, kamen sie nach Hause. So wie sie über die Schwelle traten, kam Maria aus der Küchen, und die Mutter aus der Stubenthür heraus. Anna flog der Mutter um den Hals, küßte sie, und sagte: Ach, liebe Mutter! ich bin nun so fromm geworden, so fromm, wie ein Engel, und du, Mariechen, magst sagen, was du willst, (sie dräuete ihr mit der Faust) du hast mir meinen Schäfer genommen, du weidest da in guter Ruh. — Aber, kannst du das Liedchen: *Es graste ein Schäflein am Felsenstein?* Sie hüpfte in die Stube und küßte alle Menschen, die sie sahe. Frau Schmoll und Maria weinten laut. Ach! was muß ich erleben! sagte die gute Mutter, und heulte laut. Stilling erzählte indessen alles, was er von der Tante gehört hatte, und trauerte herzlich um sie. Seine Seele, die ohnehin so empfindsam war, versunk in tiefen Kummer. Denn er sah nunmehr wohl ein, woher das Unglück entstanden war, und doch durfte er keinem Menschen ein Wörtchen davon sagen. Maria merkte es auch, sie spiegelte sich an ihrer Schwester, und zog ihr Herz allmählig von Stilling ab, indem sie andern braven Jünglingen Gehör gab, die um sie wurben. Indessen brachte man die arme Anna oben im Hause auf ein Zimmer, wo man eine alte Frau bey sie that; die auf sie Acht haben, und ihrer warten mußte. Sie wurde zuweilen ganz rasend, so, daß sie alles zerriß, was sie nur zu fassen bekam; man rief alsdann den Schulmeister, weil man keine andre Mannsperson, außer dem Knecht, im Hause hatte; dieser konnte sie bald zur Ruhe bringen, er hieß sie nur Lore, dann hieß sie ihn Faramund, und war so zahm, wie ein Lämmchen.

Ihr gewöhnlicher Zeitvertreib bestund darinnen, daß sie eine Schäferin vorstellte; und diese Idee muß bloß von obigem Lied hergekommen seyn, denn sie hatte gewiß keine Schäfergeschichte, oder Idyllen gelesen, ausgenommen einige Lieder, welche von der Art in Schmolls Hause gäng und gäbe waren. Wenn man zu ihr hinauf kam, so hatte sie ein weißes Hemd über ihre Kleider angezogen, und einen rund um abgezügelten Mannshut auf dem Kopf. Um den Leib hatte sie sich mit einem grünen Band gegürtet, dessen lang herabhangendes Ende sie ihrem Schäferhund, den sie Phylax hieß, und der niemand anders, als ihre alte Aufwärterinn war, um den Hals gebunden hatte. Das gute alte Weib mußte auf Händen und Füßen herumkriechen, und so gut bellen, als sie konnte, wenn sie von ihrer Gebieterin gehetzt wurde; öfters wars mit dem Bellen nicht genug, sondern sie mußte sogar einen oder den andern ins Bein beißen. Zuweilen war die Frau müde, die Hundsrolle zu spielen, allein sie bekam alsdenn derbe Schläge, denn Anna hatte beständig einen langen Stab in der Hand; indessen ließ sich die gute Alte gern dazu gebrauchen, weilen sie Anna damit stillen konnte, und nebst gutem Essen und Trinken einen schönen Lohn bekam.

Dieses Elend dauerte nur einige Wochen. Anna kam wieder zu sich selbst, sie bedauerte sehr den Zustand, worinn sie gewesen war, wurde vorsichtiger und vernünftiger als vorhin, und Stilling lebte wieder neu auf, besonders als er nun merkte, daß er zweyen so gefährlichen Klippen entgangen war. Unterdessen entdeckte niemand in der Familie jemalen, was die wahre Ursache von Annens Unfall gewesen war.

Stilling besorgte seine Schule unverdrossen fort; doch ob er gleich Fleiß anwandte, seinen Schülern Wissenschaften beyzubringen, so fanden sich doch ziemlich viele unter seinen Bauern, die ihm begonnten, recht feind zu werden. Die Ursache davon ist nicht zu entwickeln; Stilling war einer von denen Menschen, die niemand gleichgültig sind, entweder man mußte ihn lieben, oder man mußte ihn hassen; die erstern sahen auf sein gutes Herz, und vergaben ihm seine Fehler gern; die andern betrachteten sein gutes Herz als dumme Einfalt, seine Handlungen als Fuchsschwänzereyen, und seine Gaben als Prahlsucht. Diese wurden ihm unversöhnlich feind, und je mehr er sie, seinem Charakter gemäß, mit Liebe zu gewinnen suchte, je böser sie wurden; denn sie glaubten nur, es sey bloß Schmeicheley von ihm, und wurden ihm nur desto feindseeliger. Endlich begieng er eine Unvorsichtigkeit, die ihn vollends um die Preysinger Schule brachte, wie gut die Sache auch an seiner Seiten gemeynt war.

Er band sich nicht gern an die alte gewöhnliche Schulmethode, sondern suchte allerhand Mittel hervor, um sich und seine Schüler zu belustigen; deswegen ersann er täglich etwas neues. Sein erfinderischer Geist fand vielerley Wege, dasjenige, was die Kinder zu lernen hatten, ihnen spielend beyzubringen. Viele seiner Bauern sahen es als nützlich an, andere betrachteten es als Kindereyen, und ihn als einen Stocknarren. Besonders aber fieng er ein Stück an, das allgemeines Aufsehen machte. Er schnitte weiße Blätter in der Größe wie Karten; diese bezeichnete er mit Nummern; die Nummern bedeuteten diejenigen Fragen des Heydelbergischen Catechismus, welche die nehmliche Zahl hatten; diese Blätter wurden von vier oder fünf Kindern gemischt, so viel ihrer zusammen spielen wollten, alsdann wie Karten umgegeben und gespielt; die größere Nummer stach immer die kleinere ab; derjenige, welcher am letzten die höchste Nummer hatte, brauchte nur die Frage zu lernen, die seine Nummer anwies, und wenn er sie schon vorhin gekonnt hatte, so lernte er nichts bis den andern Tag, die andern aber mußten lernen, was sie vor Nummern vor sich liegen hatten, und ihr Glück bestand darin, wenn sie viele der Fragen wußten, die ihnen in ihren Nummern zugefallen waren. Nun hatte Stilling zuweilen das Kartenspielen gesehen, und auch sein Spiel davon abstrahirt,

allein er verstand gar nichts davon, doch wurde es ihm so ausgelegt und die ganze Sache seinem Vetter, dem Herrn Pastor
Goldmann, auf der schlimmsten Seite vorgetragen.

Dieser vortrefliche Mann liebte Stillingen von Herzen, und
seine Unvorsichtigkeit schmerzte ihn aus der maßen; er ließ
den Schulmeister zu sich kommen, und stellte ihn wegen dieser
Sache zur Rede. Stilling erzählte ihm alles freymüthig, zeigte
ihm das Spiel vor und überführte ihn von dem Nutzen, den
er dabey verspühret hatte. Allein Herr Goldmann, der die
Welt besser kannte, sagte ihm: „Mein lieber Vetter! man darf
heutiges Tages ja nicht bloß auf den Nutzen einer Sache sehen,
sondern man muß auch allezeit wohl erwägen, ob die Mittel,
dazu zu gelangen, den Beyfall der Menschen haben, sonst
erndet man Stank für Dank, und Hohn für Lohn; so gehts
euch jetzt, und eure Bauren sind so aufgebracht, daß sie euch
nicht länger als bis Michaelis behalten wollen; sie sinds willens, wenn ihr nicht gutwillig abdankt, die ganze Sache dem
Inspector anzuzeigen, und ihr wißt, was der vor ein Mann
ist. Nun wär es doch Schade, wenn die Sache so weit getrieben
würde; weilen ihr alsdann hier im Lande nie wieder Schulmeister werden könntet; ich rathe euch deswegen, danket ab!
und sagt heute noch eurer Gemeinde, ihr wäret des Schulhaltens müde, sie möchten sich einen andern Schulmeister
wählen. Ihr bleibt alsdann in Ehren, und es wird nicht lange
währen, so werdet ihr eine bessere Schule bekommen, als
diese, die ihr bedient habt. Ich werde euch indessen lieb haben, und sorgen, daß ihr glücklich werden mögt, so viel ich
nur kann."

Diese Rede drung Stilling durch Mark und Bein, er wurde
blaß und die Thränen stunden ihm in die Augen. Er hatte sich
die Sache vorgestellt, wie sie war, und nicht, wie sie ausgelegt
werden könnte; doch sah er ein, daß sein Vetter ganz recht
hatte; er war nun abermal gewitzigt, und er nahm sich vor, in
Zukunft äußerst behutsam zu seyn. Doch bedauerte er bey

sich selber, daß seine mehresten Amtsbrüder mit weniger Geschicklichkeit und Fleiß, doch mehr Ruhe und Glück genös-
sen, als er, und er begonnte einen dunklen Blick in die Zukunft zu thun, was doch wohl der himmlische Vater noch mit
ihm vor haben möchte. Als er nach Haus kam, kündigte er mit
inniger Wehmuth seiner Gemeinde an, daß er abdanken
wollte. Der größte Theil erstaunte, der böseste Theil aber war
froh, denn sie hatten schon jemand im Vorschlag, der sich
besser zu ihren Absichten schickte, und nun hinderte sie niemand mehr, dieselben zu erreichen. Die Frau Schmoll und ihre
Töchter konnten sich am übelsten darinn finden, denn erstere
liebte ihn, und die beyden letztern hatten ihre Liebe in eine
herzliche Freundschaft verwandelt, die aber doch gar leicht
wieder hätte in erstern Brand gerathen können, wenn er sich
zärtlicher gegen sie ausgelassen, oder daß sich eine andere
Möglichkeit den erwünschten Zweck zu erreichen geäußert
hätte. Sie weinten alle drey, und fürchteten den Tag des Ab-
schiedes, doch der kam mehr als zu früh. Die Mädchen versunken in stummen Schmerz, Frau Schmoll aber weinte; Stilling gieng wie ein Trunkener; sie hielten an ihm an, sie oft zu
besuchen; er versprach das, und taumelte wieder Mitternacht-
wärts den Berg hinauf; auf der Höhe sah er sich nochmals
nach seinem lieben Preysingen um, setzte sich hin und weinte.
Ja! dachte er: Lampe singt wohl recht: Mein Leben ist ein
Pilgrimstand — Da geh ich schon das drittemal wieder an
das Schneider-Handwerk, wann ehr mag es doch wohl endlich Gott gefallen, mich beständig glücklich zu machen! hab
ich doch keine andere Absicht, als ein rechtschaffener Mann
zu werden. Nun befahl er sich Gott, und wanderte mit seinem
Bündel auf Leindorf zu.

Nach dem Verlauf zweyer Stunden kam er daselbst an.
Wilhelm sah ihn zornig an, als er zur Thür herein trat; das
gieng ihm durch die Seele, seine Mutter aber sah ihn gar nicht
an, er setzte sich hin und wußte nicht, wie ihm war. Endlich

fieng sein Vater an: „Bist du wieder da, ungerathener Junge?
ich hab mir eitle Freude deinetwegen gemacht, was helfen
dich deine Brodlosen Künste? — das Handwerk ist dir zuwider, sitzest da seufzen und seufzen, und wenn du Schulmeister bist, so wills nirgend fort. Zu Zellberg warst' ein
Kind und hattest kindische Anschläge, darum gab man dir
was zu; zu Dorlingen warst' ein Schuhputzer, sogar kein Salz
und Kraft hast' bey dir; hier zu Leindorf ärgertest du die
Leute mit Sächelchen, die weder dir noch andern nutzen, und
zu Preysingen mußt d' entfliehen, um so eben deine Ehre zu
retten. Was willst' nun hier machen? — Du mußt Handwerk
und Feldarbeit ordentlich verrichten, oder ich kann dich nicht
brauchen." Stilling seufzte tief und antwortete: Vater! ich
fühl es in meiner Seelen, daß ich unschuldig bin, ich kann mich
aber nicht rechtfertigen; Gott im Himmel weiß alles! ich muß
zufrieden seyn, was er über mich verhängen wird. Aber:

Endlich wird das frohe Jahr
Der erwünschten Freyheit kommen!

Es wäre doch entsetzlich, wenn mir Gott Triebe und Neigungen in die Seele gelegt hätte, und seine Vorsehung wei-
gerte mir, so lang ich lebe, die Befriedigung derselben!

Wilhelm schwieg, und legte ihm ein Stück Arbeit vor. Er
setzte sich hin und fieng wieder an zu arbeiten; er hatte ein so
gutes Geschicke darzu, daß sein Vater oft zu zweifeln anfieng, ob er nicht gar von Gott zum Schneider bestimmt sey?
Dieser Gedanke aber war Stillingen so unerträglich, daß sich
seine ganze Seele dagegen empörete; er sagte dann auch wohl
zuweilen, wenn Wilhelm so etwas vermuthete: Ich glaube
nicht, daß mich Gott in diesem Leben zu einer beständigen
Hölle verdammet habe.

Es war nunmehro Herbst, und die Feld-Arbeit mehrentheils vorbey, daher mußte er fast immer auf dem Handwerk
arbeiten, und dieses war ihm auch lieber, seine Glieder konnten es besser aushalten. Dennoch aber fand sich seine tiefe

Traurigkeit bald wieder, er war, wie in einem fremden Lande,
von allen Menschen verlassen. Dieses Leiden hatte so etwas
ganz besonders und unbeschreibliches; das einzige, was ich nie
habe begreifen können, war dieses: So bald die Sonne schien,
fühlte er sein Leiden doppelt, das Licht und Schatten des
Herbstes brachte ihm ein so unaussprechliches Gefühl in seine
Seele, daß er für Wehmuth oft zu vergehen glaubte, hingegen
wenn es regnigt Wetter und stürmisch war, so befand er sich
besser, es war ihm, als wenn er in einer dunklen Felsenkluft
säße, er fühlte dann eine verborgene Sicherheit, wobey es ihm
wohl war. Ich hab unter seinen alten Papieren noch einen
Aufsatz gefunden, den er diesen Herbst im October an einem
Sonntag Nachmittag verfertiget hat; es heißt unter andern
darinnen:

> Gelb ist die Trauerfarbe
> Der sterbenden Natur,
> Gelb ist der Sonnenstral;
> Er kommt so schief aus Süden,
> Und lagert sich so müde
> Langs Feld und Berge hin;
> Die kalte Schatten wachsen,
> Auf den erblaßten Rasen
> Wirds grau von Frost und Reif,
> Der Ost ist scharf und herbe,
> Er stößt die falben Blätter,
> Sie nieseln auf den Frost u. s. w.

An einem andern Ort heißt es:

> Wenn ich des Nachts erwache,
> So heults im Loch der Eulen,
> Die Eiche saust im Wind.
> Es klappern an den Wänden,
> Die halb verfaulten Bretter,
> Es rast der wilde Sturm.
> Dann ists mir wohl im Dunkeln,
> Dann fühl ich tiefen Frieden,
> Dann ists mir traurig wohl u. s. w.

Wenn sein Vater guter Laune war, so daß er sich in etwa an ihn entdecken durfte, so klagte er ihm zuweilen sein inneres trauriges Gefühl. Wilhelm lächelte dann und sagte: „Das ist etwas, welches wir Stillinge nicht kennen, das hast du von deiner Mutter geerbt. Wir sind immer gut Freund mit der Natur, sie mag grün, gelb, oder weiß aussehen; wir denken dann, das muß so seyn, und es gefällt uns. Aber deine selige Mutter hüpfte und tanzte im Frühling, im Sommer war sie munter und geschäftig, im Anfang des Herbstes fieng sie an zu trauren, bis Weihnachten weinte sie, und dann fieng sie an zu hoffen, und die Tage zu zählen, im März lebte sie schon halb wieder auf." Wilhelm lächelte, schüttelte den Kopf und sagte: Es sind doch besondere Dinge! — Ach! seufzte dann Henrich oft in seinem Herzen: möchte sie noch leben, sie würde mich am besten verstehen! —

Zuweilen fand Stilling ein Stündchen, das er zum Lesen verwenden konnte, und dann dauchte ihm, als wenn er noch einen fernen Nachgeschmack von den vergangenen seeligen Zeiten genösse, allein es war nur ein vorbeyeilender Genuß. Um ihn her wirkten eitel frostige Geister, er fühlte das beständige Treiben des Geldhungers, und der frohe stille Genuß war verschwunden. — Er beweinte seine Jugend, und trauerte um sie, wie ein Bräutigam um seine erblaßte Braut. Allein das alles half nichts, klagen durfte er nicht; und sein Weinen brachte ihm nur Vorwürfe.

Doch hatte er einen einzigen Freund zu Leindorf, der ihn ganz verstund, und dem er alles klagen konnte. Dieser Mensch hieß Caspar und war ein Eisenschmelzer, eine edle Seele, warm für die Religion, mit einem Herzen voller Empfindsamkeit. Der November hatte noch schöne Herbsttage, deswegen giengen Caspar und Stilling Sonntags Nachmittags spazieren, alsdann flossen ihre Seelen in einander über; besonders hatte Caspar eine veste Ueberzeugung in seinem Gemüth, daß sein Freund Stilling vom himmlischen Vater zu

weit was anders, als zum Schulhalten und Schneiderhandwerk
bestimmt sey; er konnte das so unwidersprechlich darthun,
daß Stilling ruhig und großmüthig beschloß, alle seine Schicksale geduldig zu ertragen. Um Weihnachten blickte ihn das
Glück wieder freundlich an. Die Kleefelder Vorsteher kamen,
und beriefen ihn zu ihren Schulmeister; dieses war nun die
beste und schönste Capellenschule im ganzen Fürstenthum
Salen. Er wurde wieder ganz lebendig, dankte Gott auf den
Knien, und zog hin. Sein Vater gab ihm beym Abschied die
treusten Ermahnungen, und er selber that, so zu sagen, ein
Gelübde, jetzt alle seine Geschicklichkeit und Wissenschaft anzuwenden, um im Schulhalten den höchsten Ruhm davon zu
tragen. Die Vorsteher giengen mit ihm nach Salen, und er
wurde daselbst vor dem Consistorium von dem Inspector
Meinhold bestättiget.

Mit diesem vesten Entschluß trat er mit dem Anfang des
1760sten Jahrs, im zwanzigsten seines Alters, dieses Amt
wiederum an, und bediente dasselbe mit solchem Ernst und
Eifer, daß es rund umher bekannt wurde, und alle seine
Feinde und Mißgönner fiengen an zu schweigen, seine Freunde aber zu triumphiren, er beharrte auch in dieser Treue, so
lange er da war. Dem ohngeachtet setzte er doch seine Lectüre in den übrigen Stunden fort. Das Clavier und die Mathematik waren sein Hauptwerk; indessen wurden doch Dichter und Romanen nicht vergessen. Gegen das Frühjahr wurde
er mit einem Amts-Collegen bekannt, der Graser hieß, und
das Thal hinauf, eine starke halbe Stunde weit von Kleefeld,
auf dem Dorf Kleinhoven, Schul hielt. Dieser Mensch war
einer von denjenigen, die immer mit vielbedeutender Miene
stillschweigen, und im Verborgenen handeln.

Ich hab oft Lust gehabt, die Menschheit zu classificiren, und
da möcht ich die Classe, worunter Graser gehörte, die launigte nennen. Die besten Menschen darinnen, sind stille Beob-
achter ohne Gefühl, die mittelmäßige sind Dockmäuser, die

schlechtesten, Spionen und Verräther. Graser war freundlich
gegen Stilling, aber nicht vertraulich. Stilling hingegen war
beydes, und das gefiel jenem, er beobachtete gern andere im
Lichte, stund aber dagegen selber lieber im Dunklen. Um nun
Stillingen recht zum Freund zu behalten, so sprach er immer
von großen Geheimnissen, er verstund magische und sympa-
thetische Kräfte zu regieren, und einsmals vertraute er Stillingen unter dem Siegel der größten Verschwiegenheit, daß er
die erste Materie des Steins der Weisen recht wohl kenne;
Graser sah dabey so geheimnißvoll aus, als wenn er würklich
das große Universal selber besessen hätte. Stilling vermuthete
es, und Graser leugnete es auf eine Art, die jenen vollends
überzeugte, daß er gewiß den Stein der Weisen habe; dazu
kam noch, daß Graser immerfort sehr viel Geld hatte, weit
mehr, als ihm seine Umstände einbringen konnten. Stilling
war überaus vergnügt wegen dieser Bekanntschaft, ja er hofte
sogar, dereinst durch Hülfe seines Freundes ein Adeptus zu
werden. Graser liehe ihm die Schriften des Basilius Valentinus. Er lase sie ganz aufmerksam durch, und als er hinten an
den Proceß aus dem Ungarischen Vitriol kam, da wußte er
gar nicht, wie ihm ward. Er glaubte würklich, er könnte nun
den Stein der Weisen selber machen. Er bedachte sich eine
Weile, nun fiel ihm ein, wenn der Proceß so ganz vollkommen
richtig wäre, so müßte ihn ja ein jeder Mensch machen können, der nur das Buch hätte.

Ich kann versichern, daß Stillings Neigung zur Alchymie
niemalen den Stein der Weisen zum Zweck hatte; wenn er
ihn gefunden hätte, so wärs ihm lieb gewesen; sondern ein
Grundtrieb in seiner Seelen, wovon ich bis dahin noch nichts
gesagt habe, fieng an sich bey reiferen Jahren zu entwickeln,
und der war ein unersättlicher Hunger nach Erkenntniß der
ersten Urkräfte der Natur. Damalen wußte er noch nicht,
welchen Namen er dieser Wissenschaft beylegen sollte. Das
Wort Philosophie schien ihm was anders zu bedeuten; dieser

Wunsch ist noch nicht erfüllt, weder Neuton noch Leibnitz, noch jeder anderer hat ihm Genüge thun können; doch hat er mir gestanden, daß er jetzt auf der wahren Spur sey, und daß er zu seiner Zeit damit ans Licht treten werde.

Damalen schien ihm die Alchymie der Weg dahin zu seyn, und deswegen lase er alle Schriften von der Art, die er nur auftreiben konnte. Allein es war etwas in ihm, das immerfort rief: Wo ist der Beweis, daß es wahr ist? — Er erkannte nur drey Quellen der Wahrheit. Erfahrung, mathematische Ueberführung, und die Bibel, und alle drey Quellen wollten ihm gar keinen Aufschluß in der Alchymie geben, deswegen verließ er sie vor die Zeit ganz.

Einsmals besuchte er seinen Freund Graser an einem Samstag Nachmittag; er fand ihn allein auf der Schule sitzen, allwo er etwas ausstach, das einem Pettschaft ähnlich war. Stilling fragte: Herr College! was machen Sie da?

„Ich stech ein Pettschaft."

Lassen Sie mich doch sehen, das ist ja feine Arbeit!

„Es gehört vor den Herrn von N. Hören Sie, mein Freund Stilling! ich wollte Ihnen gern helfen, daß Sie ohne den Schulstaub und die Schneiderey an Brod kommen könnten. Ich beschwöre Sie bey Gott, daß Sie mich nicht verrathen wollen."

Stilling gab ihm die Hand darauf, und sagte: Ich werde sie gewiß nicht verrathen.

„Nun so hören Sie! ich hab ein Geheimniß; ich kann Kupfer in Silber verwandeln, ich will Sie in Compagnie nehmen, und Ihnen die Hälfte von dem Gewinn geben; indessen sollen Sie zuweilen einige Tage heimlich verreisen, und das Silber an gewisse Leute zu veräußern suchen."

Stilling saß und dachte der Sache nach; der ganze Vortrag gefiel ihm nicht, denn erstlich gieng sein Trieb nicht dahin, viel Geld zu erwerben, sondern nur Erkenntniß der Wahrheit und Wissenschaften zu erlangen, und Gott und dem Nächsten damit zu dienen; und vors zweyte, so kam ihm bey seiner

geringen Weltkenntniß die ganze Sache doch verdächtig vor;
denn je mehr er nach dem Pettschaft blickte, je mehr wurde er
überzeugt, daß es ein Münz-Stempel sey. Es fieng ihm daher
an zu grauen, und er suchte Gelegenheit, von dem Schulmeister Graser abzukommen, indem er ihm sagte, er wolle nach
Haus gehen, und die Sache näher überlegen.

Nach einigen Tagen entstund ein Allarm in der ganzen Gegend; die Häscher waren des Nachts zu Kleinhoven gewesen,
und hatten den Schulmeister Graser aufheben wollen, er war
aber schon entwischt, er ist hernach nach Amerika gegangen,
und man hat weiter nichts von ihm gehört. Seine Mitschul-
digen aber wurden gefangen, und nach Verdienst gestraft. Er
war eigentlich selber der rechte Künstler gewesen, und gewiß
mit dem Strang belohnt worden, wenn man ihn ertappt
hätte.

Stilling erstaunte über die Gefahr, in welcher er geschwebt
hatte, und dankte Gott von Herzen, daß Er ihn bewahrt
hatte.

So lebte er nun ganz vergnügt fort, und glaubte gewiß, daß
die Zeit seiner Leiden zu Ende sey; in der ganzen Gemeinde
fand sich kein Mensch, der etwas widriges von ihm gesprochen
hätte, alles war ruhig; aber welch ein Sturm folgte auf diese
Windstille! Er war bald drey Viertel Jahr zu Kleefeld gewesen, als er eine Vorladung bekam, den künftigen Dienstags
Morgens um neun Uhr, vor dem fürstlichen Consistorium zu
Salen zu erscheinen. Er verwunderte sich über diesen ungewöhnlichen Vorfall; doch fiel ihm gar nichts widriges ein:
vielleicht, dachte er, sind neue Schulverordnungen beschlossen,
die man mir und andern vortragen will. Und so gieng er ganz
ruhig am bestimmten Tag nach Salen hin.

Als er ins Vorzimmer der Consistorialstube trat, so fand er
da zween Männer aus seiner Gemeinde stehen, von denen er
nie gedacht hatte, daß sie ihm wiederwärtig wären. Er fragte
sie, was vorgienge? Sie antworteten: wir sind vorgeladen, und

wissen nicht warum; indessen wurden sie alle drey hinein gefordert.

Oben am Fenster stand ein Tisch; auf der einen Seite desselben saß der Präsident, ein großer Rechtsgelehrter; er war klein von Statur, länglicht und mager von Gesicht, aber ein Mann von einem vortreflichen Character, voller Feuer und Leben. Auf der andern Seiten des Tisches saß der Inspector Weinhold, ein dicker Mann mit einem vollen länglichten Gesicht; der große Unterkinn ruhte sehr majestätisch auf dem feinen wohlgeglätteten und gesteiften Kragen, damit er nicht so leicht wund werden möchte; er hatte eine vortrefliche weiße und schöne Perrücke auf dem Haupt, und ein seidener schwarzer Mantel hieng seinen Rücken herunter; er hatte hohe Augbraunen und wenn er jemand ansahe, so zog er die untern Augenlieder hoch in die Höhe, so daß er beständig blinzelte. Die Absätze an seinen Schuhen krachten, wenn er drauf trat, und er hatte sich angewöhnt, er mochte stehen oder sitzen, immerfort wechselsweise auf die Absätze zu treten, und sie krachen zu lassen. So saßen die beyden Herren da, als die Partheyen herein traten. Der Secretarius aber saß hinter einem langen Tisch, und guckte über einen Haufen Papier hervor. Stilling stellte sich unten an den Tisch, die beyden Männer aber stunden gegen über an der Wand.

Der Inspector räusperte sich, drehte sich gegen die Männer, und sprach:

„Ist das air Schoolmaister?"

Ja, Herr Oberprediger!

„So! arächt! Ihr sayd also der Schoolmaister von Kleefeld?"

Ja! sagte Stilling.

„'r sayd mer ain schöner Kerl! wärt wärth, daß man aich aus dem Land paitschte!"

Sachte! sachte! redete der Präsident ein, *audiatur et altera pars*.

„Herr Präsident! das k'hört *ad forum ecclesiasticum.* Sie habä da nichts z' sagä."

Der Präsident ergrimmte und schwieg. Der Inspector sahe Stilling verächtlich an, und sagte:

„Wie 'r da stäth, der schlechte Mensch!"

Die Männer lachten ihn hönisch aus. Stilling konnte das gar nicht ertragen, er hatte auf der Zunge, er wollte sagen: wie Christus vor dem Hohenpriester! allein er nahms wieder zurück, trat näher, und sagte: was hab ich gethan? Gott ist mein Zeuge, ich bin unschuldig! Der Inspector lachte hönisch, und erwiederte:

„Als wenn 'r nit wüßt, was'r selbstan begangä hat! fragt air K'wissä!"

Herr Inspector! mein Gewissen spricht mich frey, und der, der da recht richtet, auch; was hier geschehen wird, weiß ich nicht.

„Schwaigt 'r Gottloser! — sagt mer, Kerchäältester, was ist aire Klage?"

Herr Oberprediger! wir habens heut vierzehn Tage protocolliren lassen.

„Arächt's is wahr!"

Und dieses Protocoll, sagte Stilling, muß ich haben!

„Was wollt'r? Nain! sollt's nit habä!"

C'est contre l'ordre du prince versetzte der Präsident, und gieng fort.

Der Inspector dictirte nun und sagte: „Schraibt, Secretär! Hait erschienä *N. N.* Kerchäältester von Kleefeld, und *N. N.* ainwahner daselbst, *cantra* ihren Schoolmaister Stilling. Kläger beziehä sich of variges *Protocoll.* Der Schoolmaister begährte *extractum protocolli,* wird'm aber aus giltigä Ohrsachä abk'schlagä."

Nun krachte der Inspector noch ein paarmal auf den Absätzen, stemmte die Hände in die Seiten, und sprach:

„Könnt nu nacher Haus geh!" Sie giengen alle drey fort.

Gott weiß es, daß die Erzählung wahr, und würklich so passirt ist! Schande wärs für mich, der Protestantischen Kirche einen solchen Theologen anzudichten. Schande für mich! wenn Weinhold noch eine gute Seite gehabt hätte. — Aber! — Ein jeder junger Theologe spiegele sich doch an diesem Exempel, und denke: wer da will unter euch der Größte seyn, der sey der Geringste.

Stilling war ganz betäubt, er begriff von allem, was er gehört hatte, nicht ein Wort. Die ganze Scene war ihm ein Traum, er kam nach Kleefeld ohne zu wissen wie. So bald er da anlangte, gieng er in die Capelle, und zog die Glocke; dieses war das Zeichen, wenn die Gemeinde in einem außerordentlichen Nothfall schleunig zusammen berufen werden sollte. Alle Männer kamen eiligst bey der Capelle auf einem grünen Platz zusammen. Nun erzählte ihnen Stilling den ganzen Vorfall umständlich. Da sahe man recht, wie die verschiedene Temperamente der Menschen bey einerley Ursache verschieden wirken; einige rasten, die andern waren launigt, noch andere waren betrübt, und wieder andere waren wohl bey der Sache; diese rückten den Hut aufs Ohr, und riefen: kein T . . . soll uns den Schulmeister nehmen! Unter all diesem Gewirre hatte sich ein junger Mensch, Namens Rehkopf, weggeschlichen, er setzte im Wirthshaus eine Vollmacht auf, mit diesem Papier in der Hand kam er in die Thür, und rief: wer Gott und den Schulmeister liebt, der komme her, und unterschreibe sich! Da gieng nun der ganze Trupp etwa hundert Bauern hinein, und unterschrieben sich. Noch denselbigen Tag gieng Rehkopf mit zwanzig Bauern nach Salen und zum Inspector.

Rehkopf klopfte oder schellte nicht an der Thür des Pfarrhauses, sondern gieng gerade hinein, die Bauern hinter ihm her; im Vorhaus begegnete ihm der Knecht. Wohin? ihr Leute! rief er: wart! ich will euch melden! Rehkopf versetzte: geh, fülle deine Weinflasche! wir können uns selber melden; und so klotzten die zwey und vierzig Füße die Treppe hinauf, und gerade ins Zimmer des Inspectors. Dieser saß da im Lehnsessel, er hatte einen damastenen Schlafrock an, eine baumwollene Mütze auf dem Kopf, und eine feine Leydische Kappe drüber, dabey trunk er so ganz genüglich seine Tasse Schocolade. Er erschrack, setzte seine Tasse hin und sagte:

„Gott! — ihr Lait — was wallt'r?"

Rehkopf antwortete: wir wollen hören, ob unser Schulmeister ein Mörder, ein Ehebrecher oder ein Dieb ist?

„Behüt Gott! wer sagt das?"

Herr! Sie sagens oder lassens, Sie behandeln ihn so. Entweder Sie sollen sagen und beweisen, daß er ein Missethäter ist, und in dem Fall wollen wir ihn selber abschaffen, oder Sie sollen uns Genugthuung für seine Schmach geben, und in diesem Fall wollen wir ihn behalten. Sehen Sie hier unsre Vollmacht.

„Waist ämahl her!" Der Inspector nahm sie, und faßte sie an, als wenn er sie zerreißen wollte. Rehkopf trat hinzu, nahm sie ihm aus der Hand, und sprach: Herr! lassen Sie sich das vergehn! Sie verbrennen, weiß Gott! die Finger, und ich auch!

„Ihr trotzt mer in main Haus?"

Wie Sie's nehmen, Herr! Trotz oder nicht!

Der Inspector zog gelindere Saiten auf, und sagte: „Liebä Lait! ihr wißt nit, was air Scholmaister vor'n schlechter Mensch is, last mich doch machä!"

Eben das wollen wir wissen, ob er ein schlechter Mensch ist, versetzte Rehkopf.

„Schräckliche Dinge! Schräckliche Dinge! hab ich von dem Kärl k'hört."

Kann seyn! ich hab auch gehört, daß der Herr Inspector sternvoll besoffen gewesen, als er letzthin zu Kleefeld Capellenvisitation gehalten.

„Was! Was! wer sagt das? wollt'r —"

Still! Still! ich habs gehört, der Herr Inspector richtet nach Hörensagen, so darf ichs auch.

„Wart, ich will euch lärnä."

Herr! sie lernen mich nichts, und was das Vollsaufen betrifft, Herr! — ich stund dabey, wie Sie auf der andern Seite vom Pferd herunterfielen, als man Sie auf der einen hinauf gehoben hatte. Wir erklären Ihnen hiemit im Namen der Kleefelder Gemeinde, daß wir uns den Schulmeister nicht nehmen lassen, bis er überführt ist, und damit Adje!

Nun giengen sie zusammen nach Haus. Rehkopf gieng den ganzen Abend über die Straßen spazieren, hustete und räusperte sich, daß mans im ganzen Dorf hören konnte.

Stilling sahe sich also wiederum ins größte Labyrinth versetzt; er fühlte wohl, daß er abermal würde weichen müssen, und was alsdann auf ihn wartete. Unterdessen kam er doch hinter das ganze Geheimniß seiner Verfolgung.

Der vorige Schulmeister zu Kleefeld war allgemein geliebt gewesen; nun hatte er sich mit einem Mädchen daselbst versprochen, und suchte, um sich besser nähren zu können, mehr Lohn zu bekommen; deswegen, als er einen Beruf an einen andern Ort erhielte, so stellte er der Gemeine vor, daß er ziehen würde, wenn man ihm nicht den Lohn erhöhte: er glaubte aber gewiß, man würde ihn um einiges Gelds willen nicht weggehen lassen. Allein es schlug ihm fehl, man ließ ihm Freyheit zu ziehen, und wählte Stilling.

Es ist leicht zu denken, daß die Familie des Mädchens nunmehro alle Kraft anwendete, um Stilling zu stürzen, und dieses bewerkstelligten sie ganz geheim, indem sie den Inspector mit wichtigen Geschenken das ganze Jahr durch überhäuft hatten, so, daß er ohne Urtheil und Recht beschloß, ihn wegzujagen.

Einige Tage nach diesem Vorfall ließ ihn der Präsident ersuchen, zu ihm zu kommen; er gieng hin. Der Präsident ließ ihn sitzen und sagte: „Mein Freund Stilling, ich bedaure euch von Herzen, und ich hab euch zu mir kommen lassen, um euch den besten Rath zu geben, den ich weiß. Ich habe gehört, daß eure Bauren eine Vollmacht aufgesetzt haben, um euch zu schützen, allein sie wird euch gar nicht helfen; denn die Sache muß doch im Oberconsistorium abgethan werden, und da sitzen lauter Freunde und Verwandten des Herrn Inspectors. Ihr gewinnt weiter nichts, als daß er immer bitterer gegen euch wird, und euch euer Vaterland zu eng macht. Wann ihr also wieder vors Consistorium kommt, so fordert euren Abschied."

Stilling dankte für diesen treuen Rath, und versetzte: Aber meine Ehre leidet darunter! Der Präsident erwiederte: Dafür laßt mich sorgen. Der Schulmeister versprach, dem Rath zu folgen, und gieng nach Haus, er sagte aber niemand, was er vor hatte.

Als nun wiederum Consistorium war, so wurde er mit seinen Gegnern vorgeladen; Rehkopf aber gieng ungerufen nach Salen hin, und sogar ins Vorzimmer der Consistorialstube. Stilling kam, und wurde zuerst vorgefordert. Der Präsident winkte ihm, seinen Vortrag zu thun. Hierauf fieng der Schulmeister an: „Herr Inspector! ich sehe, daß man mir sucht, mein Amt schwer zu machen, ich begehre also aus Liebe zum Frieden meinen ehrlichen Abschied." Der Inspector sah ihn heiterlächelnd an und sagte:

„Brav! Schoolmaister! den sollt'r habä, und ain Attest derzu, das ohnvergleichlich is."

Nein, Herr Inspector! kein Attest. Tief in meiner Seelen ist ein Attest und Ehrenrettung geschrieben, das kein Tod und kein Feuer des jüngsten Tages auslöschen wird; und das wird dereinst meinen Verfolgern ins Gesicht blitzen, daß sie erblinden möchten. Dieses sagte Stilling mit glühenden Wangen und funkelnden Augen.

Der Präsident lächelte ihn an, und winkte ihm mit den Augen. Der Inspector aber that, als hörte ers nicht, sondern lase eine Schrift oder Protocoll durch.

Nun sagte der Präsident lächelnd zum Inspector: Verurtheilen gehört für Sie, aber für mich die Execution. Schreibt, Secretair:

„Heut erschien der Schulmeister Stilling zu Kleefeld, und begehrte aus Liebe zum Frieden seinen ehrlichen Abschied, der ihm dann auch um dieser Ursache willen zugestanden worden, doch mit dem Beding, daß er gehalten seyn soll, im Fall er wiederum berufen werden sollte, oder man ihn sonsten zu Geschäften brauchen wollte, seine herrlichen Talente zum Besten des Vaterlandes zu verwenden."

Arächt! sagte der Inspector: No Schoolmaister! damit 'r doch wißt, daß wer Rächt hattä, aich Verwaiße z' gäbä, so sag ich aich: 'r habt das hailigä Nachtmahl prostituirt. Wie 'r am lätztä gegangen sayd, habt'r nach dem K'nuß hönisch k'lacht.

Stilling sah ihm ins Gesicht und sagte: Ob ich gelacht habe, weiß ich nicht, das weiß ich aber wohl, daß ich nicht hönisch gelacht habe.

„Men soll auch bay solch ainer heiligä Handlung nit lachä."

Stilling antwortete: Der Mensch sieht, was vor Augen ist, Gott aber sieht das Herz an. Ich kann nicht sagen, ob ich gelacht habe; ich weiß aber wohl, was *profanatio sacrorum* ist, und habs lang gewußt.

Nun befahl der Präsident, daß seine Gegner herein treten sollten; sie kamen, und der Secretair mußte ihnen das eben abgefaßte Protocoll vorlesen. Sie sahen sich an, und schämten sich.

Habt ihr noch was einzuwenden? fragte der Präsident. Sie sagten: Nein!

Nun dann, fuhr der ehrliche Mann fort, so hab ich noch was einzuwenden: Dem Herrn Inspector kommts zu, einen Schulmeister zu bestätigen, wenn ihr einen erwählt habt. Meine Pflicht aber ist's, Acht zu haben, daß Ruhe und Ordnung erhalten werde; deswegen befehl ich euch bey hundert Gulden

Strafe, den vorigen Schulmeister nicht zu wählen, sondern einen ganz unpartheyischen; damit die Gemeinde wieder ruhig werde.

Der Inspector erschrak, sah den Präsident an, und sagte: auf die Wais werden die Lait nimmer zu Ruh kommä.

Herr Inspector! erwiederte jener, das gehört ins *forum politicum*, und geht Sie nichts an.

Indessen ließ sich Rehkopf melden. Er wurde hereingelassen. Dieser begehrte das Protocoll zu sehen, im Namen seiner Principalen. Der Secretair mußte ihm das heutige vorlesen. Rehkopf sahe Stilling an, und fragte ihn: ob das Recht wäre? Stilling antwortete: Man kann nicht immer thun, was Recht ist, sondern man muß auch wohl zuweilen die Augen zuthun, und ergreifen, was man kann, und nicht, was man will, indessen dank ich euch tausendmal, rechtschaffener Freund! Gott wirds euch vergelten! Rehkopf schwieg eine Weile, endlich fieng er an, und sagte: so protestir ich im Namen meiner Principalen gegen die Wahl des vorigen Schulmeisters; und begehrte, daß diese Protestation zu Protocoll getragen werde. Gut! sagte der Präsident, das soll geschehen, ich hab dasselbige auch schon vorhin bey hundert Gulden Strafe verboten. Nun wurden sie allzusammen nach Haus geschickt, und die ganze Sache geschlossen.

Stilling war also wiederum in seine betrübte Umstände versetzt, er nahm sehr traurig Abschied von seinen lieben Kleefeldern, gieng aber nicht nach Haus, sondern zum Herrn Pastor Goldmann, und klagte ihm seine Umstände. Dieser bedauerte ihn von Herzen, und behielt ihn über Nacht bey sich. Des Abends hielten sie Rath zusammen, was Stilling nun wohl am füglichsten vorzunehmen hätte. Herr Goldmann erkannte sehr wohl, daß er bey seinem Vater wenig Freude haben würde, und doch wußte er ihm auch kein anderes Mittel an die Hand zu geben; endlich fiel ihm etwas ein, das sowohl dem Pastor als auch Stillingen angenehm und vortheilhaft vorkam.

Zehn Stunden von Salen liegt ein Städtchen, welches Rothhagen heißt; in demselben war der junge Herr Goldmann, ein Sohn des Predigers, Richter. Noch zwo Stunden weiter zu Lahnburg war Herr Schneeberg Hofprediger bey zweyen hohen Prinzessinnen, und dieser war ein Vetter des Herrn Goldmanns. Nun glaubte der ehrliche Mann, wenn er Stillingen mit Empfehlungsschreiben an beyde Männer abschicken würde, so könnte es nicht fehlen, sie würden ihm unterhelfen. Stilling hoffte selbsten ganz gewiß, es würde alles nach Wunsch ausschlagen. Die Sache wurde also beschlossen, die Empfehlungsschreiben fertig gemacht, und Stilling reiste des andern Morgens getrost und freudig fort.

Das Wetter war diesen Tag sehr rauh und kalt, dabey war es wegen der kothigen Wege sehr übel reisen. Doch gieng Stilling viel vergnügter seine Straße fort, als wenn er im schönsten Frühlingswetter nach Leindorf zu seinem Vater hätte gehen sollen. Er fühlte eine so tiefe Ruhe in seinem Gemüth, und ein Wohlgefallen des Vaters der Menschen, daß er frölich fortwanderte, beständig Dank und feurige Seufzer zu Gott schickte, ob er gleich bis auf die Haut vom Regen durchnetzt war. Schwerlich würd's ihm so wohl gewesen seyn, wenn Weinhold Recht gehabt hätte.

Des Abends um sieben Uhr kam er müd und naß zu Nothhagen an. Er fragte nach dem Haus des Herrn Richter Goldmanns, und dieses wurde ihm gewiesen, er gieng hinein und ließ sich melden. Der Herr Goldmann kam die Treppe herab gelaufen, und rief: Ey willkommen, Vetter Stilling! Willkommen in meinem Haus! Er führte ihn die Treppe hinauf. Seine Liebste empfieng ihn ebenfalls freundlich, und machte Anstalten, daß er trockene Kleider an den Leib kriegte, und die Seinigen wiederum trocken wurden, hernach setzte man sich zu Tisch. Während dem Essen mußte Stilling seine Geschichte erzählen; als das geschehen war, sagte Herr Goldmann; Vetter! es muß doch etwas in eurer Lebensart seyn, das den Leuten mißfällt, sonsten wär es unmöglich, so unglücklich zu seyn. Ich werde es bald bemerken, wenn ihr einige Tage bey mir gewesen seyd, ich will's euch dann sagen, und ihr müßt es suchen abzuändern. Stilling lächelte und antwortete: Ich will mich freuen, Herr Vetter! wenn Sie mir meine Fehler sagen, aber ich weiß ganz wohl, wo der Knoten sitzt, und den will ich Ihnen aufknüpfen: Ich lebe nicht in dem Beruf, zu welchem ich gebohren bin, ich thue alles mit Zwang, und deswegen ist auch kein Segen dabey.

Goldmann schüttelte den Kopf, und erwiederte: Ey! Ey! wozu solltet ihr gebohren seyn? Ich glaube, ihr habt euch durch euer Romanlesen unmögliche Dinge in den Kopf gesetzt. Die Glücksfälle, welche die Phantasie der Dichter ihren Helden andichtet, setzen sich in Kopf und Herz vest, und erwecken einen Hunger nach dergleichen wunderbaren Veränderungen.

Stilling schwieg eine Weile, sah vor sich nieder; endlich blickt er seinen Vetter durchdringend an, und sagte mit Nachdruck: Nein! bey den Romanen fühl ich nur, mir ists, als wenn mir alles selbsten wiederführe, was ich lese; aber ich hab gar keine Lust, solche Schicksale zu erleben. Es ist was anders, lieber Herr Vetter! ich habe Lust zu Wissenschaften, wenn ich nur einen Beruf hätte, in welchem ich mit Kopfarbeit mein Brod erwerben könnte, so wär mein Wunsch erfüllt.

Goldmann versetzte: Nun so untersucht einmal diesen Trieb unpartheyisch, ist nicht Ruhm und Ehrbegierde damit verknüpft? habt ihr nicht süße Vorstellungen davon, wenn ihr in einem schönen Kleid, und herrschaftlichen Aufzug einhertreten könntet? wenn die Leute sich bücken und den Hut vor euch abziehen müßten, und wenn ihr der Stolz und das Haupt eurer Familie würdet?

Ja! antwortete Stilling treuherzig, das fühl ich freylich, und das macht mir manche süße Stunde.

Recht! fuhr Goldmann fort: Aber ist es euch auch ein wahrer Ernst, ein rechtschaffener Mann in der Welt zu seyn, Gott und Menschen zu dienen, und also auch nach diesem Leben selig zu werden? da heuchelt nun nicht, sondern seyd aufrichtig, habt ihr den vest entschlossenen Willen?

O ja! versetzte Stilling, das ist doch wohl der rechte Polarstern, nach welchem sich endlich, nach vielem Hin- und Hervagiren, mein Geist wie eine Magnetnadel richtet.

Nun, Vetter! erwiederte Goldmann: Nun will ich euch eure Nativität stellen, und die soll zuverlässig seyn. Hört mir zu! „Gott verabscheut nichts mehr, als den eiteln Stolz, und die Ehrbegierde, seinen Nebenmenschen, der oft besser ist, als wir, tief unter sich zu sehen; das ist verdorbene menschliche Natur. Aber Er liebt den Mann, der im Stillen und Verborgenen zum Wohl der Menschen arbeitet, und nicht wünscht, offenbar zu seyn. Diesen zieht Er durch Seine gütige Leitung, gegen seinen Willen endlich hervor, und setzt ihn hoch hinauf. Da sitzt dann der rechtschaffene Mann — ohne Gefahr, gestürzt zu werden, und weilen ihn die Last der Erhöhung niederdrückt, so betrachtet er alle Menschen neben sich so gut als sich selbsten. Seht, Vetter! das ist wahre edle verbesserte oder wiedergebohrne Menschennatur. Nun will ich weißagen, was euch wiederfahren wird: Gott wird durch eine lange und schwere Führung alle eure eitle Wünsche suchen abzufegen; gelingt ihm dieses, so werdet ihr endlich nach vielen schweren Proben, ein glücklicher großer Mann, und ein vortrefliches Werkzeug Gottes werden! Wenn ihr aber nicht folgt, so werdet ihr euch vielleicht bald hoch schwingen, und einen entsetzlichen Fall thun, der allen Menschen, die es hören werden, in die Ohren gellen wird."

Stilling wußte nicht, wie ihm ward, alle diese Worte waren, als wenn sie Goldmann in seiner Seelen gelesen hätte. Er fühlte diese Wahrheit im Grund seines Herzens, und sagte mit inniger Bewegung und gefalteten Händen: Gott! Herr Vetter! das ist wahr! ich fühl's, so wirds mir gehen.

Goldmann lächelte, und schloß das Gespräch mit den Worten: Ich beginne zu hoffen, ihr werdet endlich glücklich seyn.

Des andern Morgens setzte der Richter Goldmann Stillingen in die Schreibstube, und ließ ihn copiren; da sah er nun alsofort, daß er sich vortreflich zu so etwas schicken würde, und wenn die Frau Richterinn nicht ein wenig geizig gewesen wäre, so hätte er ihn alsofort zum Schreiber angenommen.

Nach einigen Tagen gieng er auch nach Lahnburg. Der Hofprediger war in den nahgelegenen vortreflichen Thiergarten gegangen. Stilling gieng ihm nach, und suchte ihn daselbst auf. Er fand ihn in einem buschigten Gang wandeln, er gieng auf ihn zu, überreichte ihm den Brief, und grüßte ihn von den Herrn Goldmann Vater und Sohn. Herr Schneeberg kannte Stillingen, sobald als er ihn sahe; denn sie hatten sich einmal in Salen gesehen und gesprochen. Nachdem Herr Schneeberg den Brief gelesen hatte, so ersuchte er Stillingen, mit ihm bis an Sonnen Untergang spazieren zu gehen, und ihm indessen seine ganze Geschichte zu erzählen. Er thats mit der gewöhnlichen Lebhaftigkeit, so daß der Hofprediger zuweilen die Augen wischte.

Des Abends nach dem Essen sagte Herr Schneeberg zu Stillingen: Hören Sie, mein Freund! ich weiß ein Etablissement für Sie, und das soll Ihnen verhoffentlich nicht fehl schlagen. Nur eins ist hier die Frage: Ob Sie sich getrauen, demselben mit Ehren vorzustehen?

„Die Prinzessinnen haben hier in der Nähe ein ergiebiges Bergwerk, nebst einer dazu gehörigen Schmelzhütte. Sie müssen daselbst einen Mann haben, der das Berg- und Hüttenwesen versteht, dabey treu und redlich ist, und überall das Interesse Ihrer Durchlauchten wohl besorgt und in Acht nimmt. Der jetzige Verwalter zieht künftiges Frühjahr weg, und alsdann wär es Zeit, diesen vortheilhaften Dienst anzutreten; Sie bekommen da Haus, Hof, Garten und Ländereyen frey, nebst drey hundert Gulden jährlichen Gehalt. Hier hab

ich also zwo Fragen an Sie zu thun. Verstehn Sie das Berg-
und Hüttenwesen hinlänglich, und getrauen Sie sich wohl,
einen berechneten Dienst zu übernehmen?"

Stilling konnte seine herzliche Freude nicht bergen. Er antwortete: was das erste betrifft, ich bin unter Kohlbrennern,
Berg- und Hüttenleuten erzogen, und was mir etwa noch fehlen möchte, das kann ich diesen folgenden Winter noch ein-
holen. Schreiben und rechnen, daran wird wohl kein Mangel
seyn. Das andre: ob ich treu genug seyn werde; das ist eine
Frage, wo meine ganze Seele ja zu sagt, ich verabscheue jede
Untreue, wie den Satan selber.

Der Hofprediger erwiederte: Ja ich glaube gern, daß es
Ihnen an überflüßiger Geschicklichkeit nicht mangeln wird,
davon hab ich schon gehört, als ich im Salenschen Lande war.
Allein Sie sind so sicher in Ansehung der Treue, Diesen Artikel kennen Sie noch nicht. Ich gebe Ihnen zu, daß Sie jede
wissentliche Untreue wie den Satan hassen, allein es ist hier
eine besondere Art von kluger Treue nöthig, die können Sie
nicht kennen, weil sie keine Erfahrung davon haben. Zum
Beyspiel: Sie stünden in einem solchen Amt, nun gienge Ihnen
einmal das Geld auf, Sie hätten etwas in der Haushaltung
nöthig, hättens aber selber nicht, und wüßtens auch nicht zu
bekommen; würden Sie da nicht an die Herrschaftliche Casse
gehen, und das Nöthige herausnehmen?

Ja! sagte Stilling, das würde ich kühn thun, so lang ich noch
Gehalt zu fordern hätte.

Ich geb Ihnen das einsweilen zu, versetzte Herr Schneeberg,
aber diese Gelegenheit macht endlich kühner, man wird dessen so gewohnt, man bleibt das erste Jahr zwanzig Gulden
schuldig, das andere vierzig, das dritte achtzig, das vierte
zweyhundert, und sofort, bis man entlaufen, oder sich für
einen Schelmen setzen lassen muß. Denken Sie nicht, das hat
keine Noth! — Sie sind gütig von Temperament, da kommen
bald vornehme und geringe Leute, die das merken. Sie wer-

den täglich mit einer Flasche Wein nicht auskommen, und bloß dieser Artikel nimmt Ihnen jährlich schon hundert Gulden weg, ohne dasjenige, was noch dazu gehört, die Kleider für Sie und die Haushaltung auch hundert, nun! — meynen Sie denn, mit den übrigen Hunderten noch auszukommen?

Stilling antwortete: Dafür muß man sich hüten.

Ja! fuhr der Hofprediger fort: freylich muß man sich hüten, aber wie würden Sie das anfangen?

Stilling versetzte, ich würde denen Leuten, die mich besuchten, aufrichtig sagen: Herren oder Freunde! meine Umstände leiden nicht, daß ich Wein präsentire, womit kann ich Ihnen sonsten dienen?

Herr Schneeberg lachte: Ja, sagte er, das geht wohl an, allein es ist doch schwerer, als Sie denken. Hören Sie! ich will ihnen etwas sagen, daß Ihnen Ihr ganzes Leben lang nützlich seyn wird, Sie mögen in der Welt werden, was Sie wollen: Lassen Sie Ihren äußern Aufzug und Betragen in Kleidung, Essen, Trinken und Aufführung, immer mittelmäßig bürgerlich seyn, so wird niemand mehr von Ihnen fordern, als Ihre Aufführung ausweist; komm ich in ein schön meublirtes Zimmer, bey einen Mann in kostbarem Kleide, so frag ich nicht lang eh, wes Standes er sey, sondern ich erwarte eine Flasche Wein und Confect; komm ich aber in ein bürgerlich Zimmer, bey einem Mann in bürgerlichem Kleide, ey so erwarte ich nichts weiter, als ein Glas Bier und eine Pfeife Toback.

Stilling erkannte die Wahrheit dieser Erfahrung, er lachte und sagte: Das ist eine Lehre, die ich nie vergessen werde.

Und doch, mein lieber Freund! fuhr der Hofprediger fort, ist sie schwerer in Ausübung zu bringen, als man denkt. Der alte Adam kitzelt sich so leicht damit, wenn man ein Ehrenämtchen kriegt, o wie schwer ists alsdann, noch immer der alte Stilling zu bleiben! Man heißt nun gerne Herr Stilling, möchte auch gerne so ein schmales goldenes Treßchen an der Weste haben, und das wächst dann so vor und nach, bis man

vest sitzt, und sich nicht zu helfen weiß. Nun, mein Freund!
Punctum. Ich will helfen, was ich kann, damit Sie Berg-Verwalter werden.

Stilling konnte die Nacht für Freuden nicht schlafen. Er
sah sich schon in einem schönen Hause wohnen, sahe eine
Menge schöner Bücher in einer aparten Stube stehen, verschiedene schöne mathematische Instrumente da hangen, mit
Einem Wort, seine ganze Einbildung war schon mit seinem
zukünftigen glückseligen Zustand beschäftiget.

Des andern Tages blieb er noch zu Lahnburg. Der Hof-
prediger gab sich alle Mühe, um gewisse Hoffnung, wegen der
bewußten Bedienung, Stillingen mitzugeben, und es gelang
ihm auch. Die ganze Sache wurde so zu sagen beschlossen, und
Stilling gieng, vor Freude trunken, zurück nach Rothhagen zu
Vetter Goldmann. Diesem erzählte er die ganze Sache. Herr
Goldmann mußte herzlich lachen, als er Stillingen mit solchem
Enthusiasmus reden hörte. Als er ausgeredet hatte, fieng der
Richter an: O Vetter! Vetter! wo wills doch mit euch hinaus?
— Das ist eine Stelle, die euch Gott im Zorn giebt; wenn ihr
sie bekommt, das ist der gerade Weg zu eurem gänzlichen Verderben, und das will ich euch beweisen: sobald ihr da seyd,
fangen alle Hofschranzen an, euch zu besuchen, und sich bey
euch lustig zu machen; leidet ihr das nicht, so stürzen sie euch,
so bald sie können, und laßt ihr ihnen ihre Freyheit, so reicht
euer Gehalt nicht halb zu.

Stilling erschrak, als er seinen Vetter so reden hörte; er
erzählte ihm darauf alle die guten Lehren, die ihm der Hofprediger gegeben hatte.

Die Prediger können das sehr selten, sagte Herr Goldmann.
Sie moralisiren gut, und ein braver Prediger kann auch in
seinem Zirkel gut moralisch leben, aber! aber! wir andern
können das so nicht, man führt die Geistlichen nicht so leicht
in Versuchung als andere Leute. Sie haben gut sagen! — Hört,
Vetter! alle moralischen Predigten sind nicht einen Pfifferling

werth, der Verstand bestimmt niemahlen unsre Handlungen,
wenn die Leidenschaften etwas stark dabey interessirt sind,
das Herz macht allezeit ein Mäntelchen darum, und über-
redet uns: schwarz sey weiß! — Vetter! ich sag euch eine
größere Wahrheit, als Freund Schneeberg. Wer nicht dahin
kommt, daß das Herz mit einer starken Leidenschaft Gott
liebt, den hilft alles moralisiren ganz und gar nichts. Die Liebe
Gottes allein macht uns tüchtig, moralisch gut zu werden. Dieses sey euch ein Notabene, Vetter Stilling! und nun bitt ich
euch, gebt dem Herrn Berg-Verwalter seinen ehrlichen Abschied, und bewillkommt die arme Nähnadel mit Freuden, so
lang bis euch Gott hervorziehen wird. Ihr seyd mein lieber
Vetter Stilling, und wenn ihr auch nur ein Schneider seyd.
Summa Summarum! ich will das ganze Ding rückgängig
machen, sobald ich nach Lahnburg komme.

Stilling konnte für Empfindung des Herzens die Thränen
nicht einhalten. Es ward ihm so wohl in seiner Seelen, daß er
es nicht aussprechen konnte. O! sagte er: Herr Vetter! wahr
ist das! — Woher erlang ich doch Kraft, um meinem teufeli-
schen Hochmuth zu widerstehen! — ein, zwey, drey Tage! —
und dann bin ich todt. — Was hilfts mich dann, ein großer
vornehmer Mann in der Welt gewesen zu seyn? — Ja, es ist
wahr! — Mein Herz ist die falscheste Creatur auf Gottes
Erdboden, immer meyn ich, ich hätte die Absicht nur mit
meinen Wissenschaften Gott und dem Nächsten zu dienen —
und wahrlich! — es ist nicht wahr! ich will nur gern ein großer
Mann werden, gern hoch klimmen, um nur auch tief fallen zu
können. — O! wo krieg ich Kraft, mich selber zu überwinden?

Goldmann konnte sich nicht mehr enthalten. Er weinte, fiel
Stillingen um den Hals: und sagte: edler! edler Vetter! seyd
getrost; Dieses treue Herz wird Gott nicht fahren lassen. Er
wird euer Vater seyn. Kraft erlangt man nur durch Arbeit;
der Hammerschmidt kann einen Centner Eisen unter dem
Hammer hin und her wenden, wie einen leichten Stab, das ist

uns beyden unmöglich, so kann ein Mensch der durch Prüfungen geübt ist, mehr überwinden als ein Muttersöhngen der immer an der Brust saugt, und nichts erfahren hat. Getrost Vetter! freut euch nur wenn Trübsalen kommen, und glaubt alsdann, daß ihr auf Gottes Universität seyd, der etwas aus euch machen will.

Des andern Tages reiste also Stilling getröstet und gestärkt wiederum nach seinem Vaterland. Der Abschied von Herrn Goldmann kostete ihn viele Thränen, er glaubte, daß er der rechtschaffenste Mann sey, den er je gesehen hatte, und ich glaube jetzt auch noch, daß Stilling recht gehabt habe. So ein Mann mag wohl Goldmann heißen; wie er sprach, so handelte er auch; wenn er noch lebt und ließt dieses, so wird er weinen, und sein Gefühl dabey wird englisch seyn.

Auf der Heimreise nahm sich Stilling fest vor, ruhig am Schneiderhandwerk zu bleiben, und nicht wieder so eitle Wünsche zu hegen; diejenigen Stunden aber die er frey haben würde, wollte er ferner dem Studiren widmen. Doch als er nahe bey Leindorf kam, fühlte er schon wieder die Melancholie anklopfen. Insonderheit fürchtete er die Vorwürfe seines Vaters, so daß er also sehr niedergeschlagen zur Stubenthür hereintrat.

Wilhelm saß mit einem Lehrjungen und nähete. Er grüßte seinen Vater und Mutter, setzte sich still hin und schwieg. Wilhelm schwieg auch eine Weile, endlich legte er seinen Fingerhut nieder, schlug die Arme übereinander und fieng an:

Heinrich! ich hab alles gehört, was dir abermahls zu Kleefeld wiederfahren ist; ich will dir keine Vorwürfe machen; das sehe ich aber klar ein, es ist Gottes Wille nicht, daß du ein Schulmeister werden sollst. Nun gieb dich doch einmal ruhig ans Schneiderhandwerk, und arbeite mit Lust. Es findet sich noch so manches Stündgen, wo du deine Sachen fortsetzen kanst.

Stilling ärgerte sich recht über sich selber, und befestigte seinen Vorsatz den er unterweges gefaßt hatte. Er antwortete

deswegen seinem Vater: Ja ihr habt ganz recht! ich will beten,
daß mir unser Herr Gott die Sinnen ändern möge! und so
setzte er sich hin, und fieng wieder an zu nähen. Dieses geschahe vierzehn Tage nach Michaelis, Anno 1760, als er ins
ein und zwanzigste Jahr getreten war.

Wenn er nun weiter nichts zu thun gehabt hätte, als auf
dem Handwerk zu arbeiten, so würde er sich beruhigt und in
die Zeit geschickt haben; allein sein Vater stellte ihn auch ans
Dreschen. Er mußte den ganzen Winter durch des Morgens
früh um zwey Uhr aus dem Bett, und auf die kalte Dreschtenne. Der Flegel war ihm erschrecklich. Er bekam die Hände
voller lichter Blasen, und seine Glieder zitterten für Schmerzen und Müdigkeit, allein das half alles nichts, vielleicht hätte
sich sein Vater über ihn erbarmt, allein die Mutter wollte
haben, daß ein jeder im Hause Brod und Kleider verdienen
sollte. Dazu kam noch ein Umstand. Stilling konnte mit dem
Schullohn niemals auskommen, denn der ist in dasigen Gegenden, ausserordentlich klein; Fünf und zwanzig Reichsthaler
des Jahrs, ist das Höchste, was einer bekommen kann; Speise
und Trank geben einem die Bauern um die Reihe. Daher können die Schulmeister alle ein Handwerk, welches sie in den
übrigen Stunden treiben, um sich desto besser durchzuhelfen.
Das war aber nun Stillings Sache nicht, er wußte in der übrigen Zeit weit was angenehmeres zu verrichten; dazu kam
noch, daß er zuweilen ein Buch oder sonst etwas kaufte, das
in seinen Kram diente, daher gerieth er in dürftige Umstände,
seine Kleider waren schlecht und abgetragen, so daß er aussahe als einer der gern will und nicht kann.

Wilhelm war sparsam, und seine Frau in einem noch höhern
Grad; dazu bekam sie verschiedene Kinder nach einander, so
daß der Vater Mühe genug hatte, sich und die Seinigen zu
nähren. Nun glaubte er, sein Sohn wäre groß und stark genug, sich seine Nothdurft selbsten zu erwerben. Als das nun
so nicht recht fort wollte wie er dachte, so wurde der gute

Mann traurig, und fieng an zu zweifeln, ob sein Sohn auch wohl endlich gar ein liederlicher Taugenichts werden könnte. Er fieng an ihm seine Liebe zu entziehen, fuhr ihn rauh an, und zwang ihn alle Arbeit zu thun, es mogte ihm sauer werden oder nicht. Dieses war nun vollends der letzte Stoß, der Stillingen noch gefehlt hatte. Er sahe daß ers auf die Länge nicht aushalten würde; ihm grauete für seines Vaters Haus, deswegen suchte er Gelegenheit bey andern Schneidermeistern als Geselle zu arbeiten, und dieses ließ sein Vater gern geschehen.

Doch kamen auch zuweilen noch freudige Blicke dazwischen. Johann Stilling wurde wegen seiner großen Geschicklichkeit in der Geometrie, Markscheidekunst und Mechanik, und wegen seiner Treue fürs Vaterland, zum Commerzien-Präsidenten gemacht, deswegen übertrug er seinem Bruder die Landmesserey, welche Wilhelm auch aus dem Grunde verstund. Wenn er nun einige Wochen ins Märkische gieng, um Büsche, Berge, und Güter zu messen und zu theilen, so nahm er seinen Sohn mit, und dieses war so recht nach Stillings Sinn. Er lebte dann in seinem Element, und sein Vater hatte Freude daran, daß sein Sohn bessere Einsichten davon hatte, als er selber. Dieses gab oftmahlen zu allerhand Gesprächen und Projecten Anlaß, welche beyde in der Einöde zusammen wechselten. Indessen war alles fruchtlos, und bestund in bloßen leeren Worten. Oefters beobachteten ihn Leute die in großen Geschäften stunden, und die wohl jemand gebraucht hätten. Diese bewunderten seine Geschicklichkeit, allein sein schlechter Aufzug mißfiel einem jedem der ihn sah, und man urtheilte in geheim von ihm, er müßte wohl ein Lump seyn. Das merkte er wohl, und es brachte ihm unerträgliche Leiden. Er liebte selber ein reinliches ehrbares Kleid über die maßen, allein sein Vater konnte ihn nicht damit versehen, und ließ ihn darben.

Diese Zeiten waren kurz und vorübergehend; so bald er

wieder nach Hause kam, so gieng das Elend wieder an. Stilling machte sich alsdann bald wieder bey einen fremden Meister, um dem Joch zu entgehen. Doch reichte sein Verdienst lange nicht zu, um sich ordentlich zu kleiden.

Einsmals kam er nach Hause. Er hatte auf einem benachbarten Dorf gearbeitet, und wollte etwas holen; er dachte an nichts widriges, und trat deswegen freymüthig in die Stube. Sein Vater sprang auf, so bald er ihn sahe, griff ihn und wollte ihn zur Erde werfen, Stilling aber ergriff seinen Vater an beyden Armen, hielt ihn, so daß er sich nicht regen konnte, und sah ihm mit einer Miene ins Gesicht, die einen Felsen hätte spalten können. Und warlich, wenn er jemahlen die Macht der Leiden in all ihrer Kraft auf sein Herz hat stürmen sehen, so war es in diesem Zeitpunkte. Wilhelm konnte diesen Blick nicht ertragen, er suchte sich los zu reissen; allein er konnte sich nicht regen; die Arme und Hände seines Sohns waren fest wie Stahl, und convulsivisch geschlossen. Vater! sprach er sanftmüthig und durchdringend! Vater! — euer Blut fleußt in meinen Adern, und das Blut — das Blut eines seeligen Engels — reizt mich nicht zur Wuth! — ich verehre euch — ich lieb euch — aber — Hier ließ er seinen Vater los, sprang gegen das Fenster, und rief: ich mögte schreyen, daß die Erdkugel an ihrer Achse bebte, und die Sterne zitterten! — Nun trat er seinem Vater wieder näher, und sprach mit sanfter Stimme: Vater! was hab ich gethan, was strafwürdig ist? — Wilhelm hielt beyde Hände vors Gesicht, schluckste und weinte. Stilling aber gieng in einen abgelegenen Winkel des Hauses, und heulte laut.

Des Morgens früh packte Stilling seinen Bündel, und sagte zu seinem Vater: Ich will ausser Land auf mein Handwerk reisen, laßt mich im Frieden ziehen; und die Thränen schossen ihm wieder die Wangen herunter. Nein, sagte Wilhelm: ich laß dich jetzt nicht ziehen, und weinte auch. Stilling konnte das nicht ertragen, und blieb. Dieses geschah 1761 im Herbst.

Kurz hernach fand sich zu Florenburg ein Schneider-Meister, der Stillingen auf einige Wochen in Arbeit verlangte. Er gieng hin, und half dem Mann nähen. Des folgenden Sonntags gieng er nach Tiefenbach, um seine Großmutter zu besuchen. Er fand sie am gewohnten Platz hinter dem Ofen sitzen. Sie erkannte ihn bald an der Stimme, denn sie war staarblind und konnte ihn also nicht sehen. Heinrich! sagte sie: Komm, setze dich hier neben mich! Stilling that das. Ich habe gehört, fuhr sie fort, daß dich dein Vater hart hält, ist wohl deine Mutter schuld daran? Nein! sagte Stilling, sie ist nicht schuld daran, sondern meine betrübte Umstände.

„Hör! sagte die ehrwürdige Frau: es ist dunkel um mich her, aber in meinem Herzen ists desto lichter, ich weiß es wird dir gehen, wie einer gebährenden Frau, mit vielen Schmerzen must du gebähren was aus dir werden soll. Dein seliger Großvater sah das alles voraus. Ich denk mein Lebtag daran, wir lagen einmahl des Abends auf dem Bett, und konnten nicht schlafen. Da sprachen wir dann so von unsern Kindern, und auch von dir, dann du bist mein Sohn und ich habe dich erzogen. Ja! sagte er: Margrethe! wenn ich doch noch erleben mögte, was aus dem Jungen wird. Ich weiß nicht: Wilhelm — wird noch in die Klemme kommen, so stark als er jetzt das Christenthum treibt, wird ers nicht ausführen, er wird ein frommer ehrlicher Mann bleiben, aber er wird noch was erfahren. Denn er spart gern, und hat Lust zu Geld und Gut. Er wird wieder heyrathen, und dann werden seine gebrechliche Füße dem Kopf nicht folgen können. Aber der Junge! der liebt nicht Geld und Gut, sondern Bücher, und davon läßt sichs im Bauernstand nicht leben. Wie die beyden zusammen stallen werden, weiß ich nicht! — Aber der Junge wird doch am End glücklich seyn, das kann nicht fehlen. Wenn ich eine Axt mache, so will ich damit hauen; und wozu unser Herr Gott einen Menschen schafft, dazu will er ihn brauchen."

Stillingen wars als wenn er im dunklen Heiligthum gesessen, und ein Orakel gehört hätte, er war als wenn er entzückt wäre und aus der dunklen Gruft seines Großvaters die gewohnte Stimme sagen hörte: Sey getrost, Heinrich! der Gott deiner Väter wird mit dir seyn!

Nun redete er noch ein und anderes mit seiner Großmutter. Sie vermahnte ihn geduldig und großmüthig zu seyn, er versprachs mit Thränen und nahm Abschied von ihr. Als er vor die Thür kam, übersah er seine alte romantische Gegenden; die Herbstsonne schien so hell und schön darüber hin; und da es noch früh am Tage war, so beschloß er alle diese Oerter noch einmahl zu besuchen, und über das alte Schloß nach Florenburg zurück zu fahren. Er gieng also den Hof hinauf, und in den Wald; er fand noch alle die Gegenden wo er so viele Süßigkeiten genossen hatte, aber der eine Strauch war verwachsen, und der andere ausgerottet; das that ihm leid. Er spazirte langsam den Berg hinauf bis aufs Schloß, auch da waren viele Mauern umgefallen, die in seiner Jugend noch gestanden hatten; alles war verändert; nur der Hollunderstrauch auf dem Wall westwärts stund noch.

Er stellte sich auf die höchste Spitze zwischen die Ruinen, er konnte da über alles hinweg sehen. Nun überschaute er den Weg von Tiefenbach nach Zellberg. Ihm traten all die schönen Morgen vor seine Seele, mit ihrem herrlichen Genuß, den er die Strecke herauf empfunden hatte. Nun blickte er nordwärts in die Ferne, und sahe einen hohen blauen Berg; er erkannte, daß dieser Berg nah bey Dorlingen war; nun traten ihm alle dortige Scenen klar vors Gemüth, sein Schicksal auf der Rauchkammer, und alles andere was er da gelitten hatte. Nun sah er westwärts die Leindorfer Wiesen in der Ferne liegen, er fuhr zusammen, und es schauerte ihm in allen Gliedern. Südwärts sah er die Preysinger Berge mit der Heyde, wo Anna ihr Lied sung. Südwestwärts fielen ihm die Kleefelder Gefilde in die Augen, und mit einemmahl überdachte er sein kurzes und mühseeliges Leben. Er sunk auf die Knie, weinte laut, und betete feurig zum Allmächtigen um Gnade und Erbarmen. Nun stund er auf, seine Seele schwomm in Empfindungen und Kraft; er setzte sich neben den Hollunderstrauch, nahm seine Schreibtafel aus der Tasche und schrieb:

Hört ihr lieben Vögelein,
Eures Freundes stille Klagen!
Hört ihr Bäume groß und klein
Was euch meine Seufzer sagen!
Welke Blumen horchet still,
Was ich jetzo singen will!

Mutter-Engel! wallst du nicht,
Hier auf diesen Grases-Spitzen?
Weilst du wohl beym Monden-Licht
Glänzend an den Rasen-Sitzen?
Wo dein Herz sich so ergoß,
Als dein Blut noch in mir floß.

Schaut wohl dein verklärtes Aug,
Diese matte Sonnenstrahlen?
Blickst du aus dem Lasurblau,
Das so viele Stern bemahlen,
Wohl zuweilen auf mich hin,
Wenn ich bang und traurig bin?

Oder schwebst du um mich her,
Wenn ich oft in trüben Stunden
Da mir war das Herz so schwer,
Einen stillen Kuß empfunden?
Trank ich dann nicht Himmelslust,
Aus der sel'gen Mutterbrust?

Auf dem sanften Mondesstrahl,
Fährst du ernst und still von hinnen,
Lenkst den Flug zum Sternensaal,
An den hohen Himmelszinnen,
Wird dein Wagen weislichtblau
Zu dem schönsten Morgenthau.

Vater Stillings Silberhaar,
Kräuselt sich im ewgen Winde,
Und sein Auge Sternenklar,
Sieht sein Dorthgen sanft und linde,
Wie ein goldnes Wölkgen ziehn
Und der fernen Welt entfliehn.

Hoch und stark geht er daher,
Höret seines Lieblings Leiden,
Wie ihm wird das Leben schwer,
Wie ihn fliehen alle Freuden.
Tief sich beugend blickt er dann
Dort das Priester-Schildlein an.

Licht und Recht strahlt weit und breit,
Vater Stilling sieht mit Wonne,
Wie nach schwerer Prüfungszeit,
Glänzt die unbewölkte Sonne,
Die versöhnte Königinn,
Auf des Lieblings Scheitel hin.

Vergnügt stund nun Stilling auf, und steckte seine Schreibtafel in die Tasche. Er sahe, daß der Rand der Sonnen auf den
sieben Bergen zitterte. Es schauerte etwas um ihn her, er fuhr
zusammen, und eilte fort, ist auch seitdem nicht wieder dahin
gekommen.

Er hatte jetzt die wenige Wochen welche er zu Florenburg
war, eine sehr sonderbare Gemüthsbeschaffenheit. Er war
traurig, aber mit einer so zärtlichen Süßigkeit vermischt, daß
man wünschen sollte, auf solche Weise traurig zu seyn. Die
Quellen von diesem seltsamen Zustand hat er nie entdecken
können. Doch glaub ich die häußlichen Umstände seines Meisters trugen viel dazu bey; es war eine so ruhige Harmonie in
diesem Hause; was einer wollte, das wollte auch der andere.
Dazu hatte er auch eine große wohlgezogene Tochter, die man
mit Recht unter die größten Schönheiten des ganzen Landes
zählen mußte. Diese sung unvergleichlich, und konnte einen
Vorrath von vielen schönen Liedern.

Stilling spürte, daß er mit diesem Mädchen sympathisirte, und sie auch mit ihm doch ohne Neigung sich zu heyrathen. Sie konnten Stunden lang zusammen sitzen und singen, oder sich etwas erzählen, ohne daß etwas Vertraulichers mit unterlief, als bloß zärtliche Freundschaft. Was aber endlich daraus hätte werden können, wenn dieser Umgang lange gedauert hätte, das will ich nicht untersuchen. Indessen genoß doch Stilling vor die Zeit manche vergnügte Stunde; und dieses Vergnügen würde vollkommener gewesen seyn, wenn er nicht nöthig gehabt hätte, wieder zurück nach Leindorf zu gehen.

An einem Sonntag Abend saß Stilling mit Liesgen (so hieß das Mädgen) am Tisch und sungen zusammen. Ob nun das Lied einigen Eindruck auf sie machte, oder ob ihr sonst etwas trauriges einfiel, weiß ich nicht; sie fieng herzlich an zu weinen. Stilling fragte sie, was ihr fehlte? Sie sagte aber nichts, sondern stund auf und gieng fort, kam auch diesen Abend nicht wieder. Sie blieb von der Zeit an melancholisch, ohne daß Stilling damals gewahr wurde, warum. Diese Veränderung machte ihm Unruhe, und zu einer andern Zeit, da sie beyde wiederum allein waren, setzte er so hart an sie, daß sie endlich folgender Gestalt anfieng:

„Heinrich, ich kann und darf dir nicht sagen, was mir fehlt, ich will dir aber etwas erzählen: Es war einmahl ein Mädgen, das war gut und fromm, und hatte keine Lust zu unzüchtigen Leben; aber sie hatte ein zärtliches Herz, auch war sie schön und tugendsam.

Diese gieng an einem Abend auf ihrer Schlafkammer ans Fenster stehen, der Vollmond schien so schön in den Hof, es war Sommer, und alles draussen so still. Sie bekam Lust, noch ein wenig heraus zu gehen. Sie gieng still zur Hinterthür hinaus in den Hof, und aus dem Hof in die Wiese die daran stieß. Hier setzte sie sich unter eine Hecke in den Schatten, und sung mit leiser Stimme: Weicht quälende Gedanken!" (Dieses war eben das Lied, welches Liesgen den Sonntag Abend mit Stilling sung, als sie so ausserordentlich traurig wurde.) „Nachdem sie ein paar Verse gesungen hatte, kam ein wohlbekannter Jüngling zu ihr, der grüßte sie, und fragte: Ob sie wohl ein klein wenig mit ihm die Wiesen herunter spatzieren wollte? Sie thats nicht gern, doch als er sie sehr nöthigte, so gieng sie mit. Als sie nun eine Strecke zusammen gewandelt hatten, so wurde dem Mädgen auf einmal alles fremd. Sie befand sich in einer ganz unbekannten Gegend, der Jüngling aber stund lang und weiß neben ihr, wie ein Todter der auf der Bahre liegt, und sah sie erschrecklich an. Das Mädgen wurde Todbange, und sie betete recht herzlich, daß ihr doch der liebe Gott gnädig seyn möchte. Nun drehete sie der Jüngling auf einmahl mit dem Arm herum, und sprach mit hohler Stimme: Da sieh wie es dir ergehen wird! Sie sahe vor sich hin eine Weibsperson stehen, welche ihr selbsten sehr ähnlich oder wohl gar gleich war; sie hatte alte Lumpen anstatt der Kleider um sich hangen, und ein kleines Kind auf dem Arm, welches eben so ärmlich aussahe. Sieh! sagte der Geist ferner! das ist schon das dritte unehliche Kind das du haben wirst. Das Mädgen erschrak und sunk in Ohnmacht. Als sie wieder zu sich selber kam, da lag sie in ihrem Bett und schwitzte vor Angst, sie glaubte aber sie hätte geträumt. Siehe, Heinrich! das liegt mir immer so im Sinn, und deswegen bin ich traurig." Stilling setzte hart an sie mit fragen, ob ihr das nicht selbsten paßirt wäre? Allein sie läugnete es beständig, und bezeugte, daß es eine Geschichte wäre, die sie hätte erzählen hören.

Die traurige Lebens-Geschichte dieser bedauernswürdigen Person hat es endlich ausgewiesen, daß sie diese schreckliche Ahndung selber muß gehabt haben; und nun läßt es sich leicht begreifen, warum sie damals so melancholisch geworden. Ich übergehe ihre Historie aus wichtigen Gründen, und sage nur so viel: Sie begieng ein Jahr hernach eine kleine ganz wohl zu entschuldigende Thorheit; diese war der erste Schritt zu ihrem Fall, und dieser die Ursache ihrer folgenden schweren und betrübten Schicksale. Sie war eine edle Seele, begabt mit vortreflichen Leibes- und Geistes-Gaben; nur ein Hang zur Zärtlichkeit, mit etwas Leichtsinn verbunden, war die entfernte Ursache ihres Unglücks. Aber ich glaube; Ihr Schmelzer wird sitzen, und sie wie Gold im Feuer läutern, und wer weiß ob sie nicht dermahleins heller glänzen wird als ihre Richter, die ihr das Heyrathen verbothen, und wann sie dann ein Kind von ihrem verlobten Bräutigam zur Welt brachte, so mußte sie mit dem Merkzeichen einer Erzhure am Pranger stehen. Wehe den Gesetzgebern, welche! — doch ich muß einhalten, ich werde nichts bessern, wohl aber die Sache verschlimmern. Noch ein Weh mit einem Fluch. Weh den Jünglingen! welche ein armes Mädchen bloß als ein Werkzeug der Wollust ansehen, und verflucht sey der vor Gott und Menschen, der ein gutes frommes Kind zu Fall bringt, und sie hernach im Elend verderben läßt!

Herr Pastor Stollbein hatte indessen Stillingen zu Florenburg entdeckt, und er ließ ihn rufen, als er die letzte Woche daselbst bey seinem Meister war. Er gieng hin. Stollbein saß in einem Sessel und schrieb. Stilling stellte sich hin, mit dem Hut unter dem Arm.

„Wie gehts? Stilling!" fragte der Prediger.

Mir gehts schlecht, Herr Pastor! gerad wie der Taube Noä, die nicht fand wo ihr Fuß ruhen konnte.

„So geht in den Kasten!"

Ich kann die Thür nicht finden.

Stollbein lachte herzlich, und sagte: „das kann wohl seyn. Euer Vater und ihr nahmets mir gewiß übel, als ich eurem Ohm Simon sagte: Ihr solltet nähen, denn kurz darauf gienget ihr ins Preußische, und wolltet dem Pastor Stollbein zu Trotz Schulhalten. Ich habs wohl gehört, wie's gegangen hat. Nun da ihr lang herum geflattert habt, und die Thür nicht finden könnt, so ists wieder an mir, daß ich euch eine zeigte."

O Herr Pastor! sagte Stilling: Wenn Sie mir zur Ruhe helfen können, so will ich Sie lieben als einen Engel, den Gott zu meiner Hülfe gesandt hat.

„Ja, Stilling! jetzt ist Gelegenheit vorhanden, zu welcher ich euch von Jugend auf bestimmt hatte, warum ich darauf trieb, daß ihr Latein lernen solltet, und warum ich so gern sahe, daß ihr am Handwerk bliebet, als es zu Zellberg nicht mit euch fort wollte. Ich haßte darum daß ihr bey Krüger waret, weilen euch der gewiß vor und nach auf seine Seite und von mir ab würde gezogen haben, ich durfte aber auch nicht sagen, warum ich so mit euch verfuhr, ich meynte es aber gut. Wärt ihr am Handwerk geblieben, so hättet ihr jetzt Kleider auf dem Leib, und so viel Geld in der Hand, um euch helfen zu können. Und was hätte es euch dann geschadet, es ist ja jetzt noch früh genug für euch, um glücklich zu werden. Hört! die hiesige lateinische Schule ist vacant, ihr sollt hier Rector werden; ihr habt Kopf genug, dasjenige bald einzuholen, was euch etwa noch an Wissenschaften und Sprachen fehlen könnte."

Stillings Herz erweiterte sich. Er sah sich gleichsam aus einem finstern Kerker in ein Paradies versetzt. Er konnte nicht Worte genug finden, dem Pastor zu danken; wiewohl er doch einen heimlichen Schauer fühlte, wieder eine Schulbedienung anzutreten.

Herr Stollbein fuhr indessen fort: „Nur ein Knoten ist hier aufzulösen. Der hiesige Magistrat muß dazu disponirt werden, ich habe schon in geheim gearbeitet, die Leute sondirt, und sie geneigt für euch gefunden, Allein ihr wißt, wie's hier gestellt ist, sobald ich nur anfange etwas nützliches durchzusetzen, so halten sie mir gerade deswegen das Wiederspiel, weilen ich der Pastor bin; deswegen müssen wir ein wenig simuliren, und sehen wie sich das Ding schicken wird. Bleibt ihr nur ruhig an eurem Handwerk, bis ich euch sage, was ihr thun sollt."

Stilling war zu allem willig, und gieng wieder auf seine Werkstatt.

Vor Weyhnachten hatte Wilhelm Stilling sehr viele Kleider zu machen, daher nahm er seinen Sohn bey sich, damit er ihm helfen möchte. Kaum war er einige Tage wieder zu Leindorf gewesen, als ein vornehmer Florenburger der Gerichtsschöffe Keylhof zur Stubenthür hineintrat. Stillingen blühte eine Rose im Herzen auf, ihm ahndete ein glücklicher Wechsel.

Keylhof war Stollbeins größter Feind; nun hatte er eine heimliche Bewegung gemerkt, daß man damit umgienge, Stillingen zum Rector zu wählen, und dieses war so recht nach seinem Sinn. Da er nun gewiß glaubte, der Pastor würde ihnen mit aller Macht zuwider seyn, so hatte er schon seine Maaßregeln genommen, um die Sache desto mächtiger durchzusetzen. Deswegen stellte er Wilhelmen und seinem Sohn die Sache vor, und hielte darum an, daß Stilling auf Neujahr bey ihn ins Haus ziehen, und mit seinen Kindern eine Privat-Information in der lateinischen Sprache vornehmen möchte. Die andern Florenburger Bürger würden alsdann vor und nach ihre Kinder zu ihm schicken, und die Sache würde sich so zusammenketten, daß man sie auch gegen Stollbeins Willen würde durchsetzen können.

Diese Absicht war höchst ungerecht; denn der Pastor hatte die Aufsicht über die lateinische, wie über alle andere Schulen in seinem Kirchspiel, und also bey jeder Wahl auch die erste Stimme.

Stilling wußte die geheime Liegenheit der Sache. Er freute sich, daß sich alles so gut schickte. Doch durfte er die Gesinnung des Predigers nicht entdecken, damit Herr Keylhof nicht alsbald seinen Vorsatz ändern möchte. Die Sache wurde also auf die Weise beschlossen.

Wilhelm und sein Sohn glaubten nunmehro gewiß, daß das

Ende aller Leiden da sey. Denn die Stelle war ansehnlich und einträglich, so daß er ehrlich leben konnte, wenn er auch heyrathen würde. Selbsten die Stief-Mutter fieng an, sich zu freuen; denn sie liebte Stillingen würklich, nur daß sie nicht wußte, was sie mit ihm machen sollte; sie fürchtete immer, er verdiene Kost und Trank nicht, geschweige die Kleider; doch was das letzte betrift, so war er ihr darinnen noch nie beschwerlich gewesen, denn er hatte kaum die Nothdurft.

Er zog also auf Neujahr 1762 nach Florenburg bey dem Schöffen Keylhof ein, und fieng seine lateinische Information an. Als er einige Tage da gewesen war, that ihm Herr Stollbein in geheim zu wissen, er möchte einmal zu ihm kommen, doch so, daß es niemand gewahr würde. Dieses geschah auch an einem Abend in der Dämmerung. Der Pastor freute sich von Herzen, daß die Sachen eine solche Wendung nahmen. „Gebt acht! sagte er zu Stilling, wenn sie sich wegen eurer einmal eins sind, und alles regulirt haben, so müssen sie doch zu mir kommen, und meine Einwilligung holen. Weil sie nun immer gewohnt sind, dumme Streiche zu machen, so sind sie auch gewohnt, daß ich ihnen allezeit contrair bin. Wie werden sie auf spitzige Stichelreden studiren? — und wenn sie dann hören werden, daß ich mit ihnen einer Meynung bin, so wird sie's würklich reuen, daß sie euch gewählt haben, allein dann ists zu spät. Haltet euch ganz ruhig, und seyd nur brav und fleißig, so wirds gut gehen."

Indessen fiengen die Florenburger an, des Abends nach dem Essen zum Schöffen Keylhof zu kommen, und sich zu berathschlagen, wie man die Sache am besten angreifen möchte, um auf alle Fälle gegen den Pastor gerüstet zu seyn. Stilling hörte das alles, und öfters mußte er hinausgehen, um durch Lachen der Brust Luft zu machen.

Unter denen, die bey Keylhof kamen, war ein gar sonderlicher Mann, ein Franzos von Geburt, der hieß Gayet. So wie nun niemand wußte, wo er eigentlich her war, desgleichen ob er lutherisch oder reformirt war, und warum er des Sommers eben sowohl wollene Ober-Strümpfe mit Knöpfen an den Seiten trug, als des Winters; wie auch, woher er an das viele Geld kam, das er immer hatte, so wußte auch niemalen jemand, mit welcher Parthie ers hielte. Stilling hatte diesen wunderlichen Heiligen schon kennen gelernt, als er in die lateinische Schule gieng. Gayet konnte niemand leiden, der ein Werkeltags-Mensch war; Leute, mit denen er umgehen sollte, mußten Feuer und Trieb und Wahrheit und Erkenntniß in sich haben; wenn er so jemand fand, dann war er offen und vertraulich. Da er nun zu Florenburg niemand von der Art wußte, so machte er sich ein Plaisir daraus, sie alle zusammen, den Pastor mitgerechnet, zum Narren zu haben. Stilling aber hatte ihm von jeher gefallen, und nun, da er erwachsen und Informator bey Keylhof war, so kam er oft hin, um ihn zu besuchen. Dieser Gayet saß auch wohl des Abends da und hielte Rath mit den andern; dieses war aber nie sein Ernst, sondern nur, seine Freude an ihnen zu haben. Einsmals, als ihrer sechs bis acht recht ernstlich an der Schulsache überlegten, fieng er an: „Hört, ihr Nachbarn, ich will euch was erzählen! Als ich noch mit dem Kasten auf dem Rücken längs die Thüren gieng und Hüte feil trug, so komm ich auch von ungefehr einmal ins Königreich Siberien, und zwar in die Hauptstadt Emugi; nun war der König eben gestorben, und die Reichsstände wollten einen andern wählen. Nun war aber ein Umstand dabey, worauf alles ankam; das Reich Kreuz-Spinn-Land gränzt an Siberien, und beyde Staaten haben sich seit der Sündfluth her immer in den Haaren gelegen, bloß aus der Ursache: Die Siberier haben lange in die Höh stehende Ohren, wie ein Esel, und die Kreuz-Spinn-Länder haben Ohrlappen, die bis auf die Schulter hangen. Nun war von jeher Streit unter beyden Völkern; jedes wollte behaupten, Adam hätte Ohren gehabt wie sie. Deswegen mußte in beyden Ländern immer ein rechtgläubiger König erwählt werden; das

beste Zeichen davon war, wenn jemand gegen die andere
Nation einen unversöhnlichen Haß hatte. Als ich nun da war,
so hatten die Siberier einen vortreflichen Mann im Vorschlag,
den sie nicht so sehr wegen seiner Rechtgläubigkeit, als vielmehr wegen seiner vortreflichen Gaben zum König machen
wollten. Nur er hatte hoch in die Höhe stehende Ohren, und
auch herabhangende Ohrlappen, er trug also in dem Fall auf
beyden Schultern; das wollte zwar vielen nicht gefallen, doch
man wählte ihn. Nun beschloß der Reichsrath, daß der König
mit der wohlgeordneten hochohrigten Armee gegen den lang-
ohrigten König zu Felde ziehen sollte; das geschah. Allein,
was das einen Allarm gab! — Beyde Könige kamen ganz
friedlich zusammen, gaben sich die Hände und hießen sich
Brüder. Alsofort setzte man den König mit den Zwitterohren
wieder ab, und schnitte ihm die Ohren ganz weg, nun konnt
er laufen."

Der Bürgermeister Scultetus nahm seine lange Pfeiffe aus
dem Mund, und sagte: der Herr Gayet ist doch weit in der
Welt umher gewesen. Ja wohl! sagte ein anderer, aber ich
glaube er giebt uns einen Stich; er will damit sagen, wir wären alle zusammen Esel. Schöffe Keylhof aber lachte, blinkte
Herrn Gayet heimlich an, und sagte ihm ins Ohr: Die Narren
verstehen nicht, daß Sie den Pastor und sein Consistorium
damit meinen. Stilling aber, der ein guter Geographus war,
und überhaupt die ganze Fabel wohl verstund, lachte recht
herzlich und schwieg. Gayet sagte Keylhof wieder ins Ohr,
Sie habens so halb und halb errathen.

Nachdem man nun glaubte, sich in gehörige Sicherheit gesetzt zu haben, so schickte man um Fastnacht eine Deputation
an den Pastor ab; Schöffe Keylhof gieng selbst mit, denn er
mußte das Wort führen. Stillingen wurde Zeit und Weile
lang, bis sie wieder kamen, um zu hören, wie die Sache abge-
laufen wäre. Er hörte es auch von Wort zu Wort. Keylhof
hatte den Vortrag gethan.

„Herr Pastor! wir haben uns einen lateinischen Schulmeister ausgesucht, wir kommen her, um es Ihnen anzukündigen."

Ihr habt mich aber nicht eh gefragt, ob ich den auch haben will, den ihr ausgesucht habt.

„Davon ist die Frage nicht, die Kinder sind unser, die Schul ist unser, und auch der Schulmeister."

Aber welcher unter euch versteht wohl so viel Latein, um einen solchen Schulmeister zu prüfen, ob er auch zu dem Amte nutzt?

„Dazu haben wir unsre Leute."

Der Fürst aber sagte: Ich soll der Mann seyn, der den hiesigen Rector examiniret und bestättiget, versteht ihr mich!

„Deswegen kommen wir ja auch her."

Nun dann! ohne Weitläuftigkeit! — ich hab auch einen ausgesucht der gut ist, — und das ist — der bekannte Schulmeister Stilling!

Keylhof und seine Leute sahen sich an. Stollbein aber stund und lächelte mit Triumph, und so schwieg man eine Weile und sagte gar nichts.

Keylhof erholte sich endlich, und sagte: „Nun denn so sind wir ja einer Meinung!"

Ja, Schöffe Starrkopf! wir wären denn doch endlich einmahl einer Meinung! bringt euren Schulmeister her! ich will ihn bestätigen und einsetzen.

„So weit sind wir noch nicht, Herr Pastor! wir wollen ein eignes Schulhaus vor ihn haben, und die lateinische Schule von der teutschen sepperiren."

(Denn beyde Schulen waren vereiniget, jeder Schulmeister bekam das halbe Gehalt, und der lateinische half dem teutschen in den übrigen Stunden).

Gott verzeih mir meine Sünde! da säet doch der Teufel wieder sein Unkraut. Wo soll euer Rector denn von leben?

„Das ist wiederum unsre Sache und nicht die Ihrige."

Hört Schöffe Keylhof! Ihr seyd ein recht dummer Kerl! ein
Vieh, so groß als eins auf Gottes Erdboden geht, schert euch
nach Haus!

„Was? Ihr — Ihr — scheltet mich?"

Geht großer Narr! ihr sollt nun euren Stilling nicht haben,
so wahr ich Pastor bin! und damit gieng er in sein Cabinet,
und schloß die Thür hinter sich zu.

Noch eh der Schöffe nach Haus kam, erhielt Stilling Ordre
nach dem Pfarrhaus zu kommen; er gieng und dachte nicht
anders als er würde nun zum Rector eingesetzt werden.
Allein, wie erschrack er nicht, als ihn Stollbein folgender Gestalt anredete:

„Stilling! eure Sache ist nichts. Wenn ihr nicht ins größte
Elend, in Hunger und Kummer gerathen wollt, so melirt euch
nicht weiter mit den Florenburgern."

Und hierauf erzählte ihm der Pastor alles was vorgefallen
war. Stilling nahm mit größter Wehmuth Abschied vom Pastor. Seyd zufrieden! sagte Herr Stollbein: Gott wird euch noch
segnen, und glücklich machen, bleibt nur an eurem Handwerk,
bis ich euch sonsten anständig versorgen kann.

Die Florenburger wurden indessen bös auf Stillingen, weil
er, wie sie glaubten, heimlich mit dem Pastor gepflügt hatte.
Sie verließen ihn also auch, und wählten einen andern. Herr
Stollbein ließ ihnen vor diesmahl ihren Willen; sie machten
einen neuen Rector, gaben ihm ein besonderes Haus, und da
sie der alten teutschen Schule das Gehalt nicht entziehen konnten und durften, zu einem neuen aber keinen Rath wußten: so
beschlossen sie, ihm sechzig Kinder zum Latein lernen zu verschaffen, und von jedem Kind jährlich vier Reichsthaler zu
bezahlen. Allein der rechtschaffene Mann hatte das erste viertel Jahr sechzig, hernach vierzig, zu Ende des Jahrs zwanzig,
und endlich kaum fünf, so daß er bey aller Müh und Arbeit,
endlich im Hunger, Kummer, und Elend starb, und seine Frau
und Kinder betteln.

Nach diesem Vorfall gab sich Herr Stollbein in Ruhe, er fieng an stille zu werden, und sich um nichts mehr zu bekümmern; er versah nur bloß seine Amtsgeschäfte, und zwar mit aller Treue. Der Hauptfehler welcher ihn so oft zu thörichten Handlungen verleitet hatte, war ein Familienstolz. Seine Frau hatte vornehme Verwandten, und die sahe er gern hoch ans Brett kommen. Auch er selber strebte gern nach Gewalt und Ehre. Dieses ausgenommen war er ein gelehrter und sehr gutherziger Mann, ein Armer kam nie fehl bey ihm, er gab so lange er hatte, und half dem Elenden so viel er konnte. Nur dann war er ausgelassen, und unerbittlich, wenn er sahe daß jemand von geringem Stand Miene machte, neben ihm empor zu steigen. Aus dieser Ursache war er auch Johann Stilling immer feind. Dieser war, wie oben gesagt worden, Commerzien-Präsident des Salenschen Landes; und da Stollbein ein großer Liebhaber von Bergwerken war, so ließ er Herrn Stillingen immer merken, daß er ihn gar nicht vor das erkannte was er war; und wenn jener nicht bescheiden genug gewesen wäre, dem alten Mann nachzugeben, so hätte es oft harte Stöße abgesetzt.

Doch zeigt Stollbeins Beyspiel, daß Güte des Herzens und Redlichkeit niemahlen ungebessert sterben lasse.

Einsmahlen war eine allgemeine Gewerken-Rechnung abzulegen, so daß also die vornehmsten Commerzianten des Landes bey ihrem Präsidenten Stilling zusammen kommen mußten. Herr Pastor Stollbein kam auch, desgleichen Schöffe Keylhof mit noch einigen andern Florenburgern. Herr Stilling gieng auf den Pastor zu, nahm ihn an der Hand und führte ihn neben sich an die rechte Seite, und ließ ihn da sitzen. Der Prediger war die ganze Zeit über aus der maßen freundlich. Nach dem Mittagessen fieng er an:

„Meine Herren und Freunde! Ich bin alt, und ich fühle daß meine Kräfte mit Gewalt abnehmen, es ist das letzte mahl daß ich bey Ihnen bin, ich werde nicht wieder herkommen. Ist nun

jemand unter Ihnen, der mir noch nicht vergeben hat, wo ich
ihn beleidiget habe, den bitt ich jetzt von Herzen um Versöhnung." Alle Anwesende sahen sich an, und schwiegen. Herr
Stilling konnte das unmöglich ausstehen. Herr Pastor! sagte
er: das bricht mir mein Herz! — Wir sind Menschen und fehlen alle, ich hab Ihnen unendlich viel zu danken, Sie haben
mir die Grundwahrheiten unserer Religion beygebracht, und
vielleicht hab ich Ihnen oft Anlaß zur Aergerniß gegeben, ich
bin also der Erste, der Sie von Grund seiner Seelen um Verzeihung bittet, wo er Sie beleidiget hat. Der Pastor wurde so
gerührt, daß ihm die Thränen die Wangen herunter liefen, er
stund auf, umarmte Stillingen, und sagte: Ich hab Sie oft beleidigt. Ich bedaure es, und wir sind Brüder. Nein, sagte Stilling, Sie sind mein Vater! geben Sie mir Ihren Seegen! Stollbein hielt ihn noch fest in den Armen, und sagte: Sie sind
gesegnet, Sie und Ihre ganze Familie, und das um des Mannes
willen, der so oft mein Stolz und meine Freude war.

Dieser Auftritt war so unerwartet und so rührend, daß die
mehresten Anwesende, Thränen in Menge vergossen, Stilling
und Stollbein aber am mehresten.

Nun stund der Prediger auf, gieng herab zu Schöffe Keylhof und den übrigen Florenburgern, lächelte und sagte: Sollen wir denn auch an diesem Rechnungstage, unsre Rechnung
zusammen abmachen? Keylhof antwortete: Wir sind Ihnen
nicht böse! — Ja! versetzte Herr Stollbein: davon ist hier die
Rede nicht. Ich bitte euch alle feyerlich um Vergebung, wo ich
euch beleidigt habe! — Wir vergeben Ihnen gerne, erwiederte
Keylhof, aber das müßten Sie auf der Canzel thun.

Stollbein fühlte sein ganzes Feuer wieder, doch schwieg er
still, und setzte sich neben Stilling hin. Dieser aber wurde so
voller Eifer, daß er im Gesicht glühte. Herr Schöffe! fieng er
an: Sie sind nicht werth, daß Ihnen Gott Ihre Sünden vergiebt, so lange Sie so denken. Der Herr Pastor ist frey, und
hat seine volle Pflicht erfüllt. Christus gebeut Liebe und Ver-

söhnlichkeit. Er wird euch euren Starrsinn auf den Kopf vergelten.

Herr Stollbein schloß diese rührende Scene mit den Worten: Auch das soll geschehen, ich will meine ganze Gemeinde öffentlich auf der Canzel um Vergebung bitten, und ihnen weissagen, daß einer nach mir kommen wird, der ihnen eintränken wird, was sie an mir verschuldet haben. Beydes ist auch in seiner ganzen Fülle geschehen.

Kurz nach diesem Vorfall starb Herr Stollbein im Frieden, und wurde zu Florenburg in die Kirche bey seiner Gattin begraben. In seinem Leben wurde er gehaßt, und nach seinem Tode beweint, geehrt und geliebt. Wenigstens Heinrich Stilling hält ihn Lebenslang in ehrwürdigem Andenken.

Stilling war noch bis Ostern bey dem Schöffen Keylhof, allein er merkte, daß ihn ein jeder sauer ansah, er wurde also auch dieses Lebens müde.

Nun überlegte er einsmahlen des Morgens auf dem Bett seine Umstände; zu seinem Vater zurück zu kehren, war ihm ein erschrecklicher Gedanke; denn die viele Feldarbeit hätte ihn auf die länge zu Boden gedrückt, dazu gab ihm sein Vater nur Speise und Trank; denn was er allenfalls mehr verdiente, das rechnete ihm derselbe auf den Vorschuß, den er ihm in vorigen Jahren gethan hatte, wenn er mit dem Schullohn nicht auskommen konnte; er durfte also noch nicht an Kleider denken, und diese waren doch binnen Jahrsfrist ganz unbrauchbar. Bey andern Meistern zu arbeiten, war ihm ebenfalls schwer, und er sahe sich auch damit nicht zu retten, denn ein halber Gulden Wochenlohn, trug ihm in einem ganzen Jahr nicht so viel ein, als nur die allernothwendigsten Kleider erforderten. Er wurde halb rasend, fuhr aus dem Bett, und rief: Allmächtiger Gott! was soll ich denn machen? — In dem Augenblick war es ihm, als wenn ihm in die Seele gesprochen wurde: Geh aus deinem Vaterland, von deiner Freundschaft, und aus deines Vaters Haus, in ein Land das ich dir zeigen will! Er fühlte sich tief beruhiget, und er beschloß alsofort, in die Fremde zu gehen.

Dieses geschah Dienstags vor Ostern. Denselbigen Tag besuchte ihn sein Vater. Der gute Mann hatte wiederum seines Sohnes Schicksal vernommen, und deswegen kam er nach Florenburg. Beyde setzten sich zusammen auf ein einsames Zimmer, und nun fieng Wilhelm an:

„Heinrich! ich komme zu dir, mit dir Rath zu pflegen; ich seh nunmehro klar ein, daß du unschuldig gewesen bist. Gott hat dich gewiß zum Schulhalten nicht bestimmt, das Handwerk verstehst du; aber du bist in solchen Umständen, wo es dir die Nothdurft nicht verschaffen kann; und bey mir zu seyn, ist auch für dich nicht, du scheust mein Haus, und das ist auch kein Wunder; ich bin nicht im Stande, dir das nöthige zu verschaffen, wenn du nicht die Arbeit verrichten kannst, die ich zu thun habe, es wird mir selber sauer, Frau und Kinder zu ernähren. Was meynst du, hast du wohl nachgedacht, was du thun willt?"

Vater! darüber hab ich lange Jahre nachgedacht; aber erst diesen Morgen ist mir klar worden, was ich thun soll; ich muß in die Fremde ziehen, und sehen, was Gott mit mir vor hat.

„Wir sind also einerley Meynung, mein Sohn! Wenn wir der Sache vernünftig nachdenken, so finden wir, daß deine Führung von Anfang dahin gezielt hat, dich aus deinem Vaterland zu treiben, und was kannst du hier erwarten? Dein Oheim hat selber Kinder, und die wird er erst suchen anzubringen, eh er dir hilft, indessen gehen deine Jahre um. Aber — du — wenn ich deine ersten Jahre — und die Freude bedenke, die ich an dir haben wollte — und du bist nun fort — so ists um Stillings Freude geschehen! Das Ebenbild des ehrlichen Alten." — Hier konnte er nicht mehr reden, er hielt beyde Hände vor die Augen, krümmte sich ineinander und weinte laut.

Diese Scene war Stilling unausstehlich, er wurde ohnmächtig. Als er wieder zu sich selber kam, stand sein Vater
auf, drückte ihm die Hand und sagte: Heinrich! nimm von
niemand Abschied, geh, wann dir der himmlische Vater
winkt! Die heiligen Engel werden dich begleiten, wo du hin-
gehst, schreib mir oft, wie es dir geht! Nun eilte er zur Thür
hinaus.

Stilling ermannte sich, faßte Muth, und empfahl sich Gott;
er fühlte, daß er von allen Freunden ganz los war. Nichts
hieng ihm weiter an, sondern er erwartete mit Verlangen den
zweyten Ostertag, welchen er zu seiner Abreise bestimmt
hatte; er sagte niemand in der Welt etwas von seinem Vorhaben, besuchte auch niemand, sondern blieb zu Haus.

Doch konnte er nicht unterlassen, noch einmahl zu guter
letzt auf den Kirchhof zu gehen. Er that's nicht gern am Tage,
deswegen gieng er des Abends vor Ostern beym Licht des
vollen Monds hin, und besuchte Vater Stillings und Dorthchens Grab, setzte sich auf jedes eine kleine Weile, und weinte
stille Thränen. Seine Empfindungen waren unaussprechlich.
Er fühlte so etwas in sich, das sprach: Wenn diese beyde noch
lebten, so gieng es dir weit anders in der Welt. Er nahm endlich ordentlich Abschied von beyden Gräbern, und von den
ehrwürdigen Gebeinen, die darinnen verwesten, und gieng
fort.

Den folgenden Ostermontag Morgen, Anno 1762, welches
der zwölfte April war, rechnete er mit dem Schöffen Keylhof
ab. Er bekam noch etwas über vier Reichsthaler. Dieses Geld
nahm er zu sich, gieng auf die Kammer, that seine drey zer-
lappte Hemden, das vierte hatte er an, ein Paar alte Strümpfe,
eine Schlafkappe, seine Scheer und Fingerhut, in einen Reisesack, zog darauf seine Kleider an, die aus ein Paar mittelmäßig guten Schuhen, schwarzen wollenen Strümpfen, leder-
nen Hosen, schwarzen tuchenen Westen, einem ziemlich guten
braunen Rock von schlechtem Tuch, und einem großen Hut

nach der damaligen Mode, bestunden. Nun kämmte er sein fadenrechtes braunes Haar, nahm seinen langen dornenen Stock in die Hand, und wanderte auf Salen zu, wo er sich einen Reisepaß besorgte, und zu einem Thor heraus gieng, das gegen Nordwesten stehet. Er gerieth auf eine Landstraße; ohne zu wissen, wohin sie führte, folgte er derselben, und sie brachte ihn am Abend in einen Flecken, welcher an der Gränze des Salenschen Landes liegt.

Hier kehrte er in einem Wirthshaus ein, und schrieb einen Brief an seinen Vater nach Leindorf, in welchem er zärtlich Abschied von ihm nahm, und ihm versprach, sobald er sich irgendwo niederlassen würde, alles umständlich zu schreiben. Unter den Biergästen, welche des Abends in diesem Hause trunken, waren verschiedene Fuhrleute, eine Art Menschen, bey denen man sich am allerbesten nach den Wegen erkundigen kann. Stilling fragte sie: wohin diese Landstraße führe? Sie sagten: Nach Schönenthal. Nun hatte er in seinem Leben viel von dieser weitberühmten Handelsstadt gehöret; er beschloß also, dahin zu reisen, ließ sich deswegen die Oerter an dieser Landstraße, und ihre Entfernung von einander sagen, dieses alles zeichnete er in seine Schreibtafel auf, und legte sich ruhig schlafen.

Des andern Morgens, nachdem er Caffee getrunken, und ein Frühstück genommen hatte, empfahl er sich Gott, und setzte seinen Stab weiter; es war aber so nebelig, daß er kaum einige Schritte vor sich hin sehen konnte; da er nun auf eine große Heide kam, wo viele Wege neben einander her giengen, so folgte er immer demjenigen, welcher ihm am gebahntesten schien. Als sich nun zwischen zehn und eilf Uhr der Nebel vertheilte, und die Sonne durchbrach; so fand er, daß sein Weg gegen Morgen gieng. Er erschrak herzlich, wanderte noch ein wenig fort, bis auf eine Anhöhe, da sah er nun den Flecken wieder nahe vor sich, in welchem er über Nacht geschlafen hatte. Er kehrte wieder um; und da nun der Himmel heiter war, so fand er die große Heerstraße, die ihn binnen einer Stunde auf eine große Höhe führte.

Hier setzte er sich auf einen grünen Rasen, und schaute gegen Südosten. Da sah er nun in der Ferne das alte Geisenberger Schloß, den Giller, den Höchsten Hügel und andere gewohnte Gegenden mehr. Ein tiefer Seufzer stieg ihm in der Brust auf, Thränen flossen ihm die Wangen herunter, er zog seine Tafel heraus und schrieb:

> Noch einmal blickt mein mattes Auge,
>   Nach diesen frohen Bergen hin.
> O! wenn ich die Gefilde schaue,
>   Die jene Himmels-Königinn
> Mir oft mit kühlen Schatten mahlte,
> Und lauter Wonne um mich strahlte;
>
> So fühl ich, wie in süßen Träumen,
>   Die reinste Lüfte um mich wehn,
> Als wenn ich unter Edens Bäumen
>   Seh Vater Adam bey mir stehn,
> Als wenn ich Lebenswasser trünke,
> Am Bach in süße Ohnmacht sünke.
>
> Dann weckt mich ein Gedanke wieder,
>   So wie der stärkste Donnerknall
> Sich wälzt vom hohen Giller nieder,
>   Und Blitze zücken überall,
> Die Hündinn starrt, und fährt zusammen,
> Sie blinzelt in den lichten Flammen.
>
> Dann sinkt mein Geist zur schwarzen Höhle,
>   Schaut über sich und um sich her,
> Dann kommt kein Licht in meine Seele,
>   Dann schimmert mir kein Sternlein mehr,
> Dann ruf ich, daß die Felsen hallen,
> Und tausend Echo wiederschallen.
>
> Doch endlich glänzt ein schwacher Schimmer,
>   Der Menschen-Vater winket mir,

Und seh ich euch, ihr Berge, nimmer,
    So blüht im Segen für und für!
Bis euch der letzte Blick zertrümmert,
Und ihr wie Gold im Ofen schimmert.

Und dann will ich auf euren Höhen,
    Dann, wann ihr einst verneuert seyd,
Umher nach Vater Stilling sehen,
    Mich freuen, wo sich Dorthchen freut,
Dann will ich dort in euren Haynen,
In weißen Kleidern auch erscheinen.

Wohlan! ich wende meine Blicke
    Nach unbekannten Bergen hin,
Und schaue nicht nach euch zurücke,
    Bis daß ich einst vollendet bin.
Erbarmer! leite mich im Segen,
Auf diesen unbekannten Wegen!

Nun stund Stilling auf, trocknete seine Thränen ab, nahm seinen Stab in die Hand, den Reisesack auf den Rücken, und wanderte über die Höhe ins Thal hinunter.

Henrich Stillings
Wanderschaft.

Eine wahrhafte Geschichte.

117 f.

Berlin und Leipzig,
bey George Jacob Decker.
1 7 7 8.

D Chodowiecki

HENRICH STILLINGS
WANDERSCHAFT

Eine wahrhafte Geschichte

So wie Henrich Stilling den Berg hinunter ins Thal ging, und sein Vaterland aus dem Gesicht verlor, so wurde auch sein Herz leichter; er fühlte nun, wie alle Verbindungen und alle Beziehungen, in welchen er bis dahin so ängstlich geseufzet hatte, aufhörten, und deswegen athmete er freye Luft, und war völlig vergnügt.

Das Wetter war unvergleichlich schön; des Mittags trank er in einem Wirthshaus, das einsam am Wege stand, ein Glas Bier, aß ein Butterbrod dazu, und wanderte darauf wieder seine Straße, die ihn durch wüste und öde Oerter, des Abends, nach Sonnen-Untergang, in ein elendes Dörfgen brachte, welches, in einer morastigen Gegend, in einem engen Thal, in den Gesträuchen lag; die Häuser waren elende Hütten, und stunden mehr in der Erden als auf derselben. An diesem Ort war er nicht willens gewesen zu übernachten, sondern zwo Stunden weiter; allein da er sich des Morgens früh irr gegangen hatte, konnte er so weit nicht kommen.

An dem ersten Hause fragte er: ob niemand im Dorfe wohne der Reisende beherberge? Man wies ihm ein Haus, er ging dahinein und fragte: ob er hier übernachten könnte? die Frau sagte: Ja. Er ging in die Stube, setzte sich hin, und legte seinen Reisesack ab. Der Hausvater kam herein, einige kleine Kinder versammelten sich bey den Tisch, und die Frau brachte ein Thranlicht, welches sie, an eine hänfene Schnur, mitten in der Stuben, aufhieng; alles sah so ärmlich, und, die Wahrheit

zu sagen, so verdächtig aus, daß Stilling angst und bang
wurde, und lieber im wilden Wald geschlafen hätte; doch das
war ganz unnöthig, denn er besaß nichts, das Stehlens werth
war. Indessen brachte man ihm ein irdenes Schüsselchen mit
Sauerkraut, ein Stück Speck dabey, und darauf ein Paar gebackene Eyer. Er ließ sichs gut schmecken, und legte sich aufs
Stroh, das man ihm in der Stuben bereitet hatte. Er schlief vor
Mitternacht, mehrentheils aus Angst, nicht viel. Der Wirth
und seine Frau schliefen auch in der Stuben in einem Alkoven.
Gegen zwölf Uhr hörte er die Frau zum Mann sagen: Arnold,
schläfst du? Nein Trine, antwortete er, ich schlafe nicht. Stilling horchte, holte aber mit Fleiß stark Odem, damit sie glauben sollten, er schliefe fest.

Was mag das wohl für ein Mensch seyn? sagte die Frau.
Arnold erwiederte: „Das mag Gott wissen! ich habe den ganzen Abend nachgedacht, er sprach nicht viel; sollte es auch
wohl eine rechte Sache mit dem Menschen seyn?"

Denk doch nicht gleich was arges von den Leuten! versetzte
Trine, er sieht so ehrlich aus, wer weiß, was er all vor Unglück erlebt hat! gewiß er dauert mich; so bald als er zur Thür
herein trat, kam er mir so traurig vor; unser Herr Gott woll
ihm doch als beystehn! ich kann sehen: das er etwas auf dem
Herzen hat.

„Du hast recht, Trine!" antwortete Arnold, „Gott verzeih
mir meinen Argwohn! ich dachte just an den Schulmeister aus
den Salenschen Land, der vor ein paar Jahren hier schlief, der
war just so gekleidet, und wir hörten hernach, daß er ein
Goldmünzer gewesen."

Arnold! sagte Trine, du kannst auch die Leute gar nicht aus
dem Gesicht kennen, der sah so schwarz und so finster aus den
Augen, und durfte einen nicht ansehen, dieser aber sieht so
freundlich und so gut aus, er hat warlich ein gut Gewissen.

„Ja, ja!" schloß Arnold, „wir wollen ihn unserm Herr Gott
befehlen, der soll ihm wohl helfen, wenn er fromm ist."

Nun schliefen die guten Leute wieder; Stilling wurde aber so vergnügt auf seinem Stroh, er fühlte den Stillingschen Geist um sich wehen, und schlief so sanft, bis an den Morgen, als wenn er in Eyderdunen gelegen hätte. So bald er erwachte, war schon sein Wirth und Wirthin am Ankleiden; er sah sie beyde lächelnd an, und wünschte ihnen einen guten Morgen. Sie fragten ihn: wie er geschlafen hätte? er antwortete; nach Mitternacht recht wohl. Ihr waret gestern Abend wohl recht müde, sagte Trine, ihr sahet so traurig aus. Stilling erwiederte: Lieben Freunde! ich war nicht so sehr müde, allein ich hab viel in meinem Leben ausgestanden, und sehe deswegen trauriger aus, als ich bin; dazu muß ich bekennen, ich war bang, ob ich auch bey frommen Leuten wäre. Ja, sagte Arnold, ihr seyd bey Leuten, die Gott fürchten und gern seelig werden wollen; wenn ihr große Schätze bey euch hättet, sie wären bey uns verwahrt. Stilling reichte ihm seine rechte Hand, und sagte mit der zärtlichsten Miene: Gott segne euch! so sind wir einer Meynung. Trine! fuhr Arnold fort, mach uns einen guten Thee, hohl etwas vom besten Milchrahm dazu, da wollen wir drey so zusammen trinken, wir mögten nicht wieder zusammen kommen. Die Frau war hurtig und froh, sie that gern was der Mann sagte. Nun trunken die drey den Thee, und waren alle daheim. Stilling floß über von Freundschaft und Empfindung, es that ihm wehe von den Leutgen wegzugehen, die Augen giengen ihnen allen über als er Abschied nahm. Aufs neue gestärkt wanderte er wieder seinen Weg fort.

Nach fünf Stunden da es gerad Mittag war, kam er in einen schönen Flecken, der in einer angenehmen Gegend lag; er fragte nach einem guten Wirthhause; man wies ihm eins an der Straße, er gieng hinein, trat in die Stube, und forderte etwas zu essen. Hier saß ein alter Mann am Ofen; der Schnitt seiner Kleider zeigte etwas Vornehmes, die eigentliche Beschaffenheit derselben aber, daß er weit von seinem ehemaligen Zustand herunter gekommen seyn mußte; sonst waren zween Jünglinge und ein Mädgen daselbst, deren tiefe Trauerkleider den Verlust eines nahen Anverwandten vermuthen ließen. Das Mädgen besorgte die Küche, sie sahe modest und reinlich aus.

Stilling setzte sich gegen den alten Mann über; sein offenes Gesicht und seine Freundlichkeit erweckte den Greis, das er sich mit ihm in ein Gespräch einließ. Beide wurden bald vertraulich, so daß Stilling seine ganze Geschichte erzelhte. Conrad Brauer (so hieß der Alte) verwunderte sich über ihn, und weissagte ihm viel Gutes. Nun rüstete sich der ehrliche Mann auch, um seine Schicksale zu erzählen; das that er einem jeden, der nur Lust hatte ihm zuzuhören; dieses geschah vor, während und nach dem Mittagessen. Die jungen Leute, welche seines Bruders Kinder waren, mochten das alles wohl hundertmal gehört haben; sie merkten nicht sonderlich auf, doch bekräftigten sie zuweilen etwas, das unglaublich war. Stilling hörte indessen fleißiger zu; denn erzählen war doch ohnhin seine Lieblingssache. Conrad Brauer fieng folgendermaßen an:

„Ich bin der ältste unter dreyen Brüdern; der mittlere ist ein reicher Kaufmann an diesem Ort, und der jüngste war der Vater dieser Kinder, deren Mutter vor einigen Jahren, mein Bruder aber vor wenig Wochen gestorben ist. Ich legte mich in meiner Jugend aufs Wollenweberhandwerk; und da wir von unsern Eltern nichts ererbt hatten, so führte ich meine beyden Brüder mit dazu an, doch der jüngste that eine gute Heurath hier in dieses Haus; er verließ also das Handwerk und wurde ein Wirth. Ich und mein mittelster Brudes setzten unterdessen die Fabrique fort. Ich war glücklich, und kam unter Gottes Seegen in eine gute Handlung, so, daß ich Wohlstand und Reichthum erlangte; ich ließ es meinen mittleren Bruder reichlich geniessen. Ja, Gott weiß, daß ichs gethan habe!

Indessen fieng mein Bruder eine sonderbare Freyerey an.

Hier in der Nähe wohnte eine alte Frauensperson, die wenigstens sechzig Jahr alt, und dabey aus der maßen häßlich war, so, daß man sie auch wegen ihrer übermäßigen Unreinlichkeit, so zu sagen, mit keiner Zange hätte anfassen sollen. Diese alte Jungfer war sehr reich, dabey aber so geizig, daß sie kaum satt Brod und Wasser genoß. Die gemeine Rede gieng: daß sie ihr vieles Geld in einem Sack habe, den sie an einem ganz unbekannten Ort verborgen hätte. Mein Bruder gieng dahin, und suchte das ausgelöschte Feuer dieser Person wiederum anzuzünden, es gelung ihm auch nach Wunsch, sie wurde verliebt in ihm, und er auch in sie, so, daß Trauung und Hochzeit bald vor sich giengen. Mit der Entdeckung des Hausgötzens wollte es aber lange nicht recht fort, doch gerieth es meinem braven Bruder endlich auch, er fand ihn, und brachte ihn mit Freuden in Sicherheit; das kränkte nun die gute Schwägerin, daß sie die Auszehrung bekam, und zu großer Freude meines Bruders starb.

Er hielt ehrlich die Trauerzeit aus, suchte sich aber unter der Hand eine junge, die ungefehr so schwer seyn mochte, als er ganz unschuldiger Weise geworden war; diese nahm er, und nun fieng er an, mit seinem Geld zu wuchern, und zwar auf meine Unkosten; denn er handelte mit wollen Tuch, und so stach er mir alle meine Handlungsfreunde ab, indem er immer die Waaren wohlfeiler umschlug, als ich. Hierüber fieng ich an zurück zu gehen, und meine Sachen verschlimmerten sich von Tag zu Tag. Dieses sah er wohl, er fieng daher an freundlich gegen mich zu seyn, und versprach mir Geld. vorzuschießen, so viel ich nöthig haben würde; ich war so thörigt, ihm zu glauben; endlich, als es ihm Zeit dauchte, nahm er mir alles, was ich auf der Welt hatte; meine Frau kränkte sich zu Tod, und ich leb in Elend, Hunger und Kummer; meinen seligen Bruder hier im Haus, hat er auf eben die Weise aufgefressen."

Ja, das ist wahr! sagten die drey Kinder, und weinten.

Stilling hörte diese Geschichte mit Entsetzen; er sagte: das ist wohl einer von den abscheulichsten Menschen unter der Sonnen, dem wirds in jener Welt sauer eingetränkt werden.

Ja! sagte der alte Brauer, darauf lassens solche Leute ankommen.

Nach dem Essen gieng Stilling an ein Clavier, das an der Wand stund, spielte und sung dazu: Wer nur den lieben Gott läßt walten. Der Alte faltete die Hände, und sung aus vollem Halse mit, so, daß ihm die Thränen über die Wangen herab rollten, desgleichen thaten auch die drey jungen Leute.

Nun bezahlte Stilling was er verzehrt hatte, gab einem jeden die Hand, und nahm Abschied. Alle waren vertraulich mit ihm, und begleiteten ihn vor die Hausthür, wo sie ihm noch einmal alle vier die Hand gaben, und ihn dem Schutz Gottes empfohlen.

Er wanderte also wiederum die Schönenthaler Landstrasse fort, und freute sich von Herzen über all die guten Leute, die er bis dahin angetroffen hatte. Diesen Flecken will ich Holzheim nennen, denn ich werde doch mit meiner Geschichte wieder dahin müssen.

Von hier bis Schönenthal hatte er nur noch fünf Stunden zu reisen; da er sich aber zu Holzheim ziemlich lange aufgehalten hatte, so konnte er des Abends nicht wohl dahin kommen; er blieb also eine starke Stunde diesseits in dem Städtgen Rasenheim über Nacht liegen. Die Leute wobey er herbergte, waren nicht für ihn, und deswegen blieb er auch still und verschlossen.

Des andern Morgens begab er sich auf den Weg nach Schönenthal. Als er auf die Höhe kam, und die unvergleichliche Stadt, mit dem paradisischen Thal überschaute, so freute er sich, setzte sich hin auf den Rasen, und beschaute das alles eine Weile; hiebey stieg ihm der Wunsch so tief aus dem Innersten seiner Seele empor: Ach Gott! möcht ich doch da mein Leben beschließen!

Nun überlegte er erst, was er wohl eigentlich beginnen wollte. Der Abscheu vor dem Schneiderhandwerk verleitete ihn, an eine Condition, bey einem Kaufmann, zu denken; da er nun zu Schönenthal niemand wußte, an den er sich addressiren könnte, so fiel ihm ein, daß Herr Dahlheim in dem Flekken Dornfeld, der Dreyviertelstund ostwärts Schönenthal das Thal hinauf liegt, Prediger sey; alsofort nahm er sich vor, dahin zu gehen, und sich demselben zu entdecken. Er stund auf, gieng langsam den Berg hinunter, um alles wohl besehen zu können, und vollends in die Stadt hinein.

Hier bemerkte er alsofort, was Manufacturen und Handlung einem Ort vor Seegen und Wohlstand zuwenden können; die prächtige Palläste der Kaufleute, die zierliche Häuser der Bürger und Handwerksleute, nebst der überaus großen Reinlichkeit, die sich sogar in den Kleidern der Mägde und geringen Leute äußerte, entzückte ihn ganz, hier gefiel es ihm überaus wohl. Er gieng durch die ganze Stadt, und das Thal hinauf, bis nach Dornfeld. Er fand Herrn Dahlheim zu Haus, erzählte ihm auch kurz und gut seine Umstände, allein der gute Herr Pastor wußte keine Gelegenheit für ihn. Stilling war noch nicht erfahren genug, sonst hätte er leicht denken können, daß man so keinen Menschen von der Strassen in Handlungsdienste aufnimmt; denn Herr Dahlheim, ob er gleich aus dem Salenschen Lande zu Haus war, kannte doch weder Stilling noch seine Familie.

Er reiste also wieder zurück nach Schönenthal, und war halb willens, sich für einen Schneiderburschen anzugeben; doch, als er im Vorbeygehen langs eine Schneiders-Werkstatt gewahr wurde, daß es hier Mode sey mit übereinander geschlagenen Beinen auf dem Tisch zu sitzen, so schreckte ihn dieses wieder ab, denn er hatte noch nie anders als vor dem Tisch auf einem Stuhl gesessen. Indem er nun so für baß in den Gassen auf und abgieng, sah er ein Pferd mit zween Körben auf dem Rücken, und einen ziemlich wohlgekleideten

Mann dabey stehen, und die Körbe fest binden. Da nun dieser Mann so ziemlich aussahe, so fragte ihn Stilling; ob er diesen Abend noch aus der Stadt gienge? Der Mann sagte: Ja! ich bin der Bote von Schauberg, und gehe alsofort dahin ab. Stilling erinnerte sich, daß daselbst der junge Herr Stollbein, des Florenburger Predigers Sohn, Pastor sey, desgleichen, daß sich verschiedene Salensche Schneiderburschen daselbst aufhielten: er beschloß also mit dem Boten dahin zu gehen; dieser ließ es auch gerne geschehen. Schauberg liegt drey Stunden südwestwärts von Schönenthal ab.

Unterwegens suchte Stilling mit dem Boten vertraulich zu werden. Wenn es nun der ehrliche Wandsbecker gewesen wäre, so würden die beyden einen hübschen Discurs gehalten haben; allein das war er nicht. Obgleich der Schauberger unter vielen einer der rechtschaffensten sein mochte, denn er nahm Stillings Reisesack umsonst auf dem Pferd mit, so war er doch kein empfindsamer Bote, sondern nur blos ein guter ehrlicher Mann, welches schon viel ist. So bald als sie zu Schauberg ankamen, begab er sich zum Herrn Pastor Stollbein; dieser hatte nun seinen Großvater wohl gekannt, desgleichen seine seelige Mutter, auch kannte er seinen Vater, denn sie waren Knaben zusammen gewesen.

Stollbein freute sich herzlich über diesen Landsmann; er rieth ihm alsofort, sich ans Handwerk zu geben, damit er an Brod kommen möchte, indessen wollte er Fleiß anwenden, um ihm zu einer anständigen Condition zu verhelfen. Er ließ augenblicklich einen Schneiderburschen zu sich kommen, welchen er fragte: Ob nicht für diesen Fremden eine Gelegenheit in der Stadt sey? O Ja! antwortete jener: er kommt, als wenn er gerufen wär; Meister Nagel ist sehr verlegen um einen Gesellen. Stollbein schickte die Magd mit Stillingen hin, und er wurde mit Freuden auf und angenommen.

Als er nun des Abends zu Bette gieng, so überdachte er seinen Wechsel und die treue Vorsorge des Vaters im Him-

mel. Ohne Vorsatz wohin? war er aus seinem Vaterlande gegangen, die Vorsehung hatte ihn drey Tage gütig geleitet, und
schon des dritten Tages am Abend war er wieder versorgt.
Jetzt leuchtete ihm ein, welch eine große Wahrheit es sey,
was ihm sein Vater so oft gesagt hatte: Ein Handwerk ist ein
theures Geschenk Gottes, und hat einen güldnen Boden. Er
wurde ärgerlich über sich selbst, daß er diesem schönen Beruf
so feind war; er betete herzlich zu Gott, dankte ihm für seine
gnädige Führung, und legte sich schlafen.

Des Morgens früh stund er auf, und setzte sich an die
Werckstatt. Meister Nagel hatte keinen andern Gesellen als
ihn, aber seine Frau seine beyden Töchter, und zween Knaben
halfen alle Kleider machen.

Stillings Behändigkeit, und ungemeine Geschicklichkeit im
Schneider-Handwerk gewann ihm alsofort die Gunst seines
Meisters; seine freundliche Gesprächigkeit und Gutherzigkeit
aber die Liebe und Freundschaft der Frauen und der Kinder.
Er war kaum drey Tage da gewesen, so war er schon zu
Hause; und weilen er weder Vorwürfe noch Verfolgungen zu
befürchten hatte, so war er vor die Zeit so zu sagen vollkom-
men vergnügt.

Den ersten Sonntag Nachmittag verwendete er aufs Briefschreiben, indem er seinem Vater, seinem Oheim und sonsti-
gen guten Freunden seine gegenwärtige Umstände berichtete,
um seine Familie zu beruhigen; denn man kann denken, daß
sie so lange um ihn sorgten, bis sie wußten, daß er am Brod
war. Er erhielt auch bald freundschaftliche Antworten auf
diese Briefe, worin er zur Demuth und Rechtschaffenheit er-
mahnet, und vor aller Gefahr im Umgang mit unsichern Leuten gewarnt wurde.

Indessen wurde er bald in ganz Schauberg bekannt. Des
Sonntags Vormittags, wenn er in die Kirche gieng, so gieng er
nirgend anders als auf die Orgel; und weilen der Organist ein
steinalter und ungeschickter Mann war, so getraute sich Stil-

ling während dem Singen und beym Ausgang aus der Kirche
besser zu spielen; denn ob er gleich das Clavierspielen nie
kunstmäßig, sondern bloß aus eigener Uebung und Nachdenken gelernt hatte, so spielte er doch den Choral ganz richtig nach den Noten, und vollkommen vierstimmig; er ersuchte
deswegen den Organisten, ihn spielen zu lassen; dieser war
von Herzen froh, und ließ ihn immer spielen. Weilen er nun
in den Vor- und Zwischenläufen beständig mit Sexten und
Terzen um sich warf, und gern die sanftesten und rührendsten
Register zog, wodurch das Ohr des gemeinen Mannes, und
derer, die keine Musik verstehen, am mehresten gerühret
wird, und weilen er beym Ausgang aus der Kirche auch immer
ein harmonisches Singestück, das aber allezeit entweder traurig oder zärtlich war, spielte, wobey fast immer die Flöten-
Register mit dem Tremulanten gebraucht wurden: so war alles
aufmerksam auf den sonderbaren Organisten; der mehreste
Haufen stund vor der Kirchen, bis er von der Orgel herunter,
und zur Kirchenthür heraus kam; dann steckten die Leute die
Köpfe zusammen, und fragten sich untereinander: was das
vor ein Mensch seyn möchte? Endlich wards allgemein bekannt, es war des Schneider Nagels sein Geselle.

Wenn jemand zu Meister Nagel kam, besonders Leute von
Condition, Kaufleute, Beamten, oder auch wohl Gelehrte, die
etwas wegen Kleider-Sachen zu bestellen hatten: so ließen sie
sich mit Stillingen, wegen des Orgelsschlagens, in ein Gespräch
ein; da brachte dann ein Wort das andere. Er mischte zu der
Zeit viele lateinische Brocken mit in seine Reden, sonderlich
wenn er mit Leuten umgieng, von denen er vermuthete, daß
sie Latein verstünden; das setzte dann alle in Erstaunen, nicht
daß er eben ein Wunder von Gelehrsamkeit gewesen wäre,
sondern weilen er da saß und nähte, und doch so sprach, welches in einer Person vereinigt, besonders in Schauberg, etwas
unerhörtes war. Alle Menschen, Vornehme und Geringe, kamen und liebten ihn, und dieses war eigentlich Stillings Ele-

ment; wo man ihn nicht kannte, war er still, und wo man ihn nicht liebte, traurig. Meister Nagel und alle seine Leute ehrten ihn dergestalt, daß er mehr Herr als Geselle im Hause war.

Die vergnügtesten Stunden hatten sie alle zusammen des Sonntags Nachmittags; dann giengen sie oben ins Haus auf eine schöne Kammer, deren Aussicht ganz herrlich war; hier las ihnen Stilling aus einem Buch vor, daß die Frau Nagels geerbt hatte; es war ein alter Foliant mit vielen Holzschnitten, das Titelblatt war verloren; es handelte von den Niederländschen Geschichten und Kriegen, unter der Stadthalterschaft der Herzogin von Parma, des Herzogs von Alba, des großen Commeters u. s. w., nebst den wunderbaren Schicksalen des Prinzen Morizens von Nassau; hiebey verhielt sich nun Stilling wie ein Professor, der Lehrstunden hält; er erklärte, er erzählte ein und anderes dazwischen, und seine Zuhörer waren ganz Ohr. Erzählen ist immer so seine Sache gewesen, und Uebung macht endlich den Meister.

Gegen Abend gieng er alsdenn mit seinem Meister, oder vielmehr mit seinem Freund Nagel um die Stadt spazieren; und weilen dieselbe auf einer Höhe, kaum fünf Stunden vom Rhein abliegt, so war dieser Spaziergang wegen der herrlichen Aussicht unvergleichlich. Westwärts sah man eine große Strekke hin, diesen prächtigen Strom im Schimmer der Abendsonne, majestätisch auf die Niederlande zu eilen: rund umher lagen tausend buschigte Hügel, wo überall entweder blühende Bauerhöfe, oder prächtige Kaufmannspalläste zwischen den grünen Bäumen hervorguckten; dann waren Nagels und Stillings Gespräche herzlich und vertraulich, sie ergossen sich in einander, und Stilling gieng eben so vergnügt schlafen, als er auch ehmahlen zu Zellberg gethan hatte.

Herr Pastor Stollbein hatte seine herzliche Freude daran, daß sein Landsmann Stilling so allgemein beliebt war, und er machte ihm Hofnung, daß er ihn mit der Zeit würde anständig versorgen können.

So angenehm verflossen dreyzehn Wochen, und ich kann sagen: daß Stilling während der Zeit sich weder seines Handwerks schämte, noch sonsten großes Verlangen trug, davon abzukommen. Um das Ende dieser Zeit, etwa mitten im Julius, gieng er an einem Sonntag Nachmittag durch eine Gasse der Stadt Schauberg; die Sonne schien angenehm, und der Himmel war hier und da mit einzelnen Wolken bedeckt; er hatte weder tiefe Betrachtungen, noch sonst etwas sonderliches in den Gedanken; von ohngefähr blickte er in die Höhe und sah eine lichte Wolke über seinem Haupte hinziehen; mit diesem Anblick durchdrung eine unbekannte Kraft seine Seele, ihm wurde so innig wohl, er zitterte am ganzen Leibe, und konnte sich kaum enthalten, daß er nicht darnieder sunk; von dem Augenblick an fühlte er eine unüberwindliche Neigung, ganz für die Ehre Gottes, und das Wohl seiner Mitmenschen zu leben und zu sterben; seine Liebe zum Vater der Menschen, und zum göttlichen Erlöser, desgleichen zu allen Menschen, war in dem Augenblick so groß, daß er willig sein Leben aufgeopfert hätte, wenn's nöthig gewesen wäre. Dabey fühlte er einen unwiderstehlichen Trieb, über seine Gedanken, Worte und Werke zu wachen, damit sie alle Gottgeziemend, angenehm, und nützlich seyn möchten. Auf der Stelle machte er einen vesten und unwiderruflichen Bund mit Gott, sich hinführo lediglich Seiner Führung zu überlassen, und keine eitle Wünsche mehr zu hegen, sondern wenn es Gott gefallen würde, daß er Lebenslang ein Handwerksmann bleiben sollte, willig und mit Freuden damit zufrieden zu seyn.

Er kehrte alsofort um, gieng nach Haus, und sagte niemand von diesem Vorfall etwas, sondern er blieb wie er vorhin war, nur daß er weniger und behutsamer redete, welches ihn noch beliebter machte.

Diese Geschichte ist eine gewisse Wahrheit. Ich überlasse Schöngeistern, Philosophen und Psychologen, daraus zu machen, was ihnen beliebt; ich weiß wohl, was es ist, das den Menschen umkehrt, und so ganz verändert.

Diesen Sonntag, als obiges geschah, über drey Wochen gieng Stilling des Nachmittags in die Kirche, nach derselben fiel ihm vor der Kirchthür ein, den Stadtschulmeister einmal zu besuchen; er verwunderte sich selbst, daß er das nicht eher gethan hatte, er gieng also stehendes Fußes zu ihm hin; dieser war ein ansehnlicher braver Mann, er kannte Stillingen schon, und freute, sich denselben bey sich zu sehen; sie tranken Thee zusammen, und rauchten eine Pfeife Taback dazu. Endlich fieng der Schulmeister an, und fragte: Ob er nicht Lust hätte, eine schöne Condition anzutreten? Flugs war seine Lust dazu wieder so groß, als sie jemahlen gewesen. O Ja! antwortete er, das wünscht ich wohl von Herzen. Der Schulmeister fuhr fort: Sie kommen just als wenn Sie gerufen wären; heut hab ich einen Brief von einem vornehmen Kaufmann erhalten, der eine halbe Stunde jenseits Holzheim wohnt; er ersucht mich in demselben, ihm einen guten Haus-Informator zuzuweisen; ich hab an Sie nicht gedacht, bis Sie eben hereinkommen; nun fällt mir ein, daß Sie wohl der Mann dazu wären; wenn Sie nun nur die Stelle annehmen wollen, so ist gar kein Zweifel mehr, Sie werden sie erhalten. Stilling jauchzte innerlich vor Freuden, und glaubte vest, jetzt sey nun endlich einmal die Stunde seiner Erlösung gekommen; er sagte also: daß es von je her sein Zweck gewesen, mit seinen wenigen Talenten Gott und dem Nächsten zu dienen, und er ergreife diese Gelegenheit mit beyden Händen, weilen sie eine Beförderung seines Glücks seyn könne. Davon ist wohl kein Zweifel, versetzte der Schulmeister; es kommt nur auf Ihre Aufführung an, so können Sie mit der Zeit freylich glücklich, und befördert werden; nächsten Posttag will ich dem Herrn Hochberg schreiben, so werden Sie bald abgeholt werden.

Nach einigen Gesprächen gieng Stilling wieder nach Haus. Er erzählte alsofort diesen Vorfall Herrn Stollbein, desglei-

chen auch dem Meister Nagel und seinen Leuten. Der Herr
Pastor war froh, Meister Nagel und die Seinigen aber trauerten, sie wendeten alle Beredsamkeit an, um ihn bey sich zu behalten, allein das war vergebens, das Handwerk stunk ihm
an, Zeit und Weil wurd ihm lang, bis er an seinen bestimmten
Ort kam; doch fühlte er jetzt etwas in seinem Innern, das
diesem Beruf beständig widersprach; dies unbekannte Etwas
überzeugte ihn in seinem Gemüth, daß diese Neigung wiederum aus dem alten verderbten Grund herrühre; dieses neue
Gewissen, wenn ich so reden darf, war erst seit dem gemeldeten Sonntag in ihm aufgewacht, da er eine so gewaltige Veränderung bey sich verspürt hatte. Diese Ueberzeugung
kränkte ihn, er fühlte wohl, daß sie wahr war, allein seine
Neigung war allzu stark, er konnte ihr nicht widerstehen;
dazu fand sich eine Art von Schlange bey ihm ein, welche sich
durch die Vernunft zu helfen suchte, indem sie ihm vorstellte:
Ja sollte Gott das wohl haben wollen, daß du da ewig an der
Nähnadel sitzen bleiben sollst, und deine Talente vergräbst?
Keineswegs! du must bey der ersten Gelegenheit damit wuchern, laß dich das nicht weiß machen, es ist bloß eine hypochondrische Grille; alsdenn warf das Gewissen wieder ein:
Wie oft hast du aber mit deinen Talenten in der Unterweisung der Jugend wuchern wollen, und wie ists dir dabey gegangen? — Die Schlange wußte dagegen einzuwenden: das
seyen lauter Läuterungen gewesen, die ihn zu einem wichtigern Geschäfte hätten tüchtig machen sollen. Nun glaubte
Stilling der Schlangen, und das Gewissen schwieg.

Schon den folgenden Sonntag kam ein Bote von Herrn
Hochberg, der Stilling abhohlte. Alle weinten bey seinem Abschied, er aber gieng mit Freuden. Als sie nach Holzheim kamen, so giengen sie zu dem alten Brauer, der Stillingen bey
seiner Durchreise seine Geschichte erzählt hatte; er erzählte
dem ehrlichen Alten sein neues Glück, dieser freute sich, wie es
schien, nicht so sonderlich darüber, doch sagte er: das ist schon

für Sie ein hübscher Anfang. Stilling aber dachte dabey: der
Mann kann seine Ursachen haben, daß er so spricht.

Nun giengen sie noch eine halbe Stunde weiter, und kamen
an Hochbergs Haus an. Dieses lag in einem kleinen angenehmen Thal an einem schönen Bach, nicht weit von der Landstraße, die Stilling gekommen war. Als sie ins Haus traten, so
kam die Frau Hochberg aus der Stube heraus. Sie war prächtig gekleidet, und eine Dame von ungemeiner Schönheit; sie
grüßte Stillingen freundlich, und hieß ihn in die Stube gehen;
er gieng hinein, und fand ein herrlich meublirtes und schön
tapezirtes Zimmer; zween wackere junge Knaben kamen
herein, nebst einem artigen Mädchen; die Knaben waren in
rothe scharlachene Kleider auf Husaren-Manier gekleidet, das
Mädchen aber völlig im Ton einer jungen Prinzeßin. Die guten Kinder kamen, um dem neuen Lehrmeister ihre Aufwartung zu machen, sie bückten sich nach der Kunst, und traten
herzu, um ihm die Hand zu küssen. Das war Stillingen nun in
seinem Leben noch nicht wiederfahren, er wußte sich gar nicht
darein zu schicken, noch was er sagen sollte; sie ergriffen seine
Hand; da er ihnen nun die hohle Hand hinhielt, so mußten
sie sich plagen, dieselbe herum zu drehen, um mit dem kleinen Mäulchen oben auf die Hand zu kommen. Nun merkte
Stilling, wie man sich bey der Gelegenheit anstellen müsse.
Die Kinder aber hüpften wieder fort, und waren froh, daß
sie ihre Sache vollendet hatten.

Herr Hochberg und sein alter Schwiegervater waren in die
Kirche gegangen. Die Frau aber war in der Küche, um ein und
anderes zu veranstalten, also befand sich Stilling allein in der
Stube; er merkte sehr wohl, was hier zu thun war, und daß
ihm zwey wesentliche Stücke fehlten, um Hochbergs Hauslehrer zu seyn. Er verstund die Complimentir-Kunst gar
nicht; ob er gleich nicht in dummer Grobheit erzogen war, so
hatte er sich doch noch in seinem Leben nicht gebückt, alles
war bis dahin Gruß und Händedruck gewesen. Die Sprache

war sein vaterländischer Dialect, worinnen er, aufs höchste genommen, jemand mit dem Wörtchen Sie beehren konnte. Und vors zweyte: seine Kleider waren nicht modisch, und dazu nicht einmahl gut, sondern schlecht und abgetragen; er hatte zwar bey Meister Nagel acht Gulden verdient; allein, was war das in so großem Mangel? — Er hatte vor zween Gulden neue Schuh, vor zween einen Hut, vor zween ein Hemd angeschaft, und zween Gulden hatte er also noch in der Tasche. Alle diese Anlagen aber waren noch kaum an ihm zu sehen; er fühlte alsofort, daß er sich täglich würde schämen müssen, doch hatte er auch durch Aufmerksamkeit täglich mehr und mehr Lebensart zu lernen, und durch seinen treuen Fleiß, Geschicklichkeit, und gute Aufführung seine Herrschaft zu gewinnen, so daß man ihm vor und nach aus seiner Noth helfen würde.

Herr Hochberg kam nun endlich auch herein, denn es war Mittag; dieser vereinigte nun alles, was nur Würde und kaufmännisches Ansehn genennt werden mag, in Einer Person. Er war ein ansehnlicher Mann, lang und etwas corpulent, er hatte ein apfelrundes ganz brunettes Gesicht, mit großen pechschwarzen Augen, und etwas dicken Lippen, und wenn er redete, so sah man allezeit zwo Reihen Zähne wie Alabaster; sein Gehen und Stehen war vollkommen spanisch, doch muß ich auch dabey gestehen, daß nichts affectirtes dabey war, sondern es war ihm alles so ganz natürlich. So wie er herein trat, schaute er Stillingen ebenso an, wie große Fürsten gewohnt sind, jemand anzuschauen. Stillingen drung dieser Blick durch Mark und Bein, vielleicht eben so stark, als derjenige that, den er neun Jahr hernach vor einem der grösten Fürsten Teutschlands empfand. Allein seine Weltkenntniß mogte sich auch wohl zu der Zeit gegen die letztere verhalten, wie Hochberg gegen diesen vortreflichen Fürsten.

Nach diesem Blick nickte Herr Hochberg Stillingen an, und sprach:

Serviteur Monsieur!

Stilling war kurz resolvirt, bückte sich so gut er konnte und sagte:

„Ihr Diener, Herr Principal!"

Doch daß ich die Wahrheit gestehe, auf dieses Compliment hatte er auch eine Stunde her studiret; da er aber nicht voraus wissen konnte, was Hochberg weiter sagen würde, so war es nun auch geschehen, und seine Geschicklichkeit hatte ein Ende. Ein paarmahl gieng Hochberg die Stube auf und ab; nun sah er wieder Stilling an, und sagte:

Sind Sie resolvirt als Präceptor bey mir zu *serviren?*

„Ja."

Verstehn Sie auch Sprachen?

„Die lateinische so ziemlich."

Bon Monsieur! Sie brauchen sie zwar noch nicht, doch ist Ihre *Connoissance* das Wesentliche in der Orthographie. Verstehen Sie das Rechnen auch?

„Ich habe mich in der Geometrie geübt, und dazu wird das Rechnen erfordert, auch hab ich mich in der Sonnuhrkunst und Mathematik etwas umgesehen."

Eh bien, das ist artig! das *convenirt* mir; ich geb Ihnen nebst freyen Tisch fünf und zwanzig Gulden im Jahr.

Stilling ließ sich das gefallen, wiewohl es ihm etwas zu wenig dauchte, deswegen sagte er:

„Ich bin zufrieden mit dem was Sie mir zulegen werden, und ich hoffe: Sie werden mir geben was ich verdiene."

Oui! Ihre *Conduite* wird *determiniren,* wie ich mich da zu verhalten habe.

Nun gieng man an Tafel. Auch hier sah Stilling, wie viel er noch zu lernen hatte, eh er einmahl Speiß und Trank nach der Mode in seinen Leib bringen konnte. Bey aller dieser Beschwerlichkeit spürte er eine heimliche Freude bey sich selbst, daß er doch nun endlich einmal aus dem Staube heraus, und in den Zirkel vornehmer Leute kam, wornach er so lange verlangt hatte. Alles was er sah, das zum Wohlstand und guten Sitten gehörte, das beobachtete er aufs genaueste, sogar übte er sich in geschickten Verbeugungen, wenn er allein auf seiner Kammer war, und ihn niemand sehen konnte. Er sahe diese Condition als eine Schule an, worinnen er Anstand und Lebensart lernen wollte.

Des andern Tags fieng er mit den beyden Knaben und dem Mädchen die Information an; er hatte alle seine Freude an den Kindern, sie waren wohl erzogen, und besonders sehr zärtlich gegen ihren Lehrer, und dieses versüßte alle Mühe. Nach einigen Tagen zog Herr Hochberg in die Messe. Dieser Abschied that Stillingen sehr leid; denn er allein war der Mann, der mit ihm sprechen konnte; die andern redeten immer von solchen Sachen, die ihm ganz gleichgültig waren.

So verflossen einige Wochen ganz vergnügt, ohne daß Stilling etwas zu wünschen hatte, außer daß er doch endlich einmal bessere Kleider bekommen möchte. Er schrieb diese Veränderung an seinen Vater, und erhielt fröliche Antwort.

Herr Hochberg kam um Michaelis wieder. Stilling freuete sich bey seiner Ankunft, allein diese Freude dauerte nicht lange, alles veränderte sich vor und nach in eine betrübte Lage für ihn. Herr und Frau Hochberg hatten geglaubt, daß ihr Informator noch Kleider zu Schauberg habe. Da sie nun endlich sahen, daß er würklich alles mitgebracht hatte, so fingen sie an, schlecht von ihm zu denken, und ihm nicht zu trauen; man verschloß alles vor ihm, war zurückhaltend, und oft merkte er aus ihren Reden, daß man ihn für einen Vagabunden hielte. Nun war alles in der Welt Stillingen eher möglich, als jemand nur eines Hellers werth zu entwenden, und deswegen war ihm dieser Umstand ganz unerträglich. Es ist auch gar nicht zu begreifen, woher doch die guten Leute auf einen so fatalen Einfall geriethen. Es ist indessen am aller wahrscheinlichsten, daß jemand unter dem Gesinde untreu war, der diesen Verdacht hinter seinem Rücken auf ihn zu schieben suchte; und was noch das Schlimmste war, sie ließen ihn nichts deutliches merken, daher man ihm auch alle Gelegenheit abgeschnitten, sich zu vertheidigen.

Vor und nach machte man ihm sein Amt schwerer. So bald er des Morgens aufstund, gieng er herunter in die Stube; man trank sodann Caffee, um sieben Uhr war das geschehen, und sofort mußte er mit den Kindern in die Schule, welche aus einem Kämmerchen bestund, das vier Fuß breit und zehn Fuß lang war; da kam er nun nicht heraus, bis man zwischen zwölf und zwo Uhr zum Mittagessen rief, und alsofort nach dem Essen gieng er wieder hinein bis um vier Uhr, da man Thee trank; gleich nach dem Thee hieß es wieder: Nun Kinder in die Schule! und dann kam er vor neun Uhr nicht wie-

der heraus, dann speiste man zu Nacht, und gieng darauf
schlafen.

Auf diese Weise hatte er keinen Augenblick für sich, als nur
bloß den Sonntag, und diesen brachte er auch traurig zu, weil
er wegen Kleidermangel nicht mehr vor die Thür, geschweige
zur Kirchen gehen konnte. Wär er nun zu Schauberg geblieben, so würde ihn Meister Nagel vor und nach gnugsam versorgt haben, denn er hatte schon wirklich von weitem Anstalten dazu gemacht.

Nun war würklich ein dreyköpfigter Höllenhund auf den
armen Stilling losgelassen. Aeusserste Bettelarmuth, eine immerfort dauernde Einkerkerung oder Gefangenschaft, und
drittens ein unerträgliches Mistrauen, und daher entstandene
äusserste Verachtung seiner Person.

Gegen Martini fieng sein ganzes Gefühl an zu erwachen,
seine Augen giengen auf, und er sah die schwärzeste Melancholie wie eine ganze Hölle auf ihn rücken. Er rief zu Gott,
daß es von einem Pol zum andern hätte erschallen mögen,
aber da war keine Empfindung noch Trost mehr, er konnte
sogar an Gott nicht einmahl denken, so daß das Herz Theil
daran hatte; und diese erschreckliche Qual hatte er nie dem
Namen nach gekannt, vielweniger jemahlen das mindeste davon empfunden; dazu hatte er rund um sich her keine einzige
treue Seele welcher er seinen Zustand entdecken konnte, und
einen solchen Freund aufzusuchen, dazu hatte er nicht Kleider
genug; sie waren zerrissen,und die Zeit mangelte ihm sogar
dieselben auszubessern.

Gleich anfangs glaubte er schon nicht, daß ers in diesem
Zustand lange aushalten würde, und doch wurde es von Tag
zu Tag schlimmer; seine Herrschaft und alle andre Menschen
kehrten sich gar nicht an ihn, so als wenn er nicht in der Welt
gewesen wäre, ob sie schon mit seiner Information wohl zufrieden waren.

So wie Weyhnachten heranrückte, so nahm auch sein erschrecklicher Zustand zu. Den ganzen Tag über war er ganz starr und verschlossen, wenn er aber des Abends um zehn Uhr auf seine Schlafkammer kam, so fiengen seine Thränen an los zu werden; er zitterte und zagte, wie ein Uebelthäter der in dem Augenblick geradebrecht werden soll, und wenn er vollends ins Bett kam, so runge er dergestalt mit seiner Höllenqual, daß das ganze Bett und sogar die Fensterscheiben zitterten, bis er einschlief. Es war noch ein großes Glück für ihn daß er schlafen konnte, aber wenn er des Morgens erwachte, und die Sonne auf sein Bett schien, so erschrack er, und war wieder starr und kalt; die schöne Sonne kam ihm nicht anders vor als Gottes Zorn-Auge, das wie eine flammende Welt Blitz und Donner auf ihn herab zu stürzen drohte. Den ganzen Tag über schien ihm der Himmel roth zu seyn, und er fuhr zusammen vor dem Anblick eines jeden lebendigen Menschen, als ob er ein Gespenst wäre; hingegen in einer finstern Gruft zwischen Leichen und Schreckbildern zu wachen, das wär ihm eine Freude und Erquickung gewesen.

Zwischen den Feyertagen fand er endlich einmahl Zeit seine Kleider durch und durch auszubessern, seinen Rock kehrte er um, und machte alles so gut als er konnte zurecht. Die Armuth lehrt erfinden, er bedeckte seine Mängel, so daß er doch wenigstens ein paar mahl, ohne sich zu schämen, nach Holzheim in die Kirche gehen durfte; er war aber so blaß und so hager geworden, daß er die Zähne mit den Lippen nicht mehr bedecken konnte, seine Gesichtslineamente waren vor Gram schrecklich verzerrt, die Augbraunen waren hoch in die Höhe gestiegen, und seine Stirn voller Runzeln, die Augen lagen wild, tief und finster im Haupt, die Oberlippe hatte sich mit den Nasenflügeln empor gezogen, und die Winkel des Munds sunken mit den häutigen Wangen herab; ein jeder der ihn sah, betrachtete ihn starr, und blickte blöd von ihm ab.

Des Sonntags nach Neujahr gieng er in die Kirche. Unter allen war keiner der ihn ansprach, als nur allein der Herr

Pastor Brück, dieser hatte ihn von der Canzel beobachtet, und so wie die Kirche aus war, eilte der edle Mann heraus, suchte ihn unter den Leuten, die da vor der Thür stunden, auf, grif ihn am Arm und sagte: Gehen sie mit mir, Herr Präceptor! Sie sollen mit mir speisen, und diesen Nachmittag bey mir bleiben. Es läßt sich nicht aussprechen, welche Wirkung diese leutseelige Worte auf sein Gemüth hatten, er konnte sich kaum enthalten laut zu weinen, und zu heulen; die Thränen floßen ihm stromweise die Wangen herunter, er konnte dem Prediger nichts antworten, und dieser fragte ihn auch weiter nichts, sprach auch nichts mit ihm, sondern führte ihn nur fort in sein Haus; die Frau Pastorin und die Kinder entsetzten sich vor ihm, und bedauerten ihn von Herzen.

So bald sich nun Herr Brück ausgezogen hatte, setzte man sich zu Tisch. Alsofort fieng der Pastor an von seinem Zustand zu reden, und zwar mit solcher Kraft und Nachdruck, daß Stilling nichts that als laut weinen, und alle, die mit zu Tisch sassen weinten mit. Dieser vortrefliche Mann las in seiner Seelen was ihm fehlte; er behauptete mit Nachdruck: daß alle seine Leiden, die er von jeher gehabt habe, lauter Läuterungsfeuer gewesen seyn, wodurch ihn die ewige Liebe von seinen Unarten fegen, und ihn zu etwas sonderbarem geschickt machen wolle; auch gegenwärtiger schwerer Zustand sey um dieser Ursach willen über ihn gekommen, und werde nicht lange mehr dauern, so würde ihn der Herr gnädig erlösen; und was dergleichen Tröstungen mehr waren, die die brennende Seele des guten Stillings wie ein kühler Thau erquickten. Allein dieser Trost war von kurzer Dauer, er mußte am Abend doch wieder in seinen Kerker, und nun war der Schmerz auf diese Erquickung wiederum so viel unleidlicher.

Diese erschreckliche Leiden dauerten von Martini bis den 12ten April 1763, und also neunzehn bis zwanzig Wochen. Dieser Tag war also der frohe Zeitpunkt seiner Erlösung. Des Morgens früh stund er noch mit eben den schweren Leiden auf, mit denen er sich schlafen gelegt hatte; er gieng wie gewöhnlich herunter an den Tisch, trank Caffee, und darauf in die Schule; um neun Uhr als er in seinem Kerker am Tisch saß, und ganz in sich selbst gekehrt das Feuer seiner Leiden aushielt, fühlte er plötzlich eine gänzliche Veränderung seines Zustands, alle seine Schwermuth und Schmerzen waren gänzlich weg, er empfand eine solche Wonne und tiefen Frieden in seiner Seelen, daß er vor Freude und Seeligkeit nicht zu bleiben wußte. Er besann sich und wurde gewahr, daß er willens war weg zu gehen; dazu hatte er sich entschlossen ohne es zu wissen; so in demselbigen Augenblick stund er auf, gieng hinauf auf seine Schlafkammer, und dachte nach; wie viel Thränen der Freude und der Dankbarkeit daselbst geflossen sind, können nur diejenigen begreifen, die sich mit ihm in ähnlichen Umständen befunden haben.

Hier packte er nun seine paar Lumpen die, er noch hatte zusammen, band seinen Hut mit hinein, den Stab aber ließ er zurück. Diesen Bündel warf er durch ein Fenster hinter dem Hause in den Hof, gieng darauf wieder herunter, und spazirte ganz gleichgültig zur Pforte hinaus, gieng hinter das Haus, nahm den Pack, und wanderte so geschwind als er konnte das Feld hinauf, und eine ziemliche Strecke in den Busch hinein; hier zog er seinen abgeschabten Rock an, setzte den Hut auf, that seinen alten siamoisenen Kittel, den er des Werkeltags getragen hatte, in den Bündel, schnitte einen Stecken ab, worauf er sich stützte, und wanderte nordtwärts durch Berg und Thal fort, ohne einen Weg zu haben. Jetzt war zwar sein Gemüth ganz ruhig, er schmeckte die süße Freyheit in all ihrer Fülle; allein er war doch so betäubt und fast sinnlos, so daß er an seinen Zustand gar nicht dachte, und keine Ueberlegung hatte. Als er eine Stunde durch wüste Oerter fortgewandelt war, so gerieth er auf eine Landstraße, und hier sah er ohngefehr eine Stunde vor sich hin auf der Höhe, ein Städchen liegen, wohin diese Strasse führte; er folgte der-

selben ohne einen Willen zu haben warum, und gegen eilf Uhr
kam er vor dem Thor an. Er fragte daselbst nach dem Namen
der Stadt, und er vernahm, daß es Waldstätt war, wovon er
zuweilen hatte reden hören. Nun gieng er zu einem Thor
hinein, gerad durch die Stadt durch, und zum andern wieder
heraus. Daselbst traf er nun zwo Strassen, welche ihm beyde
gleich stark gebahnt schienen, er erwählte eine von beyden,
und gieng oder lief vielmehr dieselbe fort. Nach einer kleinen
halben Stunde gerieth er in einen Wald, die Straße verlohr
sich, und nun fand er keinen Weg mehr; er setzte sich nieder,
denn er hatte sich müde gelaufen. Jetzt kam seine völlige
Kraft zu denken wieder, er besann sich, und hatte keinen einzigen Heller Geld bey sich, denn er hatte noch wenig oder gar
keinen Lohn von Hochberg gefordert; doch war er hungrig.
Er war in einer Einöde, und wußte weit und breit um sich her
keinen Menschen der ihn kannte.

Jetzt fieng er an und sagte bey sich selber: „Nun bin ich
denn doch endlich auf den höchsten Gipfel der Verlassung
gestiegen, es ist jetzt nichts mehr übrig, als betteln oder sterben; — das ist der erste Mittag in meinem Leben, an welchem
ich keinen Tisch für mich weiß! ja, die Stunde ist gekommen,
da das große Wort des Erlösers für mich auf der höchsten
Probe steht! Auch ein Haar von eurem Haupt soll nicht um-
kommen. — Ist das wahr, so muß mir schleunige Hülfe geschehen, denn ich habe bis auf diesen Augenblick auf ihn getraut und seinem Worte geglaubt; — ich gehöre mit zu den
Augen die auf den Herrn warten, daß er ihnen zur rechten
Zeit Speise gebe und sie mit Wohlgefallen sättige; bin ich doch
so gut sein Geschöpf, wie jeder Vogel, der da in den Bäumen
singt, und jedesmahl seine Nahrung findet, wenns ihm Noth
thut." Stillings Herz war bey diesen Worten so beschaffen, als
das Herz eines Kindes, wenn es durch strenge Zucht endlich
wie Wachs zerfleußt, der Vater sich wegwendet und seine
Thränen verbirgt. Gott! was das Augenblicke sind, wenn man

sieht, wie dem Vater der Menschen seine Eingeweide brausen; und er sich vor Mitleiden nicht länger halten kann! —

Indem er so dachte, ward es ihm plötzlich wohl im Gemüthe, und es war als wenn ihm jemand zuspräche: Geh in die Stadt, und such einen Meister! Im Augenblick kehrte er um, und indem er in eine seiner Taschen fühlte, so wurde er gewahr, daß er seine Scheere und Fingerhut bey sich hatte, ohne daß ers wußte. Er kam also wieder zurück, und gieng zum Thor hinein. Er fand einen Bürger vor seiner Hausthür stehen, diesen grüßte er und fragte: wo der beste Schneidermeister in der Stadt wohne? Dieser Mann rief ein Kind, und sagte ihm: da führe diesen Menschen bey den Meister Isaac! Das Kind lief vor Stilling her, und führte ihn in einen abgelegenen Winkel an ein kleines Häuschen, und gieng darauf wieder zurück; er trat da hinein, und kam in die Stube. Hier stund eine blasse, magere, dabey aber artige und reinliche Frau, und deckte den Tisch, um mit ihren Kindern zu Mittag zu essen. Stilling grüßte sie und fragte: Ob er hier Arbeit haben könnte? Die Frau sah ihn an, und betrachtete ihn von Haupt bis zu Fuß. Ja! sagte sie sittsam und freundlich: mein Mann ist verlegen um einen Gesellen; wo seyd Ihr her? Stilling antwortete: aus dem Salenschen Lande! Die Frau heiterte sich ganz auf, und sagte: da ist mein Mann auch her, ich will ihm rufen lassen. Er war mit einem Gesellen und Lehrburschen in einem Haus in der Stadt in Arbeit; sie schickte eines von den Kindern und ließ ihm rufen. In ein paar Minuten kam Meister Isaac zur Thür herein; seine Frau sagte ihm, was sie wußte, und er fragte ferner was er gern wissen wollte; der Meister nahm ihn willig an. Nun nöthigte ihn die Frau an den Tisch; und so war schon seine Speise bereitet gewesen, als er noch im Wald irre gieng, und nachdachte: Ob ihm auch Gott diesen Mittag die nöthige Nahrung bescheren würde.

Meister Isaac blieb da, und speiste mit. Nach dem Essen nahm er ihn mit in die Arbeit, bey einen Schöffen der sich

Schauerhof schrieb; dieser war ein Brodbäcker, dabey ein hagerer langer Mann. So wie sich Meister Isaac und sein neuer Geselle gesetzt hatten, und anfiengen zu arbeiten, kam auch der Schöffe mit seiner langen Pfeiffe, setzte sich bey die Schneider, und fieng mit Meister Isaac an zu reden, wo sie vorhin vermuthlich aufgehört hatten.

Ja! sagte der Schöffe: ich stelle mir den Geist Christi als eine allenthalben gegenwärtige Kraft vor, die überall in den Herzen der Menschen wirkt, um eine jede Seele in seine eigene Natur zu verwandeln; je ferner nun jemand von Gott ist, je fremder ist ihm dieser Geist. Was denkst du davon, Bruder Isaac?

Ich stelle mir die Sache ungefehr eben so vor, versetzte der Meister: es ist hauptsächlich um den Willen des Menschen zu thun, der Wille macht ihn fähig —

Nun konnte sich Stilling nicht mehr halten; er fühlte, daß er bey frommen Leuten war, er fieng ganz unvermuthet hinter dem Tisch an, laut zu weinen und zu rufen: O Gott, ich bin zu Haus! ich bin zu Haus! Alle Anwesende erstarrten, und entsetzten sich; sie wußten nicht, was ihm wiederfuhr. Meister Isaac sahe ihn an, und fragte: wie ists Stilling? (er hatte ihm seinen Namen gesagt) Stilling antwortete: ich hab lange diese Sprache nicht gehört; und da ich nun sehe, daß Sie Leute sind, die Gott lieben, so weiß ich mich vor Freude nicht zu lassen. Meister Isaac fuhr fort: seyd Ihr dann auch ein Freund vom Christenthum, und von wahren Gottseeligkeit?

O Ja! versetzte Stilling: von Herzen!

Der Schöffe lachte vor Freuden, und sagte: da haben wir also einen Bruder mehr. Meister Isaac und Schöffe Schauerhof reichten und schüttelten ihm die Hand, und waren sehr froh. Des Abends nach dem Essen gieng der Geselle und der Lehrjunge nach Haus, der Schöffe aber, Isaac und Stilling blieben noch lange beysammen, rauchten Toback, tranken Bier dazu, und redeten auf eine erbauliche Weise vom Christenthum. Henrich Stilling lebte nun wieder vergnügt zu Waldstätt; auf so viele Leiden und Gefangenschaft schmeckte nun der Friede und die Freyheit so viel süsser. Er hatte von all seiner Drangsal seinem Vater nicht ein Wort geschrieben, um ihn nicht zu betrüben; jetzt aber, da er von Hochberg ab und wieder bey dem Handwerk war, so schrieb er ihm vieles, aber nicht alles. Die Antwort, welche er darauf erhielt, war wiederum eine Bekräftigung, daß er zur Unterweisung der Jugend nicht geschaffen wäre.

Als Stilling nun einige Tage bey Meister Isaac gewesen war, so fieng letzterer einsmahls, über der Arbeit, mit ihm an, von seinen Kleidern zu sprechen; der andere Geselle und der Lehrbursche waren nicht gegenwärtig; er erkundigte sich genau nach allem, was er hatte. Als Isaac das alles hörte, stund er alsofort auf, und hohlte ihm schönes violettes Tuch zum Rock, einen schönen neuen Hut, schwarzes Tuch zur Weste, Zeug zum Unterwämschen, und zu Hosen, ein paar guter feiner Strümpfe, desgleichen mußte ihm der Schuhmacher Schuhe anmessen, und seine Frau machte ihm sechs neue Hemder; alles dieses war in vierzehn Tagen fertig. Nun gab ihm sein Meister auch einen von seinen Rohrstäben in die Hand; und damit war Stilling schöner gekleidet, als er in seinem Leben gewesen war; dazu war auch alles nach der Mode, und nun durfte er sich sehen lassen.

Dieses war nun noch der letzte Feind, der aufgehoben werden mußte. Stilling konnte seinen innigen Dank gegen Gott und seinen Wohlthäter nicht genug ausschütten; er weinte vor Freuden, und war völlig wohl und vergnügt. Aber gesegnet sey deine Asche — du Stillings-Freund! da du liegst und ruhst! Wenn einmahl die Stimme über den ganzen flammenden Erdkreis erschallen wird: Ich bin nackend gewesen, und ihr habt mich bekleidet! so wirst du auch dein Haupt empor heben, und dein verklärter Leib wird siebenmahl heller glänzen, als die Sonne am Frühlingsmorgen! —

Stillings Neigung, höher in der Welt zu steigen, war nun vor diese Zeit gleichsam aus dem Grunde und mit der Wurzel ausgerottet; und er war vest und unwiderruflich entschlossen, ein Schneider zu bleiben, bis er gewiß überzeugt seyn würde, daß es der Wille Gottes sey, etwas anders anzufangen; mit Einem Wort, er erneuerte den Bund mit Gott feyerlich, den er verwichenen Sommer, den Sonntag Nachmittag, auf der Gassen zu Schauberg mit Gott geschlossen hatte. Sein Meister war auch so zufrieden mit ihm, daß er ihn nicht anders als seinen Bruder behandelte; die Meisterinn aber liebte ihn über die Maßen, und so auch die Kinder, so daß er nun wieder recht in seinem Element lebte.

Seine Neigung zu den Wissenschaften blieb zwar noch immer, was sie war, doch ruhte sie unter der Aschen, sie war ihm jetzt nicht zur Leidenschaft, und er ließ sie ruhen.

Meister Isaac hatte eine große Bekanntschaft auf fünf Stunden umher mit frommen und erweckten Leuten. Der Sonntag war zu Besuchen bestimmt, daher gieng er mit Stilling des Sonntags Morgens früh nach dem Ort hin, den sie sich vorgenommen hatten, und blieben den Tag über bey den Freunden, des Abends giengen sie wieder nach Haus; oder wenn sie weit gehen wollten, so giengen sie des Sonntags Nachmittags zusammen fort, und kamen des Montags Vormittags wieder. Das war nun Stilling eine Seelenfreude, so viele rechtschaffene Menschen kennen zu lernen; besonders gefiel es ihm, daß alle diese Leute nichts enthusiastisches hatten, sondern bloß Liebe gegen Gott und Menschen auszuüben, im Leben und Wandel aber ihrem Haupte Christo nachzuahmen suchten. Dieses kam mit Stillings Religionssystem völlig überein, und daher verband er sich auch mit allen diesen Leuten zur Brüderschaft und aufrichtiger Liebe. Und wirklich, diese Verbindung hatte eine vortrefliche Wirkung auf ihn. Isaac ermahnte ihn immerfort zum Wachen und Beten, und erinnerte ihn allezeit brüderlich, wo er irgendwo in Worten nicht behutsam genug war. Diese Lebensart war ihm aus der maßen nützlich, und bereitete ihn immer mehr und mehr zu dem, was Gott aus ihm machen wollte.

Mitten im May, ich glaube, daß es bey Pfingsten war, beschloß Meister Isaac, im Märkischen, etwa sechs Stunden von Waldstätt, einige sehr fromme Freunde zu besuchen; diese wohnten in einem Städtchen, das ich hier Rothenbeck heißen will. Er nahm Stillingen mit; es war das schönste Wetter von der Welt, und der Weg dahin gieng durch bezaubernde Gegenden, bald quer über eine Wiese, dann durch einen grünen Busch voller Nachtigallen, dann ein Feld hinauf voller Blumen, dann über einen buschigten Hügel, dann auf eine Heyde, wo die Aussicht paradiesisch war, dann in einen großen Wald, dann längs einen plätschenden kühlen Bach, und immer so wechselsweise fort. Unsre beyden Pilger waren gesund und wohl, ohne Sorge und Bekümmerniß, hatten Frieden von innen und außen, liebten sich wie Brüder, sahen und empfanden überall den guten und nahen Vater aller Dinge in der Natur, und hatten eine Menge guter Freunde in der Welt, und wenig oder gar keine Feinde. Sie giengen oder liefen vielmehr Hand an Hand ihren Weg fort, redeten von allerhand Sachen ganz vertraulich, oder sangen eine oder andere erbauliche Strophe, bis daß sie gegen Abend, ohne Müdigkeit und Beschwerde, zu Rothenbeck ankamen. Sie kehrten bey einem sehr lieben und wohlhabenden Freunde ein, dem sie also am wenigsten beschwerlich fielen. Dieser Freund schrieb sich Glöckner; er war ein kleiner Kaufmann, und handelte mit allerhand Waaren. Dieser Mann und seine Frau hatten keine Kinder. Beyde empfingen die Fremden mit herzlicher Liebe; sie kannten zwar Stillingen noch nicht, doch nahmen sie ihn sehr freundlich auf, als sie Isaac versicherte: daß er mit ihnen allen Einer Meynung und Eines Willens sey.

Des Abends über dem Essen erzählte Glöckner eine neue merkwürdige Geschichte von seinem Schwager Freymuth, die sich folgendergestalt verhielte. Die Frau Freymuth war Glöckners Frauen Schwester, und im Christenthum mit derselben Eines Sinnes, daher kamen beyde Schwestern nebst andern Freunden des Sonntags Nachmittags zusammen, sie wiederhohlten alsdann die Vormittags-Predigt, lasen in der Bibel, und sangen geistliche Lieder; dieses konnte nun Freymuth ganz und gar nicht vertragen. Er war ein Erzfeind von solchen Sachen; hingegen gieng er eben wohl fleißig in die Kirche, und zum Nachtmahl, aber das war auch alles; entsetzliches Fluchen, Saufen, Spielen, unzüchtige Reden und Schlägereyen waren seine angenehmste Belustigungen, womit er die Zeit zubrachte, die ihm von seinen Geschäften übrig blieb. Wenn er nun des Abends nach Haus kam, und fand seine Frau in der Bibel, oder sonst einem erbaulichen Buche lesen, so fieng er an abscheulich zu fluchen: Du feiner pietistischer T... weist ja wohl, daß ich das Lesen nicht haben will; dann grif er sie in den Haaren, schleppte sie auf der Erde herum, und schlug sie, bis das Blut aus Mund und Nasen heraus sprang; sie aber sagte kein Wort, sondern, wenn er aufhörte, so faßte sie ihn um die Knie, und bat ihn mit tausend Thränen: er möchte sich doch bekehren, und sein Leben ändern; dann stieß er sie mit den Füssen von sich und sagte: Canaille! das will ich bleiben lassen, ich will kein Kopfhänger werden wie du. Eben so behandelte er sie auch, wenn er gewahr wurde, daß sie bey andern frommen Leuten in Gesellschaft gewesen war. So hatte ers getrieben so lange, als seine Frau anderes Sinnes gewesen war, als er.

Nun aber vor kurzen Tagen hatte sich Freymuth gänzlich geändert, und zwar auf folgende Weise:

Freymuth reiste nach Frankfurth zur Messe. Während dieser Zeit hatte seine Frau alle Freyheit, nach ihrem Sinn zu leben; sie gieng nicht allein nach andern Freunden, sondern sie nöthigte auch deren zuweilen eine ziemliche Anzahl in ihr Haus; dieses hatte sie auch letztverwichene Ostermesse gethan. Einsmahls, als ihrer viele in Freymuths Hause an einem Sonntag Abend versammlet waren, und zusammen lasen, beteten und sangen, so gefiel es dem Pöbel, dieses nicht leiden zu wollen; sie kamen und schlugen erst alle Fenster ein, die sie nur erreichen konnten; und da die Hausthür verschlossen war, so sprengten sie dieselbe mit einem starken Baum auf. Die Versammlung in der Stube gerieth darüber in Angst und Schrecken, und ein jeder suchte sich so gut zu verbergen, als er konnte; nur allein Frau Freymuth blieb; und als sie hörte, daß die Hausthür aufsprang, so trat sie heraus mit dem Licht in der Hand. Verschiedene Burschen waren schon herein gedrungen, denen sie im Vorhaus begegnete. Sie lächelte die Leute an, und sagte gutherzig: Ihr Nachbarn! was wollt ihr? sofort waren sie, als wenn sie geschlagen wären, sie sahen sich an, schämten sich, und giengen still wieder nach Haus. Den andern Morgen bestellte Frau Freymuth alsbald den Fenstermacher und Schreiner, um alles wieder in gehörigen Stand zu stellen; dieses geschah, und kaum war alles richtig, so kam ihr Mann von der Messe wieder.

Nun bemerkte er alsofort die neue Fenster, er fragte deswegen seine Frau: wie das zugienge? Sie erzählte ihm die klare Wahrheit umständlich, und verhehlte ihm nichts, seufzte aber zugleich in ihrem Gemüth zu Gott um Beystand, denn sie glaubte nicht anders, als sie würde erschreckliche Schläge bekommen. Doch Freymuth dachte daran nicht, sondern er würde rasend über die Frevelthat des Pöbels. Seine Meinung war, sich grausam an diesen Spitzbuben, wie er sie nannte, zu rächen; deswegen befahl er seiner Frauen drohend, ihm die Thäter zu sagen, denn sie hatte sie gesehen und gekannt.

Ja, sagte sie: lieber Mann! die will ich dir sagen, aber ich weiß noch einen größern Sünder, als die alle zusammen; denn es war einer, der hat mich wegen eben der Ursache ganz abscheulich geschlagen.

Freymuth verstund das nicht, wie sie es meinte; er fuhr

auf, schlug auf seine Brust, und brüllte: den soll der T...
hohlen, und dich dazu, wenn du mir ihn nicht augenblicklich
sagst! Ja! antwortete Frau Freymuth: den will ich dir sagen,
räche dich an ihm so viel du willst; der Mann, der das gethan
hat, bist du! und also schlimmer als die Leute, die nur bloß die
Fenster eingeschlagen haben. Freymuth verstummte, und war
wie vom Donner gerührt, er schwieg eine Weile, endlich fieng
er an: Gott im Himmel, Du hast Recht! — Ich bin wohl ein
rechter Bösewicht gewesen, will mich an Leuten rächen, die
besser sind als ich! — Ja, Frau! ich bin der gottloseste Mensch
auf Erden! Er sprang auf, lief die Treppen hinauf auf sein
Schlafzimmer, lag da drey Tage und drey Nächte platt auf
der Erden, aß nichts, bloß daß er sich zuweilen etwas zu trinken geben ließ. Seine Frau leistete ihm so viel Gesellschaft, als
sie konnte, und half ihm beten, damit er bey Gott durch den
Erlöser Gnade erlangen möchte.

Am vierten Tage des Morgens stund er auf, war vergnügt,
lobte Gott, und sagte: Nun bin ich gewiß, daß mir meine
schwere Sünden vergeben sind! Von dem Augenblick an war
er ganz umgekehrt; so demüthig, als er vorhin stolz, so sanftmüthig, als er vorher trotzig und zornig, und so von Herzen
fromm, als er vorhin gottlos gewesen war.

Dieser Mann wär ein Gegenstand für meinen Freund Lavater. Seine Gesichtsbildung ist die roheste und wildeste von
der Welt; es dürfte nur eine Leidenschaft, zum Beyspiel der
Zorn, rege werden, die Lebensgeister brauchten nur jeden
Muskel des Gesichts zu spannen, so würd er rasend aussehen.
Jetzt aber ist er einem Löwen ähnlich, der in ein Lamm verwandelt worden ist. Friede und Ruhe ist jedem Gesichtsmus-
kel eingedrückt, und das giebt ihm ein eben so frommes Aussehen, als es vorhin wild war.

Nach dem Essen schickte Glöckner seine Magd an Freymuths Haus, und ließ da ansagen: daß Freunde bey ihm angekommen wären. Freymuth und seine Frau kamen alsbald,

und bewillkommten Isaac und Stilling. Dieser letztere hatte den ganzen Abend seine Betrachtungen über die beyden Leute; bald mußte er des Löwen Sanftmuth, bald des Lammes Heldenmuth bewundern. Alle sechs waren sehr vergnügt zusammen, sie erbauten sich so gut sie konnten, und giengen spät schlafen.

Unsre beyden Freunde blieben nun noch ein paar Tage zu Rothenbeck, besuchten und wurden besucht; auch gehörte der Schulmeister daselbst, der sich auch Stilling schrieb, und aus dem Salenschen Land zu Haus war, mit unter die Gesellschaft der Frommen zu Rothenbeck; diesen besuchten sie auch. Er gewann besonders Stillingen lieb, vorab da er hörte, daß er auch lange Schulmeister gewesen war. Die beyden Stillinge machten einen Bund zusammen, daß einer dem andern so lange schreiben sollte als sie lebten, um die Freundschaft zu unterhalten.

Endlich reisten sie wieder von Rothenbeck nach Waldstätt zurück, und gaben sich an ihr Handwerk, wobey sie sich die Zeit mit allerhand angenehmen Gesprächen vertrieben.

Es wohnte aber eine Stunde von Waldstätt ein weidlicher Kaufmann, der sich Spanier schrieb. Dieser Mann hatte sieben Kinder, wovon das älteste eine Tochter von etwa sechszehen Jahren, das jüngste aber ein Mädchen von einem Jahr war. Unter diesen Kindern waren drey Söhne und vier Töchter. Er hatte eine sehr starke Eisen-Fabrik, die aus sieben Eisenhammern bestund, wovon vier bey seinem Hause, drey aber anderthalb Stunden von ihm ab, nicht weit von Herrn Hochbergs Haus lagen, wo Stilling gewesen war. Dabey besaß er ungemein viele liegende Güter, Häuser, Höfe, und was dazu gehörte, nebst vielem Gesinde, Knechte, Mägden und Fuhrknechten; denn er hatte verschiedene Pferde zu seinem eigenen Gebrauch.

Wenn nun Herr Spanier verschiedene Schneiderarbeit für sich und seine Leute zusammen verspart hatte; so ließ er Meister Isaac mit seinen Gesellen kommen, um einige Tage bey ihm zu nähen, und für ihn und seine Leute alle Kleider wieder in Ordnung zu bringen.

Nachdem nun Stilling zwölf Wochen bey Meister Isaac gewesen war, so traf es sich, daß sie auch bey Herrn Spanier arbeiten mußten. Sie giengen also des Morgens früh hin. Als sie zur Stubenthür herein traten, so saß Herr Spanier allein am Tisch, und trank den Coffee aus einem kleinen Kännchen, das für ihn allein gemacht war. Langsam drehte er sich um, sah Stillingen ins Gesicht, und sagte:

„Guten Morgen, Herr Präceptor!"

Stilling ward blutroth, er wußte nicht, was er sagen sollte, doch erhohlte er sich geschwind, und sagte: Ihr Diener, Herr Spanier! Doch dieser schweig nun wieder still, und trank seinen Coffee fort, Stilling aber gab sich auch an seine Arbeit.

Nach einigen Stunden spazierte Spanier auf und ab in der Stuben, und sagte kein Wort; endlich stund er vor Stillingen hin, sah ihm eine Weile zu, und sagte:

„Das geht Euch so gut von statten, Stilling! als wenn Ihr zum Schneider gebohren wäret, aber das seyd Ihr doch nicht."

Wie so? fragte Stilling.

„Eben darum, versetzte Spanier: weil ich euch zum Informator bey meine Kinder haben will." —

Meister Isaac sah Stilling an und lächelte.

Nein, Herr Spanier! erwiederte Stilling, davon wird nichts; ich bin unwiderruflich entschlossen, nicht wieder zu informiren. Ich bin jetzt ruhig und wohl bey meinem Handwerk, und davon werd ich nicht wieder abgehen.

Herr Spanier schüttelte den Kopf, lachte, und fuhr fort: „Das will ich Euch doch wohl anders lehren, ich hab so manchen Berg in der Welt eben und gleich gemacht, und sollte Euch nicht auf andere Sinne bringen, dessen würde ich mich vor mir selber schämen."

Nun schwieg er den Tag davon still. Stilling aber bat seinen

Meister: daß er ihn des Abends möchte nach Haus gehen lassen, um Herrn Spaniers Nachstellungen zu entgehen; allein Meister Isaac wollte das nicht geschehen lassen, deswegen waffnete sich Stilling aufs beste, um Herrn Spanier mit den wichtigsten Gründen widerstehen zu können.

Des andern Tages traf sichs wieder, daß Herr Spanier in der Stuben auf und abgieng; er fieng gegen Stilling an:

„Hört Stilling! wenn ich mir ein schönes Kleid machen lasse, und hänge es dann an den Nagel ohne es jemahls anzuziehen, bin ich dann nicht ein Narr?"

Ja! versetzte Stilling: erstens, wenn Sie's nothwendig haben; und zweytens, wenns wohl getroffen ist. Wie wenn sie sich aber einmahl ein hübsches Kleid machen liessen, ohne daß Sie's nothwendig hätten, oder Sie zögens an, und es drückte Sie aller Orten, was wollten sie dann machen?

„Das will ich euch sagen, versetzte Spanier: so gäb ichs einem andern; dems recht wäre."

Aber, erwiederte Stilling: wenn Sie's nun sieben hinter einander gegeben hätten, und ein jeder gäbs Ihnen wieder, und sagte: es paßt mir nicht, was würden Sie dann anfangen?

Spanier antwortete: „So wär ich doch ein Narr, wenn ichs müßig da hangen und die Motten fressen ließe; hör! ich gäbs dem achten, und sagte: nun ändert dran, bis es euch recht ist. Wenn aber nun der achte sich vollends dazu verstünde, sich in das Kleid zu schicken, und nicht mehr von ihm zu fordern, als wozu es gemacht ist, so würd ich ja sündigen, wenn ichs ihm nicht gäbe!"

Da haben Sie recht, versetzte Stilling: allein dem allem ungeachtet bitte ich Sie um Gottes willen, Herr Spanier! lassen Sie mich am Handwerk!

„Nein! antwortete er: das thu ich nicht, Ihr sollt und müßt mein Haus-Informator werden, und zwar unter folgenden Bedingungen: Ihr könnt nicht französisch, es ist aber bey mir um vieler Ursachen willen nöthig, daß Ihrs versteht, derowegen wählt Euch einen Sprachmeister wo Ihr wollt, zieht zu ihm hin, und lernt diese Sprache, ich bezahle alles gerne was es kosten wird; ferner geb ich Euch dem ungeachtet volle Freyheit, wieder von mir zu Meister Isaac zu ziehen, so bald es Euch bey mir leyd seyn wird. Und endlich sollt Ihr alles haben an Kleidern und Zubehör, was ihr bedürft, und das so lange als Ihr bey mir seyn werdet. Nun hab ich aber auch Recht, dieses dagegen zu fordern: daß ihr in keine andere Condition treten wollt, so lange ich Euch nöthig habe, es sey denn daß Ihr Euch auf Lebenslang versorgen könntet."

Meister Isaac wurde durch diesen Vorschlag gerührt. Nun! sagte er gegen Stilling: jetzt begeht ihr eine Sünde, wenn Ihr nicht einwilligt. Das kommt von Gott, und alle Eure vorige Bedienungen kamen von Euch selber.

Stilling untersuchte sich genau, er fand gar keine Leidenschaft oder Trieb nach Ehre bey sich, sondern er fühlte im Gegentheil einen Wink in seinem Gewissen, daß diese Condition ihm von Gott angewiesen werde.

Nach einer kurzen Pause fieng er an: „Ja, Herr Spanier! noch einmal will ichs wagen, aber ich thu es mit Furcht und Zittern."

Spanier stund auf, gab ihm die Hand, und sagte: „Gott sey Dank! nun hab ich auch diesen Hügel wieder eben gemacht; aber nun müßt Ihr auch alsofort zum Sprachmeister, lieber morgen als übermorgen."

Stillingen war dieses so ganz recht, und selbst Meister Isaac sagte: Uebermorgen ists Sonntag, dann könnt Ihr in Gottes Namen reisen. Dieses wurde also beschlossen.

Ich muß gestehen: daß da nun Stilling wieder ein anderer Mensch war, so vergnügt er sich auch eingebildet hatte zu seyn, so hatte er doch immer eine ungestimmte Saite, die er nie ohne eine Art von Mißvergnügen berühren durfte. So bald ihm einfiel, was er in der Mathematik und andern Wissenschaften gethan und gelesen hatte, so gieng ihm ein Stich durchs Herz, allein er schlug sichs wieder aus dem Sinn; daher wurde ihm jetzt ganz anders als er fühlte, daß er aufs neue recht in sein Element kommen würde.

Isaac gönnte ihm zwar sein Glück, allein es that ihm doch schmerzlich leid, daß er ihn schon missen sollte, und Stillingen schmerzte es in seiner Seelen, daß er von dem rechtschaffensten Mann in der Welt, und seinem besten Freunde den er je gehabt hatte, Abschied nehmen sollte, eh er ihm seine Kleider abverdient hatte; er redete deswegen mit Herrn Spanier in geheim, und erzehlte ihm was Meister Isaac an ihm gethan habe. Spaniern drangen die Thränen in die Augen, und er sagte: „Der vortrefliche Mensch! das soll er mir entgelten, nie soll er Mangel haben. Nun gab er ihm einige Louisd'or mit dem Bedeuten: Isaac davon zu bezahlen, und mit dem übrigen hauszuhalten; wenns all wäre, sollte er mehr haben, nur daß er alles hübsch berechnete, wozu es verwendet worden.

Stilling freuete sich aus der Massen: so einen Mann hatte er noch nicht angetroffen. Er bezahlte also Meister Isaac mit dem Gelde, und nun gestund ihm dieser: daß er würklich alle Kleider für ihn geborgt hätte. Das gieng Stilling durchs Herz, er konnte sich des Weinens nicht enthalten, und dachte bey sich selbst: Wenn jemals ein Mann ein marmornes Monument verdient hat, so ists dieser; nicht, daß er ganze Völker glücklich gemacht hat, sondern darum, daß ers würde gethan haben, wenn er gekonnt hätte.

Nochmals! — Gesegnet sey Deine Asche, mein Freund! auserkohren unter Tausenden, — da Du liegst und schläfst; diese heilige Thränen auf dein Grab — du wahrer Nachfolger Christi!!! —

Des Sonntags nahm also Stilling Abschied von seinen Freunden zu Waldstätt, und reiste über Rosenheim nach Schönenthal, um einen guten Sprachmeister zu suchen. Als er nah bey letztere Stadt kam, so erinnerte er sich: daß er vor einem Jahr und etlichen Wochen diesen Weg zuerst gereist hatte; er überdachte alle seine Schicksale in dieser kurzen Zeit, und nun wieder seinen Zustand, er fiel nieder auf seine Knie, und dankte Gott herzlich für seine strenge aber heilige und gute Führung, bat aber auch zugleich, nunmehr auch seine Gnadensonne über ihn scheinen zu lassen. Als er auf die Höhe kam, wo er ganz Schönenthal, und das herrliche Thal hinauf übersehen konnte, so wurde er begeistert, setzte sich hin unter das Gesträuche, zog seine Schreibtafel heraus und schrieb:

> Ich fühl ein sanftes Liebewallen,
>   Es säuselt kühlend um mich her.
> Ich fühl des Vaters Wohlgefallen,
>   Der reinen Wonne Wiederkehr.
> Die Wolken ziehen sanft herüber,
> Tief unten braun, licht oben drüber.
>
> Des kühlen Bachs entferntes Rauschen
>   Schwimmt wie auf sanften Flügeln her.
> Und wie des Frühlings Sänger lauschen,
>   So horcht mein Ohr; von ungefähr
> Ertönt der Vögel süsses Zirbeln
> Und mischt sich in der Bäche Wirbeln.
>
> Jetzt heb ich froh die Augenlieder
>   Zu allen hohen Bergen auf,
> Und schlag sie wieder freudig nieder,
>   Vollführe munter meinen Lauf.
> Nun kann ich mit vergnügten Blicken
> Den Geist der Qual zur Höllen schicken.
>
> Noch einmahl schau ich kühn zurücke
>   Ins Schattenthal der Schwermuth hin,
> Und sehe mit gewohntem Blicke
>   Den Ort wo ich gewesen bin,
> Ich hör ein wildes Chaos brausen,
> Und Unglücks-Winde stürmend sausen.
>
> Gleichwie ein blaß Gespenste wanket,
>   In öden Zimmern hin und her,

Wie's da im blöden Nachtschein schwanket,
    Streicht langs die Wand und ächzet schwer.
Bemüht sich lang ein Wort zu sagen,
Und jemand seine Noth zu klagen.

So wankt ich auch im Höllen-Schlunde,
    Im schwärzsten Kummer auf und ab,
Man grub mir jede Marterstunde,
    Ein neues grausenvolles Grab.
Tief unten hört ich Drachen grollen,
Hoch droben schwarze Donner rollen.

Ich gieng und schaute hin und wieder,
    Fand Todes-Engel um mich gehn,
Und Blitze zuckten auf mich nieder.
    Ich sah ein Pförtchen offen stehn,
Ich eilte durch, und fand mit Freuden,
Das Ende meiner schweren Leiden.

Ich schlupfte hin im stillen Schatten,
    Es war noch dämmernd um mich her.
Ich fühlte meinen Fuß ermatten,
    Mir wurde jeder Tritt so schwer;
Schon neigt ich mich zum Staub darnieder,
Und schloß die müden Augen-Lieder.

Ich sank — doch wie in Freundes Armen
    Ein Todtverwundter niedersinkt,
Wenn ihm das Auge voll Erbarmen
    Des Arztes frohe Heilung winkt.
Ich ward erquickt, gestärkt, geheilet,
Und neue Kraft mir mitgetheilet.

Freund Isaac wars, in seiner Halle
    Fand ich ein lautres Paradeis;
Da schmeckten wir die Freuden alle,
    Da stieg zum Höchsten Dank und Preis,
Wir sungen Ihm geweyhte Lieder,
Er schaute gnädig auf uns nieder.

Stilling eilte nun den Berg hinunter nach Schönenthal hin; er vernahm aber, daß die Sprachmeister daselbsten sich für ihn nicht schicken würden, indem sie wegen vieler Geschäfte hin und her in den Häusern, wenig Zeit auf ihn würden verwenden können. Da er nun eilig war und bald fertig seyn wollte, so mußte er eine Gelegenheit suchen, wo er in kurzer Zeit viel lernen konnte; endlich wurd' er gewahr, daß sich zu Dornfeld, wo Herr Dahlheim Prediger war, ein sehr geschickter Sprachmeister aufhielte. Da nun dieser Ort nur drey viertel Stunden von Schönenthal ablag, so entschloß er sich desto lieber dahin zu gehen.

Des Nachmittags um drey Uhr kam er daselbst an. Er fragte alsbald nach dem Sprachmeister, gieng zu ihm, und fand einen sehr seltsamen originellen Menschen, der sich Heesfeld schrieb. Er saß da in einem dunklen Stübchen, hatte einen schmutzigen Schlafrock von schlechtem Camelot an, mit einer Binde von demselben Zeug umgürtet; auf dem Kopf hatte er eine latzige Mütze; sein Gesicht war blaß, wie eines Menschen, der schon einige Tage im Grabe gelegen, und im Verhältniß gegen die Breite viel zu lang. Die Stirn war schön, aber unter pechschwarzen Augbraunen lagen ein paar schwarze schmale kleine Augen tief im Kopf, die Nase war schmal lang, der Mund ordentlich, aber der Kinn stund platt und scharf vorwärts, den er auch immer sehr weit vorwärts trug; sein rabenschwarzes Haar war rund abgeschnitten, und rund um gekräuselt; so war er schmal, lang und schön gewachsen.

Stilling erschrack einigermaßen vor diesem seltsamen Gesichte, ließ sich aber doch nichts merken, sondern grüßte ihn, und trug ihm sein Vorhaben vor. Herr Heesfeld nahm ihn freundlich auf, und sagte: ich werde an Ihnen thun was ich vermag. Stilling suchte sich nun ein Quartier, und fieng sein Studium der französischen Sprache an, und zwar folgendergestalt. Der Vormittags von acht bis eilf Uhr, wohnte er der ordentlichen Schule bey, des Nachmittags von zwo bis fünf auch, er saß aber mit Heesfeld an einem Tisch, sie sprachen immer, und hatten Zeitvertreib zusammen, wenn aber die Schule aus war, so giengen sie spaziren.

So sonderlich als Heesfeld gebildet war, so sonderlich war er auch in seinem Leben und Wandel. Er gehörte zur Classe der Launer wie ehmahls Glaser auch, denn er sagte niemand was er dachte, kein Mensch wußte wo er her war, und eben so wenig wußte jemand ob er arm oder reich war. Vielleicht hat er niemand in seinem Leben zärtlicher geliebt als Stillingen, und doch ist dieser erst nach seinem Tode inne geworden, wo er her war, und daß er ein reicher Mann gewesen.

Seine sonderliche Denkungsart leuchtete daraus auch hervor, daß er immer seine Geschicklichkeit verbarg, und nur so viel davon blicken ließ, als just nöthig war. Daß er vollkommen französisch verstund, äusserte sich alle Tage; daß er aber auch ein vortreflicher Lateiner war, das zeigte sich erst, als Stilling zu ihm kam, mit welchem er die Information auf den Fuß der lateinischen Grammatik einrichtete, und täglich mit ihm lateinische Verse machte die unvergleichlich schön waren. Zeichnen, Tanzen, Physik und Chymie verstund er in einem hohen Grad; und noch zween Tage vor Stillings Abreise traf es sich, daß letzterer in seiner Gesellschaft auf einem Clavier spielte. Heesfeld hörte zu. Als Stilling aufhörte, setzte er sich hin, und that anfänglich, als wenn er in seinem Leben kein Clavier berührt hätte, aber in weniger als fünf Minuten fieng er so treflich melancholisch-fürchterlich an zu phantasiren, daß einem die Haare zu Berge stunden; allmählich schwung er sich zum melancholisch-zärtlichen, von da ins cholerisch-feurige, darauf ins gelassene ruhige, phantasirte eine phlegmatische Murqui, darauf in ein sanguinisch-zärtliches Adagio, dann ein Allegro, und nun schloß er mit einer lustigen Menuette aus D dur. Stilling hätte zerschmelzen mögen über seine empfindsame Art zu spielen, und bewunderte diesen Mann aus der Maassen.

Heesfeld war in seiner Jugend in Kriegsdienste gegangen; wegen seiner Geschicklichkeit wurde er von einem hohen Officier in seine eigene Dienste genommen, der ihn in allem hatte unterrichten lassen, wozu er nur Lust gehabt hatte; mit diesem Herrn war er durch die Welt gereist, der nach zwanzig Jahren stirbt, und ihm ein schönes Stück Geld vermacht. Heesfeld war nun vierzig Jahr alt, reiste nach Haus, aber nicht zu seinen Eltern und Freunden, sondern er nahm einen fremden Geschlechtsnamen an, gieng nach Dornfeld als französischer Sprachmeister, und obgleich seine Eltern und zween Brüder nur zwo Stunden von ihm ab wohnten, so wußten sie doch gar nichts von ihm, sondern sie glaubten, er sey in der Fremde gestorben; auf seinem Todbette aber hat er sich seinen Brüdern zu erkennen gegeben, ihnen seine Umstände erzählt, und eine reichliche Erbschaft hinterlassen; und nach seinem System war es auch da noch früh genug.

Man nenne dieses nun Fehler oder Tugend, er hatte bey dem allem eine edle Seele; seine Menschenliebe war auf einen hohen Grad gestiegen, aber er handelte in geheim; auch denen er Guts that, die durftens nicht wissen. Nichts konnte ihn mehr ergetzen, als wenn er hörte, daß die Leute nicht wüßten, was sie aus ihm machen sollten.

Wenn er mit Stilling spaziren gieng, so sprachen sie von Künsten und Wissenschaften. Ihr Weg gieng immer in die wildesten Einöden, dann stieg Heesfeld auf einen schwanken Baum der sich gut biegen ließ, setzte sich oben in den Gipfel, hielt sich fest, und wiegte sich mit ihm auf die Erde, legte sich eine Weile in Aeste und ruhete. Stilling machte ihm das dann nach, und lagen sie und plauderten; wenn sie dessen müde waren, so stunden sie auf, und dann richteten sich die Bäume wieder auf; das war Heesfelds Freude, dann sagte er wohl: schön sind unsre Betten, wenn wir aufstehen so fahren sie gen

Himmel! — Zuweilen gab er auch wohl jemand ein Räthsel auf, und fragte: was sind das vor Betten, die in die Luft fliegen, wenn man aufsteht?

Stilling lebte aus der Massen vergnügt zu Dornfeld. Herr Spanier schickte ihm Geld genug, und er studierte recht fleißig, denn in neun Wochen war er fertig; es ist unglaublich, aber doch gewiß wahr; er verstund diese Sprache nach zween Monathen hinlänglich, er las die französische Zeitung teutsch weg, als wenn sie in letzterer Sprache gedruckt wäre, auch schrieb er schon damahlen einen französischen Brief ohne Grammaticalfehler, und las richtig, nur fehlte ihm noch die Uebung im Sprechen. Den ganzen Syntax hatte er zur Genüge innen; so daß er nun selbst getrost anfangen konnte in dieser Sprache zu unterrichten.

Stilling beschloß also, nunmehr von Herrn Heesfeld Abschied zu nehmen, und zu seinem neuen Patron zu ziehen. Beyde weinten, als sie von einander giengen. Heesfeld gab ihm eine Stunde weit das Geleit. Als sie sich nun herzten und küßten, schloß ihn Herr Heesfeld in die Arme, und sagte: „Mein Freund! wenn Ihnen je etwas mangelt, so schreiben Sie mir, ich werde Ihnen thun, was ein Bruder dem andern thun soll; mein Wandel ist verborgen, aber ich wünsche zu wirken wie die Mutter Natur, man sieht ihre ersten Quellen nicht, aber man trinkt sich satt an ihren klaren Bächen." Es fiel Stilling hart, von ihm weg zu kommen; endlich rissen sie sich von einander, giengen ihres Weges, und sahen nicht wieder hinter sich.

Stilling wanderte also zurück zu Herrn Spanier, und kam
zween Tage vor Michaelis 1763 des Abends in Herrn Spaniers
Haus an. Dieser Mann freute sich über die Maße, als er Stilling so geschwind bey sich sahe. Er behandelte ihn alsofort
als einen Freund, und Stilling fühlte wohl, daß er nunmehro bey Leuten wäre, die ihm Freude und Wonne machen
würden.

Des andern Tages fieng er seine Information an. Die Einrichtung derselben ward folgendergestalt von Herrn Spanier
angeordnet: Die Kinder sowohl, als ihr Lehrer, waren bey
ihm in seiner Stube; auf diese Weise konnte er sie selber
beobachten, und ziehen, und auch beständig mit Stilling von
allerhand Sachen reden. Dabey gab Herr Spanier seinem
Haus-Informator auch Zeit genug, selber zu lesen. Die Unterweisung dauerte den ganzen Tag, aber so gemächlich und
unterhaltend, daß sie niemand langweilig und beschwerlich
werden konnte.

Herr Spanier aber hatte Stillingen nicht bloß zum Lehrer
seiner Kinder bestimmt, sondern er hatte noch eine andre
schöne Absicht mit ihm, er wollte ihn in seinen Handelsgeschäften brauchen; das entdeckte er ihm aber nicht eh, bis auf
den Tag da er ihm einen Theil seiner Fabrik zu verwalten
übertrug. Hierdurch glaubte er auch Stillingen Veränderung
zu machen, und ihn vor der Melancholie zu bewahren.

Alles dieses gelung auch vollkommen. Nachdem er vierzehn Tage informirt hatte, so übertrug ihm Herr Spanier
seine drey Hämmer, und die Güter welche anderthalb Stunden von seinem Hause, nicht weit von Hochbergs Wohnung
lagen. Stilling mußte alle drey Tage dahin gehen, um die fer-
tige Waaren wegzuschaffen, und alles zu besorgen.

Auch mußte er rohe Waaren einkaufen, und des Endes drey
Stunden weit wöchentlich ein paarmahl auf die Landstraße
gehen, wo die Fuhrleute mit dem rohen Eisen herkamen, um
das Nöthige von ihnen einzukaufen; wenn er dann wieder

kam und recht müde war, so that ihm die Ruhe ein paar Tage wieder gut, er las dann selbsten und informirte dabey.

Der vergnügte Umgang aber, den Stilling mit Herrn Spanier hatte, war über alles. Sie waren recht vertraulich zusammen, redeten von Herzen von allerhand Sachen, besonders war Spanier ein ausbündiger geschickter Landwirth und Kaufmann, so daß Stilling oftmahls zu sagen pflegt, Herrn Spaniers Haus war meine Academie, wo ich Oeconomie, Landwirthschaft und das Commerzienwesen aus dem Grund zu studieren Gelegenheit hatte.

So wie ich hier Stillings Lebensart beschrieben habe, so dauerte sie, ohne eine einzige trübe Stunde dazwischen zu haben, sieben ganzer Jahr in einem fort; ich will davon nun nichts weiter sagen, als daß er in all dieser Zeit, in Absicht der Welterkenntniß, Lebensart, und obigen häuslichen Wissenschaften ziemlich zugenommen habe. Seine Schüler unterrichtete er, diese ganze Zeit über, in der lateinischen und französischen Sprache, wodurch er selber immer mehr Fertigkeit in beyden Stücken erlangte, und dann in der reformirten Religion, im Lesen, Schreiben und Rechnen.

Seine eigene Lectür bestund anfänglich in allerhand poetischen Schriften. Er las erstlich Miltons verlohrnes Paradies, hernach Youngs Nachtgedanken, und darauf die Messiade von Kloppstock; drey Bücher die recht mit seiner Seele harmonirten; denn so wie er vorhin sanguinisch zärtlich gewesen war, so hatte er nach seiner schrecklichen Periode bey Herrn Hochberg eine sanfte zärtliche Melancholie angenommen, die ihm auch vielleicht bis an seinen Tod anhängen wird.

In der Mathematik that er jetzt nicht viel mehr, hingegen legte er sich mit Ernst auf die Philosophie, las Wolfs teutsche Schriften ganz, desgleichen Gottscheds gesammelte Philosophie, Leibnitzens Theodicee, Baumeisters kleine Logik und Metaphysik demonstrirte er ganz nach, und nichts in der Welt war ihm angenehmer als die Uebung in diesen Wissenschaften; allein er spürte doch eine Leere bey sich und ein Mistrauen gegen diese Systeme, denn sie erstickten wahrlich alle kindliche Empfindung des Herzens gegen Gott; sie mögen eine Kette von Wahrheiten seyn, aber die wahre philosophische Kette, an welche sich alles anschließt, haben wir noch nicht. Stilling glaubte diese zu finden, allein er fand sie nicht, und nun gab er sich ferner ans Suchen, theils durch eigenes Nachdenken, theils in andern Schriften, und noch bis dahin wandelt er traurig auf diesem Wege, weil er noch keine Auskunft siehet.

Herr Spanier stammte auch aus dem Salenschen Lande her; denn sein Vater war nicht weit von Kleefeld gebohren, wo Stilling seine letzte Capellenschule bedient hatte, deswegen hatte er auch zuweilen Geschäfte daselbst zu verrichten, hierzu brauchte er nun Stilling auch darum am liebsten, weil er daselbst bekannt war. Nachdem er nun ein Jahr bey seinem Patron, und also beynah drittehalb Jahr in der Fremde gewesen, so trat er seine erste Reise zu Fuß nach seinem Vaterland an. Er hatte zwölf Stunden von Herrn Spanier bis zu seinem Oheim Johann Stilling, und dreyzehn bis zu seinem Vater; diese Reise wollte er in Einem Tage abthun. Er machte sich deswegen des Morgens früh mit Tages Anbruch auf den Weg, und reiste vergnügt fort, aber er nahm eine nähere Strasse vor sich, als er ehmahls gekommen war. Des Nachmittags um vier Uhr kam er auf einer Höhe an die Gränze des Salenschen Landes, er sah in all die bekannte Gebirge hinein, sein Herz zerschmolz, er setzte sich hin, weinte Thränen der Empfindsamkeit, und dankte Gott für seine schwere aber sehr heilsame Führung; er bedachte wie elend und arm er aus seinem Vaterland ausgegangen, und daß er nun Ueberfluß an Geld, schönen Kleidern und an aller Nothdurft habe; dieses machte ihn so weich und so dankbar gegen Gott, daß er sich des Weinens nicht enthalten konnte.

Er wanderte also weiter, und kam nach einer Stunde bey

seinem Oheim zu Lichthausen an. Die Freude war nicht aus-
zusprechen, die da entstund, als sie ihn sahen; er war nun
lang und schwank ausgewachsen, hatte ein schönes dunkel-
blaues Kleid, und feine weiße Wäsche an, sein Haar war gepudert, und rund um aufgerollt, dabey sah er nun munter und
blühend aus, weil es ihm wohl gieng. Sein Oheim umarmte
und küßte ihn, und die Thränen liefen ihm die Wangen herunter, indem kam auch seine Muhme, Mariechen Stillings. Sie
war seit der Zeit auch nach Lichthausen verheyrathet, sie fiel
ihm um den Hals, und küßte ihn ohne Aufhören.

Diese Nacht blieb er bey seinem Oheim, des andern Morgens gieng er auch nach Leindorf zu seinem Vater. Wie der
rechtschaffene Mann aufsprang, als er ihn so unvermuthet
kommen sahe! er sank wieder zurück, Stilling aber lief auf
ihn zu, umarmte und küßte ihn zärtlich. Wilhelm hielt seine
Hände vor die Augen und weinte, sein Sohn vergoß eben-
mahls Thränen, indem kam auch die Mutter, sie schüttelte
ihm die Hand, und weinte laut vor Freuden, daß sie ihn gesund wieder sahe.

Nun erzählte Stilling seinen Eltern alles, was ihm begegnet
war und wie gut es ihm nun gienge. Indessen erschallte das
Gerücht von Stillings Ankunft im ganzen Dorf. Das Haus
wurde voller Leute; Alte und Junge kamen, um ihren ehemaligen Schulmeister zu sehen, und das ganze Dorf war voll
Freude über ihn.

Gegen Abend gieng Wilhelm mit seinem Sohn über die
Wiesen spazieren. Er redete viel mit ihm von seinen vergangenen und künftigen Schicksalen, und zwar recht im Ton des
alten Stillings, so daß sein Sohn von Ehrfurcht und Liebe
durchdrungen war. Endlich fing Wilhelm an: Hör mein Sohn!
Du must Deine Großmutter besuchen, sie liegt elend an der
Gicht darnieder, und wird nicht lange mehr leben, sie redet
immer von Dir, und wünscht noch einmahl, vor ihrem Ende,
mit Dir zu sprechen. Des andern Morgens machte sich also

Stilling auf, und gieng nach Tiefenbach hin. Wie ihm ward, als er das alte Schloß, den Giller, den hitzigen Stein, und das Dorf selber sahe! Diese Empfindung läßt sich nicht ausspre- chen; er untersuchte sich, und fand, wenn er noch seinen jetzi- gen Zustand mit seiner Jugend vertauschen könnte, er würde es gerne thun. Er langte in kurzer Zeit im Dorf an; alles Volk lief aus, so daß er gleichsam im Gedränge an das ehrwürdige Haus seiner Väter kam. Es schauerte ihn wie er hineintrat, just als wenn er in einen alten Tempel gienge. Seine Muhme Elisabeth war in der Küchen, sie lief auf ihn zu, gab ihm die Hand, weinte, und führte ihn in die Stube; da lag nun seine Großmutter Margarethe Stillings in einem saubern Bettchen an der Wand bey dem Ofen; ihre Brust war hoch in die Höhe getrieben. Die Knöchel an ihren Händen waren dick, die Fin- ger steif, und einwärts ausgereckt. Stilling lief bey sie, grif ihre Hand und sagte mit Thränen in den Augen: Wie gehts liebe Großmutter? Es ist mir eine Seelenfreude, daß ich Euch noch einmahl wieder sehe. Sie suchte sich in die Höhe zu ar- beiten, fiel aber ohnmächtig zurück. Ach! rief sie: ich kann Dich noch einmal vor meinem Ende hören und fühlen, komm doch bey mich, daß ich dich im Gesicht fühlen kann! Stilling bückte sich bey sie; sie fühlte nach seiner Stirn, seinen Augen, Nasen, Mund, Kinn, und Wangen. Indessen gerieth sie auch mit den steifen Fingern in seine Haare, sie fühlte den Puder; So! sagte sie; Du bist der erste, der aus unsrer Familie seine Haare pudert, sey aber nicht der erste der auch Gottesfurcht und Redlichkeit vergißt! Nun fuhr sie fort: kann ich Dich mir vorstellen, als wenn ich Dich sähe; erzähl mir nun auch, wie es Dir gegangen hat, und wie es Dir nun gehet. Stilling erzählte ihr alles kurz und bündig. Als er ausgeredet hatte, fieng sie an: Hör Henrich! sey demüthig und fromm, so wirds Dir wohl gehen, schäme Dich nie Deines Herkommens und deiner armen Freunde, Du magst so groß werden in der Welt als Du willst. Wer gering ist, kann durch Demuth groß werden, und

wer vornehm ist, kann durch Stolz gering werden; wenn ich
nun todt bin, so ists einerley, was ich in der Welt gewesen bin,
wenn ich nur christlich gelebt habe.

Stilling mußte ihr mit Hand und Mund alles dieses ange-
loben. Nachdem er nun noch ein und anders mit ihr geredet
hatte, nahm er schnell Abschied von ihr, das Herz brach ihm,
denn er wußte daß er sie in diesem Leben nicht wieder sehen
würde; sie war am Rande des Todes; allein sie grif ihm die
Hand, hielt ihn vest, und sagte: Du eilst — Gott sey mit Dir
mein Kind! vor dem Thron Gottes seh ich dich wieder! Er
drückte ihr die Hand und weinte. Sie merkte das: Nein! fuhr
Sie fort, weine nicht über mich! mir gehts wohl, ich empfehl
Dich Gott von Herzen in seine väterliche Hände, der wolle
Dich seegnen, und vor allem Bösen bewahren! Nun geh in
Gottes Namen! Stilling riß sich fort, lief aus dem Hause weg,
und ist auch seitdem nicht wieder dahin gekommen. Einige
Tage nachher starb Margarethe Stillings; sie liegt zu Floren-
burg, neben ihrem Manne, begraben.

Nun war's Stilling als wenn ihm sein Vaterland zuwider
wäre; er machte sich fort und eilte wieder in die Fremde, kam
auch bey Herrn Spanier wieder an, nachdem er fünf Tage
ausgeblieben war.

Ich will mich mit Stillings einförmigen Lebensart und Verrichtungen die ersten vier Jahre durch, nicht aufhalten, sondern ich gehe zu wichtigern Sachen über. Er war nun schon
eine geraume Zeit her mit der Information, und Herrn Spaniers Geschäften umgegangen; er rückte immer mehr und
mehr in seinen Jahren fort, und es begann ihm zuweilen ein-
zufallen: was doch wohl am Ende noch aus ihm werden
würde? — Mit dem Handwerk wars nun gar aus, er hatte es
in einigen Jahren nicht mehr versucht, und die Unterweisung
der Jugend war ihm ebenfalls verdrießlich, er war ihrer von
Herzen müde, und er fühlte, daß er nicht dazu gemacht war;
denn er war geschäftig und wirksam. Die Kaufmannschaft
gefiel ihm auch nicht, denn er sah wohl ein, daß er sich gar
nicht dazu schicken würde, beständig fort mit dergleichen
Sachen umzugehen, dieser Beruf war seinem Grundtrieb
zuwider; doch wurde er weder verdrießlich noch melancholisch, sondern er erwartete, was Gott aus ihm machen
würde.

Einsmahls an einem Frühlingsmorgen, im Jahr 1768, saß er
nach dem Coffeetrinken am Tisch; die Kinder liefen noch eine
Weile im Hof herum, er grif hinter sich nach einem Buch, und
es fiel ihm just Reizens Historie der Wiedergebornen in die
Hand, er blätterte ein wenig darinnen herum ohne Absicht
und ohne Nachdenken; indem fiel ihm die Geschichte eines
Mannes ins Gesicht, der in Griechenland gereist war, um daselbsten die Ueberbleibsel der ersten christlichen Gemeinden
zu untersuchen. Diese Geschichte las er zum Zeitvertreib. Als
er dahin kam, wo der Mann auf seinem Todtbette, noch seine
Lust an der griechischen Sprache bezeugt, und besonders bey
dem Wort Eilikrineia so ein vortrefliches Gefühl hat, so war
es Stilling als wenn er aus einem tiefen Schlaf erwachte. Das
Wort Eilikrineia stand vor ihm als wenn es in einem Glanz
gelegen hätte, dabey fühlte er einen unwiderstehlichen Trieb
die griechische Sprache zu lernen, und einen verborgenen star-

ken Zug zu etwas, das er noch gar nicht kannte, auch nicht zu sagen wußte, was es war. Er besann sich, und dachte: Was will ich doch mit der griechischen Sprache machen? wozu wird sie mir nutzen? welche ungeheure Arbeit ist das für mich, in meinem 28sten Jahr noch eine so schwere Sprache zu lernen, die ich noch nicht einmahl lesen kann! Allein alle Einwendungen der Vernunft waren ganz fruchtlos, sein Trieb dazu war so groß, und die Lust so heftig, daß er nicht gnug eilen konnte, um zum Anfang zu kommen. Er sagte dieses alles Herrn Spanier; dieser bedachte sich ein wenig, endlich sagte er: Wenn Ihr Griechisch lernen müßt, so lernt es! Stilling machte sich alsofort auf, und gieng nach Waldstätt zu einem gewissen vortreflichen Candidaten der Gottesgelahrtheit, der sein sehr guter Freund war, diesem entdeckte er alles. Der Candidat freute sich, munterte ihn dazu auf, und sogar empfahl er ihm die Theologie zu studieren; allein Stilling spürte keine Neigung dazu, sein Freund war auch damit zufrieden, und rieth ihm, auf den Wink Gottes genau zu merken, und demselben, so bald er ihn spürte, blindlings zu folgen. Nun schenkte er ihm die nöthigen Bücher, die griechische Sprache zu lernen, und wünschte ihm Gottes Seegen. Von da gieng er auch zu den Predigern, und entdeckte ihnen sein Vorhaben, diese waren auch sehr wohl damit zufrieden, besonders Herr Seelburg versprach ihm alle Hülfe und nöthigen Unterricht, denn er kam alle Woche zweymal in Herrn Spaniers Haus.

Nun fieng Stilling an griechisch zu lernen. Er applicirte sich mit aller Kraft darauf, bekümmerte sich aber wenig um die Schulmethode, sondern er suchte nur mit Verstand in den Genius der Sprache einzudringen, um das, was er las, recht zu verstehen. Kurz, in fünf Wochen hatte er auch die fünf ersten Capitel des Evangeliums Matthäi, ohne Fehler gemacht zu haben, ins Lateinische übersetzt, und alle Wörter zugleich analysiret. Herr Pastor Seelburg erstaunte und wußte nicht was er sagen sollte; dieser rechtschaffene Mann unterrichtete ihn nur in der Aussprache, und die faßte er gar bald. Bey dieser Gelegenheit machte er sich auch ans Hebräische, und brachte es auch darinn in kurzem so weit, daß er mit Hülfe eines Lexicons sich helfen konnte; auch hier that Herr Seelburg sein bestes an ihm.

Indessen daß er mit erstaunlichen Fleiß und Arbeit sich mit diesen Sprachen beschäftigte, schwieg Herr Spanier ganz still dazu, und ließ ihn machen; kein Mensch wußte was aus dem Dinge werden wollte, und er selber wußte es nicht; die mehresten aber glaubten von ihm, er würde ein Prediger werden wollen.

Endlich entwickelte sich die ganze Sache auf einmahl. An einem Nachmittag im Julius spazierte Herr Spanier in der Stuben auf und ab, wie er zu thun pflegte, wenn er eine wichtige Sache überlegte, Stilling aber arbeitete an seinen Sprachen, und an der Information. „Hört Präceptor! fieng endlich Spanier an: mir fällt da auf einmahl ein, was Ihr thun sollt, Ihr müßt Medicin studiren."

Ich kanns nicht aussprechen, wie Stilling bey diesem Vorschlag zu Muthe war, er konnte sich fast nicht auf den Füßen halten, so daß Herr Spanier erschrack, ihn angriff und sagte: was fehlt Euch? „O Herr Spanier! was soll ich sagen, was soll ich denken? das ists, wozu ich bestimmt bin. Ja, ich fühl in meiner Seelen, das ist das grosse Ding, das immer vor mir verborgen gewesen, das ich so lange gesucht, und nicht habe finden können! dazu hat mich der himmlische Vater von Jugend auf durch schwere und scharfe Prüfungen vorbereiten wollen. Gelobet sey der barmherzige Gott, daß er mir doch endlich seinen Willen offenbaret hat, nun will ich auch getrost seinem Wink folgen."

Hierauf lief er nach seiner Schlafkammer, fiel auf seine Knie, dankte Gott, und bat den Vater der Menschen, daß er ihn nun den nächsten Weg zum bestimmten Zweck führen möchte. Er besann sich auf seine ganze Führung, und nun sah er klar ein, warum er eine so ausgesonderte Erziehung genossen, warum er die lateinische Sprache so früh habe lernen müssen, warum sein Trieb zur Mathematik, und zur Erkenntniß der verborgenen Kräfte der Natur ihm eingeschaffen worden, warum er durch viele Leiden beugsam und bequem gemacht worden, allen Menschen zu dienen, warum eine Zeit her seine Lust zur Philosophie so gewachsen, daß er die Logik und Metaphysik habe studiren müssen, und warum er endlich zur griechischen Sprache solche Neigung bekommen? Nun wußte er seine Bestimmung, und von Stund an beschloß er für sich zu studiren, und so lange Materialien zu sammlen, bis es Gott gefallen würde, ihn nach der Universität zu schicken.

Herr Spanier gab ihm nun Erlaubniß, des Abends einige Stunden für sich zu nehmen; er brauchte ihn auch nicht mehr so stark in Handlung-Geschäften, damit er Zeit haben möchte zu studiren. Stilling setzte nun mit Gewalt sein Sprachstudium fort, und fieng an, sich mit der Anatomie aus Büchern bekannt zu machen. Er las Krügers Naturlehre, und machte sich alles, was er lase, ganz zu eigen, er suchte sich auch einen Plan zu formiren, wornach er seine Studien einrichten wollte, und dazu verhalfen ihm einige berühmte Aerzte, mit denen er correspondirte. Mit Einem Wort, alle Disciplinen der Arzeneykunde gieng er für sich so gründlich durch, als es ihm für die Zeit möglich war, damit er sich doch wenigstens allgemeine Begriffe von allen Stücken verschaffen möchte.

Diese wichtige Neuigkeit schrieb er alsofort an seinen Vater und Oheim. Sein Vater antwortete ihm darauf: daß er ihn der Führung Gottes überlasse, nur könne er von seiner Seiten auf keine Unterstützung hoffen, er sollte nur behutsam seyn, damit er sich nicht in ein neues Labyrinth stürzen möchte. Sein Oheim aber war ganz unwillig auf ihn, der glaubte ganz gewiß, daß es nur ein blosser Hang zu neuen Dingen sey, der sicherlich übel ausschlagen würde. Stilling ließ sich das alles gar nicht anfechten, sondern fuhr nur getrost fort zu studiren.

Wo die Mittel herkommen sollten, das überließ er der väterlichen Vorsehung Gottes.

Im folgenden Frühjahr, als er schon ein Jahr studirt hatte,
mußte er wieder in Geschäften seines Herrn ins Salensche
Land reisen. Dieses erfreute ihn ungemein, denn er hoffte jetzt
seine Freunde mündlich besser zu überzeugen: daß es würklich
der Wille Gottes über ihn sey, die Medicin zu studiren. Er
gieng also des Morgens früh fort, und des Nachmittags kam
er bey seinem Oheim zu Lichthausen an. Dieser ehrliche Mann
fieng alsofort, nach der Bewillkommnung, an, mit ihm zu
disputiren, wegen seines neuen Vorhabens. Die ganze Frage
war: wo soll so viel Geld herkommen, als zu einem so weit-
läuftigen und kostbaren Studium erfordert wird? — Stilling
beantwortete diese Frage immer mit seinem Symbolum: *Jehovah jireh,* (der Herr wirds versehen.)

Des andern Morgens gieng er auch zu seinem Vater; dieser
war ebenfalls sorgfältig, und fürchtete, er möchte in diesem
wichtigen Vorhaben scheitern: doch disputirte er nicht mit
ihm, sondern überließ ihn seinem Schicksal.

Nachdem er nun seine Geschäfte verrichtet hatte, gieng er
wieder nach seinem Vater, nahm Abschied von ihm, und darauf nach seinem Oheim. Dieser war aber in ein paar Tagen
ganz verändert. Stilling erstaunte darüber, noch mehr aber,
als er die Ursache vernahm. „Ja, sagte Johann Stilling: Ihr
müßt Medicin studiren, jetzt weiß ich daß es Gottes Wille
ist!"

Um diese Sache in ihrem Ursprung begreifen zu können,
muß ich eine kleine Ausschweifung machen, die Johann Stilling betrift. Er war, noch ehe er Landmesser wurde, mit einem
sonderbaren Mann, einem catholischen Pfarrer, bekannt geworden, dieser war ein sehr geschickter Augen-Arzt, und weit
und breit wegen seiner Curen berühmt. Nun hatte Johann
Stillings Frau sehr wehe Augen, deswegen gieng ihr Mann zu
Molitor hin, um etwas für sie zu holen. Der Pfarrer merkte

bald, daß Johann einen offenen Kopf hatte, und deswegen munterte er ihn auf, sich wacker in der Geometrie zu üben. Molitor hatte es gut mit ihm vor, er hatte Anleitung, bey einem sehr reichen und vornehmen Freyherrn Rentmeister zu werden, und dieser Dienst gefiel ihm besser als seine Pfarre. Nun war dieser Freyherr ein großer Liebhaber von der Geometrie, und willens, alle seine Güter auf Charten bringen zu lassen. Hierzu bestimmte Molitor Johann Stillingen, und dieses gerieth auch vollkommen. So lange der alte Freyherr lebte, hatten Molitor, Johann Stillingen und zuweilen auch Wilhelm Stilling ihr Brod von diesem Herrn; als dieser aber starb, so wurde Molitor abgedankt, und die Landmesserey hatte auch ein Ende.

Nun wurde Molitor in seinem Alter Vicarius in einem Städgen, welches vier Stunden von Lichthausen nordwärts liegt. Seine meiste Beschäftigung bestund in chymischen Arbeiten und Augencuren, worinnen er noch immer der berühmteste Mann, in der ganzen Gegend, war.

Just nun während der Zeit, daß Heinrich Stilling in Geschäften seines Herrn, im Salenschen Lande war, schrieb der alte Herr Molitor an Johann Stilling: „daß er alle seine Geheimnisse für die Augen ganz getreu und umständlich, ihren Gebrauch und Zubereitung so wohl, als auch die Erklärung der vornehmsten Augenkrankheiten, nebst ihrer Heilmethode aufgesetzt habe. Da er nun alt, und nah an seinem Ende sey, so wünschte er, dieses, gewiß herrliche Manuscript, in guten Händen zu sehen. In Betracht nun der vesten und genauen Freundschaft, welche unter ihnen beyden, ohngeachtet der Religionsungleichheit, ununterbrochen fortgewährt habe, wollte er ihn freundlich ersuchen, ihm zu melden: ob nicht jemand rechtschaffenes in seiner Familie sey, der wohl Lust hätte, die Arzeneywissenschaft zu studieren, den sollte er zu ihm schicken, er wäre bereit demselben alsofort das Manuscript, nebst noch andern schönen medicinischen Sachen zu

übergeben, und zwar ganz umsonst, doch mit dem Beding,
daß er ein Handgelübde thun müßte, jederzeit arme Nothleidende umsonst damit zu bedienen. Nur müßte es jemand
seyn, der Medicin studieren wollte, damit die Sachen nicht
unter Pfuschers Händen gerathen mögten."

Dieser Brief hatte Johann Stilling in Absicht auf seinen
Vetter ganz umgeschmolzen. Daß er just in diesem Zeitpunct
ankam, und daß Herr Molitor just in dieser Zeit, da sein Vetter Medicin studieren wollte, auf den Einfall kam, das schien
ihm ein ganz überzeugender Beweis zu seyn, daß Gott die
Hand mit im Spiel habe; deswegen sprach er auch zu Stillingen: Les't diesen Brief, Vetter! ich habe nichts mehr gegen
Euer Vorhaben einzuwenden! ich sehe, es ist Gottes Finger.

Alsofort schrieb Johann Stilling einen sehr freundschaftlichen und dankbaren Brief an Herrn Molitor, und empfahl
ihm seinen Vetter aufs beste. Mit diesem Brief wanderte des
andern Morgens Stilling nach dem Städtgen hin, wo Molitor
wohnte. Als er dahin kam, fragte er nach diesem Herrn; man
wies ihm ein kleines niedliches Häusgen. Stilling schellte, und
eine betagte Frauensperson that ihm die Thür auf, und fragte:
wer er wäre? Er antwortete; ich heiße Stilling, und hab etwas
mit dem Herrn Pastor zu sprechen. Sie gieng hinauf; nun
kam der alte Greis selber, bewillkommte Stilling, und führte
ihn hinauf in sein kleines Cabinettgen. Hier überreichte er
seinen Brief. Nachdem Molitor denselben gelesen, so umarmte
er Stillingen, und erkundigte sich nach seinen Umständen, und
nach seinem Vorhaben. Er blieb diesen ganzen Tag bey ihm,
besahe das niedliche Laboratorium, seine bequeme Augen-
Apotheke, und seine kleine Bibliothek. Dieses alles, sagte
Herr Molitor: will ich Ihnen in meinem Testament verma-
chen, eh ich sterbe. So verbrachten sie diesen Tag recht vergnügt zusammen.

Des andern Morgens früh gab Molitor das Manuscript an
Stillingen ab, doch mit dem Beding, daß ers abschreiben, und

ihm das Original wieder zustellen sollte; dagegen gelobte Molitor mit einem theuren Eid, daß ers niemand weiter geben, sondern es so verbergen wollte, daß es niemahlen jemand wieder finden könnte. Ueberdas hatte der ehrliche Greis noch verschiedene Bücher apart gestellt, die er Stilling mit nächstem zu schicken versprach; allein, dieser packte sie in seinen Reisesack, nahm sie auf seinen Buckel und trug sie fort. Molitor begleitete ihn bis vor das Thor, da sah er auf gen Himmel, faßte Stilling an der Hand, und sagte: „Der Herr! der Heilige! der Ueberallgegenwärtige! bewirke Sie durch Seinen heiligen Geist: zum besten Menschen, zum besten Christen, und zum besten Arzt!" Hierauf küßten sie sich, und schieden von einander.

Stilling vergoß Thränen bey diesem Abschied, und dankte Gott für diesen vortrefflichen Freund. Er hatte zehn Stunden bis zu Herrn Spanier hin; diese machte er noch heute ab, und kam des Abends, schwer mit Büchern beladen, zu Hause an. Er erzählte seinem Patron den neuen Vorfall; dieser bewunderte mit ihm, die sonderbare Führung und Leitung Gottes.

Nun gab sich Stilling ans Abschreiben. In vier Wochen hatte er dieses, bey seinen Geschäften, vollendet. Er packte also ein Pfund guten Thee, ein Pfund Zucker, und sonst noch ein und anderes in den Reisesack, desgleichen auch die beyden Manuscripte, und gieng an einem frühen Morgen wieder fort, um seinen Freund Molitor zu besuchen, und ihm sein Manuscript wieder zu bringen. Am Nachmittag kam er vor seiner Hausthür an, und schellte; er wartete ein wenig, schellte wieder, aber es that ihm niemand auf. Indessen stund eine Frau in einem Hause gegenüber an der Thür, die fragte: bey wen er wollte? Stilling antwortete: bey den Herrn Pastor Molitor! Die Frau sagte: der ist seit acht Tagen in der Ewigkeit! — Stilling erschrack daß er blaß wurde, er gieng in ein Wirthshaus, wo er sich nach Molitors Todesumständen erkundigte, und wer sein Testament auszuführen hätte. Hier hörte er:

daß er plötzlich am Schlag gestorben, und daß kein Testament vorhanden wäre. Stilling kehrte also mit seinem Reisesack wieder um, und gieng noch vier Stunden zurück, wo er in einem Städtgen bey einem guten Freund übernachtete, so daß er frühzeitig des andern Tages wieder zu Haus war. Den ganzen Weg durch konnte er sich des Weinens nicht enthalten, ja er hätte gern auf Molitors Grab geweint, wenn der Zugang zu seiner Gruft nicht verschlossen gewesen wäre.

So bald er zu Hause war, fieng er an die molitorische Medicamente zu bereiten. Nun hatte Herr Spanier einen Knecht, dessen Knabe von zwölf Jahren seit langer Zeit sehr wehe Augen gehabt hatte; an diesem machte Stilling seinen ersten Versuch, und der gerieth vortrefflich, so daß der Knabe in kurzer Zeit heil wurde; daher kam er bald in eine ordentliche Praxis, so daß er viel zu thun hatte, und gegen den Herbst schon, hatte sich das Gerücht von seinen Curen vier Stunden umher, bis nach Schönenthal, verbreitet.

Meister Isaac zu Waldstätt sah seines Freundes Gang und Schicksale mit an, und freute sich von Herzen über ihn, ja er schwamm im Vergnügen, wenn er sich vorstellte, wie er dermahleins den Doctor Stilling besuchen, und sich mit ihm ergetzen wollte. Allein, Gott machte einen Strich durch diese Rechnung, denn Meister Isaac wurde krank, Stilling besuchte ihn fleißig, und sah mit Schmerzen seinen nahen Tod. Den letzten Tag vor seinem Abschied saß Stilling am Bette seines Freundes; Isaac richtete sich auf, faßte ihn an der Hand, und sprach: Freund Stilling! ich werde sterben, und eine Frau mit vier Kindern hinterlassen, für ihren Unterhalt sorge ich nicht, denn der Herr wird sie versorgen; aber ob sie in des Herrn Wegen wandeln werden, das weiß ich nicht, und darum trage ich Ihnen die Aufsicht über sie auf, stehen Sie ihnen mit Rath und That bey, der Herr wirds Ihnen vergelten. Stilling versprach das von Herzen gerne, so lange als seine Aufsicht möglich seyn würde. Isaac fuhr fort: wenn sie von Herrn Spanier wegziehen werden, so entlasse ich Sie Ihres Versprechens, — jetzt aber bitte ich Sie: denken Sie immer in Liebe an mich, und leben Sie so, daß wir im Himmel ewig vereinigt seyn können. Stilling vergoß Thränen, und sagte: Bitten Sie für mich um Gnade und Kraft! Ja! sagte Isaac: das werd ich erst thun, wenn ich werde vollendet seyn, jetzt hab ich mit mir selber genug zu schaffen. Stilling vermuthete sein Ende noch so gar nahe nicht, daher gieng er von ihm weg, und versprach morgen wieder zu kommen; allein diese Nacht starb er. Stilling gieng bey seinem Leichen-Conduct der vorderste, weil er keine Anverwandten hatte; er weinte über seinem Grabe, und betrauerte ihn als einen Bruder. Seine Frau starb nicht lange nach ihm, seine Kinder aber sind alle recht wohl versorgt.

Nachdem nun Stilling beynah sechs Jahr bey Herrn Spanier in Condition gewesen war, und dabey die Augencuren fortsetzte, so trug es sich bisweilen zu, daß sein Herr mit ihm von einem bequemen Plan redete, nach welchem er sich mit seinem Studiren zu richten hätte. Herr Spanier schlug ihm vor: er sollte noch einige Jahre bey ihm bleiben, und so vor sich studieren, alsdann wolle er ihm ein paar hundert Reichsthaler geben, damit könne er nach einer Universität reisen, sich examiniren und promoviren lassen, und nach einem viertel Jahr wieder kommen, und so bey Herrn Spanier ferner wohnen bleiben. Was er dann weiter mit ihm vor hatte, ist mir nicht bekannt worden.

Dieser Plan gefiel Stilling ganz und zumahlen nicht. Sein Zweck war, die Medicin auf einer Universität aus dem Grunde zu studieren; er zweifelte auch nicht, der Gott der ihn dazu berufen habe, der würde ihm auch Mittel und Wege an die Hand geben, daß ers ausführen könne. Hiermit war aber Spanier nicht zufrieden, und deswegen schwiegen sie beyde endlich ganz still von der Sache.

Im Herbst des 1769sten Jahrs, als Stilling eben sein dreyßigstes Jahr angetreten hatte, und sechs Jahr bey Herrn Spa-

nier gewesen war, bekam er von einem Kaufmann zu Rasenheim eine Stunde diesseits Schönenthal, der sich Friedenberg
schrieb, einen Brief, worinnen ihn dieser Mann ersuchte, so
bald als möglich nach Rasenheim zu kommen, weil einer seiner Nachbarn einen Sohn habe, der seit einigen Jahren mit
bösen Augen behaftet gewesen, und Gefahr laufe blind zu
werden. Herr Spanier trieb ihn an, alsofort zu gehen. Stilling that das, und nach dreyen Stunden eben Vormittag kam
er bey Herrn Friedenberg zu Rasenheim an. Dieser Mann
bewohnte ein schönes niedliches Haus, welches er vor ganz
kurzer Zeit hatte bauen lassen. Die Gegend wo er wohnte,
war überaus angenehm. So bald Stilling in das Haus trat, und
überall Ordnung, Reinigkeit und Zierde ohne Pracht bemerkte, so freute er sich, und fühlte, daß er da würde wohnen
können. Als er aber in die Stube trat, und Herrn Friedenberg
selber nebst seiner Gattin und neun schönen wohlgewachsenen Kindern so der Reihe nach sahe, wie sie alle zusammen
nett und zierlich, aber ohne Pracht gekleidet, da giengen und
stunden, wie alle Gesichter Wahrheit, Rechtschaffenheit und
Heiterkeit um sich strahlten, so war er ganz entzückt, und
nun wünschte er wirklich, ewig bey diesen Leuten zu wohnen.
Da war kein Treiben, kein Ungestüm, sondern eitel wirksame
Thätigkeit aus Harmonie und guten Willen.

Herr Friedenberg bot ihm freundlich die Hand, und nöthigte ihn zum Mittagessen. Stilling nahm das Anerbieten mit
Freuden an. So wie er mit diesen Leuten redete, so entdeckte
sich alsofort eine unaussprechliche Uebereinstimmung der Geister; alle liebten Stilling in dem Augenblick, und er liebte sie
auch alle über die Maßen. Sein ganzes Gespräch mit Herrn
und Frau Friedenberg war bloß vom Christenthum und der
wahren Gottseeligkeit, wovon diese Leute ganz und allein
Werk machten.

Nach dem Essen gieng Herr Friedenberg mit ihm zum Patienten, welchen er besorgte, und darauf wieder mit seinem

Freund zurück gieng um Caffee zu trinken. Mit Einem Wort, diese drey Gemüther, Herr und Frau Friedenberg und Stilling, schlossen sich vest zusammen, wurden ewige Freunde, ohne sich es sagen zu dürfen. Des Abends gieng Letzterer wieder zurück an seinen Ort, allein er fühlte etwas leeres nach diesem Tage, er hatte seit der Zeit seiner Jugend nie wieder eine solche Haushaltung angetroffen, er hätte gern näher bey Herrn Friedenberg gewohnt, um mehr mit ihm und seinen Leuten umgehen zu können.

Indessen fieng der Patient zu Rasenheim an, sich zu bessern, und es fanden sich mehrere in dasigen Gegenden, sogar in Schönenthal selbsten, die seiner Hülfe begehrten; daher beschloß er, mit Genehmhaltung des Herrn Spaniers, alle vierzehn Tage des Samstags Nachmittags wegzugehen, um seine Patienten zu besuchen, und des Montags morgens wieder zu kommen. Er richtete es deswegen so ein, daß er des Samstags Abends bey Herrn Friedenberg ankam, des Sonntags Morgens gieng er dann umher, und bis nach Schönenthal, besuchte seine Kranken, und des Sonntags Abends kam er wieder nach Rasenheim, von wannen er des Montags Morgens wieder nach Hause gieng. Bey diesen vielfältigen Besuchen wurde seine genaue Verbindung mit Herrn Friedenberg und seinem Hause immer stärker; er erlangte auch eine schöne Bekanntschaft in Schönenthal mit vielen frommen Gottesfürchtigen Leuten, die ihn Sonntags Mittags wechselsweise zum Essen einluden, und sich mit ihm vom Christenthum und andern guten Sachen unterredeten.

Dieses dauerte so fort bis in den Februar des folgenden 1770sten Jahrs, als Frau Friedenberg mit einem jungen Töchterlein entbunden wurde; diese frohe Neuigkeit machte Herr Friedenberg nicht nur seinem Freunde Stilling bekannt, sondern er ersuchte ihn sogar des folgenden Freytags als Gevatter bey seinem Kinde an der Taufe zu stehen. Dieses machte Stillingen ungemeine Freude. Herr Spanier indessen konnte

nicht begreifen, wie ein Kaufmann dazu komme, den Bedienten eines andern Kaufmanns zu Gevattern zu bitten; allein
Stillingen wunderte das nicht, denn Herr Friedenberg und er,
wußten von keinem Unterschied des Standes mehr, sie waren
Brüder.

Zur bestimmten Zeit gieng also Stilling hin, um der Taufe
beyzuwohnen. Nun hatte aber Herr Friedenberg eine Tochter, welche die ältste unter seinen Kindern, und damahls im
ein und zwanzigsten Jahr war. Dieses Mädchen hatte von
ihrer Jugend an die Stille und Eingezogenheit geliebt, und
deswegen war sie blöde gegen alle fremde Leute, besonders
wenn sie etwas vornehmer gekleidet waren als sie gewohnt
war. Ob dieser Umstand zwar in Ansehung Stillings nicht im
Wege stund, so vermied sie ihn doch so viel sie konnte, so daß
er sie wenig zu sehen bekam. Ihre ganze Beschäftigung hatte
von Jugend auf in anständigen Hausgeschäften, und dem nöthigen Unterricht in der christlichen Religion nach dem evan-
gelisch-lutherischen Bekenntniß, nebst Schreiben und Lesen
bestanden; mit Einem Worte, sie war ein niedliches artiges
junges Mädgen, die eben nirgends in der Welt gewesen war,
um nach der Mode leben zu können, deren gutes Herz aber,
alle diese einem rechtschaffenen Mann unbedeutende Kleinigkeiten reichlich ersetzten.

Stilling hatte diese Jungfer vor den andern Kindern seines
Freundes nicht vorzüglich bemerkt, er fand in sich keinen
Trieb dazu, und er durfte auch an so etwas nicht denken, weil
er noch ehe weit aussehende Dinge aus dem Wege zu räumen
hatte.

Dieses liebenswürdige Mädgen hieß Christine. Sie war seit
einiger Zeit schwerlich krank gewesen, und die Aerzte verzweifelten alle an ihrem Aufkommen. Wenn nun Stilling nach
Rasenheim kam, so fragte er nach ihr, als nach der Tochter
seines Freundes; da ihm aber niemand Anlaß gab, sie auf
ihrem Zimmer zu besuchen, so dachte er auch nicht daran.

Diesen Abend aber, nachdem die Kindtaufe geendigt war, stopfte Herr Friedenberg seine lange Pfeife, und fragte seinen neuen Gevattern: Gefällt es Ihnen einmahl mit mir meine kranke Tochter zu besuchen? mich verlangt, was Sie von ihr sagen werden, Sie haben doch schon mehr Erkenntniß von Krankheiten, als ein anderer. Stilling war dazu willig; sie giengen zusammen hinauf ins Zimmer der Kranken. Sie lag matt und elend im Bett, doch hatte sie noch viele Munterkeit des Geistes. Sie richtete sich auf, gab Stilling die Hand und hieß ihn sitzen. Beyde setzten sich also ans Bett ans Nacht-tischgen. Christine schämte sich jetzt vor Stillingen nicht, son-dern sie redete mit ihm von allerhand das Christenthum betreffenden Sachen. Sie wurde ganz aufgeräumt, und vertrau-lich. Nun hatte sie oft bedenkliche Zufälle, deswegen mußte jemand des Nachts bey ihr wachen; dieses geschah aber auch zum Theil deswegen, weil sie nicht viel schlafen konnte. Als nun beyde eine Weile bey ihr gesessen hatten, und eben weg-gehen wollten, so ersuchte die kranke Jungfer ihren Vater: ob er wohl erlauben wollte, das Stilling mit ihrem ältern Bruder diese Nacht bey ihr wachen mögte? Herr Friedenberg gab das sehr gerne zu, mit dem Beding aber, wenn es Stillingen nicht zuwider sey. Dieser leistete sowohl der Kranken als auch den Ihrigen diesen Freundschaftsdienst gerne. Er begab sich also mit dem ältesten Sohn des Abends um neun Uhr auf ihr Zim-mer; beyde setzten sich vor das Bett, ans Nachttischgen, und sprachen mit ihr von allerhand Sachen, um sich die Zeit zu vertreiben, zuweilen lasen sie auch etwas darzwischen.

Des Nachts um ein Uhr sagte die Kranke zu ihren beyden Wächtern: sie mögten ein wenig still seyn, sie glaubte etwas schlafen zu können. Dieses geschah. Der junge Herr Frieden-berg schlich indessen herab um etwas Caffee zu besorgen; er blieb aber ziemlich lang aus, und Stilling begunnte auf seinem Stuhl zu nicken. Nach etwa einer Stunde regte sich die Kranke wieder. Stilling schob die Gardine ein wenig von einander,

und fragte sie: ob sie geschlafen habe? Sie antwortete: Ich hab
so wie im Taumel gelegen. „Hören Sie, Herr Stilling! ich hab
einen sehr lebhaften Eindruck in mein Gemüth bekommen,
von einer Sache, die ich aber nicht sagen darf, bis zu einer andern Zeit." Bey diesen Worten wurde Stilling ganz starr, er
fühlte von Scheitel bis unter die Fußsohle eine noch nie emp-
fundene Erschütterung, und auf einmahl fuhr ihm ein Strahl
durch die Seele wie ein Blitz. Es wurde ihm klar in seinem
Gemüth, was jetzt der Wille Gottes sey, und was die Worte
der kranken Jungfer bedeuteten. Mit Thränen in den Augen
stund er auf, bückte sich ins Bett, und sagte: „Ich weiß es, liebe
Jungfer! was sie für einen Eindruck bekommen hat, und was
der Wille Gottes ist." Sie fuhr auf, reckte ihre rechte Hand
heraus, und versetzte: „wissen Sie's?" — Damit schlug Stilling seine rechte Hand in die ihrige, und sprach: „Gott im
Himmel segne uns! Wir sind auf ewig verbunden!" — Sie
antwortete: „Ja! wir sinds auf ewig!" —

Alsbald kam der Bruder, und brachte den Caffee, setzte ihn
hin, und alle drey trunken zusammen. Die Kranke war ganz
ruhig wie vorher; sie war weder freudiger noch trauriger, so
als wenn nichts sonderliches vorgefallen wäre. Stilling aber
war wie ein Trunkener, er wuste nicht ob er gewacht oder
geträumt hatte, er konnte sich über diesen unerhörten Vorfall
weder besinnen noch nachdenken. Indessen fühlte er doch eine
unbeschreiblich zärtliche Neigung in seiner Seelen gegen die
theure Kranke, so daß er mit Freuden sein Leben für sie
würde aufopfern können, wenns nöthig wäre, und diese reine
Flamme war so, ohne angezündet zu werden, wie ein Feuer
vom Himmel auf sein Herz gefallen; denn gewiß, seine Verlobte hatte jetzt weder Reize, noch Willen zu reizen, und er
war in einer solchen Lage, wo ihm vor dem Gedanken zu heurathen schauderte. Doch wie gesagt: er war betäubt, und
konnte über seinen Zustand nicht eher nachdenken, bis des
andern Morgens, da er wieder zurück nach Hause reiste. Er

nahm vorher zärtlich Abschied von seiner Geliebten, bey welcher Gelegenheit er seine Furcht äußerte, allein sie war ganz getrost bey der Sache, und versetzte: „Gott hat gewiß diese Sache angefangen, Er wird sie auch gewiß vollenden!"

Unterweges fieng nun Stilling an vernünftig über seinen Zustand nachzudenken, die ganze Sache kam ihm entsetzlich vor. Er war überzeugt, daß Herr Spanier, so bald er diesen Schritt erfahren würde, alsofort seinen Beystand von ihm abziehen, und ihn abdanken würde, folglich wär er dann ohne Brod, und wieder in seine vorige Umstände versetzt. Ueberdas konnte er sich unmöglich vorstellen, daß Herr Friedenberg mit ihm zufrieden seyn würde; denn in solchen Umständen sich mit seiner Tochter zu verloben, wo er für sich selber kein Brod verdienen, geschweige Frau und Kinder ernähren konnte, ja sogar ein großes Capital nöthig hatte, das war eigentlich ein schlechtes Freundschaftsstück, es konnte vielmehr als ein erschrecklicher Mißbrauch derselben angesehen werden. Diese Vorstellungen machten Stillingen herzlich angst, und er fürchtete in noch beschwerlichere Umstände zu gerathen, als er jemahlen erlebt hatte. Es war ihm als einem der auf einen hohen Felsen am Meer geklettert ist, und, ohne Gefahr zerschmettert zu werden, nicht herab kommen kann, er wagts und springt ins Meer, ob er sich mit schwimmen noch retten mögte.

Stilling wußte auch keinen andern Rath mehr; er warf sich mit seinem Mädgen in die Arme der väterlichen Fürsorge Gottes, und nun war er ruhig, er beschloß aber dennoch weder Herrn Spanier noch sonst jemand in der Welt etwas von diesem Vorfall zu sagen.

Herr Friedenberg hatte Stillingen die Erlaubniß gegeben, alle Medicamenten in dasige Gegenden nun an ihn zu fernerer Besorgung zu übermachen; deswegen schickte er des folgenden Samstags, welches neun Tage nach seiner Verlobung war, ein Päckgen Medicin, an ihn ab, wobey er einen Brief

fügte, der ganz aus seinem Herzen geflossen war, und welcher
ziemlich entdeckte, was darinnen vorgieng; ja was noch mehr
war, er schlug sogar ein versiegeltes Schreiben an seine Verlobte darinn ein, und alles dieses that er ohne Ueberlegung
und Nachdenken, was vor Folgen daraus entstehen könnten;
als aber das Paquet fort war, da überdachte er erst, was
daraus werden könnte, ihm schlug das Herz, und er wußte
sich fast nicht zu lassen.

Niemahls ist ein Weg für ihn sauerer gewesen, als wie er
acht Tage hernach des Samstags Abends seinen gewöhnlichen
Gang nach Rasenheim gieng. Je näher er dem Hause kam, je
mehr klopfte sein Herz. Nun trat er zur Stubenthür hinein.
Christine hatte sich in etwas erhohlet; sie war daselbst mit
ihren Eltern und einigen Kindern. Er gieng, wie gewöhnlich,
mit freudigem Blick auf Friedenberg an, gab ihm die Hand,
und dieser empfieng ihn mit gewöhnlicher Freundschaft, so
auch die Frau Friedenberg, und endlich auch Christine. Stilling gieng nun wieder heraus, und hinauf nach seinem Schlafzimmer, um ein und anders das er bey sich hatte abzulegen.
Ihm war schon ein Band vom Herzen, denn sein Freund hatte
entweder nichts gemerkt, oder er war mit der ganzen Sache
zufrieden. Er gieng nun wieder herunter, und erwartete was
ferner vorgieng. Als er unten auf die Treppe kam, so winkte
ihm Christine, die gegen der Wohnstube über, in einer Kammerthür stund; er gieng zu ihr, sie schloß die Kammerthür
hinter ihm zu, und beyde setzten sich neben einander. Christine fieng nun an:

„Ach! welchen Schrecken hast Du mir mit Deinen Briefen
abgejagt! meine Eltern wissen alles. Hör, ich will Dir alles
sagen, wie es ergangen ist. Als die Briefe kamen, war ich in
der Stube, mein Vater auch, meine Mutter aber war in der
Kammer auf dem Bett. Mein Vater brach den Brief auf, er
fand noch einen drinnen an mich, er reichte mir denselben mit
den Worten: da ist auch ein Brief an Dich. Ich wurde roth,

nahm ihn an, und las ihn. Mein Vater las den seinigen auch, schüttelte zuweilen den Kopf, stund und bedachte sich, dann las er wieder. Endlich gieng er in die Kammer zu meiner Mutter; ich konnte alles verstehn was gesprochen wurde. Mein Vater las ihr den Brief vor. Als er ausgelesen hatte, so lachte meine Mutter, und sagte: Begreifst Du auch wohl, was der Brief bedeutet? er hat Absichten auf unsre Tochter. Mein Vater antwortete: Das ist nicht möglich, er ist ja nur eine Nacht mit meinem Sohn bey ihr gewesen, dazu ist sie krank, und doch kommt mir auch der Brief bedenklich vor. Ja, Ja! sagte die Mutter: denke nicht anders, es ist so. Nun gieng mein Vater hinaus, und sagte nichts mehr. Alsbald rief mir meine Mutter: Komm Christine! lege Dich ein wenig bey mich, Du bist gewiß des Sitzens müde. Ich gieng zu ihr, und legte mich neben sie. Hör! fieng sie an: hat Gevatter Stilling Neigung zu Dir? Ich sagte rund aus: Ja! das hat er. Sie fuhr fort: Ihr seyd doch noch nicht versprochen? Ja, Mutter! antwortete ich: Wir sind auch versprochen; und nun mußte ich weinen. Gott im Himmel! sagte meine Mutter: Wie ist das zugegangen? ihr seyd ja nicht zusammen gewesen! Nun erzählte ich ihr umständlich alles wie es ergangen ist, und sagte ihr die klare Wahrheit. Sie erstaunte darüber, und sagte: Du thust einen harten Angang. Stilling muß noch erst studieren, eh ihr beysammen leben könnt, wie willst Du das aushalten? Du bist ohnehin schwächlichen Gemüths und Leibes. Ich antwortete: ich will mich schicken so gut ich kann, der Herr wird mir beystehen! ich muß diesen heurathen; und wenn ihr Eltern mir es verbietet, so will ich euch darinnen gehorchen, aber einen andern werd ich nie nehmen. Das wird keine Noth haben, versetzte meine Mutter. Sobald nun meine beyde Eltern wieder allein in der Kammer, und ich in der Stube war, so erzählte sie meinem Vater alles, eben so wie ichs ihr erzählt hatte. Er schwieg lange, endlich fieng er an: Das ist mir eine unbeschreibliche Sache, ich kann nichts dazu sagen. So steht die Sache noch, mein Vater hat mir kein Wort gesagt, weder gutes noch böses. Nun ist es aber unsre Pflicht, daß wir noch diesen Abend unsre Eltern fragen, und ihre völlige Einwilligung erhalten. So eben wie Du die Treppe herauf giengst, sagte mein Vater zu mir: Geh mit Stilling in die andre Stube allein, du sollst wohl mit ihm zu reden haben.

Stillingen hüpfte das Herz vor Freuden. Er fühlte nun gar wohl, daß seine Sachen einen erwünschten Ausschlag nehmen würden. Er unterredete sich noch ein Stündchen mit seiner Geliebten; sie verbunden sich noch einmahl, mit in einander geschlossenen Armen, zu einer ewigen Treue, und zu einem rechtschaffenen Wandel vor Gott und Menschen.

Des Abends nach dem Essen, als alles im Hause schlafen war, sassen nur noch Herr und Frau Friedenberg nebst Christinen und Stillingen in der Stuben. Letzterer fieng nun an, und erzählte getreu den ganzen Vorfall mit den kleinsten Umständen, und schloß mit diesen Worten: Nun frag ich Sie aufrichtig: „Ob Sie mich von Herzen gern unter die Zahl Ihrer Kinder aufnehmen wollen? ich werde alle kindliche Pflichten durch Gottes Gnade treulich erfüllen, und ich protestire feyerlich gegen alle Hülfe und Beystand zu meinem Studiren. Ich begehre nur bloß Ihre Jungfer Tochter: ja ich nehme Gott zum Zeugen, daß mir der Gedanke der fürchterlichste ist, den ich haben kann, wenn ich mir vorstelle, daß Sie wohl denken könnten: ich hätte bey dieser Verbindung eine unedle Absicht gehabt."

Herr Friedenberg seufzte tief, und ein paar Thränen liefen seine Wangen herunter. Ja, sagte er: Herr Gevatter! ich bin damit zufrieden, und nehme Sie willig zu meinem Sohn an; denn ich sehe, daß Gottes Finger in dieser Sache wirkt. Ich kann nichts dawider einwenden; überdem kenne ich Sie, und weiß wohl, daß Sie zu ehrlich sind, um solche unchristliche Absichten zu haben; das muß ich aber noch hinzufügen, daß ich auch gar nicht im Stande dazu bin, Sie studieren zu lassen.

Nun wendete er sich zu Christinen, und sagte: Getraust Du dich aber auch, die lange Abwesenheit Deines Geliebten zu ertragen? Sie antwortete: Ja, Gott wird mir Kraft dazu geben!

Nun stund Herr Friedenberg auf, umarmte Stillingen, küßte ihn und weinte an seinem Halse: nach ihm that Frau Friedenberg desgleichen. Die Empfindung läßt sich nicht aussprechen, die Stilling dabey fühlte; es war ihm als wenn er in ein Paradies versetzt würde. Wo das Geld zu seinem Studieren herkommen sollte, darum bekümmerte er sich gar nicht. Die Worte: der Herr wirds versehen! waren so tief in seine Seele gegraben, daß er nicht sorgen konnte.

Nun ermahnte ihn Herr Friedenberg, daß er noch dieses Jahr bey Herrn Spanier aushalten, alsdann sich aber folgenden Herbst nach Universitäten begeben mögte. Stillingen war das recht nach seinem Sinn, und ohnehin sein Wille. Endlich beschlossen sie alle zusammen, diese ganze Sache geheim zu halten, um den schiefen Urtheilen der Menschen vorzubeugen, und dann durch eifriges Gebet von allen Seiten den Seegen von Gott zu diesem wichtigen Vorhaben zu erbitten.

Stilling setzte nun bey Herrn Spanier seine Bedienung noch immer fort, desgleichen seine gewöhnliche Gänge nach Rasenheim und Schönenthal. Ein viertel Jahr vor Michaelis kündigte er Herrn Spanier sein Vorhaben höflich und freundschaftlich an, und bat ihn, ihm doch diesen Schritt nicht zu verübeln, indem es endlich im dreyssigsten Jahr seines Alters einmahl Zeit sey, für sich selber zu sorgen. Herr Spanier antwortete zu dem allem nicht ein Wort, sondern schwieg ganz still; aber von dem an war sein Herz von Stilling ganz abgekehrt, so daß ihm das letzte viertel Jahr noch ziemlich sauer wurde, nicht daß ihm jemand etwas in den Weg legte, sondern weil die Freundschaft und das Zutrauen ganz hin war.

Vier Wochen vor der Frankfurther Herbst-Messe nahm also Stilling von seinem bisherigen lieben Patron und dem ganzen Hause Abschied. Herr Spanier weinte blutige Thränen, aber er sagte kein Wort weder gutes noch böses. Stilling weinte auch; und so verließ er seine letzte Schule oder Informations-Bedienung, und zog nach Rasenheim zu seinen Freunden, nachdem er sieben ganzer schöner Jahre an einem Ort ruhig verlebt hatte.

Herr Spanier hatte seine wahre Absicht mit Stilling nie entdeckt. So wie sein Plan war, nur dem Titel nach Doctor zu werden, ohne hinlängliche Erkenntnisse zu haben, das war Stillingen unmöglich einzugehen; und entdeckte Spanier den Rest seiner Gedanken nicht ganz, so konnte es ja Stilling auch nicht wissen, und noch vielweniger sich darauf verlassen. Ueber das alles führte ihn die Vorsehung gleichsam mit Macht und Kraft, ohne sein Mitwirken, so daß er folgen mußte, wenn er auch etwas anders vor sich beschlossen gehabt hätte. Was aber noch das Schlimmste für Stillingen war: er hatte nie einen bestimmten Jahrlohn mit Herrn Spanier gemacht; dieser rechtschaffene Mann gab ihm reichlich was er bedurfte. Nun hatte er sich aber schon Bücher und andre Nothwendigkeiten angeschaft, so daß er, wenn er alles rechnete, ein ziemliches jährlich empfangen hatte, deswegen gab ihm nun Spanier beym Abschied nichts, so daß er ohne Geld bey Friedenberg zu Rasenheim ankam. Dieser zahlte ihm aber alsofort hundert Reichsthaler aus, um sich das Nöthigste zu seiner Reise dafür anzuschaffen, und das übrige mitzunehmen. Seine christlichen Freunde zu Schönenthal aber beschenkten ihn mit einem schönen Kleid, und erboten sich zu fernerm Beystand.

Stilling hielt sich nun noch vier Wochen bey seiner Verlobten und den Ihrigen auf; während dieser Zeit rüstete er sich aus, nach der hohen Schule zu ziehen. Er hatte sich noch keinen Ort erwählt, wohin, sondern er erwartete einen Wink vom himmlischen Vater; denn weil er aus purem Glauben studieren wollte, so durfte er auch in nichts seinem eigenen Willen folgen.

Nach drey Wochen gieng er noch einmahl nach Schönenthal, um seine Freunde daselbst zu besuchen. Als er daselbst ankam, fragte ihn eine sehr theure und liebe Freundin: „Wohin er zu ziehen willens wäre?" Er antwortete: „Er wüßte es nicht." „Ey! sagte sie: unser Herr Nachbar Troost reist nach Strasburg um daselbst einen Winter zu bleiben, reisen Sie mit demselben!" Dieses fiel Stilling aufs Herz; er fühlte, daß dieses der Wink sey, den er erwartet hatte. Indem trat gemeldter Herr Troost in die Stube herein. Alsofort fieng die Freundinn gegen ihn an, von Stillingen zu reden. Der liebe Mann freuete sich von Herzen über seine Gesellschaft, denn er hatte schon ein und anderes von ihm gehört.

Herr Troost war zu der Zeit ein Mann von vierzig Jahren, und noch unverheurathet. Schon zwanzig Jahr war er mit vielem Ruhm Chirurgus in Schönenthal gewesen; allein er war jetzt mit seinen Kenntnissen nicht mehr zufrieden, sondern er wollte noch einmal zu Strasburg die Anatomie durchstudieren, und andre chirurgische Collegia hören, um mit neuer Kraft ausgerüstet wieder zu kommen, und seinem Nächsten desto nützlicher dienen zu können. In seiner Jugend hatte er schon einige Jahre auf dieser berühmten hohen Schule zugebracht, und den Grund zu seiner Wissenschaft gelegt.

Dieser war nun der rechte Mann für Stillingen. Er hatte das edelste und beste Herz von der Welt, das aus lauter Menschenliebe und Freundschaft zusammen gesetzt war; dazu hatte er einen vortreflichen Character, viel Religion und daraus fliessende Tugenden. Er kannte die Welt und Strasburg; und gewiß, es war ein recht väterlicher Zug der Vorsehung, daß Stilling just jetzt mit ihm bekannt wurde. Er machte deswegen alsbald Freundschaft mit Herrn Troost. Sie beschlossen, mit den Meß-Kaufleuten nach Frankfurth, und von da mit einer Retourkutsche nach Strasburg zu fahren; sie bestimmten nun auch den Tag ihrer Abreise, der nach acht Tagen vestgesetzt wurde.

Stilling hatte schon vorlängst seinem Vater und Oheim im Salenschen Lande seine fernere wunderbare Führung bekannt gemacht; diese entsetzten sich, erstaunten, fürchteten, hofften, und gestunden: daß sie ihn ganz an Gott überlassen müßten, und daß sie bloß von ferne stehen, und seinen Flug über alle Berge hin, mit Furcht und Zittern ansehen könnten, indessen wünschten sie ihm allen erdenklichen Seegen.

Stillings Lage war jetzt in aller Absicht erschrecklich. Ein jeder Vernünftiger setze sich in Gedanken einmahl an seine Stelle und empfinde! — Er hatte sich mit einem zärtlichen frommen empfindsamen, aber dabey kränklichen Mädchen verlobt, die er mehr als seine eigene Seele liebte, und diese wurde von allen Aerzten verzehrend erklärt, so daß er sehr fürchten mußte, sie bey seinem Abschied zum letztenmahl zu sehen. Dazu fühlte er alle die schweren Leiden, die ihr zärtlich liebendes Herz während einer so langen Zeit würde ertragen müssen. Sein ganzes künftiges Glück beruhte nun blos darauf, ein rechtschaffener Arzt zu werden; und dazu gehörten zum wenigsten tausend Reichsthaler, wozu keine hundert für ihn in der ganzen Welt zu finden waren; folglich sah es auch in diesem Fall mißlich mit ihm aus, fehlte es ihm hie, so fehlte ihm alles.

Und dennoch, ob sich Stilling gleich alles sehr lebhaft vorstellte, so setzte er doch sein Vertrauen vest auf Gott, und machte diesen Schluß:

„Gott fängt nichts an, oder er führt es auch herrlich aus. Nun ist es aber ewig wahr, daß er meine gegenwärtige Lage ganz und allein, ohne mein Zuthun so geordnet hat."

„Folglich: ist es auch ewig wahr, daß er alles mit mir herrlich ausführen werde."

Dieser Schluß machte ihn öfters so muthig, daß er lächelnd gegen seine Freunde zu Rasenheim sagte: „Mich soll doch verlangen, wo mein Vater im Himmel Geld für mich zusammen treiben wird!" Indessen entdeckte er keinem einigen Menschen weiter seine eigentlichen Umstände, besonders Herrn Troost nicht, denn dieser zärtliche Freund würde groß Bedenken getragen haben, ihn mitzunehmen; oder er würde wenigstens doch herzliche Sorge für ihn ausgestanden haben.

Endlich rückte der Tag der Abreise heran, und Christine schwamm in Thränen und wurde zuweilen ohnmächtig, und das ganze Haus trauerte.

Am letzten Abend sassen Herr Friedenberg und Stilling allein zusammen. Ersterer konnte sich des Weinens nicht enthalten; mit Thränen sagte er zu Stillingen: Lieber Sohn! das Herz ist mir sehr schwer um Euch, wie gern wollt ich Euch mit Geld versehen, wenn ich nur könnte, ich hab meine Handlung und Fabrique mit nichts angefangen, nunmehr bin ich eben so weit, daß ich mir helfen kann; wenn ich Euch aber wollte studiren lassen, so würde ich mich ganz zurück setzen. Und dazu hab ich zehn Kinder, was ich dem ersten thue, das bin ich hernach allen schuldig.

Hören Sie, Herr Schwiegervater! antwortete Stilling mit frohem Muth, und fröhlichem Gesicht: ich begehre keinen

Heller von Ihnen, glauben Sie nur gewiß: derjenige, der in der Wüsten so viel tausend Menschen mit wenig Brod sättigen konnte, der lebt noch, dem übergebe ich mich. Er wird gewiß Rath schaffen. Sorgen sie nur nicht, „der Herr wirds versehen".

Nun hatte er seine Bücher, Kleider und Geräthe voraus auf Frankfurth geschickt; und des andern Morgens, nachdem er mit seinen Freunden gefrühstückt hatte, lief er hinauf nach der Kammer seiner Christinen; sie saß und weinte. Er ergrif sie in seine Arme, küßte sie und sagte: „Lebe wohl, mein Engel! Der Herr stärke und erhalte Dich im Seegen und Wohlergehn, bis wir uns wieder sehen!" — und so lief er zur Thür hinaus. Nun letzte er sich mit einem jeden, lief fort, und weinte sich unterweges satt. Der ältere Bruder seiner Geliebten begleitete ihn bis Schönenthal. Nun kehrte auch dieser traurig um, und Stilling begab sich zu seinen Reisegefährten.

Ich will mich mit der Reisegeschichte nach Frankfurth weiter nicht aufhalten. Sie kamen alle glücklich daselbst an, außer daß sie in der Gegend von Ellefeld auf dem Rhein einen heftigen Schreck ausgestanden hatten.

Vierzig Reichsthaler war Stillings ganze Haabseeligkeit gewesen, wie er von Rasenheim weggereist war. Nun mußten sie sich eilf Tage in Frankfurth aufhalten, und auf Gelegenheit warten, besonders auch weil Herr Troost nicht eher fortkommen konnte; daher schmolz sein Geld so zusammen, daß er zween Tage vor seiner Abreise nach Strasburg noch einen einzelnen Reichsthaler hatte, und dieses war sein Vorrath, den er in der Welt wußte. Er entdeckte niemand etwas, sondern wartete auf den Wink des himmlischen Vaters. Doch fand er bey allem seinem Muth nirgends recht Ruhe, er spazierte umher, und betete innerlich zu Gott; indessen gerieth er auf den Römerberg, daselbst begegnete ihm ein Schönenthaler Kaufmann, der ihn wohl kannte, und auch sein Freund war; diesen will ich Liebmann nennen.

Herr Liebmann also grüßte ihn freundlich, und fragte wie's ihm gienge? Er antwortete: Recht gut! Das freut mich, versetzte jener: Kommen Sie diesen Abend auf mein Zimmer, und speisen Sie mit mir was ich habe! Stilling versprach das. Nun zeigte ihm Herr Liebmann wo er logirte.

Des Abends gieng er an den bestimmten Ort. Nach dem Essen fieng Herr Liebmann an: Sagen Sie mir doch mein Freund! wo bekommen sie Geld her zum Studiren? Stilling lächelte, und antwortete: „Ich hab einen reichen Vater im Himmel, der wird mich versorgen." Herr Liebmann sah ihn an, und erwiederte: Wie viel haben sie noch? Stilling versetzte: „Einen Reichsthaler, — und das ist alles!" So! — fuhr Liebmann fort: ich bin einer von Ihres Vaters Rentmeistern, ich werde also jetzt einmahl den Beutel ziehen. Damit zählte er Stillingen drey und dreyßig Reichsthaler hin, und sagte: mehr kann ich anjetzo nicht missen. Sie werden überall Hülfe finden. Können sie mir das Geld dermaleinst wieder geben, gut! wo nicht, auch gut! — Stilling fühlte heiße Thränen in seinen Augen. Er dankte herzlich für diese Liebe, und versetzte: „Das ist reichlich genug, ich wünsche nicht mehr zu haben." Diese erste Probe machte ihn so muthig, daß er gar nicht mehr zweifelte, Gott würde ihm gewiß durch alles durchhelfen. Er erhielt auch Briefe von Rasenheim von Herrn Friedenberg und von Christinen. Diese hatte Muth gefaßt, und standhaft beschlossen, geduldig auszuharren. Friedenberg aber schrieb ihm in den allerzärtlichsten Ausdrücken, und empfahl ihn der väterlichen Fürsorge Gottes. Er beantwortete gleichfalls beyde Briefe mit aller möglichen Zärtlichkeit und Liebe. Von seiner ersten Glaubens-Probe aber meldete er nichts, sondern schrieb nur, daß er Ueberfluß habe.

Nach zween Tagen fand Herr Troost eine Retourkutsche nach Mannheim, welche er für sich und Stilling, nebst noch einen redlichen Kaufmann von Luzern aus der Schweiz, miethete. Nun nahmen sie wiederum von allen Bekannten und

Freunden Abschied, setzten sich ein und reisten im Namen
Gottes weiter.

Um sich nun unter einander die Zeit zu kürzen, erzählte ein
jeder was er wußte. Der Schweizer wurde so vertraulich, daß
er unsern beyden Reisenden sein ganzes Herz entdeckte. Stilling wurde dadurch gerührt, und er erzählte seine ganze Lebensgeschichte mit allen Umständen, so daß der Schweizer oft
die milden Thränen fallen ließ. Herr Troost selber hatte sie
auch noch nie gehört, er wurde auch sehr gerührt, und seine
Liebe zu Stillingen wurde desto grösser.

Zu Mannheim nahmen sie wieder eine Retourkutsche bis
auf Strasburg. Als sie zwischen Speyer und Lauterburg in den
grossen Wald kamen stieg Stilling aus. Er war des Fahrens
nicht gewohnt, und konnte das Wiegen der Kutsche, besonders in Sandwegen, nicht wohl ausstehen. Der Schweizer stieg
auch aus, Herr Troost aber blieb im Wagen. Als nun die beyden Reisegefährten so zusammen zu Fuß giengen, sprach ihn
der Schweizer an: ob er ihm nicht das Manuscript von Molitor, weil er es doch doppelt habe, gegen fünf französische
neue Louisd'or überlassen wollte? Stilling sah dieses wiederum als einen Wink von Gott an, und daher versprach ers
ihm.

Sie stiegen endlich wiederum in die Kutsche. Unter allerhand Gesprächen kam Herr Troost recht zur Unzeit an ge-
meldetes Manuscript. Er glaubte, wenn Stilling einmahl studiert haben würde, so würde er wenig mehr aus dergleichen
Sächelchen, Geheimnissen und Salbereyen machen, weil doch
niemahlen etwas rechts daran sey. Hiemit waren nun dem
Schweizer seine fünf Louisd'or wieder lieber, als das Papier.
Hätte Herr Troost gewußt, was zwischen beyden vorgefallen
war, so möchte er wohl geschwiegen haben.

Indessen kamen nun unsre Reisende gesund und wohl zu
Strasburg an, und Logierten sich bey Herrn Rathmann Blesig
in der Aext ein, Stilling so wohl als sein Freund schrieben al-

sofort nach Haus, und meldeten ihre glückliche Ankunft, ein jeder am gehörigen Ort.

Stilling hatte nun keine Ruhe mehr, bis er das herrliche Münster rund um von innen und außen gesehen hatte. Er ergötzte sich dergestalt, daß er öffentlich sagte: „Das allein ist der Reise werth, gut! daß es ein Teutscher gebaut hat." Des andern Tages ließen sie sich immatriculiren, und Herr Troost, der daselbst bekannt war, suchte ein bequemes Zimmer für sie beyde. Dieses fand er auch nach Wunsch, denn am bequemsten Ort für sie wohnte ein vornehmer reicher Kaufmann Nahmens R . . . der einen Bruder in Schönenthal gehabt hatte, und daher Liebe für Herrn Troost und seinen Gefehrten bezeigte. Dieser verpachtete ihnen ein herrliches tapezirtes Zimmer, unten im ersten Stock, für einem mäßigen Preiß; sie zogen daselbst ein.

Nun suchte Herr Troost ein gutes Speisequartier, und dieses fand er gleichfalls ganz nahe, wo eine vortrefliche Tischgesellschaft war. Hier veraccordirte er sich nebst Stilling auf den Monath. Dieser aber erkundigte sich indessen nach den Lehrstunden, und nahm deren so viel an, als nur gehalten wurden. Die Naturlehre, die Scheidekunst und die Zergliederung waren seine Hauptstücke, die er alsofort vornahm.

Des andern Mittags giengen sie zum erstenmahl ins Kosthaus zu Tische. Sie waren zuerst da, man wies ihnen ihren Ort an. Es speiseten ungefähr zwanzig Personen an diesem Tisch, und sie sahen einen nach dem andern hereintreten. Besonders kam einer mit großen hellen Augen, prachtvoller Stirn, und schönem Wuchs, muthig ins Zimmer. Dieser zog Herrn Troosts und Stillings Augen auf sich; ersterer sagte gegen letztern: das muß ein vortreflicher Mann seyn. Stilling bejahte das, doch glaubte er, daß sie beyde viel Verdruß von ihm haben würden, weil er ihn für einen wilden Cammeraden ansah. Dieses schloß er aus dem freyen Wesen, das sich der Student ausnahm; allein Stilling irrte sehr. Sie wurden indessen gewahr, daß man diesen ausgezeichneten Menschen Herr Göthe nannte.

Nun fanden sich noch zween Mediciner, einer aus Wien, der andre ein Elsasser. Der erstere hieß Waldberg. Er zeigte in seinem ganzen Wesen ein Genie, aber zugleich ein Herz voller Spott gegen die Religion, und voller Ausgelassenheit in seinen Sitten. Der Elsasser hieß Melzer, und war ein feines Männchen, er hatte eine gute Seele, nur Schade! daß er etwas reizbar und mißtrauisch war. Dieser hatte seinen Sitz neben Stilling, und war bald Herzensfreund mit ihm. Nun kam auch ein Theologe, der hieß Leose, einer von den vortreflichsten Menschen, Göthens Liebling, und das verdiente er auch mit recht, denn er war nicht nur ein edles Genie, und ein guter Theologe, sondern er hatte auch die seltene Gabe, mit trockener Miene die treffendste Satire in Gegenwart des Lasters hinzuwerfen. Seine Laune war überaus edel. Noch einer fand sich ein, der sich neben Göthe hinsetzte, von diesem will ich nichts mehr sagen als daß er — ein guter Rabe mit Pfauenfedern war.

Noch ein vortreflicher Strasburger saß da zu Tische. Sein Ort war der oberste, und wär es auch hinter der Thür gewesen. Seine Bescheidenheit erlaubt nicht, ihm eine Lobrede zu halten: es war der Herr Actuarius Salzmann. Meine Leser mögen sich den gründlichsten und empfindsamsten Philosophen, mit dem ächtesten Christenthum verpaart, denken, so denken sie sich einen Salzmann. Göthe und er waren Herzensfreunde.

Herr Troost sagte leise zu Stilling: Hier ists am besten, daß man vierzehn Tage schweigt. Letzterer erkannte diese Wahrheit, sie schwiegen also, und es kehrte sich auch niemand sonderlich an sie, außer daß Göthe zuweilen seine Augen herüberwälzte; er saß gegen Stilling über, und er hatte die Regierung am Tisch, ohne daß er sie suchte.

Herr Troost war Stillingen sehr nützlich, er kannte die

Welt besser, und daher konnte er ihn sicher durchführen: Ohne ihn würde Stilling hundertmahl angestoßen haben. So gütig war der himmlische Vater gegen ihn. Er versorgte ihn sogar mit einem Hofmeister, der ihm nicht allein mit Rath und That beystehen, sondern auch von dem er Anleitung und Fingerzeig in seinen Studien haben konnte. Denn gewiß Herr Troost war ein geschickter und erfahrner Wundarzt.

Nun hatte sich Stilling völlig eingerichtet; er lief seinen Lauf heldenmüthig fort; er war jetzt in seinem Element; er verschlang alles was er hörte, schrieb aber weder Collegia noch sonst etwas ab, sondern trug alles zusammen in allgemeine Begriffe über. Selig ist der Mann, der diese Methode wohl zu üben weis! aber es ist nicht einem jeden gegeben. Seine beyden Professoren, die berühmten Herren Spielmann und Lobstein bemerkten ihn bald, und gewannen ihn lieb, besonders auch darum, weil er sich ernst, männlich, und eingezogen aufführte.

Allein seine 33 Reichsthaler waren nun wieder auf einen einzigen herunter geschmolzen, deswegen begann er wiederum herzlich zu beten. Gott erhörte ihn, und just in dieser Zeit der Noth fieng Herr Troost einmahl des Morgens gegen ihn an, und sagte: „Sie haben, glaub ich, kein Geld mitgebracht; ich will Ihnen sechs Carlinen leihen, bis Sie Wechsel bekommen werden." Obgleich Stilling so wenig von Wechsel als von Geld wußte, so nahm er doch dieses freundschaftliche Erbieten an, und Herr Troost zahlte ihm sechs neue Louisd'or aus. Wer war es nun, der das Herz dieses Freundes just weckte, als es noth war!!!

Herr Troost war nett und nach der Mode gekleidet; Stilling auch so ziemlich. Er hatte einen schwarzbraunen Rock mit manschesternen Unterkleidern, nur war ihm noch eine runde Perücke übrig, die er zwischen seinen Beutel-Perücken doch auch gern verbrauchen wollte. Diese hatte er einsmahlen aufgesetzt, und kam damit an den Tisch. Niemand störte sich daran, als nur Herr Waldberg von Wien. Dieser sah ihn an;

und da er schon vernommen hatte, daß Stilling sehr für die Religion eingenommen war, so fieng er an und fragte ihn: Ob wohl Adam im Paradies eine runde Perücke mögte getragen haben? Alle lachten herzlich bis auf Salzmann, Göthe und Troost; diese lachten nicht. Stillingen fuhr der Zorn durch alle Glieder, und antwortete darauf: „Schämen Sie sich dieses Spotts. Ein solcher alltäglicher Einfall ist nicht werth, daß er belacht werde!" — Göthe aber fiel ein, und versetzte: Probier erst einen Menschen, ob er des Spotts werth sey? Es ist teufelmäßig, einen rechtschaffenen Mann, der keinen beleidiget hat, zum besten zu haben! Von dieser Zeit nahm sich Herr Göthe Stillings an, besuchte ihn, gewann ihn lieb, machte Brüderschaft und Freundschaft mit ihm, und bemühte sich bey allen Gelegenheiten, Stillingen Liebe zu erzeigen. Schade, daß so wenige diesen vortreflichen Menschen seinem Herzen nach kennen!

Nach Martini wurde das Collegium der Geburtshülfe angeschlagen, und die Lernbegierigen dazu eingeladen. Stillingen war dieses ein Hauptstück, deswegen fand er sich des Montags Abends mit andern ein, um zu unterschreiben. Er dachte nicht anders, als daß dieses Collegium eben so wie die andern erst nach Endigung desselben bezahlt würde; allein wie erschrack er, als der Doctor ankündigte: daß sich die Herren möchten gefallen lassen, künftigen Donnerstag Abend sechs neue Louisd'or fürs Collegium zu bezahlen! Hier war also eine Ausnahme, und die hatte auch ihre gegründete Ursachen. Wenn nun Stilling den Donnerstag nicht bezahlte, so wurde sein Name ausgestrichen. Dieses war schimpflich, und schwächte den Credit, der doch Stillingen absolut nöthig war. Jetzt war also guter Rath theuer. Herr Troost hatte schon sechs Carlinen vorgeschossen, und noch war kein Anschein da, sie wieder geben zu können.

So bald als Stilling in sein Zimmer kam und dasselbe leer fand, (denn Herr Troost war in ein Collegium gegangen,) so schloß er die Thür hinter sich zu, warf sich in einen Winkel nieder, und rang recht mit Gott um Hülfe und Erbarmen; indessen äußerte sich nichts tröstliches für ihn, bis den Donnerstag Abend. Es war schon fünf Uhr, und um sechs war die Zeit, daß er das Geld haben mußte. Stilling begonnte fast im Glauben zu wanken; der Angstschweiß brach ihm aus, und sein ganzes Angesicht war naß von Thränen. Er fühlte weder Muth noch Glauben mehr, und deswegen sah er von ferne in eine Zukunft, die der Hölle mit allen ihren Qualen ähnlich war. Indem er mit solchen traurigen Gedanken in dem Zimmer auf und abgieng, klopfte jemand an die Thür. Er rief: herein! Es war der Patron des Hauses, der Herr R . . . Dieser trat ins Zimmer, und nach den gewöhnlichen Complimenten fieng er an: ich komme, um zu sehen, wie Sie sich befinden, und ob Sie mit meinem Zimmer zufrieden sind. (Herr Troost war wiederum nicht da, und der wußte auch von Stillings jetzigen Kampf gar nichts.) Stilling antwortete: Es macht mir viel Ehre, daß Sie sich nach meinem Befinden zu erkundigen belieben. Ich bin Gott lob! gesund, und Dero Zimmer ist nach unser beyder höchstem Wunsch.

Herr R . . . versetzte: das macht mir Freude, besonders da ich sehe, daß Sie so sittsame wackere Leute sind. Aber ich wollte doch vornehmlich nach eins fragen: „Haben Sie Geld mitgebracht, oder bekommen Sie Wechsel? —" Nun wards Stillingen als dem Habacuc, wie ihn der Engel des Herrn beym Schopf nahm, um ihn nach Babel zu führen. Er antwortete: Nein, ich habe kein Geld mitgebracht.

Herr R . . . stand, sah ihn starr an und versetzte: „Wie kommen Sie denn doch um Gottes willen zurecht?"

Stilling antwortete: Herr Troost hat mir schon geliehen. „Hören Sie, fuhr Herr R . . . fort: der hat sein Geld selber nöthig. Ich will Ihnen Geld vorschießen, so viel Sie brauchen; wenn Sie dann Wechsel bekommen, so geben Sie mir nur selbigen, auf daß Sie keine Unruhe mit dem Verkauf haben mö-

gen. Brauchen Sie auch wohl jetzt etwas Geld?" Stilling
konnte sich kaum enthalten, daß er nicht laut rief, doch hielt
er an sich und ließ sich nichts merken. Ja! sagte er, ich habe
diesen Abend sechs Louisd'or nöthig, und ich war verlegen.

Herr R . . . entsetzte sich, und erwiederte: „Ja das glaub
ich! Nun seh ich: Gott hat mich zu Ihrer Hülfe hergesandt."
Nun gieng er zur Thür hinaus.

Stilling wars nun wie dem Daniel im Löwengraben, da ihm
Habacuc die Speise brachte; er versank ganz von Empfindung, und wurde kaum gewahr, daß Herr R . . . wieder hereintrat. Dieser vortrefliche Mann brachte acht Louisd'or,
zählte sie ihm dar, und sagte: „Da haben Sie noch etwas übrig, und wenn das all ist, so fordern Sie mehr."

Stilling durfte seinen herzlichen Dank nicht ganz auslassen,
um sich nicht allzusehr bloß zu geben. Nun empfahl sich der
edle Mann, und gieng fort.

In dem Kreis, worinnen sich Stilling jetzt befand, hatte er
täglich Versuchungen genug, ein Religionszweifler zu werden.
Er hörte alle Tage neue Gründe gegen die Bibel, gegen Christenthum, und gegen die Grundsätze der christlichen Religion.
Alle seine Beweise die er jemahls gesammlet, und die ihn immer beruhiget hatten, waren nicht hinlänglich mehr, seine
strenge Vernunft zu beruhigen; bloß diese Glaubensproben,
deren er in seiner Führung so viel erfahren, machten ihn ganz
unüberwindlich. Er schloß also:

„Derjenige, der augenscheinlich das Gebet der Menschen
erhört, und ihre Schicksale wunderbarer Weise und sichtbarlich lenkt, muß unstreitig wahrer Gott, und seine Lehre Gottes Wort seyn.

Nun hab ich aber von je her Jesum Christum als meinen
Gott und Heiland verehrt und ihn gebeten. Er hat mich in
meinen Nöthen erhört, und mir wunderbar beygestanden,
und mir geholfen.

Folglich ist Jesus Christus unstreitig wahrer Gott, seine

Lehre ist Gottes Wort, und seine Religion, so wie er sie gestiftet hat, die wahre."

Dieser Schluß galt ihm zwar bey andern nichts, aber für
ihn selbst war er vollkommen hinreichend, ihn vor allem
Zweifel zu schützen.

So bald Herr R … fort war, fiel Stilling zur Erde nieder,
dankte Gott mit Thränen, und warf sich aufs neue in seine
väterliche Arme; darauf gieng er ins Collegium, und bezahlte
so gut als der Reichste.

Indem daß dieses zu Strasburg vorgieng, besuchte einsmahls
Herr Liebmann von Schönenthal, Herrn Friedenberg zu Rasenheim, denn sie waren sehr gute Freunde. Liebmann wußte
von Stillings Verbindung mit Christinen nichts, doch wußte
er wohl, daß Friedenberg sein Herzensfreund war.

Als sie so zusammen sassen, so fiel auch das Gespräch auf
ihren Freund zu Strasburg. Liebmann wußte nicht genug zu
erzählen: wie Herr Troost in seinen Briefen Stillings Fleiß,
Genie, und guten Fortgang im Studiren rühmte. Friedenberg
und seine Leute, besonders Christine, fühlten Wonne dabey in
ihren Herzen. Liebmann konnte nicht begreifen, woher er
Geld bekäme? Friedenberg auch nicht. Ey, fuhr Liebmann
fort: ich wollte, daß ein Freund mit mir anstünde, wir wollten ihm einmal einen tüchtigen Wechsel schicken.

Herr Friedenberg merkte diesen Zug der Vorsehung; er
konnte sich kaum des Weinens enthalten. Christine aber lief
hinauf auf ihr Zimmer, legte sich vor Gott nieder, und betete.
Friedenberg versetzte: Ey, so will ich mit anstehen! Liebmann
freute sich, und sagte: „Wohlan! so zahlen Sie hundert und
fünfzig Reichsthaler, ich will auch so viel herbey schaffen,
und den Wechsel an ihn abschicken." Friedenberg that das
gerne.

Vierzehn Tage nach der schweren Glaubensprobe, die Stilling ausgestanden hatte, bekam er ganz unvermuthet einen
Brief von Herrn Liebmann, nebst einem Wechsel von drey-

hundert Reichsthalern. Er lachte hart, stellte sich gegen das Fenster, sah mit freudigem Blick gen Himmel, und sagte:

„Das war Dir nur möglich, du allmächtiger Vater!"

„Mein ganzes Leben sey Gesang!

Mein Wandel wandelnd Lied der Harfe!"

Nun bezahlte er Herrn Troost, Herrn R... und was er sonst schuldig war, und behielt noch genug übrig, den ganzen Winter auszukommen. Seine Lebensart zu Strasburg war auffallend, so daß die ganze Universität von ihm zu sagen wußte. Die Philosophie war eigentlich von jeher diejenige Wissenschaft gewesen, wozu sein Geist die mehreste Neigung hatte. Um sich nun noch mehr darinnen zu üben, beschloß er, des Abend von 5 bis 6 Uhr, welche Stunde ihm übrig war, ein öffentliches Collegium in seinem Zimmer darüber zu lesen. Denn weil er eine gute natürliche Gabe der Beredsamkeit hatte, so entschloß er sich um desto lieber dazu, theils um die Philosophie zu wiederhohlen, und sich ferner darinnen zu üben, theils aber auch, um eine Geschicklichkeit zu erlangen, öffentlich zu reden. Da er sich nun nichts dafür bezahlen ließ, und dieses Collegium als eine Repetition angesehen wurde, so giengs ihm durch, ohne daß jemand etwas dagegen zu sagen hatte. Er bekam Zuhörer die Menge, und durch diese Gelegenheit viele Bekannte und Freunde.

Seine eigene Collegia versäumte er nie. Er präparirte auf der Anatomie selbsten mit Lust und Freude, und was er präparirt hatte, das demonstrirte er auch öffentlich, so daß Professoren und Studenten sich sehr über ihn verwunderten. Herr Professor Lobstein, der dieses Fach mit bekanntem größten Ruhm verwaltet, gewann ihn sehr lieb, und wendete allen Fleiß an, um ihm diese Wissenschaft gründlich beyzubringen. Auch besuchte er schon diesen Winter mit Herrn Professor Ehrmann die Kranken im Hospital. Er bemerkte da die Krankheiten, und auf der Anatomie ihre Ursachen. Mit Einem Wort: er wendete in allen Disciplinen der Arzeney-

Wissenschaft alles mögliche an, um Gründlichkeit zu erlangen.

Herr Göthe gab ihm in Ansehung der schönen Wissenschaften einen andern Schwung. Er machte ihn mit Ossian, Shakespeare, Fielding und Sterne bekannt; und so gerieth Stilling aus der Natur ohne Umwege wieder in die Natur. Es war auch eine Gesellschaft junger Leute zu Strasburg, die sich die Gesellschaft der schönen Wissenschaften nannte, dazu wurde er eingeladen, und zum Mitglied angenommen; auch hier lernte er die schönsten Bücher, und den jetzigen Zustand der schönen Litteratur in der Welt kennen.

Diesen Winter kam Herr Herder nach Strasburg. Stilling wurde durch Göthe und Troost mit ihm bekannt. Niemahlen hat er in seinem Leben mehr einen Menschen bewundert, als diesen Mann. „Herder hat nur einen Gedanken, und dieser ist eine ganze Welt." Dieser machte Stilling einen Umriß von allem in einem, ich kanns nicht anders nennen; und wenn jemahls ein Geist einen Stoß bekommen hat zu einer ewigen Bewegung, so bekam ihn Stilling von Herdern, und das darum, weil er mit diesem herrlichen Genie, in Ansehung des Naturells mehr harmonirte als mit Göthe.

Das Frühjahr rückte heran, und Herr Troost rüstete sich wiederum zur Abreise. Stilling fühlte zwar diese Trennung von einem so theuren Manne recht tief, allein er hatte doch nunmehr die schönste Bekanntschaft in Strasburg, und dazu hoffte er über ein Jahr wieder bey ihm zu seyn. Er gab ihm Briefe mit; und da er ihm seine Verlobung entdeckt hatte, so empfahl er ihm mit erster Gelegenheit nach Rasenheim zu gehen, und den Seinigen alle seine Umstände mündlich zu erzählen.

So verreiste dieser ehrliche Mann im April wieder in die Niederlande, nachdem er noch einmahl seine nöthigsten Wissenschaften mit größtem Fleiß wiederhohlt hatte. Stilling aber setzte seine Studien wacker fort.

Zehn Tage vor Pfingsten gieng Stilling in die Comödie, um
ein gewisses Stück zu sehen, das man ihm sehr gerühmt hatte.
Es war Romeo und Julie, so wie es Weisse dem teutschen
Theater bequem gemacht hat. Er kannte das Shakespearische
Original, daher wollte er gern sehen, wie dieses Stück von der
im Tragischen so berühmten Madam Abt, welche die Haupt-
rolle spielte, ausgeführt würde.

Auf dem Parterre überfiel ihn ein sehr trauriges Gefühl,
ohne zu wissen wo es herkam. Er hatte die schönsten Briefe
von den Seinigen, sowohl aus dem Salenschen Lande, als auch
von Rasenheim. Er gieng nach Hause, und besann sich wo das
wohl herrühren mögte. Doch es verschwand wieder, Stilling
bekümmerte sich also nicht weiter darum.

Des Dienstags vor Pfingsten hatte der Sohn eines Professors Hochzeit, deswegen waren keine Collegia. Stilling beschloß also, diesen Tag in seinem Zimmer zu bleiben, und für
sich zu arbeiten. Um neun Uhr überfiel ihn ein plötzlicher
Schrecken, das Herz klopfte wie ein Hammer, und er wußte
nicht wie ihm geschah. Er stund auf, gieng im Zimmer auf und
ab, und nun fühlte er einen unwiderstehlichen Trieb nach
Hause zu reisen. Er erschrack über diesen Zufall, und überdachte den Schaden, der ihm sowohl in Ansehung seines Geldes, als auch seines Studierens, dadurch zuwachsen könnte.
Er glaubte endlich, daß es eine hypochondrische Grille sey,
suchte sich's deswegen mit Gewalt aus dem Sinn zu schlagen,
und setzte sich also wieder hin an seine Geschäfte. Allein die
Unruhe ward so groß, daß er wieder aufstehen mußte. Nun
wurde er recht betrübt; es war etwas in ihm, das ihn mit Gewalt andrunge nach Hause zu reisen.

Stilling wußte hier weder Rath noch Trost. Er stellte sich
vor, was man von ihm denken könnte, wenn er so auf Gerade-
wohl funfzig Meilen weit reisen, und vielleicht zu Hause alles
im besten Wohlstand antreffen würde. Da aber die Verängsti-
gung und der Trieb gar nicht nachlassen wollte, so gab er sich

ans beten, und flehte zu Gott, wenn es ja sein Wille sey, daß er nach Hause reisen müßte, so möchte er ihm doch sichere Gewisheit geben: warum? Indem er so bey sich seufzte, trat der Comtoirbediente des Herrn R . . . herein ins Zimmer, und brachte ihm folgenden Brief:

Rasenheim, den 9. May 1771.

Herzlichgeliebter Schwiegersohn!

„Ich zweifle nicht, Sie werden die Briefe von meiner Frauen, Sohn und Herrn Troost wohl erhalten haben. Sie werden nicht erschrecken, wenn ich Ihnen melde: daß Ihre liebe Braut ziemlich krank ist. Diese Krankheit hat seit zwey Tagen wieder so heftig zugesetzt, daß sie jetzt recht — ja recht schwach ist. Mein Herz ist darüber so zerschmolzen, daß mir tausend Thränen die Wangen herunter geflossen sind. Doch ich mag hievon nicht viel schreiben, ich möchte zu viel thun, ich bete und seufze für das liebe Kind recht herzlich, und auch für uns, damit wir uns kindlich seinem heiligen Willen überlassen mögen. O der ewige Erbarmer wolle sich unser aller aus Gnaden annehmen! So hat nun Ihre liebe Braut gerne, daß ich Ihnen dieses schreibe, denn sie ist so schwach, daß sie gar nicht viel sprechen kann — ich muß mit dem Schreiben ein wenig einhalten, der allmächtige Gott wolle mir doch ins Herz legen, was ich schreiben soll! — ich fahre in Gottes Namen fort, und muß Ihnen melden, daß Ihre Braut menschlichem Ansehen nach — halten Sie sich fest, theuerster Sohn! — nicht manchen Tag mehr hier zubringen wird, so wird sie in die ewige Ruhe übergehen; doch ich schreibe, wie wir Menschen es ansehen. Nun mein allerliebster Sohn! ich meyne mein Herz zerschmölze, ich kann Ihnen nicht viel mehr schreiben. Ihre Braut sähe Sie in dieser Welt noch einmahl gern; allein, was soll ich sagen und rathen? ich kann nicht mehr, weil mir die Thränen häufig aufs Papier fallen. Gott! du kennest mich, daß ich gern die Reisekosten bezahlen will! aber rathen darf ich nicht, fragen Sie den rechten Rathgeber, dem ich Sie auch von Herzen empfehle. Ich, Ihre Mutter, Braut, und die Kinder grüssen Sie alle tausendmahl, ich bin in Ewigkeit

Ihr getreuer Vater

Peter Friedenberg."

Stilling stürzte wie ein Rasender von einer Wand an die andre, er weinte nicht, seufzte nicht, sondern sah aus wie einer der an seiner Seeligkeit zweifelt; er besann sich endlich so viel daß er seinen Schlafrock auswarf, seine Kleider anzog, und mit dem Brief zu Herrn Göthe hintaumelte. So bald er in sein Zimmer hinein trat, rief er mit Seelenzagen: Ich bin verlohren! da lies den Brief! Göthe las, fuhr auf, sah ihn mit nassen Augen an, und sagte: Du armer Stilling! Nun gieng er mit ihm zurück nach seinem Zimmer. Es fand sich noch ein wahrer Freund, dem Stilling sein Unglück klagte, dieser gieng auch mit. Göthe und dieser Freund packten ihm das Nöthige in sein Felleisen; ein anderer suchte Gelegenheit für ihn, wodurch er wegreisen könnte, und diese fand sich, denn es lag ein Schiffer auf der Preusch parat, der den Mittag nach Maynz abfuhr, und Stillingen gern mitnahm. Dieser schrieb indessen ein paar Zeilen nach Hause, und kündigte seine baldige Ankunft an. Nachdem nun Göthe das Felleisen bereit hatte, so lief er und besorgte Proviant für seinen Freund, trug ihm den ins Schiff; Stilling gieng reisefertig mit. Hier letzten sich beyde mit Thränen. Nun fuhr Stilling im Namen Gottes ab, und so bald er nur auf der Reise war, so fühlte er sein Gemüth beruhigt, und es ahndete ihm, daß er seine Christine noch lebendig finden, und daß sie besser werden würde; doch hatte er auch verschiedene Bücher mitgenommen, um zu Hause sein Studieren fortsetzen zu können. Es war vorjetzo die bequemste Zeit für ihn zu reisen; denn die mehresten Collegia hatten aufgehört, und die wichtigsten hatten noch nicht wieder angefangen.

Auf der Reise bis Maynz fiel eben nichts merkwürdiges vor. Er kam des Freytags Abends um sechs Uhr daselbst an, bezahlte seinen Schiffer, nahm sein Felleisen unter den Arm, und lief nach der Rheinbrücke, um Gelegenheit auf Cölln zu finden. Hier hörte er nun, daß vor zwo Stunden ein großer bedeckter Nachen mit vier Personen abgefahren sey, der noch wohl für viere Raum habe, und daß dieser Nachen über Nacht zu Bingen bleiben würde. Alsbald trat ein Schiffer herzu, welcher Stillingen versprach, ihn für vier Gulden in drey Stunden dahin zu schaffen, ungeachtet es sechs Stunden von Maynz nach Bingen sind. Stilling gieng diesen Accord ein. Indem sich nun der Schiffer zur Fahrt bereitete, fand sich ein excellentes knappes Bürschgen mit einem kleinen Felleisen, ungefähr 15 Jahr alt, bey Stilling ein, und fragte: ob es nicht erlaubt wäre, in seiner Gesellschaft mit nach Cölln zu reisen? Stilling wars zufrieden, und da er dem Schiffer noch zween Gulden versprach, so wars der auch zufrieden.

Die beyden Reisende traten also in einen kleinen dreybortigen Nachen. Stillingen gefiel das schon gleich anfangs nicht, er äusserte seine Besorgniß, die beyden Schiffer aber lachten ihn aus. Nun fuhren sie fort. Das Wasser gieng bis auf ein paar Finger breit an Bord, und wenn Stilling der etwas lang war, nur ein wenig wankte, so glaubte er umzuschlagen, und alsdann gieng das Wasser gänzlich an Bord.

Dieses Fuhrwerk war ihm fürchterlich, und er wünschte herzlich auf dem Trockenen zu seyn, indessen ließ er sich doch, um sich die Zeit zu kürzen, mit seinem kleinen Reisegefährten in ein Gespräch ein. Da hörte er nun mit Erstaunen, daß dieser Knabe, der ein Sohn einer reichen Wittwe in H... war, so wie er da bey ihm saß, ganz allein nach dem Vorgebürge der guten Hofnung reisen wollte, um daselbst seinen Bruder zu besuchen. Stilling verwunderte sich aus der Maaßen, und fragte ihn: ob seine Frau Mutter in seine Reise eingewilliget habe? Keinesweges! antwortete der Knabe: ich bin heimlich fortgegangen, sie ließ mich in Maynz arretiren, aber ich hielt so lange an, bis sie mir erlaubte zu reisen, und mir einen Wech-

sel von eilf hundert Gulden schickte. Ich hab einen Oheim in
Rotterdam, an den bin ich addressirt, der soll mir ferner fort-
helfen. Stilling beruhigte sich nun wegen des jungen Menschen, denn er zweifelte nicht, daß dieser Oheim geheime Ordre haben würde, ihn mit Gewalt bey sich zu halten.

Während diesen Gesprächen fühlte Stilling Kälte an seinen
Füßen; er sahe zu und fand, daß das Wasser in den Nachen
drang, und daß der Schiffer der hinter ihm saß, wacker
schöpfte. Nun wurd' ihm aber im Ernst bang, und er begehrte
ausdrücklich, man sollte ihn an der Binger Seite ans Land
setzen, er wollte gern den accordirten Lohn völlig geben, und
bis Bingen zu Fuße gehen, allein die Schiffer wollten gar nicht,
sondern ruderten nur fort. Stilling gab sich also selbst ans
schöpfen, und er hatte nebst seinen Gefährten genug zu thun,
den Nachen leer zu halten. Indessen ward's dunkel, sie näher-
ten sich den Gebürgen, es erhub sich ein Wind, und es stieg ein
schwarzes Gewitter auf. Der Knabe fieng im Nachen an zu
zagen, und Stilling gerieth in eine tiefe Schwermuth, welche
noch vergrössert wurde, als er merkte, wie die Schiffer durch
eine Zeichensprache zusammen redeten, so daß sie gewiß
etwas böses im Sinn hatten.

Nun ward es völlig Nacht, das Gewitter rückte heran, es
stürmte und blitzte, so daß der Nachen auf- und abschwankte,
und der Untergang alle Augenblick gewisser wurde. Stilling
kehrte sich innerlich zu Gott, und bate herzlich, daß er ihn
doch erhalten möchte, besonders wenn seine Christine noch
länger leben sollte, damit sie nicht durch eine Schreckens-Post
von seinem unglücklichen Tod, ihre Seele in Kummer aus-
hauchen möchte. Sollte sie aber zu ihrer Ruhe schon übergegangen seyn, so gab er sich mit Freuden an Gottes Willen
über. Indem er so dachte, sah er auf, und nah vor sich einen
Mastbaum von einer Jagd, er rief mit starker Stimme um
Hülfe, in dem Augenblick war ein Schiffmann mit einer
Leuchte, und langen Haken auf dem Verdeck. Seine Schiff-

leute ruderten mit aller Macht abwärts, allein es gelung ihnen nicht, denn weil sie nahe am Ufer hinfuhren, so trieb sie Wind und Strom auf die Jagd an, und eh sie's vermutheten, war der Haken im Nachen, und der Nachen am Schiff. Stilling und sein Gefährte waren mit ihren Felleisen auf dem Verdeck, ehe sichs die Bösewichter von Schiffern versahen. Der Schiffmann leuchtete mit der Leuchte hin, und fieng an: Ha, ha! seyd ihr die T . . . Kerls, die vor einigen Wochen die zween Reisenden da unten vertränkt habt? wart, laßt mich wieder nach Maynz kommen! — Stilling warf ihnen ihren vollen Lohn herab ins Nächelgen, und ließ sie laufen. Wie froh war er aber und wie dankte er Gott! als er dieser Gefahr entronnen war. Nun giengen sie unten in die Cajüte. Die Schiffer waren von Coblenz, und brave Leute. Sie assen alle zusammen, und nun legten sich beyde Reisende ins Gepäcke das daselbst war, und schliefen ruhig, bis wieder der Tag anbrach. Nun befanden sie sich vor Bingen, sie gaben den Schiffern ein gutes Trinkgeld, stiegen aus, und sahen ihren Nachen, mit dem sie nach Cölln fahren wollten, daselbst an einen Pfahl gebunden.

Nicht weit vom Ufer war ein Wirthshaus, Stilling mit seinem Cameraden gieng da hinein, und in die Stube, welche
voller Stroh gespreitet war. Dort in der Ecke lag ein vortreflicher ansehnlicher Mann. Eine Strecke von demselben ein Soldat. Wieder einen Schritt weiter ein junger Mensch, der einem
versoffenen Kautz von Studenten so ähnlich sahe als ein Ey
dem andern. Der erste hatte eine baumwollene Mütze über
die Ohren gezogen, und einen Mantelrock auf der Schulter
hangen, sein russischer Frack war um die Füße gewickelt. Der
andre hatte sein Schnupftuch um den Kopf gebunden und
den Soldatenrock über sich her, und schnarchte. Der dritte lag
da mit blossem Haupt im Stroh, und ein englischer Frack lag
quer über ihn her; er richtete sich auf, sah über queer in die
Welt, wie einer, der den vorigen Abend zu viel ins Brandte-
weinglas geguckt hatte. Hinten im Eck lag etwas, man wußte
nicht was es war, bis es sich regte und zwischen Tüchern und
Küssen hervorgukte: nun entdeckte Stilling daß es eine Gattung von Weibs-Menschen war.

Stilling betrachtete diese herrliche Gruppe eine Weile mit
Freuden, endlich fieng er an: „Meine Herren, ich wünsche
Ihnen allerseits einen glückseeligen Morgen, und gute Reise!
— Alle drey richteten sich auf, gähneten, räusperten sich, und
was dergleichen erste Morgens-Verrichtungen mehr sind; sie
guckten auf, sahen da einen langen lächelnden Mann mit
einem muntern Knaben bey sich stehen; sie sprungen alle auf,
machten ein Compliment, ein jeder auf seine Weise, und dankten freundlich.

Der vornehmste Herr war ein Mensch von einer hohen und
edlen Gesichtsbildung, dieser trat vor Stilling und sagte: „Wie
kommen sie so früh her?" Stilling erzählte kurz und gut wie es
ihm ergangen war. Mit einer edlen Miene fieng dieser Herr
an: „Sie sind doch wohl kein Kaufmann, Sie kommen mir so
nicht vor! —" Stilling verwunderte sich über diese Rede, er
lächelte und sagte: Sie müssen sich gut auf die Physiognomie

verstehn, ich bin auch kein Kaufmann, ich studiere Medicin! Der fremde Herr sah ihn ernst an, und versetzte: „Sie studieren also in der Mitte Ihres Lebens, da müssen wohl ehe Berge zu übersteigen gewesen seyn, oder Sie haben spät gewählt! —" Stilling erwiederte: Beydes hat bey mir Platz. Ich bin ein Sohn der Vorsehung, ohne ihre sonderbare Leitung wär ich entweder ein Schneider oder ein Kohlenbrenner! Stilling sagte dieses mit Nachdruck und Herzensbewegung, wie er immer thut, wenn er auf diese Materie kommt. Der Unbekannte fuhr fort: „Sie erzählen uns wohl unterwegens Ihre Geschichte!" Ja, sagte Stilling von Herzen gern! Nun klopfte ihn jener auf die Schulter, und sagte: „Seyn Sie wer Sie wollen, Sie sind ein Mann nach meinem Herzen."

Ihr die ihr meinen Bruder Lavater so peitscht, woher kams daß dieser vornehme Fremde Stillingen im ersten Anblick lieb gewann? und welches ist die Sprache, welches sind die Buchstaben, die er so geschickt zu lesen und zu studieren wußte? —

Nun wurde auch der Student munter, er war auch ein wakkerer Mann, er grüßte Stillingen, desgleichen auch der Soldat. Stilling fragte: ob die Herren frühstückten? Ja, sagten sie alle: Wir trinken Caffee: Ich auch, setzte Stilling hinzu; er lief hinaus und bestellte. Als er wieder herein kam, fragte er: Kann ich wohl die Ehre haben, mit meinem Gefährten von Dero angenehmen Gesellschaft bis Cölln zu profitiren? Alle sagten einmüthig, ja! es würde ihnen Ehre und Freude machen. Stilling bückte sich. Nun kleideten sie sich alle an, und das Frauenzimmer dahinten legte auch sehr schamhaft ein Stück nach dem andern an. Sie war Haushälterinn bey einem geistlichen Herrn in Cölln, und folglich sehr behutsam in Gesellschaft fremder Mannsleute, wiewohl sie das gar nicht nöthig hatte, denn sie war über alle maaßen häßlich.

Der Caffee kam, Stilling setzte sich vor den Tisch, zog den Krahnnen der Caffeekanne vor sich und fieng an zu zapfen; er war aufgeräumt, und in seiner Seelen vergnügt, warum? weiß ich nicht. Der fremde Herr setzte sich neben ihn, und klopfte ihn wieder auf die Schulter, der Soldat setzte sich auf seine andere Seite und klopfte ihn da auf die Schulter, die beyden jungen Leute aber setzten sich hinter den Tisch, und das Frauenzimmer saß dahinten, und trank aus einem Kännchen allein.

Nach dem Frühstück setzte man sich in den Nachen, und Stilling merkte, daß niemand den fremden Herren kannte. Dieser drunge Stilling, daß er seine Lebensgeschichte erzählen möchte. Sobald sie durch das Bingerloch gefahren waren, fieng er damit an, und erzählte alles ohne das mindeste zu verschweigen, sogar seine Verlöbniß, und das Schicksal seiner jetzigen Reise sagte er aufrichtig. Der Unbekannte ließ zuweilen helle Thränen fallen, der Soldat desgleichen, und beyde wünschten von Herzen zu vernehmen, ob und wie er seine Verlobte angetroffen habe. Alle beyde waren nun vertraut mit ihm, und nun fieng auch der Soldat an:

„Ich bin aus dem Zweybrückschen, und von geringen Eltern gebohren, doch wurde ich fleißig zur Schule gehalten, um durch Wissenschaft zu ersetzen, was mir an Erbschaft mangelte. Nachdem ich von der Schulen kam, nahm mich ein gewisser Beamter zum Schreiber bey sich. Ich war da einige Jahre: seine Tochter ward mir geneigt, und wir wurden gute Freunde, sogar daß wir uns vest verlobten, und uns verbunden nie zu heurathen, wenn man uns etwas in den Weg legen würde. Meine Herrschaft entdeckte dieses bald, und nun wurde ich fortgejagt. Doch fand ich noch ein Stündchen mit meiner Verlobten allein zu reden, bey welcher Gelegenheit wir unser Band noch fester knüpften. Darauf gieng ich nach Holland und ließ mich zum Soldaten annehmen; ich schrieb sehr oft an meine Geliebte, bekam aber nie Antwort, denn man hatte alle Briefe aufgefangen. Ich wurde darüber so verzweifelt, daß ich oft den Tod suchte, doch hatt' ich noch immer Abscheu vor dem Selbstmord."

„Bald darauf wurde unser Regiment nach Amerika abgeschickt; die Cannibalen hatten Krieg gegen die Holländer angefangen, ich muste also mit. Wir kamen in Surinam an, und meine Compagnie lag in einem sehr abgelegenen Fort. Ich war noch immer bis auf den Tod betrübt, und wünschte nichts mehr, als daß mich doch endlich einmahl eine Kugel treffen möchte, nur schauderte ich vor der Gefangenschaft, denn wer will wohl gerne aufgefressen werden! Ich hielte deswegen beständig bey unserm Commendanten an: er möchte mir doch einige Mannschaft mitgeben, um gegen die Cannibalen zu streifen; dieses geschah, und da wir immer glücklich waren, so machte er mich zum Sergeanten."

Einsmahls commandirte ich funfzig Mann; wir durchstrichen einen Wald, und kamen weit von unserer Vestung ab; wir hatten alle unsre Musqueten mit gespannten Hahnen unter dem Arm. Indem fiel ein Schuß auf mich; die Kugel pfiff mein Ohr vorbey. Nach einer kleinen Pause geschah das wieder. Ich schaute hin, und sah einen Wilden wieder laden. Ich rief ihm zu halten, und richtete das Gewehr auf ihn. Er war nah bey uns: Er stand, und wir fiengen ihn. Dieser Wilde verstund holländisch. Wir zwungen ihn, daß er uns ihr Oberhaupt verrathen, und zu demselben hinführen muste. Es war nicht weit bis dahin. Wir fanden einen Trupp Wilden, die in guter Ruhe lagen. Ich hatte das Glück, ihr Oberhaupt selber zu fangen. Wir trieben ihrer so viel vor uns her, als wir ihrer erhalten konnten, viele aber entwischten."

„Hierdurch hatte nun der Katzenkrieg ein Ende. Ich wurde Lieutenant zur See, und kam mit meinem Regiment wieder nach Holland. Nun reiste ich mit Urlaub nach Hause, und fand meine Braut noch so wie ich sie verlassen hatte. Da ich nun mit Geld und Ehre versehen war, so fand ich keinen Wiederstand mehr, wir wurden getraut, und nun haben wir schon fünf Kinder zusammen."

Diese Geschichte ergötzte die Reisegesellschaft. Nun hätten

sowohl der Lieutenant als auch Stilling gern des Unbekannten nähere Umstände gewußt, allein er lächelte und sagte: Verschonen Sie mich damit, meine Herren! ich darf nicht.

So verfloß dieser Tag unter den angenehmsten Gesprächen. Gegen Abend bekamen sie Sturm, und fuhren deswegen zu Leitersdorff unterhalb Neuwied ans Land, wo sie über Nacht blieben. Der liederliche Bursche, den sie bey sich hatten, war ein Strasburger, und seinen Eltern entlaufen. Dieser machte mit dem kleinen Passagier bald Freundschaft. Stilling warnte letztern höchlich, besonders seinen Wechsel nicht sehen zu lassen, allein das alles half nicht. Er hörte hernach, daß der Knabe um all sein Geld gekommen, und der Strasburger sich aus dem Staube gemacht hatte.

Des Abends als man schlafen gehen wollte, fanden sich nur drey Betten für fünf Personen. Sie loosten, welche zwey und zwey beysammen schlafen sollten, und da fielen die zween Burschen zusammen, der Lieutenant auf eins allein, und der fremde Herr mit Stillingen bekamen das beste. Hier bemerkte nun Stilling die geheimen Kostbarkeiten seines Schlafgesellen, die etwas sehr hohes anzeigten. Er konnte diese Art zu reisen, mit einem so hohen Stand nicht zusammen reimen, er begonn bald Verdacht zu schöpfen; doch, als er merkte, daß der Fremde vertraut mit Gott war, so schämte er sich seines Verdachts und war ruhig. Sie schliefen unter allerhand vertraulichen Gesprächen ein, und des andern Morgens reisten sie wieder ab, und kamen des Abends gesund und wohl zu Cölln an. Hier wurde der Fremde thätig. Es giengen in aller Geheim vornehme Leute bey ihm ab und zu. Er besorgte sich ein paar Bediente, kaufte Kostbarkeiten ein, und was dergleichen Umstände mehr waren. Sie logierten alle zusammen im Geist. Ungeachtet nun Betten genug daselbst vorräthig waren, so wollte doch der Fremde wieder bey Stilling schlafen. Dieses geschah auch.

Des Morgens eilte Stilling fort. Er und der Fremde umarmten und küßten sich. Letzterer sagte zu ihm: „Ihre Gesellschaft, mein Herr! hat mir außerordentliches Vergnügen gemacht. Fahren Sie nur fort in Ihrem Lauf, so werden Sie's in der Welt weit bringen, ich werde ihrer nie vergessen." Stilling äußerte noch einmal sein Verlangen, zu wissen, mit wem er gereist habe. Der Fremde lächelte, und sagte: „Lesen Sie die Zeitung fleißig wenn Sie nach Hause kommen, und wenn Sie den Namen *** finden werden, so denken Sie an mich."

Stilling reiste nun zu Fuß fort, er hatte noch acht Stunden bis Rasenheim. Unterwegens besann er sich auf den Namen des Fremden, er war ihm bekannt, und doch wußte er nicht wo er mit ihm hin sollte. Nach acht Tagen las er in der Lippstädtischen Zeitung folgenden Artikel:

Cölln, den 19ten May.

„Der Herr von *** Ambassadeur des **** Hofes zu **** ist in größter Geheim heute hierdurch nach Holland gereist, um wichtige Angelegenheiten zu besorgen."

Des zweyten Pfingsttags also am Nachmittag kam Stilling zu Rasenheim an. Er wurde mit tausend Freudenthränen empfangen. Christine aber war sich ihrer selbst nicht bewußt, denn sie redete irre, daher als Stilling bey sie kam, stieß sie ihn weg, denn sie kannte ihn nicht. Er gieng ein wenig auf ein ander Zimmer, indessen erholte sie sich, und man brachte ihr bey, daß ihr Bräutigam angekommen sey. Nun konnte sie sich nicht mehr halten. Man rief ihn; er kam. Hier gieng nun die zärtlichste Bewillkommnung vor, die man sich nur denken kann, aber sie kam Christinen theuer zu stehen; sie gerieth in die heftigsten Convulsionen, so daß Stilling in äußerster Traurigkeit drey Tage und drey Nächte an ihrem Bette, ihren letzten Stoß abwartete. Doch gegen alles Vermuthen erholte sie sich wieder, und binnen vierzehn Tagen war sie ziemlich besser, so daß sie zuweilen am Tage etwas aufstund.

Nun wurde diese Verlöbniß überall bekannt. Die besten Freunde riethen Herrn Friedenberg, beyde copuliren zu lassen. Dieses wurde bewilliget, und Stilling nach vorhergegangenen gewöhnlichen Formalitäten 1771 den 17ten Junius am Bette mit seiner Christinen zum Ehestande eingeseegnet.

In Schönenthal wohnte ein vortreflicher Arzt, ein Mann von grosser Gelehrsamkeit und Wirksamkeit noch immer mehr und mehr die Natur zu studieren, dabey war er ohne Neid und hatte das beste Herz von der Welt. Dieser theure Mann hatte Stillings Geschichte zum Theil von seinem Freunde dem Herrn Troost gehört. Stilling hatte ihn auch bey dieser Gelegenheit verschiedenemahl besucht, und sich seine Freundschaft und Unterricht ausgebeten. Dieser hieß Dinkler, und bediente eine weitläuftige Praxis.

Herr Doctor Dinkler also und Herr Troost wohnten Stillings Copulation bey; und bey dieser Gelegenheit schlugen sie ihm beyde vor, daß er sich in Schönenthal niederlassen möchte, besonders weil eben just ein Arzt daselbst gestorben war. Stilling wartete abermahl auf einen nähern Wink von Gott, daher sagte er; er wolle sich darauf bedenken. Allein die beyden Freunde, Herr Doctor Dinkler und Herr Troost, gaben sich alle Mühe, eine Wohnung in Schönenthal für ihn auszuspähen, und diese fanden sie auch, noch ehe Stilling wieder verreiste; auch versprache der Herr Doctor, seine Christine während seiner Abwesenheit öfters zu besuchen, und für ihre Gesundheit zu sorgen.

Herr Friedenberg fand nun auch eine Quelle für ihn an Geld zu kommen, und nachdem nun alles angeordnet war, so rüstete sich Stilling wieder zur Abreise nach Strasburg. Des Abends vor diesem traurigen Tage gieng er auf die Kammer seiner Gattinn. Er fand sie da mit gefalteten Händen auf den Knien liegen. Er trat bey sie, und sahe sie an: Sie war aber starr wie ein Stück Holz. Er fühlte an ihren Puls, der gieng ganz ordentlich. Er hub sie auf, redete ihr zu, und brachte sie endlich wieder zurechte. Die ganze Nacht vergieng unter beständigen Trauren und Kämpfen.

Des andern Morgens blieb Christine auf ihrem Angesicht im Bette liegen. Sie faßte ihren Mann um den Hals, weinte und schluchzte beständig. Er riß sich endlich mit Gewalt von ihr. Seine beyden Schwäger begleiteten ihn bis Cöln. Noch des andern Tages ehe er sich in den Postwagen setzte, kam ein Bote von Rasenheim und brachte die Nachricht, daß sich Christine nun beruhigt habe.

Dieses machte Stillingen Muth, er fühlte nun eine große Erleichterung, und er zweifelte nicht, er würde seine getreue liebe Christine gesund wieder finden. Er empfahl sie und sich in die Vaterhände Gottes, nahm Abschied von seinen Brüdern, und fuhr fort.

Binnen sieben Tagen kam er, ohne Gefahr, oder sonst etwas merkwürdiges erfahren zu haben, wieder gesund und wohlbehalten in Strasburg an. Sein erster Gang war zu Göthe. Der Edle sprang hoch in die Höhe als er ihn sahe, fiel ihm um den Hals und küßte ihn: „Bist Du wieder da, guter Stilling! rief er, und was macht Dein Mädchen?" Stilling antwortete: Sie ist mein Mädchen nicht mehr, sie ist nun meine Frau. „Das hast Du gut gemacht", erwiederte jener; „Du bist ein excellenter Junge." Diesen halben Tag verbrachten sie vollends in herzlichen Gesprächen und Erzählungen.

Der bekannte sanfte Lenz war auch nun daselbst angekommen. Seine artige Schriften haben ihn berühmt gemacht. Göthe, Lenz, Leose und Stilling machten jetzt so einen Zirkel aus, in dem es jedem wohl ward, der nur empfinden kann was schön und gut ist. Stillings Enthusiasmus für die Religion hinderte ihn nicht, auch solche Männer herzlich zu lieben, die freyer dachten als er, wenn sie nur keine Spötter waren.

Nun setzte er seine medicinische Studien mit allem Eifer fort, und ließ nichts aus, was nur zum Wesen dieser Wissenschaft gehört. Den folgenden Herbst disputirte Herr Göthe öffentlich, und reiste nach Hause. Er und Stilling machten

einen ewigen Bund der Freundschaft zusammen. Leose reiste
auch ab nach Versailles, Lenz aber blieb da.

Den folgenden Winter las Stilling, mit Erlaubniß des Herrn
Professor Spielmanns, ein Collegium über die Chymie, präparirte auf der Anatomie vollends durch, was ihm noch fehlte,
repetirte noch ein und anders, und darauf schrieb er seine lateinische Probeschrift selbsten, ohne jemandes Beystand. Diese
dedicirte er auf specielle höchste Erlaubniß, Ihro Churfürstl
Durchl. zu Pfalz, seinem gnädigsten Landesfürsten, ließ sich
examiniren, und rüstete sich zur Abreise.

Hier war nun abermahl viel Geld nöthig, er schrieb das
nach Hause. Herr Friedenberg erschrack darüber. Des Mittags über Tisch wollte er seine Kinder einmahl probieren. Sie
sassen da alle groß und klein. Der Vater fieng an: Kinder:
euer Schwager hat noch so viel Geld nöthig, was dünkt euch,
wolltet ihr ihm das wohl schicken, wenn ihrs hättet? Sie antworteten alle einhellig: „Ja! und wenn wir auch unsre Kleider ausziehen und versetzen sollten!" Das rührte die Eltern
bis zu den Thränen, und Stilling schwur ihnen ewige Liebe
und Treue, sobald ers hörte. Mit Einem Wort, es kam ein
Wechsel nach Strasburg der hinlänglich war.

Nun disputirte Stilling mit Ruhm und Ehre. Herr Spielmann war Decanus. Als ihm der nach geendigter Disputation
die Licenz gab, so brach er in Lobsprüche aus und sagte: daß
er lange niemand die Licenz freudiger gegeben habe, als
gegenwärtigem Candidaten, denn er habe mehr in so
kurzer Zeit gethan, als viele andere in fünf bis sechs Jahren
u. s. w.

Stilling stund da auf dem Catheder; die Thränen flossen
ihm häufig die Wangen herunter. Nun war seine Seele lauter
Dank gegen den, der ihn aus dem Staube hervorgezogen, und
zu einem Beruf geholfen hatte, worinnen er, seinem Trieb
gemäß, Gott zu Ehren und dem Nächsten zum Nutzen leben
und sterben konnte.

Den 24sten März 1772 nahm er von allen Freunden zu Strasburg Abschied, und reiste fort. Zu Mannheim überreichte er seinem Durchlauchtigsten Chur- und Landesfürsten seine Probeschrift, desgleichen auch allen denen Herren Ministern. Er wurde bey dieser Gelegenheit Correspondent der Churpfälzischen Gesellschaft der Wissenschaften, und darauf reiste er bis nach Cölln, wo ihn Herr Friedenberg mit tausend Freuden empfieng; unterwegens begegneten ihn auch seine Schwäger zu Pferde und hohlten ihn ab. Den 5ten April kam er, in Gesellschaft gemeldeter Freunde, zu Rasenheim an. Seine Christine war oben auf ihrem Zimmer. Sie lag mit dem Angesicht auf dem Tisch und weinte mit lauter Stimme. Stilling drückte sie an seine Brust, herzte und küßte sie. Er fragte, warum sie jetzt weine? „Ach!" antwortete sie: „ich weine, daß ich nicht Kraft genug habe, Gott für alle seine Güte zu danken." Du hast recht, mein Engel! versetzte Stilling: aber unser ganzes Leben in Zeit und Ewigkeit soll lauter Dank seyn. Freue Dich nun, daß uns der Herr bis dahin geholfen hat!

Den ersten May zog er mit seiner Gattin nach Schönenthal in sein bestimmtes Haus, und fieng seinen Beruf an. Herr Doctor Dinkler und Herr Troost sind daselbst die treuen Gefährten seines Gangs und Wandels.

Bey der ersten Doctorpromotion zu Strasburg empfieng er durch einen Notarium den Doctorgrad, und dieses war nun auch der Schluß seines akademischen Laufs. Seine Familie im Salenschen Land hörte das alles mit entzückender Freude. Wilhelm Stilling aber schrieb im ersten Brief an ihm nach Schönenthal:

Ich hab gnug daß mein Sohn Joseph noch lebt, ich muß hin, und ihn sehen ehe ich sterbe.

> Dir nah ich mich — nah' mich dem Throne;
> Dem Thron der höchsten Majestät!
> Und mische zu dem Jubeltone
> Des Seraphs, auch mein Dankgebet.

Bin ich schon Staub — ja Staub der Erden,
    Fühl ich gleich Sünd und Tod in mir,
So soll ich doch ein Seraph werden.
    Mein Jesus Christus starb dafür.

Wort ist nicht Dank. — Nein! edle Thaten,
    Wie Christus mir das Beyspiel giebt,
Vermischt mit Kreuz, mit Thränensaaten,
    Sind Weyrauch den die Gottheit liebt.

Dies sey mein Dank, wozu mein Wille
    Sey jede Stunde Dir geweiht!
Gib, daß ich diesen Wunsch erfülle
    Bis an das Thor der Ewigkeit!

Henrich Stillings
häusliches Leben.

Eine wahrhafte Geschichte.

Berlin und Leipzig 1789,
bey Heinrich August Rottmann,
Königl. Hofbuchhändler.

H. STILLING.

E. Henne sc.

HENRICH STILLINGS
HÄUSLICHES LEBEN

EINE WAHRHAFTE GESCHICHTE

Den ersten May 1772 des Nachmittags wanderte Stilling mit seiner Christine zu Fuß nach Schönenthal und Herr Friedenberg begleitete sie; die ganze Natur war still, der Himmel heiter, die Sonne schien über Berg und Thal und ihre warme Frühlingsstralen entfalteten Kräuter, Blätter und Blüten. Stilling freute sich seines Lebens und seiner Schicksale und er glaubte gewiß, jetzt würde sein Würkungskreis groß und weit umfassend werden, Christine hoffte das nämliche und Friedenberg schritt bald vorne, bald hinten langsam fort, rauchte seine Pfeife, und wie ihm etwas wirthschaftliches einfiel so sagte ers kurz und bündig, denn er glaubte, solche Erfahrungssätze würden den neu angehenden Hausleuten nützlich seyn. Als sie nun auf die Höhe kamen, von welcher sie Schönenthal übersehen konnten, so durchschauerte Stillingen eine unbeschreibliche Empfindung, die er sich nicht erklären konnte, es ward ihm innig wohl und weh, er schwieg still, betete, und stieg mit seiner Begleitung hinab.

Diese Stadt liegt in einem sehr anmuthigen Thal, welches von Morgen gegen Abend in gerader Linie fortläuft und von einem mittelmäßigen Flüßchen, der Wupper, durchströmt wird; den Sommer übersieht man das ganze Thal zwey Stunden hinauf, bis an die Märkische Gränze mit leinen Garn, wie beschneyt, und das Gewühl von thätigen und sich glücklich nährenden Menschen ist unbeschreiblich: alles steht voller einzelner Häuser; ein Garten, ein Baumhof stößt an den andern und ein Spaziergang durch dieses Thal hinauf ist paradiesisch. Stilling träumte sich eine selige Zukunft, und unter diesen Träumen schritt er ins Getöse der Stadt hinein.

Nach einigen Minuten führte ihn sein Schwiegervater in das Haus, welches ihm Dinckler und Troost zu seiner Wohnung bestimmt und gemiethet hatten; es stand von der Hauptstraße etwas zurück, nahe an der Wupper und hatte einen kleinen Garten nebst einer herrlichen Aussicht in das südliche Gebirge. Die Magd war ein paar Tage voraus gegangen, hatte alles gereinigt und den kleinen Vorrath von Hausgeräthe in Ordnung gebracht.

Als man nun alles hinlänglich besehen und beurtheilt hatte, so nahm Friedenberg mit vielen heißen Seegenswünschen Abschied und wanderte wieder nach Rosenheim zurück. Jetzt stand nun das junge Ehepaar da, und sah sich mit nassen Augen an — der gesammte Hausrath war sehr knapp zugeschnitten, sechs bretterne Stühle, ein Tisch, ein Bett für sie, und eins für die Magd, ein paar Schüsseln, sechs fayancene Teller, ein paar Töpfe zum Kochen u. s. w. und dann das höchst nöthige Leinwand, nebst den unentbehrlichsten Kleidern war alles, was man in dem großen Hause auftreiben konnte. Man vertheilte dieses Geräthe hin und her, und doch sah es überall unbeschreiblich leer aus. An den dritten Stock dachte man gar nicht, der war wüste und bliebs auch.

Und nun die Casse? — diese bestand in allem aus fünf Reichsthalern in baarer Münze, und damit Punctum.

Warlich! warlich! Es gehörte viel Vertrauen auf Gottes Vatersorge dazu, um die erste Nacht ruhig schlafen zu können, und doch schlief Stilling mit seinem Weibe recht wohl; denn sie zweifelten beyde keinen Augenblick, Gott werde für sie sorgen. Indessen plagte ihn zu gewissen Zeiten seine Vernunft sehr, er gab ihr aber kein Gehör, und glaubte nur. Des andern Tages machte er seine Visiten, Christine aber gar keine, denn ihr Zweck war, so unbekannt und verborgen zu leben, als nur

immer der Wohlstand erlauben würde. Jetzt fand nun Stilling
einen großen Unterschied im Betragen seiner künftigen Mitbürger und Nachbarn: seine pietistischen Freunde, die ihn ehmals als einen Engel Gottes empfiengen, ihn mit den wärmsten
Küssen und Seegenswünschen umarmten, blieben jetzt von
ferne stehen, bückten sich blos und waren kalt; das war aber
auch kein Wunder, denn er trug nun eine Perrüque mit einem
Haarbeutel, ehemals war sie blos rund und nur ein wenig gepudert gewesen, dazu hatte er auch Hand- und Halskrausen
am Hemd und war also ein vornehmer, weltförmiger Mann
geworden. Hin und wieder versuchte mans mit ihm auf den
alten Schlag von der Religion zu reden, dann aber erklärte er
sich freundlich und ernstlich: er habe nun lange genug von
Pflichten geschwatzt, jetzt wolle er schweigen und sie ausüben;
und da er vollends keiner ihrer Versammlungen mehr beywohnte, so hielten sie ihn für einen Abtrünnigen und zogen
nun bey allen Gelegenheiten in einem liebevollen und bedau-
ernden Ton über ihn los. Wie sehr ist diese Maxime dieser
sonst so guten und braven Leute zu bejammern! — ich gestehe
gerne, daß die rechtschaffensten Leute und besten Christen unter ihnen sind, aber sie verderben alles Gute wieder durch ihren
Hang zum Richten; wer nicht mit ihnen gerad eines Sinnes ist,
mit ihnen von Religion tändelt und empfindelt, der gilt nichts,
und wird für unwiedergeboren gehalten; sie bedenken nicht,
daß das Maul-Christenthum gar keinen Werth hat, sondern
daß man sein Licht durch gute Handlungen müsse leuchten
lassen. Mit einem Wort: Stilling wurde von seinen alten
Freunden nicht allein ganz verlassen, sondern so gar ver-
läumdet; und als Arzt brauchten sie ihn fast gar nicht. Die
Menge der reichen Kaufleute empfieng ihn blos höflich, als
einen Mann, der kein Vermögen hat, und dem man gleich auf
dem ersten Blick den tiefen Eindruck beybringen muß: hab
nur ja niemals das Herz, Geld, Hülfe und Unterstützung von
mir zu begehren; ich bezahle deine Mühe nach Verdienst,

und weiter nichts. Doch fand er auch viele edle Männer, wahre Menschenseelen, deren Blick edle Gesinnungen verrieth.

Das alles machte Stillingen doch das Herz schwer: bis dahin war er entweder an einen völlig besorgten Tisch gegangen, oder er hatte bezahlen können; die Welt um ihn her hatte wenig Bezug auf ihn gehabt, und bey allen seinen Leiden war sein Wirkungskreis unbedeutend gewesen; aber jetzt sah er sich auf einmal in eine große, glänzende, kleinstädtische, geldhungrige Kaufmannswelt versetzt, mit welcher er im geringsten nicht harmonirte, wo man die Gelehrten nur nach dem Verhältniß ihres Geldvorraths schätzte, wo Empfindsamkeit, Lectüre und Gelehrsamkeit, lächerlich war, und wo nur der Ehre genoß, der viel verdienen konnte. Er war also ein höchst kleines Lichtchen, bey dem sich niemand aufhalten, vielweniger erwärmen mochte. Stilling fieng also an Kummer zu spüren.

Indessen vergiengen zween, es vergiengen drey Tage, ehe sich jemand fand, der seiner Hülfe bedurfte, und die fünf Reichsthaler schmolzen verzweifelt zusammen. Den vierten Tag des Morgens aber, kam eine Frau von Dornfeld, einem Flecken, der drey Viertelstunden von Schönenthal ostwärts liegt; so wie sie zur Thür herein trat, fieng sie mit thränenden Augen an: Ach, Herr Doctor! wir haben von Ihnen gehört, daß Sie ein sehr geschickter Mann sind, und etwas verstehen, nun haben wir ein großes, großes Unglück im Haus, und da haben wir alle Doctoren bey und nah gebraucht, aber niemand, keiner kann ihm helfen; nun komme ich zu Ihnen; ach helfen Sie doch meinem armen Kinde!

Lieber Gott! dachte Stilling bey sich selbst, am ersten Patienten, den ich bekommen, haben sich alle erfahrne Aerzte zu schanden curirt, was werde ich unerfahrner denn ausrichten? er fragte indessen: was fehlt denn eurem Kinde?

Die arme Frau erzählte mit vielen Thränen die Geschichte

ihres Kranken, welche vornehmlich auf folgende Umstände hinauslief:

Der Knabe war elf Jahr alt, und hatte vor etwa einem Vierteljahr die Röteln gehabt; aus Unachtsamkeit seiner Wärter war er zu früh in die kalte Luft gekommen, die Rötelmaterie war zurück ins Gehirn getreten, und hatte nun ganz sonderbare Wirkungen hervorgebracht: seit sechs Wochen lag der Kranke ganz ohne Empfindung und Bewußtseyn im Bett, er regte kein Glied am ganzen Leib, außer dem rechten Arm, welcher Tag und Nacht unaufhörlich, wie der Perpendikel einer Uhr hin und her fuhr; durch Einflößung dünner Brühen hatte man ihm bis daher das Leben erhalten, außerdem aber durch keine Anwendung irgend einer Arzeney etwas ausrichten können. Die Frau beschloß ihre weitläuftige Erzählung mit dem Verdacht: Sollte das Kind auch wohl behext seyn?

Nein, antwortete Stilling, das Kind ist nicht behext, ich will kommen und es besehen. Die Frau weinte wieder und sagte: Ach Herr Doctor, thun Sie das doch! und nun gieng sie fort.

Doctor Stilling wanderte mit großen Schritten in seinem Zimmer auf und ab, lieber Gott! dachte er: wer kann da Anfang und Ende finden? — daß man alle mögliche Mittel gebraucht hat, daran ist kein Zweifel, denn die Leute waren wohlhabend, was bleibt mir Anfänger also übrig? in diesen schwermüthigen Gedanken nahm er Hut und Stock und reiste fort nach Dornfeld. Auf dem ganzen Wege betete er zu Gott um Licht und Segen und Kraft; das Kind fand er gerad so wie es seine Mutter beschrieben hatte, die Augen waren geschlossen, es holte ordentlich Odem und der rechte Arm fuhr im regelmäßigsten Tact von der Brust gegen die rechte Seite immer hin und her; er setzte sich hin, besahe und betrachtete, und fragte alles aus, und bey dem Weggehen beorderte er die Frau, sie möchte in einer Stunde nach Schönenthal zu ihm kommen, er wolle während der Zeit über den seltsamen Umstand nachdenken, und dann etwas verordnen. Auf dem Wege nach

Hause dachte er hin und her, was er dem Kinde wohl nützliches verordnen könnte, endlich fiel ihm ein, daß Herr Spielmann Dippels thierisches Oel als ein Mittel gegen die Zuckun-
gen gerühmt hätte; dies Medicament war ihm desto lieber,
denn er glaubte sicher, daß es keiner von den Aerzten bisher
würde gebraucht haben, weil es außer Mode gekommen sey;
er blieb also dabey und so bald er nach Hause kam, verschrieb er ein Säftchen, von welchem jenes Oel die Basis war,
die Frau kam, und holte es ab. Kaum waren zwo Stunden
verflossen, so kam ein Bote, welcher Stillingen schleunig zu
seinem Patienten abrief, er lief fort, so wie er zur Thür hinein
trat, sah er den Knaben froh, munter und gesund im Bett sitzen, und man erzählte ihm, das Kind habe kaum ein Zucker-
löffelchen voll von dem Säftchen hinunter geschluckt, so hab
es die Augen geöfnet, sey erwacht, habe Essen gefordert, und
der Arm sey ruhig, und gerad so geworden wie der andere.
Wie dem guten Stilling dabey zu Muthe war, das läßt sich
nicht beschreiben, das Haus war voller Menschen, die das
Wunder sehen wollten, alles schaute ihn wie einen Engel Gottes mit Wohlgefallen an, jeder seegnete ihn, die Eltern aber
weinten Thränen der Freude und wußten nicht, was sie dem
geschickten Doctor thun sollten. Stilling dankte Gott innig in
seiner Seele, auch seine Augen waren voll Thränen der
Wonne, indessen schämte er sich von Herzen des Lobs, das
man ihm beylegte und das er so wenig verdiente, denn die
ganze Cur war weder Methode noch Ueberlegung, sondern
bloßer Zufall, oder vielmehr göttliche väterliche Vorsehung.

Wenn er sich den ganzen Vorfall dachte, so konnte er sich
kaum des lauten Lachens erwehren, daß man von seiner stu-
penden Geschicklichkeit redete, und er war sich doch bewußt,
wie wenig er gethan hatte, indessen hieß ihn die Klugheit
schweigen und alles für bekannt annehmen, doch ohne sich
eitle Ehre anzumaßen, er verschrieb also nun noch abführende
und stärkende Mittel und heilte das Kind vollends.

Ich kann hier dem Drang meines Herzens nicht wehren, jungen Aerzten eine Lehre und Warnung mitzutheilen, die aus vielen Erfahrungen abstrahirt ist, und die auch dem Publikum, welches sich solchen unerfahrnen Männern anvertrauen muß, nützlich seyn kann: Wenn der Jüngling auf die Universität kommt, so ist gemeiniglich sein erster Gedanke, bald fertig zu werden; denn das Studiren kostet Geld, und man will doch auch gern bald sein eigenes Brod essen; die nöthigsten Hülfswissenschaften: Kenntniß der griechischen und lateinischen Sprache, Mathematik, Physik, Chemie und Naturgeschichte, werden versäumt, oder wenigstens nicht gründlich genug studirt; im Gegentheil verschwendet man die Zeit mit subtilen anatomischen Grübeleyen, hört dann die übrigen Collegien handwerksmäßig, und eilt nun ans Krankenbett. Hier aber findet man alles ganz anders, man weiß wenig oder nichts vom geheimen Gang der Natur und soll doch alles wissen; der junge Arzt schämt sich seine Unkunde zu gestehen, er schwadronirt also ein Galimathias daher, wobey dem erfahrnen Practiker die Ohren gellen, setzt sich hin, und verschreibt etwas nach seiner Phantasie; wenn er nun noch einigermaßen Gewissen hat, so wählt er Mittel, die wenigstens nicht schaden können, allein wie oft wird dadurch der wichtigste Zeitpunct versäumt, wo man nützlich wirken könnte? — und über das alles glaubt man manchmal etwas unschädliches verschrieben zu haben, und bedenkt nicht, daß man doch auch dadurch noch schaden könne, weil man die Krankheit nicht kennt! —

Durchaus sollten also die Jünglinge nach vollständig erlangten Kenntnissen der Hülfswissenschaften, die Wundarzeney aus dem Grunde studiren: denn diese enthält die zuverläßigsten Erkenntnisgründe, aus welchen man nach der Analogie auf die innern Krankheiten schließen kann; dann müßten sie mit dem Lehrer der practischen Arzneykunde, der aber selbst ein sehr guter Arzt seyn muß, am Krankenbett die Natur studiren, und dann endlich, aber man merke wohl! unter der Lei-

tung eines geschickten Mannes, ihr höchst wichtiges Amt antreten! — Gott! wo fehlt es wohl mehr, als in der Einrichtung
des Medizinalwesens, und in der dazu gehörigen Polizey? —

Diese erste Cur machte ein großes Geräusch, nun kamen
Blinde, Lahme, Krüppel und unheilbare Kranke von aller
Art, allein Dippels Oel half nicht allen, und für andere Schä-
den hatte Stilling noch kein solches Spezificum gefunden; der
Zulauf ließ also wieder nach, doch kam er nun in eine ordentliche Praxis, die ihm den nothwendigsten Unterhalt verschafte. Seine Collegen fiengen indessen an über ihn loszuzie-
hen, denn sie hielten die Cur für Quacksalberey und machten
das Publikum ahnden, daß er ein großer Charlatan seyn, und
werden würde. Dieses vorläufige Gerüchte kam nun auch nach
Rüsselstein ans Medizinalcollegium, und brachte den Räthen
in demselben nachtheilige Ideen von ihm bey, er wurde dahin
zum Examen gefordert, in welchem er ziemlich hergenommen
wurde, doch bestand er trotz allen Versuchen der Schikane
so, daß niemand etwas an ihm haben konnte, er bekam also
das Patent eines privilegirten Arztes.

Gleich von Anfang dieses Sommers machte Stilling bekannt,
daß er den jungen Wundärzten und Barbiergesellen ein Collegium über die Physiologie lesen wolle, dieses kam zu Stande,
die Herren Dinckler und Troost besuchten diese Stunde selbst
fleißig, und von der Zeit an hat er fast ununterbrochen Collegia gelesen, wenn er öffentlich redete, dann war er in seinem
Element, über dem Sprechen entwickelten sich seine Begriffe
so, daß er oft nicht Worte genug finden konnte, um alles auszudrücken, seine ganze Existenz heiterte sich auf und ward zu
lauter Leben und Darstellung. Ich sage das nicht aus Ruhm-
sucht, das weiß Gott, er hatte ihm das Talent gegeben, Stilling
hatte nichts dabey gethan, seine Freunde ahndeten oft, er
würde dereinst noch öffentlicher Lehrer werden. Dann seufzte
er bey sich selbst, und wünschte, aber er sahe keinen Weg vor
sich, wie er diese Stufe würde ersteigen können.

Kaum hatte Stilling etliche Wochen unter solchen Geschäften zugebracht, als auf einmal die schwere Hand des Allmächtigen wiederum die Ruthe zuckte und schrecklich auf ihn zuschlug. Christine fieng an zu trauren und krank zu werden, nach und nach fanden sich ihre fürchterlichen Zufälle in all ihrer Stärke wieder ein, sie bekam langwierige heftige Zukkungen, die manchmal Stunden lang dauerten und den armen schwächlichen Körper dergestalt zusammen zogen, daß es erbärmlich anzusehen war; oft warfen sie die Convulsionen aus dem Bett heraus, wobey sie so schrie, daß mans etliche Häuser weit in der Nachbarschaft hören konnte; dieses währte etliche Wochen fort, als ihre Umstände zusehends gefährlicher wurden. Stilling sahe sie für vollkommen hectisch an, denn sie hatte wirklich alle Symptomen der Lungensucht, jetzt fieng er an zu zagen und mit Gott zu ringen, alle seine Kräfte erlagen, und diese neue Gattung von Kummer, ein Weib zu verlieren, das er so zärtlich liebte, schnitt ihm tiefe Wunden ins Herz, dazu kamen noch täglich neue Nahrungssorgen, er hatte an einem solchen blühenden Handelsort keinen Credit, zudem war alles sehr theuer und die Lebensart kostbar; mit jedem Erwachen des Morgens fiel ihm die Frage wie ein Centner schwer aufs Herz, wirst du auch diesen Tag dein Auskommen finden? denn der Fall war sehr selten, daß er zween Tage Geldvorrath hatte, freylich stunden ihm seine Erfahrungen und Glaubensproben deutlich vor Augen, aber er sahe denn doch täglich noch frömmere Leute, die mit dem bittersten Mangel rungen, und kaum Brod genug hatten den Hunger zu stillen; was konnte ihn also anders trösten als ein unbedingtes Hingeben an die Barmherzigkeit des himmlischen Vaters, der ihn nicht würde über Vermögen versucht werden lassen?

Dazu kam noch ein Umstand: er hatte den Grundsatz, daß jeder Christ, und besonders der Arzt, ohne zu vernünfteln, bloß im Vertrauen auf Gott wohlthätig seyn müsse; dadurch begieng er nun den großen Fehler, daß er den geheimen Hausarmen öfters die Arzneymittel in der Apotheke auf seine Rechnung machen ließ, und sich daher in Schulden steckte, die ihm hernach manchen Kummer machten; auch kam es ihm nicht darauf an, bey solchen Gelegenheiten das Geld, welches er eingenommen hatte, hinzugeben. Ich kann nicht sagen, daß in solchen Fällen innerer Trieb zur Wohlthätigkeit seine Handlungen leitete, nein! es war auch ein gewisser Leichtsinn und Nichtachtung des Geldes damit verbunden; welche Schwäche des Characters Stilling damals noch nicht recht kannte, aber endlich durch viele schwere Proben gnugsam kennen lernte. Daß er auf diese Weise eine sehr ausgebreitete Praxis bekam, ist kein Wunder, er hatte überflüßig zu thun, aber seine Mühe trug wenig ein. Christine härmte sich auch darüber ab, denn sie war sehr sparsam, und er sagte ihr nichts davon, wenn er irgend jemand etwas gab, um keine Vorwürfe zu hören, denn er glaubte gewiß, Gott würde ihn auf andre Weise dafür seegnen. Sonst waren beyde sehr mäßig in Nahrung und Kleidung, sie begnügten sich blos mit dem, was der äußerste Wohlstand erforderte.

Christine wurde also immer schlechter, und Stilling glaubte nun gewiß, er würde sie verlieren müssen. An einem Vormittag, als er am Bette saß und ihr aufwartete, fieng ihr der Odem auf einmal an still zu stehen, sie reckte die Arme gegen ihren Mann aus, sah ihn mit durchbohrendem Blick an, und hauchte die Worte aus: Lebe wohl — Engel — Herr erbarme dich meiner — ich sterbe! Damit starrte sie hin, alle Züge des Todes erschienen in ihrem Gesicht, der Odem stand, sie zuckte, und — Stilling stand wie ein armer Sünder vor seinem Scharfrichter, er fiel endlich über sie her, küßte sie, und rief ihr Worte des Trostes ins Ohr, allein sie war ohne Bewußtseyn; in diesem Augenblick als nun Stilling Hülfe rufen wollte, kam sie wieder zu sich selbst; sie war viel besser und merklich erleichtert. Stilling hatte bey weitem noch nicht medizinische Erfahrung genug, um alle die Rollen zu kennen, welche das schreckliche hysterische Uebel in so schwächlichen und reizbaren Körpern zu spielen pflegt; daher kams, daß er so oft in Angst und Schrekken gesetzt wurde. Christine starb also nicht, aber sie blieb noch gefährlich krank und die fürchterlichen Paroxismen dauerten immer fort, sein Leben war daher eine immerwährende Folter und jeder Tag hatte neue Martern für ihn und seine Gattin in Bereitschaft.

Gerade in dieser schweren Prüfungszeit kam ein Bote von einem Ort, der fünf Stunden weit von Schönenthal entlegen war, um ihn zu einer reichen und vornehmen Person zu holen, welche an einer langwierigen Krankheit darnieder lag; so schwer es ihm auch ankam seine eigene Frau in diesem trübseeligen Zustand zu verlassen, so sehr fühlte er doch die Pflicht seines Amts, und da die Umstände jener Patientin nicht gefährlich waren, schickte er den Boten wieder fort und versprach den andern Tag zu kommen; er richtete also seine Sachen darnach ein, um einen Tag abwesend seyn zu können. Des Abends um sieben Uhr schickte er die Magd fort um eine Flasche Malagga zu holen, denn mit diesem Wein konnte sich Christine erquicken; wenn sie nur einige Tropfen nahm, so fand sie sich gestärkt. Nun war aber Christinens jüngere Schwester, ein Mädchen von 13 Jahren gerade da, um die Kranke zu besuchen, diese gieng also mit der Magd fort um den Wein zu holen. Stilling empfahl den Mädchen ernstlich bald wieder zu kommen, weil noch verschiedenes zu thun und auf seine morgende Reise zuzurüsten sey, indessen geschah es nicht; der schöne Sommerabend verführte die ohnehin so leichtsinnige Magd spazieren zu gehen, daher kamen sie erst um neun Uhr nach Haus. Stilling hatte also seiner Frauen das Bett machen, und allerhand Arbeiten selbst verrichten müssen, beyde waren daher mit Recht verdrüßlich. So wie die Magd zur Thür hereintrat, fieng Stilling in einem sanften aber ernsten Ton an ihr Ermahnungen zu geben und sie an ihre Pflichten zu erinnern; die Magd schwieg still und gieng mit der

Jungfer Friedenberg die Treppe hinab in die Küche. Nach einer kleinen Weile hörten sie beyde eine dumpfe, schreckliche und fürchterliche Stimme und zugleich das Hülferufen der Schwester. Die ohnehin schauerliche Abenddämmerung und dann der schreckliche Ton, machten einen solchen Eindruck, daß Stilling selbst eiskalt über den ganzen Leib wurde, die Kranke aber schrie überlaut für Schrecken. Stilling lief indessen die Treppe hinab um zu sehen was vorgieng. Da fand er nun die Magd mit fliegenden Haaren am Waschstein stehen, und wie eine Unsinnige jenen scheußlichen Ton von sich geben, der Geifer floß ihr aus dem Mund und sie sahe aus wie eine Furie.

Nun überlief Stillingen der Ingrimm, er grif die Magd am Arm, drehte sie herum und sagte ihr mit Nachdruck: Großer Gott! was macht sie? — welcher Satan treibt sie, mich in meinen traurigen Umständen so zu martern — hat sie denn kein menschliches Gefühl mehr? — Dies war nun Oel ins Feuer gegossen, sie krisch convulsivisch, riß sich los, fiel hin, und bekam die fallende Sucht auf die schrecklichste Weise; in dem nämlichen Augenblick hörte er auch Christine die fürchterlichsten Töne ausstoßen, er lief also die Treppe hinauf und fand in der Dämmerung seine Frau in der allerschrecklichsten Lage, sie hatte alles Bettwerk herausgeworfen, und wühlte krämpfigt unten im Stroh, alle Besonnenheit war fort, sie knirschte, und die Krämpfe zogen ihr den Kopf hinterwärts bis an die Fersen. Jetzt schlugen ihm die Wellen des Jammers über dem Kopf zusammen, er lief hinaus zu den nächsten Nachbarn und alten Freunden und rief mit lautem Wehklagen um Hülfe; Männer und Weiber kamen, und suchten beyde Leidende wieder zurecht zu bringen, mit der Magd gelung es am ersten, sie kam wieder zu sich selbst, und wurde zu Bette gebracht, Christine aber blieb noch ein paar Stunden in dem betrübten Zustande, dann wurde sie still; nun machte man ihr das Bett und legte sie hinein, sie lag wie ein Schlafender, ganz ohne Bewußtseyn und ohne sich ermuntern zu können, darüber wurde es Tag, zwo Nachbarinnen blieben nebst der Schwester bey Christinen und Stilling ritt mit dem schwersten Herzen von der Welt zu seiner Patientin. Als er des Abends wiederkam, so fand er seine Frau noch in der nämlichen Betäubung, und erst des andern Morgens kam sie wieder zu sich selbst.

Jetzt jagte er die boshafte Magd fort und miethete eine andere. Nun verzog sich auch das Gewitter für diesmal, Christine wurde wieder gesund, und es fand sich, daß alle diese schreckliche Zufälle Folgen einer anfangenden Schwangerschaft gewesen waren. Den folgenden Herbst hatte sie wieder mit einer eiternden Brust zu thun, welche abermals viele schwere Umstände veranlaßte, außerdem war sie während der Zeit recht gesund und munter.

Stillings häusliches Leben hatte also in jeder Rücksicht einen schweren kummervollen Anfang genommen. In seiner ganzen Lage war gar nichts angenehmes, als die Zärtlichkeit, womit ihn Christine behandelte; beyde liebten sich von Herzen und ihr Umgang mit einander war ein Muster für Eheleute. Doch machte ihm auch die überschwengliche Liebe seiner Frauen zuweilen recht bittere Stunden, denn sie artete öfters in Eifersucht aus; indessen verlor sich diese Schwachheit in den ersten paar Jahren ganz. Im übrigen aber war Stillings ganze Verfassung dem Zustand eines Wanderers ähnlich, der in der Nacht durch einen Wald voller Räuber und reißender Thiere reist, und sie von Zeit zu Zeit nah um sich her rauschen und brüllen hört. Ihn quälten immerwährende Nahrungssorgen, er hatte wenig Glück in seinem Beruf, wenig Liebe bey dem Publikum, unter welchem er lebte und also keinen tröstenden Umgang, niemand flößte ihm Muth ein, denn die es gekonnt hätten, kannten ihn und er sie nicht, und die ihn und seine Lage kannten und bemerkten, verachteten ihn, oder er war ihnen gleichgültig. Kam er zuweilen nach Rosenheim, so durfte er nichts sagen, um keine Sorgen zu erwecken, denn Herr Friedenberg war nun für das Capital, mit welchem er studirt hatte, Bürge geworden; so gar seiner Christine mußte er seinen Kummer verbergen, denn ihr zärtliches Gemüth hätte ihn nicht mit ihm tragen können, er mußte ihr also noch Muth einsprechen, und ihr die beste Hofnung machen.

Mit Stillings Beruf und Krankenbedienung war es überhaupt eine sonderbare Sache: so lange er unbemerkt, unter den Armen und unter dem gemeinen Volk würkte, so lange that er vortrefliche Curen, fast alles gelung ihm, so bald er aber einen Vornehmen, auf den viele Augen gerichtet waren, zu bedienen bekam, so wollte es auf keinerley Weise fort, daher blieb sein Würkungskreis immer auf Leute, die wenig bezahlen konnten, eingeschränkt. Doch läßt sich dieser seltsam scheinende Umstand leicht begreifen: Seine ganze Seele war System, alles sollte ihm nach Regeln gehen, daher hatte er gar keine Anlage zu der feinen und erlaubten Charlatanerie, die dem practischen Arzt, der etwas verdienen und vor sich bringen will, so nöthig ist; wenn er also einen Kranken sahe, so untersuchte er seine Umstände, machte alsdann einen Plan, und verfuhr nach demselben. Gelung ihm sein Plan nicht, so war er aus dem Feld geschlagen, nun arbeitete er mit Verdruß und konnte sich nicht recht helfen. Bey gemeinen und robusten Körpern, in welchen die Natur regelmäßiger und einfacher würkt, gelang ihm seine Methode am leichtesten, aber da wo Wohlleben, feinere Nerven, verwöhnte Empfindung und Einbildung mit im Spiel waren und wo die Krankenbedienung aus hunderterley Arten von wichtig scheinender Geschäftigkeit zusammengesetzt seyn mußte, da war Stilling nicht zu Haus.

Dies alles flößte ihm allmählig einen tiefen Widerwillen gegen die Arzneykunde ein, und bloß der Gedanke: Gott habe ihn zum Arzt bestimmt, und er werde ihn also nach und nach in seinem Beruf glücklich machen, erhielt seine Seele aufrecht, und in unermüdeter Thätigkeit. Aus diesem Grunde faßte er schon im ersten Sommer den riesenmäßigen Entschluß, so lange zu studiren und nachzudenken bis ers in seinem Beruf zur mathematischen Gewißheit gebracht hätte; er kam auch bey dieser mühseligen Arbeit auf wichtige Spuren und er entdeckte viele neue philosophische Wahrheiten, allein je weiter er forschte, desto mehr fand er, daß er immer unglücklicher werden würde, je mehr Grund und Boden er in seinem Beruf fände; denn er sahe immer mehr ein, daß der Arzt sehr wenig thun, also auch wenig verdienen könne; darüber wurde seine Hofnung geschwächt, die Zukunft vor seinen Augen dunkel, gerade wie einem Wanderer, den auf unbekanntem gefährlichem Wege ein dusterer Nebel überfällt, so daß er keine zehen Schritte vor sich weg sehen kann. Er warf sich also blindlings in die Vaterarme Gottes, hofte wo nichts zu hoffen war, und pilge₄te seinen Weg sehr schwermüthig fort.

Darf ichs sagen, Freunde! Leser! daß Stilling bey dem allen ein glückseeliger Mann war? — Was ist denn Menschenbestimmung anders als Vervollkommung der Existenz, um Glückseeligkeit um sich her verbreiten zu können? — Gott- und Christusähnlichkeit ist das stralende Ziel, das wie Morgenglanz dem Sterblichen von Jugend auf entgegen glänzt; allein wo ist der Knabe, der Jüngling, der Mann, bey dem Religion und Vernunft so viel Uebergewicht über die Sinnlichkeit haben, daß er nicht sein Leben durch, im Genuß verträumt, und seiner Bestimmung, jenes erhabenen Ziels vergißt? — deswegen ist es ein unschätzbares Glück, wenn ein Mensch von Jugend auf zum völligen Vertrauen auf Gott angewiesen und er dann auch von der Vorsehung in die Lage gesetzt wird, dieses Vertrauen üben zu müssen; dadurch wird seine Seele geschmeidig, demüthig, gelassen, duldend, ohne Unterlaß würksam, sie kämpft durch Leiden und Meiden und überwindet alles; kein Feind kann ihr wesentlich schaden, denn er streitet gegen ihn mit den Waffen der Liebe, diesen aber widersteht niemand, so gar die Gottheit kann durch Liebe überwunden werden. Das war Stillings Fall — der Weise muß ihn also glücklich schätzen, ob sich gleich schwerlich jemand in seine Lage wünschen wird.

Gegen den Herbst des 1772sten Jahres kamen die beyden vortreflichen Brüder Vollkraft von Rüsselstein nach Schönenthal; der älteste war Hofkammerrath und ein edler, rechtschaffener, vortreflicher Mann, dieser hatte eine Commißion daselbst, welche ihn etliche Wochen aufhielt, sein Bruder, ein empfindsamer, zärtlicher und bekannter Dichter und zugleich ein Mann von der besten, edelsten und rechtschaffensten Gesinnung begleitete ihn, um ihm an einem Ort, wo so gar keine Seelennahrung für ihn war, Gesellschaft zu leisten. Herr Doctor Dinckler war mit diesen beyden edlen Männern sehr wohl bekannt, beym ersten Besuch also schilderte er ihnen Stillingen so vortheilhaft, daß sie begierig wurden ihn kennen zu lernen; Dinckler gab ihm einen Wink, und er eilte sie zu besuchen. Dies geschah zum erstenmal an einem Abend; der Hofkammerrath ließ sich in ein Gespräch mit ihm ein, und wurde dergestalt von ihm eingenommen, daß er ihn küßte und umarmte, und ihm seine ganze Liebe und Freundschaft schenkte, eben das war auch der Fall mit dem andern Bruder, beyde verstunden ihn, und er verstund sie, die Herzen flossen in einander über, es entstanden Seelengespräche, die nicht jeder versteht.

Stillings Augen waren bey dieser Gelegenheit immer voller Thränen, sein tiefer Kummer machte sich Luft, aber von seiner Lage entdeckte er nie etwas, denn er wußte wie demüthigend es sey, gegen Freunde sich hülfbedürftig zu erklären; er trug also seine Bürde allein, welche aber doch dadurch sehr erleichtert wurde, daß er nun einmal Menschen fand, die ihn verstunden, sich ihm mittheilten. Dazu kam noch eins: Stilling war von geringem Herkommen, er war von Jugend auf gewohnt, obrigkeitliche Personen, oder auch reiche, vornehme Leute, als Wesen von einer höhern Art anzusehen, daher war er immer in ihrer Gegenwart schüchtern und zurückhaltend, dies wurde ihm dann für Dummheit, Unwissenheit und Ankleben seines niedrigen Herkommens ausgelegt; mit einem Wort, von Leuten von gewöhnlicher Art, die keine feine Empfindungsorgane hatten, wurde er verachtet: die Gebrüder Vollkraft aber waren von einem ganz andern Schlag, sie behandelten ihn vertraulich, er thaute bey ihnen auf, und konnte sich so zeigen wie er war.

Friedrich Vollkraft (so hieß der Hofkammerrath) fragte ihn bey dem ersten Besuch, ob er nicht etwas geschrieben habe? Stilling antworte: Ja! denn er hatte seine Geschichte in Vorlesungen, stückweise an die Gesellschaft der schönen Wissenschaften in Strasburg, welche damals noch bestund, gesandt, und die Abschrift davon zurück behalten; die beyden Brüder

wünschten sehr sie zu lesen; er brachte sie also bey dem nächsten Besuch mit, und las sie ihnen vor; sowohl der Styl als die
Declamation war ihnen so unerwartet, daß sie laut ausriefen
und sagten: das ist schön — unvergleichlich! — sie ermunterten
ihn also zum Schreiben und bewogen ihn einen Aufsatz in den
teutschen Merkur, der damals anfieng, zu liefern, er that das,
und schrieb Ase-Neitha, eine orientalische Erzählung, sie steht
im ersten Stück des dritten, und im ersten Stück des vierten
Bandes dieser periodischen Schrift und gefiel allgemein.

Vollkraft wurde durch diese Bekanntschaft Stillings Stütze,
die ihm seinen schweren Gang sehr erleichterte, er hatte nun
in Rüsselstein, wenn er dahin reiste, eine Herberge und einen
Freund, der ihm durch seinen Briefwechsel manchen erquik-
kenden Sonnenstral mittheilte. Indessen wurde er durch diese
Verbindung bey seinen Mitbürgern, und besonders bey den
Pietisten, noch verhaßter, denn in Schönenthal herrscht allgemein ein steifes Anhangen ans Religionssystem, und wer im
geringsten anders denkt, wie das bey den Gebrüdern Vollkraft der Fall war, der ist Anathema Maranatha; so gar,
wenn sich einer mit Schriftstellerey abgiebt, in so fern er ein
Gedicht, das nicht geistlich ist, oder einen Roman, er mag noch
so moralisch seyn, schreibt, so bekommt er schon in ihren
Augen den Anstrich des Freygeistes und wird verhaßt. Freylich denken nicht alle Schönenthaler Einwohner so, davon werden im Verfolg noch Proben erscheinen, doch aber ist das die
Gesinnung des großen Haufens, und der giebt doch den Ton
an.

In dieser Lage lebte Doctor Stilling unter mancherley Ab-
wechselungen fort; am Ende des 1772sten Jahres machte er
seine Haus-Rechnung; er zog die Bilanz zwischen Einnahme
und Ausgabe, oder vielmehr Einkommen und Aufwand, und
fand nun zu seinem grösten Leidwesen, daß er über zwey
hundert Thaler mehr Schulden hatte, und das gieng so zu: in
Schönenthal herrscht der Gebrauch, daß man das, was man in

der Stadt verdient, auf Rechnung schreibt; da man also kein
Geld einnimmt, so kann man auch keins ausgeben; daher
holt man bey den Krämern seine Nothdurft und läßt sie auch
anschreiben: am Schluß des Jahres macht man seine Rechnungen und theilt sie aus, und so empfängt man Rechnungen und
bezahlt sie; nun hatte Stilling zwar so viel verdient, als er verzehrt hatte, allein seine Forderungen waren in so kleinen
Theilchen zerstreut, daß er sie ohnmöglich alle eintreiben
konnte; er blieb also stecken, die Krämer wurden nicht bezahlt, und so sunk sein Credit noch mehr; daher war sein
Kummer unaussprechlich. Die tägliche baare Ausgaben be-
stritt er mit den Einnahmen von auswärtigen Patienten, diese
waren aber so knapp zugeschnitten, daß er blos die Nothdurft
hatte, und öfters auf die äußerste Probe gesetzt wurde, wo ihn
aber doch die Vorsehung nie verließ, sondern ihm, wie ehmahls, sichtbar und wunderbarer Weise heraushalf; unter
hundert Beyspielen eins:

In Schönenthal werden lauter Steinkohlen in der Küche und
in den Stuben-Oefen gebraucht, alle diese Steinkohlen werden
aus der benachbarten Grafschaft Marck herzugeführt; Stilling
hatte also seinen Fuhrmann, der ihm von Zeit zu Zeit eine
Pferdsladung brachte, welche er aber immer auf der Stelle bezahlen muste, denn mit dem Gelde muste der Fuhrmann einkaufen; dies hatte ihm auch noch nie gefehlt, denn er war immer mit dem nöthigen versehen gewesen; einsmals kam dieser
Fuhrmann an einem Nachmittag vor der Thüre gefahren, die
Steinkohlen waren nöthig und der Mann konnte überhaupt
nicht abgewiesen werden. Nun hatte Stilling keinen halben
Gulden im Hause, und er fand auch keine Freiheit in sich, bey
einem Nachbarn zu lehnen. Christine weinte, und er flehte in
feurigen Seufzern zu Gott; nur ein paar Conventionsthaler
waren nöthig, aber dem, der sie nicht hat, fällt die Zahlung so
schwer, als einem, der Tausende bezahlen soll, und keine hundert hat. Indessen lud der Fuhrmann seine Kohlen ab, als das

geschehen war, wusch er seine Hände, um sein Geld zu empfangen, Stilling klopfte das Herz und seine Seele rung mit
Gott. Auf einmal trat ein Mann mit seiner Frau zur Thüre
herein, die guten Leute waren von Dornfeld; Stilling hatte
den Mann vor etlichen Wochen von einer schweren Krankheit
curirt, und sein Verdienst bis folgendes Neujahr auf Rechnung geschrieben. Nach den gewöhnlichen Grüßen fieng der
Mann an: ich hab da Geld empfangen und wie ich da vor der
Thür hergehe, so fällt mir ein, ich brauchte auch meine Rechnung just nicht bis Neujahr stehen zu lassen, sondern ich
wollte sie als vor der Hand bezahlen, Sie könntens brauchen.
— Auch gut! versetzte Stilling; er ging, holte das Buch, machte
die Rechnung und empfing zehn Reichsthaler.

Dieser Beyspiele erfuhr Stilling sehr viele, er wurde auch
dadurch im Glauben sehr gestärkt und zum Ausharren ermuntert.

Den 5ten Jenner 1773 gebahr ihm Christine eine Tochter,
und obgleich alles den gewöhnlichen Weg der Natur ging, so
gab es doch wieder sechs erschreckliche Stunden, in welchen die
Furie Hysterick ihre Krallen recht gebrauchte: denn bey dem
Eintritt der Milch in die Brüste, wurde die arme Frau wie ein
Wurm hin und her geschleudert; solche Zeiten waren auch immer durchdringende Läuterungs-Feuer für Stilling.

Im folgenden Frühjahr, als er an einem Sonnabend auf ein
benachbartes Dorf ritt, welches anderthalb Stunden von Schönenthal liegt, um Kranke zu besuchen und den ganzen Tag
Häuser und Hütten durchkrochen hatte, so kam am Abend
eine arme junge wohlgestallte Frau über die Straße hergestie-
gen, sie war blind, und ließ sich führen; nun hatte Stilling
noch immer einen vorzüglichen Ruf in der Heilung der
Augen-Krankheiten, er stand vor der Thür des Wirthshauses
neben seinem Pferde, und wollte eben aufsteigen. Nun fing die
arme Frau an:

„Wo ist der Herr Doctor?"

Hier! was will sie, gute Frau?

„Ach sehen Sie mir doch einmal in die Augen, ich bin schon etliche Jahre blind, habe zwey Kinder, die ich noch nicht gesehen habe, mein Mann ist ein Taglöhner, sonst half ich uns mit Spinnen ernähren, nun kann ich das nicht mehr, und mein Mann ist recht fleißig, aber er kanns doch allein nicht zwingen, und da gehts uns sehr übel, ach sehen Sie doch, ob Sie mir helfen können!"

Stilling sahe ihr in die Augen und sagte: sie hat den grauen Staar, ihr könnte vielleicht geholfen werden, wenn sich ein geschickter Mann fände, der sie operirte.

„Verstehen Sie das denn nicht? Herr Doctor!"

Ich verstehe das wol, aber ich habs noch nie an lebendigen Personen probirt.

„O so probiren Sie es doch an mir!"

Nein, liebe Frau, das probire ich nicht, ich bin zu furchtsam dazu, es könnte mißlingen, und dann müste sie immer blind bleiben, es wär ihr nicht zu helfen.

„Wenn ich es aber nun wagen will? — Sehen Sie, ich bin blind, und werde nicht blinder als ich bin, vielleicht seegnet Sie unser Herr Gott, daß es geräth, operiren Sie mich!"

Bey diesen Worten überlief ihn ein Schauer, Operationen waren seine Sachen nicht, er schwung sich also aufs Pferd und sagte: Großer Gott! lasse sie mich in Ruhe, ich kann—ich kann sie nicht operiren.

„Herr Doctor! Sie müssen; es ist Ihre Schuldigkeit: Gott hat Sie dazu berufen, den armen Nothleidenden zu helfen, so bald Sie können, nun können Sie aber den Staar operiren, ich will der erste seyn, wills wagen, und ich verklage Sie am jüngsten Gericht, wenn Sie mir nicht helfen."

Das waren nun Dolche in Stillings Herz, er fühlte, daß die Frau Recht hatte, und doch hatte er fast eine unüberwindliche Furcht und Abneigung gegen alle Operationen am menschlichen Körper, denn er war auf der einen Seite zu zärtlich, zu

empfindsam, und auf der andern auch zu gewissenhaft, um
das lebenslängliche Glück eines Menschen so aufs Spiel zu setzen. Er antwortete also kein Wort mehr und trabte fort, unterwegs kämpfte er erschrecklich mit sich selbst, allein das
Resultat blieb immer, nicht zu operiren. Indessen ließ es die
arme Frau nicht dabey bewenden, sie ging zu ihrem Prediger.

Warum soll ich ihn nicht nennen — den edlen Mann, den aus-
erwählten unter tausenden, den seeligen Theodor Müller? —
er war der Vater, der Rathgeber aller seiner Gemeinds-Glie-
der, der kluge, sanfte, unaussprechlich thätige Knecht Gottes,
ohne Pietist zu seyn; kurz, er war ein Jünger Jesus im vollen
Sinn des Worts. Sein Principal forderte ihn früh ab, gewiß um
ihn über viel zu setzen. Lavater besang seinen Tod, die Armen beweinten, und die Reichen betrauerten ihn. Heilig sey
mir dein Rest; du Saamkorn am Tage der Wiederbringung!

Diesem edlen Manne klagte die arme Blinde ihre Noth und
sie verklagte zugleich den Doctor Stilling; Müller schrieb ihm
daher einen dringenden Brief, in welchem er ihm alle die
glücklichen Folgen vorstellte, welche diese Operation nach sich
ziehen würde, im Fall sie gelänge, dagegen schilderte er ihm
auch die unbeträchtliche Folgen, im Fall des Mislingens. Stilling lief in der Noth seines Herzens zu Dinckler und Trost,
beyde riethen ihm ernstlich zur Operation, und der erste versprach sogar mitzugehen und ihm beizustehen; dies machte
ihm einigen Muth und er entschloß sich mit Zittern und Zagen
dazu.

Zu dem allen kam noch ein Umstand, Stilling hatte die
Ausziehung des grauen Staars bei Lobstein zu Strasburg vorzüglich gelernt, sich auch bey Bogner die Instrumente machen
lassen, denn damals war er willens, diese vortrefliche und
wohlthätige Heilung noch mit seinen übrigen Augen-Curen zu
verbinden; als er aber selbst practischer Arzt wurde und all
das Elend einsehen lernte, welches auf mißlungene Krankenbedienung folgte, so wurde er äußerst zaghaft, er durfte nichts

wagen, daher vergieng ihm alle Lust, den Staar zu operiren, und das alles war auch eine Hauptursache mit, warum er nicht so viel ausrichten konnte, wenigstens nicht so viel auszurichten schiene, als andre seiner Collegen, die alles unternahmen, fortwürkten, auch manchmal erbärmlich auf die Nase fielen, sich aber doch wieder aufraften und bey alle dem weiter kamen, wie er.

Stilling schrieb also an Müllern, daß er den und den Tag mit Herrn Doctor Dinckler kommen würde, um die Frau zu operiren; beyde machten sich demnach des Morgens auf den Weg und wanderten nach dem Dorfe hin; Dinckler sprach Stillingen allen möglichen Muth ein, aber es half wenig. Sie kamen endlich im Dorf an, und gingen in Müllers Haus, auch dieser sprach ihm Trost zu, und nun wurde die Frau nebst dem Wundarzt geholt, der ihr den Kopf halten mußte; als nun alles bereit war und die Frau saß, so setzte sich Stilling vor ihr, mit Zittern nahm er das Staarmesser und drückte es am gehörigen Ort ins Auge; als aber die Patientin dabey, wie natürlich ist, etwas mit dem Odem zuckte, so zuckte Stilling auch das Messer wieder heraus, daher floß die wäßerichte Feuchtigkeit durch die Wunde die Wange herunter, und das vordere Auge fiel zusammen. Stilling nahm also die krumme Scheere und brachte sie mit dem einen Schenkel glücklich in die Wunde und nun schnitte er ordentlich unten herum, den halben Zirkel, wie gewöhnlich, als er aber recht zusah, so fand er, daß er den Stern oder die Regenbogenhaut mit zerschnitten hatte; er erschrack, aber was war zu thun? — er schwieg still und seufzte. In dem Augenblick fiel die Staarlinse durch die Wunde über den Backen herunter und die Frau rief in höchster Entzückung der Freude: O Herr Doctor, ich sehe Ihr Gesicht, ich sehe Ihnen das Schwarze in den Augen. Alles jubilirte, Stilling verband nun das Auge, und heilte sie glücklich, sie sahe mit dem Auge vortreflich; einige Wochen nachher operirte er auch das andre Auge mit der linken Hand, jetzt gings ordentlich, denn nun hatte er mehr Muth, er heilte auch dieses und so wurde die Frau wieder vollkommen sehend. Dieses gab nun einen Ruf, so daß mehrere Blinde kamen, die er alle der Reihe nach glücklich operirte; nur selten mislung ihm einer. Bey allem dem war das doch sonderbar; diese wichtige Curen trugen ihm selten etwas ein, die mehresten waren arm, denn diese operirte er umsonst, und nur selten kam jemand, der etwas bezahlen konnte, seine Umstände wurden also wenig gebessert. So gar nahmen viele dadurch Anlaß, ihn mit Operateurs und Quacksalbern in eine Classe zu setzen. Gebt nur acht! sagten sie, bald wird er anfangen von Stadt zu Stadt zu ziehen und einen Orden anzuhängen!

Im folgenden Herbst im September kam die Frau eines der vornehmsten und reichsten und zugleich sehr braven Kaufmannes, oder vielmehr Kapitalisten in Schönenthal zum erstenmal ins Kindbett; die Geburt war sehr schwer, die arme Kreysende hatte schon zweymal vier und zwanzig Stunden in den Wehen gelegen und sich abgearbeitet; ohne daß sich noch die geringste Hofnung zur Entbindung zeigte. Herr Doctor Dinckler, als Hausarzt, schlug Stillingen zur Hülfe vor, er wurde also auch gerufen; dies war des Abends um 6 Uhr. Nachdem er die Sache gehörig untersucht hatte, so fand er, daß das Angesicht des Kindes oberwärts gerichtet, und daß der Kopf gegen die Durchmesser des Beckens so groß war, daß er sich nicht einmal die Zange anzulegen traute; er sahe also keinen andern Weg, als auf der Fontenelle den Kopf zu öfnen, dann ihn zusammen zu drücken und es so herauszuziehen; denn an den Kayserschnitt war nicht zu denken, besonders da die gegründete Vermuthung da war, das Kind sey schon tod. Um sich davon noch gewisser zu überzeugen, wartete er bis den Abend um neun Uhr, jetzt fand er den Kopf welk und zusammengefallen, er fühlte auch keine Spuren des Pulses mehr auf der Fontenelle, er folgte also seinem Vorsatz, öfnete den Kopf, preste ihn zusammen und bey der ersten Wehe wurde das Kind geboren. Alles gieng hernach gut von statten, die Frau Kindbetterin wurde bald wieder vollkommen gesund. Was dergleichen Arbeiten den empfindsamen Stilling für Herzensangst, Thränen, Mühe und Mitleiden kosteten, das läßt sich nicht beschreiben, allein er fühlte seine Pflicht, er muste fort, wenn er gerufen wurde; er erschrack daher, daß ihm das Herz pochte, wenn man des Nachts an seiner Thür klopfte, und dieses hat sich so fest in seine Nerven verwebt, daß er noch auf die heutige Stunde zusammenfährt, wenn des Nachts an seiner Thür geklopft wird, ob er gleich gewiß weiß, daß man ihn nicht mehr zu Kindbetterinnen ruft.

Dieser Vorfall erweckte ihm zum erstenmal bey allen Schönenthalern Hochachtung, jetzt sahe er freundliche Gesichter in Menge, aber es währte nicht lange, denn etwa drey Wochen hernach kam ein Rescript vom Medizinal-Collegium zu Rüsselstein, in welchem ihm befohlen wurde, sich vor der Hand aller Geburtshülfe zu enthalten und sich vor dem Collegium zum Examen in diesem Fach zu melden. Stilling stand wie vom Donner gerührt, er begrif von dem allem kein Wort, bis er endlich erfuhr, daß jemand seine Geburtshülfe bey obiger Kindbetterinn in einem sehr nachtheiligen Lichte berichtet habe.

Er machte sich also auf den Weg nach Rüsselstein, wo er bey seinem Freund Vollkraft, seinem edlen Weibe, die Wenige ihres gleichen hatte, und bey seinen vortreflichen Geschwistern einkehrte; diese Erquickung war ihm bey seinen traurigen Umständen auch nöthig. Nun verfügte er sich zu einem von den Medizinal-Räthen, der ihn sehr höhnisch mit den Worten empfing: Ich höre, Sie stechen auch den Leuten die Augen aus? Nein, antwortete Stilling, aber ich habe verschiedene glücklich am Staar operirt.

Das ist nicht wahr, sagte der Rath trotzig, Sie lügen das! Nein, versetzte Stilling, mit Feuer und Glut in den Augen, ich lüge nicht, ich kann Zeugen auftreten lassen, die das unwidersprechlich beweisen; überdas kenne ich den Respect, den ich Ihnen als einem meiner Vorgesetzten schuldig bin, sonst würde ich Ihnen in dem nämlichen Ton antworten. Eine graduirte Person, die allenthalben ihre Pflicht zu erfüllen sucht, verdient auch von ihrer Obrigkeit Achtung. Der Medizinal-Rath lachte ihm unter die Augen und sagte: heißt das seine Pflichten erfüllen, wenn man Kinder umbringt!

Jetzt ward es Stillingen dunkel vor den Augen, er wurde blaß, trat näher und versetzte, Herr! — sagen Sie das nicht noch einmal — damit aber fühlte er seine ganze Lage und seine Abhängigkeit von diesem schrecklichen Manne, er sank also zurück auf einen Stuhl, und weinte wie ein Kind; dies diente nun zu weiter nichts, als daß er desto mehr gehöhnt wurde; er stund also auf und ging fort. Damit man nun im Vollkraftschen Hause seinen Kummer nicht zu sehr merken möchte, so spazierte er eine Weile auf dem Wall herum, dann ging er ins Haus, und schien munterer, als er war. Die Ursache, warum er Herrn Vollkraft nicht alles sagte und klagte, lag in seiner Natur, denn so offenherzig er in allen Glücksfällen war, so sehr verschwieg er alles, was er zu leiden hatte. Der Grund dazu war ein hoher Grad von Selbstliebe und Schonung seiner Freunde. Gewissen Leuten aber, die von dergleichen Führungen Erfahrung hatten, konnte er alles sagen, alles entdecken; diese Erscheinung hatte aber noch einen tiefern Grund, den er erst lange nachher bemerkt hat: vernünftige, scharfsichtige Leute konnten nicht so gerade alles, wie er, für göttliche Führung halten; daran zweifelte niemand, daß ihn die Vorsehung besonders und zu großen Zwecken führe; ob aber nicht auch bey seiner Heyrath, bey allerhand Schicksalen und Bestimmungen viel menschliches mit untergelaufen sey? das war eine andre Frage, die jeder philosophische Kopf mit einem lauten Ja beantwortete; das konnte nun Stilling damals durchaus nicht ertragen, er glaubte es besser zu wissen, und eigentlich darum schwieg er. Der Verfolg dieser

Geschichte wirds zeigen, in wie fern jene Leute Recht oder Unrecht hatten. Doch ich lenke wieder ein auf meinem Wege.

Das Medizinal-Collegium setzte nun die Termine zum Examen in der Geburtshülfe und zur Entscheidung wegen der Entbindung jener Schönenthalern Frauen an. Im Examen wurden ihm die verfänglichsten Fragen vorgelegt, er bestand aber dem allen ungeachtet wohl, nun wurde auch die Maschine mit der Puppe gebracht, diese sollte er nun herausziehen, aber sie wurde hinter der Gardine festgehalten, so, daß es unmöglich war sie zu bekommen; Stilling sagte das laut, aber er wurde ausgelacht und so bestand er nicht im Examen. Es wurde also decretirt: er sey zwar in der Theorie ziemlich, aber in der Praxis gar nicht bestanden, es wurde ihm also nur in den höchsten Nothfällen gestattet, den Gebährenden Hülfe zu leisten. —

Bey allen diesen verdrießlichen Vorfällen muste doch Stilling laut lachen, als er das las; und das ganze Publikum lachte mit: man verbot einem für ungeschickt erklärten Manne die Geburtshülfe; nahm aber doch die allergefährlichsten Fälle davon aus, in diesem erlaubte man dem ungeschickten den Beystand. In Ansehung des Entbindungs Falls aber erklärte man Stillingen für den Ursacher des Todes des Kindes, doch verschonte man ihn mit der Bestrafung. Viel Gnade für den armen Doctor — ungestraft morden zu dürfen!

Indessen kränkte ihn doch dieses Decret tief in der Seele, und er ritt also fort, noch desselben Nachmittags nach Duysburg, um den ganzen Vorfall der medizinischen Facultät, welcher damals der verehrungwürdige Leidenfrost als Decanus vorstand, vorzulegen. Hier wurde er für vollkommen unschuldig erklärt, und er erhielt ein Responsum, das seine Ehre gänzlich wieder herstellte; dieses Responsum publicirte der Mann der entbundenen Frau auf dem Schönenthaler Rathhause selbst. Indessen fiel doch der Werth dieser Cur durch den ganzen Hergang um vieles, und Stillings Feinde nahmen daher Anlaß wieder recht zu lästern.

Stillings glückliche Staar-Curen hatten indessen viel Aufsehen verursacht, und ein gewisser Freund ließ sogar in der Francfurther Zeitung eine Nachricht davon einrücken. Nun war aber auf der Universität zu Marburg ein sehr rechtschaffener und geschickter Lehrer der Rechtsgelehrsamkeit, der Herr Professor Sorber, welcher schon drey Jahre am grauen Staar blind war; diesem wurde die Zeitungs-Nachricht vorgelesen; in dem Augenblick empfand er den Trieb bey sich, die weite Reise nach Schönenthal zu machen, um sich von Stilling operiren und curiren zu lassen. Er kam also im Jahre 1774 am Ende des Aprills mit seiner Eheliebsten und zweyen Töchtern an, und Stilling operirte ihn im Anfang des Mays glücklich; auch ging die Cur dergestalt von statten, daß der Patient sein Gesicht vollkommen wieder bekam und noch bis heute sein Lehramt rühmlich vorstehet. Während der Zeit kam Christine zum zweytenmal ins Kindbett und sie gebahr einen Sohn; ausser den schrecklichen Zufällen bey dem Milchfieber ging alles glücklich von statten.

Nun lag Stillingen noch eins am Herzen: er wünschte seinen Vater nach so langer Zeit einmal wieder zu sehen; als Doctor hatte er ihn noch nicht gesprochen und seine Gattin kannte ihn noch gar nicht. Nun lud er den würdigen Mann zwar öfters ein, Wilhelm hatte auch oft versprochen zu kommen, allein es verschob sich immer, und so wurde nichts draus. Jetzt aber versuchte Stilling das äusserste: er schrieb nähmlich, daß er ihn an einem bestimmten Tage den halben Weg bis Meinerzhagen entgegen reiten und ihn dort abholen wolle. Dies that Würkung; Wilhelm Stilling machte sich also zu rechter Zeit auf den Weg, und so trafen sie beyde in dem bestimmten Gasthause zu Meinerzhagen an; sie wankten sich zur Umarmung entgegen, und die Gefühle lassen sich nicht aussprechen, welche beyden das Herz bestürmten. Mit einzelnen

Tönen gab Wilhelm seine Freude, daß sein und Dortchens Sohn nun das Ziel seiner Bestimmung erreicht habe, zu erkennen; er weinte und lachte wechselsweise, und sein Sohn hütete sich wohl, nur das geringste von seinen schweren Leiden, seinen zweifelhaften Glücks-Umständen und den Schwierigkeiten in seinem Beruf zu entdecken; denn dadurch würde er seinem Vater die ganze Freude verdorben haben. Indessen fühlte er seinen Kummer um desto stärker, es kränkte ihn, nicht so glücklich zu seyn, als ihn sein Vater schätzte, und er zweifelte auch, daß ers je werden würde; denn er hielt sich immer für einen Mann, der von Gott zur Arzeneykunde bestimmt sey, mithin bey diesem Beruf bleiben müsse, ungeachtet er anfing, Mißvergnügen daran zu haben, weil er auf einer Seite so wenig Grund und Boden in dieser Wissenschaft fand, und dann, weil sie ihn, wenn er als ein ehrlicher Mann zu Werk gehen wollte, nicht nährte, geschweige das Glück seiner Familie gründete.

Des andern Morgens setzte er seinen Vater aufs Pferd, er machte den Fußgänger neben her auf dem Pfade, und so wallfahrteten sie an diesem Tage unter den erquickendsten Gesprächen neun Stunden weit bis Rosenheim, wo er seinen Vater seiner Christinen gesamten Familie vorstellte. Wilhelm wurde so empfangen, wie ers verdiente, er schüttelte jedem die Hand, und sein redliches characteristisches Stillings-Gesicht erweckte allenthalben Ehrfurcht. Jetzt ließ der Doctor seinen Vater zu Fuß vorauswandern, einer seiner Schwäger begleitete ihn, er aber blieb noch einige Minuten, um seinen Empfindungen im Schoß der Friedenbergischen Familie freien Lauf zu lassen, er weinte laut, lobte Gott und eilte nun seinem Vater nach. Noch nie hatte er den Weg von Rosenheim nach Schönenthal mit solcher Herzenswonne gegangen, wie jetzt, und Wilhelm war ebenfalls in seinem Gott vergnügt.

Beym Eintrit ins Haus flog Christine dem ehrlichen Mann die Treppe herab entgegen, und fiel ihm mit Thränen um den

Hals, solche Auftritte muß man sehen, und die gehörigen Empfindungs-Organen haben, um sie in aller ihrer Stärke fühlen zu können.

Wilhelm blieb acht Tage bey seinen Kindern, und Stilling begleitete ihn wieder bis Meinerzhagen, von wannen dann jeder in Frieden seinen Weg zog.

Einige Wochen nachher wurde Stilling einsmals des Morgens früh in einen Gasthof gerufen, man sagte ihm, es sey ein fremder Patient da, der ihn gern sprechen möchte; er zog sich also an, und ging hin; man führte ihn ins Schlafzimmer des Fremden. Hier fand er nun den Kranken mit einem dicken Tuch um den Hals, und den Kopf in Tücher verhüllt; der Fremde streckte die Hand aus dem Bett, und sagte mit schwacher und dumpfer Stimme: Herr Doctor! fühlen Sie mir einmal den Puls, ich bin gar krank und schwach; Stilling fühlte und fand den Puls sehr regelmäßig und gesund; er erklärte sich also auch so, und erwiderte: ich finde gar nichts krankes, der Puls geht ordentlich; so wie er das sagte, hing ihm Göthe am Hals. Stillings Freude war unbeschreiblich; er führte ihn also fort in sein Haus, auch Christine war froh, diesen Freund zu sehen, und rüstete sich zum Mittags-Essen. Nun führte er Göthe hinaus auf einen Hügel, um ihm die schöne Aussicht über die Stadt und das Thal hinauf zu zeigen.

Gerade zu dieser Zeit waren die Gebrüder Vollkraft wieder auf Comission da; sie hatten einen Freund bey sich, der sich durch schöne Schriften sehr berühmt gemacht hat, den aber Stilling, wegen seiner satyrischen und juvenalischen Geißel, nicht leiden mochte, er besuchte also jetzt seine Freunde wenig, denn Juvenal (so will ich den Mann einstweilen nennen) neckte ihn immer wegen seiner Anhänglichkeit an die Religion. Während der Zeit, daß Stilling mit Göthe spazieren ging, kam der Herr Hofkammerrath Vollkraft zu Pferde an Stillings Thür gesprengt, und rief der Magd zu, sie sollte ihrem Herrn sagen, er sey plötzlich nach Rüsselstein abgereist, weil

Göthe dort wäre; Christine war gerade nicht bey der Hand, um ihn von der Lage der Sache zu benachrichtigen, Vollkraft trabte also eiligst fort. So wie Göthe und Stilling nach Haus kamen, und ihnen die Magd den Vorfall erzählte, so bedauerten sie beyde den Irrthum; indessen wars nun nicht zu ändern.

Göthens Veranlassung zu dieser Reise war eigentlich folgende: Lavater besuchte das Emserbad und von da machte er eine Reise nach Mühlheim am Rhein, um dort einen Freund zu besuchen; Göthe war ihm bis Ems gefolgt, und um allerhand Merkwürdigkeiten und berühmte Männer zu sehen, hatte er ihn bis Mühlheim begleitet; hier ließ nun Göthe Lavater zurück und machte einen Streifzug über Rüsselstein nach Schönenthal, um auch seinen alten Freund Stilling heimzusuchen; zugleich aber hatte er Lavatern versprochen, auf eine bestimmte Zeit wieder nach Mühlheim zu kommen, und mit ihm zurück zu reisen. Während Göthens Abwesenheit aber bekommt Lavater Veranlassung, auch nach Rüsselstein und von da nach Schönenthal zu gehen, von dem allen aber wuste Göthe kein Wort. Als er daher mit Stilling zu Mittag gegessen hatte, machte er sich mit obigem Juvenal zu Pferde wieder auf den Weg nach Rüsselstein, um dort Vollkraften anzutreffen. Kaum waren beyde fort, so kam Lavater in Begleitung Vollkrafts, des bekannten Hasenkamps, von Duysburg, und des höchst merkwürdigen, frommen und gelehrten Doctor Collenbuschs die Gasse hereingefahren. Dies wurde Stillingen angezeigt, er floh also den beyden Reutern nach und brachte sie wieder zurück.

Lavater und seine Begleiter waren mittlerweile bey einem bekannten und die Religion liebenden Kaufmann eingekehret; Stilling, Göthe und Juvenal eilten also auch dahin. Niemals hat sich wol eine seltsamer gemischte Gesellschaft beysammen gefunden, als jetzt um den großen ovalrunden Tisch her, der zugleich auf Schönenthaler Art mit Speisen besetzt war. Es ist der Mühe werth, daß ich diese Gäste nur aus den Groben zeichne.

Lavaters Ruf der practischen Gottseeligkeit hatte unter andern einen alten Ter Steegianer herbeygelockt; dieser war ein in aller Rücksicht verehrungswürdiger Mann, der nach den Grundsätzen der reinen Mystick, unverheyrathet, äußerst heickel in der Wahl des Umgangs, sehr freundlich, ernst, voll sanfter Züge im Gesicht, ruhig im Blick, und übrigens in allen seinen Reden behutsam war; er wog alle seine Worte auf der Goldwage ab, kurz, er war ein herrlicher Mann, wenn ich nur das einzige Eigensinnige ausnehme, das alle dergleichen Leute so leicht annehmen, indem sie intolerant gegen alle sind, die nicht so denken wie sie! dieser ehrwürdige Mann saß mit seinem runden lebhaften Gesicht, runden Stutzperücke, braunen Rock und schwarzen Unterkleidern oben an; mit einer Art von freundlicher Unruh schauete er um sich, sagte auch wohl zuweilen heimliche Ermahnungs-Worte, denn er witterte Geister von ganz andern Gesinnungen.

Neben diesem saß der Hofkammerrath Vollkraft, ein feiner Weltmann, wie es wenige giebt, im Reisehabit, doch nach der Mode gekleidet; sein lebhaftes Naturell sprühte Funken des Witzes und sein hoch rectificirtes philosophisches Gefühl, urtheilte immer nach dem Zünglein in der Wage des Wohlstandes, des Lichts und des Rechts.

Auf diesen folgte sein Bruder der Dichter: von seinem ganzen Daseyn strömte sanfte gefällige Empfindung und Wohlwollen gegen Gott und Menschen, sie mochten nun übrigens denken und glauben was sie wollten, wenn sie nur gut und brav waren; sein grauer Flockenhut lag hinter ihm im Fenster und der Körper war mit einem bunten Sommerfrack bekleidet.

Dann saß der Hauswirth neben diesem; er hatte eine pechschwarze Perücke mit einem Haarbeutel auf dem Kopfe; und einen braunen zitzenen Schlafrock an, der mit einer grünen seidenen Scherpe umgürtet war, seine große hervorragenden

Augen starrten unter der hohen und breiten Stirne hervor, sein Kinn war spitzig, überhaupt das Gesicht dreieckigt und hager, aber voller Züge des Verstandes, er horchte lieber, als daß er redete, und wenn er sprach, so war alles vorher in seiner Gehirnkammer wohl abgeschlossen und decretirt worden; seiner Tauben Einfalt fehlte es an Schlangenklugheit warlich nicht.

Jetzt kam nun die Reihe an Lavater; sein Evangelisten-Johannes-Gesicht riß alle Herzen mit Gewalt zur Ehrfurcht und Liebe an sich, und sein munterer gefälliger Witz, verpaart mit einer lebhaften und unterhaltenden Laune, machte sich alle Anwesende, die sich nicht durch Witz und Laune zu versündigen glaubten, ganz zu eigen. Indessen waren unter der Hand seine physionomische Fühlhörner, denen es hier an Stof nicht fehlte, immer geschäftig; er hatte einen geschickten Zeichen-Meister bey sich, der auch seine Hände nicht in den Schooß legte.

Neben Lavater saß Hasenkamp, ein vierzigjähriger etwas gebückter, hagerer, hectischer Mann, mit einem länglichten Gesicht, merkwürdiger Physionomie, und überhaupt Ehrfurcht erweckenden Ansehen; jedes Wort war ein Nachdenken und Wohlgefallen erregendes Paradoxon, selten mit dem System übereinstimmend; sein Geist suchte allenthalben Luft und ängstete sich in seiner Hülle nach Wahrheit, bis er sie bald zersprengte und mit einem lauten Hallelujah zur Urquelle des Lichts und der Wahrheit empor flog; seine einzelnen Schriften machen Orthodoxe und Heterodoxe den Kopf schütteln, aber man muß ihn gekannt haben; er schritte, mit dem Perspectiv in der Hand, beständig im Lande der Schatten hin und her, und schaute hinüber in die Gegend der Lichtsgefilde; was Wunder, wenn die blendende Strahlen ihm zuweilen das Auge trübten!

Auf ihn folgte Collenbusch, ein theologischer Arzt oder medizinischer Gottesgelehrter; sein Angesicht war so auffal-

lend, wie je eins seyn kann — ein Gesicht, das Lavaters ganzes
System erschütterte; es enthielt nichts widriges, nichts böses,
aber auch von allem nichts, auf welches er Seelengröße
baute; indessen stralte aus seinen durch die Kinderblattern
verstellten Zügen eine geheime stille Majestät hervor, die man
nur erst nach und nach im Umgang entdeckte; seine mit dem
schwarzen und grauen Staar kämpfende Augen und sein
immer offener zwo Reihen schöner weißer Zähne zeigender
Mund schienen die Wahrheit, Weltträume weit herbey ziehen
zu wollen, und seine höchst gefällige einnehmende Sprache,
verbunden mit einem hohen Grad der Artigkeit und Bescheidenheit, fesselten jedes Herz, das sich ihm näherte.

Jetzt folgte in der Reihe mein Juvenal: man denke sich ein
kleines junges rundköpfigtes Männchen, den Kopf etwas nach
einer Schulter geneigt, mit schalkhaften hellen Augen, und
immer lächelnder Miene; er sprach nichts, sondern beobachtete nur: seine ganze Atmosphäre war Kraft der Undurch-
dringbarkeit, die alles zurückhielt, was sich ihm nähern
wollte.

Denn saß neben ihm ein junger edler Schönenthaler Kaufmann, ein Freund von Stilling, ein Mann voller Religion
ohne Pietismus, glühend von Wahrheits-Hunger, ein Mann,
wie es wenige giebt.

Nun folgte Stilling, er saß da, mit tiefem geheimen Kummer auf der Stirn, den jetzt die Umstände erhellten, er sprach
hin und her, und suchte jedem sein Herz zu zeigen, wie es war.

Dann schlossen noch einige unbedeutende bloß die Lücke
ausfüllende Gesichter den Kreiß. Göthe aber konnte nicht sitzen, er tanzte um den Tisch her, machte Gesichter und zeigte
allenthalben, nach seiner Art, wie königlich ihn der Zirkel
von Menschen gaudirte. Die Schönenthaler glaubten, Gott sey
bey uns! der Mensch müsse nicht recht klug seyn; Stilling aber
und andre, die ihn und sein Wesen besser kannten, meinten
oft für Lachen zu bersten, wenn ihm einer mit starren und

gleichsam bemitleidenden Augen ansah, und er dann mit großem hellem Blick ihn darnieder schoß.

Diese Scene währte ziemlich tumultuarisch, kaum eine halbe Stunde, als Lavater, Hasencamp, Collenbusch, der junge Kaufmann, und Stilling zusammen aufbrachen, und in der heiter stralenden Abendsonne das paradiesische Thal hinaufwanderten, um den oben berührten vortreflichen Theodor Müller zu besuchen. Dieser Spaziergang ist Stillingen unvergeßlich, Lavater lernte ihn und er Lavatern kennen, sie redeten viel zusammen und gewannen sich lieb. Vor dem Dorfe, in welchem Müller wohnte, kehrte Stilling mit seinem Freunde wieder um und nach Schönenthal zurück, während der Zeit waren Göthe und Juvenal nach Rüsselstein verreist, des andern Morgens kam Lavater wieder, er besuchte Stilling, ließ ihn für seine Physionnomik zeichnen, und reiste dann wieder fort.

Dieser merkwürdige Zeitpunct in Stillings Leben mußte umständlich berührt werden; er änderte zwar nichts in seinen Umständen, aber er legte den Grund zu allerhand wichtigen Lenkungen seiner künftigen Schicksale. Noch eins habe ich vergessen zu bemerken: Göthe nahm den Aufsatz von Stillings Lebensgeschichte mit, um ihn zu Hause mit Muße lesen zu können: wir werden an seinem Ort finden, wie vortreflich dieser geringscheinende Zufall, und also Göthens Besuch, von der Vorsehung benutzt worden.

Im Herbst dieses 1774sten Jahres brachte ein Kaufmann
aus Schönenthal einen blinden Kaufmann, Namens Bauch,
von Sonneburg in Sachsen, aus der Frankfurther Messe mit,
in der Hofnung, Stilling würde ihn curiren können. Stilling
besah ihn, seine Pupillen waren weit, aber doch noch etwas
beweglich, der Anfang des grauen Staars war zwar da, allein
der Patient war für diese geringe Verdunklung doch zu blind,
als daß sie blos davon herrühren konnte; er sahe also wohl,
daß der anfangende schwarze Staar die Haupt-Ursache des
Uebels sey; das alles sagte er auch, allein seine Freunde riethen ihm alle, er möchte demungeachtet die Staar-Operation
versuchen, besonders auch darum, weil der Patient doch unheilbar sey, und also durch die Operation nichts verlöhre, im
Gegentheil sey es Pflicht, alles zu versuchen. Stilling ließ sich
also bewegen, denn der Patient verlangte selbst nach dem
Versuch, und äußerte sich, dies letzte Mittel müsse auch noch
gewagt werden, er wurde also glücklich operirt und in die Cur
genommen.

Dieser Schritt war sehr unüberlegt, und Stilling fand Gelegenheit genug, ihn zu bereuen, die Cur mißlung, die Augen
wurden entzündet, eiterten stark, und das Gesicht war nicht
nur unwiederbringlich verlohren, sondern die Augen bekamen auch nun noch ein häßliches Ansehen. Stilling weinte in
der Einsamkeit auf seinem Angesicht, und betete für diesen
Mann um Hülfe zu Gott, aber er wurde nicht erhört. Dazu
kamen noch andre Umstände: Bauch erfuhr, daß Stilling be-
dürftig war, er fing also an zu glauben, er habe ihn blos operirt, um Geld zu verdienen, nun war zwar sein Hauswirth,
der Kaufmann, der ihn mitgebracht hatte, ein edler Mann und
Stillings Freund, der ihm diese Zweifel auszureden suchte, allein es besuchten auch andre den Patienten, die ihm Verdacht
genug von Stillings Armuth, Mangel an Kenntnissen, und ein-
geschränktem Kopf, in die Ohren bliesen; Bauch reiste also unglücklich, voller Verdruß und Mißtrauen in Stillings Redlich-

keit und Kenntnisse, nach Frankfurth zurück, wo er sich noch einige Wochen aufhielt, um noch andere Versuche mit seinen Augen zu machen, und dann wieder nach Hause zu reisen.

Während der Zeit hörte ein sehr edler rechtschaffener frankfurther Patrizier, der Herr Oberhofmeister von Leesner, wie glücklich der Herr Professor Sorber zu Marburg von Stilling sey curirt worden; nun war er selbst seit einigen Jahren staarblind, er schrieb also an Sorbern, um gehörige Kundschaft einzuziehen, und er bekam die befriedigendste Antwort: der Herr von Leesner ließ also seine Augen von verschiedenen Ärzten besehen, und als alle darin übereinstimmten, daß er einen heilbaren grauen Staar habe, so übertrug er seinen Hausarzt, dem rechtschaffenen und edeldenkenden Herrn Doctor Hoffmann, die Sache, um mit Stillingen darüber Briefe zu wechseln, und ihn zu bewegen, nach Frankfurth zu kommen, weil er, als ein alter blinder und schwächlicher Mann, sich nicht die weite Reise zu machen getraute; Leesner versprach Stillingen tausend Gulden zu zahlen, die Cur möchte gelingen, oder nicht; diese tausend Gulden strahlten ihm bey seiner kümmerlichen Verfassung gewaltig in die Augen, und Christine, so unerträglich ihr auch die Abwesenheit ihres Mannes vorkam, rieth ihm doch sehr ernstlich, diese Gründung seines Glücks nicht zu versäumen, auch die Friedenbergische Familie und alle seine Freunde riethen ihm dazu. Nur der einzige Theodor Müller war ganz und gar nicht damit zufrieden; er sagte: Freund, es wird Sie reuen und die tausend Gulden werden Ihnen theuer zu stehen kommen, ich ahnde traurige Schicksale, bleiben Sie hier, wer nicht zu Ihnen kommen will, der mag wegbleiben, Leesner hat Geld und Zeit, er wird kommen, wenn er sieht, daß Sie die Reise nicht machen wollen. — Allein alle Ermahnungen halfen nicht, Stillings ehmaliger Trieb, der Vorsehung vorzulaufen, gewann auch jetzt die Ueberhand, er beschloß also, nach Frankfurth zu reisen, und sagte daher dem Herrn von Leesner zu.

Jetzt träumte sich nun Stillung eine glückliche Zukunft und das Ende seiner Leiden: mit den tausend Gulden glaubte er die dringendsten Schulden bezahlen zu können, und dann sahe er wol ein, daß eine glückliche Cur an einem solchen Manne großes Aufsehen erregen, und ihm einen gewaltigen und einträglichen Zulauf in der Nähe und Ferne zuwege bringen würde. Indessen schien Bauch, der sich noch in Frankfurth aufhielt, die ganze Sache wieder vernichten zu wollen; denn sobald er hörte, daß sich Leesner Stillings Cur anvertrauen wollte, so warnte er ihn angelegentlich und setzte Stilling, wegen seiner Dürftigkeit und geringen Kenntnisse, so sehr herab, als er konnte, indessen half das alles nichts. Leesner blieb bey seinem Vorsatz. Bauchs Verfahren konnte ihm im Grunde niemand verdenken, denn er kannte Stillingen nicht anders, und seine Meinung, Leesnern für Unglück zu warnen, war nicht unedel.

Göthe, der sich noch immer bey seinen Eltern in Frankfurth aufhielt, freuete sich innig, seinen Freund Stilling auf einige Zeit bey sich zu haben; seine Eltern boten ihm während seines Aufenthalts ihren Tisch an, und mietheten ihm in ihrer Nachbarschaft ein hübsches Zimmer; dann ließ auch Göthe eine Nachricht in die Zeitung rücken, um damit mehrere Nothleidende herbey zu locken. Und so wurde nun die ganze Sache regulirt und beschlossen. Stillings wenige Freunde freuten sich und hoften, andre sorgten, und die mehresten wünschten, daß er doch zu Schanden werden möchte.

Im Anfang des 1775sten Jahres, in der ersten Woche des Januars, setzte sich also Stilling auf ein Lehnpferd, nahm einen Bothen mit sich, und ritt an einem Nachmittag in dem schrecklichen Regenwetter noch bis Waldstätt, hier blieb er über Nacht, den andern Tag schien der Himmel eine neue Sündfluth über die Erde führen zu wollen, alle Wasser und Bäche schwollen ungeheuer an, und Stilling gerieth mehr als einmal in die äußerste Lebensgefahr, doch kam er glücklich nach Meinerzhagen, wo er übernachtete; des andern Morgens machte er sich wieder auf den Weg; der Himmel war nun ziemlich heiter, große Wolken flogen über seinem Haupte hin, doch schoß die Sonne auch zuweilen aus ihrem Laufe milde Strahlen in sein Angesicht; sonst ruhte die ganze Natur, alle Wälder und Gebüsche waren entblättert, eisgrau, Felder und Wiesen halb grün, Bäche rauschten, der Sturmwind sauste aus Westen, und kein einziger Vogel belebte die Scene.

Gegen Mittag kam er an ein einziges Wirthshaus, in einem schönen ziemlich breiten Thale, welches im Rosenthal genannt wird; hier sahe er nun, als er die Höhe herab ritt, mit Erstaunen und Schrecken, daß der starke, mit einer gewölbten Brücke versehene, Bach von einem Berg zum andern, das ganze Thal überschwemmte; er glaubte den Rheinstrom vor sich zu sehen, außer daß hie und da ein Strauch hervorguckte. Stilling und sein Begleiter klagten sich wechselweise ihren Kummer, auch hatte er seiner Christinen versprochen, von Leindorf aus, wo sein Vater wohnte, zu schreiben, denn sein Weg führte ihn gerade durch sein Vaterland. Nun wuste er, daß Christine am bestimmten Tage Briefe erwartete, von hier aus gabs keine Gelegenheit zu Versendung derselben, er muste also fort, oder besorgen, daß sie aus Angst Zufälle bekommen und wieder gefährlich krank werden würde.

In dieser Verlegenheit bemerkte er, daß der Plankenzaun, welcher unter der Straße her bis an die Brücke ging, noch immer einen Schuh hoch über das Wasser empor ragte; dies machte ihm Muth; er beschloß also, seinen Kerl hinter sich aufs Pferd zu nehmen und längs den Zaun auf die Brücke zuzureiten.

Im Wirtshause wurde Mittag gehalten; hier traf er eine Menge Fuhrleute an, welche das Fallen des Wassers erwarteten, und ihm alle riethen, sich nicht zu wagen; allein das half nicht; sein rastloser und immer fortstrebender Geist war nicht zum Warten gestimmt, wo das Würken oder Ruhen blos auf ihn ankam, er nahm also den Bedienten hinter sich aufs Pferd, setzte in die Fluthen und kämpfte sich glücklich durch.

Nach ein paar Stunden war Stilling auf der Höhe, von welcher er die Gebirge und Fluren seines Vaterlandes vor sich sahe. Dort lag der hohe Kindelsberg südostwärts vor ihm, ostwärts, am Fuß desselben, sahe er die Lichthäuser Schornsteine rauchen, und er entdeckte bald unter denselben, welcher seinem Oheim Johann Stilling zugehörte; ein süßer Schauer durchzitterte alle seine Glieder, und alle Jugend-Scenen gingen seiner Seele vorüber; sie deuchten ihm goldne Zeiten zu seyn. Was hab ich denn nun errungen? dachte er bey sich selbst — nichts anders, als ein glänzendes Elend! — ich bin nun freylich ein Mann geworden, der an Ehre und Ansehen alle seine Vorfahren übertrift, allein was hilft mich das alles, es hängt ein spitziges Schwerd an einem seidenen Faden über meinem Haupte, es darf nur fallen, so verschwindet alles, wie eine Seifenblase! meine Schulden werden immer größer und ich muß mich fürchten, daß meine Creditoren zugreifen, mir das Wenige, was ich habe, nehmen, mich dann nackend auf die Straße setzen, und dann habe ich ein zärtliches Weib, die das nicht erträgt, und zwey Kinder, die nach Brod lallen; Gott, der Gedanke war schrecklich! er marterte den armen Stilling Jahre lang unaufhörlich, so, daß er keinen frohen Augenblick haben konnte. Endlich ermannt er sich wieder, seine große Erfahrung von Gottes Vatertreue, und dann die wichtigen Hofnungen über den Erfolg seiner jetzigen Reise, ermunterten ihn wieder, so daß er froh und heiter ins Dorf Lichthausen hineintrabte.

Er ritte zuerst an das Haus des Schwiegersohns des Johann Stillings, welcher ein Gasthhalter war, und also Stallung hatte; hier wurde er von seiner Jugendfreundin und ihrem Manne mit lautem Jubel empfangen; dann wanderte er mit zitternder Freude und klopfendem Herzen zu seines Oheims Haus. Das Gerücht seiner Ankunft war schon durchs ganze

Dorf erschollen, alle Fenster stacken voller Köpfe, und so wie
er die Hausthür aufmachte, schritten ihm die beiden Brüder
Johann und Wilhelm entgegen; er umarmte einen nach dem
andern, weinte an ihrem Halse und die beyden Grauköpfe
weinten auch die hellen Thränen. Gesegnet seyn Sie mir! fing
der wahrhaft große Mann, Johann Stilling an; Gesegnet seyn
Sie mir, lieber, lieber Herr Vetter! unsere Freude ist überschwenglich groß, daß wir Sie am Ziel Ihrer Wünsche sehen;
mit Ruhm sind Sie hinaufgestiegen, auf die Stufe der Ehre,
Sie sind uns allen entflogen! Sie sind der Stolz unsrer Familie
u. s. w. Stilling antwortete weiter nichts, als: es ist ganz und
allein Gottes Werk, er hats gethan; gern hätte er noch hinzu-
gesetzt: und dann bin ich nicht glücklich, ich stehe am Rande
des Abgrunds; allein er behielt seinen Kummer für sich und
ging ohne weitere Umstände in die Stube.

Hier fand er nun alle Bänke und Stühle mit Nachbarn und
Bauern aus dem Dorfe besetzt, und die mehresten stunden
gedrängt in einander; alle hatten Stilling als Knabe gekannt;
so wie er hineintrat, waren alle Kappen und Hüte unter den
Armen, alles war stille, und jeder sahe ihn mit Ehrfurcht an.
Stilling stand und schauete umher; mit Thränen in den Augen,
und mit gebrochener Stimme sagte er: Willkommen, willkommen! Ihr lieben Männer und Freunde! Gott seegne einen jeden
unter euch! — bedeckt alle eure Häupter, oder ich gehe auf der
Stelle wieder hinaus; was ich bin, ist Gottes Werk, Ihm allein
die Ehre! — Nun entstand ein Freuden-Gemurmel, alles wunderte sich und seegnete ihn. Die beyden Alten, und der Doctor
setzten sich unter die guten Leute, und alle Augen waren auf
sein Betragen, und alle Ohren auf seine Worte gerichtet. Was
Vater Stillings Söhne jetzt empfanden, ist unaussprechlich.

Wie kams doch, daß aus dem Doctor Stilling so viel Werks
gemacht wurde, und was war die Ursache, daß man über seine
in jedem Betracht noch mittelmäßige Erhöhung zum Doctor
der Arzeneykunde so sehr erstaunte? Es gab in seinem Vater-

lande mehrere Bauern-Söhne, die gelehrte und würdige Männer geworden waren, und doch krähete kein Hahn darnach? Wenn man die Sache in ihrer wahren Lage betrachtet, so war sie ganz natürlich: Stilling war noch vor neun bis zehn Jahren Schulmeister unter ihnen gewesen; man hatte ihn allgemein für einen unglücklichen Menschen, und mit unter für einen hofnungslosen armen Jüngling angesehen; denn war er als ein armer verlassener Handwerksbursche fortgereist, seine Schicksale in der Fremde hatte er seinem Oheim und Vater geschrieben, das Gerüchte hatte alles natürlich bis zum Wunderbaren, und das Wunderbare bis zum Wunderwerk erhöht, und daher kams, daß man ihn als eine Seltenheit zu sehen suchte. Er selbst aber demüthigte sich innig vor Gott, er kannte seine Lage und Umstände besser, und bedauerte, daß man so viel aus ihm machte; indessen thats ihm doch auch wohl, daß man ihn hier nicht verkannte, wie das in Schönenthal sein tägliches Schicksal war.

Des andern Morgens machte er sich mit seinem Vater nach Leindorf auf den Weg. Johann Stilling gab seinem Bruder Wilhelm sein eigenes Reitpferd, und er ging zu Fuß neben her, er wollte es nicht anders; vor dem Dorf erschienen schon ganze Gruppen Leindörfer Jünglinge und Männer, die ehemals seine Schüler und Freunde gewesen, und ihm eine Stunde entgegen gegangen waren; sie umgaben sein Pferd und begleiteten ihn. Zu Leindorf stand alles vor dem Dorfe, auf der Wiese am Wasser, und das Willkommenrufen erscholl schon von ferne. Stille und tief gebeugt und gerührt ritt er mit seinem Vater ins Dorf hinein, Johann Stilling ging jetzt wieder zurück; in seines Vaters Haus empfing ihn seine Mutter sehr schüchtern, seine Schwestern aber umarmten ihn mit vielen Thränen der Freude. Hier strömte nun alles zusammen: Vater Stillings Töchter von Tiefenbach kamen auch mit ihren Söhnen, von allen Seiten eilten Menschen herzu, das Haus war unten und oben voll, und den ganzen Tag, und die ganze folgende Nacht

war an gar keine Ruhe zu denken. Stilling ließ sich also von
allen Seiten besehen, er sprach wenig, denn seine Empfindungen waren zu gewaltig, sie bestürmten immer sein Herz, daher eilte er fort: des andern Morgens setzte er sich in einem
geschlossenen Kreyß von hundert Menschen zu Pferde, und
ritt unter dem Getöne und Geschrey eines vielfältigen und oft
wiederholten Lebewohls! fort; kaum war er vor dem Dorfe,
so sagte ihm der Bediente, daß sein Vater ihm nachliefe; er
kehrte also um; Ich hab ja nicht Abschied genommen, lieber Sohn: sagte der Alte, denn faßte er ihm seine linke in
beyde Hände, weinte und stammelte: der Allmächtige seegne
dich!

Nun war Stilling wieder allein, denn sein Begleiter ging
seitwärts auf dem Fußpfad. Jetzt fing er laut an zu weinen,
alle seine Empfindungen strömten in Thränen aus, und machten seinem Herzen Luft. So wohl ihm der allgemeine Beyfall,
und die Liebe seiner Verwandten, Freunde und Landsleute
that, so tief bekümmerte es ihn in der Seele, daß sich alle der
Jubel blos auf einen falschen Schein gründete. Ach ich bin ja
nicht glücklich! ich bin der Mann nicht, wofür man mich hält!
ich bin kein Wundermann in der Arzeneykunde! kein von
Gott gemachter Arzt, denn ich curire selten jemand; wenns
geräth, so ist es Zufall! ich bin gerade einer von den alltäglichsten und ungeschicktesten in meinem Beruf! und was ist denn
auch am Ende so großes aus mir geworden? — Doctor der Arze-
neygelahrheit bin ich, eine graduirte Person — Gut! ich bin
also ein Mann vom Mittelstande! kein großes Licht, das Aufsehen macht, und verdiene also keinen solchen fürstlichen
Empfang! u. s. w. Dies waren Stillings laute und vollkommene wahre Gedanken, die immer wie Feuerflammen aus seiner
Brust hervorloderten, bis er endlich die Stadt Salen erblickte,
und sich nun beruhigte.

Stilling strebte jetzt nicht mehr nach Ehre, sein Stand war
ihm vornehm genug, nur sein Mißfallen an seinem Beruf, sein

Mangel und die Verachtung, in welcher er lebte, machten ihn
unglücklich.

Zu Salen hielt sich Doctor Stilling verborgen, er speiste nur
zu Mittag, und ritt nach Dillenburg, wo er des Abends ziemlich
spät ankam, und bey seinem braven rechtschaffenen Vetter,
Johann Stillings zweytem Sohn, der daselbst Bergmeister ist,
einkehrte. Beide waren von gleichem Alter und von Jugend
auf Herzens-Freunde gewesen; wie er also hier empfangen
wurde, das läßt sich leicht denken. Nach einem Rasttag
machte er sich wieder auf den Weg, und reiste über
Herborn, Wezlar, Buzbach und Friedberg nach Frankfurth;
hier kam er des Abends an, er kehrte im Götheschen Hause
ein und wurde mit der wärmsten Freundschaft aufgenommen.

Des folgenden Morgens besuchte er den Herrn von Leesner,
er fand an ihm einen vortreflichen Greis, voll gefälliger Höf-
lichkeit, verbunden mit einer aufgeklärten Religions-Gesin-
nung; seine Augen waren geschickt zur Operation, so daß ihm
Stilling die beste Hofnung machen konnte; der Tag, an welchem der Staar ausgezogen werden sollte, wurde also festgesetzt. Jetzt machte Stilling noch einige wichtige Bekanntschaften: er besuchte den alten berühmten Doctor Burggraf, der in
der ausgebreitesten und glücklichsten Praxis alt, grau und ge-
brechlich worden war; als dieser vortrefliche Mann Stillingen eine Weile beobachtet hatte, so sagte er: Herr College!
Sie sind auf dem rechten Wege, ich hörte von Ihrem Ruf hierher, und stellte mir nun einen Mann vor, der im höchsten
Modepuz mich besuchen, und wie gewöhnlich sich als Charlatan präsentiren würde, aber nun finde ich gerade das Gegentheil: Sie sind bescheiden, erscheinen in einem modesten Kleide, und sind also ein Mann, wie der seyn soll, der denen, die
unter der Ruthe des Allmächtigen seufzen, beystehen muß.
Gott seegne Sie! es freut mich, daß ich am Ende meiner Tage
noch Männer finde, die alle Hofnung geben, das zu werden,

was sie seyn sollen. Stilling seufzte und dachte: wollte Gott, ich wäre das, wofür mich der große Mann hält!

Dann besuchte er den Herrn Prediger Kraft; mit diesem theuren Mann stimmte seine Seele ganz überein, und es entstand eine innige Freundschaft zwischen beyden, die auch noch nach diesem Leben fortdauern wird.

Indessen rückte der Zeitpunct der Operation heran: Stilling machte sie in der Stille, ohne jemand, außer ein paar Aerzten und Wundärzten, etwas zu sagen; diese waren denn auch alle gegenwärtig, damit er doch sachkundige Männer auf jedem Fall zu Zeugen haben möchte. Alles gelang nach Wunsch, der Patient sahe und erkannte nach der Operation jedermann: Das Gerücht erscholl durch die ganze Stadt, Freunde schrieben an auswärtige Freunde und Stilling erhielt von Schönenthal schon Glückwünschungs-Schreiben, noch ehe er Antwort auf die seinigen haben konnte. Der Fürst von Löwenstein-Werthheim, die Herzogin von Curland, geborne Prinzessin von Waldeck, die sich damals in Frankfurth aufhielt, alle adliche Familien daselbst, und überhaupt alle vornehme Leute erkundigten sich nach dem Erfolg der Operation, und alle ließen jeden Morgen fragen, wie sich der Patient befände.

Nie war Stilling zufriedener, als jetzt; er sah, wie sehr diese Cur Aufsehen machen und wie vielen Ruhm, Beyfall, Ansehen und Zulauf sie ihm verschaffen würde; schon wurde davon geredt, ihm mit dem Frankfurther-Bürgerrecht ein Präsent zu machen und ihn dadurch hinzuziehen. In dieser Hofnung freuete sich der gute Doctor über die maßen, denn er dachte: hier ist mein Würkungskreys größer, die Gesinnung des Publikums weniger kleinstädtisch, als in Schönenthal; hier ist der Zulauf von Standespersonen und Fremden ununterbrochen und groß, du kannst hier etwas erwerben und so der Mann werden, der du von Jugend auf hast seyn wollen.

Gerade zu dieser Zeit fanden sich noch etliche blinde Personen ein: der erste war der Herr Hofrath und Doctor Hut,

Physikus in Wiesbaden, welcher in einer Nacht durch eine Verkältung an einem Auge staarblind geworden war; er logirte bey seinem Bruder, dem Herrn Hofrath und Consulenten Hut, in Frankfurth; Stilling operirte und curirte ihn glücklich; dieser allgemein bekannte und sehr edle, redliche Mann, ward dadurch sein immerwährender Freund, besonders auch darum, weil sie einerley Gesinnungen hatten.

Der zweyte war ein jüdischer Rabbi in der Judengasse zu Frankfurth wohnhaft; er war schon lange an beyden Augen blind und ließ Stilling ersuchen, zu ihm zu kommen; dieser ging hin und fand einen Greis von acht und sechzig Jahren mit einem schneeweissen bis auf den Gürtel herabhangenden Bart. So wie er hörte, daß der Arzt da wäre, stolperte er vom Stuhl auf, strebte ihm entgegen, und sagte: Herr Doctor! gucke Se mer ämohl in die Aage! — dann machte er ein grinzig Gesicht, und riß beyde Augen sperrweit auf; mitlerweile drängten sich eine Menge Judengesichter von allerhand Gattung herbey und hier und da erscholl eine Stimme: horcht —! was wird er sagä! Stilling besahe die Augen und erklärte, daß er ihn nächst Gott würde helfen können.

Gotts Wunner (von allen Seiten) der Herr soll hunnert Jahr läbä!

Nun fing der Rabbi an: Pscht — horchen Sie ämohl, Herr Doctor! aber nur a Aag! — nur ahns! — denn wenns nu nicht gerieth — nur ahns.

Gut! antwortete Stilling, ich komme übermorgen; also nur eins.

Des andern Tages operirte Stilling im Juden-Hospital eine arme Frau, und den folgenden Morgen den Rabbi. An diesem Tage wurde er einsmals in des Herrn von Leesners Wohnung, herab an die Hausthüre gerufen, hier fand er einen armen Betteljuden von etwa sechzig Jahren, er war an beyden Augen stockblind und suchte also Hülfe, sein Sohn, ein feiner Jüngling von sechzehn Jahren, führte ihn. Dieser arme Mann

weinte, und sagte: Ach, lieber Herr Doctor! ich und meine
Frau haben zehn lebendige Kinder, ich war ein fleißiger
Mann, hab über Land und Sand gelaufen, und sie ehrlich ernährt; aber nun lieber Gott! ich bettle und alles bettelt, und
Sie wissen wol, wie das mit uns Juden ist. Stilling wurde innig
gerührt; mit Thränen in den Augen ergrif er seine beyde
Hände, drückte sie und sagte: Mit Gott, sollt ihr euer Gesicht
wieder haben! der Jude und sein Sohn weinten laut, sie wol-
ten auf die Knie fallen, allein Stilling litte das nicht und fuhr
fort: wo wollt ihr Quartier und Aufenthalt bekommen? ich
nehme nichts von euch: aber ihr müßt doch vierzehn Tage
hier bleiben. — Ja lieber Gott! antwortete er, das wird Noth
haben, es wohnen so viel reiche Juden hier, aber sie nehmen
keinen Fremden auf. Stilling versetzte: kommt morgen um
neun Uhr ins Juden-Spital, dort will ich mit den Vorstehern
sprechen.

Dies geschah: denn als Stilling dort die arme Frau verband,
so kam der Blinde mit seinem Sohn heran gestiegen, die ganze
Stube war voller Juden, vornehme und geringe durcheinander.
Hier trug nun der arme Blinde seine Noth kläglich vor, allein
er fand kein Gehör, dies hartherzige Volk hatte kein Gefühl
für das große Elend seines Bruders. Stilling schwieg so lange
still, bis er merkte, daß Bitten und Flehen nicht half: jetzt
aber fing er an ernstlich zu reden, er verwieß ihnen ihre Un-
barmherzigkeit derb, und bezeugte vor dem lebendigen Gott,
daß er den Rabbi und die gegenwärtige Patientin auf der
Stelle verlassen, und keine Hand mehr an sie legen würde, bis
der arme Mann auf vierzehn Tage ordentlich und bequem
einlogiret wäre, und den gehörigen Unterhalt hätte. Das
würkte; denn in weniger als zwey Stunden hatte der arme
Jude in einem Wirthshause, nahe an der Judengasse, alles,
was er brauchte.

Nun besuchte ihn Stilling, der Jude war zwar vergnügt, allein er bezeigte eine sehr ungewöhnliche Angst für die Ope-

ration, so daß Stilling fürchtete, sie möchte unglückliche Folgen für die Cur haben; er nahm daher andere Maaßregeln und sagte: hört! ich will die Operation noch ein paar Tage aufschieben, Morgen aber muß ich die Augen etwas reiben und aufklären, das thut nun nicht weh, hernach wollen wir sehen, wie wirs machen: Damit war der gute Mann sehr zufrieden.

Des folgenden Morgens nahm er also den Wundarzt und einige Freunde mit; der Jude war gutes Muths, setzte sich und sperrte die Augen weit auf; Stilling nahm das Messer und operirte ihm ein Auge, so wie die Staarlinse heraus war, rief der Jude: ich glaab der Herr hat mich keopperirt? — O Gott! ich seh, ich seh alles! — Joel! Joel! (so hieß sein Sohn) geh küß äm de Füß — küß äm de Füß — Joel schrie laut, fiel nieder und wollte küssen, allein es wurde nicht gelitten.

Na! Na! fuhr der Jude fort: ich wollt ich hätt Millionen Aage, vor ä halb Koppstück ließ ich mir immer ahns apperire. Kurz, der Jude wurde vollkommen sehend, und als er wegreiste, lief er mit ausgereckten Armen durch die Fahrgasse und über die Sachsenhäuser-Brücke hin, und rief unaufhörlich: O Ihr Leut, dankt Gott für mich, ich war blind und bin sehend geworden! Gott laß den Doctor lange leben, damit er noch vielen Blinden helfen könne! Stilling operirte, außer dem Herrn von Leesner, noch sieben Personen, und alle wurden sehend, indessen konnte ihm keiner etwas zahlen, als der Herr Doctor Hut, der ihm seine Mühe reichlich belohnte.

Aber nun fing auf einmal Stillings schrecklichste Lebens-Periode an, die über sieben Jahr ununterbrochen fortgedauert hat; der Herr von Leesner wurde, aller Mühe ungeachtet, nicht sehend; seine Augen fingen an sich zu entzünden und zu eitern, mehrere Aerzte unterstützten ihn, aber es half alles nichts. Schmerzen und Furcht für unheilbarer Blindheit schlugen alle Hofnung darnieder.

Jetzt glaubte Stilling, er müßte vergehen, er rung mit Gott um Hülfe, aber alles vergebens, alle freundliche Gesichter verschwanden, alles zog sich zurück und Stilling blieb in seinem Jammer allein; Freund Göthe und seine Eltern suchten ihn aufzurichten; allein das half nicht, er sah nun weiter nichts als eine schreckliche Zukunft; Mitleiden seiner Freunde, das ihn nichts half, und dagegen Spott und Verachtung in Menge, wodurch ihn ferner alle Praxis würde erschwert werden. Jetzt fing er an zu zweifeln, daß ihn Gott zur Medizin berufen habe; er fürchtete, er habe denn doch vielleicht seinem eigenen Triebe gefolgt und werde sich nun lebenslang mit einem Beruf schleppen müssen, der ihm äußerst zuwider sey; nun trat ihm seine dürftige Verfassung wieder lebhaft vor die Seele; er zitterte, und blos ein geheimes Vertrauen auf Gottes väterliche Vorsorge, das er kaum selbst bemerkte, erhielt ihn, daß er nicht ganz zu Grunde ging.

Als er einsmals bey dem Herrn von Leesner saß und sich mit Thränen über die mißlungene Cur beklagte, fing der edle Mann an: geben Sie sich zufrieden, lieber Doctor! es war mir gut, darum auch Gottes Wille, daß ich blind bleiben muste, aber ich sollte die Sache unternehmen und ihnen tausend Gulden zahlen, damit den übrigen Armen geholfen würde. Die tausend Gulden empfing auch Stilling richtig, er nahm sie mit Schwermuth an und reiste nach einem Aufenthalt von acht Wochen wieder nach Schönenthal zurück. Hier war nun alles still, alle seine Freunde bedauerten ihn, und vermieden sehr, von der Sache zu reden. Der liebe Theodor Müller, der ihm so treu gerathen hatte, war zu seinem großen Kummer während der Zeit in die Ewigkeit gegangen; der gemeine Haufen aber, vornehmer und geringer Pöbel, spotteten ohne Ende; das wust ich wohl, hieß es, der Mensch hat ja nichts gelernt, und doch will er immer oben naus, es ist dem Windbeutel ganz recht, daß er so auf die Nase fällt u. s. w.

Wenn nun auch Stilling sich über das alles hätte hinaussetzen wollen, so half es doch mitwürken, daß er nun keinen Zulauf mehr hatte; die Häuser, welche er sonst bediente, hatten während seiner Abwesenheit andre Aerzte angenommen, und niemand bezeugte Lust, sich wieder zu ihm zu wenden; mit einem Worte: Stillings Praxis wurde sehr klein, man fing an ihn zu vergessen, seine Schulden wuchsen, denn die tausend Gulden reichten zu ihrer Tilgung nicht zu, folglich wurde sein Jammer unermeßlich! er verbarg ihn zwar vor aller Welt, so viel er konnte, desto schwerer wurde er ihm aber zu tragen; sogar die Friedenbergische Familie fing an kalt zu werden; denn sein eigener Schwiegervater begann zu glauben, er müsse wol kein guter Haushalter seyn; er muste manche ernstliche Ermahnung hören, und öfters wurde ihm zu Gemüthe geführt, daß das Capital von funfzehn hundert Thalern, womit er studirt, Instrumente und die nöthigen Bücher nebst dem dringendsten Hausrath angeschaft, und wofür Herr Friedenberg Bürge geworden war, nun bald bezahlt werden müste; dazu wuste aber Stilling nicht den entferntesten Weg; es kränkte ihn tief in der Seele, daß der edle Mann, der ihm sein Kind gab, als noch kein Beruf, vielweniger Brod da war, der mit ihm blindlings auf die Vorsehung getraut hatte, nun auch zu wanken anfing. Christine empfand diese Veränderung ihres Vaters hoch, und begann daher einen Heldenmuth zu fassen, der alles übertraf; das war aber auch nöthig, ohne diese ungewöhnliche Stärke hätte sie, als ein schwaches Weib, unterliegen müssen.

Dieser ganz verzweifelten Lage ungeachtet, fehlte es doch nie am Nöthigen, nie hatte Stilling Vorrath, aber wenns da seyn muste, so war es da; dies stärkte nun ihrer beyder Glauben, so, daß sie doch das Leiden aushalten konnten.

Im Frühjahr 1775 gebar Christine wieder einen Sohn, der aber nach vier Wochen starb; sie litte in diesem Kindbett ausserordentlich; an einem Morgen sahe sie Stilling in einem tauben Hinbrüten da liegen, er erschrack und fragte sie, was ihr fehle? sie antwortete, ich bin den Umständen nach gesund, aber ich habe einen erschrecklichen innern Kampf, laß mich in

Ruhe, bis ich ausgekämpft habe; mit der größten Sorge erwartete er die Zeit der Aufklärung über diesen Punct. Nach zweyen traurigen Tagen rief sie ihn zu sich, sie fiel ihm um den Hals und sagte: Lieber Mann! ich hab nun überwunden, jetzt will ich dir alles sagen: Siehe! ich kann keine Kinder mehr gebären, du als Arzt wirst es einsehen; indessen bist du ein gesunder junger Mann; ich habe also die zween Tage mit Gott und mit mir selbst um meine Auflösung gekämpft, und ihn sehnlich gebeten, er möchte mich doch zu sich nehmen, damit du wieder eine Frau heirathen könnest, die sich besser für dich schickt, wie ich. Dieser Auftritt ging ihm durch die Seele: Nein, liebes Weib! fing er an, indem er sie an sein klopfendes Herz drückte, darüber sollst du nicht kämpfen, viel weniger um deinen Tod beten, lebe und sey nur ganz getrost! — von dieser Sache läßt sich kein Wort mehr sagen. Christine bekam von nun an keine Kinder mehr.

Den folgenden Sommer erhielt Stilling einen Brief von seinem Freunde, dem Herrn Doctor Hofmann in Frankfurth, worin ihm im Vertrauen entdeckt wurde, daß der Herr von Leesner seine unheilbare Blindheit sehr hoch empfände und über seinen Augen-Arzt zuweilen Mißtrauen äußerte; da er nun so fürstlich bezahlt worden, so möchte er seinen guten Ruf noch dadurch die Crone aufsetzen, daß er auf seine eigene Kosten den Herrn von Leesner noch einmal besuchte, um noch alles mögliche zu versuchen; indessen wollte er, Hofmann, diese Reise abermals in die Zeitung setzen lassen, vielleicht würde ihn der Aufwand reichlich vergolten. Stilling fühlte das Edle in diesem Plan ganz, wenn er ihn ausführen würde, selbst Christine rieth ihm zu reisen, aber auch sonst niemand, jedermann war gegen dieses Unternehmen; allein jetzt folgte er blos seiner Empfindung des Rechts und der Billigkeit; er fand auch einen Freund, der ihm hundert Thaler zu der Reise vorstreckte, und so reiste er mit der Post abermal nach Frankfurth, wo er wieder bey Göthe einkehrte.

Der Herr von Leesner wurde durch diesen unvermutheten Besuch äußerst gerührt, und er that die erwünschte Würkung, auch fanden sich wieder verschiedene Staarpatienten ein, die Stilling alle operirte; einige wurden sehend, einige nicht, keiner aber war im Stande, ihm seine Kosten zu vergüten, daher setzte ihn diese Reise um hundert Thaler tiefer in Schulden; auch jetzt hielt er sich wieder acht traurige Wochen in Frankfurth auf.

Während der Zeit beging Stilling eine Unvorsichtigkeit, die ihn oft gereuet und ihm viel Verdruß gemacht hat; er fand nämlich bey einem Freunde das Leben und die Meinungen des Magister Sebaldus Nothankers liegen, er nahm das Buch mit, und las es durch; die bittere Satyre, das Lächerlichmachen der Pietisten, und sogar wahrhaft frommer Männer, ging ihm durch die Seele; ob er gleich selbst nicht mit den Pietisten zufrieden war, auch vieles von ihnen dulden muste, so konnte er doch keinen Spott über sie ertragen, denn er glaubte, Fehler in der Religion müsten beweint, beklagt, aber nicht lächerlich gemacht werden, weil dadurch die Religion selbst zum Spott würde. Dies Urtheil war gewiß ganz richtig, allein der Schritt, den jetzt Stilling wagte, war nicht weniger übereilt. Er schrieb nämlich in einem Feuer: die Schleuder eines Hirten Knaben gegen den hohnsprechenden Philister, den Verfasser des Sebald Nothankers, und ohne die Handschrift nur einmal wieder kaltblütig durchzugehen, gab ers siedwarm in die Eichenbergische Buchhandlung. Sein Freund Kraft widerrieth ihm den Druck sehr, allein es half nicht, es wurde gedruckt.

Kaum war er wieder in Schönenthal, so fing ihn der Schritt an zu reuen, er überlegte nun, was er gethan, und welche wichtige Feinde er sich dadurch auf den Hals gezogen hätte; zudem hatte er in der Schleuder seine Grundsätze nicht genug entwickelt, er fürchtete also, das Publikum möchte ihn für dummorthodox halten, er schrieb also ein Tractätchen unter dem Titel: die große Panacee gegen die Krankheit des Unglaubens; dieses wurde auch in dem nämlichen Verlag gedruckt. Während dieser Zeit fand sich ein Vertheidiger des Sebald Nothankers; ein gewisser niederländischer Kaufmann schrieb gegen die Schleuder; dies veranlaßte Stillingen abermal, die Feder zu ergreifen und die Theodicee des Hirten-Knaben zur Berichtigung und Vertheidigung der Schleuder desselben herauszugeben; in diesem Werk verfuhr er sanft, er bat den Verfasser des Nothankers wegen seiner Heftigkeit um Vergebung, ohne jedoch das geringste von seinen Grundsätzen zu widerrufen; dann suchte er seinem Gegner, dem niederländischen Kaufmann, richtige Begriffe von seiner Denkungsart beyzubringen, und vermied dabey alle Bitterkeit, so viel als ihm möglich war. Außer noch einigen kleinen Neckereyen, die weiter keine Folgen hatten, ging nun die ganze Sache damit zu Ende.

Um diese Zeit entstunden zu Schönenthal zwo Anstalten an welchen Stilling vielen Antheil hatte: verschiedene edle und aufgeklärte Männer errichteten eine geschlossene Gesellschaft, die sich Mittwochs Abends zu dem Ende versammlete, um sich durch Lesen nützlicher Schriften und Unterredung über mancherley Materien wechselseitig zu vervollkommnen. Wer Lust und Kraft hatte, konnte auch Abhandlungen vorlesen. Vermittelst festgesetzter Beyträge wurde allmählich eine Bibliothek von auserlesnen Büchern gesammelt, und die ganze Anstalt gemeinnützig gemacht, sie blüht und besteht noch, und ist seit der Zeit noch weit blühender und zahlreicher geworden.

Hier hatte nun Stilling, der, nebst seinen beständigen Freunden Troost und Dinckler, eins der ersten Mitglieder war, Gelegenheit, sein Talent zu zeigen, und sich den Auserlesensten seiner Mitbürger besser bekannt zu machen: er legte Eulers Briefe an eine deutsche Prinzessin zum Grunde, und las in der Versammlung der geschlossenen Gesellschaft ein Collegium über die Physik; dadurch empfahl er sich nun ungemein; alle Mitglieder gewannen ihn lieb, und unterstützten ihn auf allerley Weise; freylich wurden seine Schulden dadurch nicht vermindert, im Gegentheil: der Mangel an Praxis vergrößerte sie von einem Tag zum andern, allein sie wären doch noch größer geworden, wenn sich Stilling alles hätte anschaffen sollen, was ihm von diesen braven Männern geschenkt wurde.

Die zweyte Anstalt betraf einen mineralischen Brunnen, welcher in der Nähe von Schönenthal entdeckt wurde. Dinckler, Troost und Stilling betrieben die Sache und letzterer wurde von der Obrigkeit zum Brunnen-Arzt verordnet, er bekam zwar kein Gehalt, allein seine Praxis wurde doch um etwas vermehrt, obgleich nicht in der Maas, daß er sich ordentlich hätte durchbringen, geschweige Schulden bezahlen können.

Diese beyden Verbindungen brachte die Pietisten noch mehr gegen ihn auf! sie sahen, daß er sich immer mehr mit Weltmenschen einließ, und des Räsonnirens und Lästerns war daher kein Ende. Es ist zu beklagen, daß diese sonst wahrhaft gute Menschen-Classe die große Lehre Jesu, den sie doch sonst so hoch verehren: Richtet nicht, so werdet ihr auch nicht gerichtet, so wenig beobachten: alle ihre Vorzüge werden dadurch vernichtet und ihr Urtheil an jenem Tage wird, so wie das Urtheil der Pharisäer, sehr schwer seyn, ich nehme hier feyerlich die Edlen und Rechtschaffenen, dies Salz der Erde, unter ihnen aus, sie verdienen Ehrfurcht, Liebe und Schonung, und mein Ende sey wie ihr Ende.

Im Frühling des 1776sten Jahres muste Stilling eine andere Wohnung beziehen, weil sein bisheriger Hausherr die seinige selbst brauchen wollte; Herr Troost suchte ihn also eine und fand sie; sie lag am untern Ende der Stadt, am Wege nach Rüsselstein, an einer Menge von Gärten; sie war paradiesisch schön und bequem. Stilling miethete sie, und rüstete sich zum Aus- und Einzug. Nun stand ihm aber eine erschreckliche

Probe im Wege; bisher hatte er die siebzig Reichsthaler Hausmiethe jährlich richtig bezahlen können, aber jetzt war kein Heller dazu vorräthig, und doch durfte er nach dem Gesetz nicht eher ausziehen, bis er sie richtig abgetragen hatte. Der Mangel an Credit und Geld machte ihn auch blöde, seinen Hausherrn um Gedult anzusprechen, indessen war doch kein ander Mittel; beladen mit dem äußersten Kummer, ging er also hin, sein Hausherr war ein braver redlicher Kaufmann, aber strenge und genau, er sprach ihn an, ihm noch eine kleine Zeit zu borgen; der Kaufmann bedachte sich ein wenig und sagte: ziehen Sie in Gottes Namen, aber mit dem Beding, daß Sie in vierzehn Tagen bezahlen. Stilling versprach, in festem Vertrauen auf Gott, nach Verlauf dieser Zeit alles zu berichtigen, und zog nun in seine neue Wohnung; die Heiterkeit dieses Hauses, die Aussicht in Gottes freie Natur, die bequeme Einrichtung, kurz: alle Umstände trugen zur Erleichterung des tiefen Kummers freylich vieles bey, allein die Sache selbst wurde doch nicht gehoben und der nagende Wurm blieb.

Das Ende der vierzehn Tage rückte heran, und es zeigte sich nicht der geringste Anschein, woher die siebzig Thaler genommen werden sollten. Jetzt ging dem armen Stilling wieder das Wasser an die Seele; oft lief er auf seine Schlafkammer, fiel auf sein Angesicht, weinte und flehte zu Gott um Hülfe, und wenn ihn sein Beruf fort rief, so nahm Christine seine Stelle ein, sie weinte laut und betete mit einer Inbrunst des Geistes, daß es einen Stein hätte bewegen sollen, allein es zeigte sich keine Spur, an so viel Geld zu kommen; endlich brach der furchtbare Freytag an, beyde beteten den ganzen Morgen während ihren Geschäften unaufhörlich, und die stechende Herzens-Angst trieb ohne Unterlaß feurige Seufzer empor.

Um zehn Uhr trat der Briefträger zur Thür herein; in einer Hand hielt er das Quittungs-Büchelchen, und in der andern einen schwer beladenen Brief. Voller Ahndung nahm ihn Stilling an, es war Göthens Hand und seitwärts stand: beschwert mit hundert und funfzehn Reichsthaler in Golde. Mit Erstaunen brach er den Brief auf, las — und fand, daß Freund Göthe, ohne sein Wissen, den Anfang seiner Geschichte unter dem Titel: Stillings Jugend, hatte drucken lassen, und hier war das Honorarium. — Geschwind quittirte Stilling den Empfang, um den Briefträger nur fort zu bringen; jetzt fielen sich beyde Eheleute um den Hals, weinten laut und lobten Gott. Göthe hatte, während Stillings letzten Reise nach Frankfurth, den bekannten Ruf nach Weymar bekommen, und dort hatte er Stillings Geschichte zum Druck befördert.

Was diese sichtbare Darzwischenkunft der hohen Vorsehung für gewaltige Würkung auf Stillings und seiner Gattin Herzen machte, das ist nicht zu sagen; sie faßten den unerschütterlich festen Entschluß, nie mehr zu wanken und zu zweifeln; sondern alle Leiden mit Gedult zu ertragen, auch sahen sie im Licht der Wahrheit ein, daß sie der Vater der Menschen an der Hand leite, daß also ihr Weg und Gang vor Gott recht sey, und daß er sie zu höhern Zwecken durch solche Prüfungen vorbereiten wolle. O wie matt und wie eckel werden einem, der so vielfältige Erfahrungen von dieser Art hat, die Sophistereyen der Philosophen, wenn sie sagen: Gott bekümmere sich nicht um das Einzelne, sonder blos ums Ganze, er habe den Plan der Welt festgesetzt, mit Beten ließ sich also nichts ändern. — O ihr Tüncher mit losem Kalk! — wie sehr schimmert der alte Greuel durch! — Jesus Christus ist Welt-Regent, Stilling rief ihn hundertmal an, und er half, — er führte ihn den dunkeln gefährlichen Felsenweg hinan, und — doch ich will mir nicht selbst vorlaufen. Was helfen da Sophisten-Spinnen Gewebe von logisch richtigen Schlüssen, wo eine Erfahrung der andern auf den Fuß nachfolgt? Es werden im Verfolg dieser Geschichte noch treffendere Beweise erscheinen. Stillings Freundschaft mit Göthe, und der Besuch dieses letztern zu

Schönenthal, wurde von denen, die Auserwählte Gottes seyn wollen, so sehr verlästert; man schauderte für ihn als einen Freygeist, und schmähte Stillingen, daß er Umgang mit ihm hätte, und doch war die Sache Plan und Anstalt der ewigen Liebe, um ihren Zögling zu prüfen, von ihrer Treue zu überzeugen, und ihn ferner auszubilden. Indessen war keiner von denen, die da lästerten, fühlbar genug, um Stillingen nur mit einem Heller zu unterstützen; sogenannte Weltmenschen waren am öftersten die gesegnetesten Werkzeuge Gottes, wenn er Stillingen helfen und belehren wollte.

Ich habs hundertmal gesagt und geschrieben, und kanns nicht müde werden, zu wiederholen: Wer ein wahrer Knecht Gottes seyn will, der sondre sich nicht von den Menschen ab, sondern blos von der Sünde; er schließe sich nicht an eine besondere Gesellschaft an, die sichs zum Zweck gemacht hat, Gott besser zu dienen als andere; denn in dem Bewustsein dieses besser dienens wird sie allmälig stolz, bekommt einen gemeinen Geist, der sich auszeichnet, Heuchler zu seyn *scheint*, und auch manchmal Heuchler, und also dem reinen und heiligen Gott ein Greuel *ist*. Ich habe viele solcher Gesellschaften gekannt, und noch immer zertrümmerten sie mit Spott; und der Religion zur Schmach. Jüngling, willst du den wahren Weg gehen, so zeichne dich durch nichts aus, als durch ein reines Leben und edle Handlungen; bekenne Jesum Christum durch eine treue Nachfolge seiner Lehre und seines Lebens, und sprich nur von ihm, wo es Noth thut und frommet; dann aber schäme dich auch seiner nicht. Traue ihm in jeder Lage deiner Schicksale, und bete zu ihm mit Zuversicht, er wird dich gewiß zum erhabenen Ziel führen.

In diesen Jahren hatte ein großer thätiger und gewaltig würkender Geist, der Herr Rath Eisenhart, zu Manheim, in der uralten Stadt Rittersburg, in Austrasien, eine staatswirthschaftliche Gesellschaft errichtet; sie bestand aus verschiedenen Gelehrten und verständigen Männern, die sich zu dem

Zweck vereinigten, Landwirthschaft, Fabriken und Handlung empor zu bringen, und dadurch das Volk, folglich auch
den Regenten, zu beglücken. Dies vortrefliche Institut hatte
auch der Churfürst in Schutz genommen, gestiftet und mit
einigen Revenüen versehen, um desto zweckmäßiger würken
zu können. Nun hatte aber diese Gesellschaft eine Siamois-
Fabrike angefangen. Eisenhart kannte Stilling, denn dieser
hatte ihn bey seiner Durchreise von Strasburg nach Schönenthal besucht; da nun jene Fabrike an letzterm Orte in außer-
ordentlichem Flor ist, so schrieb Eisenhart an ihn und ersuchte
ihn, sich nach allerhand Handgriffen und Vortheilen, wodurch
die Fabrike vervollkommt werden könnte, zu erkundigen,
und ihn über die Sache zu belehren.

So wohl auch Stillingen jenes Institut gefiel, und so sehr er
sich darüber freuete, so gefährlich schien ihm doch der Auftrag, sich als Spion gebrauchen zu lassen: denn er befürchtete
mit Grunde, die Schönenthaler möchten endlich die Sache erfahren, und dann würde sein Unglück vollends gränzenlos
werden: damit er aber doch zeigte, wie sehr er der vortreflichen Anstalt zugethan sey, so schrieb er an Herrn Eisenhart
sehr freundschaftlich, und stellte ihm die Gefahr vor, in welche er sich durch einen solchen Schritt stürzen würde; zugleich
aber fragte er an, ob er nicht dem Institut durch allerhand
nützliche Abhandlungen dienen könnte? — denn er habe in
staatswirthschaftlichen Sachen und Gewerken practische Erfahrungen gesammelt. Eisenhart schrieb ihm bald wieder,
und versicherte ihn, daß dergleichen Abhandlungen sehr willkommen seyn würden. Stilling gab sich also ans Werk und arbeitete eine Schrift nach der andern aus, und schickte sie dem
Herrn Director Eisenhart zu, der sie dann in den Versammlungen zu Rittersburg vorlesen ließ.

Stillings Arbeiten hatten einen ganz unerwarteten Beyfall,
und er wurde bald mit dem Patent, als auswärtiges Mitglied
der Churpfälzischen staatswirthschaftlichen Gesellschaft, be-

ehrt. Dieses freuete ihn ungemein, denn ob ihm gleich die ganze Verbindung, samt der Ehre, die er dadurch genoß, nichts eintrug, so empfand er doch eine wahre Freude an Beschäftigungen von der Art, die so ganz unmittelbar zum höchsten Wohl der Menschheit abzielten.

Stilling hatte von seiner gedruckten Lebensgeschichte, und von seinen Abhandlungen, Ehre; er fing nun an, als ein nicht so ganz unbeliebter Schriftsteller bekannt zu werden; er setzte also seine Lebensgeschichte fort, bis auf seine Niederlassung in Schönenthal; dies Schreiben trug ihm auch etwas ein, und erleichterte also seine häusliche Verfassung, allein die Schulden blieben immer, und wurden nur im geringeren Maas vergrößert. Wer kann sichs aber vorstellen, daß ihm dieses Werk, bey den Schönenthalern den Verdacht der Freygeisterey zuzog? — es ist unbegreiflich, aber gewiß wahr; man nannte ihn einen Romanhelden und Phantasten, man wollte Grundsätze finden, die dem System der reformirten Kirche schnurgrade widersprächen, und man erklärte ihn für einen Mann, der keine Religion habe. — Diesen Verdacht auszulöschen, schrieb er die Geschichte des Herrn von Morgenthau, allein das half wenig oder gar nichts, er blieb verachtet, und ein immerwährender Gegenstand der Lästerung, die im Herbst des 1777sten Jahres auf den höchsten Gipfel der Bosheit stieg: Stilling fing nämlich auf einmal an zu bemerken, daß man ihn, wenn er über die Gasse ging, mit starren Augen ansah, und eine Weile beobachtete; wo er herging, da lief man an die Fenster, schauete ihn begierig an, und lispelte sich zu: Siehe, da geht er! — du großer Gott: u. s. w. — Dies Betragen von allen Seiten war ihm unbegreiflich, und erschütterte ihn durch Mark und Bein; wenn er mit jemand sprach, so merkte er, wie ihn bald einer mit Aufmerksamkeit betrachtete, bald ein anderer sich mit Wehmuth wegwandte; er ging also nur selten aus, trauerte in der Stille tief, und er kam sich vor, wie ein Gespenst, vor dem sich die Menschen fürchten, und ihm ausweichen. Diese neue Art des Leidens kann sich niemand vorstellen, sie ist zu sonderbar, aber auch so unerträglich, daß ganze vorzügliche Kräfte nöthig sind, sie zu ertragen. Nun bemerkte er auch, daß fast gar keine Patienten mehr zu ihm kamen, und daß es also schien, als wenn es nun vollends gar aus wäre. Dieser schreckliche Zustand währte vierzehn Tage.

Endlich an einem Nachmittag trat sein Hausherr zur Thüre herein, dieser stellte sich hin, sahe den Doctor Stilling mit starren bethränten Augen an und sagte: Herr Doctor! nehmen Sie mir nicht übel, meine Liebe zu Ihnen dringt mich, Ihnen etwas zu entdecken: denken Sie, das Gerücht läuft in ganz Schönenthal herum, Sie seyn am Sonnabend vierzehn Tage, des Abends auf einmal unsinnig worden, man merke es Ihnen zwar nicht an, aber Sie hätten völlig den Verstand verlohren, daher hat man auch alle Patienten für Ihnen gewarnet; sagen Sie mir doch einmal, wie ist Ihnen denn? ich hab genau auf Sie acht gegeben und ich habe nichts gemerkt.

Christine verhüllte ihr Angesicht in ihre Schürze, heulte laut und lief fort; Stilling aber stand und staunte; Wehmuth, Aerger und unzählbare Empfindungen von allerhand Art stürmten so gewaltsam aus dem Herzen gegen das Haupt zu, daß er wohl unsinnig hätte werden können, wenn nicht die Mischung seiner Säfte, und seine innere Organisation so außerordentlich regelmäßig gewesen wäre.

Mit einem unbeschreiblichen, aus dem höchstlächerlichen und höchsttraurigen zusammengesetzten Affect, strömte er Thränen aus den Augen, und Empfindungen aus der Seele, und sagte: solche Bosheit hat doch wol noch nie ein Adramelech ausgesonnen — teuflisch! — satanischklüger konnte mans nicht anfangen, mir vollends alle Nahrung zu entziehen — aber Gott mein Rächer und mein Versorger lebt noch, er wird mich nicht ewig in dieser Hölle schmachten lassen — er wird mich retten und versorgen. Wie es um meinen Verstand aussieht, darüber geb ich niemand Rechenschaft, man beobachte mich und meine Handlungen, so wird sichs zeigen. Die ganze Sache ist so außerordentlich, so unmenschlich boshaft, daß sich nichts weiter davon sagen läst. Nehmen Sie mirs nur nicht übel, lieber Herr Doctor! fuhr sein Hausherr fort, die Liebe zu Ihnen, drung mich dazu. Nein! versetzte Stilling, ich danke Ihnen dafür!

Nun verschwand zwar das Gerüchte allmählig, so wie sich ein stinkendes Ungeheuer wegschleicht, aber der Gestank blieb zurück, und für Stilling und seine gute Dulderin war zu Schönenthal nunmehr die Luft verpestet; die Praxis nahm noch mehr ab, und mit ihr die Hofnung, sich nähren zu können. Wo das erschreckliche Gerücht her kam, und wer den Basilisk, der durch Anschauen tödet, ausgebrütet hatte, das bleibt dem großen Tage der Offenbarung vorbehalten. Stilling erfuhr die Quelle selbst nicht mit Gewißheit, er ahndete zwar, nach Gründen der höchsten Wahrscheinlichkeit, aber hüten wird er sich, das geringste zu entdecken. Ueberhaupt wurde der ganze Vorgang nicht sehr bemerkt, er machte wenig Aufsehen, denn dazu war Stilling nicht wichtig genug, er war ja kein Kaufmann, vielweniger reich, folglich auch äußerst wenig an ihm gelegen.

Meine Leser werden mir erlauben, daß ich auf dieser furchtbaren Stelle ein wenig verweile, und ihnen die eigentliche Verfassung schildere, in welcher sich Stilling jetzt befand, denn es ist nöthig, daß sie seine ganze Lage recht empfinden.

Stilling und seine Gattin hatten bekanntlich nicht das geringste Vermögen, folglich auch nicht den geringsten reellen Credit. — Außer der medizinischen Praxis hatte er keinen Beruf, kein Mittel, Geld zu verdienen, und dazu hatte er weder Geschicklichkeit noch Anlage, vielweniger Lust; an Kenntnissen fehlte es ihm nicht, aber wol an der Kunst, sie anzuwenden. Auf unaufhörliche Vermuthungen — und wo hat der Arzt, wenn er nicht Wundarzt ist, sichere Gründe? die Heilung der Krankheiten, Leben und Tod der Menschen, man bedenke, was das sagen will! gründen zu müssen, das war Stillings Sache nicht, er war also zu nichts weniger geschickt, als zum practischen Arzt, und doch war er nichts anders, er wuste keine andere Nahrungs-Quelle, zugleich hatte ihn auch die

Vorsehung zu diesem Beruf geleitet — welch ein Contrast — welcher Widerspruch — welch eine Prüfung der Glaubens- und Vertrauens-Beständigkeit! — und nun denke man sich ein Publikum dazu, unter welchem, und von welchem, er leben muste, und das so gegen ihn verfuhr.

Die Staar-Curen dauerten zwar mit vorzüglichem Glück fort, allein die mehresten Patienten waren arm, selten konnte ihm einer etwas bezahlen, und wenn zuweilen ein wohlhabender kam so mißlung er gewöhnlich.

Aber war vielleicht in Stillings Lebensart und Betragen etwas, das ihn so herunter setzte? — oder war er wirklich kein Haushalter, oder gar ein Verschwender? — hierauf will ich unpartheyisch, und nach der Wahrheit antworten: Stillings ganzes Leben war offen und frey, jetzt aber überall mit Schwermuth vermischt, nichts war an ihm, das jemand beleidigen konnte, als seine Offenherzigkeit, vermöge welcher er vieles aus seinem Herzen fließen ließ, das er wol hätte verschweigen können, woher er denn bey seinen Berufs-Verwandten und Collegen als ruhmsüchtig, emporstrebend, und ihnen den Rang ablaufend, angesehen wurde; im Grunde aber war dieser Zug in seiner Seele nicht. Was ihm sonst am meisten Leiden verursacht hatte, war ein hoher Grad von Leichtsinn, er wog nicht immer die Folgen ab, von dem, was er sagte oder that; mit einem Wort, er hatte einen gewissen Anstrich von Etourderie oder Unbedachtsamkeit, und diese Unart war es eben, welche die väterliche Vorsehung, durch die langwierige Läuterung, aus seinem Character wegbannen wollte. Was seine Sparsamkeit betraf, dawider konnte niemand mit Grund etwas einwenden, und doch lag auch eine Ursache, warum es ihm so gar hinderlich ging, in seinem Character, und in seiner häuslichen Verfassung. Nichts in der Welt war ihm drückender, als jemand schuldig zu seyn, er hielt das seiner Ehre für nachtheilig, und doch schien es Schicksal für ihn zu seyn, viele und drückende Schulden zu haben. Sein Fleiß und seine Thä-

tigkeit, waren unbegränzt, aber er konnte nicht auf Zahlung
dringen; sein Character zwang ihn, auch im größten Mangel,
dem Armen seine Schuld zu schenken, und dem Reichen, der
knauserte, oder über seine Forderungen murrte, ein Kreutz
über die Rechnung zu streichen; er war zu großmüthig, um
Geldes willen, nur ein unangenehmes Wort zu verlieren. In
Nahrung und Kleidung war er reinlich, nett, aber sehr modest
und einfach, auch hatte er kein Steckenpferd, das ihm Geld ge-
kostet hätte, und doch gab er oft ohne weitere Ueberlegung
etwas aus, das viel besser hätte können verwendet werden;
mit einem Wort: er war ein Gelehrter und kein Kaufmann.
Christine hingegen war äußerst sparsam, sie legte jeden Heller ein paarmal um, ehe sie ihn ausgab, allein sie übersah das
Ganze der Haushaltung nicht, sie sparte nur mit dem, was ihr
in die Hand kam.

So viel ist wahr, Stilling hätte, wenn er und seine Gattin
den Kaufmannsgeist besessen hätten, weniger Schulden gemacht, aber in ihrer Verfassung ganz ohne Schulden zu bleiben, das war unmöglich. Diese Bemerkung war ich der Wahrheit schuldig.

Wer sich eine lebhafte Vorstellung von Stillings damaliger
Gemüthsverfassung machen will, der stelle sich einen Wanderer auf einem schmalen Fußsteig an einer senkrechten Felsenwand vor, rechter Hand einer Hand breit, weiter einen Abgrund von unsichtbarer Tiefe, links an ihn gedrängt, steil
aufsteigend der Felsen, mit drohenden lockern Steinmassen,
die über seinem Kopf hangen, vor sich hin keine Hofnung
zu besserm sicherem Wege, im Gegentheil wird der Pfad
immer schmäler und nun hört er ganz auf, allenthalben Abgrund.

Stilling hätte nur brauchen ein Bekenner der neuen Mode-
Religion zu seyn, so wär er fortgegangen, und hätte Frau und
Kinder sitzen lassen, aber die Versuchung dazu kam ihn nicht
einmal in den Sinn, er schloß sich immer fester an die Mutter

Vorsehung an, er glaubte, es sey ihr ein leichtes, da einen Ausweg zu finden, wo alle menschliche Klugheit keinen entdecken
kann, und ging also, in Dunkel und Dämmerung, Schritt für
Schritt seinen schmalen Weg fort.

Im Anfang des 1778sten Jahres machte er abermal seine
Rechnung, und fand zu seinem grösten Entsetzen, daß er das
verflossene Jahr, noch tiefer in Schulden gerathen war, als
vorhin; zudem fingen einige seiner Creditoren an zu drohen,
und es schien nun mit ihm aus zu seyn; dazu kam noch ein
Umstand: er hatte die Subscription auf die Werke der staatswirthschaftlichen Gesellschaft übernommen und Geld empfangen, er war also auch an Herrn Eisenhart acht und zwanzig Gulden schuldig geworden, die er nicht bezahlen konnte;
auch da soll ich zu schanden werden! sagte er zu sich selbst. —
In der grösten Angst seines Herzens lief er auf seine Kammer,
warf sich vor Gott hin, und betete lange mit einer Inbrunst
ohne Gleichen, dann stand er auf, setzte sich und schrieb einen
Brief an Eisenharten, worinnen er ihm seine ganze Lage entdeckte, und ihn bat, noch eine Weile Gedult mit ihm zu haben,
bald darauf erhielt er Antwort: Eisenhart schrieb ihm, er
möchte der acht und zwanzig Gulden nur mit keinem Wort
mehr gedenken, er habe geglaubt, es ginge ihm wohl, und die
medizinische Praxis sey seine Freude, da er aber nun das Gegentheil sähe, so schlüge er ihm vor, ob er nicht Lust habe,
einen Lehrstuhl der Landwirthschaft, Technologie, Handlung und Vieharzeneykunde, auf der neu gestifteten Cameral-
Akademie zu Rittersburg anzunehmen? zween Lehrer seyn
schon da, der eine lehre die Hülfswissenschaften, Mathematik, Naturgeschichte, Physik und Chymie, und der andere
Polizey, Finanz und Staatswirthschaft; das Gehalt sey sechshundert Gulden, und die Collegien-Gelder möchten auch
leicht zwey bis dreyhundert Gulden betragen; zu Rittersburg
sey es wohlfeil zu leben, und er getraue sich, den Churfürsten
leicht dahin zu bewegen, daß er ihn berüfe u. s. w.

Leser, stehe still und thue einen Blick in Stillings ganzes Wesen — nach dem Lesen dieses Briefes. — Wie wenn nun dem Wanderer, dessen schrecklichen Felsenpfad ich oben beschrieben habe, da, wo der Weg vor ihm ausgeht, links eine Thür geöfnet würde, durch welche er einen Ausweg in blühende Gefilde fände, und in der Ferne vor sich eine glänzende Wohnung, eine Heymath sähe, die für ihn bestimmt wäre! — wie würde ihm seyn? — und gerade so war jetzt Stilling zu Muthe; er saß wie betäubt, Christine erschrack, schauete über seine Schulter und las; sie schlug ihre Hände zusammen, sank auf einen Stuhl, weinte laut und lobte Gott.

Endlich ermannte er sich, der Glanz des Lichts hatte ihn geblendet, er schauete nun mit starrenden Augen durch die geöfnete Thür in die glänzende Zukunft, und beobachtete, sahe — und sahe seine ganze Bestimmung. Von Jugend auf waren öffentliche Reden, Vortrag und Declamation, seine größte Freude gewesen, und immer hatte er vielen Beifall genossen; Brust und Stimme, alles war zum öffentlichen Vortrag geschaffen. Nie hatte er sich aber die entfernteste Hofnung machen können, je Professor zu werden, ob es gleich sein höchster Wunsch war: denn in der Arzeneykunde hatte er weder Glück noch Ruf, und beydes wird doch zu dem Zweck erfordert, und sonst ließ sich kein bekanntes Fach denken, in dem er hätte angestellt werden können. Aber was ist denn der Vorsehung unmöglich? — Sie schuf ihm ein neues noch wenig bearbeitetes Feld, wo er genug zu thun fand. Er überschauete seine Kenntnisse, und fand, zu seinem äußersten Erstaunen, daß er unbemerkt, von der Wiege an zu diesem Beruf gebildet worden: unter Bauersleuten erzogen, hatte er die Landwirthschaft gelernet, und alle Arbeiten vielfältig selbst verrichtet, wer kann sie besser lehren, als ich? dachte er bey sich selbst; in den Wäldern, unter Förstern, Kohlenbrennern, Holzmachern u. d. g. hatte er lange gelebt, er kannte also das practische des Forstwesens ganz; von Jugend auf mit Bergleuten aller Art, mit Eisen- Kupfer- und Silber-Schmelzern, mit Stab- und Stahl- und Osemund-Schmieden und Drathziehern umgeben, hatte er diese wichtige Fabriken aus dem Grund kennen gelernt; nach der Hand auch bei Herrn Spanier sieben Jahr lang Güter und Fabriken verwaltet, und dabey die Handlung in allen ihren Theilen gründlich begriffen, und alles ausgeübt; und damit es ihm auch sogar an den Grund- und Hülfswissenschaften nicht fehlen möchte, so hatte ihn die Vorsehung sehr weislich zum Studium der Arzneykunde geleitet, weil da Physik, Chymie, Naturgeschichte u. d. g. unentbehrlich sind; und würklich hatte er auch diese Wissenschaften, und von jeher die Mathematik, mit großer Vorliebe besser durchgearbeitet, als alles andere; so gar in Strasburg schon ein Collegium über die Chymie gelesen; auch die Vieharzneykunde war ihm, als practischen Arzt, leicht. Endlich hatte er sich in Schönenthal mit allen Arten von Fabriken bekannt gemacht; denn es hatte von jeher ein unwiderstehlicher Trieb in ihm gewaltet, alle Gewerbe bis auf den Grund kennen zu lernen, ohne zu wissen warum? im Collegienlesen hatte er sich über das alles bis daher ununterbrochen geübt, und jetzt ist es Zeit, daß ich noch einer Sache gedenke, von welcher ich, ohne mich lächerlich zu machen, bis daher nichts sagen konnte, die aber äußerst wichtig ist: Stilling war von Jugend auf ein ausserordentlicher Freund der Geschichte gewesen, und auch ziemlich darin bewandert, er hatte also von Regierungs-Sachen gute Kenntnisse gesammelt. Dazu kamen noch Romanen von allerley Gattung, und vorzüglich politische, wodurch sich in seiner Seele ein Trieb bildete, den niemand entdeckte, weil er sich desselben schämte; Lust zu regieren, überschwenglicher Hunger, Menschen zu beglücken, wars, was ihn drung, er hatte geglaubt, letzteres als practischer Arzt zu können, aber nichts in diesem Fach genügte ihm. Morgenthau's Geschichte war aus dieser Quelle geflossen. Jetzt denke man sich einen Mann, ohne Geburt, ohne Rang, ohne die mindeste Hofnung, je Staats-Aemter bedienen zu können, und dann jenen leidenschaftlichen Hunger. Aber jetzt — jetzt schmolz diese Masse von Unregelmäßigkeit in den Strom seiner künftigen Bestimmung hinein; Nein! Nein! ich wollte auch ja nicht selbst Regent seyn, rief er laut, als er allein war, aber Regenten- und Fürsten-Diener, Volksbeglücker bilden, das wars und ich wuste es nicht. Wie ein Sünder der Verdammung flieht, dem nun der Richter Gnade winkt, und ihn aus dem Staub erhebt, hinsinkt, und unaussprechlichen Dank stammelt, so versunk Stilling vor Gott, und stammelte unaussprechliche Worte. Auch Christine war überschwenglich froh, sie sehnte sich fort aus ihrer Lage, hin, in ein Land, das sie nicht kannte.

Sobald sich der Tumult in seiner Seele gestillt hatte, und er nun ruhig geworden war, so traten ihm alle seine Schulden unter die Augen, kaum konnte er den Wirrwar übersehen, Wie kommst du aber hier weg, ohne zu bezahlen? dies war ein harter Knoten. Doch ermannte er sich, denn er war zu sehr von seiner Bestimmung überzeugt, als daß er nur im geringsten hätte zweifeln können; er schrieb also an Eisenhart: daß ihm der Lehrstuhl in Rittersburg sehr angenehm wäre, und daß er sich der Stelle gewachsen fühlte, indessen würden ihn seine Creditoren nicht ziehen lassen, er fragte an, ob man ihm nicht ein gewisses Capital vorschiessen könnte? er wolle sein Gehalt verschreiben, und jährlich ein paar hundert Gulden, nebst der Interesse, darauf abtragen, dies wurde ihm aber rundaus abgeschlagen, dagegen tröstete ihn Eisenhart, daß sich seine Gläubiger wol würden zufrieden geben, wenn sie nur einmal sähen, daß er Mittel hätte, sie mit der Zeit befriedigen zu können. Indessen wußte das Stilling besser, sein persönlicher Credit war allzusehr geschwächt, achthundert Gulden wenigstens musten bezahlt werden, sonst ließ man ihn nicht ziehen; doch er faßte unüberwindlichen Muth, und hofte, wo nichts zu hoffen war.

Nun verschwieg er diesen Vorfall keineswegs, er erzählte

ihn seinen Freunden, und diese erzählten ihn wieder; es gab
also ein allgemeines Stadtgeschwätz, der Doctor Stilling sollte
Professor werden; nichts war nun den Schönenthalern lächer-
licher, als das — Stilling Professor! — wie kommt der dazu?
— er versteht ja nichts, das ist klare Windbeuteley, er erdich-
tet das, blos um sich groß zu machen u. s. w. Während der
Zeit ging aber alles seinen Gang fort: der Academische Senat
in Rittersburg wählte Stillingen zum ordentlichen öffentlichen
Professor der Landwirthschaft, Technologie, Handlung und
Vieh-Arzneykunde, und schlug ihn dem Churfürsten vor, die
Bestätigung erfolgte und es fehlte also nichts weiter, als die
förmliche Vocation. Daß sich dieses alles bis in den Sommer
hinein verzog, ist natürlich.

Jetzt entzog er sich allmählich seinem bisherigen Beruf;
außer einigen wohlhabenden Staarpatienten, die ihm das nöthige Auskommen verschaften, that er fast nichts mehr in der
Medizin, und er widmete sich nun ganz seiner künftigen ihm
so sehr angenehmen Bestimmung. Alle seine staatswirthschaftlichen Kenntnisse lagen in seiner Seele, wie ein verworrenes
Chaos durcheinander, als künftiger Lehrer muste er aber alles
in ein System bringen, nichts war ihm leichter, als das, denn
seine ganze Seele war System; das staatswirthschaftliche
Lehrgebäude entwickelte sich also vor seinen Augen ohne
Mühe, und er betrachtete das herrliche Ganze mit innigstem
Vergnügen. Ich verweise meine Leser auf seine herausgegebene vielfältige Schriften, um sie hier nicht mit gelehrten Abhandlungen aufzuhalten.

Über diesen angenehmen Beschäftigungen verfloß der Sommer, der Herbst rückte heran, und er erwartete von einem Tag
zum andern seinen Beruf. Allein was geschah? — in der ersten
Septemberwoche erhielt er einen Brief von Eisenhart, der die
ganze Sache wieder gänzlich vernichtete. — Bey dem Zug des
Churfürsten nach Bayern war das Project entstanden, die Ca-
meralakademie nach Mannheim zu verlegen; hier waren nun

Männer von allerhand Gattung, welche Stillings Lehrstuhl bekleiden sollten und konnten. Eisenhart beklagte sich und ihn, allein es war nicht zu ändern.

Jetzt war sein Zustand völlig unbeschreiblich: er und sein armes Weib saßen beysammen auf ihrem Kämmerlein und weinten in die Wette; nun schien alles verloren zu seyn! er konnte sich lang nicht besinnen, nicht erholen, so betäubt war er. Endlich warf er sich hin vor Gott, demüthigte sich unter seine gewaltige Hand, und übergab sich, sein Weib und seine zwey Kinder an die väterliche Leitung des Allgütigen, und beschloß nun, ohne das geringste Murren, wieder zur practischen Medizin überzugehen, und alles zu dulden, was die Vorsehung über ihn verhängen würde. Nun fing er wieder an auszugehen, Freunde und Bekannte zu besuchen, und ihnen sein Unglück zu erzählen; seine Praxis spann sich wieder an, und es hatte das Ansehen, als wenns ihm besser gehen sollte, wie vorher. Er ergab sich also ganz und war ruhig.

Den Kennern der göttlichen Wege wird ohne mein Erinnern bekannt seyn: daß dies alles genau Methode der Vorsehung ist: Stilling war mit Leidenschaft und unreiner Begierde dem Ziel entgegen gelaufen, es hatte sich Stolz, Eitelkeit, und wer weiß nicht was alles, mit eingemischt, in dieser Verfassung wär er mit brausendem Empordrang nach Rittersburg gekommen, und gewiß nicht glücklich gewesen. Es ist Maxime der ewigen Liebe, daß sie ihre Zöglinge geschmeidig und ganz in ihren Willen gelassen macht, ehe sie weiter geht. Für jetzt glaubte Stilling also fest, er solle und müsse Arzt bleiben, und seine Ergebung und Gelassenheit ging so weit, daß er die Vocation so gar nicht mehr wünschte, sondern ganz gleichgültig war. Gerade so gings ihm auch ehemals, als ihm sein Handwerk so zuwider war; er eilte mit Ungestüm von Schauberg weg und zu Herrn Hochberg; wie erbärmlich es ihm da erging, das hab ich in seiner Wanderschaft beschrieben; nun kam er zum seeligen Meister Isaac, war ruhig und wollte gern

Handwerksmann bleiben, so daß ihn Herr Spanier aus seinem Stand herausnöthigen muste.

Die Schönenthaler bliesen indessen wieder wacker Allarm, denn nun war es ausgemacht, daß die ganze Sache Stillings Erfindung, und blos aus Eitelkeit ersonnen gewesen war; das focht ihn aber wenig an, die Gewohnheit hatte ihn abgehärtet, er sah und hörte so etwas nicht mehr; tief ergeben in Gottes Willen, lief er vom Morgen früh, bis des Abends spät, zwischen seinen Kranken, und Christine rüstete sich auf den Winter, indem sie, nach ihrer Gewohnheit, allerhand Gemüse einmachte, das Haus ausweißen und repariren ließ u. s. w.

Nun kam acht Tage vor Michaelis plötzlich und unerwartet seine Vocation; ruhig und ganz ohne Ungestüm empfing er sie — doch war ihm innig wohl, er und seine Gattin lobten Gott, und sie fingen an sich zum Abzug und zur weiten Reise zu rüsten. Die Cameral-Academie blieb nun zu Rittersburg, weil sich zu viele Schwierigkeiten, bey ihrer Versetzung, gefunden hatten.

Ich hab Stillings erste Cur beschrieben, ich will auch seine letzte schildern, denn sie ist nicht weniger merkwürdig.

Eine gute Stunde oberhalb Schönenthal wohnte ein sehr rechtschaffener, gottesfürchtiger und reicher Kaufmann, Nahmens Krebs, seine Gattin gehörte, in Ansehung ihres Kopfs und Herzens, unter die Edelsten ihres Geschlechts, und sie hatten beyde Stillingen oft gebraucht, denn sie kannten und liebten ihn; nun hatten sie einen Hauslehrer bey ihren Kindern, einen alten siebenzigjährigen Mann, der ein Sachse von Geburt war und Stoi hieß, dieser Mann war einer von den sonderbarsten Menschen: lang, hager und sehr ehrwürdig von Ansehen; voller Kenntnisse und mit der erhabensten Tugend ausgerüstet, besaß er eine aus Religions-Grundsätzen entstandene Kaltblütigkeit, Gelassenheit und Ergebenheit in Gottes Willen, die fast ohne Beyspiel ist; alle Bewegungen und Stellungen seines Körpers waren anständig, sein ganzes Daseyn natürlich feyerlich, und alles, was er sprach, war abgewogen, jedes Wort war ein goldener Apfel in einer silbernen Schaale; und was so sehr vorzüglich an diesem vortreflichen Mann war, das war seine Bescheidenheit und Behutsamkeit im Urtheil, er sprach nie von anderer Menschen Fehler, sondern er bedeckte sie, wo er konnte, und sah blos auf sich. Stoi war ein Muster des Menschen und des Christen.

Dieser ehrwürdige Mann bekam das Scharlachfriesel. Der Gang der Krankheit war natürlich, und wie gewöhnlich nicht gefährlich; endlich zog sich die ganze Materie in den rechten Arm, welcher über und über scharlachroth wurde, und dem Patienten so brannte und juckte, daß ers nicht länger auszuhalten vermochte. Stoi hatte sich in seinem Leben um nichts weniger bekümmert, als um seinen Körper, er betrachtete ihn als ein gelehntes Haus, immer war er mäßig und nie krank gewesen, folglich wuste er von keiner Behutsamkeit und von keiner Gefahr; er läßt sich also einen Eymer kalt Wasser bringen, und steckt den Arm hinein bis auf den Boden; das that ihm wohl, der Brand und das Jucken verging und mit ihm die Röthe und der Ausschlag, er zog also den Arm wieder heraus und siehe, er war wie der andere.

Stoi war froh, daß er sich so leicht geholfen hatte. Indessen bemerkte er aber gar bald, daß der Arm seine Empfindung verloren hatte, er kniff sich in die Haut und fühlte nichts, er fühlte den Puls an diesem Arm, und siehe, er stund ganz still, er fühlte ihn am Hals, und er schlug regelmäßig; kurz: er war übrigens vollkommen gesund. Wenn er seinen Arm bewegen wollte, so fand er, daß er das nicht konnte, denn er war wie tod; nun traute er doch der Sache nicht recht, daher ließ er einen benachbarten Wundarzt kommen; dieser erschrack, wie billig, er belegte den Arm mit Zugpflastern, hieb ihn mit Nesseln, aber alles umsonst, er blieb unempfindlich. Nach und nach fingen die Finger an zu faulen, und diese Fäulniß schlich allmälig weiter den Arm hinan.

Nun wurden Troost und Stilling gerufen, sie gingen hin und fanden den Arm bis bald an den Ellenbogen dick aufgelaufen, schwarzbraun und unerträglich stinkend. So wie sie zur Thür hineintraten, fing Stoi an: Meine Herren! ich hab eine Unvorsichtigkeit begangen; (hier erzählte er die ganze Geschichte) thun Sie Ihre Pflicht, ich bin in der Hand Gottes, ich bin siebenzig Jahr alt und wohl zufrieden mit jedem Ausgang, den die Sache nimmt.

Die beyden Aerzte berathschlagten sich; sie sahen wol ein, daß der Arm abgenommen werden müste, indessen glaubten sie doch, noch ehe ein Mittel versuchen zu müssen, wodurch die Operation erleichtert werden könnte. Herr Troost nahm also ein Messer und zerschnitt die Gegend, wo der kalte Brand aufhörte, rund herum, mit vielen Schnitten; von dem allen empfand aber der Patient nichts; dann machten sie Aufschläge von der Brühe der Fieberrinde und verordneten auch, diese Brühe häufig innerlich zu gebrauchen.

Des andern Tages wurden sie wieder gerufen und ersucht, die Instrumente zum Abnehmen des Arms mitzubringen. Dieses thaten sie und wanderten fort. Als sie hinkamen, fanden sie den Patienten mitten in der Stube auf einem Feldbett liegen; rund um längs die Wände standen allerhand junge Leute, männlichen und weiblichen Geschlechts, welche stille Thränen vergossen und beteten. Stoi aber lag ruhig da, und zeigte nicht die mindeste Furcht. Meine Herren! fing er an, ich kann den Gestank nicht ertragen, nehmen sie mir den Arm ab, und zwar über dem Ellenbogen, nahe an der Schulter, wo er gewiß noch gesund ist, ob der Stumpen hernach einen Zoll länger oder kürzer ist, darauf wird wol nichts ankommen. Stilling und Troost fanden das richtig und versprachen, bald fertig zu seyn.

Ob nun gleich bey der furchtbaren Zurüstung alles zitterte, so zitterte doch Stoi nicht, er streifte und wickelte das Hemd hinauf bis über die Schulter, und zeigte den Ort, wo der Arm abgenommen werden sollte. Stilling und Troost konnten sich beyde des Lächelns nicht enthalten; als letzterer die Klemmschraube brachte, um die Pulsader zuzuschrauben, so half er sie ganz ruhig und gelassen anlegen, so gar wollte er den Arm bey dem Schnitt helfen halten; dies verwehrte ihm aber Stilling, im Gegentheil bückte er sich auf das Angesicht des Greises, lenkte es von der Operation ab, und sprach mit ihm von andern Sachen; während der Zeit machte Troost den Schnitt durchs Fleisch bis auf den Knochen; Stoi that nur einen Seufzer und sprach fort. Nun wurde auch der Knochen abgesägt und dann der Stumpe verbunden.

Dieser ganze Casus war merkwürdig: Herr Troost ließ die Klemmschraube ein wenig nach, um zu sehen ob die Pulsader springen würde, allein sie sprung auch da nicht, als sie ganz weggenommen wurde; kurz, die Friesel-Materie hatte sich oben am Arm, in eine Geschwulst zusammen gezogen, welche die Pulsader und Nerven fest zusammendrückte; das erfuhr man aber erst nach seinem Tode.

Alles ließ sich gut an, es erfolgte eine gute Eiterung, und man glaubte der Heilung gewiß zu seyn, als Stilling abermal schleunig gerufen wurde, er lief hin und fand nun den guten Stoi röcheln, und sehr schwer am Odem ziehen. Ich hab abermal eine Thorheit begangen, stammelte ihm der Kranke entgegen, ich stand auf — ging ans Fenster — eine kalte Nordluft bließ an meinen Arm — ich fing an zu frieren, die Materie ist mir auf die Brust getreten — ich sterbe — auch gut! — thun Sie nun noch ihre Pflicht, Herr Doctor, damit hernach die Welt nicht über Sie lästern möge. Stilling machte das Verband los, und fand die Wunde völlig trocken, er streute spanisch Fliegenpulver über sie her, und umgab den ganzen Stumpen mit Zugpflastern; dann verordnete er auch andere dienliche Mittel, allein alles half nicht, Stoi starb ihm unter den Händen.

Jetzt ein großes Punctum hinter meine medizinische Praxis,

sagte Stilling zu sich selbst; er begleitete den guten Stoi zum Grabe, und begrub ihn mit seinem bisherigen Beruf. Doch beschloß er, die Staar-Curen auf immer beyzubehalten, blos darum, weil er darinnen so glücklich, und die Cur selbst so wohlthätig war; dann aber machte er sichs auch zum Gesetz, sich dafür in Zukunft nichts mehr bezahlen zu lassen, sondern sich dadurch ein Capital für jene Welt zu sammeln.

Nun rückte der Zeitpunct heran, wo er Schönenthal verlassen, und nach Rittersburg ziehen muste, es war schon tief im October, die Tage waren also kurz, die Witterung und die Wege schlimm, und endlich war er verbunden, mit dem Anfang des Novembers, seine Collegia anzufangen; indessen war noch vorher eine steile Klippe zu übersteigen: — achthundert Gulden musten bezahlt seyn, eher konnte er nicht ziehen. Verschiedene Freunde riethen ihm, er sollte *bonis cediren,* und seinen Creditoren alles hingeben. Allein das war Stillings Sache nicht; Nein! Nein! sagte er: jeder soll bis auf den letzten Heller bezahlt werden, das verspreche ich im Namen Gottes, er hat mich geführt, und wird mich gewiß nicht zu schanden werden lassen, ich will nicht zum Schelmen werden, und ihm, meinem himmlischen Führer, aus der Schule laufen. Ja, alles gut! antwortete man ihm, was wollen sie aber nun machen? — bezahlen können sie nicht; wenn man sie nun mit ihren Mobilien in Arest nimmt? was fangen sie denn an?

Das überlaß ich alles Gott, versetzte er, und bekümmere mich nicht darum, denn es ist seine Sache.

Er fing also an, das, was er mitnehmen wollte, einzupacken und auf Frankfurth zu versenden; zum Verkauf des Uebrigen setzte er einen Tag zur Auction an; alles ging ungehindert von statten, und niemand rührte sich, er sandte ab und empfing Geld, ohne daß der mindeste Einspruch geschahe; so gar bestellte er den Postwagen bis auf Rüsselstein, für sich, seine Frau, und zwey Kinder, auf nächstfolgenden Sonntag, und also acht Tage vorher. Indessen steckte man ihm unter der

Hand, daß sich ein paar seiner Gläubiger verabredet hätten,
ihn arretiren zu lassen: denn da das bischen Hausrath, das er
überhaupt besaß, so viel wie nichts war, so hatten sie sich an
nichts gekehrt, und sie glaubten, wenn sie ihn so in seiner
Laufbahn hinderten, so würden sich Leute finden, die ihn ranzionirten. Stilling zitterte innerlich für Angst, doch vertraute
er fest auf Gott.

Den folgenden Donnerstag kam sein Freund Troost mit
froher lächelnder Miene und nassen Augen zur Thür herein-
getreten, er trug schwer an seiner Tasche. Freund! fing er an,
es geht wieder auf Stillings Weise, und damit zog er einen leinenen Sack mit Laubthalern heraus und warf ihn auf den
Tisch. Stilling und Christine sahen sich an und fingen an zu
weinen.

Wie geht das zu? fragte er seinen Freund Troost; das geht
so zu, antwortete dieser: ich war bey einem gewissen Kaufmann, den er auch nannte, ich wuste, daß Sie ihm sechzig Thaler schuldig waren, ich bat ihn also, er möchte Ihnen die Schuld
streichen; der Kaufmann lächelte und sagte: das nicht nur, ich
will ihm noch sechzig dazu schenken, denn ich weiß, wie sehr
er in der Klemme sitzt; er zahlte mir also das Geld und da ist
es; jetzt haben Sie schon beynahe den achten Theil von dem,
was Sie brauchen, aber nun will ich Ihnen einen Rath geben:
Morgen müssen Sie bey allen Bekannten Abschied nehmen,
damit Sie den Samstag ruhig sind, und sich also zur Reise an-
schicken können. Seyn Sie getrost und sehen Sie zu, was Gott
thun wird.

Stilling folgte und fing an, des Freytags Morgens Abschied
zu nehmen: der Erste, zu welchem er ging, war ein reicher
Kaufmann; so wie er zur Thür hinein trat, kam ihm dieser
entgegen und sagte: Herr Doctor! ich weiß, Sie kommen Abschied zu nehmen, ich habe Sie nie verkannt, Sie waren
immer ein rechtschaffener Mann, als Arzt konnte ich Sie nicht
brauchen, denn ich war mit dem meinigen zufrieden; Gott hat

mich auch aus dem Staub erhoben und zum Mann gemacht, ich erkenne, was ich ihm schuldig bin; haben Sie die Güte, diese Erkenntlichkeit in seinem Namen anzunehmen, beschämen Sie mich nicht mit einem Abschlag, und versündigen Sie sich nicht durch Stolz. Damit umarmte und küßte er ihn, und steckte ihm ein Röllchen von zwanzig Dukaten, folglich hundert Gulden in die Hand. Stilling erstarrte, und der edle Wohlthäter lief fort. Erstaunen ergrif ihn bey dem Schopf, wie jener Engel den Habacuc, er wurde wie empor gehoben von hoher Freude, und ging nun weiter.

Doch was halte ich meine Leser auf? — mit größter Schonung und Bescheidenheit wurden ihm Erkenntlichkeiten aufgedrungen; und wie er des Abends fertig war, und nach Hause kam — und nachzählte — was hatte er? — genau achthundert Gulden! — nichts mehr und nichts weniger.

Solche erhabene Scenen werden durch Beschreibung, und durch die glänzendsten Ausdrücke geschwächt — ich schweige — und bete an! Gott wird euch finden, ihr geheimen Schönenthaler Freunde! ich will euch am Tage der Vergeltung hervorziehen und sagen: Siehe, Herr! die warens, die mich Verlassenen erretteten, lohne ihnen nach deinen großen Verheißungen überschwenglich; und er wirds thun. Dir aber, auserwählter und unwandelbarer Freund Troost! Dir sag ich nichts. — Wenn wir einmal Hand an Hand die Gefilde jener Welt durchwallen, dann läßt sich von der Sache reden.

Ich habe bisher hin und wieder den Character der Schönenthaler nicht zum besten geschildert, und es ist leicht möglich, daß viele meiner Leser gegen diesen Ort überhaupt einen widrigen Eindruck bekommen; ich muß selbst gestehen, daß ich mich dieses Eindrucks nicht erwehren kann, das trift aber die wenigen Edlen nicht, die dort selbst unter dem Ringen nach Reichthum seufzen, oder doch neben ihrem Beruf auch die hohen Empfindungen nähren, die wahre Gottes- und Menschenliebe immer zu unzertrennlichen Gefährten hat. Diese

Schönenthaler Bürger können mir also nicht verargen, daß ich
die Wahrheit schreibe; um ihrentwillen seegnet Gott diesen
blühenden Ort, und es gereicht ihnen zur Ehre, vor Gott und
Menschen, daß sie unter so vielen Versuchungen Muth und
Glauben behalten, und sich nicht vom Strom hinreißen lassen.
    Vorzüglich werden aber die dortigen Pietisten das Wehe
über mich ausschreien, daß ich sie so öffentlich darstelle, wie
sie sind — auch dies trift nur die unter ihnen, die es verdient
haben; warum hängen sie auch das Schild der Religion und
der Gottesfurcht aus, und thun dann nicht, was ihnen Religion
und Gottesfurcht gebeut? — in unsern Zeiten, da das Christenthum von allen Seiten bekämpft, und der Lästerung ausgesetzt ist, muß der rechtschaffene Verehrer der Religion würken und schweigen, außer wo er reden muß. Doch was halte
ich mich mit Entschuldigungen auf? Der Herr wirds sehen und
gerecht richten!
    Ich habe lange des Herrn Friedenbergs und seiner Familie
nicht gedacht, nicht erzählt, wie sich dieser edle Mann mit den
Seinigen bey Stillings Ruf nach Rittersburg betrug?
    Friedenberg war Fabrikant und Kaufmann, er, seine Frau
und Kinder waren äussert fleißig, sparsam und thätig, ihre
Anhänglichkeit an die Religion hatte sie für jede Verschwendung, und für allen Lustbarkeiten der großen Welt bewahrt;
er hatte mit nichts angefangen, und war doch unter dem göttlichen Seegen zu einem zwar nicht reichen, aber doch wohlhabenden Mann geworden; daher hatte sich eine Gesinnung
bey ihm und den Seinigen herrschend gemacht, die Stillingen
nicht günstig war. Sie hatten keinen Begrif von dem Character eines Gelehrten, überhaupt hatte die Gelehrsamkeit keinen
hohen Werth bey ihnen: was nicht das Vermögen vermehrt,
war ihnen sehr gleichgültig; als Kaufleute hatten sie ganz
recht; allein sie waren auch deswegen nicht fähig, Stillingen
gehörig zu beurtheilen, denn dieser rung nach Wahrheit und
Kenntnissen; die unaufhörliche Ueberlegung, wie jeden

Augenblick etwas zu verdienen, oder zu ersparen sey, konnte unmöglich einen Geist erfüllen, dessen ganzer Würkungskreys mit höhern Dingen beschäftigt war; daher entstand nun eine Art von Kälte, die Stillings gefühlvolles Herz unsäglich schmerzte, er suchte, seinem Schwiegervater die Sache in ihrer wahren Gestalt vorzustellen, allein es blieb dabey: ein Mann muß sich redlich nähren, das ist seine erste Pflicht, die zweyte ist dann freylich die, auch der Welt zu nützen; ganz recht, dachte Stilling, kein Mensch in der Welt kanns dem edlen Manne verargen, daß er so urtheilt.

Bey dem Ruf nach Rittersburg war Friedenberg nicht blos gleichgültig, sondern gar mißmüthig; denn da er nun einmal seinen Schwiegersohn für einen schlechten Haushalter hielt, so glaubte er, eine fixe Besoldung würde ihm eben so wenig helfen, als sein Erwerb in Schönenthal, und da er für seine Schulden Bürge geworden war, so befürchtete er, er würde nun die ganze Bürde allein tragen, und vielleicht am Ende alles bezahlen müssen. Stillings Herz litte bey dieser Lage entsetzlich, er konnte nichts dagegen einwenden, sondern er muste die Hand auf den Mund legen und schweigen, aber aus seinem beklemmten Herzen stiegen unaufhörlich die brünstigsten Seufzer um Hülfe zum Vater im Himmel empor; sein Vertrauen wankte nicht, und er glaubte gewiß, Gott werde ihn herrlich erretten und seinen Glauben krönen. Indessen versprach er, seinem Schwiegervater jährlich ein paar hundert Gulden abzutragen und so immerfort die Last zu erleichtern; dabey bliebs und Friedenberg willigte in seinen Abzug.

Des Sonnabends ging nun Stilling mit seiner Christine und beyden Kindern nach Rosenheim, um Abschied zu nehmen. Die Schmerzen, welche bey solchen Gelegenheiten gewöhnlich sind, wurden jetzt durch die Lage der Sachen sehr erleichtert. Doch fürchtete Stilling, seine Gattin möchte den Sturm der Empfindungen nicht ertragen, allein er irrte sich; denn sie empfand noch viel tiefer, als er, wie sehr sie und ihr Mann mißkannt worden; sie war sich bewust, daß sie nach allen ihren Kräften gespart hatte, daß ihr Aufzug, für die Frau eines Doctors, außerordentlich mäßig, und weit geringer sey, als der Kleider-Vorrath ihrer Schwestern, und endlich, daß sie weder in Essen noch Trinken, noch in Mobilien mehr gethan hatte, als sie verantworten konnte, sie war also muthig und froh, denn sie hatte ein gutes Gewissen; als daher der Abend heranrückte und ihre ganze Familie im Kreiß herum saß und trauerte, so schickte sie ihre beyde Kinder, nachdem sie ihre Großeltern geseegnet hatten, weg, und nun trat sie in den Kreiß, stand hin und sagte:

„Wir reisen fort in ein fremdes Land, das wir nicht kennen, wir verlassen Eltern, Geschwister und Verwandten, und wir verlassen das alles gerne, denn nichts ist da, das uns den Abschied schwer macht; Kreuz und Leiden ohne Zahl hat uns Gott zugeschickt, und niemand hat uns geholfen, erquickt, getröstet; nur Gottes Gnade hat uns durch fremde Hülfe vor dem gänzlichen Untergang gerettet. Ich gehe mit Freuden. Vater, Mutter, Bruder, Schwestern lebt so, daß ich euch alle vor dem Thron Gottes wieder finden möge!" —

Damit küßte sie einen nach dem andern die Reihe herum und lief fort, ohne eine Thräne zu vergießen; Stilling nahm nun auch aber mit vielen Thränen Abschied, und wanderte ihr nach.

Des folgenden Morgens setzte er sich mit seinem Weib und Kindern in den Postwagen und fuhr fort.

So wie sich Stilling von dem Schauplatz seiner sechs und ein halbjährigen feurigen Prüfung entfernte, so erweiterte sich sein Herz, seine ganze Seele war Dank und hohes Gefühl der Freude. Nichts bringt reineres Vergnügen, als die Erfahrungen, die uns überstandene Leiden gewähren — gereinigter und immer verklärter treten wir aus jedem Läuterungs-Feuer hervor; und auch das ist einziges und unschätzbares Verdienst der Religion Jesus, welches keine andere jemals gehabt hat: Sie lehrt uns die Sünde und die Leiden kennen. Dazu kam nun noch die frohere Aussicht in die Zukunft, eine ganz seiner bisherigen Führung und seinem ganzen Charakter angemessene Bestimmung, ein Beruf, der ihm ein gewisses Stück Brod verschafte, und Tilgung seiner Schulden hoffen ließ, und endlich ein Publicum, das keine Vorurtheile gegen ihn haben konnte. Das alles goß tiefen Frieden in seine Seele.

Des Mittags fand er einen Theil der Schönenthaler geschlossenen Gesellschaft im Wirthshause, welche das Abschiedsmahl hatten bereiten lassen, hier speiste er und letzte sich mit diesen vortreflichen Männern, und nun reiste er auf Rüsselstein zu. Zween seiner Schwäger begleiteten ihn auch bis hieher, und gingen dann wieder zurück. Von Rüsselstein nahm er einen Hauderer bis Cölln, und dort einen andern bis Frankfurth. Zu Coblenz besuchte er die berühmte Frau Canzlerin Sophie von la Roche, er war ihr durch seine Lebensgeschichte schon bekannt; dann reiste er weiter bis Frankfurth, wo er seine alten Freunde, vorzüglich aber den Herrn Pfarrer Kraft besuchte, der ihm außerordentliche Liebe und Freundschaft bezeugte.

Nach einem Rasttag ging er, wegen dem großen Gewässer, über Maynz, Worms und Frankenthal nach Mannheim, wo er von Herrn Eisenhart mit offenen Armen empfangen wurde. Hier fand er nun, wegen seiner im Druck erschienenen Geschichte, viel Gönner und Freunde. Allenthalben erwieß man ihm Gnade, Freundschaft, Liebe und Zärtlichkeit; wie wohl

das ihm und seiner Christine nach so langer Zertretung und
Verachtung that, das ist nicht zu beschreiben. Nun gab ihm
aber auch Eisenhart verschiedene wichtige Erinnerungen: Stillings Geschichte hatte, bey allem Beifall, in dortigen Gegenden ein Vorurtheil des Pietismus erweckt, jeder hielt ihn für
einen Mann, der denn doch immer ein feiner Schwärmer sey,
und für den man sich in dieser Rücksicht in acht zu nehmen
habe; daher wurde er gewarnt, nicht zu viel von der Religion
zu reden, sondern nur durch Rechtschaffenheit und gute
Handlungen sein Licht leuchten zu lassen; denn in einem
Lande, wo die catholische Religion die herrschende sey, müsse
man sehr vorsichtig seyn. Das alles sahe Stilling ein und versprach daher heilig, alles sehr wohl zu beobachten, indessen
muste er herzlich lachen: denn zu Schönenthal war er ein Freigeist, und hier nun ein Pietist — so wenig Wahrheit enthalten
die Urtheile der Menschen.

Nun ging die Reise in das waldigte und gebürgichte Austrasien; ungeachtet der rauhen Jahreszeit und der entblätterten
todten Natur staunte doch Stilling rechts und links die steilen
Gebürge und Felsen, die uralten Wälder und die allenthalben
an den Klippen hangende ruinirte alte Ritter-Wohnungen an,
alles sah ihm so vaterländisch aus; es war ihm wohl, und bald
sahe er dort in der Ferne das waldumkränzte Rittersburg mit
allen seinen alten Thürmen liegen; seine Brust erhob sich, und
das Herz pochte stärker, je mehr er sich dem Schauplatz seiner
künftigen Bestimmung näherte; endlich fuhr er in der Abenddämmerung zum Thore hinein; so wie sich seine Kutsche links
herum lenkte, und durch die enge Gasse fortfuhr, hörte er
eine Mannsstimme rechter Hand: halt! rufen, der Kutscher
hielt.

Ist der Herr Professor Stilling in der Kutsche? ein doppeltes
Ja! erscholl aus dem Wagen; nun so steigen Sie aus, mein
auserwählter theurer Freund und College! hier sollen Sie logiren.

Der sanfte liebevolle unerwartete Ton rührte Stilling und seine Gattin bis zu den Thränen, sie stiegen aus, und fielen dem Herrn Professor Siegfried und seiner Ehefreundin in die Arme; bald erschien auch der andre College, der Herr Professor Stillenfeld, dessen eingezogner stiller und ruhiger Character Stillings Aufmerksamkeit am mehresten auf sich zog; Stillenfeld war noch unverheirathet, Siegfried aber hatte schon ein Kind, dieser und seine Gattin, waren vortrefliche Menschen, voller Wärme für die Religion und alles Gute, und zugleich menschenliebend bis zur Schwärmerey; dabey war Siegfried ein sehr gelehrter, tiefdenkender philosophischer Mann, dessen Hauptneigung die Gottesgelahrheit war; die er auch ehemals studirt hatte, hier aber lehrte er das Natur- und Völkerrecht und die Polizey- Finanz- und Staatswirthschaft. Stillenfeld hingegen war ein sehr feiner, edler und rechtschaffener Mann, voller System, Ordnung und mathematischer Genauigkeit; in der Mathematik, Naturlehre, Naturgeschichte und Chymie hatte er schwerlich seines Gleichen. Unserm Stilling war wohl bey diesen Männern, und sein Weib schloß sich bald an die Frau Professorin Siegfried an, welche sie nun in allen unterrichtete, und ihr die Haushaltung einrichten half.

Freylich war der Abstand zwischen Schönenthal und Rittersburg groß: alte unregelmäßige Häuser, niedrige Zimmer mit Balken in die Creutz und Quere, kleine Fenster mit runden oder sechseckigten Scheiben, Thüren, die nirgends schlossen, Oefen von erschrecklicher Größe, auf welchen die Hochzeit zu Cana in Gallıläa mit ihren zwölf steinernen Wasserkrügen in halb erhabener Arbeit gar erbaulich zu sehen war; dann eine Aussicht in lauter traurige Tannenwälder, nirgends ein rauschender Bach, sondern ein schlangenförmig hinkriechendes morastiges Wasser u. s. w. Das alles machte freylich einen sonderbaren Contrast mit den vorhin gewohnten Gegenständen, Christine hatte auch oft Thränen in den Augen, allein man wird nach und nach mit allem vertraut, und so gewöhnten sich beyde in ihre neue Lage, und waren von Herzen zufrieden.

Jetzt schrieb nun Stilling, sowohl nach Rosenheim, an seinen Schwiegervater, als auch nach Leindorf an seinen Vater, und nach Lichthausen an seinen Oheim, und schilderte diesen Freunden seine ganze Lage nach der Wahrheit; wobey er dann zugleich überall die herrliche Aussichten, die er in die Zukunft hatte, keinesweges vergas. Johann und Wilhelm Stilling waren über diesen neuen Aufschwung ihres Heinrichs voller Staunen, sie sahen sich an, und sagten gegen einander: was wird noch aus ihm werden? Friedenberg hingegen freute sich nicht sonderlich, statt dessen war seine Antwort voll väterlicher Ermahnungen, nur gut hauszuhalten; für die Ehre, die seinem Schwiegersohn und seiner Tochter dadurch wiederfuhr, daß er nun Professor war, hatte er kein Gefühl; überhaupt rührte ihn Glanz und Ehre nicht.

Weil ihm sein System, das er sich von der Staatswirthschaft gemacht hatte, sehr am Herzen lag, so wendete er den ersten Winter an, es in einem Lehrbuch auszuarbeiten und zugleich über die geschriebene Bogen ein Collegium zu lesen; im Frühjahr wurde dies Buch in Mannheim unter dem Titel: Versuch einer Grundlehre sämtlicher Cameral-Wissenschaften gedruckt, es fand, ungeachtet seiner Fehler und Unvollkommenheiten, vielen Beifall, und Stilling fing nun an, seiner Bestimmung vollkommen gewiß zu seyn, er fühlte sich ganz in seinem natürlichen Fache, alles, was ihm sein Amt zur Pflicht machte, war auch zugleich seine gröste Freude. Man kann sich keine glücklichere Lage denken, als die, in welcher er sich jetzt befand, denn auch das Publicum, in welchem er lebte, liebte, ehrte und schätzte ihn und seine Christine aus der Maßen; hier hörte alles Schmähen, alles Lästern auf; hätte ihm von Schönenthal aus nicht ein beständiges Ungewitter wegen seiner Schulden gedroht, so wär er vollkommen glücklich gewesen.

Den folgenden Sommer las er nun die Forstwissenschaft, Landwirthschaft und Technologie: denn er begnügte sich nicht blos mit den Wissenschaften, die ihm aufgetragen waren, sondern er brannte für Verlangen, sein System so weit auszufüllen, als ihm in seiner Sphäre möglich war; und da die bekannten Lehrbücher nicht in seinen Plan paßten, so nahm er sich vor, über alle seine Wissenschaften selbst Compendien zu schreiben, wozu er sich also von Anfang an rüstete.

Stilling war bisher von seinem himmlischen Schmelzer ausgeglüht, und zu einem brauchbaren Werkzeug aus dem Groben gearbeitet worden; nun fehlte ihm noch die Feile und Politur; auch diese wurde nicht vergessen: denn es bildeten sich von ferne Anlagen, die die letzte Hand an das Werk legen sollten, und die ihm endlich noch schwerer wurden, als alles, was er bisher ausgestanden hatte.

Die staatswirthschaftliche Gesellschaft, wovon er nun auch ordentliches Mitglied war, würkte mit unaussprechlichem Segen und Fortgang für ihr Vaterland; und die Pfalz kann ihr in Ewigkeit ihre Bemühungen nicht gnug verdanken, dies ist Warheit und nicht Compliment. Sie errichtete die Cameral-Schule, legte eine Fabrike an, die sehr blüht, und vielen hundert Menschen Brod giebt, und von diesem allen war der Herr Rath Eisenhart das erste und letzte Triebrad, das eigentliche Gewicht an der Uhr. Dann aber hatte sie auch ein Landgut auf dem Dorfe Siegelbach, anderthalb Stunden von Rittersburg, gekauft, wo sie allerhand neue landwirthschaftliche Versuche machen, und den Bauern mit guten Beispielen vorgehen wollte; dies Gut war bisher von Verwaltern betrieben worden, alles aber schlug fehl, nichts wollte gerathen, denn alle Umstände waren dem Glück entgegen. Als nun Stilling nach Rittersburg kam, so wurde ihm, als Lehrer der Landwirthschaft, die Verwaltung übergeben; er nahm dieses Nebenamt an, denn er glaubte, der Sache völlig gewachsen zu seyn. Der Verwalter wurde also abgeschaft, und Stillingen die ganze Sache übertragen; dies geschah alsofort bey dem Antritt seines Lehramts.

Als er nun nach Siegelbach kam, und alles genau untersuchte, so fand er einen großen schönen mit Quatersteinen gepflasterten Viehstall, ganz nach der neuen Art eingerichtet; in demselben zwanzig magere Gerippe von Schweizer-Kühen, welche alle zusammen täglich drey Schoppen Milch gaben, das wahre Bild von Pharaons sieben mageren Kühen; dann standen da zwey Arbeitspferde mit zwey Füllen, und draußen, in besonderen Stallungen, eine ziemliche Heerde Schweine; und ungeachtet es erst November war, so war doch schon alles Heu lang verfüttert, und an Stroh zum Streuen war gar nicht zu denken. Es fehlte also in der Haushaltung an Milch und Butter, und Futter für so viele große Mäuler, Schlünde und Magen. Das schlug nun dem guten Professor gewaltig aufs Herz; er wandte sich gerades Weges an die Gesellschaft, hier aber fand er keine Ohren, jeder sagte ihm: er müsse so gut thun, als er könne, jeder war des ewigen Zahlens müde. Jetzt fehlte es nun Stillingen wieder an der so nöthigen Klugheit: er hätte alsofort abtreten, und die Verwaltung wieder abgeben sollen, allein das that er nicht, er war gar zu sehr für das ganze Institut eingenommen, und glaubte, seine Ehre sey mit der Ehre desselben aufs genaueste verbunden, er müsse es also durchsetzen, und eben dies war sein Unglück.

Das erste, was er vornahm, war der Verkauf der Hälfte des Viehstandes, denn er hoffte, mit dem darausgelösten Capital, so viel Futter und Stroh zu kaufen, daß er die andere Hälfte füglich durchbringen könnte. Er veranstaltete also eine gerichtliche Auction und erstaunte über den Zulauf und über die Preise, so daß er gewiß glaubte, er werde den schweren Berg übersteigen; allein wie erschrack er, als er erfuhr, daß die mehresten Käufer Gläubiger waren, die an dem Gut zu fordern hatten! — Und die andern, denen das Gut nichts zu zahlen hatte, waren arm, er bekam also wenig

Geld, und wollte er sich helfen, so muste er in den Sack greifen, und wo das nicht zureichte, Geld auf eigenen Credit aufnehmen.

Freylich hatte er die gegründete Hoffnung, daß ihm künftigen Sommer die große und geseegnete Erndte alles überflüßig ersetzen, und die großen Klee- und Futterstücke seine Casse von der Bürde befreyen würden, und in sofern wäre er zu entschuldigen; indessen war es für einen Mann in seinen Umständen immer Leichtsinn, so etwas zu unternehmen, besonders sobald er die wahre Lage der Sache erfuhr. Gott! wie leicht ist es aber, nach durchkämpften schweren Trübsalen, die Plätzchen ausfindig zu machen, wo man hätte ausweichen können! Er sey für seine Führung gepriesen!

Zu diesen drohenden Wolken sammelten sich noch andere: zu Rittersburg waren die regierende Personen alle catholisch, und dies nach dem platten Sinn des Worts; die Franziskaner hatten die Pfarrbedienung und Seelsorge ihrer Gemeinde; diesen Geistlichen war also dran gelegen, daß Dummheit und Aberglauben immer unterhalten werden möchte; vorzüglich war der Oberbeamte ihr treuer Anhänger. Nun hatte sich aber die Cameral-Schule daselbst eingenistet, deren Lehrer alle Protestanten waren, diese übten sogar noch Jurisdiction aus, das alles war ihnen daher natürlicherweise ein Dorn in den Augen. Ueberhaupt war also hier in allen Stücken große Vorsicht nöthig. Nun befand sich allda ein gewisser Gelehrter, Namens Spässel; ein sonderbarer Heiliger, so wie es wenige gibt; sein Anzug war sehr nachläßig, mit unter auch unsauber, sein Gang und Wandel schlotterig, alle seine Reden niedrigcomisch, so daß er in allen Gesellschaften den Hanswurst vorstellte. In geheim war er der Spion eines vornehmen Geistlichen, der bey dem Churfürsten viel galt, und eben so auch der Zeitungs und Mährchenträger des Oberbeamten; öffentlich war er ein spöttelnder Wizling über gewisse Gebräuche seiner eigenen Religion; der aber war unglücklich, der ihm alsdann half, denn er hätte sich heimlich in die Franziskaner-Brüderschaft begeben, der er treulich anhing.

Schwer fällt es mir, diesen Mann hier öffentlich zur Schau zu stellen, allein er war Werkzeug in der Hand der Vorsehung, ich kann ihn nicht weglassen; lebt er noch; wird er erkannt, und ist er noch, was er war, so geschieht ihm recht, und es ist Pflicht, jeden Rechtschaffenen für ihn zu warnen; ist er aber tod, oder wird er nicht erkannt, so schadet ihm meine Schilderung nicht. So lang ein Mensch in diesem Lande der Erziehung und Vervollkommnung wallet, so lang ist er der Besserung und Rückkehr fähig; wird also Spässel auch nach den Grundsätzen seiner Kirche, ein edler rechtschaffener wohlthätiger Mann, so wird das ganze Publicum, das ihn sonst gerade so kannte, wie ich ihn hier schildere, seine Gesinnung ändern, ihn lieben, und es wird in Rittersburg eben sowohl, als im Himmel, mehr Freude über seine Rückkehr zur Tugend seyn, als über neun und neunzig edle Menschen, die einen so schweren Kampf gegen Temperament und Character nicht gekämpft haben, als er. Dann aber werde auch ich auftreten und vor aller Welt sagen: komm, Bruder! vergieb, wie ich dir vergeben habe, du bist besser, als ich, denn du hast mehrere Feinde überwunden!

Dieser Spässel hatte von jeher gesucht, in die staatswirthschaftliche Gesellschaft aufgenommen, sogar Professor der Vieharzneykunde zu werden; allein man fürchtete sich vor ihm, denn er war ein sehr gefährlicher Mann, der auch noch überdas den Anstand nicht hatte, welcher einem Lehrer so nöthig ist; folglich hatte man ihn mit aller Behutsamkeit entfernt gehalten. Da nun Stilling das Fach der Vieharzneykunde zugleich mit bekam, so war er ihm im Wege. Dazu kam noch etwas: die Gesellschaft hatte eine schöne Büchersammlung, diese wurde wöchentlich einmal des Abends von sechs bis acht Uhr geöfnet; Stilling übernahm diese Lesestunde freiwillig, und umsonst zu halten, theils, um sich selbst Litterarkänntniß zu erwerben, theils auch seinen Zuhörern dadurch noch mehr zu nützen; dann hatte auch die Gesellschaft allen Gelehrten des Orts erlaubt, in diesen Lesestunden ihre Bücher zu benutzen.

Spässel bediente sich dieser Wohlthat selten, doch fing er gegen das Frühjahr an öfter zu kommen; nun machte aber Stillingen die Siegelbacher Gutsverwaltung eine Aenderung in der Sache, er muste nun alle Montag dorthin reisen, und konnte also an diesem Tage wie gewöhnlich die Lesestunde nicht halten, daher verlegte er sie auf den Dienstag Abend. Dies machte er allen Studirenden bekannt, und bat sie, es öffentlich zu sagen. Spässel kam indessen drey Montage nacheinander an eine verschlossene Thür, den dritten setzte er sich hin, und schrieb folgendes Billet; ich rücke es gerade so ein, wie es war:*

es Wird wol so drauf Angelegt seyn, das mich der herr Brofeser Stilling for Einen Narren Halten Will — dient abers drauf zur Nachricht, das das Spässels sach nit is — !!! die geselschaft soll ihre Leute auf ire Plicht und schuldigkeit anweisen

Spässel

Stilling schlug diesen Zettel in einen Brief an den Director, Herrn Rath Eisenhart, ein, und berichtete ihm den Hergang; dieser schrieb alsofort an Herrn Spässel und stellte ihm die Sache in ihrer wahren Liegenheit höflich und bescheiden vor, allein das war nur Oel ins Feuer gegossen, denn der ehrliche Mann kam zu Stillingen, und bediente sich solcher hämischer und beleidigender Ausdrücke, daß dieser in lodernde Flammen gerieth, und den Spässel so geschwind wie möglich zur Thür hinaus und die Treppe hinunter promovirte, und ihm

---

* Spässel schrieb so nicht aus Mangel an Kenntniß, sondern aus Originalität.

dann nachrief: kommen Sie mir ja nicht wieder über die
Schwelle, bis Sie ein braver Mann geworden sind!

Dabey bliebs — daß aber Spässel das alles sehr wohl behielt,
um dereinst Nutzen daraus zu ziehen, ist leicht zu denken.

Um diese Zeit erschien ein abermaliges Meteor am dortigen
Horizont: ein gewisser anmaßlicher Engländer, Namens Tom,
hatte als englischer Sprachmeister Land und Sand durchzo-
gen, tausend Plane gemacht, Schlösser in die Luft gebaut, und
alles war mißlungen. Sonst war er ein Mann von ungemeinen
Talenten, gelehrt und überhaupt ein Genie im eigentlichen
Verstande. Die Triebfeder aller seiner Handlungen war ein
unbändiger Stolz, ohne Religion; steifer Naturalismus und
blindes Schicksal schienen seine Führer zu seyn. Die Menschenliebe, dieses schöne Gotteskind, war ihm unbekannt, er
liebte nichts, als sich selbst; der Name Sprachmeister war ihm
ein Gräuel, ob er gleich im Grunde nichts anders vorstellte,
und er führte den Character als Professor der englischen
Litteratur. Die Armuth war ihm eine Hölle und doch war er
höchst arm; denn als ehemaliger wohlhabender Kaufmann
hatte er die Rolle des großen Herrn gespielt, und darauf, wie
leicht zu denken, fallirt. Dieser Mann hielt sich damals in
Mannheim auf; nun schien ihm das Rittersburger Institut gerade ein Schauplatz zu seyn, wo er sich nähren und Ruhm erwerben könnte, er hielt deswegen bey Eisenhart an, er möchte
ihm zu einer Professors-Stelle an der Rittersburger Akademie
helfen; Eisenhart, der freylich die Brauchbarkeit dieses Mannes, aber auch seinen gefährlichen Character kannte, und über
das alles für nöthig hielt, mit der Gnade des Churfürsten
hauszuhalten, schlug ihm daher sein Gesuch immer rund ab.
Endlich entschloß sich Tom, ohne Besoldung und ohne Ruf
hinzugehen, er hielt daher blos um die Erlaubniß an, dort
sich aufhalten und Collegia lesen zu dürfen; dies wurde ihm
gerne zugestanden. Eisenhart schrieb daher an Stilling, dem
die Besorgung der Logis und Quartiere für die Studirende

aufgetragen war, er möchte für Herrn Professor Tom eine Wohnung miethen; zugleich schilderte er ihm diesen Mann, und bestimmte ihm, wie seine Wohnung beschaffen seyn müste.

Stilling miethete also ein paar schöne Zimmer bey einem Kaufmann, und erwartete nun Toms Ankunft.

Endlich an einem Nachmittag kam die Magd aus einem Wirthshause mit folgendem Zettel an Stilling:

P. P.

Professor Tom ist hier.

Tom.

Hm! dachte Stilling — eine seltsame Ankündigung! —

Nun beobachtete er immer den Grundsatz, da, wo er sich und der guten Sache nichts vergeben konnte, den untersten Weg zu gehen, er nahm also Hut und Stock, um nach dem Wirthshause zu gehen; jetzt in dem Augenblick wurde ihm aber von dem Kaufmann angekündigt, daß er den englischen Sprachmeister nicht einziehen ließe, bis er das erste Quartal vorausbezahlt hätte. Gut! sagte Stilling, und ging zum Wirthshause; hier fand er nun einen ansehnlichen wohlgewachsenen Mann, mit einer hohen breiten Stirn, großen starren Augen, magerem Gesicht und spitzigem Mäulchen; aus dessen Zügen Geist und Verschlagenheit allenthalben hervorblickte; neben ihm stand seine Frau im Amazonenhabit, und grämender Kummer nagte ihr am Herzen, man merkte das an ihrem schwimmenden Auge und herabhangenden Winkeln des Mundes.

Nach einigen gewechselten Complimenten, wobey Tom tief und gierig die Fühlhörner in Stillings Seele einzubohren schien, sagte dieser: Herr Professor! ich habe gesehen, wo Sie abgestiegen sind, kommen Sie mit mir, um nun auch zu sehen, wo ich wohne.

„Gut!" dabey spitzte er seinen Mund und sah sehr höhnisch aus; als nun Stilling mit ihm auf seinem Zimmer war,

sagte er weiter: Herr Professor! es freut uns, einen so wak-
kern Mann hierher zu bekommen, wir wünschen nun von
Herzen, daß es Ihnen hier wohl gehen möge.

Tom wandelte unter allerhand Gesichts- und Mienen-Spie-
len hin und her, und antwortete:

„Ich wills einmal versuchen."

Eins muß ich Ihnen aber sagen, Sie werden es mir nicht
übel nehmen: ich habe zwey schöne Zimmer für 70 Gulden
bey Herrn R . . . für Sie gemiethet, der ehrliche Mann fordert
aber ein Quartal der Hausmiethe voraus; da Sie uns allen nun
unbekannt sind, so ist das dem Manne nicht so sehr zu verargen.

„So! — (er spazirte heftig auf und ab) nun denn gehe ich
wieder nach Mannheim — ich lasse mich hier weder von einem
Professor, noch von sonst jemand Grobheiten machen."

In Gottes Namen! — wir werden Sie ruhig und zufrieden
wieder ziehen lassen.

„Was? — warum hat man mich dann hieher gelockt?"

Jetzt grif ihn Stilling an bey den Armen, sah ihm hell und
ernst lächelnd ins Gesicht, und versetzte: Herr! Sie müssen
hier den stolzen Britten nicht spielen wollen, darum bekümmert sich unser einer, und jeder redliche deutsche Mann nicht
das geringste; auf Ihr Anhalten hat man Ihnen erlaubt her-
zukommen, und es steht platterdings in unserer Gewalt, ob
wir Sie wieder zum Thor hinaus weisen wollen, oder nicht;
jetzt seyen Sie ruhig und beobachten Sie den Respect den Sie
einem Manne, der Ihr Vorgesetzter ist, schuldig sind, oder ziehen Sie wieder ab, wie es Ihnen gefällt. Doch rathe ich Ihnen:
bleiben Sie nun hier, und beobachten Sie die Pflichten des
rechtschaffenen Mannes, so wird sich alles geben. Denken Sie,
daß Sie hier ein wildfremder Mensch sind, den niemand
kennt, und der folglich auch nicht den geringsten Credit hat,
denn Ihren Namen kann so gut ein Schurke haben, als der
ehrliche Mann.

Jetzt wurde Stilling herausgerufen, der Kaufmann hatte die Mobilien des Herrn Toms beaugenscheinigt, und kündigte nun an, daß er den Sprachmeister ohne Vorschuß aufnehmen wolle. Diese Nachricht beruhigte auch den Herrn Tom, er zog also ein.

Damit ich aber mit allen kleinen Vorfällen und Nüancen nicht Zeit und Raum verschleudern möge, so bemerke ich nur ins Allgemeine, daß sich Spässel und Tom aneinander anschlossen, und den Plan machten, Stillingen zu stürzen, aus dem Sattel zu heben und sich dann in sein Amt zu theilen. Ihre Anstalten waren äusserst fein, weitläuftig angelegt und reiflich überdacht; wie solches der Verfolg zeigen wird.

Der allgemeine Wahn, Stilling habe noch einigen Hang zur Schwärmerey und zum Pietismus, schien beyden Cabalisten die schwache Seite zu seyn, wohin sie ihre Canonen richten und Sturmlücken schießen müsten. Sie gingen daher in der Abenddämmerung Stunden lang vor Stillings Hause in der Gasse auf und ab, um zu spioniren; nun hatte er den Gebrauch, daß er öfters Abends nach Tische auf seinem Clavier Choral spielte und dazu sang, wo dann seine Christine mit einstimmte; dies wurde ausgebreitet: es hieß, er hielte Hausübungen, Betstunden u. d. g. und so wurde das Publikum allmählig vorbereitet. Eben diese Nachrichten schrieb dann auch Spässel an den Hof nach München, um alles wohl zu präpariren.

Nun kam noch ein Zufall dazu, der der Sache vollends den Ausschlag gab: Stilling hatte zu Siegelbach noch einen Vorrath von Schweizerkäsen gefunden, den er zu sich ins Haus nahm, um ihn zu verkaufen, dieses veranlaßte, daß verschiedene Bürgersleute, Weiber und Mädchen häufig kamen, um Käse zu kaufen; nun waren etliche unter denselben, welche Werk von der Religion machten, und mit der Frau Professorinn auch wol davon redeten; eine unter ihnen lud sie einsmals in ihren Garten ein, um ihr mit ihren Kindern eine Veränderung zu

machen; Christine nahm das ohne Bedenken an, und Stilling
wähnte nichts Arges, sie ging also an dem bestimmten Tage
hin, und nach der Collegienstunde wanderte er auch in den
Garten, um seine Frau und Kinder wieder abzuholen. Hier
fand er im Gartenhäuschen vier bis fünf Weibsleute um seine
Christine sitzen, einige Erbauungs-Bücher lagen zwischen Jo-
hannesbeeren-Kuchen und Caffee-Geschirr auf dem Tisch,
und alle waren in einem christlichen Gespräch begriffen.
Stilling setzte sich zu ihnen und fing nun an Behutsamkeit zu
predigen: er stellte ihnen vor, wie gefährlich Zusammen-
künfte von der Art an einem Ort seyen, wo man ohnehin so
scharf auf alle Schritte und Tritte der Protestanten merkte;
dann bewieß er ihnen gründlich und deutlich, daß das Christenthum nicht in solchen Gesprächen, sondern in einem
gottesfürchtigen Leben bestünde u. s. w.

Wer sollte sichs aber nun einfallen lassen, daß Spässel gerade jetzt da hinter der Hecke stand, und alles mit anhörte?
— so etwas träumte Stillingen nicht. Wie erstaunte er also, als
er acht Tage hernach die ernsthaftesten, und ich mag wohl
sagen derbsten Vorwürfe, von seinen Freunden von Mannheim und Zweybrücken aus, zugeschrieben bekam! er wuste
warlich nicht, wie ihm geschah — und wenn nicht von einer
Winkel-Predigt im Garten die Rede gewesen wäre, so hätte
er sichs nicht einmal träumen lassen, woher diese giftige Ver-
läumdung ihren Ursprung genommen habe. Er beantwortete
daher obige Briefe männlich und nach der Wahrheit, seine
Freunde glaubten ihm auch, allein im Ganzen blieb doch
immer eine Sensation zurück, die ihm, wenigstens bey den
Catholischen, nachtheilig war.

In Rittersburg selbst machte das Ding auch Unruhe: der
Oberbeamte drohete mit Einthürmen und räsonnirte sehr her-
risch, die Protestanten aber murrten und beschwerten sich, daß
man ihnen nicht einmal Haus-Andachten zugestehen wollte;
bey diesen verlor Stilling nichts, im Gegentheil, sie schätzten

ihn desto mehr. Die beyden protestantischen Geistlichen, zween verehrungswürdige vortrefliche Männer, Herr W... und Herr S... nahmen sich auch der Sache an, sie besuchten jene Weibsleute, ermahnten sie zur Vorsicht, trösteten sie und versprachen ihnen Schutz, denn sie wusten, daß sie gute brave Leute waren, die keine Grundsätze hegten, die der Religion zuwider seyen; Herr W... predigte sogar den folgenden Sonntag über die Vorsicht und Pflichten, in Ansehung der häuslichen Erbauung, wobey er sich endlich gegen Stilling hinkehrte und ihm öffentlich zuredete; indem er in folgende Worte ausbrach: „Du aber, leidender Wanderer zum erhabenen Ziel des Christen und des wahren Weisen! sey getrost, dulde und wandle vorsichtig zwischen den Fallstricken, die dir Widerwärtige legen! — du wirst siegen und Gott wird dich mit Seegen crönen, Gott wird deine Feinde mit Schande bekleiden, aber über dir wird glänzen die Crone der Ueberwindung; Hand an Hand wollen wir uns in dieser brennenden Sandwüste begleiten und einer soll dem andern Worte des Trostes zusprechen, wenn sein Herz nach Hülfe stöhnt u. s. w." Die ganze Gemeinde blickte auf Stilling hin, und segnete ihn.

Durch die Bemühung dieser vortreflichen Männer wurde die ganze Gemeinde still, und da auch die Sache an den Churpfälzischen Kirchenrath berichtet wurde, so bekam auch der Oberbeamte die Weisung, nicht mehr von Einthürmen zu reden, bis würklich polizeywidrige Conventickel gehalten, und in der Religion Excesse begangen würden. Indessen aber machinirten Tom und Spässel insgemein am Hof zu München fort, und brachten es würklich dahin, daß Stilling auf dem Punkt war, cassirt zu werden. Diesen gefährlichen Sturm erfuhr er aber nicht eher, bis er glücklich vorbey war; denn auch hier war die göttliche Dazwischenkunft der hohen Vorsehung sichtbar: gerade in dem Augenblick, als der vornehme Geistliche ernstlich in den Churfürsten drung, und ihm Stillingen

verdächtig machte, auch die Sache so gut, als entschieden war,
trat ein anderer, ebenfalls sehr ansehnlicher Geistlicher, der
aber ein warmer Gönner Stillings war, und die eigentliche Liegenheit der Rittersburger Verfassung wuste, ins Cabinet;
dieser, da er hörte, wovon die Rede war, nahm Stillings Parthie und vertheidigte sie so treffend und überzeugend, daß der
Churfürst auf der Stelle, den ersten intoleranten Prälaten zur
Ruhe verwieß, und dem Professor nunmehro nicht seine Gnade entzog. Wäre dieser edle Geistliche nicht von ungefähr dazu gekommen, so wär Stillings Unglück gränzenlos gewesen.
Erst ein halb Jahr hernach erfuhr er die ganze Sache, so wie
ich sie erzählt habe.

Während der Zeit lebte er ruhig fort, beobachtete seine
Pflichten und betrug sich so vorsichtig, als nur immer möglich
war.

Spässel und Tom schmiedeten indessen noch allerhand weit-
aussehende Plane zu einer allgemeinen gelehrten Republik, zu
einer typographischen Gesellschaft u. d. g. Ueber diese wichtigen Angelegenheiten wurden sie sich aber selbst uneinig und
fingen an sich bitter zu hassen; da nun auch Toms Gläubiger
in Bewegung geriethen, und Stilling zugleich Decanus der hohen Schule, also seine ordentliche Obrigkeit war, so kroch er
zum Kreuz: er kam, weinte und bekannte alles, was er mit
Spässel zu seinem Schaden gewürkt hatte, sogar zeigte er ihm
die Briefe und Berichte, welche von ihnen nach München ab-
gegangen waren; er erstarrte über alle die satanische Bosheit,
und überaus listige Kunstgriffe dieser Menschen; doch, da nun
alles vorbey war, und er auch gerade zu dieser Zeit erfuhr,
wie er in München gerettet worden, so vergab er Spässeln und
Tom alles, und da nun letzterer in Noth und Jammer gerieth,
so tröstete und unterstützte er ihn, so gut er konnte, ohne der
Gerechtigkeit zu nahe zu treten; und als endlich Toms Bleiben
in Rittersburg nicht mehr war, und derselbe auf eine gewisse
deutsche Universität ziehen wollte, um dort sein Heil zu ver-

suchen, so versah ihn Stilling noch mit Reisegeld, und gab ihm seinen herzlichen Seegen.

Dort versuchte nun Tom alle seine Kunstgriffe noch einmal, um sich empor zu schwingen, aber er scheiterte. Und was that er nun — er legte seinen Stolz ab, bekehrte sich, zog ein sehr modestes Kleid an, und ward ein — ein Pietist — !!! Gott gebe, daß seine Bekehrung wahrhaft gegründet, und nicht Larve der Bosheit und des Stolzes ist! Indessen ist der Weg von einem Extrem zum andern gar nicht weit und schwer, sondern sehr leicht und gebahnt, Gott seegne ihn und gebe ihm Gelegenheit, so viel Gutes zu würken, daß sein ehemaliges Schuldregister dadurch getilgt werden möge!

Stillings Lehramt war indessen höchst geseegnet, er lebte ganz in seinem Elemente. Mit allerhand auch interessanten Vorfällen, die aber auf seine Schicksale und Führung keinen Bezug haben, mag ich meine Leser nicht aufhalten, ich bleibe also blos bey dem Hauptgang der Geschichte.

Mit der Siegelbacher Gutsverwaltung ging es schief, alles schlug fehl, überall war Fluch, anstatt des Seegens; untreues Gesinde, diebische Nachbaren, heimliche Tücke der Unterbeamten, Schulden, keine Unterstützung, das alles stand Stillingen im Wege, so daß er endlich, wenn er nicht selbst mit zu Grunde gehen wollte, die ganze Verwaltung abgeben und seine Rechnung ablegen muste. Dadurch wurde er nun zwar von dieser schweren Bürde befreyet, allein er war wieder tiefer in Schulden gerathen: denn er hatte vieles versucht und aufgewandt, das er theils nicht berechnen konnte, theils auch nicht wollte, um sich nicht dem Verdacht des Eigennutzes zu unterziehen. So kam er zwar noch mit Ehren, aber doch mit Schulden aus der Sache.

Jetzt fing sich nun alles Unglück an über sein Haupt zusammen zu ziehen: In Rittersburg waren wieder Schulden entstanden; zu Schönenthal war kaum die Interesse, geschweige etwas am Kapital abgetragen worden; zudem trug man sich

dort mit allerhand Gerüchten: Stilling halte Kutsche und
Pferde, mache erstaunlichen Aufwand, und denke nicht an
seine Schulden. Er hatte sechs hundert Gulden fixes Gehalt,
und bezog zwischen zwey bis drey hundert Gulden Kollegien-
Gelder, dabey stiegen alle Preise in Rittersburg fast aufs *alterum tantum,* bey aller Sparsamkeit blieb kaum so viel übrig,
als zu Entrichtung der Zinsen nöthig war, womit sollten nun
Schulden bezahlt werden? — fast jeden Posttag kamen die quä-
lendsten Briefe von seinem Schwiegervater, oder doch von
einem andern Schönenthaler Gläubiger; Herr Friedenberg
selbst war in einer sehr verdrießlichen Lage, er war Bürge,
und wurde von dem Manne, der ehmals so liebreich Stillingen aus Gottes- und Menschenliebe unterstützt hatte, mit
gerichtlicher Einklage bedroht. Stilling muste also alle Augenblick gewärtig seyn, daß sein Wohltäter, sein Schwiegervater
um seinetwillen in einen Concurs gerieth. Dieser Gedanke war
Mord und Tod für ihn, und nun, in allen diesen schrecklichen
Umständen, nicht der geringste Wink zur Hülfe, nicht eine
Ahndung von ferne.

Schrecklich! schrecklich! war diese Lage, und wem konnte er
sie klagen? niemand als Gott — das that er aber auch unaufhörlich; er kämpfte ohne Unterlaß mit Unglauben und Mißtrauen, und warf sein Vertrauen nie weg. Alle seine Briefe an
seinen Schwiegervater waren voll Übergebung an die Vorsehung und tröstend, allein sie hafteten und halfen nicht
mehr. Herr Rath Eisenharth selbst, der etwas von seiner Lage
wuste, machte vergebliche Versuche; Stilling schrieb Romanen, den Florentin von Fahledorn und die Theodore von der
Linden, und suchte, mit den Honorarien den Strom zu däm-
men; allein das war wie ein Tropfen im Eymer. Er schrieb an
verschiedene große und berühmte Freunde, und entdeckte
ihnen seine Lage, allein einige konnten ihm nicht helfen, andere faßten einen Widerwillen gegen ihn, wieder andere
ermahnten ihn zum Ausharren, und noch ein paar unter-

stützten ihn mit einem Tropfen Kühlung auf seine lechzende Zunge.

Alles, alles war also vergebens, und von Schönenthal herauf blitzte und donnerte es unaufhörlich.

Während dieser schrecklichen Zeit rüstete sich der Allmächtige zum Gericht über Stilling, um endlich einmal sein Schicksal zu entscheiden.

Den 17ten August 1781, an einem sehr schwülen gewittervollen Tage, hatte Christine der Magd einen sehr schweren Korb auf dem Kopf gehoben, sie fühlte dabey einen Knack in der Brust, und bald darauf einen stechenden Schmerz mit Frost und Fieber. So wie Stilling aus dem Collegio kam und in ihr Zimmer trat, schritt sie ihm mit Todesblässe und einer armen Sündermiene entgegen, und sagte: Zürne nicht, lieber Mann! ich habe einen Korb gehoben, und mir in der Brust weh gethan, Gott sey dir und mir gnädig! — ich ahnde meinen Tod.

Da stand er betäubt, wie vom Schlage gerührt — matt und abgehärmt vom langwierigen Kummer, glaubte er den Todes-Stoß zu fühlen; den Kopf auf die Achsel geneigt, vorwärtshängend, die beyden Hände unter dem Bauch gehalten, starrte er, mit der Angstmiene des Weinens, aber ohne Thränen, auf einen Fleck und sagte kein Wort — denn jetzt ahndete er auch Christinens Tod mit Gewißheit. Endlich ermannte er sich, tröstete sie, und brachte sie zu Bette. Am Abend in der Dämmerung trat die Krankheit in aller ihrer Stärke ein, Christine legte sich wie ein Lamm auf die Schlachtbank und sagte: Herr mache mit mir, was du willst, ich bin dein Kind — willst du, daß ich meine Eltern und Geschwister nicht mehr sehen soll, so befehle ich sie alle in deine Hände, leite sie nur so, daß ich sie dereinst vor deinem Thron wiedersehen möge.

Christinens erste Krankheit war also jetzt ein eigentliches Brustfieber, wozu sich hysterische Paroximsen gesellten, die sich in einem wütenden Husten äußerten; mehrere Aerzte und alle Mittel wurden gebraucht, sie zu retten, nach vierzehn Tagen ließ es sich auch zur Besserung an, und es schien, als wenn die Gefahr vorüber wäre. Stilling dichtete also Lobgesänge, und schrieb die frohe Nachricht ihrer Genesung an seine Freunde, allein er betrog sich sehr, sie stand nicht einmal vom Bette auf, im Gegentheil ging ihre Krankheit zu einer förmlichen Lungensucht über; jetzt stieg Stillingen das Wasser an die Seele; der Gedanke war ihm unerträglich, dieses liebe Weib zu verlieren, denn sie war die beste Gattin von der Welt, artig, äußerst gefällig, der Ton ihrer Rede und ihre Bescheidenheit nahm jedermann ein, ihre Reinlichkeit war ohne Gränzen, rund um sie her war jedem wohl; in ihrem sehr einfachen Anzug herrschte Zierlichkeit und Ordnung, und alles, was sie that, geschah mit der äußersten Leichtigkeit und Geschwindigkeit; über das alles war sie unter vertrauten Freunden lustig, und mit vielem Anstand witzig, dabey aber von Herzen fromm und ohne Heucheley. Die äußere Larve der Gottseeligkeit vermied sie, denn die Erfahrung hatte sie für den Pietismus gewarnt. Das alles wuste Stilling, er fühlte ihren Werth tief, und konnte daher den Gedanken nicht ertragen, sie zu verlieren. Sie selbst bekam nun wieder Lust zum Leben, und tröstete sich mit Hofnung zur Genesung. Indessen kamen zuweilen die schrecklichen Paroxismen wieder, sie hustete mit einer solchen Gewalt, daß Stückchen Lunge wie Nüsse, die Stubenlänge fort flohen; dabey litte sie dann die grausamsten Schmerzen. In aller dieser Noth murrete sie nie, ward nie ungeduldig, sondern rief nur unabläßig mit starker Stimme: Herr schone meiner nach deiner großen Barmherzigkeit! — Wenn dann ihr Mann und ihre Wärterin für Angst, Mitleiden und Unterstützung schwitzten, so sah sie mit einer unaussprechlich bittenden Miene beyde an, und sagte: Mein Engel und mein Alles! Meine liebe Frau N... habt doch Geduld mit mir, und verzeiht mir die Mühe, die ich euch verursache. Bekannte stunden oft von ferne an der Thür, auch Arme, die sie erquickt hatte, denn sie war sehr wohl-thätig, und weinten laut.

Tage und Nächte kämpfte Stilling; ein Eckchen in seiner Studirstube war glatt vom Knien, und naß von Thränen, aber der Himmel war verschlossen, alle feurige Seufzer prellten zurück, er fühlte, daß Gottes Vaterherz verschlossen war. Weil Christine das harte treten nicht vertragen konnte, so ging er beständig auf den Strümpfen, er lief in der Noth seines Herzens, aus einer Ecke des Zimmers in die andre, bis endlich die Sohlen durchgeschliffen waren, und er Wochen lang auf den bloßen Füßen ging, ohne es einmal zu empfinden. Während aller dieser Zeit kamen immer drohende, beleidigende und äußerst demüthigende Briefe von Schönenthal an. Herrn Friedenbergs Herz war durch die Erwartung des nahen Todes seiner Tochter zerschmettert, aber doch hörten seine Vorwürfe nicht auf. Er glaubte nun einmal gewiß, Stilling sey Schuld an allem Unglück, und so half keine Entschuldigung. Die Lage, worin sich der arme empfindsame Mann jetzt befand, übertrift alle Beschreibung; je mehr ihn aber die Noth drängte, desto feuriger und ernstlicher klammerte er sich an die erbarmende Liebe Gottes an.

Nach etlichen Wochen, im Anfang des Octobers, stand Stilling einmal des Abends, auf dem Hausgang am Fenster, es war schon vollkommen Nacht, und er betete nach seiner Gewohnheit heimlich zu Gott; auf einmal fühlte er eine tiefe Beruhigung, einen unaussprechlichen Seelenfrieden, und darauf eine tiefe Ergebung an den Willen Gottes, er fühlte noch alle seine Leiden, aber auch Kraft genug, sie zu ertragen; er ging darauf ins Kranken-Zimmer und nahte sich dem Bette, Christine aber winkte ihm, zurück zu bleiben, und nun sahe er, daß sie ernstlich in der Stille betete, endlich rief sie ihm, winkte ihm zu sitzen und wendete sich schwer, um sich gegen ihn über auf die Seite zu legen; dann sah sie ihn mit einem unaussprechlichen Blick an, und sagte: ich sterbe, liebster Engel, fasse dich, ich sterbe gern, unser zehnjähriger Ehestand war lauter Leiden, es gefällt Gott nicht, daß ich dich aus deinem Kummer erlöst sehen soll, aber er wird dich erretten, sey du getrost und stille, Gott wird dich nicht verlassen! — meine zwey Kinder empfehl ich dir nicht, du bist Vater, und Gott wird für sie sorgen. Dann machte sie noch verschiedene Verordnungen, wendete sich wieder um, und war nun ruhig. Von nun an redete Stilling öfters mit ihr vom Sterben, von ihren Erwartungen nach dem Tode, und that sein möglichstes, um sie zu ihrem Ende vorzubereiten. Manchmal fanden sich noch Stunden der Angst, und dann wünschte sie einen sanften Tod, und zwar am Tage, denn sie scheuete die Nacht. Sein College Siegfried besuchte sie oft, denn seine Gattin konnte wegen Kränklichkeit, Schwangerschaft und Mitleiden selten, und am Ende gar nicht mehr kommen, und half ihm also kämpfen und trösten.

Endlich, endlich, nahte sie sich ihrer Auflösung; den 17ten October des Abends bemerkte er die Vorboten des Todes, gegen elf Uhr legte er sich gänzlich ermattet in ein Nebenzimmer und ruhte halb schlummernd in einer Betäubung; um 5 Uhr des Morgens stand er wieder auf, und fand seine liebe Sterbende sehr ruhig und heiter. Nun habe ich überwunden! rief sie ihm entgegen; jetzt sehe ich die Freuden jener Welt lebhaft vor mir, nichts hängt mir mehr an — gar nichts! dann sagte sie folgende Strophen:*)

> Unter Lilien jener Freuden,
> Sollst du weiden,
> Seele schwinge dich empor!

---

*) Ich rücke dieses Lied so ein, wie es im Gesangbuch stehet, und erwarte nicht, daß es vernünftige Rezensenten Christinen übel deuten werden, einen solchen Gebrauch davon gemacht zu haben, wenn es vielleicht nicht in die jetzige Lesewelt paßt; Seelen von der Art lassen sich nicht in Critiken ein, und wählen das, was sie aufweckt und erbaut.

Als ein Adler fleuch behende,
  Jesus Hände
Oefnen schon das Perlenthor.

Laßt mich gehen, laßt mich laufen
  Zu dem Haufen
Derer, die des Lammes Thron,
Nebst dem Chor der Seraphinen
  Schon bedienen
Mit dem reinsten Jubelton.

Löse, erstgeborner Bruder!
  Doch die Ruder
Meines Schifleins! laß mich ein
In den sichern Friedenshafen,
  Zu den Schaafen,
Die der Angst entrücket seyn!

Nichts soll mir am Herzen kleben,
  Süßes Leben,
Was die Erde in sich hält.
Sollt ich noch in diesen Mauern
  Länger trauern?
Nein! ich eil ins Himmelszelt.

Herzens-Heiland! schenke Glauben
  Deiner Tauben!
Glauben, der durch alles dringt!
Nach dir girret meine Seele
  In der Höle,
Bis sie sich von hinnen schwingt.

O wie bald kannst du es machen,
  Daß mit Lachen
Unser Mund erfüllet sey!
Du kannst durch die Todes-Thüren
  Träumend führen,
Und machst uns auf einmal frey.

Du hast Sünd und Straf getragen,
       Furcht und Zagen
Muß nun ferne von mir gehn.
Tod, dein Stachel ist zerbrochen,
       Meine Knochen
Werden fröhlich auferstehn.

Lebensfürst! dich will ich loben,
       Hier und droben,
In der reinsten Liebsbegier!
Du hast dich zum ewgen Leben
       Mir gegeben,
Hole mich, mein Gott, zu Dir!

Stillings ganze Seele zerschmolz in Thränen; er setzte sich nun vor das Bett und wartete den Abschied seiner Seelenfreundin ab; oft drückte sie ihm noch die Hand, mit dem gewöhnlichen Lieblingsausruf: Mein Engel und mein Alles! — sonst sprach sie nichts mehr; ihre Kinder verlangte sie gar nicht zu sehen, sie empfahl sie nur Gott. Oft wiederholte sie aber die Worte: Du kannst durch die Todes-Thüren träumend führen, und freute sich dann dieses Trostes.

Gegen zehn Uhr sagte sie: Lieber Mann! ich werde so schläfrig und mir ist so wohl, sollte ich etwa nicht wieder erwachen, und träumend hinüber schlummern, so lebe wohl! — dann sahe sie ihn noch einmal mit ihren großen schwarzen Augen seelenvoll an, lächelte, drückte ihm die Hand, und schlief ein, nach etwa einer Stunde fing sie an zu zucken, seufzte tief, und schauderte; jetzt stand der Odem still, die Züge des Todes standen alle auf ihrem Gesicht, ihr Mund verzog sich noch zum Lächeln. Christine war nicht mehr.

Diesen Auftritt muß ein zärtlicher Ehegatte erfahren, sonst kann er sich keinen Begrif davon machen. In dem Augenblick trat Siegfried herein, schaute hin, fiel seinem Freund um den Hals, und beyde vergossen milde Thränen.

Du holder Engel! rief Siegfried über sie hin, und schluchzte, hast du nun ausgelitten? — Stilling aber küßte noch einmal ihre erblaßten Lippen und sagte:

Du Dulderin ohne Gleichen, Dank für deine treue Liebe, gehe ein zu deines Herren Freude!

Als Siegfried fort war, brachte man die beyden Kinder, er führte sie zur Leiche, sie sahen hin und schrien laut, nun setzte er sich, nahm auf jedes Knie eins, drückte sie an seine Brust, und alle drey weinten bittere Thränen. Endlich ermannte er sich und machte nun die Anstalten, die die Umstände erforderten.

Den 21sten October des Morgens in der Dämmerung trugen Stillings Rittersburger Freunde seine Gattin hinaus auf den Gottesacker und beerdigten sie in der Stille, diese letzte Trennung erleichterten ihm die beyden protestantischen Prediger, seine Freunde, welche bey ihm saßen, und ihn mit tröstenden Gesprächen unterhielten.

Mit Christinens Tod endigte sich nun eine große und wichtige Periode in Stillings Geschichte, und es begann allmählig eine eben so wichtige, welche die Zwecke seiner bisherigen schweren Führung herrlich und ruhig enthüllte.

Nach Christinens Tod suchte nun Stilling seine einsame Lebensart zweckmäßig einzurichten: er reiste nach Zweybrükken, wo er sehr gute und treue Freunde hatte; dort überlegte er mit ihnen, wo er seine Kinder am besten in eine Pension unterbringen könnte, damit sie ordentlich erzogen werden möchten; nun fand sich in Zweybrücken eine, dem Ansehen nach, sehr gute Gelegenheit, er machte also die Sache richtig, reiste dann zurück und holte sie ab; die Tochter war jetzt im neunten, der Sohn aber sieben Jahr alt.

Als er aber seine Kinder weggebracht hatte, und nun wieder in seine einsame und öde Wohnung kam, so fiel alles Leiden mit unaussprechlich wehmütiger Empfindung auf ihn zurück, er verhüllte sein Angesicht, weinte und schluchzte, so daß er sich kaum trösten konnte. Seine Haushaltung hatte er aufgegeben, die Magd weggeschickt, und die Leute, bey denen er wohnte, brachten ihm das Essen auf sein Zimmer; er war also in der Wildfremde ganz allein. Fast reuete es ihn, daß er seine Kinder und die Magd weggethan hatte, allein es war nicht anders möglich: seine Kinder musten Erziehung haben, dazu aber beschäftigte ihn sein Beruf zu sehr, und dann durfte er auch keiner Magd seine Haushaltung anvertrauen; so wie es jetzt war, war die Einrichtung freylich am besten, aber für ihn unerträglich, er war gewohnt, an der Hand einer treuen Freundin zu wandeln, und die hatte er nun nicht mehr; sein Leiden war unaussprechlich; zuweilen tröstete ihn sein Vater Wilhelm Stilling in einem Brief, und stellte ihm seine ersten Jugend-Jahre vor, wo er sich erinnern würde, wie lange und schwer er den Verlust seines seeligen Dortchens betrauert habe, doch habe die Zeit nach und nach die Wunde geheilet; es werde ihm auch so gehen; allein das half wenig, Stilling war jetzt einmal im Kummer, und sahe keinen Ausweg, wo er sich herauswinden könnte.

Dazu kam noch die traurige späte Herbstzeit, welche ohnehin vielen Einfluß auf seine Seelenstimmung hatte; wenn er zum Fenster hinaus in die entblätterte Natur blickte, so wars ihm, als wenn er ganz einsam unter Leichen wandelte, und nichts als Tod und Verwesung um sich her sähe, mit einem Wort: seine Wehmuth war nicht zu beschreiben.

Nach vier Wochen, mitten im November, an einem Sonnabend Nachmittag, stieg diese wehmüthige Empfindung aufs höchste, er lief aus und ein, und fand nirgends Ruhe; auf einmal gerieth er ins Beten, er verschloß sich also auf sein Zimmer, und betete mit der innigsten Inbrunst, und mit unaussprechlichem Vertrauen zu seinem himmlischen Vater; er konnte nicht zum Aufhören kommen. Wenn er auf dem Catheder war, so flehete sein Herz immer fort, und so wie er wieder in seine Schlafkammer kam, so lag er wieder da, rief und betete laut. Des Abends um sechs Uhr, als er sein letztes Collegium gelesen hatte, und nun eben in seine Stube getreten war, kam die Hausmagd und sagte ihm, es sey so eben ein junger Mann da gewesen, der nach ihm gefragt habe. Gleich darauf trat dieser hinein; mit einer freundlichen einnehmenden Miene sagte er: „Herr Professor! ich bin von R ... und habe die Adjunction auf eine Cameral-Bedienung; der Churfürstlichen Verordnung zufolge muß ich also wenigstens ein halb Jahr hier studiren, so schwer mir das auch fällt, denn ich habe zwar keine Kinder, aber doch eine Frau, so freue ich mich doch, mit Stilling in Bekanntschaft zu kommen. Nun habe ich eine Bitte an Sie: ich habe mit Bedauren gehört, daß ihre Frau Gemahlin gestorben ist, und daß Sie nun so einsam und traurig sind, wie wärs, wenn Sie mir und meiner Frau erlaubten, bey ihnen zu wohnen und mit ihnen an einen Tisch zu gehen? Wir hätten dann den Vortheil ihres Umgangs, und Sie hätten Gesellschaft und Unterhaltung. Ich darf mir schmeicheln, daß meine Frau ihren Beifall haben wird, denn sie ist edel und gutherzig."

Bey diesen Worten thaute Stillings Seele auf, und es war ihm, als wenn ihm jemand die Last seines Kummers auf ein-

mal von den Schultern gehoben hätte, er konnte kaum seine
hohe Freude verbergen. Er ging also mit Herrn Kühlenbach
ins Wirthshaus, um seiner Gattin aufzuwarten, die nun mit
Freuden die willige Aufnahme erfuhr. Des andern Tages zog
dieses edle brave Paar in Stillings Wohnung ein.

Nun ging alles wieder seinen ungehinderten muntern Gang
fort; Stilling war zwar noch immer wehmüthig, allein es war
Wonne der Wehmuth, in welcher er sich wohl befand. Jetzt
kam er nun auch so weit, daß er im Stande war, seine Lehrbücher der Reihe nach herauszugeben; die Honorarien, welche
er dafür empfangen hatte, machten ihm Muth zur Tilgung
seiner Schulden, denn er sahe ein unabsehbares Feld vor sich,
in welchem er lebenslang als Schriftsteller arbeiten, und also
jährlich sein Einkommen auf wenigstens 1500 Gulden bringen
konnte. Jetzt verauctionirte er auch seinen unnöthigen Hausrath, und behielt nichts mehr, als was er selbst nöthig
brauchte, und mit dem daraus gelösten Gelde bezahlte er die
dringendsten Schulden.

Diese ganz erträgliche Lebensart dauerte so fort, bis gegen
das Ende des Winters des 1782sten Jahres. Jetzt fing nun
Kühlenbach an vom Wegziehen zu reden; dies machte Stillingen Angst, denn er fürchtete, die grausame Schwermuth
möchte wieder eintreten; er suchte daher allerhand Pläne zu
entwerfen, die ihm aber alle nicht einleuchten wollten. Nun
bekam er gerade zu dieser Zeit einen Brief von Herrn
Eisenhart, in welchem ihm der Vorschlag gethan wurde,
wieder zu heirathen; Stilling sahe wol ein, daß dies das
Beste für ihn seyn würde, er entschloß sich auch nach vielen
Kämpfen dazu, und erwartete nun die Winke und Leitung
der Vorsehung.

Seine erste Gedanken fielen auf eine vortrefliche Witwe,
welche ein Kind, etwas Vermögen, den edelsten Character
hatte, und von sehr gutem Herkommen und ansehnlicher Familie war, sie hatte schon große Proben ihrer Häußlichkeit ab-

gelegt, und kannte Stillingen. Er schrieb also an sie; die brave Frau antwortete ihm, und gab solche wichtige Gründe an, die sie verhinderten, je wieder zu heirathen, daß Stilling als ein rechtschaffener Mann handeln, und schlechterdings abstehen muste. Dieser mißlungene Versuch machte ihn blöde, und er beschloß, behutsam zu verfahren.

Um diese Zeit ging eine Aufklärung in seiner Seele über eine Sache vor, die er bis daher nicht von ferne geahndet hatte: denn als er einsmals allein lustwandelte, und seinen zehnjährigen schweren Ehestand überdachte; so forschte er nach, woher es doch wol gekommen seyn möchte, daß ihn Gott so schwere Wege geführt habe, da doch seine Heirath so ganz von der Vorsehung veranstaltet worden? — Ist aber diese Veranstaltung auch wol wirklich wahr gewesen? — fragte er sich: kann nicht menschliche Schwäche, kann nicht Unlauterkeit der Gesinnungen mit im Spiel gewesen seyn? jetzt fiel es ihm wie Schuppen von den Augen: er erkannte im Licht der Wahrheit, daß sein Schwiegervater, seine seelige Christine und er selbst, damals, weder nach den Vorschriften der Religion, noch der gesunden Vernunft gehandelt hätten; denn es sey des Christen höchste Pflicht, unter der Leitung der Vorsehung, jeden Schritt und besonders die Wahl einer Person zur Heirath, nach den Regeln der gesunden Vernunft und der Schicklichkeit zu prüfen, und wenn dies gehörig geschehen sey, den Seegen von Gott zu erwarten. Das war aber ehemals alles vernachläßiget worden: Christine war ein unschuldiges unerfahrnes Mädchen, sie liebte Stillingen ins geheim, hing dieser Liebe nach, betete zu Gott um Erfüllung ihrer Wünsche, und so mischte sich Religion und Liebe in ihre hysterischen Zufälle. Das alles kannten weder ihre Eltern noch Stilling, sie sahen das für göttliche Eingebungen und Wirkungen an, und folgten. Zu spät zeigte sich das Unschickliche und Unvorsichtige in den betrübten Folgen. Christine hatte kein Vermögen, Stilling noch viel weniger; er muste mit andrer Leute Geld studiren, konnte nachher nicht kaufmännisch haushalten, und also weder sich nähren, noch Schulden bezahlen; Christine hingegen, welche kaufmännisch erzogen war, erwartete von ihrem Mann das große Planmäßige der Wirthschaft, und hielt nur mit dem Haus, was sie in der Hand bekam; sie hätte also jeden Kaufmann glücklich gemacht, aber niemals einen Gelehrten.

Doch erkannte Stilling bey dem allen sehr wohl, daß die schwere zehnjährige Führung, so wie die Schicksale seines ganzen Lebens, seinem Character und seiner ganzen Existenz unaussprechlich wohlthätig gewesen waren. Gott hatte seine eigene Unlauterkeit zur Seife gebraucht, um ihn mehr und mehr zu reinigen, auch seine theure verklärte Christine war auf der Feuer-Probe bestanden, und auf eben diesen Weg vollendet worden. Stilling brach also in lautem Dank aus gegen Gott, daß er alles so wohl gemacht habe.

Diese Entdeckung schrieb er nun auch an Herrn Friedenberg, allein dieser nahm das übel, er glaubte noch immer die Sache sey von Gott gewesen, nur er sey an allem Schuld, und er müsse sich bessern. Leser! ich bitte inständig, gegen diesen auch nunmehro verklärten edlen Mann keine Bitterkeit zu fassen; er war redlich und fromm, dafür wurde er von allen Menschen erkannt, geliebt und geehrt; allein wie leicht kann der rechtschaffenste irren — und welcher Heilige im Himmel hat nicht geirrt! Das wollte ihm aber am übelsten einleuchten, daß Stilling wieder zu heirathen entschlossen war.

Da nun der erste Versuch, eine Gattin zu finden, mißlungen war, so fing Stillings Hausfreund Kühlenbach an vorzuschlagen; er wüste nämlich in S . . . eine vortrefliche Jungfer, welche ein ziemliches Vermögen hätte, und diese, hoffte er, würde für Stilling seyn. Das muß ich noch bemerken, daß jetzt jedermann zu einer reichen Frau rieth, denn man urtheilte, dadurch würde ihm am ersten geholfen werden, er selbst glaubte, das sey das beste Mittel; freylich schauderte er oft für sich und seine Kinder, wenn er an eine reiche Gattin dachte, die vielleicht weiter keine gute Eigenschaften hätte, indessen verließ er sich auf Gott: Kühlenbach zog also die Ostern fort, und auf Pfingsten reiste Stilling nach Speyer um den zweyten Versuch zu machen, aber auch dieser nebst dem dritten schlug fehl, denn beyde Personen waren versprochen.

Jetzt machte Stilling ein großes Punctum hinter diese Bemühungen; es war ganz und gar seine Sache nicht, Körbe zu holen, er trat also mit gebeugtem Herzen vor Gott, und mit dem innigsten kindlichen Zutrauen zu seinem himmlischen Vater, sagte er: Ich übergebe dir, mein Vater! mein Schicksal ganz, ich habe nun gethan, was ich konnte, jetzt erwarte ich deinen Wink, ist es dein Wille, daß ich wieder heirathen soll, so führe du mir eine treue Gattin zu, soll ich aber einsam bleiben, so beruhige mein Herz!

Zu der Zeit wohnte die vortrefliche Frau geheime Staatsräthin Sophie von la Roche, mit ihrem Gemahl und noch unverheirateten Kindern in Speyer. Stilling hatte sie besucht, da er aber ihre vertraute Freundschaft noch nicht genoß, so hatte er ihr von seinem Vorhaben nichts gesagt.

Den ersten Posttag nach obigem Gebet und kindlicher Ueberlassung an die Vorsehung, bekam er ganz unerwartet einen Brief von jener vortreflichen Dame, er öfnete ihn begierig, und fand unter andern mit Erstaunen folgendes:

„Ihre hiesigen Freunde sind nicht so vorsichtig gewesen, als Sie bey mir waren, denn hier ist es eine allgemein bekannte Sache, daß Stilling da und dort vergebliche Heiraths-Anträge gemacht habe. Das ärgert mich, und ich wollte es wäre nicht geschehen.

Müssen Sie durchaus eine vermögende Frau haben, oder wäre Ihnen eine meiner Freundinnen recht, die ich Ihnen nun nach der Wahrheit schildern will? — Sie ist sehr tugendhaft, hübsch, und von einer edlen alten gelehrten Familie, und vor-

treflichen Eltern, der Vater ist tod, aber ihre verehrungswürdige kränkliche Mutter lebt noch, sie ist ungefähr 23 Jahr alt,
und hat viele Leiden erduldet; sie ist sehr wohl erzogen, zu
allen weiblichen Arbeiten ausnehmend geschickt, eine sehr
sparsame Haushälterin, gottesfürchtig und ein Engel für ihre
beyden Kinder; sie hat nicht viel Vermögen, wird aber
ordentlich ausgestattet u. s. w. Ersetzen Ihnen alle diese
Eigenschaften, für deren Wahrheit ich stehe, etliche tausend
Gulden, so geben Sie mir darüber Nachricht, ich will sie Ihnen
alsdann nennen, und sagen, was Sie zu thun haben u. s. w."
Wie es Stillingen nach dem Lesen dieses Briefes zu Muthe
war, das läßt sich nicht beschreiben; vor ein paar Tagen hatte
er seine Heiraths-Angelegenheiten so feyerlich an die Vorsehung übergeben, und nun zeigte sich ihm eine Person, die
gerade alle Eigenschaften hatte, wie er sie wünschte. Freylich
fiel ihm der Gedanke ein, aber sie hat wieder kein Vermögen,
wird also meine Qual nicht fortdauern? — Indessen durfte er
jetzt nach seinen Grundsätzen nicht räsonniren, sie war der
Gegenstand, auf welchen der Finger seines Führers hinwieß,
er folgte also und zwar sehr gerne. Nun zeigte er auch Herrn
Siegfried, seiner Gattin, und dem lutherischen Prediger, nebst
seiner Ehefreundin, diesen Brief, denn diese vier Personen
waren seine innigsten Freunde. Alle erkannten den Wink der
Vorsehung sehr lebhaft, und ermahnten ihn zu folgen. Er
entschloß sich also im Namen Gottes, setzte sich hin, und
schrieb einen sehr verbindlichen Brief an die Frau von la
Roche, in welchem er sie bat, ihn mit der theuren Person bekannt zu machen, denn er wolle dem Wink der Vorsehung
und ihrem Rath gehorchen. Acht Tage darauf erhielt er Antwort; die vortrefliche Frau schrieb ihm: ihre Freundin heiße
Selma von St Florentin, und sey die Schwester des dasigen
Herrn Raths-Consulenten dieses Namens; alles, was sie ihm
von ihr geschrieben habe, sey wahr, sie habe ihr auch seinen
Brief gezeigt, ihr nunmehr etwas von der Sache gesagt, und

sie habe sich geäußert, daß es ihr nicht zuwider sey, wenn sie Stilling einmal besuchte. Die Frau von la Roche rieth ihm also, nach Reichenburg zu reisen, wo sich Selma jetzt in dem Gasthof zum Adler aufhalte, weil der Gasthalter dieses Hauses ihr Verwandter sey. Stilling war von jeher in allen seinen Unternehmungen rasch und feurig, flugs nahm er also Extrapost, und fuhr nach Reichenburg, welches eine Tagereise von Rittersburg, und vier Stunden von S . . . entlegen war. Er kam also am Abend dort an, und kehrte im gedachten Gasthof ein. Jetzt war er nun in Verlegenheit, er durfte nicht nach der Person fragen, die er suchte, und ohne dieses hätte seine Reise leicht vergeblich seyn können, indessen hofte er, sie werde wol zum Vorschein kommen, und Gott werde seinen Gang ferner leiten. Da es nun noch früh war, so ging er zu einem vertrauten Freunde, diesem entdeckte er sein Vorhaben, und ob gleich dieser Freund einen andern Plan mit ihm vor hatte, so gestund er doch ein, daß Selma alles das sey, was ihm die Frau von la Roche geschrieben habe, ja sie sey eher noch mehr, als weniger, bey dem allen aber nicht reich. Stilling freute sich von Herzen über dieses Zeugniß und antwortete: wenn sie schon nicht reich ist, laßt sie nur eine gute Haushälterin seyn, so wird dennoch alles gut gehen.

Er ging nun wieder in den Gasthof zurück; ohngeachtet aller Aufmerksamkeit aber, konnte er nicht das geringste von ihr hören und sehen. Um neun Uhr ging man an die *Table d'hote*, die Tischgesellschaft war angenehm und auserlesen, er saß wie im Feuer, denn auch jetzt erschien Selma nicht, ihm wurde weh, und er wuste nicht, was er beginnen sollte. Als es aber endlich zum Desert kam, fing ein ehrwürdiger Greiß an, der ihm zur linken saß: „Mir ist ein artiger Spaß passirt, ich entschloß mich heute, der Frau von la Roche in S . . . meine Aufwartung zu machen, und da nun unsere artige Tischgesellschafterin, die Mademoiselle von St. Florentin (hier spitzte Stilling die Ohren gewaltig) hörte, daß ich diesen Abend wie-

der hierher zurückführe, so ersuchte sie mich, sie mitzunehmen, weil sie gerne ihren Bruder den Herrn Consulenten besuchen möchte. Diese Gesellschaft war mir sehr angenehm, sie
fuhr also diesen Morgen mit mir nach S... ging dann zu
ihrem Bruder, und ich zur Frau von la Roche. Des Mittags
über Tisch ließ sie mir sagen, sie ginge mit ihrem Bruder des
Weges nach Reichenburg spazieren, in einem gewissen Dorf
wolle sie auf die Kutsche warten, ich möchte also da anhalten
und sie wieder mit nehmen. Ich sagte das auch dem Kutscher,
der aber vergißt es, und nimmt einen andern Weg, folglich
müssen wir nun jetzt ihre Gesellschaft entbehren."

Nun wurde noch vieles zu Selma's Ruhm gesprochen, so
daß Stilling genug zu hören hatte, jetzt wuste er, was er wissen muste, sein Gegenstand war in S... Er machte sich also
so geschwind als er konnte, auf sein Zimmer, nicht um zu
schlafen, sondern um zu denken; denn er überlegte nun, ob es
vielleicht ein Wink der Vorsehung sey, daß er sie nicht angetroffen habe, um ihn wieder von ihr abzuziehen? er quälte
sich die ganze Nacht mit diesem Gedanken, und wuste nicht,
ob er gerades Weges wieder nach Hause zurückkehren, oder
erst nach S... gehen sollte, um vorher mit der Frau von la
Roche zu sprechen? endlich behielt letzterer Entschluß die
Oberhand, er stand also des Morgens um vier Uhr auf, zahlte
seine Zeche, und ging zu Fuß nach S... wo er also den 25sten
Junius 1782 des Morgens um 8 Uhr ankam.

So wie er zur Frau von la Roche ins Zimmer trat, schlug
diese die Hände zusammen, und rief ihm mit ihrer unaussprechlich holden Miene entgegen: Ey Stilling! wo kommst
du her? — Stilling versetzte: Sie haben mich nach Reichenburg
gewiesen, da ist aber Selma nicht, sie ist hier. —

„Hier ist Selma? — wie geht das zu?"

Nun erzählte er ihr den ganzen Hergang.

„Stilling, das ist vortreflich — das ist ein Wink der Vorsehung, ich hab darüber nachgedacht, im Gasthof zu Reichen-

burg hätten Sie sie ja nicht einmal ansehen, geschweige mit ihr reden dürfen, hier aber läßt sich alles machen."

Diese Worte heiterten ihn völlig auf, und beruhigten sein Herz.

Nun machte Sophie Anstalt zu einer Zusammenkunft: der andre Consulent, der Herr P. . ., ein College des Herrn von St Florentin, nebst seiner Gattin, waren sehr gute Freunde von der Frau von la Roche, und auch von Selma; an diese schrieb sie also ein Billet, in welchem sie ihnen sagte, daß Stilling da sey; und sie ersuchte, Selma nebst ihrem Bruder davon zu benachrichtigen, und sie zu bitten, gegen zehn Uhr in ihrem Garten zu spatziren, er, der Herr Consulent P. . ., möchte dann Stillingen auch dahin abholen.

Alles das geschah; die Frau Consulentin P. . . holte Selma und ihren Bruder, und Herr P. . . Stillingen ab.

Wie ihm auf dem Wege zu Muthe war, das weiß Gott. P. . . führte ihn also zum Thor hinaus und linker Hand an die Mauer fort, gegen Mittag in einen sehr schönen Baumgarten mit Nebengeländer und einem Gartenhause. Die Sonne schien am unbewölkten Himmel, und es war einer der schönsten Sommertage.

Bey dem Eintritt sahe er dort Selma mit einem gelbröthlichen seidenen Kleide und einem schwarzen Binsenhuth bekleidet, voller Unruh unter den Bäumen wandeln, sie rung die Hände mit äußerster Gemüthsbewegung; an einem andern Ort ging ihr Bruder mit der Frau Consulentin umher. So wie sich Stilling näherte und sich ihnen zeigte, stellten sich alle in Positur, ihn zu empfangen. Nachdem er rund umher ein allgemeines Kompliment gemacht hatte, trat er zu Selma's Bruder; dieser Herr hatte ein majestätisches sehr schönes Ansehen, er gefiel ihm bey dem ersten Anblick aus der Maßen, er trat also zu ihm, und sagte: Herr Consulent, ich wünsche Sie bald Bruder nennen zu können! — Diese Anrede die nur Stilling thun konnte, muste einen Mann von so feiner Erziehung und Weltkenntniß nothwendig frappiren; er bückte sich also, lächelte und sagte: Ihr gehorsamer Diener, Herr Professor! das wird mir eine Ehre seyn.

Nun gingen P. . . . und seine Gattin und von Florentin schleunig fort ins Gartenhaus, und ließen Stilling und Selma allein.

Jetzt trat er zu ihr, präsentirte ihr seinen Arm, und führte sie langsam vorwärts; eben so gerade und ohne Umschweife sagte er zu ihr: Mademoiselle! Sie wissen, wer ich bin, (denn sie hatte seine Geschichte gelesen) Sie wissen auch den Zweck meiner Reise, ich habe kein Vermögen, aber hinlängliches Einkommen und zwey Kinder, mein Character ist so, wie ich ihn in meiner Lebensgeschichte beschrieben habe, können Sie sich entschließen, meine Gattin zu werden, so halten Sie mich nicht lange auf, ich bin gewohnt, ohne Umschweife zum Ziel zu eilen, ich glaube, Ihre Wahl wird Sie nie gereuen, ich fürchte Gott, und werde suchen, Sie glücklich zu machen.

Selma erholte sich aus ihrer Bestürzung, mit einer unaussprechlich holden Miene schlug sie ihre geistvolle Augen empor, reckte die rechte Hand mit dem Fächer in die Höhe, und sagte: was die Vorsehung will — das will ich auch!

Indem kamen sie auch im Gartenhause an, hier wurde er nun besehen, ausgeforscht, geprüft und auf allen Seiten beleuchtet. Nur Selma schlug die Augen nieder, und sagte kein Wort. Stilling stellte sich ungeschminkt dar, wie er war, und heuchelte nicht. Jetzt wurde nun die Abrede genommen, daß Selma mit ihrem Bruder, Nachmittags nach Tische, zur Frau von la Roche kommen, und daß alsdann weiter von der Sache geredet werden sollte. Damit ging jeder wieder nach Hause.

Sophie fragte gleich beym Eintritt ins Zimmer: wie hat Ihnen meine Selma gefallen?

„Vortreflich! sie ist ein Engel!"

Nicht wahr? ich hoffe, Gott wird sie Ihnen zuführen.

Nach Tisch wurde nun Selma sehnlich erwartet, aber sie

kam nicht. Sophie und Stilling geriethen in Angst, beyden drungen die Thränen in den Augen; endlich that die vortrefliche Frau einen Vorschlag, wenn allenfalls Selma nicht einwilligen würde, der ihre Engels-Seele ganz zeigte, wie sie ist; allein Bescheidenheit und andre wichtige Gründe verbieten mir, ihn zu entdecken.

In dem Zeitpunct, als Stillings Angst aufs höchste gestiegen war, trat Herr von St Florentin mit seiner Schwester zur Thüre herein, Sophie grif den Consulenten am Arm, und führte ihn ins Nebenzimmer, und Stilling zog Selma neben sich auf den Sofa.

War das Kaltsinn, oder was wars, fing er an, daß Sie mich so ängstlich harren ließen?

„Nicht Kaltsinn" — (die Thränen drungen ihr in die Augen) „ich muste in eine Visite gehen, und da wurde ich aufgehalten; meine Empfindung — ist unaussprechlich."

Sie entschließen sich also wol, die Meinige zu werden?

„Wenn meine Mutter einwilligt, so bin ich ewig die Ihrige!"

Ja, aber ihre Frau Mutter?

„Die wird nichts einwenden."

Mit unaussprechlicher Freude umarmte und küßte er sie, und indem trat Sophie mit dem Consulenten ins Zimmer. Diese standen da, schauten hin und starrten!

So weit sind Sie schon? — rief Sophie mit hoher Freude.

Ja! — Ja! im Arm führte er sie ihr entgegen.

Nun umfaßte die erhabene Seele beyde, schaute in die Höhe, und sagte mit Thränen und innigster Bewegung: Gott seegne euch, meine Kinder! mit himmlischer Wonne wird die verklärte Christine jetzt auf ihren Stilling herabsehen, denn sie hat dir, mein Sohn, diesen Engel zum Weibe erbeten.

Dieser Auftrit war Herz und Seelen erschütternd; Selma's Bruder hing sich auch an diese Gruppe an, weinte, seegnete, und schwur Stillingen ewige Brudertreue.

Nun setzte sich Sophie, sie nahm ihre Selma auf ihren

Schoß, die ihr Gesicht in Sophiens Busen verbarg, und ihn mit Thränen netzte.

Endlich ermannten sich alle; Stillings Zug zu dieser vortreflichen Seele, seiner nunmehrigen Braut war unbegränzt, ob er gleich ihre Lebensgeschichte noch nicht wuste. Sie hingegen erklärte sich, sie empfände eine unbeschreibliche Hochachtung und Erfurcht gegen ihn, die sich bald in herzliche Liebe verwandeln würde; dann trat sie hin, und sagte mit Würde: ich werde bey Ihren Kindern Ihre seelige Christine so ersetzen, daß ich sie ihr an jenem Tage getrost wieder zuführen kann.

Jetzt schieden sie von einander; Selma fuhr noch diesen Abend nach Reichenburg, von da wollte sie nach Creutznach zu ihrer Mutter-Schwester reisen, und dort ihre Brauttage verleben. So wie sie fort war, schrieb Stilling noch einen Brief an sie, der ihr des andern Tages nachgeschickt wurde, und nun reiste er auch froh und vergnügt nach Rittersburg zurück.

Als er nun wieder allein war, und den ganzen Vorfall genau überlegte, so fielen ihm seine vielen Schulden centnerschwer aufs Herz — davon er seiner Selma kein Wort entdeckt hatte; das war nun zwar sehr unrecht, ein in Wahrheit unverzeihlicher Fehler, wenn man das einen Fehler nennen will, was moralisch unmöglich ist. Selma kannte Stillingen nur aus seinen Schriften, und aus dem Gerücht, sie sah ihn an dem Tage, da sie sich mit ihm versprach, das erstemal, hier fand das, was man zwischen jungen Leuten Liebe heißt, nicht statt, der ganze Vorgang war Entschluß, Ueberlegung, durch vernünftige Vorstellung entstandenes Resultat; hätte er nun etwas von seinen Schulden gesagt, so wäre sie gewiß zurück geschaudert; dies fühlte Stilling ganz — aber er fühlte auch, was eine Entdeckung von der Art, dann, wann sie nicht wieder zurückziehen konnte, für Folgen haben würde. Er war also in einem erschrecklichen Kampf mit sich selbst, fand sich aber zu schwach, die Sache zu offenbaren.

Indessen erhielt er den ersten Brief von ihr; er erstaunte über den Geist, der ihn ausgeboren hatte, und ahndete eine glückliche Zukunft; Freiheit der Empfindungen ohne Empfindeley, Richtigkeit und Ordnung im Denken, wohlgefaßte und reife Entschlüsse, herrschten in jeder Zeile, und jeder, dem er den Brief zu lesen anvertraute, prieß ihn seelig.

Indessen kam die Einwilligung von der Frau Cammer-Directorin von St Florentin, sie wurde Stillingen bekannt gemacht, und nun war alles richtig. Er reiste also nach Creutznach zu seiner Braut, um einige Tage bey ihr zuzubringen, und sich näher mit ihr bekannt zu machen. Jetzt lernte er sie nun recht kennen, und er fand, in welchem Uebermaaß er für alle seine bisherige schwere und langwierige Leiden von der ewigen Vaterliebe Gottes sey belohnet worden; seine Schulden aber konnte er ihr ohnmöglich entdecken, er betete also unabläßig zu Gott, daß er doch diese Sache so wenden möchte, damit sie ein gutes Ende gewinnen möge.

Die Frau Tante war auch eine sehr würdige angenehme Frau, die ihn recht lieb gewann, und sich dieses Familien-Zuwachses freute.

Nahe bey dieser Tante wohnte ein Kaufmann, Namens Schmerz, ein Mann von vielem Geschmack und Kenntnissen. Dieser hatte Stillings Geschichte gelesen, er war ihm also merkwürdig; daher lud er ihn einstmals an einem Abend, nebst seiner Braut und der Tante in seinen schönen und vielen Kennern wohlbekannten Garten ein. Dieser liegt an der Nordwestseite der Stadt, ein Theil des alten Stadtgrabens ist dazu benutzt worden. Wenn man nordwärts zum Linger-Thor hinausgeht, so trift man alsofort eine Thür an, so wie man hineintrit, kommt man in ein Buschwerk; linker Hand hinauf hat man einen erhabenen Hügel, und rechts etwas tiefer einen Rosenplatz mit einer Bauernhütte. Dann wandelt man einen ebenen Fußsteig zwischen den Büschen allmälig hinab ins Thal, und nun stößt man auf einen Pumpbrunnen, bey welchem sich ein Ruhesitz in einer Laube befindet. Auf einer Tafel, die hier aufgehangen ist, steht folgender Reim, vom seeligen Herrn Superintendenten Göz zu Winterberg, eingegraben:

Immer rinnet diese Quelle,
Niemals plaudert ihre Welle;
Komm, Wandrer, hier zu ruhn,
Und lern an dieser Quelle
Stillschweigend Gutes thun.

Dann kehrt man sich nordwärts queer über in die Mitte des Thals, wandelt dann zwischen Blumen und Gemüßbeeten etwas durch dasselbe fort, und nun führt der Weg ganz nordwärts an eine steile Felsenwand, in welche eine zierliche Kammer eingehauen ist, und deren Wände mit allerhand Gemählden überzogen sind, hier steht ein Canapee mit Stühlen und einem Tisch.

Wenn man aus dieser Felsenkluft wieder heraustrit, so kommt man nun in einen langen geraden Gang, der durch größere Bäume und Gesträuche fortführt, sich gegen Südwesten richtet, und oben auf einen Quergang mit Rosensitzen stößt, hinter diesen Sitzen steigt ein Wald von italienischen Pappeln ungemein reitzend in die Höhe, der sich oben an die alte Stadtmauer und an ein Gebäude anschließt; unten in diesem Wald, nahe hinter der Rasenbanke, kuckt eine schöne aus einem grauen Sandstein gehauene Urne aus dem Gebüsche hervor. Diese Urne sieht man, sobald man aus der Felsenkammer herab, in den großen Gang eintrit; auf dem Wege durch diesen Gang trift man linker Hand, gegen den Hügel zu, ein Grabmal mit Ruhesitzen und Inschriften an, rechter Hand aber führt ein kleiner Fußpfad zu des Diogenes Faß, welches groß genug ist, um darinnen allerhand Betrachtungen anzustellen; von hier führt ein steiler Fußpfad westwärts hinauf, zu einer verdorrten hohlen Eiche, in welcher ein Einsiedler in Lebensgröße mit einem langen Bart an einem

Tischgen sitzt, und dem, der die Thür öfnet, ein Compliment macht.

Dann führt der Pfad linker Hand, oberhalb dem Pappelwald, zwischen diesem und der Stadtmauer herum, auf dem südlichen, allenthalben an seinen Abhängen, mit Gebüschen verwachsenen Hügel; auf demselben befinden sich nun Gartenbeete, Nebengeländer in dunkle gewölbte Gänge gebildet; eine Eremitage, eine Schaukel, Bänke und Stühle von mancherley Art u. d. g. Dann stehen zwo von Erde und Rasen hoch aufgeführte Pyramiden da, deren jede oben eine Altane hat, zu welchen man auf einer Treppe hinaufsteigt, hier ist nun die Aussicht über die Stadt, das Nohthal und die vorbeyströmende Noh überirrdisch; damals schritt ein erschrecklich langbeinnigter zahmer Storch um den Fuß dieser Pyramiden herum.

In diesem reizenden Aufenthalt hatte Schmerz, wie oben gemeldet, Stilling, Selma und die Tante auf einem Abend eingeladen. Nachdem sie nun genug herum gewandelt, alles besehen hatten, und es nun ganz dunkel geworden war, so führte man sie in die Felsenkluft, wo sie mit Erfrischungen bedient wurden, bis es völlig Nacht war; endlich trat Schmerz herein und sagte: Freunde! kommen sie doch einmal in den Garten, um zu sehen, wie die Nacht alles verschönert! Alle folgten ihm, Stilling ging voran, zu seiner linken Schmerz und zur rechten Selma, die andern folgten nach. So wie sie in den langen Gang eintraten, überraschte sie ein Anblick bis zum höchsten Erstaunen; die Urne oben im Pappelwäldgen, war mit vielen Lampchen erleuchtet, so daß der ganze Wald, wie grünes Gold, schimmerte.

Der Schmerz hatte Stillingen seine Urne erleuchtet, und neben ihn wandelte nun seine Salome*) die Verkündigerin eines zukünftigen hohen Friedens!!!

Schöner! schöner, rührender Gedanke!

*) Salome, heißt Friede — Friedenreich.

Als nun alle ihre frohe Verwunderungs-Ausrüfe geendigt hatten, so begann hinter der Urne aus dem Dunkeln des Waldes her, mit unvergleichlich reinen blasenden Instrumenten eine rührende Musik, und zwar die vortrefliche Arie aus Zemire und Azor, welche hinter dem Spiegel gesungen wird; zugleich war der Himmel mit Gewitterwolken überzogen, und es donnerte und blitzte darzwischen. Stilling schluchzte und weinte, die Scene war für seine Seele und für sein Herz zu gewaltig, er küßte und umarmte bald Schmerzen, bald seine Selma, und floß für Empfindung über.

Jetzt entdeckte er wieder etwas neues an seiner Braut, sie fühlte das alles auch, war auch gerührt; aber sie blieb ganz ruhig, ihre Empfindung war kein herabstürzender Felsenstrom, sondern ein ruhig fortrieselnder Bach im Wiesenthal.

Zween Tage vor seiner Abreise von Creuznach, saß er des Morgens mit der Tante und seiner Braut im Vorhause; jetzt trat der Briefträger herein, und überreichte einen Brief an Selma; sie nahm ihn an, erbrach ihn, las, und entfärbte sich; dann zog sie die Tante mit sich fort in die Stube, kam bald wieder heraus, und ging hinauf auf die Schlafkammer. Jetzt kam auch die Tante, setzte sich neben Stilling und entdeckte ihm, daß Selma von einem Freunde einen Brief empfangen habe, in welchem ihr bekannt gemacht worden, daß er in vielen Schulden stecke; dies sey ihr aufgefallen, er möchte also geschwinde zu ihr hinaufgehen und mit ihr sprechen, damit sie nicht wieder rückfällig würde, denn es gebe viele brave Männer die dieses Unglück hätten, so etwas müsse keine Trennung machen u. s. w. Jetzt stieg Stilling mit einer Empfindung die Treppe hinauf, die derjenigen völlig gleich ist, womit ein armer Sünder vor dem Richter geführt wird, um sein Urtheil zu hören.

Als er ins Zimmer hineintrat, so saß sie an einem Tischgen, und lehnte den Kopf auf ihre Hand.

Verzeihen Sie, meine theuerste Selma! fing er an, daß ich

Ihnen von meinen Schulden nichts gesagt habe, es war mir unmöglich, ich hätte Sie ja denn nicht bekommen, Ihr Besitz ist mir unentbehrlich; meine Schulden sind nicht aus Pracht und Verschwendung, sondern aus äußerster Noth entstanden; ich kann viel verdienen, und bin unermüdet im Arbeiten, bey einer ordentlichen Haushaltung werden sie in einigen Jahren getilgt seyn, und sollt ich sterben, so kann ja niemand Forderung an Sie machen — Sie müssen sich also die Sache so vorstellen, als wenn sie jährlich einige hundert Gulden weniger Einnahme hätten, weiter verliehren Sie nichts dabey, mit tausend Gulden kommen Sie in der Haushaltung fort, und das übrige verwende ich dann zu Bezahlung der Schulden. Indessen, liebe, theure Seele! ich gebe Sie in dem Augenblick frey; und wenn es mir auch mein Leben kosten sollte, so bin ich doch nicht fähig, Sie bey Ihrem Wort zu halten, so bald es Sie reuet.

Damit schwieg er still und erwartete sein Urtheil.

Mit innigster Bewegung stand sie jetzt auf, blickte ihn mit holder und durchdringender Miene an, und antwortete:

„Nein, ich verlasse Stilling nicht — Gott hat mich dazu bestimmt, daß ich Ihre Last mit Ihnen tragen soll — Wohlan! — ich thue es gerne, haben Sie guten Muth, auch das werden wir mit Gott überwinden."

Wie es jetzt Stilling war, das läßt sich kaum vorstellen, er weinte, fiel ihr um den Hals und rief: Engel Gottes!

Nun stiegen sie Hand an Hand die Treppe herunter, die Tante freute sich innig über den glücklichen Ausgang dieser verdrießlichen und gefährlichen Sache, sie tröstete beyde süß und aus Erfahrung.

Wie weise leitete jetzt wieder die Vorsehung Stillings Schicksal! — sage mir einmal einer, daß sie nicht Gebete erhört! — eine frühere Entdeckung hätte alles wieder zerschlagen, und eine spätere vielleicht Verdruß gemacht. Jetzt war gerade die rechte Zeit.

Stilling reiste nun wieder ruhig und vergnügt nach Rittersburg zurück, und machte Anstalten zur Vollziehung seiner
Heirath, welche bey der Tante zu Creutznach vor sich gehen
sollte.

Den Raum, vom jetzigen Zeitpunct bis dahin, will ich indessen mit

Selma's Lebensgeschichte

ausfüllen. In der Mitte des vorigen Jahrhunderts lebten in
Frankreich zween Brüder, beyde von uraltem italienischen
Adel, sie nannten sich Ritter von St. Florentin genannt Tan-
sor. Einer von ihnen wurde Hugenotte, und muste deswegen
flüchtig werden; ohne Haab und Gut, ohne Vermögen nahm
er seine Zuflucht ins Hessische, wo er sich zu Ziegenhain nie-
derließ, eine Handlung anfing, und eine ehrbare Jungfrau
bürgerlichen Standes heirathete; einer seiner Söhne, oder gar
sein einziger Sohn, studirte die Rechtsgelahrheit, wurde ein
großer thätiger rechtschaffener Mann, und Syndicus in der
Reichsstadt Worms; hier überfiel ihn am Ende des vorigen
Jahrhunderts das große Unglück, daß er bey Verheerung dieser Stadt, durch die Franzosen, seine in der Asche liegende
Wohnung mit seinem Weibe und vielen Kindern mit dem
Rücken ansehen muste. Er zog also nach Frankfurth am Mayn,
wo er abermal Syndikus, vieler Reichsstädte Rath, und ein
großer ansehnlicher Mann wurde. Unter seinen vielen Söhnen
war einer ebenfalls ein geschickter Rechtsgelehrter, welcher in Marburg eine zeitlang eine Regierungs-Assessor-
Stelle bekleidete, und nachher den Ruf als Canzeley-Direc-
tor zu Usingen annahm.

Ein Sohn von diesem, Namens Johann Wilhelm, war der
Vater unsrer Selma; erstlich bediente er eine Cammerraths-
Stelle zu W . . ., und wurde hernach, als Cammer-Director,
ins Fürstenthum Rothingen in Ober-Schwaben berufen. Er
war ein Mann von durchdringendem Verstand, feurigen Ent-
schlüssen, rascher Ausführung und unbestechlicher Redlich-

keit, und da er beständig am Hofe lebte, so war er auch
zugleich ein sehr feiner Weltmann, und sein Haus war ein
Lieblings-Aufenthalt der edelsten und besten Menschen. Seine
Gattin war ebenfalls edel, gutherzig, und von sehr feinen Sitten.

Diese Eheleute hatten fünf Kinder, zween Söhne und drey
Töchter, welche auch noch alle leben; alle fünfe bedürfen
meines Lobes nicht, sie sind vortrefliche Menschen. Die
älteste Tochter hat einen Rath und Amtmann im Fürstenthum U . . ., der älteste Sohn ist Consulent in S . . ., der
zweyte Sohn Cammerrath zu Rothingen, die zweyte Tochter
hat einen braven Prediger in Franken, und das jüngste Kind
ist Selma.

Der Cammer-Director von St Florentin hatte sein ehrliches
Auskommen, aber er war zu redlich, um Schätze zu sammeln,
als er daher im Jahre 1776 plötzlich starb, so fand seine Witwe wenigen Vorrath, sie empfing zwar ein Gnaden-Gehalt,
womit sie auskommen konnte, und alle ihre Kinder waren
versorgt, nur Selma noch nicht, für diese fanden sich auch
zwar allerhand Anschläge, allein sie war erst im sechzehnten
Jahre, und über das gefielen ihr alle diese Versorgungs-Mittel
nicht.

Nun hatten sie ehemals eine sehr reiche weitläuftige Anverwandtin gehabt, welche in ihrem 50sten Jahre einen jungen
Cavalier von 27 Jahren geheyrathet hatte; dieser wohnte
jetzt in Niedersachsen auf ihren Gütern, in einem sehr schönen Schloß. Die St Florentinsche Familie wuste indessen von
dieser Frau weiter nichts, als alles gute; da nun diese Dame,
welche zugleich Selma's Gothe war, den Tod des Cammer-
Directors erfuhr, so schrieb sie im Jahr 1778 an die Witwe,
und bat sie, ihr ihre Selma zu schicken, sie wolle für sie sorgen
und sie glücklich machen.

Die Frau von St Florentin konnte sich fast unmöglich entschließen, ihre so zärtlich geliebte Tochter, über siebenzig

deutsche Meilen weit, weg zu schicken, indessen da ihr alle ihre Freunde und Kinder ernstlich dazu riethen, so ergab sie sich endlich. Selma kniete vor ihr hin, und die ehrwürdige Frau gab ihr unter tausend Thränen ihren Segen. Im October des 1778sten Jahres reiste sie also, unter sicherer Begleitung, nach Nieder-Sachsen, und sie war gerade in Frankfurth, als Stilling mit Frau und Kindern hier durch, und von Schönenthal nach Rittersburg zog.

Nach einer langen und beschwerlichen Reise kam sie endlich auf dem Schlosse der Frau Obristin, ihrer Gothe, an; ihr Gemahl war in Amerika, und dort tod geblieben. Hier merkte sie aber bald, daß sie ihre Erwartung getäuscht hatte, denn sie wurde auf allerley Weise mißhandelt. Dies war eine hohe Schule, und eine harte Prüfung für das gute Mädchen. Sie war gut erzogen, jedermann hatte ihr schön gethan, und hier hatte niemand Gefühl für ihre Talente; zwar gabs Leute genug, die sie schätzten, allein die konnten sie nur trösten, aber nicht helfen.

Dazu kam noch eine Geschichte: ein junger Cavalier machte ihr ernstliche Heiraths-Anträge, diese nahm sie an, die Heirath wurde zwischen beiderseitigen Familien beschlossen, und sie war wirklich seine Braut. Nun verreiste er, und auf dieser Reise trug sich etwas zu, daß ihn von Selma wieder abzog, die Sache zerschlug sich.

Ich verschweige die wahre Ursache dieser Untreue, der große Tag wird sie entwickeln.

Nach und nach stiegen die Leiden der guten frommen Seele aufs höchste, und zugleich erfuhr sie, daß ihre Gothe weit mehr Schulden als Vermögen habe; jetzt hatte sie keine Ursache mehr zu bleiben, sie beschloß also, wieder zu ihrer Mutter zu ziehen.

Die Bescheidenheit verbietet mir, umständlicher in der Beschreibung ihrer Leiden und Aufführung zu seyn; dürfte ich es wagen, alles zu sagen, so würden meine Leser erstaunen.

Aber sie lebt, und erröthet schon über das, was ich doch nothwendig, als Stillings Geschichtschreiber, sagen muß.

Zugleich wurde sie auch noch kränklich, es schien, als wenn ihr der Kummer eine Auszehrung zuziehen würde. Doch begab sie sich auf die Reise, nachdem sie zwey Jahre im Ofen des Elends ausgehalten hatte. Zu Cassel aber blieb sie, im Hause eines vortreflichen frommen und rechtschaffenen Freundes, des Herrn Regierungs-Raths M . . . liegen; drey viertel Jahr hielt sie sich daselbst auf, während welcher Zeit sie gänzlich wieder curirt wurde.

Nun reise sie weiter, und kam endlich zu ihrem Bruder nach S . . ., wo sie sich abermals eine geraume Zeit aufhielt. Hier fanden sich zwar verschiedene Gelegenheiten zur anständigen Versorgung, aber alle waren ihr nicht recht; denn ihre hohe Begriffe von Tugend, von ehelicher Liebe, und von Ausbreitung des Wirkungskreises, fürchtete sie bey allen diesen Anschlägen vereitelt zu sehen; sie wollte also lieber zu ihrer Mutter ziehen.

Nun besuchte sie die Frau von la Roche oft, und sie war auch gerade zugegen, als der verehrungswürdigen Dame erzählt wurde, daß Stilling daselbst Anschläge zum Heirathen gemacht hätte; Selma bezeigte einen Unwillen über dieses Geschwätz, und verwunderte sich, als sie hörte, daß Stilling in der Nähe wohne.

Jetzt fiel der Frau von la Roche der Gedanke ein, daß sich Selma für Stilling schicke, sie schwieg also still, und schrieb den ersten Brief an ihn, worauf er alsofort antwortete; als sie diese Antwort erhielt, war Selma gerade in Reichenburg. Sophie übergab also Stillings Entschluß der Frau Consulentin P . . ., ihrer beyderseitigen Freundin. Diese eilte sofort nach Reichenburg, und traf des Morgens früh ihre Freundin noch im Bette an, ihre Augen waren naß von Thränen, denn heute war ihr Geburtstag, und sie hatte gebetet und Gott gedankt.

Nun überreichte ihr die Consulentin Stillings Brief nebst

einem Schreiben von Sophien, in welchem sie ihr mütterlichen Rath gab. Selma schlug diese Gelegenheit nicht aus, und sie erlaubte Stillingen zu kommen.

Das Uebrige wissen meine Leser.

Endlich waren alle Sachen gehörig berichtigt, und Stilling reiste den 14ten August 1782 nach Creuznach, um sich mit seiner Selma trauen zu lassen. Bey seiner Ankunft merkte er die erste Zärtlichkeit an ihr; sie fing nun an, ihn nicht blos zu schätzen, sondern sie liebte ihn auch würklich. Des folgenden Tages, als den 16ten, geschahe die Einsegnung im Hause der Tante, in Gegenwart einiger wenigen Freunde, durch den Herrn Inspector W. . ., welcher ein Freund Stillings, und übrigens ein vortreflicher Mann war; die Rede, welche er bey dieser Gelegenheit hielt, ist in die gedruckte Sammlung seiner Predigten mit eingerückt worden; dem ohngeachtet aber steht sie auch hier am rechten Orte.

Sie lautet von Wort zu Wort also:

Es sind der Vergnügungen viele, womit die ewige Vorsicht den Lebensweg des Mannes bestreuet, der Sinn und Gefühl für die Freuden der Tugend hat; wenn wir inzwischen alle diese Vergnügungen gegen einander abwiegen, und Geist und Herz den Ausspruch thun lassen, welche von ihnen den Vorzug verdienen, werden sie schnell und sicher für diejenigen entscheiden, wodurch die süßen und edlen Triebe der Geselligkeit befriedigt werden, welche der Schöpfer gegen uns verwandte Mitgeschöpfe, in unsere Seele gepflanzt hat. Ohne einen Freund zu haben, dem wir unser ganzes Herz öfnen dürfen, in dessen Schoß wir unsre allergeheimste Sorgen, als ein unverletzliches Heiligthum niederlegen dürfen, der an unsren glücklichen Begebenheiten Antheil nimmt, unsre Bekümmernisse mit uns theilt, durch sein Beispiel uns zu edlen Tugendthaten anfeuert, durch liebreiche Erinnerungen uns von Irrwegen und Fehltritten zurück ruft, in guten Tagen uns

mit weisem Rath unterstützt, zur Leidensstunde unsre Thränen abtrocknet, ohne einen solchen Freund zu haben, was wär
unser Leben? und doch muß das Vergnügen der allervoll-
kommensten Freundschaft demjenigen weichen, welches dem
tugendhaften Manne die eheliche Verbindung mit einem tugendhaften Weibe gewährt.

Da ich nun heute das Glück haben soll, ein so seeliges Band
durch das heilige Siegel der Religion zu befestigen, werden
Sie, meine hochzuehrende Zuhörer! mir erlauben, daß ich, eh
ich meine Hände auf die zusammengeschlagene Hände meines verehrungswürdigsten Freundes, und der künftigen liebenswürdigen Gefährtin seines Lebens lege, Sie mit einer
kurzen Abschilderung von den reinen sanften Freuden der
ehelichen Freundschaft unterhalte, welche durch religieuse Gesinnungen, und edle Tugendliebe der Verbundenen, geheiligt
ist.

Herrlich, und an seeligen Wonnegefühlen reich, ist der
Bund, den der fromme und edeldenkende Jüngling mit dem
leiblichen Gefährten seiner blühenden Jahre aufrichtet. Mitten unter dem Gedränge einer Welt, die sich aus kindischer
Eitelkeit verbindet, und aus niedrigem Eigennutz wieder
trennt, entdeckt der fühlbare Jüngling eine schöne Seele, die
ihn durch einen unwiderstehlichen Zug einer edlen Sympathie,
zur innigsten Vereinigung und süßesten Bruderliebe einladet.
Ein gleich gestimmtes Herz, voll unverderbter Naturempfin-
dung, ähnliche Neigung für das, was schön und gut, und edel
und groß ist, führt sie zusammen; sie sehen einander, und
freundliches Zutrauen schwebt auf ihrem Angesicht; sie sprechen einander und zusammenstimmen ihre Gedanken, und gegen einander öfnen sich ihre Herzen, und eine Seele zieht die
andre an sich; schon kennen sie sich, und schwören, Hand in
Hand, sich ewig zu lieben: aber David und Jonathan lieben
in einer Welt, worinn Verhältnisse, die uns heilig und ehrwürdig seyn müssen, oft die süßesten Freundschaftsbände auflö-

sen, oft freudenlos, oder wol gar zu einem Anlaß schmerzhafter Empfindungen machen. Jonathan hat ihn aufgerichtet, den Bund der heiligen Freundschaft, mit dem unschuldsvollen Knaben Isai, und nun ist ihm der Jüngling mehr als ein Bruder, denn er liebte ihn, wie die heilige Geschichte sagt, als seine eigene Seele. Glücklicher Jonathan! könntest du deinem König und Vater nur einen geringen Theil der zärtlichen Werthhaltung für den Liebling deines Herzens mittheilen! Vergebens! der Zorn Sauls verfolgte dem schuldlosen David, und das sanfte und tugendhafte Herz des Sohnes und Freundes bemühet sich umsonst, die heiligen Pflichten der kindlichen Liebe, mit den Pflichten der treuesten und zärtlichen Freundschaft, zu vereinigen. Wer kann die Geschichte der beyden Edlen lesen, sie bey dem Stein Asel, in jener bittern Abschiedsstunde, sich einander herzen und weinen sehen, ohne Thränen mit ihnen zu vergießen? und wie oft ist dies das Looß der erhabensten und großmüthigsten Seelen! Mag ihr Freundschafts-Bund sich immer auf die reinste und tugendhafteste Zuneigung gründen, sie können solchen harten Zwang der Verhältnisse nicht aufheben, die einer jeden guten Menschenseele heilig sind. Der Befehl eines Vaters, gegen einander streitende Familienabsichten, je zuweilen einerley Wünsche, die, ob sie gleich von Seiten eines jeden gerecht sind, doch nur für einen können erfüllt werden, trennen manchmal in dieser Welt der Unvollkommenheit, die aller zärtlichsten Freundschafts-Verbindungen, oder zerreissen das Herz, um einer besorglichen Trennung auszuweichen.

Nicht so mit der Freundschaft, die zwischen edlen Seelen durch das heilige und unverletzliche Band der Ehe gestiftet wird; ihre huldvollen Freuden sind dieser Erschütterung nicht unterworfen. Nur der Tod kann ihn aufheben, den Bund, welchen die Flamme der zärtlichsten Liebe aufgerichtet und feyerliche Gelübde an dem heiligen Altar der Religion versiegelt haben. Die Verhältnisse und Absichten, die Wünsche und

Bemühungen des Liebenden und der Geliebten sind eben dieselbigen; die Verwandschaft des Mannes, ist Verwandschaft
des Weibes, seine Ehre ihre Ehre, sein Vermögen ihr Vermögen.

Das unschuldige, und mit sanften edlen Trieben erfüllte,
Herz der fromm gewählten Gattin findet in dem Manne, der
Gott und die Tugend liebt, einen sichern Gefährten auf der
Reise des Lebens, einen treuen Rathgeber in verlegnen Umständen, einen muthigen Beschützer in Gefahren, einen großmüthigen bis in den Tod beständigen Freund. Was er zum
Besten der Welt, des Vaterlandes, seines Hauses wirkt, das
hat alles einen wohlthätigen Einfluß auf das Glück und die
Freude des Weibes, dem er mit seiner Hand auch sein Herz
geschenkt hat. Von der Arbeit des Tages ermüdet, eilt er zu
der süßen Gesellschafterin seines Lebens, theilt ihr die gesammelten Erfahrungen und Kenntnisse mit, sucht eine jede
hervorschießende Blüthe ihres Geistes zu entwickeln, jedem
schüchternen Wunsch ihres liebevollen Herzens zuvorzukommen, vergißt gern die nagenden Sorgen seines Berufs, des Undanks der Welt, und der bittern Hindernisse, die jeder redliche auf dem Pfade unbestechlicher Rechtschaffenheit findet,
um ganz ihrem Glücke zu leben, sich ihr ganz zu schenken,
die um seinetwillen Vater und Mutter, und Freunde und Gespielinnen verlassen, und mit allen Blumen geschmückt, sich
in die Arme des Einzigen geworfen hat, der ihrem Herzen alles ist. — Wie könnte er ihr nur in Gedanken treulos werden,
der Mann, der die Größe des Opfers fühlt, das sie ihm dargebracht hat, und er weiß und glaubt, daß ein Vergelter im
Himmel ist? und was für einen kostbaren Schatz hat er nicht
in ihr gefunden, der Gattin, die Gott und die Tugend liebt?
Ihr sanfter herzbezwingender Umgang versüßt eine jede
Stunde seines Lebens; ihre zärtliche Theilnehmung an seinem
Schicksal erleichtert ihm jeden Schmerz, läßt ihn jede Freude
des Lebens doppelt empfinden; ihre holden Gespräche ver-

setzen ihn oft in die Wonnegefühle einer bessern Welt, wenn
sein durch den Anblick des Erden-Elends getrübtes Auge in
die Höhe gerichtet zu werden am meisten bedarf. Gerne ver-
mißt sie den trüglichen Schimmer vorüberrauschender Ergötzlichkeiten, um sie unverbittert zu genießen, die stille häußliche
Glückseeligkeit, die einzige, die es werth ist, von edlen Seelen
gesucht und gefunden zu werden, und kennt keine Freuden,
die er nicht mit genießt, der Erwählte ihres Herzens. Ihm zu
gefallen, die Angelegenheiten seines Hauses zu besorgen,
durch gutes Beyspiel und Ordnungsliebe, und Sanftmuth
und Gelindigkeit, jene Herrschaft der Liebe, über Kinder und
Hausgenossen und Gesinde zu behaupten, welche die schwerste Pflicht, und der edelste Schmuck ihres Geschlechts ist, die
Erholungsstunden ihres Mannes mit Vergnügen zu würzen,
durch unschuldsvollen Scherz seine Stirne aufzuheitern, wenn
männlicher Ernst darauf ruht, oder durch sanften Zuspruch
seine Sorgen zu mildern, wenn widrige Erfolge gutgemeinter
Absichten ihn beunruhigen: dies ist die Bemühung des Tages,
dies der Nachtgedanke der Gattin, die Gott und die Tugend
liebt.

Eine solche Gattin ist das kostbarste Geschenk des Himmels; ein solcher Ehegatte der beste Seegen, womit die ewige
Liebe ein frommes treues Herz belohnt. Seegnet er, der im
Himmel wohnt, eine solche Ehe mit Nachkommenschaft,
welche entzückende Aussichten! welche reine Wollust! welche
Seeligkeit auf Erden! in gutartigen geliebten Kindern sich neu
leben zu sehen, der Erde nützliche Bürger, dem Himmel seelige Bewohner zu erziehen, eine kraftvolle Stütze unsers hülf-
losen Alters, einen fühlbaren Trost in unsern Beschwerden
heranwachsen zu sehen! O Gott! welch ein reicher Ersatz aller
Mühe und Arbeit und Sorgen, die wir auf Erziehung und
Pflege der Erben unsers Namens, und unserer Güter, und
wenn, wie wir hoffen dürfen, unsere Wünsche erfüllt werden,
auch unserer Tugenden verwenden! welch ein köstliches Loos,

gewürdigt werden, den süssen Namen Vater und Mutter zu tragen!

Heil Ihnen, verehrungswerther Freund! der Sie heute das Glück genießen, mit einer solchen Gattin auf ewig vereinigt zu werden! ich kenne Ihr edelmüthiges allen freundschaftlichen Gefühlen offenes warmes frommes Herz; ich habe nicht nöthig, Ihnen die Pflichten vor Augen zu stellen, die eine solche Verbindung Ihnen auflegt; Sie haben sie ausgeübt; Sie sind dadurch glücklich geworden; Sie werden es wieder werden; und wenn seelige Geister das Schicksal ihrer sterblichen Freunde erfahren, und Antheil daran nehmen, so sieht die vollendete Heilige, die im Himmel ist, mit reiner unbeschreiblicher Freude auf die neue Verbindung herab, die Sie heute mit der Erwählten ihres Herzens eingehen.

Heil und Seegen Gottes über Sie, liebenswürdige Jungfer Braut! der Freund Ihres Herzens ist der Gatte Ihrer Wahl, Ihrer ganzen Hochachtung, Ihrer zärtlichsten Zuneigung würdig; getrost dürfen Sie sich in seine nach Ihnen ausgestreckte Arme werfen, ohne Besorgniß von ihm erwarten, was die vollkommenste Freundschaft, eheliche Liebe und unverbrüchliche Treue zu geben vermag. Wer Gott fürchtet, erfüllet Gelübde und hält Bund bis auf den Tod; wer durch einsame und rauhe Wege gegangen ist, dem ist warme Herzensfreundschaft, was der Labetrunk dem Wanderer ist, der nach durchirrten dürren Einöden eine beschattete Quelle findet; mit innigstem Dankgefühl nähert er sich der Quelle, und heilig ist ihm jeder Wassertropfen, der Erquickung in sein schmachtendes Herz geußt.

Gott, du erhörest unser Gebet, und seegnest sie, die deine Hand zusammengeführt hat, und seegnest sie mit allen Freuden einer reinen und dem Tod unzerstörbaren Liebe! Amen!

Darauf erfolgte nun die priesterliche Einseegnung: Stillings und Selma's Herzen und Hände wurden unzertrennlich mit

einander vereinigt, und der Allmächtige gab seinen gnädigen
Seegen zu dieser Verbindung. Herr Schmerz nahm vielen
Antheil an dieser freudigen Begebenheit, er veranstaltete das
Hochzeitmahl und bewirthete das Brautpaar mit den Freun-
den, die ihm beywohnten, des Mittags und des Abends.

Auch den andern Tag wollte Schmerz durch eine Lustreise
ins Rheingau feyerlich machen: es wurden zwey Kutschen be-
stellt, in der einen fuhr Madame Schmerz, die Tante und
Selma, in der andern er selbst, der Herr Inspector W . . . und
Stilling; der Weg ging von Creuznach auf Bingen, dort fuhren sie über den Rhein, dann auf Geisenheim, um den Gräf-
lich Osteinischen Pallast zu besehen, und dann gegen Bingen
über auf den Niederwald, welcher auch dem Herrn Grafen
von Ostein gehört, und auf die Art eines englischen Parks eingerichtet ist. Die ganze Reise war bezaubernd, allenthalben
fanden sich Gegenstände, die dem Auge eines für Natur und
Kunst fühlbaren Geistes vorzügliche Nahrung geben konnten; die ganze Gesellschaft war daher auch ausnehmend
vergnügt.

Des Mittags speisten sie mitten im Niederwald in einem
Jägerhause, und nach Tische wurde der Nachmittag mit Spazierengehen zugebracht; die mancherley schöne Parthieen,
Aussichten und Gegenstände erquickten Auge und Herz.
Gegen fünf Uhr wurde die Rückreise wieder angetreten, die
Kutschen fuhren mit den Frauenzimmern den Berg herab, und
die Männer gingen zu Fuß. Nun beschlossen diese, zu Rüdes-
heim einzutreten, und noch eine Flasche von dem hier wachsenden edlen Wein auf Freundschaft zu trinken, mittlerweile
sollten sich die Damen übersetzen lassen, und zu Bingen warten, bis sie auch in einem Nachen nachkommen würden. Dies
geschah; während der Zeit aber entstand ein Sturm, die Wellen gingen hoch, und es fing schon an dunkel zu werden, besonders da sich auch der Himmel mit schwarzen Wolken über-
zog. Sie setzten sich demungeachtet, nach ausgeleerter Flasche,

in den Nachen, und schwankten in lauter Todesängsten, auf den rauschenden Wellen, unter dem Brausen des Sturmwindes, mit genauer Noth glücklich hinüber.

Da standen sie nun alle drey zu Bingen am Ufer, um ihre Geliebten zu empfangen, diese aber hielten noch mit ihren Kutschen auf der andern Seite. Endlich fuhren sie auf die Nöh — und die Nöh stieß ab. Aber, grosser Gott! wie ward ihnen, als die Nöh nicht queer über, sondern den Fluß hinab ging! — Der Strom wüthete, und kaum eine halbe Viertelstunde weiter hinab brüllte das Gewässer im Bingerloch, wie ein entfernter Donner; auf diesen schreckhaften Ort trieb die Nöh zu — und das alles bey Anbruch der Nacht — Schmerz, W... und Stilling standen da, wie an Händen und Füßen gelähmt, ihre Angesichter sahen aus wie das Antlitz armer Sünder, denen man so eben das Todesurtheil vorgelesen hat; ganz Bingen lief zusammen, alles lärmte, und Schiffer fuhren mit einem großen Boot ab, und den Unglücklichen nach.

Indessen schwamm die Nöh mit den Kutschen immer weiter hinab, das Boot fuhr nach, und endlich sah man beyde nicht mehr, über das alles wurde es immer dunkler und grauenvoller.

Stilling stand da, wie vor dem Richterstuhl des Allmächtigen, beten konnte er nicht, nicht denken — seine Augen starrten hin, zwischen die himmelhohen Berge, gegen das Bingerloch zu — es war ihm, als stände er im brennenden Sand bis an den Hals — seine Selma, dies herrliche Geschenk Gottes, war für ihn verlohren — von allen Seiten drung das schreckliche Geschrey des Volks in seine betäubte Ohren: die armen Leute sind hin — Gott sey ihnen gnädig. O Gott, welch ein Jammer! — und dieser währte zwo Stunden.

Endlich drängte sich ein junger Mann, ein Geistlicher, Namens Gentil, durch das Volk zu den drey Männern, er stellte sich mit einer Engelsmiene vor ihnen hin, drückte ihnen die Hände, und sagte: zufrieden! zufrieden! liebe Herren! sorgen

Sie nicht — so leicht verunglückt niemand, stören Sie sich an das Gewäsch des Pöbels nicht, was gilts die Damen sind schon jetzt herüber? kommen Sie! wir wollen disseits am Ufer hinab gehen, kommen Sie! ich will Ihnen den Weg zeigen! — dieses war ein kühler Thau auf die brennenden Herzen, sie folgten, er führte sie am Arm die Wiese hinab, und alle seine Worte waren Worte des Trostes und des Friedens.

Als sie nun gegen den Mäusethurm zuwandelten, und immer die Augen auf den Strom gerichtet hatten, so hörten sie da gegenüber linker Hand, ein Knistern und Rasseln, als wenn eine Kutsche zwischen den Hecken fährt, alle viere schauten hin, allein es war zu dunkel, um zu sehen; Stilling rief also mit lauter Stimme, und seine Selma antwortete: wir sind errettet! —

Kloppstocks: Kom her Abbadona zu deinem Erbarmer! — und diese Worte: Wir sind errettet! thaten einerley Würkung; Schmerz, W... und Stilling fielen dem guten catholischen Geistlichen um den Hals, gerade als wenn er selbst ihr Erretter gewesen wäre, und er freute sich mit ihnen als ein Bruder. O du Friedensbote! du ächter Evangelist sey ewig geseegnet!

Nun liefen alle drey auf die Kutsche zu, Stilling lief voran, und kam auf dem Wege seiner Selma entgegen, die zu Fuß voraus ging. Mit Erstaunen fand er sie ganz ruhig, ganz ohne Alteration und ohne Zeichen ausgestandener Angst; dies war ihm unbegreiflich; er fragte sie wegen dieser sonderbaren Erscheinung, und sie antwortete mit zärtlich lächelnder Miene: ich dachte, Gott mache alles wohl, wäre es sein Wille, mich dir wieder zu entreissen, so müsse er einen guten Zweck dabey haben, sein Wille geschehe also!

Nun vertheilten sie sich wieder in ihre Kutschen, und fuhren ruhig und sicher in der Nacht nach Creuznach.

Die Ursache alles dieses Schreckens und Kummers war blos Trunkenheit der Färcher, diese waren besoffen, so daß sie nicht allein stehen, geschweige die Nöh regieren konnten; die

Schiffer, welche mit dem Boot geschickt wurden, waren die einzige Ursache der Errettung, diese hatten die Nöh nahe am Bingerloche getroffen, sie an ihr Boot befestigt, und nun mit entsetzlicher Mühe und Arbeit oberhalb den Felsen und den Mäusethurm hinüber buxirt. Zur Strafe wurden die Färcher cassirt, und bey Wasser und Brod in den Thurm gesteckt, welches alles sie auch wohl verdient hatten.

Es ist Plan der Vorsehung bey allen ihren Führungen, womit sie den, der sich von ihr führen läßt, zum großen glänzenden Ziel leitet, daß sie, wenn sie ihm ein großes Glück schenkt, und er sich mit Leidenschaft daran hängt, ihm dies Glück wieder mächtig zu entreissen droht; blos um diese sinnliche Anhänglichkeit, die jeder sittlichen Vervollkommung und der Wirksamkeit, zum Besten der Menschen, so äußerst zuwider ist, gänzlich abzutödten; es ist wahr, was die Mystiker in diesem Fall sagen, Gott will ein ungetheiltes Herz, es darf die Geschenke lieben und schätzen, aber ja nicht mehr und höher, als den, der sie giebt. Stilling hat dieses in jedem Fall erfahren, wie das jeder aufmerksame und in den göttlichen Wegen erfahrne Leser leicht bemerken wird.

Ein paar Tage hernach reiste Stilling mit seiner Selma, in Begleitung der Tante, nach Rittersburg; auf dem halben Wege wurden sie von den dort studirenden Jünglingen abgeholt, welche durch Ueberreichung eines Gedichts, durch Musik und Ball, ihre Freude und Theilnehmung bezeugten.

So begann nun eine neue Periode seines häuslichen Lebens: Selma ließ also fort die beyden Kinder aus Zweybrücken holen, und nahm sich ihrer sehr versäumten Erziehung mit äußerster Sorgfalt an. Zugleich stellte sie Stilling die Nothwendigkeit vor, daß sie die Kasse übernähme; denn sie sagte: Lieber Mann! deine ganze Seele arbeitet in ihrem wichtigen Beruf, in ihrer hohen Bestimmung; häusliche Anordnungen und häusliche Sorgen und Ausgaben, sie mögen groß oder klein seyn, sind für dich zu gering, gehe du deinen Gang ungehindert fort, warte du nur deines Berufs, und überlaß mir hernach Einnahme und Ausgabe, übertrage mir Schulden und Haushaltung, und laß mich dann sorgen, du wirst wohl dabey fahren. Stilling that das mit tausend Freuden, und er sahe bald den glückseeligen Erfolg: seine Kinder, seine Mobilien, sein Tisch, alles wurde anständig und angenehm eingerichtet, so, daß jeder Freude daran hatte. An seinem Tisch war jeder Freund willkommen, aber nie wurde tractirt, sein Haus wurde der Zufluchtsort der edelsten Jünglinge; mancher blieb vom Verderben bewahrt, und mancher wurde von Abwegen zurückgerufen; das alles aber geschah mit einem solchen Anstand und Würde, daß auch die giftigste Lästerzunge nichts ungeziemendes aufzubringen wagte.

Bey dem allen wurde die Kasse nie leer, immer war Vorrath, und nach Verhältniß, auch Ueberfluß da, und nun machte Selma auch den Plan zur Schuldentilgung: die Interessen sollten richtig abgeführt, und dann zuerst die Rittersburger Schulden getilgt werden. Dies letzte geschah auch in weniger als drey Jahren, und nun wurde Geld nach Schönenthal geschickt, dadurch wurden nun die Gläubiger ruhiger, mit einem Wort: Stillings langwierige und schwere Leiden hatten ein Ende.

Und wenn zuweilen noch quälende Briefe kamen, so antwortete Selma selbst, und das auf eine Art, die jedem nur einigermaßen vernünftigen Manne Ruhe und Zufriedenheit einflößen muste.

Indessen fanden sich allmälig Umstände, die Stillings Wirkungskreiß sehr einschränkten, seine Thätigkeit und die Menge seiner Schriften erzeugten Neid; man suchte, so viel möglich, Dunkelheit über ihn zu verbreiten, und ihn in einem schiefen Lichte zu zeigen; er that so vieles zum gemeinen Besten, allein man bemerkte es nicht, im Gegentheil war alles nicht recht, und wo ihm der Hof oder andere politische Körper eine Vergeltung angedeihen lassen wollten, da wurde es verhindert. Dazu kam noch eins: Stilling wünschte, sein ganzes System allein ausführen und lehren zu können, allein das war bey der jetzigen Lage unmöglich, denn seine Collegen theilten das Lehrgebäude mit ihm. Endlich war auch sein Einkommen zu klein, um für die Versorgung seiner Familie wirken zu können: denn dies war nun sein vornehmstes Augenmerk, da ihn seine Schulden nicht mehr drückten.

Das alles machte in ihm den Entschluß rege, einem vorteilhaftern Ruf zu folgen, sobald ihm die Vorsehung einen solchen dereinst an die Hand geben würde. Indessen war er innig froh und vergnügt, denn das alles waren keine Leiden, sondern blos einschränkende Verhältnisse.

Im Jahr 1784 beschloß endlich der Churfürst, die Cameral-Schule von Rittersburg nach Heidelberg zu verlegen, und sie dort mit der uralten Universität zu vereinigen. Dies war bisher der allgemeine Wunsch gewesen. Die Versetzung geschah auch wirklich im Herbst. Stilling befand sich in sofern wohl dabey, daß sein Wirkungskreiß ausgedehnter, auch sein Einkommen wenigstens um etwas stärker wurde, allein an Gründung eines Familienglücks war gar nicht zu denken, und der Neid wirkte nun noch stärker; er fand zwar auch viele wichtige Freunde daselbst, und bey dem Publiko gewann er eine allgemeine Liebe, weil er seine Staar- und Augen-Curen, wie bisher, noch immer mit vielem Glück und unentgeltlich fortsetzte. Allein er hatte doch auch manchen Kummer und manchen Verdruß hinunter zu schlucken. Was ihn am mehresten tröstete, war die allgemeine Liebe der gesammten Universität, der ganzen Dienerschaft, aller Studirenden und der Stadt, dazu kam noch, daß auch endlich seine Treue und sein Fleiß, aller Hindernisse ungeachtet, zu den Ohren des Churfürsten drung, der ihm dann ohne sein Wissen, und ganz unentgeltlich, das Churfürstliche Hofraths-Patent zuschickte, und ihn seiner Gnade versicherte.

Um diese Zeit starb Herr Friedenberg an der Brustwasser-

sucht; Selma hatte ihn noch vorher durch einen sehr rührenden
Brief von Stillings Redlichkeit, und von der gewissen Bezahlung seiner Schulden überzeugt, und so starb er ruhig und als
ein Christ; denn dies war er im ganzen Sinn des Worts.
Friede sey mit seiner Asche!

Stilling wurde auch zum ordentlichen Mitglied der deutschen Gesellschaft in Manheim aufgenommen, zu welchem
Zweck er alle vierzehn Tage Sonntags, mit seinem Freunde,
dem Herrn Kirchenrath Mieg, hinfuhr. Diese Reisen waren
immer eine sehr angenehme Erholung, und er befand sich
wohl im Zirkel so vieler verehrungswürdigen Männer. Auch
wurde seine Bekanntschaft mit vortreflichen Personen immer
ausgebreiteter und nützlicher. Hierzu trug noch ein Umstand
vieles bey.

Im Jahr 1786 im Herbst feyerte die Universität Heidelberg ihr viertes hundertjähriges Jubiläum mit großer Pracht,
und unter dem Zulauf einer großen Menge Menschen aus der
Nähe und aus der Ferne. Nun wurde Stillingen die feyerliche
Jubelrede im Namen und von Seiten der staatswirthschaftlichen hohen Schule aufgetragen; er arbeitete sie also wohl-
bedächtig und ruhig aus, und erfuhr eine Wirkung, die wenige
Beyspiele hat, wozu aber auch die Umstände nicht wenig, und
vielleicht das mehreste beytrugen. Alle Reden wurden im großen Saal der Universität und zwar lateinisch gehalten, dazu
war es grimmig kalt, und alle Zuhörer wurden des ewigen
Lateinredens und Promovirens müde. Als nun die Reihe an
Stilling kam, so wurden alle Zuhörer in den Saal der staatswirthschaftlichen hohen Schule geführt, dieser war schön,
und weil es Abend war, illuminirt und warm; jetzt trat er auf,
und hielt eine deutsche Rede mit der ihm gewöhnlichen Heiterkeit und Lebhaftigkeit. Der Erfolg war unerwartet: Thränen begannen zu fließen, man freute sich, man lispelte sich in
die Ohren, und endlich fing man an zu klatschen und bravo!
zu rufen, so, daß er aufhören muste, bis das Getöse vorbey

war. Dies wurde zu verschiedenen malen wiederholt, und als er endlich vom Catheder herabstieg, dankte ihm der Stellvertreter des Churfürsten, der Herr Minister von Oberndorf sehr verbindlich, und nun fingen die Pfälzer Großen in ihren Sternen und Ordensbändern an, herbey zu treten, und ihn der Reihe nach zu umarmen und zu küssen, welches hernach auch von den vornehmsten Deputirten der Reichsstädte und Universitäten geschah. Wie Stillingen bey diesem Auftritte zu Muthe war, das läßt sich leicht erachten. Gott war mit ihm, und vergönnete ihm nun einmal einen Tropfen wohlverdienten Ehrgenuß, der ihm so lange unbilliger Weise war vorenthalten worden. Indessen fühlte er bey dem allen wohl, wie wenigen Antheil er an dem ganzen Verdienst dieser Ehre hatte. Sein Talent ist Geschenk Gottes; daß er es gehörig hatte cultiviren können, war Wirkung der göttlichen Vorsehung, und daß jetzt der Effect so erstaunlich war, dazu thaten auch die Umstände das mehreste. Gott allein die Ehre.

Von dieser Zeit an genoß Stilling die Liebe und die Achtung aller vornehmen Pfälzer in großem Maaß, und gerade jetzt fing auch die Vorsehung an, ihm den Standpunct zu bereiten, zu welchem sie ihn, seit vierzig Jahren her, durch viele langwierige und schwere Leiden, hatte führen und bilden wollen.

Der Herr Landgraf von Hessen-Cassel hatte von seinem Regierungsantritt an, den wohlthätigen Entschluß gefaßt, die Universität Marburg in einen bessern Stand zu setzen, und zu dem Ende die berühmten Männer von Selchow, Baldinger und andre mehr dahin verpflanzt. Nun wünschte er auch, das öconomische Fach besetzt zu sehen: es wurden ihm zu dem Ende verschiedene Gelehrte vorgeschlagen, allein es standen Umstände im Wege, daß sie nicht kommen konnten. Endlich wurde im Herbst des 1786sten Jahres der seelige Leske von Leipzig dahin berufen, er kam auch, that aber auf der Reise einen gefährlichen Fall, so, daß er acht Tage nach seiner Ankunft in Marburg starb. Nun war wol mehrmals von Stilling

die Rede gewesen, allein es gab wichtige Männer, die seinem
Ruf entgegen standen, weil sie glaubten, ein Mann, der so viel
Romanen geschrieben hätte, sey einem solchen Lehrstuhl
schwerlich gewachsen. Allein dem Plan der Vorsehung widersteht kein Mensch, Stilling wurde auf Veranlassung eines Re-
scripts, vom Herrn Landgrafen, im Februar des 1787sten
Jahres von der Universität Marburg, zum öffentlichen ordentlichen Lehrer der Oekonomie-Finanz- und Cameral-Wissenschaften, mit einem fixen Gehalt von 1200 Thalern schwer
Geld, oder 2160 Gulden Reichswährung, und einer ansehnlichen Versorgung für seine Frau, im Fall er sterben sollte,
förmlich und ordentlich berufen.

Dank sey gesagt — inniger warmer Dank Wilhelm dem
neunten, dem Fürsten der edlen und braven Hessen. Er erkannte Stillings redliches Herz, und seinen Drang, nützlich zu
werden, und das war der Grund, warum er ihn berief. Dieses
bezeugte er ihm nachher, als er die Gnade hatte, ihm aufzuwarten; er muste ihm seine Geschichte erzählen, und der Herr
Landgraf war gerührt und vergnügt. Er selbst dankte Gott,
daß er ihn zum Werkzeug gebraucht habe, Stillings Glück zu
gründen, und er versprach zugleich, ihn immerfort zu unterstützen, und Vatertreue an ihm und seiner Familie zu beweisen.

Diesen Ruf nahm Stilling mit innigstem Dank gegen seinen
großen und weisen himmlischen Führer an, und nun sahe er
alle seine Wünsche erfüllt: denn jetzt konnte er ungehindert
sein ganzes System ausarbeiten und lehren, und, bey seiner
Haushaltung und Lebensart, auch zum Besten seiner Kinder
etwas vor sich bringen, folglich auch diese glücklich machen.
Ueberhaupt hatte er damals nur drey Kinder: die Tochter und
der Sohn aus der ersten Ehe wuchsen heran; die Tochter ließ
er auf ein Jahr zu den Verwandten ihrer seeligen Mutter reisen, den Sohn aber that er in der Gegend von Heilbronn, bey
einem sehr rechtschaffenen Prediger, in eine Pensions-Anstalt.

Selma hatte drey Kinder gehabt: ein Söhnchen und eine Tochter waren aber schon in Heidelberg gestorben, das jüngste Kind also, ein Mädchen von einem Jahre, nahm er mit nach Marburg.

Nach diesen Ort seiner Bestimmung reiste er auf Ostern 1787 mit Frau und Kind ab, in Frankfurth kehrte er abermals bey seinem alten und treuen Freund Kraft ein, der sich nun über den herrlichen Ausgang seiner schweren Schicksale herzlich freute, und mit ihm Gott dankte.

In Marburg wurde er von allen Gliedern der Universität recht herzlich und freundschaftlich empfangen und aufgenommen; es war ihm, als käm er in sein Vaterland und zu seiner Freundschaft. Selbst diejenigen, die ihm entgegen gewürkt hatten, wurden seine besten Freunde, so bald sie ihn kennen lernten, denn ihre Absichten waren rein und lauter gewesen.

Nachdem er nun sein Lehramt mit Zuversicht und Vertrauen auf den göttlichen Beystand angetreten, und sich gehörig eingerichtet hatte, so drung ihn sein Herz, nun einmal wieder seinen alten Vater Wilhelm Stilling zu sehen; die Reise des ehrwürdigen Greises war nicht groß und beschwerlich, denn Stillings Vaterland und Geburtsort ist nur wenige Meilen von Marburg entfernt, er schrieb also an ihn, und lud ihn ein, zu ihm zu kommen, weil er selbst keine Zeit hatte, die Reise zu machen. Der liebe Alte versprach das mit Freuden, und Stilling machte daher Anstalt, daß er mit einem Pferde abgeholt wurde, dieses alles besorgte der Sohn Johann Stilling, der Bergmeister zu Dillenburg.

Gerne hätte er auch seinen Oheim, den Johann Stilling, gesehen. Allein diesen hatte schon ein Jahr vorher der große Hausvater aus seinem Tagewerk abgerufen, und ihn in einen weitern Würkungskreiß versetzt. In seinen letzten Jahren, war er Ober-Bergmeister gewesen, und hatte ungemein viel zur Glückseligkeit seines Vaters beygetragen; sein ganzes Leben war unaufhörliche Würksamkeit zum Besten der Men-

schen, und heißes Bestreben nach Entdeckung neuer Wahrheiten; sein Einfluß auf Leben, Sitten und Betragen seiner Nachbarn, war so groß, und so tief eingreifend, daß seine ganze
äußere Lebens- und Handelsweise unter alle Bauern seines
Dorfes vertheilt ist, der eine lacht wie er, der andre hat seinen
Gang angenommen, der dritte seine Lieblings-Ausdrücke
u. s. w. Sein Geist ruht zertheilt auf seine Freunde, und macht
ihn auch für diese Welt unsterblich. Aber auch sein Gedächtniß als Staatsdiener bleibt im Seegen; denn seine Anstalten
und Verfügungen werden den Armen der Nachwelt noch
Brod und Erquickung schaffen, wann Johann Stillings Gebeine Staub sind. Ruhe sanft, würdiger Sohn Eberhard Stillings! du hast ihm Ehre gemacht, dem frommen Patriarchen;
und jetzt wird er sich in seiner Hoheit seines Sohnes freuen,
ihn vor dem Thron des Erlösers führen, und ihm an den goldnen Stufen Dank opfern.

Im Sommer des Jahres 1787, an einem schönen heitern
Nachmittag, als Stilling auf dem Catheder stand und die Technologie lehrte, traten auf einmal, mitten in der Rede, einige
dort studirende Herren in seinen Hörsaal hinein. Einer rief
überlaut: Ihr Vater ist da, jetzt hört hier alles auf! — Stilling
verstummte, mancherley Empfindungen bestürmten sein
Herz, und er wankte, vom ganzen Collegium begleitet, die
Treppen herab.

Selma hatte unten an der Hausthüre ihren guten Schwiegervater mit Thränen bewillkommt, ihn und seinen Begleiter,
den Bergmeister, in die Stube geführt, und war nun hingegangen, um ihr Kind zu holen; während der Zeit trat Stilling mit
seiner Begleitung hinein, gerade der Thür gegen über stand
der Bergmeister, und seitwärts linker Hand Wilhelm Stilling,
er hielt seinen Huth in den Händen, stand krumm gebückt,
für Alter, und in seinem ehrwürdigen Angesicht hatten die
Zeit und mancherley Trübsale viele und tiefe Furchen gegraben. Schüchtern, und mit der ihm ganz eigenen schamhaften

Miene, die niemand ungerührt läßt, blickte er seitwärts seinem kommenden Sohn ins Angesicht. Dieser trat mit der innigsten Bewegung seines Herzens vor ihm, hinter ihm stand der Haufen seiner Zuhörer, und alles lächelte mit hoher theilnehmender Freude; erst starrten sie sich einige Augenblicke an, dann fielen sie in eine mit Weinen und Schluchzen vermischte stille Umarmung. Nach dieser standen sie wieder und sahen sich an.

„Vater! Ihr habt seit 13 Jahren sehr gealtert!"

Das haben Sie auch, mein Sohn!

„Nicht — Sie — ehrwürdiger Mann! sondern Du! — ich bin Euer Sohn und stolz darauf, es zu sein! — Euer Gebet und Eure Erziehung hat mich zu dem Mann gemacht, der ich nun geworden bin, ohne Euch wär ich nichts."

Nun! Nun! laß das so — Gott hats gethan! Er sey gelobt!

„Mir dünkt, ich stände vor meinem Großvater, Ihr seyd ihm sehr ähnlich geworden, theurer Vater!"

Aehnlich nach Leib und Seele — ich fühle die innere Ruhe, die auch er hatte, und wie er handelte, so suche ich auch zu handeln.

„Gott, wie hart und steif sind Eure Hände — wirds Euch denn so sauer?"

Er lächelte wie Vater Stilling, und sagte: ich bin ein Bauer und zur Arbeit geboren, das ist mein Beruf so, laß Dich das nicht kümmern, mein Sohn! — es wird mir schwer, mein Brod zu gewinnen, aber doch habe ich keinen Mangel u. s. w.

Nun bewillkommte er auch den Bergmeister herzlich, und jetzt trat Selma mit ihrem Töchterchen herein, dies nahm der Alte an der Hand, und sagte sehr beweglich: der Allmächtige seegne dich, mein Kind! — Selma setzte sich hin, schaute den Greiß an, und vergoß milde Thränen.

Jetzt zerschlug sich die Versammlung, die Herren Studirende gingen fort, und nun fingen die Marburger Freunde an, Stillings Vater zu besuchen; ihm wiederfuhr eben so viel Ehre,

als wenn er ein vornehmer Mann gewesen wäre. Gott wird
ihnen diese edle Gesinnung vergelten! sie ist ihrer Herzen
würdig.

Einige Tage hielt sich Wilhelm bey seinem Sohn auf, und
er sagte mehrmalen: diese Zeit ist mir ein Vorgeschmack des
Himmels; vergnügt und seelenvoll reiste er dann wieder mit
seinem Begleiter ab.

Jetzt lebt also nun Stilling in Marburg vollkommen glücklich und im Seegen, seine Ehe ist eine tägliche Quelle des erhabensten Vergnügens, das sich auf Erden denken läßt, denn
Selma liebt ihn von ganzer Seele, über alles in der Welt, ihr
ganzes Herz wallt ihm unaufhörlich entgegen, und da ihn
seine viele und langwierige Leiden ängstlich gemacht haben,
so, daß er immer etwas befürchtet, ohne zu wissen was, so
geht ihr ganzes Bestreben dahin, ihn aufzuheitern, und die
Thränen von seinen Augen wegzuwischen, die so leicht fließen,
weil ihre Gänge und Ausflüsse weit und geläufig geworden
sind. Sie hat das, was man guten und angenehmen Ton heißt,
ohne viele Gesellschaft zu suchen und zu lieben: daher hat ihn
ihr Umgang gebildet und auch für Menschen von Rang ge-
nießbar gemacht. Gegen die Kinder erster Ehe ist sie alles,
was Stilling nur wünschen kann, sie ist ganz Mutter und
Freundin; mehr wollte ich von dem edlen Weibe nicht sagen,
sie hat alles vorhergehende gelesen, und mir Vorwürfe gemacht, daß ich sie gelobt habe; allein ich bin ihr und meinen
Lesern, Gott zum Preiß, mehr schuldig; daher habe ich nächst
vorhergehendes und folgendes vor ihr verborgen. Sie ist etwas
kurz und gesetzt, hat ein gefälliges geistvolles Ansehen, und
aus ihren blauen Augen und lächelnder Miene quillt jedem
Edlen ein Strom des Wohlwollens und Menschenliebe entgegen. Sie hat in allen Sachen, auch in solchen, die eben nicht
geradezu weiblich sind, einen ruhig forschenden Blick, und
immer ein reifes entscheidendes Urtheil, so, daß sie ihr Mann
oft zu Rathe zieht, wenn sein rascher und thätiger Geist par-

theiisch ist, er folgt ihr, und fährt immer wohl. Sie denkt aufgeklärt in der Religion, und ist warm in ihrer Liebe zu Gott, dem Erlöser und den Menschen; so sparsam sie ist, so freygebig und wohlthätig würkt sie, da, wo es angewandt ist. Ihre Bescheidenheit geht über alles, sie will immer abhängig von ihrem Manne seyn, und ist es auch dann, wann er ihr folgt; sie sucht nie zu glänzen, und doch gefällt sie, wo sie erscheint; jedem und jeder Edlen ists in ihrem Umgange wohl. Ich könnte noch mehr sagen, allein ich bändige meine Feder. Wem Gott lieb hat, dem gebe er ein solches Weib, sagte Götz von Berlichingen von seiner Maria, und Stilling sagt das nämliche von seiner Selma.

Ueber das alles ist sein Einkommen groß und alle Nahrungssorgen sind gänzlich verschwunden; von dem Seegen in seinem Beruf läßt sich nichts sagen; der rechtschaffene Mann und Christ würkt unabläßig, überläßt Gott das Gedeyen, und schweigt.

Seine Staar-Operationen setzt er auch in Marburg mit vielem Glück und unentgeltlich fort; weit über hundert Blinde, und mehrentheils arme Arbeitsleute, haben schon, unter dem Beystand Gottes, durch ihn ihr Gesicht und damit auch wiederum ihr Brod erhalten. Wie manche Wonnestunde macht ihm diese leichte und so wohlthätige Hülfe! — wenn ihm die so lange blind gewesene, nach der Operation, oder beym Abschied, die Hände drücken und ihm seine Zahlung in dem überschwenglich reichen Erbe der zukünftigen Welt anweisen! — Noch immer sey das Weib geseegnet, das ihn ehmals zu dieser wohlthätigen Heilmethode zwang! — ohne sie wär er nicht ein so fruchtbares Werkzeug in der Hand des Vaters der Armen und Blinden geworden; noch immer sey das Andenken des ehrwürdigen Molitors geseegnet! sein Geist genieße in den Lichtgefilden des Paradieses Gottes alle überschwengliche Wollust des Menschenfreundes, daß er Stillingen zum Augenarzt bildete und die erste Meisterhand an ihn legte! —

Jüngling, der du dieses liesest, wache über jeden Keim in deiner Seele, der zur Wohlthätigkeit und Menschenliebe hervorsproßt! — pflege ihn mit höchster Sorgfalt und erziehe ihn zum Baum des Lebens, der zwölferley Früchte trägt; bestimmt dich die Vorsicht zu einem nützlichen Beruf, so folge ihm, aber wenn auch noch nebenher ein Trieb erwacht, oder, wenn die Vorsehung eine Aussicht eröfnet, wo du, ohne deinem eigentlichen Beruf zu schaden, Saamen der Glückseeligkeit ausstreuen kannst, da versäume es nicht, laß es dich Mühe und sauern Schweiß kosten, wenns nöthig ist; denn nichts führt uns unmittelbarer Gott näher, als die Wohlthätigkeit.

Aber hüte dich auch für die in jetzigen Zeiten so stark einreißende falsche Thätigkeit, die ich Thäteley zu nennen pflege. Der Sclave seiner Sinnlichkeit — der Wollüstling, deckt seinen Unflath mit der Tünche der Menschenliebe; er will allenthalben Gutes thun und weiß nicht, was gut ist, er befördert oft den armen Taugenichts zu einem Amte, wo er überschwenglich schadet, und würkt, wo er nicht würken soll. Eben so verfährt auch der stolze Priester seiner eigenen Vernunft, die doch in diesem Thal der Irrwische und Schatten noch gewaltig in den Kinderschuhen herumstolpert; er will Selbstherrscher in der moralischen Schöpfung seyn, legt unbehauene, oder auch verwitterte Steine im Bau, an den unrechten Ort, und verkleistert Lücken und Löcher mit falschem Mörtel.

Jüngling! beßre erst dein Herz, und laß deinen Verstand durch das himmlische Licht der Wahrheit erleuchten! — sey reines Herzens, so wirst du Gott schauen, und wenn du diese Urquelle des Lichts siehest, so wirst du auch den geraden schmalen Steeg sehen, der zum Leben führet; dann bete jeden Morgen zu Gott, daß er dir Gelegenheit zu guten Handlungen geben möge; stößt dir dann eine solche auf, so erwisch sie bey den Haaren, würke getrost, Gott wird dir beystehen; und wenn dir eine würdige That gelungen ist, so danke Gott innig in deinem Kämmerlein und schweige!!

Ehe ich schließe muß ich noch etwas vom Herzen wälzen, das mich drückt: die Geschichte lebender Personen ist schwer zu schreiben; der Mensch begeht Fehler, Sünden, Schwachheiten und Thorheiten, die sich dem Publico nicht entdecken lassen, daher scheint der Held der Geschichte besser, als er ist, eben so wenig darf man auch alles Gute sagen, das er thut, damit man ihn nicht seines Gnadenlohns berauben möge.

Doch ich schrieb ja nicht Stillings ganzes Leben und Wandel, sondern die Geschichte der Vorsehung in seiner Führung. Der große Richter wird dereinst seine Fehler auf die eine, und sein weniges Gute, auf die andre goldne Waageschale des Heiligthums legen; was hier mangelt, o Erbarmer! das wird deine ewige Liebe ersetzen!

Stillings Lobgesang
nach dem 118ten Psalm Davids

Mel. Wie lieblich winkt sie mir die sanfte Morgenröthe!

Gelobet sey der Herr! Sein Blick ist Huld und Güte,
    Sein Antlitz lächelt Freundlichkeit;
Und Seines Odems Hauch erquickt wie Rosenblüte;
    Er schenkt dem Geist Zufriedenheit.

Du Volk des Herren! komm! und preise Seine Gnade,
    Die heilig ist, und ewig währt!
Ihr Diener Gottes jauchzt! und wandelt auf dem Pfade,
    Den euch Sein Wort so deutlich lehrt!

Hinauf zu Seinem Thron, die ihr den Herren liebet!
    Hinauf! und opfert Preiß und Dank.
Hinauf, gerechtes Volk! das wahre Tugend übet;
    Es töne Ihm dein Lobgesang!

Mein Pfad ging felsenan, in Dämmerung und Schatten
   Und Blitze zückten über mir;
In Aengsten mancher Art, die mich umgeben hatten,
   Drung mein Gebet, o Gott! zu Dir.

Und Du erhörtest mich! erhörtest, Herr, mein Flehen!
   Und strömtest Trost ins müde Herz!
Du ließest mich den Glanz erhabner Hülfe sehen,
   Und stilltest liebreich meinen Schmerz!

Jehovah ist mit mir, was kann mich weiter schrecken?
   Kein Mensch stört meine Ruhe mir.
Und wird man neues Kreutz aus seinem Schlummer wecken,
   So fürcht ich nichts; der Herr ist hier!

Der Herr ist immer da, mir stets zu unterstützen;
   Wie wohl ist mir in Seiner Hut!
Was kann das schwache Rohr, der Menschen Trost, mir nützen?
   Der viel verspricht und wenig thut.

Der Herr ist treu und gut, Er hält, was Er versprochen,
   Wer auf Ihn traut, betrügt sich nicht.
Wie oft wird Fürsten-Treu und Fürsten-Wort gebrochen!
   Der Fürsten Fürst thut, was Er spricht.

Gleich einem Bienenschwarm umgaben mich die Leiden
   Sie summsten grimmig um mich her;
Wie Gottes Heerschaar kämpft, so stürmten sie im Streiten,
   Und machten mir das Siegen schwer.

Wie Dornenfeuer dampft, und knistert in der Flamme,
   Und jedes heitre Auge trübt:
Wie im Geheul der Glut vom Gipfel bis zum Stamme,
   Sich lechzend der Zerstörung übt;

So drung die Leidensflamm durch alle meine Glieder,
　　Und leckte Spreu und Stoppeln auf.
Bald sank mein mattes Aug, bethränt zum Staube nieder,
　　Bald schwung es sich zu Gott hinauf.

Allein Jehovahs Hauch zerstäubte diese Feinde,
　　Er kühlte diese Flamme ab.
Er zog mit starker Hand noch früher als ich meynte,
　　Wie neu verklärt mich aus dem Grab.

Der Herr ist meine Macht, mein Lied und meine Wonne!
　　Mit Jubel tönt der Siegs-Gesang
Aus Bauernhütten auf, aus Sphären jeder Sonne.
　　Der Wurm, der Seraph weiht Ihm Dank!

Des Herren rechte Hand behält auch Recht und sieget,
　　Jehovahs Rechte ist erhöht!
Jehovahs Rechte siegt, und wenn sein Knecht erlieget,
　　So siegt er auch, so bald er fleht.

Nein! Nein! ich sterbe nicht, ich soll des Herren Werke
　　Verkündigen noch lange Zeit.
Er züchtigt mich, der Herr! doch macht mich Seine Stärke
　　Noch lang zu Seinem Dienst bereit.

Macht auf das goldne Thor des Rechts! Ich will Ihm bringen
　　Ein warmes und zerknirschtes Herz.
Am goldnen Rauch-Altar will ich mein Danklied singen.
　　Er schuf mir Glück aus meinem Schmerz.

Gelobet seyst Du Herr! daß Du zur Demuth führest,
　　Den Himmelsstürmer, meinen Geist!
Ihn dann zerknirscht, gebeugt, mit Güte so regierest,
　　Daß er Dich nun als Diener preist.

Man hielt den Mauerstein für ungeschickt zum Bauen;
    Hier war er morsch, dort war er hart.
Der Meister hielte an mit bilden, mit behauen,
    Bis er zuletzt noch brauchbar ward.

Das that der Herr! Er thats! ein Wunder vor den Augen
    Des Volks, das Ihn zum Herren wählt.
Dies ist der Freudentag, wo wir mit Wonne schauen,
    Daß Er noch unsre Haare zählt.

Herr! hilf noch ferner mir! o Herr, laß wol gelingen,
    Was Deine Güte an mir thut!
Gepriesen sey, wer kommt, dem Herren lobzusingen!
    Und wer in Seinem Willen ruht!

Der Herr ist unser Licht! kommt, schmückt Sein Fest mit
           Mayen,
    Bis an die Hörner am Altar!
Es tön Ihm Saitenspiel! und alles müß sich freuen,
    Daß er so treu, so gütig war.

Du bist mein Gott! und ich! ich danke Deiner Güte!
    Die mich so wunderbar geführt,
Du bist mein Gott! und ich! des Wohlthuns nimmer müde,
    Bring Dir den Dank, der Dir gebührt.
             Hallelujah!

Heinrich Stillings
Lehr=Jahre.

Eine wahrhafte Geschichte.

Mit dem sehr ähnlichen Bildniß des Verfassers,
von H. Lips in Zürich.

Berlin und Leipzig 1804,
bei Heinrich August Rottmann,
Königl. Hofbuchhändler.

HEINRICH JUNG
STILLING.

HEINRICH STILLINGS
LEHR-JAHRE

Eine wahrhafte Geschichte

Liebe Leser und Stillingsfreunde! Ihr könnt den Titel, Heinrich Stillings Lehrjahre nehmen wie Ihr wollt — Er war bis daher selbst Lehrer und diente von der Pique auf; Er fieng als Dorfschulmeister zu Zellberg an, und endigte als Professor in Marburg. Aber er war auch Schüler oder Lehrjunge in der Werkstätte des größten Meisters; ob er nun Geselle werden könne, das wird sich bald zeigen — weiter wird ers wohl nicht bringen, weil wir ja alle nur einen Meister haben, und auch nur haben können.

Stilling glaubte nun ganz vest, das Lehramt der Staatswirthschaft sey der Beruf, zu welchem er von der Wiege an vor- und zubereitet worden; und Marburg sey auch der Ort, wo er bis an sein Ende leben und würken sollte. Diese Ueberzeugung gab ihm eine innige Beruhigung, und er bemühte sich in seinem Amt alles zu leisten, was die Kraft eines Menschen leisten kann: er schrieb sein großes und weitläuftiges Lehrbuch der Staats-Polizey, seine Finanzwissenschaft, das Camerale practicum; die Grundlehre der Staatswirthschaft, Heinrich Stillings häusliches Leben, und sonst noch viele kleine Abhandlungen und Flugschriften mehr; wobey dann auch die Staar- und Augencuren ununterbrochen fortgesetzt wurden. Er las täglich vier zuweilen auch fünf Stunden Collegien, und sein Briefwechsel wurde auch immer stärker, so daß er aus allen seinen Kräften arbeiten mußte, um seinen großen und schweren Würkungskreis im Umschwung zu erhalten;

doch wurde ihm alles dadurch um vieles erleichtert, daß er in
Marburg lebte.

Diese alte, von jeher, durch den letzten Aufenthalt, Tod,
und Begräbniß der heiligen Landgräfin Elisabeth von Hessen,
berühmte Stadt, liegt krumm, schief, und bucklicht, unter
einer alten Burg, den Berg hinab; ihre enge Gassen, leimene
Häuser, u. s. w. machen bey dem, der nur bloß durchreist,
oder den Ort nur oberflächlich kennen lernt, einen nachtheiligen, aber im Grunde ungerechten Eindruck: denn so bald man
das Innere des gesellschaftlichen Lebens — die Menschen in ihrer wahren Gestalt — dort kennen lernt, so findet man eine
Herzlichkeit, eine solche werkthätige Freundschaft, wie
man sie schwerlich an einem andern Ort antreffen wird.
Dies ist kein leeres Compliment, sondern ein Dankopfer,
und Zeugniß der Wahrheit, das ich den lieben Marburgern
schuldig bin.

Dann gehört auch noch das dazu, daß die Gegend um die
Stadt schön und sehr angenehm ist, und dann belebt auch der
Lahnfluß die ganze Landschaft: denn ob er gleich auf seinem
schwachen Rücken keine Lasten trägt, so arbeitet er doch al-
lenthalben fleißig im Taglohn, und greift rechts und links den
Nachbarn unter die Arme.

Das erste Haus, welches in Marburg Stillingen und Selma
die Arme der Freundschaft öfnete, war das Coingsche: Doctor Johann Franz Coing war Professor der Theologie, und ein
wahrer Christ; mit beyden Eigenschaften verband er einen
freundlichen, sanften, gefälligen und geheim wohlthätigen
Character; seine Gattin war ebenfalls eine fromme gotts-
fürchtige Frau, und von dem nämlichen Character; beyde
stammten von französischen Refügie's ab, und der Ge-
schlechtsname der Frau Professorin ist Duising. Dieses ehrwürdige Ehepaar hatte vier erwachsene Kinder, drey Töchter, Elise, Maria, und Amalie, und einen Sohn Namens
Justus, der die Theologie studirte, diese vier Kinder sind alle

Ebenbilder der Eltern, Muster christlicher und häuslicher Tugenden; die ganze Familie lebte sehr still und eingezogen.

Die Ursachen, warum sich das Coingsche Haus so warm und freundschaftlich an das Stillingsche anschloß, waren mannigfaltig: Eltern und Kinder hatten Stillings Lebensgeschichte gelesen; beyde Männer waren Landsleute; Verwandten von beyden Seiten hatten sich miteinander verheyrathet; Pfarrer Kraft in Frankfurth, Stillings alter und bewährter Freund, war Coings Schwager, ihre beyden Gattinnen waren leibliche Schwestern; und was noch mehr als das alles ist, sie waren von beyden Seiten Christen — und dies knüpft das Band der Liebe und der Freundschaft vester als alles — wo der Geist des Christenthums herrscht, da vereinigt er die Herzen durch das Band der Vollkommenheit, in einem so hohen Grade, daß alle übrige menschliche Verhältnisse nicht damit verglichen werden können; der ist glücklich, der es erfährt.

Selma schloß sich vorzüglich an Elise Coing an; Gleichheit des Alters, und vielleicht noch andere Ursachen, die in beyder Frauenzimmer Character lagen, legten zu dieser näheren Vereinigung den Grund.

Die vielen und schweren Geschäfte, und besonders auch ein höchstbeschwerlicher Magenkrampf, der Stilling täglich, und besonders gegen Abend sehr quälte, würkten den ersten Winter in Marburg heftig auf sein Gemüth: er verlor seine Heiterkeit, wurde schwermüthig, und so weichherzig, daß ihm bey dem geringsten rührenden Vorfall das Weinen unvermeidlich wurde; daher suchte ihn Selma zu einer Reise zu bereden, die er in den Osterferien zu ihren Verwandten in Franken, und im Oettingischen machen sollte. Mit vieler Mühe brachte sie ihn endlich zum Entschluß, und er unternahm diese Reise im Frühjahr 1788, ein Student von Anspach begleitete ihn bis in diese Stadt.

Es ist in Stillings Character etwas eigenes, daß die Landschaften einen so tiefen und wohlthätigen Eindruck auf ihn machen: wenn er reiset oder auch nur spatzieren geht, so ist es ihm immer wie dem Kunstliebhaber, wenn er in einer vortrefflichen Gemälde-Galerie umherwandelt — Stilling hat ein ästhetisches Gefühl für die schöne Natur.

Auf der Reise durch Franken, quälte ihn der Magenkrampf unaufhörlich — er konnte keine Speisen vertragen; aber der Character der Ansichten in diesem Lande, war stärkend, und tröstend für ihn — in Franken wohnt eine große Natur.

In Anspach besuchte Stilling Teutschlands Odensänger Uz; er trat mit einer gewissen Schüchternheit in das Zimmer dieses großen lyrischen Dichters; Uz, ein kleines, etwas corpulentes Männchen, kam ihm freundlich ernst entgegen, und erwartete mit Recht die Erklärung des Fremden, wer er sey? Diese Erklärung erfolgte; hierauf umarmte und küßte ihn der würdige Greis, und sagte: Sie sind also Heinrich Stilling! — es freut mich sehr den Mann zu sehn, den die Vorsehung so merkwürdig führt und der so freimüthig die Religion Jesu bekennt, und muthig vertheidigt.

Hierauf wurde von Dichtern und Dichtkunst gesprochen, und bey dem Abschied schloß Uz Stillingen noch einmal in die Arme, und sagte: Gott segne, stärke, und erhalte Sie! — ermüden Sie nie, die Sache der Religion zu vertheidigen, und unserm Haupt und Erlöser seine Schmach nachzutragen! — Die gegenwärtige Zeit bedarf solcher Männer und die folgende wird ihrer noch mehr bedürfen! — dereinst im bessern Leben sehen wir uns frölich wieder!

Stilling wurde tief und innig gerührt und gestärkt, und eilte mit nassen Augen fort.

Uz, Cramer, und Kloppstock werden wohl die Assaphs, Hemans, und Jedithums im Tempel des neuen Jerusalems seyn. Wir werden sehen, wenn es einmal wieder Scenen aus dem Geisterreich giebt.

Des andern Morgens fuhr Stilling fünf Stunden weiter nach Dorf Kemmathen, einem Ort nicht weit von Dünkelsbühl. Dort fuhr er vor das Pfarrhaus, stieg da am Hofthor aus, und erwartete, daß man ihm aufmachte; der Herr Pfarrer, ein schöner brünetter Mann kam aus dem Hause, machte auf und dachte an nichts weniger, als an Schwager Stillings Gegenwart, die Ueberraschung war stark. Die Frau Pfarrerin hatte indessen nöthige Geschäfte, und im Grunde war es ihr nicht so ganz recht, daß sie eben jetzt durch einen Besuch darin gestört werden sollte; indessen ihr Mann führte ihr den Besuch zu; sie empfing ihn höflich, wie gewöhnlich! als er ihr aber einen Gruß von Schwester Selma brachte, und auch sie Schwester nannte, da sank sie ihm in die Arme.

Stilling verlebte einige seelige Tage bey Bruder Hohbach, und Schwester Sophie. Die wechselseitige Bruder- und Schwesterliebe ist unwandelbar auch jenseits dem Grabe.

Schwester Sophie begleitete ihren Schwager nach Wallerstein zu ihrem Bruder; zu Oettingen fuhren sie am Kirchhof vorbey, wo Selma's und Sophiens Vater ruht; dem jedes einige Thränen weihte, dies geschahe auch zu Baldingen am Grabe der Mutter. Der Bruder und seine Gattin freuten sich des Besuchs.

So bald der Fürst Kraft Ernst von Oettingen-Wallerstein Stillings Ankunft erfahren hatte, lud er ihn ein, so lange er sich dort aufhalten würde, an der fürstlichen Tafel zu speisen, dies Anerbieten nahm er an, aber nur auf den Mittag, weil er die Abendstunden gern im Freundeskreise zubringen wollte. Das Land dieses Fürsten gehört unter die angenehmsten in Teutschland: denn das Rieß ist eine Ebene, die etliche Meilen im Durchschnitt hat, von der Werniz durchwässert, und ringsum von hohen Gebürgen umkreist wird. Auf dem mäßigen Hügel an dessen Fuß Wallerstein liegt, übersieht man diesen Garten Gottes; in der Nähe die Reichsstadt Nördlingen, und eine unzählbare Menge Städte und Dörfer.

Stillings Aufenthalt allhier wurde dadurch wohlthätig, daß er Augenkranken diente, er operirte den Präsidenten von

Schade, die Cur war glücklich, der würdige Mann erhielt sein Gesicht wieder. Zu dieser Zeit saß der, durchs graue Ungeheuer, und die hyperboreischen Briefe bekannte Weckherlin auf einer Bergveste im Fürstenthum Wallerstein gefangen: er hatte den Magistrat der Reichsstadt Nördlingen auf eine muthwillige Art gröblich beleidigt; dieser requirirte dem Fürsten von Wallerstein, in dessen Gebiet sich Weckherlin aufhielt, und forderte Genugthuung, der Fürst lies ihn also beym Kopf nehmen, und auf jenes Bergschloß bringen. Der Bruder des Fürsten Graf Franz Ludwig, hätte dem Gefangenen gern seine Freyheit wieder verschaft, er hatte auch schon desfalls vergebliche Versuche gemacht; als er nun merkte, daß der Fürst eine besondere Neigung zu Stilling äußerte, so lag er diesem an, er möchte Weckherlin losbitten, denn er habe schon lange genug für seinen Muthwillen gebüst.

Es giebt Fälle, in welchen der Christ nicht mit sich selbst aufs Reine kommen kann — dieser war von der Art: einen Mann los zu bitten, der die Freyheit zum Nachtheil seines Nebenmenschen, und besonders der Obrigkeit mißbraucht, hat seine Bedenklichkeit; und auf der andern Seite ist doch auch die Gefangenschaft, besonders für einen Mann wie Weckherlin, ein schweres Leiden. — Der Gedanke, daß man ja allenthalben Mittel habe, einem Menschen der seine Freyheit mißbraucht, das Handwerk zu legen, überwog Stillings Bedenklichkeit; er wagte es also, während der Tafel, den Fürsten zu bitten, Er möchte Weckherlin loslassen. — Der Fürst lächelte, und versetzte: laß ich ihn los, so geht er in ein ander Land, und dann geht es über mich her; überdas hat er ja an nichts Mangel, und er kann auf dem Schloß spazieren gehen, und der freyen Luft genießen, so wie er will. Nicht lange nachher erhielt denn doch der Gefangene seine Freyheit wieder.

Nach einem angenehmen Aufenthalt von zehn Tagen, reiste Stilling von Wallerstein wieder ab; die Verwandten begleiteten ihn bis Dünckelsbühl, wohin auch Schwester Sophie kam;

hier blieben sie des Nachts beysammen; des Morgens nahm Stilling von ihnen allen einen zärtlichen Abschied, und setzte dann seine Reise bis Frankfurth fort. Hier traf er seine Tochter Hannchen bey Freund Kraft an; sie war eine Zeitlang bey ihren Verwandten in den Niederlanden gewesen; sie war nun erwachsen. Der Vater freute sich der Tochter, und die Tochter des Vaters. Beyde fuhren nun zusammen nach Marburg. Selma kam ihnen, in Begleitung des Freundes Coing und ihrer Freundin Elisa, bis Gießen entgegen, und so kamen sie dann alle zusammen froh und zufrieden in Marburg wieder an.

Wer Stillings Lage jetzt leidenslos glaubt, der irrt sehr: es giebt Leiden, unter allen die schwersten, die man Niemand als nur dem Allwissenden klagen kann; weil sie durch den Gedanken, daß sie die vertrautesten Freunde ahnen könnten, vollends unerträglich würden. Ich bitte also alle meine Leser sehr ernstlich, ja nicht über diese Art der Leiden nachzudenken, damit sie nicht ins Vermuthen gerathen: denn hier wär jede Vermuthung sündlich. Ausserdem war Stillings Magenkrampf Leidens genug.

Um diese Zeit kam eine merkwürdige Person nach Marburg: diese war der Hofmeister zweyer jungen Grafen, die dort unter seiner Aufsicht studieren sollten — er mag hier Raschmann heißen — Raschmann war Candidat der Theologie, und besaß ganz vorzügliche Talente; er hatte einen durchdringenden Verstand, ausserordentlich hellen Blick, ein sehr gebildetes ästhetisches Gefühl, und eine Betriebsamkeit ohne gleichen. Auf der andern Seite aber war er auch ein strenger Beurtheiler aller Menschen, die er kennen lernte; und eben dies kennen lernen war eins seiner liebsten und angenehmsten Geschäfte; überall, und in allen Gesellschaften beobachtete er mit seinem Adlersblick alle Menschen und ihre Handlungen, und entschied dann über ihren Character; freylich hatte die Uebung einen Meister aus ihm gemacht, aber seine Urtheile wurden nicht immer durch die christliche Liebe geleitet, und die Fehler nicht immer mit ihrem Mantel bedeckt; indessen, er hatte die jungen Grafen vortreflich erzogen, und noch gehören sie unter die besten Menschen, die ich kenne. Dies machte Raschmann dem allen ungeachtet in den Augen aller Rechtschaffenen schätzbar.

In einer gewissen Verbindung hatte er eine große Rolle gespielt, und da auch seine Fertigkeit in der Menschenkunde bekommen. Ausserdem liebte er die Pracht, und einen guten Tisch; er trank die besten Weine, und seine Speisen waren ausgesucht delicat. Im Umgang war er sehr genau, krittlich und jähzornig, und die Bedienten wurden geplagt und mißhandelt. Dieser ausgezeichnete Mann suchte Stillings Freundschaft; er und seine Grafen hörten alle seine Collegien, und kamen wöchentlich ein paar mal in sein Haus zum Besuch, auch Er mußte oft nebst andern Professoren und Freunden bey Ihm speisen; so viel ist gewiß, daß Stilling in Raschmanns Umgang Vergnügen fand, so sehr sie auch in ihrer religiösen Denkungsart verschieden waren: denn Raschmanns Kenntnisse waren sehr ausgebreitet und ausgebildet, und im Umgang mit Leuten, die nicht unter ihm standen, war er sehr angenehm, und äußerst unterhaltend.

In diesem Sommer 1788 kam auch der Kirchenrath Mieg von Heidelberg, mit seiner lieben Gattin, nach Marburg um dortige Freunde und Stilling und Selma zu besuchen. Die Redlichkeit, rastlose Thätigkeit um Gutes zu wirken, und die gefühlvolle wohlthätige Seele Miegs, hatte auf Stilling einen liebevollen Eindruck gemacht, so daß beyde herzliche Freunde waren; und in eben dem Verhältniß standen auch die beyden Frauen gegen einander. Dieser Besuch knüpfte das Band noch fester; aber er hatte ausserdem noch eine wichtige Wirkung auf Stillings Denkungsart und philosophisches System:

Stilling war durch die Leibniz-Wolfische Philosophie in die schwere Gefangenschaft des Determinismus gerathen — über zwanzig Jahre lang hatte er mit Gebet und Flehen gegen diesen Riesen gekämpft, ohne ihn bezwingen zu können. Er hatte zwar immer die Freyheit des Willens und der menschlichen Handlungen in seinen Schriften behauptet, und gegen alle Einwürfe seiner Vernunft auch geglaubt; er hatte auch immer gebetet, obgleich jener Riese ihm immer ins Ohr lispelte: dein Beten hilft nicht, denn was Gott in seinem Rathschluß beschlossen hat, das geschieht, du magst beten, oder nicht. Dem allen ungeachtet glaubte und betete Stilling immer fort, aber ohne Licht und Trost, selbst seine Gebets-Erhörungen trösteten ihn nicht: denn der Riese sagte, es sey bloßer Zufall. — Ach Gott! — Diese Anfechtung war schrecklich! — Die ganze Wonne der Religion, ihre Verheißungen dieses und des zukünftigen Lebens — dieser einzige Trost im Leben, Leiden und Sterben, wird zum täuschenden Dunstbild, so bald man dem Determinismus Gehör giebt. Mieg wurde von ohngefähr der Retter Stillings aus dieser Gefangenschaft: er sprach nämlich von einer gewissen Abhandlung über die Kantische Philosophie, die ihm außerordentlich gefallen hatte; dann führte er auch das Postulat des Kantischen Moralprinzips an, nämlich: Handle so, daß die Maxime deines Wollens jederzeit allgemeines Gesetz seyn könne. Dies erregte Stillings Aufmerksamkeit; die Neuheit dieses Satzes machte tiefen Eindruck auf ihn; er beschloß Kants Schriften zu lesen, bisher war er dafür zurückgeschaudert, weil ihm das Studium einer neuen Philosophie — und zumal dieser — ein unübersteiglicher Berg zu seyn schien.

Kants Kritik der reinen Vernunft las er, natürlicher Weise zuerst, er faßte ihren Sinn bald, und nun war auf einmal sein Kampf mit dem Determinismus zu Ende: Kant beweist da, durch unwiderlegbare Gründe, daß die menschliche Vernunft außer den Gränzen der Sinnenwelt ganz und gar nichts weiß — daß sie in übersinnlichen Dingen, allemal — so oft sie aus ihren eigenen Principien urtheilt und schließt — auf Wider-

sprüche stößt, das ist: sich selbst widerspricht; dies Buch ist ein
Commentar über die Worte Pauli: der natürliche Mensch ver-
nimmt nichts von den Dingen, die des Geistes Gottes sind, sie
sind ihm eine Thorheit, u. s. w.

Jetzt war Stillings Seele wie emporgeflügelt; es war ihm bisher unerträglich gewesen, daß die menschliche Vernunft dies
göttliche Geschenk, das uns von den Thieren unterscheidet, der
Religion, die ihm über alles theuer war, so schnurgerade entgegen seyn sollte; aber nun fand er alles passend, und Gottgeziemend, er fand die Quelle übersinnlicher Wahrheiten in
der Offenbarung Gottes an die Menschen, in der Bibel, und die
Quelle aller der Wahrheiten, die zu diesem Erdenleben gehören, in Natur und Vernunft. Bey einer Gelegenheit, wo Stilling an Kant schrieb, äußerte er diesem großen Philosophen
seine Freude und seinen Beifall. Kant antwortete; und in seinem Briefe an ihn, standen die ihm ewig unvergeßlichen
Worte:

Auch darinnen thun Sie wohl, daß Sie Ihre einzige Beruhigung im Evangelio suchen, denn es ist die unversiegbare Quelle
aller Wahrheiten, die, wenn die Vernunft ihr ganzes Feld aus-
gemessen hat, nirgends anders zu finden sind.

Nachher las Stilling auch Kants Kritik der practischen Vernunft, und dann seine Religionen innerhalb den Gränzen der
Vernunft, anfänglich glaubte er in beyden Wahrscheinlichkeit
zu bemerken, aber bey reiferer Ueberlegung sahe er ein, daß
Kant die Quelle übersinnlicher Wahrheiten nicht im Evange-
lium, sondern im Moral-Prinzip suchte; wie kann aber dieses,
nämlich das sittliche Gefühl des Menschen, das dem Mexika-
ner die Menschenopfer, dem Nord-Amerikaner das Scalpiren
des Hirnschädels eines unschuldigen Gefangenen, dem Otaheitaner das Stehlen, und dem Hindus die Anbetung einer
Kuh gebeut, Quelle übersinnlicher Wahrheiten seyn? — oder
sagt man: nicht das verdorbene, sondern das reine Moral-
Prinzip, welches sein Postulat richtig ausspricht, sey diese

Quelle, so antworte ich: Das reine Moralprinzip ist eine bloße Form, eine leere Fähigkeit, das Gute und Böse zu erkennen; aber nun zeige mir einmal einer irgendwo einen Menschen im Zustand des reinen Moralprinzips! — alle werden von Jugend auf durch mancherley Irrsale getäuscht, so daß sie Böses für gut, und Gutes für bös halten. — Wenn das Moralprinzip zum richtigen Führer der menschlichen Handlungen werden soll, so muß ihm das wahre Gute und Schöne, aus einer reinen unfehlbaren Quelle — weil es an sich nur eine leere Form ist — gegeben werden — aber nun zeige man mir eine solche reine unfehlbare Quelle außer der Bibel! — es ist eine ewige und gewisse Wahrheit, daß jeder Heischesatz der ganzen Moral eine unmittelbare Offenbarung Gottes ist — beweise mir einer das Gegentheil — was die weisesten Heiden schönes gesagt haben, das war ihnen durch vielseitige Reflexionen aus dem Licht der Offenbarung zugeflossen.

Stilling hatte indessen durch Kants Kritik der reinen Vernunft genug gewonnen, und dies Buch ist und bleibt die einzig mögliche Philosophie, dies Wort im gewöhnlichen Verstande genommen.

So sehr auch Stilling nun von dieser Seite beruhigt war, so sehr drohte ihm von einer andern eine noch größere Gefahr; ein weit feinerer, und daher auch gefährlicherer Feind suchte ihn zu berücken: sein häufiger Umgang mit Raschmann flößte ihm allmälig, ohne daß ers merkte, eine Menge Ideen ein, die ihm einzeln gar nicht bedenklich schienen, aber hernach im Ganzen — zusammengenommen — eine Anlage bildeten, aus der mit der Zeit nichts anders, als: erst Sozinianismus, dann Deismus, dann Naturalismus, und endlich Atheismus, und mit ihm das Widerchristenthum, entstehen kann. So weit ließ es nun zwar sein himmlischer Führer nicht mit ihm kommen, daß er auch nur einen Anfang zu diesem Abfall von der himmlischen Wahrheit gemacht hätte, indessen war das doch schon arg genug, daß ihm der versöhnende Opfertod Jesu anfing eine orientalische Ausschmückung des sittlichen Verdienstes Christi um die Menschheit zu seyn.

Raschmann wußte dies mit so vieler Wärme und Ehrerbietung gegen den Erlöser, und mit einer so scheinbaren Liebe gegen ihn, vorzutragen, daß Stilling anfieng überzeugt zu werden. Doch kam es nicht weiter mit ihm: Denn seine religiösen Begriffe und häufige Erfahrungen waren gar zu tief in seinem ganzen Wesen eingewurzelt, als daß der Abfall weiter hätte gehen, oder auch nur beginnen können.

Dieser Zustand währte etwa ein Jahr, und eine gewisse Erlauchte und begnadigte Dame wird sich noch eines Briefs von Stilling aus dieser Zeit erinnern, der ihm ihre Liebe und Achtung auf eine Zeitlang — nämlich so lang entzog, bis er wieder aufs Reine gekommen war.

Gottlob! dahin kam er wieder, und nun bemerkte er mit Erstaunen, wie sehr sich allmählig die züchtigende Gnade schon von seinem Herzen entfernt hatte — von weitem zeigten sich schon längst erloschene sündliche sinnliche Triebe in seinem Herzen, und der innere Gottesfriede war in seiner Seele zu einem fernen Schimmer geworden. Der gute Hirte holte ihn um, und leitete ihn wieder auf den rechten Weg, die Mittel dazu zeigt der Verfolg der Geschichte.

Diese Abweichung hatte den Nutzen, daß Stilling die Versöhnungslehre noch genauer prüfte, und nun so fest anfaßte, daß sie ihm keine Gewalt mehr entreißen soll.

Des folgenden Jahrs, im Winter 1789, schrieb die regierende Gräfin von Stollberg-Wernigerode an Stilling, er möchte sie doch in den Osterferien besuchen — er antwortete, daß er um eines bloßen Besuchs willen nicht reisen dürfe; so bald aber Blinde dort wären, denen er dienen könnte, so wollte er kommen. Dies hatte nun die Wirkung, daß der regierende Graf in seinem Lande bekannt machen ließ, es würde ihn ein Augenarzt besuchen, wer also seiner Hülfe benöthigt wäre, der möchte in der Charwoche auf das Wernigeroder Schloß kommen. Diese so wohlmeynende Veranstaltung hatte nun das drollichte Gerücht veranlaßt: der Graf von Wernigerode habe allen Blinden in seinem Lande bey zehn Reichsthaler Strafe befohlen, in der Charwoche auf dem Schloß zu erscheinen, um sich da operiren zu lassen.

Auf die erhaltene Nachricht, daß sich Blinde einfinden würden, trat also Stilling diese Reise den Dienstag in der Charwoche zu Pferde an; der junge Frühling war in voller Thätigkeit, überall grünten schon die Stachelbeer-Sträucher, und die Ausgeburt der Natur erfüllte alles mit Wonne. Von jeher sympathisirte Stilling mit der Natur, daher war es ihm auf dieser Reise innig wohl. Auf dem ganzen Wege war ihm nichts auffallender, als der Unterschied zwischen Osterode am Fuße des Harzes, und Clausthal auf der Höhe desselben: dort grünte der Frühling, und hier, nur zwo Stunden weiter starrte alles von Eis, Kälte und Schnee, der wenigstens acht Schuh tief lag.

Am Charfreytag Abend kam Stilling auf dem Schloß zu Wernigerode an, er wurde mit ungemeiner Huld und Liebe von der ganzen gräflichen Familie empfangen und aufgenommen. Hier fand er eilf Staarblinde, alle im Schloß einquartiert, sie wurden aus der Küche gespeist, und Stilling operirte sie am ersten Ostertag Morgen vor der Kirche, und der gräfliche Leibchirurgus besorgte den Verband.

Unter diesen Blinden war eine junge Frau von 28 Jahren, welche auf dem Heimwege von Andreasberg nach Ilsenburg an der Seite des Brocken eingeschneit worden; der Schnee war so stark und so häufig gefallen, daß er ihr endlich über dem Kopf zusammen gegangen war, und sie nun nicht weiter fort konnte; sie hatte 24 Stunden in einer ruhigen Betäubung gelegen als man sie fand. Der ganze Unfall hatte ihrer Gesundheit weiter nicht geschadet, ausser daß sie vollkommen staarblind geworden war; sie wurde nun wieder sehend.

Dann waren auch ein alter Mann und seine alte Schwester unter diesen Blinden; beyde hatten eine lange Reihe von Jahren den grauen Staar gehabt, und sich also in etwa 20 Jahren nicht gesehen. Als sie nun beyde geheilt waren, und zuerst wieder zusammen kamen, so war ihre erste Empfindung, daß sie sich beyde anstaunten und verwunderten, wie sie so alt aussähen.

Die Tage, die Stilling hier im Vorhof des Himmels verlebte, sind ihm ewig unvergeßlich. Acht Tage nach Ostern reiste er wieder nach Marburg.

Nach einigen Wochen kam die liebe gräflich-Wernigerodische Familie durch Marburg, um in die Schweiz zu reisen, Stilling und Selma wurden von ihr besucht und bey dieser Gelegenheit äusserte der Graf den Gedanken, daß Er mit seiner Reisegesellschaft künftigen 12. September wieder bey ihm seyn, und dann mit ihm seinen Geburtstag feyern wollte. Der edle Mann hielt Wort, denn auf den 12. September, welcher Stillings 50ster Geburtstag war, kam die ganze Reisegesellschaft glücklich, gesund und vergnügt wieder in Marburg an.

Ein guter Freund aus der Suite des Grafen, hatte ein paar Tage vorher Selma einen Wink davon gegeben, sie hatte also auf den Abend ein großes Mahl veranstaltet, zu welchem auch Raschmann mit seinen Grafen, nebst noch andern lieben Marburgern eingeladen waren, daß hierbey das Coingsche Haus nicht vergessen wurde, brauch ich wohl nicht zu erinnern. Noch nie war Stillings Geburtstag so hoch gefeyert worden, Erleuchtung seines Catheders, und eine Rede von Raschmann erhöhten diese Feyer. Artig war es indessen, daß man Stillings Lebens-Jubiläum so feyerlich begieng, ohne daß ein Mensch daran gedacht hatte, daß dieser gerade der 50ste Geburtstag sey; das Ganze machte sich so von selbst, nachher fiel es Stillingen ein, und nun zeigte es sich auch, daß dieser Abend eine Einweihung zu einer neuen Lebensperiode gewesen sey.

Bald nachher im Herbst 1789 fiengen die Ferien an, in welchen Stilling eine Reise ins Darmstädtische und dann nach Neuwied machen mußte, um Blinden zu dienen. Raschmann, seine Grafen und Selma begleiteten ihn bis Frankfurt, er reiste dann nach Rüsselsheim am Mayn, wo er die Frau Pfarrerin Sartorius operirte, und neun vergnügte Tage bey dieser christlichen Familie verlebte; hier war der Ort, wo sich Stilling in Ansehung der Versöhnungslehre zuerst auf dem fahlen Pferd erwischte: der Pfarrer Sartorius war noch aus der Hallischen oder Frankens Schule, und sprach mit Stilling über die Wahrheiten der Religion in diesem Styl, vorzüglich war von der Versöhnungslehre, und von der zugerechneten Gerechtigkeit die Rede; ohne es zu wollen, kam er mit dem frommen Pfarrer in einen Dispüt über diese Materie, und entdeckte nun wie weit er schon abgekommen war — hier begann also seine Rückkehr.

In Darmstadt operirte Stilling auch verschiedene Personen; hier traf er einen Mann an, der noch bis dahin der einzige Staarpatient ist, der Gott zu Ehren blind bleiben wollte: denn als ihm Stillings Ankunft gemeldet, und ihm gesagt wurde, er könne nun mit der Hülfe Gottes wieder sehend werden, so gab er ganz gelassen zur Antwort: der Herr hat mir dies Kreuz aufgelegt, Ihm zu Ehren will ichs auch tragen! — welch ein Mißbegriff! —

Von Darmstadt gieng Stilling nach Mainz, wo sich damals der Graf Maximilian von Degenfeld aufhielt, beyde wollten miteinander nach Neuwied reisen. In Gesellschaft dieses edlen Mannes besuchte er den, wegen seines musikalischen Instruments, berühmten Herrn von Dünewald; sie besahen seinen niedlichen Garten mit der Kapelle: und seinem Grab, und dann sahen und hörten sie auch das eben erwähnte Instrument, auf welchem ihnen der Eigenthümer eine ganze Symphonie mit allen dazu gehörigen Instrumenten natürlich und vortreflich vorspielte. Wo dies herrliche Stück im Krieg geblieben ist, und ob es nicht auf immer verstimmt worden, das weiß ich nicht.

Des andern Morgens fuhren sie in einem bedeckten Nachen den Rhein hinab. Es gieng jetzt besser als im Jahr 1770, als auf der Reise nach Strasburg die Jacht umfiel, oder 1771, auf der Reise nach Haus, als Stilling auch diese Wasserfahrt, am Abend in einem dreybortigen Kähnchen machte, und sich mit seinem Begleiter auf eine Jacht rettete. Es war ein prächtiger Herbst-Morgen, und die purpurne Morgenröthe bließ so stark in das Segel des bedeckten Nachens, daß sie die sechs Stunden von Mainz bis Bingen in dreyen machten. Diese Wasserfahrt ist wegen der romantischen Ansichten weit und breit berühmt, aber Stillingen wegen oben bemerkter gelittenen Unfälle unvergeßlich. Nachmittags um vier Uhr kamen sie in Neuwied an, wo sie auch Raschmann mit seinen Grafen und den jetzigen Vicekanzler der Universität, damals Professor Erxleben, antrafen, mit diesem Freund wurde Stilling bey dem Pastor Minz einquartirt, die übrigen logirten zum Theil im Schloß.

Diese Reise Stillings nach Neuwied ist darum in seiner Geschichte merkwürdig, weil er hier zum erstenmal in seinem Leben einen Herrnhuter Gemeinort kennen lernte, und einer ihrer sonntäglichen Gottes-Verehrungen beywohnte, in welcher Br. Du Vernoy eine herrliche Predigt hielt. Alles zusammen machte tiefen Eindruck auf Stilling, und brachte ihn der Brüdergemeine näher, wozu auch Raschmann vieles beytrug, welcher, ob er gleich in Ansehung seiner religiösen Gesinnungen himmelweit von ihr verschieden war, doch mit vieler Hochachtung und mit Enthusiasmus von ihr redete. Stilling war von jeher den Herrnhutern gut gewesen, ob er gleich noch viele Vorurtheile gegen sie hatte: denn er war bisher mit lauter Erweckten umgegangen, die Vieles an der Brüdergemeine auszusetzen hatten, und selbst hatte er noch keine Gelegenheit gehabt sie zu prüfen. Bey allem dem war sie ihm wegen ihrer Missions-Anstalten sehr ehrwürdig.

Der damals regierende Fürst Johann Friedrich Alexander, berühmt, durch seine Weisheit und Duldungs-Maximen, ein bejahrter Greiß, war mit seiner Gemahlin auf seinem Lust-schloß *Monrepos*, welches zwo Stunden von der Stadt ent-fernt ist, und das Thal hinauf oben am Berg liegt, von wan-nen man eine unvergleichliche Aussicht hat. An einem schönen Tage ließ er die beyden Marburger Professoren, Erxleben und Stilling, in seiner Equipage holen; sie speisten zu Mittag mit diesem Fürstenpaar, und kehrten am Abend wieder nach Neu-wied zurück. Hier entstand eine vertrauliche religiöse Be-kanntschaft zwischen der alten Fürstin und Stilling, die durch einen sehr fleißigen Briefwechsel bis zu ihrem Uebergang ins bessere Leben unterhalten wurde; sie war eine gebohrne Burg-gräfin von Kirchberg, eine sehr fromme und verständige Dame: Stilling freut sich auf ihren Willkomm in den seeligen Gefilden des Reichs Gottes.

Nachdem auch hier wieder Stilling einige Tage lang Blinden gedient hatte, so reiste er in Begleitung seines Freundes und Collegen Erxleben wieder nach Marburg zurück.

In Wezlar glaubte Stilling ganz gewiß einen Brief von Selma zu finden, aber er fand keinen. Bey seinem Eintritt ins Pfarrhaus bemerkte er an Freund Machenhauer und seiner Gattin eine gewisse Verlegenheit; schnell fragte er, ob kein Brief von Selma da sey? Nein! antworteten sie, Selma ist nicht wohl, doch ist sie nicht gefährlich krank; dies sollen wir Ihnen nebst ihrem Gruß sagen. Dies war für Stilling genug, im Augenblick nahm er Extrapost, und kam am Nachmittag in Marburg an.

Ganz unerwartet begegnete ihm seine Tochter Hannchen im Vorhaus; sie war ein halb Jahr bey Selma's Geschwistern in Schwaben zu Kemmathen und Wallerstein gewesen. Schwe-ster Sophie Hohbach hatte ihr viele Liebe erwiesen, aber durch eine verdriesliche Krankheit, nämlich die Krätze, war sie in sehr traurige Umstände gerathen; sie hatte unaussprechlich gelitten, und sahe sehr übel aus. Stillings Vaterherz wurde zerrissen, seine Wunden bluteten. Durch Hannchen erfuhr er, daß die Mutter nicht gefährlich krank sey.

So wie er die Treppe hinauf stieg, sahe er Selma blaß und entstellt am Eck des Treppengeländers stehen; mit einem zärtlich-wehmüthigen Blick, durch Thränen lächelnd, empfing sie ihren Mann und sagte: Lieber! sey nicht bange, es hat nichts mit mir zu sagen, er beruhigte sich, und gieng mit ihr ins Zimmer.

Selma hatte im Frühjahr ein unglückliches Kindbett gehabt, sie mußte durch den Geburtshelfer entbunden werden. Bey dieser Gelegenheit fuhr ein Schwerdt durch Stillings Seele, er mußte einen tödtlichen Schmerz durchkämpfen, dessen Ursache nur Gott bekannt ist, Selma selbst hat sie nie erfahren. Ein bildschöner Knabe kam todt auf die Welt: Vielleicht hatte auch Selma bey dieser Gelegenheit gelitten, Gott weiß es! Vermuthlich war ein Fall, den sie bey einer Feuersgefahr gethan hatte, Schuld an dieser unglücklichen Entbindung, und ihren späteren Folgen. Jetzt war sie nun wieder in gesegneten Umständen und Stilling glaubte, daß ihre Unpäßlichkeit aus dieser Quelle herrühre, sie wurde auch würklich wieder besser, aber nun erfolgte von ihrer Seiten eine Erklärung, die Stillings Seele, die durch so viele, langwierige und schwere Leiden ermüdet ist, in tiefe Schwermuth stürzte: bald nach seiner Zurückkunft von Neuwied, als er mit Selma auf ihrem Sopha saß, faßte sie seine Hand, und sagte:

Lieber Mann! höre mich ganz ruhig an, und werde nicht traurig! ich weiß gewiß, daß ich in diesem Kindbett sterben werde — ich schicke mich auch fernerhin nicht mehr in deinen Lebensgang; wozu mich Gott dir gegeben hat, das hab ich erfüllt, aber in Zukunft würde ich nicht mehr in deine Lage passen. Wenn du nun willst, daß ich die noch übrige Zeit ruhig leben und dann freudig sterben soll, so mußt du mir versprechen, daß du meine Freundin Elise Coing heirathen willst, die schickt sich von nun an besser für dich als ich, und ich weiß, daß sie eine gute Mutter für meine Kinder, und eine treffliche Gattin für dich seyn wird — nun setz dich einmal über das, was man Wohlstand heißt, hinaus, und versprich mir das — Gelt, Lieber! du thust es? — der sehnsuchtsvolle Blick, der aus ihren schönen blauen Augen strahlte, war unbeschreiblich.

Meine Leser mögen selbst urtheilen, wie Stillingen in diesem Augenblick zu Muthe war — daß er ihren Wunsch — ihr zu versprechen, daß er Elise nach ihrem Tode heirathen wolle, unmöglich erfüllen konnte, läßt sich leicht denken — doch ermannte er sich, und antwortete: Liebes Kind! du weißt selbst, daß du in jeder Schwangerschaft deinen Tod geahnt hast, und bist glücklich davon gekommen, ich hoffe, so wird es auch jetzt gehen — und dann besinne dich einmal recht, ob es möglich sey, dir zu versprechen, was du von mir forderst, es stößt ja gegen alles an, was nur Schicklichkeit genannt werden kann. Selma sah verlegen um sich her, und erwiederte: es ist doch traurig, daß du dich nicht über das Alles wegsetzen kannst, um mich zu beruhigen! daß ich jetzt sterben werde, das weiß ich sicher, es ist jetzt ganz anders als sonst.

Obgleich Stilling dieser Todes-Ahnung eben keinen starken Glauben beimaß, so wurde doch sein Gemüth durch eine tiefe ahnende Schwermuth gedrückt, und er faßte den Entschluß, von nun an täglich auf den Knien um Selma's Leben zu beten, den er auch treulich ausführte.

Den ganzen Winter über rüstete sich Selma zu ihrem Tod, wie zu einer großen Reise — man kann denken, wie ihrem Mann dabey zu Muthe war — sie suchte alles in Ordnung zu bringen, und das alles mit Heiterkeit und Gemüthsruhe. Zugleich suchte sie dann immer ihren Mann zur Heirath mit Elise zu bewegen, und ihm sein Versprechen abzulocken. Hierinnen gieng sie unglaublich weit: denn an einem Abend traf sichs, daß Stilling, Selma und Elise ganz allein an einem runden Tischchen saßen, und zusammen aßen; gegen das

Ende blickte Selma sehnsuchtsvoll Elise an, und sagte: Nicht
wahr, liebes Lieschen! sie heirathen meinen Mann, wenn ich
todt bin? — Die Lage ist schlechterdings unbeschreiblich, in welcher sich Stilling und Elise bey diesem Antrag befanden —
Elise wurde blutroth im Gesicht, und antwortete: Sprechen
Sie doch so nicht, Gott wolle uns für diesen Fall bewahren! —
und Stilling gab ihr einen liebevollen Verweis über ihr unschickliches Benehmen. Als sie nun endlich sahe, daß sie in diesem Punct mit ihrem Manne nicht fertig werden konnte, so
wandte sie sich an gute Freunde, von denen sie wußte, daß
sie über Stilling viel vermochten, und bat sie flehentlich, sie
möchten doch sorgen, daß nach ihrem Tode ihr Wunsch erfüllt
würde.

Im Frühjahr 1790 rückte nun allmälig der wichtige Zeitpunkt von Selma's Niederkunft heran; Stillings Gebet um ihr
Leben wurde dringender, sie aber blieb immer ruhig. Den
11ten May kam sie mit einem jungen Sohn glücklich nieder,
sie befand sich wohl, und Stilling freute sich hoch und dankte
Gott; dann machte er seiner lieben Kindbetterin zärtliche
Vorwürfe über ihre Ahnung, allein sie sahe ihn bedenklich an,
und sagte sehr nachdrücklich: Lieber Mann! wir sind noch
nicht fertig! — fünf Tage war sie recht wohl, sie tränkte ihr
Kind, und war heiter; aber am sechsten zeigte sich ein Friesel,
sie wurde sehr krank, und nun gieng Stilling das Wasser an
die Seele. Freundin Elise kam, um ihr aufzuwarten, wobey
sie dann auch Hannchen treulich unterstützte; auch Mutter
Coing kam täglich, und löste zu Zeiten ihre Tochter ab.

Noch immer hatte Stilling Hoffnung zu ihrer Genesung, als
er aber an einem Nachmittag allein an ihrem Bette saß, so
bemerkte er, daß sie unordentlich zu reden anfieng, und am
Betttuch zurechtlegte, und pflückte. Jetzt lief er unter Gottes
Himmel hinaus durch das Renthofer Thor, und dann durch
das Birkenwäldchen, um den Schloßberg herum, er rief aus
seinem Innersten empor, daß es durch aller Himmel Himmel

hätte dringen mögen, nicht um Selma's Leben; denn er verlangte kein Wunder; sondern um Kraft für seine müde Seele, um diesen harten Schlag ertragen zu können.

Dies Gebet wurde erhört, er trat beruhigt in sein Haus, der Friede Gottes thronte in seiner Brust; er hatte dem Herrn dies große Opfer gebracht, und Er hatte es gnädig angenommen. Von nun an sahe er Selma nur noch zweymal wenige Augenblicke: denn seine physische Natur litt zu sehr, und man fürchtete, sie möchte es nicht aushalten, er ließ sich also rathen und hielt sich entfernt.

Des folgenden Tages am Nachmittag gieng er noch einmal zu ihr, sie hatte schon den Kinnbacken-Zwang; Elise saß auf dem Sopha und ruhte, jetzt erhob Selma den halberloschenen Blick, schaute ihren Mann sehnlich an, und winkte dann auf Elise — Stilling schlug die Augen nieder und entfernte sich.

Des folgenden Morgens gieng er noch einmal an ihr Bett — Nein! den Anblick vergißt er nie, Morgenröthe der Ewigkeit glänzte auf ihrem Angesicht. Ist dir wohl? fragte er sie. — Vernehmlich hauchte sie zwischen den zugeklemmten Zähnen durch: O Ja! Stilling wankte fort, und sahe sie nicht wieder: denn so stark auch sein Geist war, so sehr wurde doch seine physische Natur und sein Herz erschüttert, auch Elise konnte ihrer Freundin Sterben nicht sehn, sondern Mutter Coing drückte ihr die Augen zu — Sie entschlief die folgende Nacht, den 23sten May, Morgens um ein Uhr; man kam weinend an Stillings Bett, es ihm zu sagen; Herr dein Wille geschehe! war seine Antwort.

Selma! — todt! — das Weib auf welches Stilling stolz war? — todt? — das will viel sagen. Ja in seiner Seele thronte hoher Friede, aber dennoch war sein Zustand unbeschreiblich, seine Natur entsetzlich erschüttert — der immerfort quälende Magenkrampf hatte ohnehin schon sein Nervensystem auf einen

hohen Grad gespannt, und dieser Schlag hätte es ganz zerrüt-
ten können, wenn ihn Gottes Vatergüte nicht unterstützt —
oder in der Modesprache zu reden: wenn er nicht eine so
starke Natur gehabt hätte. Es war nun todt und stille um ihn
her — bey Christinens Abschied war er durch das langwierige
Leiden so vorbereitet, daß er eine Wohlthat, eine Erleichterung für ihn war, aber jetzt war es ganz anders.

Daß Selma Recht hatte, als sie sagte: Sie passe in seinen
Lebensgang nicht mehr, das fieng er zwar an deutlich einzusehen, und im Verfolg fand er es wahr, aber doch war ihr
Heimgang herzeingreifend und schrecklich: sie war ihm sehr
viel, für ihn ein großes Werkzeug in der Hand seines himmlischen Führers gewesen, und nun war sie nicht mehr da.

Stilling war, als er Selma heirathete, noch nie unter Leuten von vornehmem Stand gewesen: von seinem Herkommen
und Erziehung, hing ihm noch Vieles an: in seinem ganzen
Leben und Weben, Gehen und Stehen, Essen und Trinken, in
der Art sich zu kleiden, besonders aber im Umgang mit vornehmen Leuten benahm er sich so, daß man im Augenblick
seinen niedrigen Ursprung bemerkte, immer that er der Sache
entweder zu viel oder zu wenig. Dies alles polirte Selma, die
ein sehr gebildetes Frauenzimmer war, rein ab. Wenigstens
hat man späterhin nie die Bemerkung gemacht, daß es Stilling an guter Lebensart fehle. Diese Politur war ihm aber auch
nöthig: denn nachher fand sichs, daß er bestimmt war, sehr
viel mit Personen vom höchsten Rang umzugehen.

Vorzüglich war sie ihm aber in seinem Schuldenwesen ein
von Gott gesandter Engel der Hülfe: sie war eine vortrefliche
Haushälterin; mit einem sehr mäßigen Einkommen in Lautern und Heidelberg hatte sie doch schon über zweytausend
Gulden Schulden abgetragen, und dadurch alle Creditoren so
beruhigt, daß die übrigen zufrieden waren und gern warteten.
Die Hauptsache aber war, daß sie alsofort, so bald sie Stilling
geheirathet hatte, seine durch den elenden gefühllosen Kauf-

mannsgeist unbarmherziger Creditoren gequälte Seele dergestalt beruhigte, daß er nicht wußte, wie ihm geschah; sie setzte
ihn aus einem, jeden Augenblick dem Schiffbruch drohenden
Sturm aufs Trockene. — Warte du deines Berufs — sagte sie —
bekümmere dich um nichts, und überlaß mir die Sorge — und
sie hielt treulich Wort. Selma war also in ihrem neunjährigen
Ehestand ein unschätzbares Werkzeug der Beglückung für
Stilling gewesen.

Wenn sie sich erklärte, daß sie hinführo nicht mehr in Stillings Lebensgang passen würde, und wenn das auch ganz richtig war, so muß ich doch alle meine Leser bitten, deswegen
nichts Arges zu denken oder zu ahnen. Selma hatte einen ausnehmend edlen Charakter, sie war ein herrliches Weib; aber es
giebt Lagen und Verhältnisse, zu welchen auch der vortref-
lichste Mensch nicht paßt.

Stillings Führung war immer planmäßig, oder vielmehr:
der Plan, nach welchem er geführt wurde, war immer so
offenbar, daß ihn jeder Scharfsichtige bemerkte — auch Raschmann durchschaute ihn, oft staunte er Stilling an und sagte:
die Vorsehung muß etwas Sonderbares mit Ihnen vorhaben,
denn alle Ihre große und kleine Schicksale zielen auf einen
großen Zweck, der noch in der dunkeln Zukunft verborgen
liegt. Dies fühlte auch Stilling sehr wohl, und es beugte ihn in
den Staub, aber es gab ihm auch Muth und Freudigkeit zum
Fortringen auf der Kampfbahn, und wie sehr eine solche
Führung das wahre Christenthum, und den Glauben an den
Weltversöhner befördere, das läßt sich leicht erachten.

Selma lag da entseelt — Hannchen, ein Mädchen von sech-
zehen und einem halben Jahr, ergriff nun mit Muth und Ent-
schlossenheit das Ruder der Haushaltung, und eine treue brave
Magd, die Selma schon in Lautern zu sich genommen, erzogen,
und zu einer guten Köchin gebildet hatte, unterstützte sie.

Von sechs Kindern, die Selma gebohren hatte, lebten noch
drey; Lisette, Karoline, und dann der verwayste Säugling,

dem sie entflohen war. Lisette war vier und ein viertel, und Karoline zwey und ein halb Jahr alt. Selma selbst hatte noch nicht volle dreyßig Jahr gelebt als sie starb, und so viel geleistet — sonderbar ist, daß sie in ihren Brauttagen zu Stilling sagte: Sie werden mich nicht lange haben, denn ich werde nicht dreyßig Jahr alt; ein merkwürdiger Mann hat mir das in Oettingen gesagt.

So treu und rechtschaffen auch Hannchen war, so war sie doch der Erziehung ihrer kleinen Geschwister damals noch nicht gewachsen; dafür hatte aber die Verklärte auch schon gesorgt, denn sie hatte verordnet, daß Lisette so lange bey ihre Freundin Mieg nach Heidelberg gebracht werden sollte, bis ihr Vater wieder geheirathet hätte, und eben so lang sollte auch Karoline bey einer andern guten Freundin, die einige Meilen weit von Marburg wohnte, verpflegt werden. Das erste wurde einige Wochen hernach ausgeführt: Stilling schickte sie mit einer Magd nach Frankfurt ins Kraftische Haus, wo sie Freundin Mieg abholte; Karoline aber nahm Mutter Coing zu sich: denn sie sagte: es ist hart, dem tief gebeugten Vater zwey Kinder auf einmal zu entziehen und sie so weit von ihm zu entfernen. Stilling war damit zufrieden, denn er war überzeugt, daß Selma Elisen beyde Kinder übertragen hätte, wenn es dem Wohlstand nicht zuwider gewesen wäre; — dieser gebot nun dem Coingschen Hause sich etwas zurückzuziehen, statt dessen drängte sich ein anders zur Hülfe hervor:

Der jetzige geheime Rath und Regierungs-Director Rieß in Marburg, war damals noch Regierungs-Rath, und Fürstlicher Commissarius bey der Universitäts-Güter-Verwaltung, bey welcher auch Stilling als Kameralist gleich von Anfang an, war angestellt worden; beyde Männer kannten sich, und liebten sich. Kaum war also Selma verschieden, so kam Rieß und übernahm die ganze Besorgung, die die Umstände erforderten: Stilling mußte alsofort mit ihm in sein Haus gehen, und da bleiben bis alles vorbey war. Seine gute Gattin nahm zugleich auch den kleinen Säugling weg; und verschafte ihm alsofort eine Amme, und dann sorgte auch Rieß für die Beerdigung der Leiche, so daß sich Stilling schlechterdings um nichts zu bekümmern brauchte. Das Kind wurde auch im Riesischen Hause getauft, und Rieß und Coing nebst Raschmann und den Grafen, die sich dazu erboten, waren die Gevattern. Dergleichen Handlungen werden dereinst hoch angerechnet werden; Rieß und Stilling sind Freunde auf die Ewigkeit, und dort läßt sich besser von der Sache sprechen, als hier.

Das Erste was nun Stilling zu seiner Erleichterung vornahm, war, daß er seinen alten Vater Wilhelm Stilling holen ließ; der ehrwürdige vier und siebenzig jährige, in der Schule der Leiden hochgeprüfte Greis, kam alsofort; seine Seelenruhe und Gelassenheit in allen Leiden, flöste auch seinem Sohn, der seinem Bilde ähnlich ist, Trost ein. Gegen vierzehn Tage blieb er da, während der Zeit erholte sich Stilling wieder; wozu dann auch Selma's letzter Willen vieles beytrug. Daß er wieder heirathen mußte, verstand sich von selbst, denn er mußte jemand haben, der seine Kinder erzog, und der Haushaltung vorstand, weil ja Hannchen; wenn sie ihr Glück machen konnte, es um des Vaters Haushaltung willen, nicht verscherzen durfte. Wie wohlthätig war es nun, daß die rechtmäßige Besitzerin seines Herzens ihre Nachfolgerin — und zwar so — bestimmte, daß Stilling selbst auch keine andere Wahl getroffen haben würde.

Wer es nicht erfahren hat, der kann es nicht glauben, wie wenig beruhigend es für einen Wittwer ist, wenn er weiß, daß seine zur Ruhe gegangene Gattin seine Wahl billigt! — und hier war mehr als Billigung.

Nach Ablauf der Zeit, die der Wohlstand bestimmt, und die Gesetze vorschreiben, hielt Stilling um Elise an; die Eltern und sie selbst machten ihn durch ihr liebevolles Jawort wiederum glücklich; Gottes gnädiges Wohlgefallen an dieser Verbindung, der verewigten Selma erfüllter Willen, und der segnende Beyfall aller guten Menschen, strömten eine Ruhe in seine Seele, die nicht beschrieben werden kann. Von nun an nahm sich Elise Karolinens Erziehung an; auch besuchte sie Hannchen, und gieng ihr mit Rath an die Hand, und Stilling hatte nun auch wieder eine Freundin, mit der er von Herz zu Herzen reden konnte.

Jetzt rückte nun auch wieder der zwölfte September heran, der im vorigen Herbst so glänzend war gefeyert worden; Stilling hatte seitdem ein schweres Lebensjahr durchgekämpft. Jetzt studirte nun der Erbprinz von Hessen in Marburg, welchem Stilling auch wöchentlich viermal Unterricht gab; dieser ließ ihn auf seinen Geburtstag zur Mittagstafel einladen, und Vater Coing wurde ebenfalls gebeten; am Abend wurde er in Coings Haus gefeyert.

Der 19. November, der Tag der heiligen Elisabeth, war von jeher in der Duisingschen Familie bemerkt worden, und gewöhnlich führten auch die Frauenzimmer aus ihr diesen Namen; bey Elisen war er besonders auch deswegen merkwürdig, weil sie eigentlich dreymal Elisabeth heist: sie wurde den 9. May 1756 gebohren, und hatte drey Taufzeugen, wie sie wohl wenige Menschen haben, nämlich ihre Großmutter Duising, deren ihre Mutter, Vultejus, und dann dieser Urgroßmutter Mutter, also Elisens Ur-Urgroßmutter, die Frau von Hamm; alle drey Matronen, die Großmutter, Urgroßmutter, und Ur-Urgroßmutter waren auch bey der Taufe gegenwärtig, und die letztere, die Frau von Hamm legte bey der Tauf-Mahlzeit den Gästen vor. Alle drey Frauen hießen auch Elisabeth. Dieser Elisabethen Tag wurde zu Stillings und Elisens Copulation bestimmt. Er las zuerst seine vier Collegien, gab dem Prinzen seine Stunde, und dann gieng er ins Coingsche Haus zur Copulation. Diese Berufstreue rechnete ihm der Churfürst von Hessen hoch an, ob Er ihm auch gleich darüber

scherzende Vorwürfe machte, daß er so bald wieder geheirathet habe.

Die Coingsche Eltern hatten verschiedene Freunde zum
Hochzeits-Abendmahl eingeladen, und der reformirte Prediger Schlarbaum, dieser zuverläßige, und durch viele Proben
bewährte Stillings-Freund verrichtete die Trauung; er und
seine Familie sind in Stillings Marburger Lebens-Geschichte
sehr wohlthätige Begleiter auf seinem Pfade gewesen.

Zwischen der Copulation und der Mahlzeit spielte Stilling
folgendes Lied, welches er auf diesen Tag verfertiget hatte,
auf dem Clavier, und Hannchen, mit ihrer Silberkehle
sang es.

Die Melodie ist von Rheineck, nach dem Lied: Sieh mein
Auge nach den Bergen — in Schellhorns Sammlung geistlicher
Lieder. Memmingen bey Diesel 1780.

> Auf, zum Thron des Weltregenten,
>   Auf, mein Geist, und nahe dich!
> Dem, der dich mit Vaterhänden
>   Führte sichtbarlich.
>
> Großer Vater aller Dinge,
>   Aller Wesen, höre mich!
> Hör mein Lied, das ich dir singe!
>   Denn es singt nur dich.
>
> Auf des Frühlings Blumenpfade,
>   In dem Glanz des Morgenlichts,
> Trank ich Fülle deiner Gnade,
>   Und mir fehlte nichts.
>
> Hülfreich wallt' an meiner Seiten
>   Selma, dein Geschenk, einher,
> Sie beschwor den Geist der Leiden,
>   Und er war nicht mehr.
>
> Plötzlich hüllten Mitternächte
>   Morgenglanz und Frühling ein,

Und ein Blitz aus deiner Rechte
    Drang durch Mark und Bein.

Selma's Hülle rang im Staube,
    Glänzend trat ihr Geist hervor,
Und er sprach: Sey stark und glaube!
    Schwang sich dann empor.

Und er lispelt' im Verschwinden:
    Laß Elisen Selma seyn!
Dann in ihr wirst du mich finden,
    Und dann glücklich seyn!

Einsam war ich, heil'ge Stille
    Wehte schauernd um mich her.
Gott, es war dein ernster Wille!
    Ach! es ward mir schwer!

Deine Gnade glänzte wieder,
    Hin auf meinen Pilgerstab.
Und sie stieg vom Himmel nieder,
    Die mir Selma gab.

Heute tritt sie mir zur Seiten,
    Vater, laß uns glücklich seyn!
Schenk den Becher hoher Freuden
    Ueberfließend ein!

Laß des Wohlthuns holde Saaten,
    Die wir dir auf Hoffnung streun,
Bester Vater! wohlgerathen,
    Und uns deiner freu'n.

Laß' Elise mir zur Seiten,
    Deines Segens Fülle sehn!
Und mit mir am Tag der Leiden
    Feurig zu dir flehn!

Dann erhörst du doch die bangen
    Seufzer, die ein Paar dir bringt,
Das mit sehnlichem Verlangen
    Nach Veredlung ringt.

Vater! und am Ziel der Reise,
   Führ uns beyde Hand an Hand
Auf, zum höhern Würkungskreise,
   Heim ins Vaterland!

Froh und heiter war dieser Abend! — und nun fieng ein neuer Lebensgang an, der sich nach und nach von allen vorigen unterschied, und Stilling seiner eigentlichen Bestimmung näher brachte. Elise trat auch freudig und im Vertrauen auf Gott ihren neuen Wirkungskreis an, und sie erfuhr bald, was ihr ein Freund schon bemerklich gemacht hatte, nämlich: daß es nichts leichtes sey, mit Stilling einen Weg zu gehen — Sie hat ihn bis daher treulich und fest mitgepilgert, und oft und vielfältig gezeigt, daß sie versteht, Stillings Gattin zu seyn.

Einige Wochen vor Stillings Hochzeit war auch endlich Raschmann mit seinen Grafen von Marburg abgezogen. Er war ein Comet, der den Planeten Stilling eine Zeitlang auf seiner Laufbahn begleitete, und mit seinem Dunstkreis anwehte.

Freylich hatte er, wie oben gemeldet, auf einer Seiten nachtheilig auf Stilling gewürkt; allein das verschwand nun in dem neuen Familienkreise gar bald, und er wurde nachher, durch noch andere mitwirkende Ursachen, noch weit gegründeter in der Versöhnungslehre als vorher; auf der andern Seite aber, gehörte Raschmann auf eine merkwürdige Weise unter die Werkzeuge zu Stillings Ausbildung: durch ihn erfuhr er große, geheime und wichtige Dinge — Dinge, die ins Große und Ganze gehen — Was Barruel und der Triumph der Philosophie erzählen wollen, in der Hauptsache auch richtig erzählen; in Nebensachen aber auch irren, das wurde ihm jetzt bekannt.

Man muß aber ja nicht denken, daß Raschmann Stilling vorsätzlich in dem Allem unterrichtet habe, sondern er war sehr redselig; wenn er nun seine Freunde zu Gaste hatte, so

kam immer, bald hier, bald da, ein Bruchstück zum Vorschein,
und da Stilling ein gutes Gedächtniß hat, so behielt er
alles genau, und so erfuhr er in den drey Jahren, welche
Raschmann in Marburg verlebte, den ganzen Zusammenhang
dessen, was seitdem so große und furchtbare Erscheinungen
am Kirchen- und politischen Himmel hervorgebracht hat;
wenn er nun das, was er selbst erfahren und gelesen hatte, mit
jenen Bruchstücken verband, und eins durchs andere berich-
tigte, so kam ein richtiges und wahres Ganzes heraus. Wie
nöthig und nützlich diese Kenntniß nun Stillingen war, ist
und noch seyn wird, das kann der beurtheilen, der einen hellen Blick in den Zweck seines Daseyns hat.

Die ersten Wochen in Elisens Ehestand waren angenehm,
ihr Weg war mit Blumen bestreut. Auch Stilling hatte außer
seinem quälenden Magenweh keine Leiden, aber vierzehn
Tage vor Weihnachten fand sich sein beständiger Hausfreund
wieder recht ernstlich ein.

Hannchen hatte von Jugend auf an einer Flechte auf dem
linken Backen sehr viel und oftmals schrecklich gelitten;
Selma wendete alle mögliche Mittel an, um sie davon zu befreyen, und Elise setzte diese Sorge mit allem Eifer fort. Nun
kam gerade zu der Zeit ein berühmter Arzt nach Marburg,
dieser wurde auch zu Rath gezogen, und er verordnete den
Sublimat zum äußern Gebrauch, ob nun dieser, oder eine von
der seligen Mutter Christine angeerbte Anlage, oder beydes
zusammen, so schreckliche Folgen hervorbrachte, das steht dahin — Gnug, Hannchen bekam um oben bemerkte Zeit die
fürchterlichsten Krämpfe. Diese für jeden Zuschauer so herz-
angreifende Zufälle, waren Elisen noch besonders schreckhaft
— und zudem war sie guter Hoffnung — demungeachtet faßte
sie Heldenmuth, und wurde Hannchens getreue Wärterin. Der
gute Gott aber bewahrte sie für alle nachtheilige Folgen.

Dies war der erste Act des Trauerspiels, nun folgte auch

der zweyte; dieser war eine heiße, eine Glutprobe für Stilling, Elise und Hannchen. Ich will sie jungen Leuten zur Warnung und Belehrung, doch so erzählen, daß eine gewisse mir sehr werthe Familie damit zufrieden seyn kann.

Hannchen hatte in einer honnetten Gesellschaft, auf Verlangen, auf dem Clavier gespielt und dazu gesungen — was kann unschuldiger seyn als dieses? — und doch war es die einzige Veranlassung zu einem angstvollen und schweren halbjährigen Leiden: ein junger Mensch, der Theologie studirte, und dem man nie den Eigenwillen gebrochen, den Hannchen nie gesehen, von ihm nie etwas gehört hatte, befand sich in dieser Gesellschaft; durch den Gesang wird er so hingerissen, daß er von nun an, alle, und endlich die desperatesten Mittel anwendete, um zu ihrem Besitz zu gelangen. Erst hielt er um sie an, und als man ihm antwortete, wenn er eine anständige Versorgung hätte, so würde man, wenn er Hannchens Einwilligung bekommen könnte, nichts dagegen haben. Dies war ihm aber bey weitem nicht genug — er bestand darauf, daß man ihm jetzt die Heirath mit ihr versichern sollte. Hannchen erklärte sich laut, daß sie ihn nie lieben, nie heirathen könnte, und daß sie ihm ja nie die geringste Veranlassung zu dieser Anforderung gegeben habe. Allein das half alles nichts; nun wendete er sich an die Eltern und suchte ihnen zu beweisen, daß es ihre Pflicht sey, ihre Tochter zur Heirath mit ihm zu zwingen — und als man diesen Beweis nicht gültig fand, so suchte er Gewalt zu brauchen; einmal kam er unvermuthet in Stillings Haus, als Stilling eben auf dem Catheder war, er stürmte ins Zimmer, wo Hannchen war; zum Glück hatte sie eine gute Freundin bey sich, ihr Angstgeschrey hörte der Vater, er und Bruder Coing liefen herzu, und beyde machten dem unsinnigen Menschen die bittersten Vorwürfe.

Dann logirte er sich gegenüber in einen Gasthof ein, damit er jeden Augenblick das Trauerspiel wiederholen könnte, allein man brachte Hannchen, an einen entlegenen Ort in

Sicherheit, so daß er wieder abzog. Ein andermal kam er unversehens; Hannchen war abwesend, und betrug sich so wild und unbändig, daß ihn Stilling vor die Hausthüre promoviren mußte; nun lief er in Coings Haus, wo Mutter Coing todkrank lag, dort warf ihn Elise, die eben da war, ebenfalls mit starkem Arm vor die Hausthür; nun gerieth er in Verzweiflung man holte ihn von der Lahn zurück, er warf sich vor Stillings Haus auf den Boden, und endlich wurde er mit Mühe wieder, an seinen, einige Stunden weit entlegenen Wohnort gebracht; hernach schwärmte er auf dem Lande umher, und bestürmte Stilling mit drohenden Briefen, so daß er endlich die Obrigkeit um Hülfe ansprechen, und sich auf diese Weise Sicherheit verschaffen mußte.

Der arme bedauernswürdige Mensch ging in die Fremde, wo er in der Blüthe seiner Jahre gestorben ist. Es wird Eltern, Jünglingen und Jungfrauen nicht schwer fallen, aus dieser traurigen, und für Stilling und die Seinigen, so schrecklichen Geschichte, den gehörigen Nutzen, und zweckmäßige Belehrung zu ziehen.

Der guten Hannchen wurde indessen die feurige Prüfung mit Seegen vergolten: fünf Stunden von Marburg in dem Darmstädtischen Dorf Dexbach stand ein junger Prediger Namens Schwarz, der mit Stilling in vertrautem Freundschaftsverhältniß lebte, und weil er noch unverheirathet war, mit seiner vortreflichen Mutter und liebenswürdigen Schwester haushielt; dieser rechtschaffene und christliche Mann hat sich hernach durch mehrere gute Schriften, vorzüglich über die moralischen Wissenschaften, durch den Religionslehrer, Erziehungsschriften u. s. w. berühmt gemacht. Hannchen und seine Schwester Caroline liebten sich herzlich, und diese war auch die gute Freundin, die eben bey Hannchen war, als der Candidat ins Zimmer stürmte, und diese brachte sie auch nach Dexbach zu ihrem Bruder in Sicherheit. Durch Gottes weise Leitung, und auf christliche und anständige Art, entstand zwischen Schwarz und Hannchen eine Gott gefällige Liebe, welche der Eltern Einwilligung und Gottes Vatergüte mit Gnade krönte; im Frühjahr 1792 wurde Schwarz mit Hannchen in Stillings Haus ehlich verbunden. Sie ist eine gute Gattin, eine gute Mutter von sechs hofnungsvollen Kindern, eine vortrefliche Gehülfin in ihres Mannes Erziehungsanstalt, und überhaupt ein edles Weib, die ihrem rechtschaffenen Manne, und ihren Eltern Freude macht.

Der Kampf mit dem Candidaten trug sich in der ersten Hälfte des 1791sten Jahrs zu, er wurde noch durch zween Trauerfälle erschwert: im Februar starb der kleine Franz, Selma's zurückgelassener Säugling, an der Kopfwassersucht, und nun neigte es sich auch mit Mutter Coing zum Ende; sie war schon einige Zeit schwächlich, besonders engbrüstig gewesen. Durch Werke der Liebe, die sie in Nachtwachen verrichtete, hatte sie sich vermuthlich verkältet, jetzt wurde ihre Krankheit ernstlich und gefährlich. Stilling besuchte sie oft, sie war ruhig und freudig, und ging mit einer unbeschreiblichen Seelenruhe ihrer Auflösung entgegen, und wenn sie ihrer Kinder gedachte, so versicherte ihr Stilling, daß sie die seinigen seyen, wenn die Eltern vor ihm sterben sollten.

Alle diese traurigen Vorfälle würkten auch nachtheilig auf Elisens Gesundheit, auch sie wurde krank, doch eben nicht gefährlich, indessen mußte sie denn doch das Bette hüten, welches ihr um deswillen besonders wehe that, weil sie nun ihre gute Mutter nicht besuchen konnte. Beyde Kranken, Mutter und Tochter, schickten sich täglich wechselseitig Boten, und jede tröstete die Andere, daß es nicht gefährlich sey.

An einem Morgen früh gegen das Ende des Märzes kam die Trauerbotschaft: Mutter Coing sey im Herrn entschlafen; Stilling mußte Elisen diese Nachricht beybringen — das war ein schweres Stück Arbeit, allein er führte es aus, und lief dann ins elterliche Haus. So wie er in die Stube hinein trat, fiel

ihm die liebe Leiche ins Auge: sie lag auf einem Feldbett der
Thür gegenüber, — sie war eine sehr schöne Frau gewesen, und
die vieljährige stille Uebung im Christenthum hatte ihre Züge
ungemein veredelt; auf ihrem erblaßten Antlitz glänzte —
nicht Hoffnung, sondern Genuß des ewigen Lebens. Vater
Coing stand vor der Leiche, er blickte Stilling durch Thränen
lächelnd an, und sagte: Gott Lob: sie ist bey Gott! — er trauerte, aber Christlich.

Es giebt keinen frohern, keinen herzerhebendern Gedanken, als seine lieben Entschlafenen seelig zu wissen; — Vater
Coing, der um diese Zeit seinen Geburtstag feyerte, hatte sich
seine liebe Gattin von Gott zum Geburtstagsgeschenk ausgebeten, aber er bekams nicht; Stilling hatte ein halbes Jahr, um
das Leben seiner Selma gefleht, aber er wurde nicht erhört.

Liebe christliche Seelen! laßt euch durch solche Beyspiele ja
nicht vom Beten abschrecken — der Vater will, daß wir seine
Kinder, Ihn um alles bitten sollen, weil uns dies beständig
in der Anhänglichkeit, und Abhängigkeit von Ihm erhält;
kann er uns nun das warum wir beten nicht gewähren, so giebt
Er uns etwas besseres dafür. Wir können gewiß versichert
seyn, daß der Herr jedes gläubige Gebet erhört, wir erlangen
immer etwas dadurch, das wir ohne unser Gebet nicht erlangt
haben würden, und zwar das, was für uns das beste ist.

Wenn der Christ so weit gekommen ist, daß er im Wandel
in der Gegenwart Gottes beharren kann, und seinen eigenen
Willen ganz und ohne Vorbehalt dem allein guten Willen
Gottes aufgeopfert hat, so betet er im innern Grund seines
Wesens unaufhörlich, der Geist des Herrn vertritt ihn dann
mit unaussprechlichem Seufzen, und nun betet er nie vergebens: denn der heilige Geist weiß was der Wille Gottes ist,
wenn Er also das Herz aufregt, um etwas zu bitten, so giebt
Er auch zugleich Glauben und Zuversicht der Erhörung; man
betet und man wird erhört.

Stilling und Elise hatten von Anfang ihrer Verbindung an

den Schluß gefaßt, nun auch ihren Sohn Jacob aus der ersten Ehe wieder zu sich zu nehmen; er wurde nun siebzehn Jahr alt, und mußte also jetzt seine akademische Laufbahn antreten; er war bis daher bey dem würdigen und gelehrten Prediger Grimm zu Schluttern in der Nähe von Heilbronn in einer Pensionsanstalt gewesen, da erzogen, und zum Studiren vorbereitet worden; da nun Stilling nicht anders als in den Ferien reisen konnte, so wurden die nächsten Osterferien dazu bestimmt, und also dem Jakob geschrieben, er möchte sich an einem bestimmten Tag bey Freund Mieg in Heydelberg einfinden, denn seine Eltern würden dahin kommen und ihn abholen. Zugleich beschlossen sie, dann auch Lisette wieder mit zurück zu nehmen: denn Elise wollte alle vier Kinder beysammen haben, um ihre Mutterpflichten mit aller Treue an ihnen ausüben zu können; und um auch Vater Coing und seinen Kindern in ihrer tiefen Trauer eine Erquickung und wohlthätige Zerstreuung zu verschaffen, beschlossen beyde, diese Lieben nach Frankfurth zu Freund Kraft zu bringen, um sie dann auch bey der Zurückkunft von Heydelberg wieder mit nach Marburg zu nehmen. Dieser ganze Plan wurde genau so 1791 in den Osterferien ausgeführt.

Bald nach der Ankunft in Heydelberg fand sich auch Jacob ein, er war ein guter und braver Jüngling geworden, der seinen Eltern Freude machte, auch er freute sich ihrer, und daß er auch endlich einmal wieder bey seinen Eltern leben konnte. Mit Lisetten aber gab es Schwierigkeiten: Freundin Mieg, die keine Kinder hatte, wünschte das Mädchen zu behalten, auch erklärte sie, daß ihre Mutter, deren Herz an dem Kinde hinge, ihr Leben darüber einbüßen könnte, wenn es ihr entzogen würde. Stillingen thats in der Seele weh, sein Töchterchen zurück zu lassen, und Elise weinte — sie glaubte, es sey ihre eigene, und keines andern Pflicht, ihrer seeligen Freundin Kinder zu erziehen, und sie würden dereinst von ihrer und keiner anderen Hand gefordert werden; indessen beyde Eltern beruhigten sich, und ließen das liebe Mädchen in der Pflege ihrer Freunde Mieg. Daß es sehr wohl da aufgehoben gewesen, das wird sich im Verfolg zeigen. Dann kehrten sie mit ihrem Sohn wieder nach Frankfurth zurück, Bruder Coing hatte sie auf dieser Reise in die Pfalz begleitet.

Nach einem kurzen Auffenthalt in Frankfurth trat nun die ganze Gesellschaft wieder die Rückreise nach Marburg an, wo also beyde Professoren zu rechter Zeit anlangten, um ihren Beruf und ihre Collegien anfangen zu können.

Im Herbst 1791 kam Elise glücklich mit einer jungen Tochter nieder, welche den in der Duisingschen Familie gewöhnlichen Namen Lubecka bekam. Außer dem Magenkrampf war jetzt eine kleine Leidenspause, aber sie währte nicht lange; denn Hannchen, die nun mit Schwarz versprochen war, bekam wieder die fürchterlichsten Krämpfe, von denen sie aber in wenigen Wochen, durch den sehr geschickten Arzt, den Oberhofrath Michaelis, der auch zu Stillings intimsten Freunden gehört, gänzlich befreyt wurde.

Auf Neujahrstag 1792, wurde Stilling von der Universität zum Prorector gewählt; sie hat diese Würde immer in großer Achtung erhalten, aber dagegen ist auch dies Amt auf keiner Universität so schwer zu verwalten als auf dieser. Stilling trat es mit Zuversicht auf den göttlichen Beystand an, und warlich! er bedurfte ihn auch in diesem Jahre, mehr als je.

Als nun die Ostern, folglich Hannchens Verheirathung sich näherte, so besorgte Elise die Ausstattungsgeschäfte, und Stilling lud den Onkel Kraft mit seiner Gattin und Kindern, dann auch Vater Wilhelm Stilling zur Hochzeit; alle kamen auch, und Stilling rechnet diese Tage unter die vergnügtesten seines ganzen Lebens, — dem Kreuzträger Wilhelm Stilling war diese Zeit — wie er sich ausdrückte — ein „Vorgeschmack des Himmels". Schwarz und Hannchen wurden unter dem Seegen ihrer Eltern, Groseltern, Freunden und Verwandten in

Stillings Hause mit einander verbunden; ihre Ehe ist glücklich, und es geht ihnen wohl.

Dann kehrten auch die lieben Besuchenden wieder in ihre Heimath zurück.

Seit einiger Zeit studirte ein junger Cavalier, der jetzige Königliche Preußische Landrath von Vincke zu Marburg; er logirte in Stillings Haus und speiste auch an seinem Tisch; er gehörte unter die vortreflichsten Jünglinge, die jemals in Marburg studirt haben. Jetzt schrieb nun sein Vater, der Domdechant von Vincke zu Minden, daß er diesen Sommer mit seiner Gemahlin und Kindern kommen, und Stilling und seine Elise besuchen würde. Dies geschah denn auch, und zwar gerade damals, als die deutschen Fürsten den Zug nach Champagne machten, und der Herzog von Weimar mit seinem Regiment nach Marburg kam. Mit diesem Regenten wurde jetzt Stilling auch bekannt. Der Domdechant und er brachten einen angenehmen Nachmittag mit ihm zu. Nachdem dieser liebe Besuch vorbey war, so wurde Elise wieder krank: sie war in geseegneten Umständen, welche durch diesen Zufall vernichtet wurden; indessen gieng es noch glücklich ab, so daß sie am neunten Tage, an welchem die Witterung sehr schön war, wieder ausgehen konnte; man beschloß also in den Garten zu gehen; und da Schwarz und Hannchen auch da waren, um ihre Mutter zu besuchen, so kam auch Vater Coing zu dieser Gartenparthie, er war diesen Nachmittag besonders heiter und froh, und da er die Abendluft scheute, die auch Elisen noch nicht zuträglich war, so nahm er sie an den Arm und führte sie nach Haus; und als er unten an der Gartenmauer vorbey gieng, so bestreuten ihn die jungen Leute von oben herab mit Blumen.

Des andern Morgens um 5 Uhr kam Stillings Küchenmagd in sein Schlafzimmer, und ersuchte ihn herauszukommen; er zog sich etwas an, gieng heraus, und fand Schwarz und Hannchen blaß, und mit niedergeschlagenen Augen gegenüber im

offenen Zimmer stehen: Lieber Vater! fieng Schwarz an, was
sie so oft geahnt haben, ist eingetroffen, Vater Coing ist entschlafen! — Dieser Donnerschlag fuhr Stillingen durch Mark
und Bein — und nun seine, jetzt noch so schwache, Elise die
ihren Vater so zärtlich liebte! — doch er faßte Muth, gieng zu
ihr ans Bett, und sagte: Lieschen! wir haben einen lieben
Todten! — sie antwortete, ach Gott! Hannchen! — denn die
war auch guter Hoffnung — Nein! erwiederte er: Vater Coing
ist es! — Elise jammerte sehr, doch faßte sie sich christlich —
indessen legte dieser Schrecken den ersten Grund zu einem
schweren Kreuz, an dem sie noch immer zu tragen hat. Nun
eilte Stilling zu den lieben Geschwistern, sie standen alle drey
auf einem Kleeblatt in der Stube und weinten; Stilling umarmte und küßte sie, und sagte: Sie sind nun jetzt alle drey
meine Kinder, so bald als es möglich ist, ziehen Sie bey mir
ein! — dies geschah denn auch, so bald die Leiche zu ihrer Ruhe
gebracht war. Das Zusammenwohnen mit diesen lieben Geschwistern ist für Stilling in der Folge unbeschreiblich
wohlthätig und tröstlich geworden, wie sich hernach zeigen
wird. Vater Coing hatte einen Steckfluß bekommen, man
hatte den Arzt gerufen, und alle mögliche Mittel angewendet,
ihn zu retten, allein vergebens. Er bezeugte ganz ruhig, daß
er zum Sterben bereit sey. Er war ein vortreflicher Mann, und
sein Seegen ruht auf seinen Kindern.

Hier fängt nun Stillings wichtigste Lebensperiode an; es
giengen Veränderungen in und außer ihm vor, die seinem
ganzen Wesen eine sehr bedeutende Richtung gaben, und ihn
zu seiner wahren Bestimmung vorbereiteten.

Bald nach Vater Coings Tode kam die Zeit, in welcher der
Prorector der Marburger Universität, nebst dem fürstlichen
Commissarius, nach Niederhessen reisen, die dortigen Vog-
theyen besuchen, und die Zehenden, welche der Universität gehören, an den Meistbietenden versteigern muß. Die beiden

Freunde Rieß und Stilling traten also diese Reise an, und letzterer nahm Elise mit, um ihr Aufheiterung, Erholung, und Zerstreuung zu verschaffen: denn ihre Krankheit, und besonders des Vaters plötzlicher Tod, hatten ihr sehr zugesetzt. Nach verrichteten Amtsgeschäften gieng Stilling mit ihr über Cassel wieder zurück nach Marburg. In Cassel, und schon etwas früher, fieng Elise an, eine unangenehme Empfindung inwendig im Halse zu bemerken; in Cassel wurde diese Empfindung stärker, und in der rechten Seite ihres Halses entstand ein unwillkührliches und abwechselndes Zucken des Kopfs nach der rechten Seite, doch war es noch nicht merklich. Sie reisten nun nach Hause und warteten ihres Berufs.

Jetzt nahten nun wieder die Herbstferien; der Oheim Kraft in Frankfurth schrieb, daß dort eine reiche blinde Jüdin sey, welche wünsche von Stilling operirt zu werden, sie wolle gern die Reisekosten bezahlen, wenn er kommen und ihr helfen wolle. Stilling war dazu willig, allein er mußte sich erst zu Cassel die Erlaubniß auswirken, weil der Marburger Prorector keine Nacht außer der Stadt zubringen darf. Diese Erlaubniß erhielt er, folglich übertrug er nun sein Amt dem Ex-prorector, und trat in Begleitung seiner Elise die Reise nach Frankfurth an. Als sie gegen Abend zu Vilbel, einem schönen Dorfe an der Nidda, zwo Stunden von Frankfurth, ankamen, und vor einem Wirthshaus still hielten, um den Pferden Brodt zu geben, so kam die Wirthin heraus an die Kutsche, und mit ängstlicher Miene sagte sie: Ach wissen Sie denn auch, daß die Franzosen ins Reich eingefallen sind, und schon Speier eingenommen haben? — Diese Nachricht fuhr wie ein electrischer Schlag durch Stillings ganze Existenz, indessen hoffte er noch, daß es ein leeres Gerüchte, und nicht so arg seyn möchte; er setzte also mit seiner Begleitung die Reise nach Frankfurth fort, und kehrte dort bey Kraft ein, hier erfuhr er nun, daß die Nachricht leider! in ihrem ganzen Umfange wahr, und die ganze Stadt in Furcht und Unruhe sey. Es ist durchaus nöthig, daß ich hier über die sonderbaren Wirkungen, welche diese Nachricht in Stillings Seele hervorbrachte, einige Betrachtungen anstelle:

König Ludewig der Vierzehnte, von Frankreich, nach ihm der Herzog Regent von Orleans, und endlich Ludewig der Funfzehnte, hatten in einer Reihe von hundert Jahren, die französische Nation zu einem beyspiellosen Luxus verleitet; eine Nation die in der Wollust versunken ist, und deren Nerven durch alle Arten der Ueppigkeit geschwächt sind, nimmt die witzigen Spöttereyen eines Voltaire als Philosophie, und die sophistischen Träume eines Rousseau als Religion an; dadurch entsteht dann natürlicher Weise ein Nationalcharacter, der für den sinnlichen Menschen äußerst hinreißend, angenehm, und gefällig ist; und da er zugleich das Blendende eines Systems, und eine äußere Politur hat, so macht er sich auch dem Denker interessant, und erwirbt sich daher den Beyfall aller cultivirten Nationen.

Daher kam es denn auch, daß unser deutscher hoher und niederer Adel, Frankreich für die hohe Schule der feinen Lebensart, des Wohlstandes und — der Sittlichkeit, — hielt. Man schämte sich der Kraftsprache der Deutschen, und sprach französisch; man wählte französische Abentheuerer, Friseurs, und — gnug, wenn er ein Franzose war, zu Erziehern künftiger Regenten, und gar oft französische Putzmacherinnen zu Gouvernanten unserer Prinzessinnen, Comtessen, und Fräuleins. Der deutsche Nationalcharacter, und mit ihm die Religion geriethen ins alte Eisen, und in die Rumpelkammer.

Jetzt wollten nun die Gelehrten, und besonders die Theologen rathen und helfen, und dazu wählten Sie — den Weg der Accomodation, sie wollten zwischen Christo und Belial Frieden stiften, jeder sollte etwas nachgeben, Christus sollte die Dogmen der Glaubenslehren aufheben, und Belial die groben Laster verbieten und beyde sollten nun weiter nichts zum Religions-Grundgesetz anerkennen, als die Moral: denn darinnen sey man sich einig, daß sie müsse geglaubt und gelehrt werden; was das Thun betrifft, das überläßt man der Freyheit eines jeden einzelnen Menschen, die heilig gehalten, und keinesweges gekränkt werden darf. Dieses Christo-Belialsche System, sollte dann *par honneur de lettre,* Christliche Religions-Lehre heißen, um Christum und seine wahren Verehrer nicht gar zu sehr vor den Kopf zu stoßen. So entstand unsre heut zu Tage so hoch gepriesene Aufklärung, und die Neologie der Christlichen Religion.

Ich bitte aber recht sehr, mich nicht mißzuverstehen! — Vorsetzlich wollte keiner dieser Männer zwischen Christo und Belial — Frieden stiften, zumal, da man die Existenz des Letztern nicht mehr glaubte; sondern die von Jugend auf unvermerkt ins Wesen des menschlichen Denkens, Urtheilens und Schließens eingeschlichene Grundlage aller menschlichen Vorstellungen, die sich — wenn man nicht sehr wachsam ist, uns ganz unwillkührlich durch den Geist der Zeit aufdringt, alterirte das Moral-Prinzip und die Vernunft dergestalt, daß man nun Vieles in der Bibel abergläubisch, lächerlich, und abgeschmackt fand, und sich daher über Alles wegsetzte, und nun mit solchen verfälschten Prinzipien, und alterirten Prüfungs-Organen, die Revision der Bibel, dieses uralten Heiligthums — das kühnste Wagstück unter allen — unternahm. So entstand nun der Beginn des großen Abfalls, den Christus und seine Apostel, und vorzüglich Paulus so bestimmt voraus gesagt, und zugleich bemerkt haben, daß bald darauf der Mensch der Sünden, der Menschgewordene Satan erscheinen, und durch die plötzliche Ankunft des Herrn in den Abgrund geschleudert werden sollte.

Dies große und bedeutende Ganze in Stillings Vorstellungen, von der gegenwärtigen Lage des Christenthums und des Reichs Gottes, hatte sich während einer großen Reihe von Jahren, theils durchs Studium der Geschichte, theils durch Beobachtung der Zeichen der Zeit, theils durch fleißiges Lesen

und Betrachten der biblischen Weissagungen, und theils durch
Mittheilungen, im Verborgenen großer Männer, nach und
nach gebildet, und seine Wichtigkeit erfüllte seine Seele; hiezu
kam nun eine andere, nicht weniger wichtige Bemerkung, die
mit jenem im Einklang stand.

Er hatte das Entstehen eines großen Bündnisses unter Menschen von allen Ständen bemerkt, seinen Wachsthum und
Fortgang gesehen, und seine Grundsätze, die nichts gerin-
gers als Verwandlung der Christlichen- in Natur-Religion,
und der monarchischen Staatsverfassung in demokratische Re-
publiken, oder doch wenigstens unvermerkte Leitung der Regenten, zum Zweck hatten, kennen gelernt, und durch wunderbare Leitung der Vorsehung von Raschmann erfahren,
wie weit die Sache schon gediehen sey, und dies gerade zu der
Zeit, als die französische Revolution ausbrach. Er wußte, in
wie fern die deutschen Männer von diesem Bunde mit den
französischen Demagogen im Einverständniß standen, und
war also in der gegenwärtigen Zeitgeschichte, und in ihrem
Verhältniß zu den Biblischen Weissagungen hinlänglich orien-
tirt.

Das Resultat von allen diesen Vorstellungen in Stillings
Seele war, daß Deutschland für seine Buhlereyen mit Frankreich, eben durch diese Macht erschrecklich würde gezüchtiget
werden, er sahe den großen Kampf vorher, durch den diese
Züchtigung ausgeführt werden sollte: denn womit man sün-
digt, damit wird man gestraft, und da der Abfall gleichsam
mit beschleunigter Bewegung zunahm, so ahnete er auch schon
von weiten die allmälige vorbereitende Gründung des Reichs
des Menschen der Sünden. Daß dies Alles seine Richtigkeit
habe, nämlich: daß diese Vorstellungen würklich in Stillings
Seele lebten und webten, ehe jemand an die französische Revolution und ihre Folgen dachte, das bezeugen gewisse Stellen in seinen Schriften, und besonders eine öffentliche Rede,
die er 1786 in der Kurfürstlichen Deutschen Gesellschaft zu

Mannheim gehalten hat, die aber aus leicht zu begreifenden Ursachen nicht gedruckt worden ist. Bey allen diesen Ueberzeugungen und Vorstellungen aber hatte er doch nicht gedacht, daß das Gewitter so schnell und so plötzlich über Deutschland ausbrechen würde — das vermuthete er wohl, daß die französische Revolution den entfernten Grund zum großen, letzten Kampf zwischen Licht und Finsterniß legen würde, aber daß dieser Kampf so nahe sey, das ahnete er nicht: denn es war ihm gar nicht zweifelhaft, daß die vereinigte Macht der deutschen Fürsten in Frankreich siegen würde — aber jetzt erfuhr er das ganz anders — es war ihm unbeschreiblich zu Muthe: auf der einen Seite nunmehr solche Erwartungen in der Nähe, die die höchsten Wünsche des Christen übersteigen, und auf der andern auch Erwartungen von nie erhörten Trübsalen und Leiden, die der bevorstehende große Kampf unvermeidlich mit sich bringen würde. Ja wahrlich! eine Gemüthsverfassung, deren Gewalt einen Mann, der in seinem Leben so viel gelitten, so viel gearbeitet hatte, und noch arbeitete, leicht hätte zu Boden drücken können, wenn ihn nicht die Vorsehung zu wichtigen Zwecken hätte aufbewahren wollen.

Man sollte denken, das sey nun schon Schmelzfeuer gnug gewesen, allein gerade jetzt in dieser Angstzeit kam noch eine besondere Glut hinzu, die der große Schmelzer, aus Ihm allein bekannten Ursachen, zu veranstalten nöthig fand: ich habe oben erinnert, daß Elise durch Schrecken, in einem durch Krankheit geschwächten Zustand, ein Zucken des Kopfs nach der rechten Seite bekommen habe; bis daher war dieses Uebel eben nicht sehr bedeutend gewesen; aber jetzt wurde es für die gute Seele und ihren Mann fürchterlich und schrecklich: denn des andern Tages ihrer Anwesenheit in Frankfurth entstand ein schreckenvoller Allarm, die Franzosen seyen im Anmarsch — der Magistrat versammlete sich auf dem Römer, Wassertonnen wurden gefüllt, um bey dem Bombardement den Brand

löschen zu können, u. s. w. mit einem Wort, der allgemeine
Schrecken war unbeschreiblich; für Elise kam aber nun noch
ein besonderer Umstand hinzu: die Universität Marburg ist
ein Hessischer Landstand, Stilling war ihr Prorector, und ihr
Landesherr im Krieg mit Frankreich. Es war also nichts wahrscheinlicher, als daß die Franzosen bey ihrem Einfall in
Frankfurth, Stilling als Geißel nach Frankreich schicken würden. Dies war für Elise, die ihren Mann zärtlich liebt, zu viel;
jetzt zuckte der Kopf beständig nach der rechten Schulter, und
der ganze obere Körper wurde dadurch verzogen — Elise litt
sehr dabey, und Stilling glaubte in all dem Jammer vergehen
zu müssen; Elise hatte einen geraden schönen Wuchs, und nun
die drückende Leidensgestalt — es war kaum auszuhalten;
bey allem dem war es schlechterdings unmöglich, aus der Stadt
zu kommen, dieser und der folgende Tag mußte noch ausgehalten werden, wo sich dann auch zeigte, daß die Franzosen
erst Maynz einzunehmen suchten; jetzt fand Stilling Gelegenheit zur Abreise, und da die Jüdin unheilbar blind war, so
fuhr er mit Elise wieder nach Marburg. Hier wurden nun alle
mögliche Mittel versucht, die gute Seele von ihrem Jammer zu
befreyen, allein Alles ist bis dahin vergebens gewesen, sie
trägt dies Elend nun über eilf Jahr — es ist zwar etwas besser
als damals, indessen doch noch immer ein sehr hartes Kreuz
für sie selbst und auch für ihren Mann.

Stilling wirkte in seinem Prorectorat und Lehramt treulich
fort, und Elise trug ihren Jammer wie es einer Christin ge-
bührt; hiezu gesellte sich nun noch die Angst von den Franzosen überfallen zu werden; der Kurfürst kam zwar anfangs
October wieder, aber seine Truppen rückten wegen des
schlimmen Wetters sehr langsam nach. Hessen, und mit ihm
die ganze Gegend war also unbeschützt, folglich hatte der
französische General Custine freye Hand — wäre sein Muth
und sein Verstand so groß gewesen, wie sein Schnurr- und
Backenbart, so hätte ein größerer Theil von Deutschland seine

politische Existenz verloren: denn die allgemeine Stimmung war damals revolutionär und günstig für Frankreich.

Indessen wußte man damals doch nicht, was Custine vorhatte, und man mußte alles erwarten; seine Truppen hausten in der Wetterau umher, und man hörte zu Zeiten ihren Kanonendonner; Alles rüstete sich zur Flucht, nur die Chefs der Collegien durften nicht von ihren Posten gehen, folglich auch Stilling nicht, er mußte aushalten. Diese Lage drückte seine Seele, die ohnehin von allen Seiten geängstigt war, außerordentlich.

An einem Sonntag Morgen, gegen das Ende des Octobers, entstand das fürchterliche Gerücht in der Stadt, die Franzosen seyen in der Nähe, und kämen den Lahnberg herunter — jetzt gieng Stilling das Wasser an die Seele, er fiel auf seiner Studierstube auf die Knie, und flehte mit Thränen zum Herrn um Trost und Stärke; jetzt fiel sein Blick auf ein Spruchbüchlein, welches da vor ihm unter andern Büchern stand, er fühlte eine Anregung in seinem Gemüth es aufzuschlagen, er schlug auf, und bekam den Spruch: Ich hebe meine Hände auf zu den Bergen, von welchen mir Hülfe kömmt, meine Hülfe kommt vom Herrn, u. s. w. noch einmal schlug er auf, und nun hieß es: Ich will eine feurige Mauer umher seyn, u. s. w. muthig und getrost stand er auf, und von der Zeit an hatte er auch keine Angst mehr für die Franzosen; es kamen auch wirklich keine, und bald rückten die Preußen und Hessen heran, Frankfurth wurde erobert, und dann Mainz belagert.

Hier muß ich zwo Anmerkungen machen, die mir keiner meiner Leser verübeln wird.

1) Das Aufschlagen biblischer Sprüche um den Willen Gottes oder gar die Zukunft zu erforschen, ist durchaus Mißbrauch der Heiligen Schrift, und dem Christen nicht erlaubt. Will man es thun, um aus dem göttlichen Wort Trost zu holen, so geschehe es mit völliger Gelassenheit und Ergebung in den Willen Gottes, aber man werde auch nicht niedergeschlagen

oder kleinmüthig, wenn man einen Spruch bekommt, der nicht
tröstlich ist — das Aufschlagen ist kein Mittel, das uns Gott zu
irgend einem Zweck angewiesen hat, es ist eine Art des Looses,
und dies ist ein Heiligthum, das nicht entweiht werden darf.

2) Stillings außerordentliche Aengstlichkeit mag wohl hie
und da die nachtheilige Idee für ihn erregen, als sey er ein
Mann ohne Muth. Darauf dient zur Antwort: Stilling zittert
für jeder kleinen und großen Gefahr, ehe sie zur Wirklich-
keit kommt; aber wenn sie da ist, so ist er auch in der größten
Noth muthig und getrost. Dies ist aber auch die natürliche
Folge lang erduldeter Leiden: man fürchtet sie, weil man ihre
Schmerzen kennt, und man trägt sie getrost, weil man des
Tragens gewohnt ist, und ihre gesegnete Folgen weiß.

Auf die nächsten Osterferien wurde Stilling von der würdigen von Vinckischen Familie zum Besuch nach Preußisch-
Minden eingeladen; er nahm diese Einladung mit Dank an,
und sein Hausfreund der junge Vincke und noch einige Freunde
aus Cassel begleiteten ihn. Auf dieser Reise litt Stilling sehr
am Magenkrampf, die Witterung war rauh, und er machte sie
zu Pferde. Von Minden begleitete er auch gedachte Familie
nach ihrem prächtigen Rittersitz Ostenwalde vier Stunden
von Osnabrück, dann reiste er über Detmold wieder nach
Haus.

Auf dieser Reise lernte Stilling einige merkwürdige Personen kennen, mit denen er noch zum Theil in genaue freundschaftliche Verhältnisse kam, nämlich die nunmehr verstorbene Fürstin Juliane von Bückeburg, Kleucker in Osnabrück
— dieser hatte Stilling aber vorher schon in Marburg besucht
— Möser und seine Tochter, die Frau von Voigt, die Fürstin
Christine von der Lippe zu Detmold, die drey Theologen,
Ewald, Passavant, von Cölln, und den fürstl. Lippischen Leibarzt Scherf. Alle diese würdige Personen erzeigten Stilling
Ehre und Liebe. Dann lebte auch damals noch in Detmold
eine sehr würdige Matrone, die Wittwe des seel. General-

Superintendenten Stosch mit ihren Töchtern, deren die älteste Selma's vertraute Freundin gewesen war; Stilling besuchte sie, und wurde mit rührender Zärtlichkeit empfangen; bey dem Abschied fiel ihm die ehrwürdige Frau um den Hals, weinte, und sagte: wenn wir uns hier nicht wieder sehen, so beten Sie doch für mich, daß mich der Herr vollenden wolle, damit ich Sie dereinst in seinem Reich wiederum, freudiger wie jetzt, möge umarmen können.

Als Stilling von dieser Reise wieder nach Marburg, und vor seine Hausthür kam, so trat Elise heraus um ihren Mann zu empfangen, aber welch ein Anblick! — ein Schwerd fuhr durch seine Seele — Elise stand da krumm und schief, ihr Halsziehen theilte sich auch dem obern Körper stärker mit — es war schrecklich! das Herz blutete für Mitleid und Wehmuth, aber das half nicht, es mußte ertragen werden. Indessen geschah alles, um die gute Frau zu curiren: man versuchte die wirksamsten Mittel: Vier Kegel Moxa wurden auf ihren Schultern auf der blosen Haut verbrannt; sie ertrug diese schreckliche Schmerzen ohne einen Laut von sich geben, allein es half nicht; sie brauchte Bäder, und die Spritztauche, die auch sehr heftig wirkt, allein es kam weiter nichts dabey heraus, als daß sie nun die zweyte unzeitige Niederkunft aushalten mußte, wobey sie wirklich in Lebensgefahr gerieth, doch aber unter Gottes Beystand durch die angewandten Mittel wieder zurecht gebracht wurde. Nach und nach besserte es sich mit dem Halsziehen in so fern, daß es denn doch erträglicher wurde.

In diesem Frühjahre 1793 trat der Candidat Coing sein Predigtamt an, indem er bey der reformirten Gemeinde zu Gemünd einer Stadt im Oberfürstenthum Hessen, fünf Stunden von Marburg angestellt wurde. Er war etwas über ein halb Jahr in Stillings Haus gewesen; Coing würde auch dann sein Bruder seyn, wenn ihn kein Band der Blutsverwandschaft an sein Herz knüpfte.

Das Merkwürdigste was in diesem und dem folgenden Jahr in Stillings Geschichte vorkommt, ist die Herausgabe zweyer Werke, die eigentlich die Werkzeuge der Entscheidung seiner Bestimmung geworden sind; nämlich die Scenen aus dem Geisterreich, zwei Bände, und dann Heimweh in vier Bänden und dem dazu gehörigen Schlüssel.

Die Scenen aus dem Geisterreich thaten unerwartete Wirkung, sie erwarben Stilling ein großes religiöses Publikum — ich kann ohne Pralerey, mit der Wahrheit sagen: in allen vier Welttheilen; dadurch wurden nun allenthalben die wahren Verehrer Jesu Christi aufs neue aufmerksam auf den Mann, dessen Lebensgeschichte schon Eindruck auf sie gemacht hatte. Die Scenen könnte man wohl die Vorläufer des Heimwehs nennen: sie machten aufmerksam auf den Verfasser; das Heimweh aber vollendete alles, es entschied ganz allein Stillings Schicksal, wie der Verfolg zeigen wird.

Der Ursprung beyder Bücher ist sehr merkwürdig: denn er beweist unwiderlegbar, daß Stilling schlechterdings nichts zu seiner Bestimmung und zur Entscheidung seines Schicksals beygetragen habe; dies ist zwar in seiner ganzen Führung der Fall, wie ich am Schluß dieses Bandes zeigen werde, aber bey diesen Büchern, die lediglich, besonders das Heimweh, die eigentlichen Werkzeuge seiner Bestimmung sind, kommt es darauf an, daß ich ihren Ursprung mit allen Umständen, und nach der genausten Wahrheit erzähle.

Die Scenen aus dem Geisterreich entstanden folgendergestalt: als noch Raschmann mit seinen Grafen in Marburg war; so wurde einsmals des Abends in einer Gesellschaft bey ihm, von Wielands Uebersetzung des Lucians gesprochen; Raschmann las einige Stellen daraus vor, die äußerst komisch waren, die ganze Gesellschaft lachte überlaut, und jeder bewunderte diese Uebersetzung als ein unnachahmliches Meisterstück. Bey einer gewissen Gelegenheit fiel nun Stilling dies Buch wieder ein; flugs ohne sich lange zu bedenken, verschrieb er es für sich. Einige Zeit nachher schlug ihn das Gewissen über diesen übereilten Schritt: Wie! — sprach diese rügende Stimme in seiner Seele, du kaufst ein so theueres Werk von sieben Bänden! — und zu welchem Zweck? — blos um zu lachen! — und du hast noch so viele Schulden — und Frau und Kinder zu versorgen! — und wenn das alles nicht wäre, welche Hülfe hättest du einem Nothleidenden dadurch verschaffen können? — du kaufst ein Buch, das dir zu deinem ganzen Beruf nicht einmal nützlich, geschweige nothwendig ist. Da stand Stilling vor seinem Richter wie ein armer Sünder, der sich auf Gnade und Ungnade ergiebt. Es war ein harter Kampf, ein schweres Ringen um Gnade — endlich, erhielt er sie, und nun suchte er auch an seiner Seite dies Vergehen so viel möglich wieder gut zu machen. Haben Lucian und Wieland — dachte er — Scenen aus dem Reich erdichteter Gottheiten geschrieben, theils um das Ungereimte der heidnischen Götterlehre auf seiner lächerlichen Seite zu zeigen, theils auch um dadurch die Leser zu belustigen, so will ich nun Scenen aus dem wahren christlichen Geisterreich, zum ernstlichen Nachdenken, und zur Belehrung und Erbauung der Leser schreiben, und das dafür zu erhaltende Honorarium zum besten armer Blinder verwenden; diesen Gedanken führte er aus, und so entstand ein Buch, welches oben bemerkte durchaus unerwartete Wirkung that.

Der Ursprung des Heimweh's war eben so wenig planmäßig: Stilling hatte durch eine besondere Veranlassung, den Tristram Shandy von Lorenz Sterne aufmerksam gelesen. Bald nachher fügte es sich auch, daß er die Lebensläufe in aufsteigender Linie las. Beyde Bücher sind bekanntlich in einem sententiösen humoristischen Styl geschrieben. Bey dieser Lectüre hatte Stilling einen weit andern Zweck als den, welchen die Vorsehung dabey bezielte.

Zu diesen zweyen Vorbereitungen kam nun noch eine dritte: Stilling hatte seit Jahr und Tag den Gebrauch gehabt;

täglich einen Spruch aus dem alten Testament, aus dem Hebräischen, und auch einen aus dem neuen Testament, aus dem
Griechischen zu übersetzen, und dann daraus eine kurzgefaßte
und reichhaltige Sentenz zu formiren. Dieser Sentenzen hatte
er in einer großen Menge vorräthig, und dabey keinen andern
Zweck als Bibelstudium. Wer konnte sich nun vorstellen, daß
diese geringfügige, und im Grunde nichts bedeutende Sachen,
den wahren und eigentlichen Grund zur Entwicklung einer so
merkwürdigen Führung legen sollten? — Warlich! Stilling
ahnte so etwas nicht von ferne.

Bald nach dem Lesen oben bemerkter Bücher, etwa gegen
das Ende des Julius 1793 kam an einem Vormittag der Buchhändler Krieger in Marburg zu Stilling, und bat ihn, er
möchte ihm doch auch einmal etwas ästhetisches, etwa einen
Roman, in Verlag geben, damit er etwas hätte, das ihm Nutzen brächte, mit den trockenen Compendien gieng es so langsam her, u. s. w. Stilling fand in seinem Gemüth etwas, das
diesen Antrag billigte; er versprach ihm also ein Werk von
der Art, und daß er auf der Stelle damit anfangen wolle.

Jetzt fiel Stilling plötzlich der Gedanke ein, er habe von
Jugend auf den Wunsch in seiner Seele genährt, nach Johann
Bunians Beyspiel, den Buß- Bekehrungs- und Heiligungs-Weg
des wahren Christen, unter dem Bilde einer Reise zu beschreiben; er beschloß also diesen Gedanken jetzt einmal auszuführ-
ren, und da er erst kürzlich jene humoristischen Bücher gelesen, diesen Styl, und diese Art des Vortrags zu wählen, und
dann seinen Vorrath von Sentenzen überall auf eine schick-
liche Weise mit einzumischen. Zu dem Titel das Heimweh, gab
ihm eine Idee Anlaß, die er kurz vorher jemand in sein
Stammbuch geschrieben hatte, nämlich: Seelig sind, die das
Heimweh haben, denn sie sollen nach Haus kommen! — denn
er urtheilte, daß sich dieser Titel gut zu einem Buch schickte,
das die leidensvolle Reise eines Christen nach seiner himmlischen Heimath enthalten sollte.

So vorbereitet fieng nun Stilling an das Heimweh zu schreiben. Da er aber nicht recht traute, ob es ihm auch in dieser Methode gelingen würde, so las er die ersten sechs Hefte zweyen seiner vertrauten Freunde, Michaelis und Schlarbaum vor; diesen gefiel der Anfang außerordentlich, und sie munterten ihn auf, so fortzufahren. Um aber doch sicher zu gehen, so wählte er sieben Männer aus dem Kreis seiner Freunde, die sich alle vierzehn Tage bey ihm versammelten, und denen er dann das binnen der Zeit Geschriebene vorlas, und ihr Urtheil darüber anhörte.

Der Gemüthszustand, in welchen Stilling während dem Ausarbeiten dieses, vier große Octavbände starken, Buchs versetzt wurde, ist schlechterdings unbeschreiblich; sein Geist war wie in ätherische Kreise emporgehoben; ihn durchwehte ein Geist der Ruhe und des Friedens, und er genoß eine Wonne, die mit Worten nicht beschrieben werden kann. Wenn er anfieng zu arbeiten, so strahlten Ideen seiner Seele vorüber, die ihn so belebten, daß er kaum so schnell schreiben konnte, als es der Ideengang erforderte; daher kam es auch, daß das ganze Werk eine ganz andere Gestalt, und die Dichtung eine ganz andere Tendenz bekam, als er sie sich im Anfang gedacht hatte.

Hierzu kam nun noch eine sonderbare Erscheinung: in dem Zustande zwischen Schlafen und Wachen stellten sich seinem innern Sinn ganz überirrdisch schöne, gleichsam paradiesische Landschafts-Aussichten vor — er versuchte sie zu zeichnen, aber das war unmöglich. Mit dieser Vorstellung war dann allemal ein Gefühl verbunden, gegen welches alle sinnliche Vergnügen wie nichts zu achten sind — es war eine seelige Zeit! — dieser Zustand dauerte genau so lang, als Stilling am Heimweh schrieb, nämlich vom August 1793 bis in den December 1794, also volle fünf viertel Jahr.

Hier muß ich aber den christlichen Leser ernstlich bitten, ja nicht so lieblos zu urtheilen, als ob Stilling sich dadurch etwa einer göttlichen Eingebung, oder nur etwas ähnliches, anmaßen wolle. — Nein Freunde! Stilling maßt sich überhaupt gar nichts an: — es war eine erhöhte Empfindung der Nähe des Herrn, der der Geist ist; dies Licht strahlte in seine Seelenkräfte, und erleuchtete die Imagination und die Vernunft. In diesem Licht sollte Stilling das Heimweh schreiben; aber deswegen ist es doch immer ein gebrechliches Menschenwerk: wenn man einem Lehrjungen, der bisher beym trüben Oellicht armselige Sachen machte, auf einmal die Fensterladen öfnet, und die Sonne auf seine Werkstätte strahlen läßt, so macht er noch immer Lehrjungenarbeit, aber sie wird doch besser als vorher.

Daher kam nun auch der beyspiellose Beyfall, den dies Buch hatte: eine Menge Exemplare wanderten nach Amerika, wo es häufig gelesen wird. In Asien, wo es christlich gesinnte Deutsche giebt, wurde das Heimweh bekannt und gelesen. Aus Dännemark, Schweden und Rußland bis nach Astrakan, bekam Stilling Zeugnisse dieses Beyfalls. Aus allen Provinzen Deutschlands erhielt Stilling aus allen Ständen vom Thron bis zum Pflug eine Menge Briefe, die ihm den lautesten Beyfall bezeigten; nicht wenige gelehrte Zweifler wurden dadurch überzeugt, und für das wahre Christenthum gewonnen; mit einem Wort es giebt wenig Bücher, die eine solche starke und weit um sich greifende Sensation gemacht haben, als Stillings Heimweh. Man sehe dies nicht als Prahlerey an, es gehört zum Wesen dieser Geschichte.

Aber auch auf Stilling selbst wirkte das Heimweh mächtig und leidensvoll — die Wonne, die er während dem Schreiben empfunden hatte, hörte nun auf; die tiefe und die innere Ueberzeugung, daß auch die Staatswirthschaft sein wahrer Beruf nicht sey, brachte eben die Wirkung in seinem Gemüth hervor, wie ehemals die Entdeckung in Elberfeld, die ausübende Arzneykunde sey seine Bestimmung nicht, ihn drückte eine bis in das Innerste der Seele dringende Wehmuth, eine unaussprechliche Zerschmolzenheit des Herzens, und Geistes-

Zerknirschung; alles Lob und aller Beyfall der Fürsten, der größten und berühmtesten Männer, machte ihm zwar einen Augenblick Freude, aber dann empfand er tief, daß ihn ja das alles nicht angienge, sondern daß alles Lob nur dem gebühre, der ihm solche Talente anvertraut habe; so ist seine Gemüthsstellung noch, und so wird sie auch bleiben.

Es ist merkwürdig, daß grade in diesem Zeitpunkt drey ganz von einander unabhängige Stimmen Stillings academisches Lehramt nicht mehr für seinen eigentlichen Beruf erklärten.

Die Erste war eine innere Ueberzeugung, die während der Zeit, in welcher er am Heimweh schrieb, in ihm entstanden war, und von welcher er keinen Grund anzugeben wußte. Der Grundtrieb, den er von Kind auf so stark empfunden hatte, ein wirksames Werkzeug zum Besten der Religion in der Hand des Herrn zu werden, und der auch immer die wirkende Ursache von seinen religiösen Nebenbeschäftigungen war, stand jetzt in größerer Klarheit vor seinen Augen als jemals, und erfüllte ihn mit Sehnsucht von allem Irrdischen losgemacht zu werden, um dem Herrn und seinem Reich ganz allein und aus allen Kräften dienen zu können.

Die zweyte Stimme, die das nämliche sagte, sprach aus allen Briefen, die aus den entferntesten und nächsten Gegenden einliefen: die größten und kleinsten Männer, die Vornehmsten und Geringsten forderten ihn auf, sich dem Dienst des Herrn und der Religion ausschließlich und ganz zu widmen, und daß er ja nicht aufhören möchte, in diesem Fach zu arbeiten.

Die dritte Stimme endlich war, daß um eben diese Zeit die akademischen Orden und der Revolutionsgeist in Marburg unter den Studirenden herrschend waren, wodurch ihr ganzes Wesen mit solchen Grundsätzen und Gesinnungen angefüllt wurde, die den Lehren, welche Stilling vortrug, schnurgerade entgegen waren; daher nahm die Anzahl seiner Zuhörer immer mehr und mehr ab, und der Geist der Zeit, die herrschende Denkungsart, und die allgemeine Richtung der deutschen Cameral-Politik, ließen ihm keinen Schimmer von Hoffnung übrig, daß er fernerhin durch seine staatswirthschaftlichen Grundsätze Nutzen stiften würde.

Jetzt bitte ich nun einmal ruhig zu überlegen, wie einem ehrlichen gewissenhaften Mann in einer solchen Lage zu Muthe seyn müsse! — und ob die ganze Stellung dieses Schicksals Stillings, blindes Ohngefähr und Zufall seyn konnte?

So hell und klar jetzt das Alles war, so dunkel war der Weg zum Ziel: es ließ sich damals durchaus kein Ausweg denken, um dazu zu gelangen: denn seine Familie war zahlreich; sein Sohn studirte; der Krieg und noch andere Umstände machten Alles sehr theuer; der Hülfsbedürftigen waren viel; seine starke Besoldung reichte kaum zu; es waren noch viele Schulden zu bezahlen; zwar hatte Elise, die redlich und treu in Ansehung der Haushaltung in Selma's Fußtapfen trat, aller Krankheiten, schweren Ausgaben, und Hannchens Verheirathung ungeachtet, in den wenigen Jahren schon einige hundert Gulden abgetragen, auch wurden die Zinsen jährlich richtig bezahlt, aber in den gegenwärtigen Umständen war an eine merkliche Schuldentilgung nicht zu denken, folglich mußte Stilling um der Besoldung willen sein Lehramt behalten und mit aller Treue versehen. Man denke sich in seine Lage: zu dem Wirkungskreis, in welchem er mit dem größten Seegen und mit Freudigkeit hätte geschäftig seyn können, und zu dem er von Jugend auf eine unüberwindliche Neigung gehabt hatte, zu dem Beruf zu gelangen, lagen unübersteigliche Hindernisse im Weg. Hingegen der Beruf, in welchem er ohne Seegen und ohne Hoffnung arbeiten mußte, war ihm durchaus unentbehrlich. Hiezu kam dann noch der traurige Gedanke: was sein Landesfürst sagen würde, wenn Er erführe, daß Stilling für die schwere Besoldung so wenig leistete, oder vielmehr leisten könnte?

Das Jahr 1794 streute wieder viele Dornen auf Stillings

Lebensweg: denn im Februar starb Elisens ältstes Töchterchen, Lubecka, an den Folgen der Rötheln, und im Verfolg kamen noch bittere Leiden hinzu.

Den folgenden Sommer im Julius schrieb ihm Lavater, daß er auf seiner Rückreise von Copenhagen durch Marburg kommen, und ihn besuchen würde; dies erfüllte ihn mit wahrer Freude; er hatte diesen Freund seines Herzens gerade vor zwanzig Jahren in Elberfeld, und also in seinem Leben nur einmal gesehen, aber doch zu Zeiten vertrauliche Briefe mit ihm gewechselt. Es war ihm äußerst wichtig, sich mit diesem merkwürdigen Zeugen der Wahrheit einmal wieder mündlich zu unterhalten, und über Vieles mit ihm auszureden, das für Briefe zu beschwerlich und zu weitläuftig ist. Lavater kam mit seiner frommen liebenswürdigen Tochter, der jetzigen Frau Pfarrerin Geßner in Zürich, an einem Sonntag Nachmittag in Marburg an. Stilling gieng ihm ungefähr eine Stunde weit entgegen. Lavater blieb da bis des andern Morgens früh, wo er dann seine Reise fortsetzte.

Man wird sich schwerlich aus der ganzen Geschichte eines Gelehrten erinnern, der so viel Aufsehen erregte, und so weniges doch erregen wollte, als Lavater: als am Abend in Stillings Haus gespeist wurde, so war der Platz vor dem Hause gedrängt voller Menschen, und auswärts an den Fenstern ein Kopf am andern. Er war aber auch in mancher Rücksicht ein merkwürdiger Mann, ein großer Zeuge der Wahrheit von Jesu Christo. Zwischen Lavatern und Stilling wurde nun das Bruderband noch enger geknüpft; sie stärkten sich einer am andern, und beschlossen, sich weder durch Tod, noch durch Leben, weder durch Schmach, noch durch Schande, von dem jetzt so verachteten und gehaßten Christus abwendig machen zu lassen.

Bald nachher erfolgte dann das bittere Leiden, dessen ich oben gedacht habe; es war eine heiße Prüfung: Stilling hatte den Gebrauch, daß er in den Pfingstferien mit seinen Zuhörern nach Cassel gieng, um ihnen auf Wilhelmshöhe die ausländischen Holzarten zu zeigen. Dies geschahe vorzüglich um derer willen, die die Forstwissenschaft studirten, indessen giengen auch viele andere mit, um auch die übrigen Merkwürdigkeiten in Cassel zu besehen. Der Weg wurde gewöhnlich hin und her zu Fuß gemacht. Nun hatte Stilling auf dieser Reise das Vergnügen, daß der Kurfürst einen seiner Wünsche erfüllte, nämlich eine besondere Forstschule anzulegen; als er nun mit seinen Begleitern nach Hause reiste, und die Studenten unter sich von dem Vergnügen sprachen, das sie in Cassel genossen hätten, und daß Alles so wohl gelungen wäre, so fügte Stilling hinzu, und sagte: auch ich bin recht vergnügt gewesen, denn ich habe auch einen Zweck erreicht, den ich zu erreichen wünschte — weiter erklärte er sich nicht; er hatte aber das Versprechen des Kurfürsten im Auge, ein Forst-Institut anlegen zu wollen.

Nun war zu der Zeit ein Privatlehrer in Marburg, ein rechtschaffener und gelehrter junger Mann, den die Studenten sehr lieb hatten; er war der Kantischen Philosophie zugethan, und diese war zu der Zeit an der Tagesordnung; nun der Kurfürst jener Philosophie nicht recht günstig war, auch vielleicht sonst noch etwas Nachtheiliges von jenem Privatlehrer gehört hatte, so schickte Er ein Rescript an den jungen Mann, vermöge welches er als Professor der Philosophie, mit hundert Thalern Besoldung, nach Hanau versetzt werden sollte. — Dieser mußte Folge leisten, aber die Studenten wurden wüthend, und ihr ganzer Verdacht fiel auf Stilling; denn man deutete jenen Ausdruck auf der Casseler Reise dahin, daß er unter dem Wohlgelingen seines Wunsches, des Privatlehrers Wegberufung im Sinn gehabt, und diese Wegberufung bewürkt hätte. Die Gährung stieg endlich aufs höchste, und um zum Tumultuiren zu kommen, beschlossen sie dem Privatlehrer, der nun auch zum Abzug bereit war, eine Musik zu bringen, bey der Gelegenheit sollte dann Stillings Haus gestürmt, und die Fenster eingeworfen werden. Sein guter Sohn Jacob erfuhr das Alles, er studirte die Rechtsgelahrtheit, war sehr ordentlich und fleißig, und nahm an dergleichen Unordnungen nie den geringsten Antheil. Der brave Jüngling gerieth in die größte Angst: denn seine Mutter Elise, die er herzlich liebte, war wieder guter Hoffnung, und seine Tante Amalia Coing, Elisens jüngste Schwester, tödtlich krank an der rothen Ruhr — er sahe also die Lebensgefahr dreyer Menschen vor Augen: denn der damalige Geist der Zeit, der mit dem Terrorismus in Frankreich zusammenhieng, schnaubte Mord und Tod, und die Studenten lebten im revolutionären Sinn und Taumel.

Jacob gab also seinen Eltern Nachricht von der Gefahr, die ihnen auf den Abend drohte, und bat, man möchte doch die Fenster nach der Straße und nach dem Platz hin ausheben, und die Amalia an einen andern Ort legen: denn sie lag an den Fenstern nach der Straße hin. Die Fenster wurden nun zwar nicht ausgehoben, aber die Kranke wurde hinten in einen Alcoven gebettet. Jacob aber gieng bey den Studenten herum, und legte sich aufs Bitten; er stellte ihnen die Gefahren vor, die aus dem Schrecken entstehen könnten, allein das hieß tauben Ohren predigen; endlich als er nicht nachlassen wollte, sagte man ihm unter dem Beding zu, wenn er auch zum Orden übergienge, und sich aufnehmen lassen wollte. Zwo bange Stunden kämpfte der gute Jüngling in der Wahl zwischen zweyen Uebeln; endlich glaubte er denn doch, der Eintritt in den Orden sey das Geringere, er ließ sich also aufnehmen, das Unglück wurde abgewendet, und es blieb nun dabey, daß die Studenten im Zug bey Stillings Hause blos ausspuckten — das konnten sie nun thun, dazu war Raum genug auf der Gasse.

Stilling wußte kein Wort davon, daß sich sein Sohn in einen Studentenorden hatte aufnehmen lassen, er erfuhr es erst ein Jahr hernach, doch so, daß es ihm weder Schrecken noch Kummer verursachte: Jacob hielt sehr ernstlich bey seinen Eltern

an, man möchte ihn doch ein halb Jahr nach Göttingen schik-
ken. Die wahre Ursache, warum? wußte niemand; er schützte
vor, daß es ihm sehr nützlich zu seiner Beförderung seyn
würde, wenn er auch in Göttingen studirt hätte. Kurz, er ließ
nicht nach, bis seine Eltern endlich einwilligten, und ihn ein
Winterhalbes Jahr nach Göttingen schickten; sein geheimer
Zweck aber war, dort wieder aus dem Orden zu gehen, und
dies dem dortigen Prorector anzuzeigen; in Marburg konnte
er das nicht, wenn nicht der Lärm wieder von vorne angehen
sollte. Gerade zu der Zeit wurden nun auf dem Reichstag zu
Regensburg alle akademische Orden verboten, und die
Universitäten begonnen die Untersuchungen; zum Glück
hatte nun Jacob schon vorher bey dem Prorector dem Orden
abgesagt, und sich darüber ein Zeugniß geben lassen, und so
entgieng er der Strafe. Den folgenden Sommer, als er nun wieder zu Marburg war, begann auch dort die Untersuchung —
mit größter Verwunderung, und ganz unerwartet, fand man
auch ihn auf der Liste. Jetzt trat er auf und zeigte sein Zeugniß vor; die Sache wurde zur Entscheidung an den Kurfürsten berichtet, Stilling schrieb Ihm die wahre Ursache, warum
sein Sohn in den Orden gegangen sey, der Kurfürst hatte
Wohlgefallen an dieser Handlung, und sprach ihn von allen
Strafen und jeder Verantwortung frey.

In diesem Jahr entstand auch ein neues Verhältniß in Stillings Familie: Elisens beyde Schwestern, Maria und Amalia,
zwo sehr gute und liebenswürdige Seelen, waren für Stilling
ein wahres Geschenk Gottes; in ihrem Umgang war ihm, aber
auch jedermann, der in diesen häuslichen Zirkel kam, innig
wohl. Die drey Schwestern trugen den durch Leiden und Arbeit fast zu Boden gedrückten Mann auf den Händen.

Amalia hatte durch ihren vortrefflichen Charakter, durch
ihre Schönheit und Madonna-Gesicht, tiefen Eindruck auf
Jacob gemacht. Der gute junge Mann stand Anfangs in den
Gedanken, es sey nicht erlaubt, seiner Stiefmutter Schwester

zu heirathen, er kämpfte also eine Zeitlang, und war im Zweifel, ob es nicht besser sey das elterliche Haus zu verlassen? — Doch vertraute er sich seinem Schwager Schwarz, der ihm Muth machte, und ihm rieth, sein Verlangen den Eltern bekannt zu machen. Stilling und Elise fanden nichts dabey zu erinnern, sondern sie gaben beyden ihren Seegen und ihre Einwilligung zur Heirath, sobald als Jacob eine Versorgung haben würde; diese blieb aber sieben Jahr lang aus. Während dieser Zeit war ihr beyder Wandel wie ihr Character untadelhaft, doch um Lästerzungen auszuweichen, übernahm er nicht lange nachher die Führung eines jungen Cavaliers, der in Marburg die Rechte studirte, zu diesem zog er, und wohnte nicht eher wieder im elterlichen Hause, bis er Amalien heirathete.

In diesem Herbst berief auch der Kurfürst den jungen Coing zum Gesandtschafts-Prediger nach Regensburg, wo er einige Jahre mit ausgezeichnetem Beyfall dies Amt verwaltete.

In dieser Verfassung geschah der Uebergang ins 1795ste Jahr; den 4ten Jänner wurde Elise glücklich von einem jungen Sohn entbunden, der den Namen Friedrich bekam, und noch lebt. Vierzehn Tage nachher bekam Stilling an einem Sonntag Nachmittag die traurige Nachricht, daß sein vieljähriger vertrauter Freund, und nunmehriger Oheim Kraft, plötzlich in die seelige Ewigkeit übergegangen sey. Stilling weinte überlaut, es war aber auch ein Verlust, der schwer wieder ersetzt werden konnte.

Die Todesart dieses vortrefflichen Mannes, und berühmten Predigers war auffallend schön: er saß mit seiner guten Gattin, einer Tochter, und einem oder zweyen guten Freunden des Abends am Tisch, alle waren heiter, und Kraft besonders munter. Seiner Gewohnheit nach betete er laut am Tisch, das geschah also auch jetzt; nach geendigter Mahlzeit, stand er auf, richtete seinen Blick empor, fieng an zu beten, und in dem Augenblick nahm der Herr seinen Geist auf, er sank nieder und war auf der Stelle todt.

Kraft war ein gelehrter Theologe, und großer Bibelforscher; ohne besondere Rednergaben, ein berühmter hinreißender Kanzelredner; in jeder Predigt lernte man etwas. Er spannte immer die Aufmerksamkeit, und rührte die Herzen unwiderstehlich. Ich war einstmals in der Kirche zu Frankfurth, ein Preußischer Offizier kam und setzte sich neben mich; ich sah ihm an, daß er bloß da war, um doch auch einmal in die Kirche zu gehen. Der Kirchendiener kam, und legte jedem von uns ein Gesangbuch mit aufgeschlagenem Liede vor; mein Offizier guckte kaltblütig hinein, und ließ dann gut seyn; mich sah er gar nicht an; das stand aber auch in seinem freyen Belieben; endlich trat Kraft auf die Kanzel — der Offizier sah hinauf, so wie man eben sieht, wenn man nicht weiß, ob man gesehen hat. Kraft betete — der Offizier sah ein paarmal hinauf, ließ es aber doch dabey bewenden. Kraft predigte, aber nun wurde endlich der Kopf des Offizieres unbeweglich, seine Augen waren starr auf den Prediger gerichtet, und der Mund war weit offen, um Alles zu verschlingen, was Kraft aus dem guten Schatz seines Herzens vorbrachte; so wie er Amen sagte, wandte sich der Offizier zu mir und sagte: So habe ich in meinem Leben nicht predigen hören.

Kraft war ein mit Weisheit begabter Mann, und in allen seinen Handlungen konsequent — er war ein unaussprechlich warmer Liebhaber des Erlösers, und auch ein eben so treuer Nachfolger desselben. Er war unbeschreiblich wohlthätig und darinnen war dann auch seine fromme Gattin, seine treue Gehülfin; wenn es darauf ankam, und wohl angewandt war, so konnte er mit Freuden hundert Gulden hingeben, und das auf eine so angenehme Art, daß es heraus kam, als ob man ihm den größten Gefallen erzeigte, wenn mans ihm abnähme. In seinen Studenten-Jahren sprach ihn ein armer Mann um ein Allmosen an, er hatte kein Geld bey sich, flugs nahm er seine silberne Schnallen von den Schuhen, und gab sie dem Armen. Ohnerachtet er sehr orthodox war, so war er doch der toleranteste Mann von der Welt, höflich und gastfrey im höchsten Grade.

In Gesellschaften war Kraft munter, angenehm, scherzhaft und witzig: als er im Jahr 1792 auf Ostern Stilling besuchte, und dieser an einem Abend eine Gesellschaft guter Freunde zum Essen gebeten hatte, so gerieth das Gespräch auf die Rentkammern der deutschen Fürsten, und auf die verderblichen Grundsätze, welche hin und wieder zum größten Nachtheil der Regenten und ihrer Unterthanen darinnen herrschend würden; endlich fieng Kraft, der bisher geschwiegen hatte, mit seinem gewöhnlichen Pathos an, und sagte: Wenn sie euch sagen werden, Christus sey in der Kammer; so sollt ihr ihnen nicht glauben.

Seelig bist du theuerer Gottesmann! die Erinnerung an dein frohes Wiedersehn im Reiche Gottes, ist deinem Freund Stilling ein Labetrunk auf seinem leidensvollen Pilgerwege.

Krafts Stelle wurde mit dem christlichen Prediger Passavant aus Detmold, Stillings vertrauten Freund wieder besetzt. Er hinterließ nebst seiner bis in den Staub gebeugten Gattin, drey Töchter; die älteste war schon einige Jahre vorher an seinen Collegen, den rechtschaffenen Prediger Hausknecht verheirathet worden; dieser ist ebenfalls ein ächt christlicher evangelisch gesinnter Mann, und Stillings vertrauter Freund; sein Haus hat ihm das Kraftische ersetzt. Die zweyte Tochter heirathete einen exemplarisch frommen Prediger, Namens Eisenträger aus Bremen; der nach Worms berufen wurde, aber bald seinem Schwiegervater nachfolgte; die dritte Tochter heirathete nach beyder Eltern Tod, einen jungen und christlich gesinnten Rechtsgelehrten, Namens Burckhardi, welcher jetzt

Fürstlich Oranien-Nassauischer Regierungsrath in Dillenburg ist. Dann hatte sich auch der Mutter Coing und der Frau Pfarrerin Kraft jüngste Schwester, die Jungfer Duising eine Zeitlang im Kraftischen Hause aufgehalten; diese beyde Schwestern, die jüngste Kraftische Tochter, und dann eine alte treue und fromme Hausmagd Catharine machten jetzt noch die Hausgesellschaft aus. Da aber nun die gute Wittwe in Frankfurth keine bleibende Stätte mehr fand; und sich nach ihrer Vaterstadt Marburg, und ihren Blutsverwandten sehnte, so miethete ihr Stilling eine Wohnung, die sie aber nach einem Jahre wieder verließ, und mit Stilling und seiner Familie, ins alte Familienhaus zog, wo sie nun in christlicher Liebe, und Vertraulichkeit alle zusammen lebten.

Stillings schwermüthige Seelenstimmung und viele fast unbezwingliche Geschäfte, veranlaßten ihn und seine Elise, eine ländliche Wohnung zu Ockershausen, einem Dorfe, eine Viertelstunde von Marburg, zu miethen, und da den größten Theil des Sommers zuzubringen, um von der freyen und reinen Luft in der schönen Natur, mehr Stärkung, Erholung, und Aufheiterung zu erhalten; auch Elise hatte dieses Alles nöthig: denn durch ihr Halsziehen wurden auch die Brustmuskeln in ihrer freyen Bewegung gehindert; dadurch bekam sie ein bald stärkeres, bald schwächeres Drücken auf der Brust, welches sie noch bis auf den heutigen Tag ängstigt, und zu Zeiten außerordentlich schwermüthig macht — auch ihr Weg ist recht Stillingsartig, und dies macht ihrem sie so zärtlich liebenden Mann oft seine Bürde schwerer.

Von nun an wohnte Stilling mit seiner Familie vier Jahre lang, einen großen Theil des Frühlings, Sommers, und Herbstes in Ockershausen in einem artigen Hause, an welchem ein schöner Obstgarten, nebst einer Laube ist, und aus welchem man eine schöne Aussicht auf den Lahnberg hat. Seine Collegien aber las er in der Stadt in seinem Hause.

An einem Morgen im Frühjahr 1796, kam ein junger schöner Mann in einem grünen seiden-plüschenen Kleide, schönen Stauchen und seidenen Regenschirm nach Ockershausen in Stillings Haus; dieser Herr machte Stillingen ein Compliment, das eine feine und sehr vornehme Erziehung verrieth. Stilling erkundigte sich wer er sey? — und erfuhr, daß er der merk-würdige . . . war; Stilling wunderte sich über den Besuch, und seine Verwunderung stieg durch die Erwartung, was dieser äusserst räthselhafte Mann vorzubringen haben möchte. Nachdem sich beyde gesetzt hatten, fieng der Fremde damit an, daß er Stillingen wegen einem Augenkranken consultirte; indessen sein Anliegen drückte ihn so, daß er bald zu weinen anfieng, Stillingen bald die Hand, und bald den Arm küßte, und dann sagte: Herr Hofrath! nicht wahr, Sie haben das Heimweh geschrieben? „Ja! Mein Herr . . .!"

Er. So sind Sie einer meiner geheimen Oberen (er küßte Stilling wieder die Hand, und den Arm! und weinte fast laut.)

Still. Nein! lieber Herr . . .! ich bin weder Ihr noch irgend eines Menschen geheimer Oberer — ich bin durchaus in keiner geheimen Verbindung.

Der Fremde sahe Stilling starr und mit inniger Bewegung an, und erwiederte: liebster Herr Hofrath! hören Sie auf sich zu verbergen, ich bin lang gnug und hart gnug geprüft wor-den, ich dächte doch Sie kennten mich schon!

Still. Liebster Herr . . .! ich bezeuge Ihnen bey dem leben-digen Gott, daß ich in keiner geheimen Verbindung stehe, und warlich! — nichts von dem allen begreife, was Sie von mir erwarten.

Diese Aeußerung war zu stark und zu ernstlich, als daß sie den Fremden hätte in Ungewißheit lassen können; jetzt war nun die Reihe an ihm zu staunen, und sich zu verwundern, er fuhr also fort: aber so sagen Sie mir doch, woher wissen Sie denn etwas von der großen und ehrwürdigen Verbindung im Orient, die Sie im Heimweh so umständlich beschreiben, und

so gar ihre Versammlungsörter in Egypten, auf dem Berge
Sinai, im Kloster Canobin, und unter dem Tempel zu Jerusalem genau bestimmt haben?

Still. Von dem allen weis ich ganz und gar nichts, sondern
diese Ideen und Vorstellungen kamen mir sehr lebhaft in die
Imagination. Es ist also bloß Fiction, pure Erdichtung.

Er. Verzeihen Sie! — die Sache verhält sich in der That und
Wahrheit so — es ist unbegreiflich — erstaunlich! daß Sie das
so getroffen haben. Nein! — das kommt nicht von ohngefehr! —

Jetzt erzählte nun dieser Herr die wahren Umstände von
der Verbindung im Orient, Stilling staunte und wunderte sich
aus der Maßen: denn er hörte merkwürdige, und außerordentliche Dinge, die aber nicht von der Art sind, daß sie
öffentlich bekannt gemacht werden dürfen; nur soviel be-
theure ich bey der höchsten Wahrheit, daß dasjenige, was Stilling von diesem Herrn erfuhr, nicht auf die entfernteste Art
Beziehung auf politische Verhältnisse hat.

Um die nämliche Zeit schrieb auch ein gewisser großer Fürst
an ihn und fragte ihn; woher er doch etwas von der Verbindung im Orient wisse? denn die Sache verhalte sich so wie er
sie im Heimweh beschrieben habe. Die Antwort fiel natürlich
schriftlich so aus, wie er sie obigem Fremden mündlich gegeben
hatte.

Stilling hat mehrere solcher Erfahrungen, wo seine Imagination der wahren Thatsache, ohne vorher das geringste davon gewußt, oder auch nur geahnet zu haben, ganz gemäß
war; im Verfolg werden noch zween Fälle von der Art vorkommen. Wie das nun ist, und Was es ist, das weiß Gott! —
Stilling macht keine Reflexionen darüber, sondern er läßt es
auf seinem Werth beruhen, und sieht es als Direction der
Vorsehung an, die ihn auf eine ausgezeichnete Art führen will.

Die Eröfnung von dem orientalischen Geheimniß ist aber
immer eine höchstwichtige Sache für ihn, weil sie Bezug auf

das Reich Gottes hat. Indessen ist doch auch da noch vieles im Dunkeln: denn Stilling erfuhr hernach von einem andern sehr wichtigen Manne auch etwas von einer orientalischen Verbindung, die aber von einer ganz andern Art, und ebenfalls nicht von politischer Beziehung ist. Ob nun beyde ganz von einander verschieden sind, oder mit einander mehr oder weniger in Relation stehen, das muß sich noch entwickeln.

Hierzu kamen noch andere ausserordentlich merkwürdige Entdeckungen: Stilling erhielt von verschiedenen Orten her, Nachrichten von Erscheinungen aus dem Geisterreich; vom Wiederkommen längst und vor kurzem verstorbener Personen hohen und niedern Standes; von merkwürdigen Ahnungen, u. d. g. lauter Entdeckungen, deren Wahrheit apodictisch bewiesen ist. Schade, daß keine Einzige von der Art ist, daß sie bekannt gemacht werden darf! — aber das ist bey solchen Sachen gewöhnlich der Fall — es heist da auch: sie haben Mosen und die Propheten — und wir noch dazu, Christum und die Apostel; wir sind nicht auf solche ausserordentliche Erkenntnißquellen angewiesen. Stillings Begriffe vom Hades, von der Geisterwelt, vom Zustand der Seele nach dem Tode, sind nächst denen, in der heil. Schrift zum Nachdenken hingeworfenen Winken, aus diesen Quellen geschöpft, indessen sind das keine Glaubens-Artikel, jeder mag davon halten was er will; nur daß er sie nicht verurtheile: denn dadurch würde er sich zugleich selbst verurtheilen.

Das Jahr 1796 war für ganz Nieder-Deutschland ein Jahr des Schreckens und des Jammers: der Uebergang der Franzosen auf das rechte Rheinufer, ihr Zug nach Franken, und dann ihr Rückzug erfüllten die ganze Gegend mit namenlosem Elend; und da Hessen Frieden hatte, so flüchtete alles in die Marburger Gegend; als man einmal von Obrigkeits wegen, die fremden Flüchtlinge, die sich daselbst aufhielten, zählte, so fand man ihrer in Marburg und den umliegenden Ortschaften, fünf und vierzig tausend. Es war erbärmlich anzusehen, wie Menschen aus allen Ständen, in unabsehbaren Reihen, in Kutschen, auf Leiterwagen, auf Karren, von Ochsen, Pferden, Kühen und Eseln gezogen, mit reichem oder ärmlichen Gepäcke, zu Fuß, zu Pferd, zu Esel, barfuß, oder beschuht, oder gestiefelt, Elend und Jammer im Gesicht, die Straßen anfüllten, und mit lautem Dank den Fürsten seegneten, der Frieden gemacht hate.

Stillings Gemüth wurde durch dies Alles, und dann noch durch den herrschenden Geist der Zeit, der allem was heilig ist, Hohn spricht, unbeschreiblich gedrückt, und seine Sehnsucht für den Herrn zu wirken vermehrt. Dies Alles hatte ihn schon im Jahr 1795 bewogen, eine Zeitschrift unter dem Namen, der graue Mann, herauszugeben, welche ganz unerwartet großen Beyfall fand, weswegen sie auch noch immer fortgesetzt wird. Man liest sie nicht nur in allen Provinzen Deutschlands häufig, sondern so wie das Heimweh in allen Welttheilen. Ich selbst habe Amerikanische deutsche Zeitungen gesehen, in welchen der graue Mann stückweise, unter versprochener Fortsetzung, eingerückt war.

Unter den vielen Flüchtlingen wurden Stilling und seiner Familie zwei sehr verehrungswürdige Personen besonders wichtig: der Prinz Friedrich von Anhalt-Bernburg-Schaumburg, ein wahrer Christ im reinsten Sinn des Worts, miethete sich in Marburg ein Haus; dann wohnte bey ihm, seine nächste Blutsverwandtin, die Gräfin Louise von Wittgenstein-Berlenburg zum Carlsberg. Beyder Mütter waren leibliche Schwestern, nämlich Gräfinnen Henckel von Donnersmark und wahre Christinnen gewesen, die ihre Kinder vortreflich und gottesfürchtig erzogen hatten. Diese beyden, in jedem Betracht edle Menschen, würdigten Stilling und Elise ihres vertrauten Umgangs, und sie waren beyden und ihrer Familie, die Zeit ihres fünfjährigen Aufenthalts in Marburg in jeder Lage, und in jedem Betracht Engel des Trostes und der Hülfe.

Dieser liebe Prinz und die huldvolle Gräfin wohnten da vom Sommer 1796 bis in den Herbst 1801.

Zu gleicher Zeit kam Stilling auch mit zween abwesenden Fürsten in nähere Verhältnisse: der allgemein anerkannt vortrefliche, und christliche Kurfürst von Baden, schrieb zu Zeiten an ihn, und der Prinz Karl von Hessen, ein wahrer und sehr erleuchteter Christ, trat mit ihm in eine ordentliche Correspondenz, die noch fortdauert.

Nun ist es auch einmal Zeit, daß ich wieder an Vater Wilhelm Stilling gedenke, und den Rest seiner Lebens-Geschichte dieser mit einverleibe: seine zweyte Heirath war nicht geseegnet gewesen; alles Ringens, Arbeitens und Sparens ungeachtet, war er immer weiter zurückgekommen, und in Schulden versunken und seine vier Kinder zweyter Ehe, drey Töchter und ein Sohn, alle grundbrave und ehrliche Leute, wurden alle arm und unglücklich. Der alte Patriarch sahe sie alle um sich her — er sah ihren Jammer, ohne ihnen helfen zu können. Stilling lebte indessen entfernt, und wußte von dem allem wenig; daß es aber seinem Vater so gar übel gienge, davon wußte er ganz und gar nichts; Wilhelm hatte aber auch mehr als eine gegründete Ursache, seinem Sohn seine wahre Lage zu verhehlen: denn er hatte sich ehemals sehr oft gegen ihn geäussert: dafür, daß er sich von einem Kinde unterstützen ließe, wolle er lieber trocken Brod essen: — besonders aber mochte ihm folgender Gedanke wohl schwer auf dem Herzen liegen: er hatte auch seinem Sohn in seinem Elend oft die bittersten Vorwürfe über seinen Zustand gemacht, und ihm gesagt: er sey ein verlohrner Mensch, er tauge zu nichts, man werde nichts als Schimpf und Schande an ihm erleben, er werde sein Brod noch betteln müssen u. s. w. Von diesem Sohn sich nun noch unterstützen zu lassen, oder ihm nach den Fingern sehen zu müssen, das mochte dem guten Alten bey seinem Ehrgefühl wohl schwer fallen. Indessen erfuhr denn doch

Stilling in Marburg nach und nach mehr von der wahren Lage
seines Vaters, und ungeachtet er noch selbst eine große Schuldenlast zu tilgen hatte, so glaubte er doch, er könne sich in
diesem Fall wohl über die bekannte Regel: so lange man
Schulden habe, dürfe man kein Geld zu andern Zwecken verwenden, hinaussetzen; er beschloß also, auf Ueberlegung mit
Elise wöchentlich einen Thaler zur Unterstützung des alten
Vaters beyzutragen, und auch zu Zeiten so viel Caffee und
Zucker hinzuschicken, als die beyden Alten (denn die Mutter
lebte auch noch) brauchten. Elise schickte auch noch ausserdem
dann und wann, wie sie sichere Gelegenheit fand, eine Flasche
Wein zur Stärkung nach Keindorf.

Endlich starb denn auch Wilhelm Stillings zweyte Frau
plötzlich an einem Steckfluß, er übertrug nun seiner jüngsten
Tochter, die einen Fuhrmann geheirathet hatte, die Haushaltung, und gieng dann bey ihr an den Tisch. Indessen wurde
es dieser armen Frau sehr sauer: ihr Mann war immer mit
dem Pferde auf der Straße, und zu arm, um sich für Geld
Unterstützung zu verschaffen, mußte sie vom Morgen bis auf
den späten Abend im Felde und im Garten arbeiten; folglich
fehlte es dem guten Alten gänzlich an der gehörigen Pflege.
Eben so wenig konnten auch die andern Kinder etwas thun,
denn sie konnten sich selbst nicht retten, geschweige noch jemand mit Hülfe an die Hand gehen; mit einem Wort, das
Elend war groß.

Wilhelm Stilling war damals in seinem achtzigsten Jahr,
und recht von Herzen gesund; aber seine ohnehin arme und
gebrechliche Füße waren aufgebrochen, und voller eiternder
und fauler Geschwüre, und dann fiengen auch seine Seelenkräfte an zu schwinden, besonders nahm sein Gedächtniß
außerordentlich ab.

Endlich im August 1796 bekam Stilling einen Brief von
einem Verwandten, der den frommen Alten besucht, und allen
seinen Jammer gesehen hatte. Dieser Brief enthielt die Schil-

derung des Elends, und die Aufforderung an Stilling, er möchte seinen Vater zu sich nehmen, ehe er im Leiden vergienge. Das hatte Stilling nicht gewußt — Auf der Stelle schickte er hin, und ließ ihn nach Marburg fahren. Als man ihm nun zu Ockershausen ansagte, sein Vater sey in seinem Hause zu Marburg, so eilte er hin, um ihn zu bewillkommen; aber, du großer Gott! welch ein Jammer! — so wie er ins Zimmer trat, kam ihm ein Pesthauch entgegen, wie er ihn noch nie auf einem anatomischen Theater empfunden hatte. Kaum konnte er sich ihm nahen, um ihn zu küssen und zu umarmen — Das Elend war größer, als ich es beschreiben kann. Es war eine Wohlthat für den guten Vater, daß damals seine Verstandeskräfte schon so abgenommen hatten, daß er sein Elend nicht sonderlich empfand. Einige Jahre früher wäre es ihm bey seinem Ehrgefühl, und gewohnten Reinlichkeit, unerträglich gewesen.

Stillingen blutete das Herz bey diesem Anblick; aber Elise, die so oft gewünscht hatte, daß ihr doch das Glück werden möchte, ihre Eltern in ihrem Alter zu pflegen, griff das Werk mit Freuden an; man hat von je her so viel Rühmens von den Heiligen der katholischen Kirche gemacht, und ihnen das besonders hoch angerechnet, daß sie in den Hospitälern und Lazarethen die stinkenden Geschwüre der armen Kranken verbunden hatten — hier geschah mehr — weit mehr — Du willst durchaus nicht, daß ich hier etwas zu deinem Ruhm sagen soll, edles gutes Weib! — nun ich schweige — aber, Vater Wilhelm der nicht mehr so viel bey Verstand war, daß er deine beispiellose Kindesliebe erkennen, und Dich dafür seegnen konnte, wird dir dereinst in verklärter Gestalt entgegenkommen, du holde. Kreuzträgerin! Stillings Leidens- und Lebensgefährtin! — und den hier versäumten Dank dann in vollem Maaß einbringen. An seiner Hand schwebt Dortchen einher, um ihre Tochter Elise zu bewillkommen, Vater Eberhard Stilling lächelt dir Frieden zu, und Selma wird auch ihre

Freundin umarmen, und sagen: Heil dir, daß du meinen Erwartungen so herrlich entsprochen hast! — alle diese Verklärten führen dich dann vor den Thron des Allerbarmers, Er neigt den Scepter aller Welten gegen deine Stirne und sagt: was du diesem meinem Knecht gethan hast, das hast du mir gethan; gehe hin du Bürgerin des neuen Jerusalems und genieß der Seeligkeiten Fülle!

Elise setzte dies schwere Liebesgeschäfte bis in den October fort, dann kam sie wieder in die Wochen mit einer Tochter, die noch lebt, und Amalia heißt. Jetzt unterzog sich Amalia Coing, die künftige Enkel-Schwiegertochter Wilhelm Stillings, dieser Pflege, dafür wirds ihr auch wohlgehen, ihr Lohn wird groß seyn in Zeit und Ewigkeit.

Das Ende dieses 1796sten Jahrs war traurig: im Herbst starb ein Bruder der seeligen Mutter Coing und der Tante Kraft ledigen Standes, er war Advocat in Frankenberg und starb plötzlich an einem Schlagfluß. Ein anderer ebenfalls lediger Bruder, der Amts-Actuarius in Dorheim in der Wetterau war, kam nun seines Bruders Sachen in Frankenberg in Ordnung zu bringen, und starb zehn Tage vor Weihnachten in Stillings Haus, durch alle diese Schläge wurde die gute Wittwe Kraft, die auch im verflossenen Sommer ihre Tochter Eisenträger als Wittwe wieder bekommen hatte, ganz zu Boden gedrückt, auch sie legte sich, und starb am ersten Weihnachtsfeiertag sanft und seelig, so wie ihre Schwester Coing. Jetzt waren nun noch die Jungfer Duising, die Wittwe Eisenträger, und die ledige Jungfer Kraft mit ihrer braven alten Catharine da; die Jungfer Kraft heirathete den folgenden Sommer den Herrn Burckhardi in Dillenburg, die übrigen drey Nachgelassenen, aus dem ehrwürdigen Zirkel des seligen Krafts, leben nun jetzt noch im von Hammischen Familienhause, in Marburg, welches der Tante Duising eigenthümlich zugehört.

Der gute Schwarz hatte mit seiner Hannchen im 1796sten

Jahr etwas rechts zu leiden gehabt: er hatte sein einsames Dexbach verlassen, und eine Pfarrstelle zu Echzell in der Wetterau angenommen, wo er nun allen Schrecken des Kriegs ausgesetzt war. Hannchen war auch mit unter den fünf und vierzig tausend Flüchtenden, und sie hielt ihr drittes Kindbett ruhig bey ihren Eltern zu Marburg, und reiste dann wieder auf ihren Posten.

Das Jahr 1797 war eben nicht merkwürdig in Stillings Lebensgang, alles rückte so in der gewohnten Sphäre fort, außer daß sich Stillings innere Leiden eher vermehrten als verminderten — ihn drückte beständig eine innige Wehmuth; eine unbeschreibliche Freudenlosigkeit raubte ihm allen Genuß. Das Einzige was ihn aufrecht hielt, war sein häuslicher Zirkel, in welchem es jedem wohl wurde, der sich darinnen befand. Elise und ihre beyden Schwestern Maria und Amalia waren die Werkzeuge, die der Herr brauchte, um seinem Kreuzträger das Tragen zu erleichtern, obgleich Elise selbst unter ihrer Bürde beynahe erlag.

Von allen dem empfand Vater Wilhelm gar nichts, er war Kind, und wurde es immer mehr, und damit es ihm an keiner Aufwartung fehlen möchte, so ließ Stilling seiner ältsten Schwester Tochter Mariechen kommen, die dann ihre Pflicht am Großvater solang treulich erfüllte, bis seine Aufwartung sich nicht mehr für ein junges Mädchen schickte, und eine alte Wittwe angenommen wurde, die Tag und Nacht seiner wartete. Mariechens Character entwickelte sich zu ihrem Vortheil, sie genießt die Achtung und Liebe aller guten Menschen, und sie wird von Stilling und Elise als Kind geliebt. Mit Vater Wilhelm kam es nach und nach so weit, daß er niemand, und am Ende so gar seinen Sohn nicht mehr kannte; von seiner zweyten Heirath und Kindern wußte er fast gar nichts mehr, aber von seiner Heirath mit Dortchen, und von seinen Jugendjahren sprach er zuweilen in einzelnen Ideen. Sobald man aber vom Christenthum zu reden anfieng, so kam ihm sein

Geist wieder, dann sprach er zusammenhängend und vernünftig; und als dies auch aufhörte, so hieng doch seine Vorstellungskraft noch an ein Paar Bibelsprüchen von der Vergebung der Sünden durch das Leiden und Sterben Christi, die er unzählige mal mit vielen Thränen und Händeringen wiederholte, und sich damit in seinem Leiden tröstete. Aus diesem Beyspiel kann man lernen, wie wichtig es sey, wenn man den Kindern frühzeitig das Gedächtniß mit erbaulichen Sprüchen aus der Bibel, und Liederversen anfüllt. Die ersten Eindrücke im Gedächtniß des Kindes sind unauslöschbar. In der Jugend helfen ihnen solche Sprüche und Verse wenig; aber wenn sie im hohen Alter Wilhelm Stillings Wüste durchpilgern müssen, wo sie einsam, von aller Empfindung des gesellschaftlichen Lebens, und ihres eigenen Bewußtseyns entblößt, nur noch einen kleinen Schimmer der Vernunft zum Führer haben, da wo sie ihren ganzen Lebensgang vergessen haben, da sind solche Sprüche und Verse Himmelsbrod, das zum Uebergang über den schauerlichen Strom des Todes stärkt.

Ueberhaupt sind sie in Kreuz und Trübsal, in Noth und Tod herrliche Stärkungs- und Tröstungs-Mittel.

In den Pfingstferien dieses 1797sten Jahres erfuhren Stilling und Elise wieder eine merkwürdige Probe der göttlichen Vorsorge: er hatte allerdings ein ansehnliches Gehalt, aber auch eben so ansehnliche und nothwendige Ausgaben: denn es war zu der Zeit in Marburg alles theuer; nun wird sich jeder Hausvater solcher Zeitpuncte erinnern, wo gerade vielerley Umstände zusammentrafen, die vereinigt, eine Presse von Geldnoth verursachten, aus der man sich nicht zu retten wußte, und wo man auch nicht in der Lage war, Schulden machen zu können, oder zu dürfen. Ungefähr in dieser Lage befand sich jetzt auch Stilling oder vielmehr Elise, als welche in Selma's Fußtapfen getreten war, und die Haushaltungssorge mit der Verwaltung der Casse ganz allein übernommen hatte. Nun hatte aber eine sehr würdige und ansehnliche

Dame in der Schweiz einige Zeit vorher an Stilling geschrieben, und ihn wegen der Blindheit ihres Mannes zu Rath gezogen. Gerade jetzt in der Presse, als Stilling mit den Studenten in Cassel war, und seine gewöhnliche Pfingstreise mit ihnen machte, bekam er einen Brief von dieser Dame mit einem Wechsel von dreyhundert Gulden, wobey sie schrieb: Stilling möchte ja nie an eine Vergeltung, oder dafür zu leistenden Dienst denken; sie fühle sich gedrungen diese Kleinigkeit zu schicken, und bäte nun ferner der Sache nicht mehr zu gedenken. So wurde der Druck auf einmal gehoben, aber auch Elisens Glaube sehr gestärkt.

Zu den wichtigsten Stillings-Freunden und Freundinnen, gesellte sich in diesem Jahr noch eine sehr verehrungswürdige Person: die Gräfin Christine von Waldeck, Wittwe des Grafen Josias zu Waldeck-Bergheim, und geborne Gräfin von Isenburg-Büdingen, beschloß ihre zween jüngern Söhne nach Marburg zu schicken und sie dort studiren zu lassen. Endlich entschloß sie sich selbst mit ihrer liebenswürdigen Tochter, der Comtesse Caroline so lang nach Marburg zu ziehen, als ihre Söhne dort studiren würden. Was diese christliche Dame Stillingen und Elisen gewesen ist, wie mannigfaltig ihr zur Menschenliebe geschaffenes Herz auf Rath und That bedacht war, das läßt sich nicht beschreiben. Sie schloß sich so ganz an den Prinzen Friedrich von Anhalt und die Gräfin Louise an; allen dreyen durften Stilling und Elise alle ihre Leiden klagen, und über alle ihre Anliegen vertraulich mit ihnen ausreden.

Das Jahr 1798 ist in Stillings Geschichte deswegen merkwürdig, weil er in demselben die Siegsgeschichte der christlichen Religion in einer gemeinnützigen Erklärung der Offenbarung Johannis schrieb, und dann mit seiner Elise die erste bedeutende Reise machte.

Mit der Siegsgeschichte hatte es folgende Bewandniß: die wichtigen Folgen, welche die französische Revolution hatte, und die Ereignisse, welche hin und wieder zum Vorschein kamen, machten allenthalben auf die wahren Verehrer des Herrn, die auf die Zeichen der Zeit merkten, einen tiefen Eindruck. Verschiedene fiengen nun an, gewisse Stücke aus der Offenbarung Johannis auf diese Zeiten anzuwenden, ohne auf den ganzen Zusammenhang der Weissagungen, und ihren Geist in der Bibel überhaupt Rücksicht zu nehmen. Sehr verständige Männer hielten schon die französische Kokuarde für das Zeichen des Thiers, und glaubten also, das Thier aus dem Abgrund sey schon aufgestiegen und der Mensch der Sünden wirklich da. Diese ziemlich allgemeine Sensation unter den wahren Christen, kam Stilling bedenklich vor, und er war willens, im grauen Mann dafür zu warnen.

Auf der andern Seite war es ihm doch auch äußerst wichtig, daß der bekannte, fromme, und gelehrte Prälat Bengel schon vor fünfzig Jahren in seiner Erklärung der Apokalypse bestimmt vorausgesagt hatte, daß in dem letzten Jahrzehend des achtzehnten Jahrhunderts der große Kampf anfangen, und der Römische Stuhl gestürzt werden sollte. Dieses hatte nun ein Ungenannter in Carlsruhe in einer nähern und bestimmtern Erläuterung des Bengelischen apocalyptischen Rechnungs-Systems noch genauer ausfindig gemacht, und sogar die Jahre aus dem neunziger Jahrzehnd vestgesetzt, in welchen Rom gestürzt werden sollte; und dies achtzehn Jahr vorher, ehe es wirklich eintraf. Dies alles machte Stilling aufmerksam auf Bengels Schriften, und besonders auf das so eben berührte Buch des Carlsruher ungenannten Verfassers.

Hiezu kamen nun noch zween Umstände, die auf Stillings Gemüth würkten, und es zu einer so wichtigen Arbeit vorbereiteten: Das Heimweh hatte auf verschiedene Mitglieder der Herrnhuter Brüdergemeine tiefen und wohlthätigen Eindruck gemacht; er wurde in dieser Gemeinde bekannter, man fieng an seine Lebensgeschichte allgemeiner zu lesen, und auch seine übrigen Schriften, besonders der graue Mann, wurden durchgehends als erbaulich anerkannt. Er wurde von durchreisen-

den Brüdern besucht, auch er las viele ihrer Schriften, mit
einem Wort: Die Brüdergemeine wurde ihm immer ehrwürdiger, besonders auch dadurch, daß er in ihren Schriften überhaupt und vorzüglich in ihren Gemein- und Missions-Nach-
richten, auch Prediger-Conferenz-Protokollen, die man ihm
mittheilte, einen ungemein raschen Fortschritt in der Vervollkommnung der Lehre und des Lebens bemerkte, und daß alle
ihre Anstalten von der Vorsehung ganz ausgezeichnet geleitet,
und mit Seegen begleitet wurden, und was vollends eine
nähere Vereinigung bewirkte, das war ein Briefwechsel mit
einem würdigen und lieben Prediger aus der Brüdergemeine,
dem Bruder Erxleben, der damals in Bremen, und hernach zu
Norden in Ostfriesland das Lehramt verwaltete, gegenwärtig
aber Ehechorhelfer in Herrnhut ist. Die Correspondenz mit
diesem lieben Mann dauert noch fort, und wird wohl nicht
eher aufhören, bis einer von beyden zur oberen Gemeine abgerufen wird.

Stilling entdeckte also in dieser Gemeine eine wichtige Anstalt zur vorbereitenden Gründung des Reichs Gottes; sie
schien ihm ein Seminarium desselben zu seyn, und diese Idee
gab ihm einen wichtigen Aufschluß über eine Haupt-Hieroglyphe der Apocalypse.

Der zweyte Umstand, der Stilling zu einer so wichtigen und
kühnen Arbeit vorbereitete, war die große und ganz unerwartete Erweckung in England, welche die merkwürdige neue und
große Missions-Anstalt zur Folge hatte. Diese Sache war so
auffallend, und der Zeitpunkt ihres Entstehens so merkwürdig, daß kein wahrer Christus-Verehrer gleichgültig bleiben
konnte. In Stillings Gemüth aber bestärkte sie die Idee, daß
auch diese Anstalt ein Beweis von der schleunigen Annähe-
rung des Reichs Gottes sey; und allenthalben blickte der wahre Christ nach dem großen goldnen Uhrzeiger an des Tem-
pels Zinnen, und wer blöde Augen hatte, der fragte den
Schärfersehenden, wie viel Uhr es sey? —

Ungeachtet aber daß dies Alles in Stillings Seele vorgieng, so kam ihm doch kein Gedanke in den Sinn, sich an die heilige Hieroglyphe der Apocalypse zu wagen, sondern vielmehr im grauen Mann jeden für dieses Wagestück zu warnen, weil so viele darüber zu Schanden geworden waren. Allein so wie das Unerwartete in Stillings Führung allenthalben Thema und Maxime der Vorsehung ist, so gieng es auch in diesem Fall:

An einem Sonntag Morgen im März des 1798sten Jahres beschloß Stilling nicht in die Kirche zu gehen, sondern am grauen Mann zu arbeiten, und besonders darinnen etwas Nützliches über die Offenbarung Johannis, dem christlichen Leser mitzutheilen; um sich nun in dieser wichtigen und schweren Materie in etwas zu orientiren, so nahm er die vorhin bemerkte Carlsruher Erläuterung zur Hand, setzte sich damit an seinen Pult, und fieng an zu lesen. Plötzlich und ganz unerwartet, durchdrang ihn eine sanfte und innige sehr wohlthätige Rührung, die in ihm den Entschluß erzeugte, die ganze Apocalypse aus dem griechischen Grundtext zu übersetzen, sie Vers für Vers zu erklären, und das Bengelsche Rechnungs-System beyzubehalten, weil es bis dahin anwendbar gewesen, und besonders in diesen Zeiten so merkwürdig eingetroffen wäre. Er begab sich also auf der Stelle an diese Arbeit, und hoffte der Geist des Herrn würde ihn bey allen dunklen Stellen erleuchten, und in alle Wahrheit führen. Stillings Siegsgeschichte der christlichen Religion ist also kein vorher durchdachtes ausstudirtes Werk, sondern sie wurde so stückweise in den Nebenstunden unter Gebet und Flehen um Licht und Gnade niedergeschrieben, und dann ohne weiteres an Freund Rau nach Nürnberg zur Buchdruckerpresse geschickt. So bald Stilling nur die Zeit dazu findet, so wird er in Nachträgen zur Siegsgeschichte noch Manches näher bestimmen, berichtigen, und erläutern.

Wer nicht vorsetzlich und boshafter Weise alles übel auslegen, und zu Bolzen drehen will, sondern nur ehrlich und billig denkt, der wird Stilling nicht beschuldigen, daß er bey seinen Lesern die Idee erregen wolle, er schreibe aus göttlicher Inspiration; sondern mein Zweck ist, sie zu überzeugen, daß seine Schriften — sie mögen mehr oder weniger mangelhaft seyn — doch unter der besondern Leitung der Vorsehung stehen — dafür ist ihm seine ganze Führung, und dann auch der ungemeine, unerwartete Seegen, der auf seinen Schriften ruht, Bürge. Dies war auch wieder bey der Siegsgeschichte der Fall: denn kaum war ein Jahr verflossen, so wurde sie schon zum zweitenmal aufgelegt.

Diesen ganzen Sommer durch war Stillings Schwermuth auf den höchsten Grad gestiegen — er dachte manchmal über diesen Zustand nach, und brauchte seine ganze medizinische Vernunft, um in dieser Sache auf den Grund zu kommen, aber er fand keinen. Hypochondrie war es nicht, wenigstens nicht die gewöhnliche, sondern es war eigentlich eine Freudenleerheit, auf welche auch der reinste sinnliche Genuß keinen Eindruck machte; die ganze Welt wurde ihm fremd, so als ob sie ihn nichts angienge, alles was andern, auch guten Menschen, Vergnügen machte, war ihm ganz gleichgültig — Nichts! — ganz und gar Nichts! — als sein großer Gesichtspunkt, der ihm aber theils dunkel, theils ganz unerreichbar schien, füllte seine ganze Seele aus, auf den starrte er hin, sonst auf Nichts. Seine ganze Seele, Herz und Verstand, hieng mit der ganzen Fülle der Liebe an Christo, aber nicht anders als mit einer wehmüthigen Empfindung. Das Schlimmste war, daß er diese schwere Lage niemand klagen konnte, weil ihn niemand verstand — ein paarmal entdeckte er sich frommen Freunden in den Niederlanden, allein diese nahmen es ihm so gar übel, daß er glaubte in einem so erhabenen mystischen Zustand zu stehn: denn er hatte seine Gemüthsverfassung den Stand des dunkeln Glaubens genannt. O Gott, es ist schwer den Weg des heiligen Kreuzes zu gehen! — aber hernach bringt er auch unaussprechlichen Seegen.

Die wahre Ursache, warum ihn sein himmlischer Führer in diese traurige Gemüthsstimmung gerathen ließ, war wohl fürs Erste, um ihn für dem Stolz, und der allen Sinn für Religion und Christenthum tödtenden Eitelkeit zu bewahren, in welche er ohne diesen Pfahl im Fleisch gewiß gerathen wäre, weil ihm von allen Seiten her, aus der Nähe und aus der Ferne, von Hohen und Niedern, Gelehrten und Ungelehrten, außerordentlich viel Schönes und Herzerhebendes zum Lob gesagt wurde; in diesem Zustand freute es ihn einen Augenblick, so wie ein warmer Sonnenstrahl an einem dunkeln Decembertage; dann aber war es wieder wie vorher, und ihm gerade so zu Muth, als wenn es ihn gar nicht angienge. Fürs Zweyte aber mochte auch wohl der himmlische Schmelzer diesen Sohn Levi noch aus andern höhern Ursachen auf diesen Treibheerd setzen, um gewisse Grundtriebe des Verderbens, radical auszubrennen.

Dieser Seelen-Zustand dauert noch immer fort, außer daß nun eine innige Ruhe, und ein tiefer Seelenfriede damit verbunden ist.

Elise, ob sie gleich selbst sehr litt, war doch immer die einzige Seele unter allen Freunden, der er sich ganz entdecken, und mittheilen konnte; sie litt dann noch mehr ohne ihm helfen zu können; allein ihre Theilnahme und treue Pflege, waren ihm denn doch unschätzbare Wohlthaten, und besonders machte ihm ihr Umgang alles weit erträglicher. Von dieser Zeit an schlossen sich beyde immer inniger und fester an einander an, und wurden sich wechselseitig immer unentbehrlicher. Ueberhaupt war Stillings ganzer häuslicher Zirkel unaussprechlich liebevoll und wohlthätig für ihn; in einer andern Lage hätte er es nicht ausgehalten. Es war auch sehr gut, daß sein Magenkrampf nachzulassen begann: denn mit einem so äußerst geschwächten Körper hätte er es nicht ertragen können.

Stillings Staaroperationen und Augenkuren waren besonders geseegnet, und er hatte sie von Elberfeld an bis daher
ununterbrochen fortgesetzt, aber sie hatten auch eine doppelte
Beschwerlichkeit für ihn: seine einmal angenommene Maxime, von welcher er auch nicht abgehen kann, von keiner
Staar- oder andern Augenkur etwas zu fordern, sondern jedermann unentgeltlich damit zu dienen, es sey denn daß ihm
jemand von freyen Stücken erkenntlich ist, und ihm — aber
ohne sich wehe zu thun — ein Geschenk macht, zog ihm einen
erstaunlichen Zulauf von Augenkranken zu; jeden Augenblick wurde er durch solche Leidende an seiner Arbeit unterbrochen, und seine Geduld dadurch aufs äusserste geprüft.
Aber die zweyte noch größere Beschwerlichkeit war die, daß
man ihm von allen Seiten arme Blinde mit Zeugnissen der
Armuth zuschickte, ohne daß sie das nöthige Geld zum Unterhalt während der Kur mitbrachten — einen solchen bedauernswürdigen Blinden ohne Hülfe, um einiger Gulden willen, wieder zurückzuschicken, das lag in Stillings Character nicht.
Zwar hatten die Directoren der beyden Protestantischen
Waysenhäuser in Marburg die Güte, solche arme Blinde für
eine mäßige Bezahlung während der Kur aufzunehmen, und
zu verpflegen, aber für diese mäßige Bezahlung mußte denn
doch Stilling sorgen; und diese wohlthätige Einrichtung hatte
dann auch die beschwerliche Folge, daß Inländer und Aus-
länder desto kühner ihre armen Blinden ohne Geld schickten, — da gabs dann manche Glaubensprobe, aber der Herr
hat sie auch alle herrlich legitimirt, wie der Verfolg zeigen
wird.

Mitten im Sommer dieses 1798sten Jahres schrieb Doctor
Wienholt in Bremen an Stilling, und ersuchte ihn, dorthin zu
kommen, weil einige Staarblinde dort wären, die von ihm
operirt zu werden wünschten: denn das Wohlgelingen seiner
Kuren wurde weit und breit bekannt, und besonders von denen, die in Marburg studirten, allenthalben erzählt. Stilling

antwortete, daß er in den Herbstferien kommen wolle. Dieses
geschahe denn auch, und Elise beschloß, ihn zu begleiten, ungeachtet sie nicht recht wohl war; sie hatte dazu einen doppelten Grund, sie trennte sich nicht gern lange von ihrem Mann,
und er hatte auch ihre Unterstützung und Pflege nöthig, und
dann wollte sie auch gern einmal die Stadt sehen, aus welcher
ihre Vorfahren mütterlicher Seite herstammten: denn ihr
Ahnherr war ein Brabänder Namens Duising, welcher unter
dem Duc d'Alba ausgewandert war, und sich in Bremen niedergelassen hatte, hier lebten nun noch zween liebe, und in
großem Ansehen stehende Vettern, die Gebrüder Meyer,
beyde Doctoren der Rechte, deren der eine, einer von den vier
regierenden Bürgermeistern, und der andere Secretarius bey
einem dortigen Collegio war. Diese Verwandten wünschten
auch sehr, daß sie die Marburger Freunde einmal besuchen
möchten.

Stilling und Elise traten also Sonnabends den 22sten September 1798 die Reise nach Bremen an; das Uebelbefinden der
guten Frau aber machte die Reise sehr ängstlich; er mußte den
Postillonen ein gutes Trinkgeld geben, damit sie nur langsam
fahren möchten, weil sie das schnelle Fahren durchaus nicht
vertragen konnte. Sie machten die Reise über Hannover, wo
sie von Stillings vertrautem Freund, dem Hof- und Consi-
storial-Rath Falck herzlich empfangen, und sehr freundschaftlich behandelt wurden. Freytags den 28sten September
kamen sie des Abends spät, aber glücklich in Bremen an, und
kehrten bey dem Secretarius Meyer ein; dieser edle Mann und
seine trefliche Gattin paßten so recht zum Stillings-Paar, sie
wurden bald ein Herz und eine Seele, und schlossen den Bund
der Bruder- und Schwesterschaft miteinander; der Bürgermeister an seiner Seite aber, der die personifizirte Freundschaft
selbst war, that sein Bestes, um den Marburger Verwandten
Freude zu machen. Er ruht nun schon in seiner Kammer der
gute edle Mann; Gelehrsamkeit, unbeschränkte Gutmüthig-

keit, und treufleißige Staatsverwaltung waren die Grundlagen seines Characters.

Stilling machte zwey und zwanzig Staar-Operationen in Bremen, und bediente außerdem noch viele, die an den Augen litten. Unter jenen Staar-Patienten war einer von honnettem Bürgerstand, ein alter Mann, der viele Jahre blind gewesen, und daher in seinen Vermögensumständen zurückgekommen war. Verschiedene Damen ersuchten Stilling, er möchte ihnen doch erlauben zuzusehen, denn sie wünschten Zeugen von der Freude zu seyn, die ein solcher Mann hätte, der so lange blind gewesen wäre. Die Operation gieng glücklich von statten, und Stilling erlaubte ihm nun sich umzusehen — der Patient sah sich um, schlug die Hände zusammen, und sagte: Ach da sind Damen, und es sieht hier so unaufgeräumt aus! — Die guten Frauen wußten nicht, was sie sagen und denken sollten, und giengen nach einander zur Thür hinaus.

Stilling machte in Bremen auch wieder einige interessante Bekanntschaften, und erneuerte auch ein Paar alte Freundschafts-Bündnisse, nämlich mit dem Doctor und Professor Meister, den er schon in Elberfeld kennen gelernt hatte, und mit Ewald, der nun schon Prediger da war. Der berühmte Doctor Olbers wurde Stillings Freund, und bey ihm lernte er auch den großen Astronomen, den Oberamtmann Schröder kennen. Mit Wienholt schloß er auch den Bruderbund, Er und seine Gattin gehören in die Classe der besten Menschen.

Bremen hat sehr viele fromme und christliche Einwohner, und überhaupt ist der Volkscharakter feiner und gesitteter, als in andern großen Handelsstädten. Dies ist besonders den vortrefflichen Predigern zuzuschreiben, welche die Stadt von je her hatte, und auch noch hat.

Nach einem sehr vergnügten Aufenthalt von drey Wochen und ein Paar Tagen reisten Stilling und Elise Sonntags den 21sten October von Bremen wieder ab. Der Herr hatte seine Hand gesegnet, und die wohlhabenden Patienten hatten ihn auch so reichlich beschenkt, daß nicht allein die kostbare Reise bezahlt war, sondern auch noch etwas übrig blieb, welches bey der großen und schweren Haushaltung wohl zu statten kam.

Die Bremer Verwandten begleiteten ihre reisenden Freunde bis an den Asseler Damm, wo sie einen thränenvollen Abschied nahmen, und dann wieder zurückgiengen. Der Weg bis Hoya war schrecklich, doch kamen sie glücklich, aber des Abends spät in gedachter Stadt an; in Hannover sprachen sie wieder bei Freund Falck zu, der sie mit wahrer christlichen Bruderliebe empfieng, dann setzten sie ihre Reise fort, und kamen zu rechter Zeit gesund und gesegnet in Marburg an, wo sie auch die Ihrigen alle wohl und vergnügt antrafen.

Die Reise nach Bremen hatte Stillingen wieder mehrere Freunde und Bekanntschaft verschafft, aber auch seine Correspondenz, mithin auch seine Arbeit beträchtlich vermehrt. Consultationen wegen Augenkrankheiten, und Briefe religiösen Inhalts kamen posttäglich in Menge, so daß er sie mit aller Mühe kaum beantworten konnte; hiezu kam dann noch der tägliche Zulauf von Augenpatienten aller Art, so daß es fast nicht möglich war alles zu leisten, was geleistet werden mußte, doch versäumte Stilling in seinem Amte nichts, sondern er strengte seine äußersten Kräfte an, um allen diesen Pflichten zu entsprechen.

Unter diesen Umständen fieng er das 1799ste Jahr an. Den 22sten Februar, kam Elise mit ihrem jüngsten Kind, einem Mädchen, glücklich nieder; die Gräfin Waldeck wünschte es aus der Taufe zu heben, welches natürlicher Weise mit vielem Dank angenommen wurde; von ihr hat das Töchterchen den Namen Christine bekommen es lebt noch, und macht, so wie seine ältern Geschwister, den Eltern Freude.

Mit Lavatern war Stilling seit seinem Besuch in Marburg in ein weit näheres Verhältniß gekommen. Beyde waren in gewissen Puncten verschiedener Meinung; dies veranlaßte also einen lebhaften Briefwechsel, wodurch aber die herzlichste Bruderliebe nicht getrübt wurde. Beyde lebten und wirkten für den Herrn und sein Reich; ihr großer Zweck war auch ihr Band der Liebe. Zu dieser Zeit war nun auch der berühmte Arzt, der Doctor Hotze in Frankfurth bey seinem vortreflichen Schwiegersohn dem Doctor de Neufville. Stilling hatte vor einigen Jahren schon Hotze kennen lernen, und mit ihm auf ewig den Bruderbund geschlossen, und nun war auch Passavant in Frankfurth; beyde waren Lavaters und Stillings brüderliche Freunde, und auch unter sich genau vereinigt. Diesen beyden Freunden Hotze und Passavant also schickte Lavater seine Briefe an Stilling offen, und dieser sandte dann auch seine Antworten unversiegelt an beyde Männer, wodurch eine sehr angenehme und lehrreiche Conversation entstand. Die Gegenstände, welche verhandelt wurden, waren die wichtigsten Glaubensartikel. Z. B. die Versöhnungslehre, die Gebetserhörungen; der Wunderglaube u. d. g. In diesem 1799-sten Jahre hatte nun dieser Briefwechsel aufgehört: denn Lavater wurde gefangen genommen, und nach Basel deportirt, und Hotze war auch nicht mehr in Frankfurth. Dies alles mache ich um eines sonderbaren Phänomens willen bemerklich, welches Stilling Sonnabends den 13ten Julius begegnete.

Vor seiner Reise nach Bremen hatte ihm ein Freund im Vertrauen entdeckt, daß ein gewisser berühmter, und sehr würdiger Mann in drückenden Mangel gerathen sey; dies erzählte Stilling in Bremen einigen Freunden; Doctor Wienholt übernahm die Sammlung, und schickte ihm im Winter gegen viertehalbhundert Gulden in alten Louisd'ors; als sich nun Stilling näher nach der Art und Weise erkundigte, wie man dem verehrungswürdigen Manne das Geld sicher in die Hände bringen könnte, so erfuhr er, daß der Mangel jenes Mannes so drückend nicht sey, und daß ihm diese Art der Hülfe sehr weh thun würde. Dies bewog Stilling das Geld zurück zu behalten, und in Bremen anzufragen, ob es zur englischen Mission verwendet, oder den vor kurzem so äußerst unglücklich gewordenen Unterwaldnern in der Schweiz zugewendet werden solle? — dies Letztere wurde bewilligt, und Stilling trat um desfalls mit dem berühmten und christlich frommen Antistes Heß in Zürich, in Correspondenz, weil sich dieser liebevolle Mann jener Unglücklichen — wie so sehr viele Zürcher — ernstlich annahm.

In dieser Angelegenheit schrieb nun Stilling am oben gedachten 13ten Julius an Heß, wobey ihm etwas seltsames wiederfuhr: mitten im Schreiben, als er gerade des Zustands gedachte, in dem sich jetzt die Schweiz befände, bekam er auf einmal einen tiefen Eindruck ins Gemüth, mit der Ueberzeugung: Lavater würde eines blutigen Todes — des Martertodes sterben. Dies letzte Wort, Martertod war eigentlich der Ausdruck, den er empfand — noch etwas war damit verbunden, das sich jetzt noch nicht sagen läßt. Daß Stilling sehr darüber erstaunte, ist natürlich. Während diesem Erstaunen wurde er nun auch überzeugt, daß er diesen Aufschluß in diesem Brief an Heß schreiben müßte, er that es also auch, und bat ihn zugleich, er möchte dies Lavatern bey Gelegenheit sagen. Heß antwortete bald, bezeugte seine Verwunderung, und versprach es Lavatern zu entdecken, er müßte aber dazu eine gelegene Zeit abwarten. So viel ich mich erinnere, ist es auch Lavatern wirklich gesagt worden.

Mein verehrungswürdiger Freund Heß wird sich dieses alles noch sehr wohl erinnern. Diese Ahnung hatte Stilling am 13ten Julius, und zehn Wochen und einige Tage hernach, nämlich am 26sten September bekam Lavater den tödlichen Schuß, dessen Folgen eine funfzehn Monath währende Marter, und dann der Tod waren.

Der christliche Wahrheitliebende Leser wird freundlich ersucht, dergleichen Erscheinungen und Erfahrungen nicht höher zu würdigen, als sie's verdienen, und lieber gar kein Urtheil darüber zu fällen. Es wird einst eine Zeit kommen, wo man sich wieder lebhaft an diese Ahnung erinnern wird.

In den Herbstferien brachte Stilling seine Gattin und Kinder nach dem Dorfe Münster bey Buzbach in der Wetterau, wohin nun Schwarz von Echzell versetzt worden war; dann reiste Stilling nach Frankfurth und Hanau, wo wiederum Augenpatienten auf ihn warteten, Elise aber blieb zu Münster.

Die merkwürdigen Personen, mit denen Stilling auf dieser Reise theils in nähere, theils in persönliche Bekanntschaft kam, waren: Der regierende Landgraf zu Homburg; diesen wahrhaften Christus-Verehrer hatte er in Marburg bey dem Prinzen Friedrich schon kennen lernen, jetzt aber machte er ihm ein paarmal seine Aufwartung in Frankfurth; dann der regierende Fürst Wolfgang Ernst von Isenburg-Birstein, und seine vortreffliche Gemahlin, beyde auch wahre Christen, und dann den regierenden Grafen von Isenburg-Büdingen, Ernst Casimir, seine Gemahlin, und deren Schwester, die Gräfin Caroline von Bentheim-Steinfurth, alle drey ächt Evangelisch gesinnte sehr werthe Personen, mit der Gräfin Caroline stand Stilling schon vorher in einem erbaulichen Briefwechsel; ihre Schwester Polyxene, eine sehr begnadigte Seele, lebte in Siegen, auch mit dieser stand Stilling lange in einer religiösen Correspondenz. Diese war aber schon vor einiger Zeit zu ihrer Ruhe eingegangen.

Wenn ich in dieser Geschichte öfters hoher Standespersonen gedenke, die Stillingen ihres Vertrauens gewürdigt haben, so bitte ich, das ja nicht als Prahlerey anzusehen; ich habe dabey keinen andern Zweck, als der Welt zu zeigen, daß in den höhern Ständen wahre Christus-Religion eben so gut ihre treuen Verehrer findet, als in den niedern — ich halte es für Pflicht, dies recht oft und laut zu sagen: denn seit einigen Jahrzehenden her, ist es an der Tagesordnung, den Regentenstand und den Adel, so sehr herabzuwürdigen, als nur immer möglich ist. Freylich! ist das heut zu Tage auch eben keine sonderliche Empfehlung, wenn man jemand für einen wahren Christen im alt-evangelischen Verstand, erklärt; aber wenn man doch auch einen als einen Nichtchristen, oder Unchristen schildert, so ist das doch noch weniger empfehlend. Der Geist unserer Zeit ist sehr inconsequent. Dann fand Stilling noch drey schätzbare Personen in Büdingen, den verdienstvollen Inspector Keller, den Regierungsrath Hebebrand, und den jungen Hofprediger Meister, ein Sohn seines Freundes in Bremen, von dem er eine meisterhafte und ächt christliche Predigt hörte.

Nach einem dreytägigen höchst vergnügten Aufenthalt in Büdingen, reiste Stilling mit einem jungen Herrn von Gräfenmeyer, der auf die Universität Göttingen ziehen wollte, bis Buzbach. Der Weg führte durch eine morastige und wasserreiche Gegend, welche damals im Ruf der Unsicherheit war; es wurde vieles von einem Zinngießer oder Kupferschmidt erzählt, welcher der Anführer einer Räuberbande seyn sollte, und in dortiger Gegend zu Hause war. Dies gab dann auch dem Kutscher und dem Bedienten auf dem Bock reichen Stoff zur Unterhaltung. Nächtliche Einbrüche, Raub- Mord- und Hinrichtungs-Geschichten mancher Art wurden sehr ernsthaft und schauerlich erzählt, und dann auch wohl ein wenig mit dichterischem Feuer ausgeschmückt. Dies gieng so fort, bis vor den Florstädter Wald — Auf einmal sah der Kutscher den Bedienten sehr bedeutend an, und sagte: Wahrhaftig! da ist er! — Stilling sahe zum Schlag hinaus, und sahe da einen starken, großen, und gesetzten Mann, in einem blauen Rock, mit messingnen Knöpfen, und dicken Waden, den dreyspitzigen Hut auf einem Ohr, und einen Knotenstock in der Hand, vorwärts, gegen den Wald hinschreiten; der Kutscher drehte sich um, furchtsam und bedeutend lispelte er zur Kutsche hinein: Das ist er!

„Wer?"

Ey der Zinngießer!

„So!"

Freylich war das nicht angenehm, allein Stilling ist in solchen Fällen nicht furchtsam. Vor dem Walde stieg er um der bösen Wege willen aus, und gieng voraus zu Fuß: denn diese fürchtet er mehr als aller Welt Zinngießer, oder Kupferschmiede. Der Wald war voller Holzarbeiter, kein Räuber ließ sich hören oder sehen.

In Buzbach fand Stilling bey seiner Ankunft des Abends seinen guten treuen Schwiegersohn Schwarz, beyde blieben die Nacht bey dem Oberförster Beck, dessen Schwiegervater Stilling des andern Morgens vom Staar befreyte, dann giengen sie zusammen nach Münster, wo sie die theure Elise und alle Lieben, den Umständen nach wohl antrafen.

Nach einem ruhigen und erquickenden Aufenthalt von sechs Tagen, trat Stilling mit den Seinigen wieder die Heimreise an; Schwarz begleitete sie bis Buzbach; es war Montags den 14ten October. Hier gab es einen kleinen Aufenthalt, es wurde bey dem Oberförster gefrühstückt, und Schwarz gieng um etwas zu besorgen; auf einmal kam er gelaufen, als Stilling eben in die Kutsche steigen wollte, und rief: Lieber Vater! Lavater ist geschossen worden, und schwer verwundet! — wie ein Blitz und Donnerschlag fuhr diese Nachricht durch Stillings ganzes Wesen, er that einen lauten Schrey, und die Thränen schossen ihm die Wangen herab. Bey allem Schmerz und Mitleid spürte er doch innerlich eine tiefe Beruhigung und Ergebung in den Willen Gottes, und der merkwürdige Umstand seiner eingetroffenen Ahnung, gab ihm eine ungemein starke Zuversicht, daß der Herr hier heilsame Absichten bezwecke, jetzt wurde nun die Reise fortgesetzt, und sie kamen des Abends glücklich nach Marburg.

Das letzte Jahr des achtzehnten Jahrhunderts 1800, wälzte sich in Ansehung Stillings hoch her und schwerfällig in seiner Sphäre herum, ob ihm gleich nichts besonders merkwürdiges in demselben begegnete. In den Osterferien mußte er wieder eine Reise nach Frankfurth, Offenbach und Hanau machen; Elise konnte ihn diesmal nicht begleiten. Stilling operirte wieder verschiedene Blinde an allen drey Orten. In Hanau hatte er seinen drey bis viertägigen Aufenthalt bey dem Regierungsrath Rieß, einem Bruder des Marburger Freundes; er und seine Gattin gehören unter Stillings und Elisens vertrauteste Freunde.

Eine neue Bekanntschaft, die ihn vorzüglich interessirte, machte er diesmal in der Frankfurther Messe mit dem berühmten Kaufmann Wirsching aus Nürnberg: dieser alte ehrwürdige Greis, war jetzt noch einmal gleichsam zum Vergnügen mit seinen Kindern zur Messe gereist, und es war ihm eine große Freude, daß er Stilling da fand, dessen Lebensgeschichte, und übrige Schriften er mit Beyfall und Nutzen gelesen hatte. Wirsching war ein armer Waysenknabe gewesen, dem seine Eltern nichts hinterlassen hatten; durch Fleiß, untadelhafte Frömmigkeit, Vertrauen auf Gott, durch sein vorzügliches Handlungs-Genie und große Reisen, hatte er sich ein großes Vermögen erworben, und er zeigte mit Preiß und Dank gegen seinen himmlischen Führer, seinem Freunde Stilling, die zwey großen Waarenlager, die nun jetzt sein Eigenthum waren, und aus lauter sogenannten Nürnberger Waaren bestanden. Wirsching machte durch seine Demuth, Bescheidenheit und gründliche Kenntniß im Christenthum tiefen Eindruck auf Stilling, und beyde schlossen sich brüderlich an einander an. Nach vollendeten Geschäften reiste Stilling wieder nach Marburg.

Lavater war durch den Schuß nicht unmittelbar tödlich verwundet worden, aber doch auch so, daß die Wunde mit der Zeit tödlich werden mußte. Sein Leiden setzte alle seine Freunde in innige tiefe Rührung; zärtliches Mitleiden trieb sie zu gemeinschaftlichem Gebet für ihren Freund an, und brachte sie sich untereinander näher. Stilling correspondirte seinet-

wegen, und über ihn, mit Passavant in Frankfurth, dem reformirten Prediger Achelis in Göttingen, und dann kam noch eine
gewisse Julie hinzu. Dies fromme christliche und durch viele
schwere Leiden geübte Frauenzimmer war besonders durch
Lavaters Schriften tief und innig gerührt und erbaut worden.
Dies bewog sie mit Lavatern in einen Briefwechsel zu treten;
da sie aber gegründete Ursachen hatte verborgen zu bleiben,
so entdeckte sie sich Lavatern nie; — er correspondirte also
lange mit einer gewissen Julie im nördlichen Deutschland,
ohne nur von ferne zu ahnen, wer sie sey? er schickte ihr manches Erinnerungs- und Freundschafts-Zeichen, wie das so seine
Art war, dies alles geschahe aber durch Passavant; der allein
um ihr Geheimniß wußte und sie kannte. Jetzt in Lavaters
schweren Leiden hörte Stilling zuerst etwas von Julien, er
schrieb also an Passavant, er möchte ihm doch wo möglich entdecken, wer die Julie sey? — nach einiger Zeit erfolgte dann
auch diese Entdeckung.

Julie ist die Tochter des ehemaligen Bürgermeisters Eicke,
eines redlichen und ehrlichen Mannes zu Hannöverisch-Minden; sie war mit dem bekannten rechtschaffenen Theologen
Richerz verheirathet, welcher zuerst Universitäts-Prediger in
Göttingen, und zuletzt Superintendent zu Giffhorn im Han-
növerischen war; er ist durch mehrere gute theologische
Schriften berühmt geworden, und er starb auch als ein wahrer Christ, nach einer langwierigen Krankheit, an der Auszehrung. Julie war ebensfalls von jeher sehr schwächlich und
kränklich; sie litt an ihrem eigenen Körper außerordentlich
viel, und mußte nun auch noch ihren kranken Gatten pflegen;
hätte sie ihr munterer Geist und ihr ruhiges Hingeben an den
Willen Gottes, überhaupt ihr christlicher Sinn nicht aufrecht
erhalten, so hätte sie alles was ihr die Liebe auflegte, nicht
ertragen können. Sie hatte nie Kinder, und lebte als Wittwe
in ihrer Vaterstadt Minden; jetzt war nun ihr Vater sehr alt
und schwächlich, sie hielt es daher für Pflicht ihn zu war-

ten und zu pflegen, und wohnte also auch bey ihm im
Hause.

Von nun an correspondirte Stilling sehr fleißig mit Julie,
und die Gegenstände ihrer Briefe waren Lavaters Leiden, und
dann das einzige Nothwendige, um welches es jedem Christen
vorzüglich zu thun seyn muß.

Ach dürfte doch alles gesagt werden, was der Herr an den
Seinigen thut! — Ja! — auch der Unglaubige würde — erstaunen, aber doch nicht glauben.

Lavater correspondirte auf seinem Krankenlager noch
fleißig mit Stilling. Sie verhandelten nicht mehr controver-
sirend, sondern einmüthig brüderlich die wichtigsten Reli-
gions-Wahrheiten. Vierzehn Tage vor seinem Tod schrieb er
zum letztenmal an seinen Freund nach Marburg, und 1801 am
2ten Januar, also auch am zweyten Tage des neunzehnten
Jahrhunderts starb dieser große und merkwürdige Mann, er
starb als ein großer Zeuge der Wahrheit von Jesu Christo.
Kurz hernach verfertigte Stilling das bekannte Gedicht Lavaters Verklärung, welches erst besonders gedruckt, dann in die
dritte Auflage des ersten Bandes der Scenen aus dem Geisterreich eingerückt worden ist. Einige Rezensenten wollten es
nicht gelten lassen, daß Stilling Lavatern einen Blutzeugen
der Wahrheit genannt hatte, und Andere behaupteten seine
Schußwunde sey nicht die Veranlassung zu seinem Tod gewesen, allein die Sache spricht von selbst.

Lavaters geheiligtes Herz vergab seinem Mörder vollkommen; so gar sagte er: er wolle ihn dereinst in allen Himmeln
und Höllen aufsuchen, und ihm für die Verwundung danken,
die ihm eine so lehrreiche Schule geworden sey: und er verordnete sehr ernstlich, daß man diesem Unglücklichen nicht ferner
nachfragen, sondern ihn der göttlichen Erbarmung überlassen
sollte; seine Hinterlassenen befolgen dies auch redlich, mir
aber wird zur Bewährung meiner Behauptung doch folgendes
zu sagen erlaubt seyn.

Der Soldat, der Lavatern tödtlich verwundete, war ein Schweizer aus dem französischen Theil des Cantons Bern *(pays de Vaud)*; er und noch ein Kamerad polterten an einem Hause neben Lavaters Pfarrwohnung; Lavater hörte, daß sie zu trinken forderten, er nahm also eine Flasche Wein und Brod, und lief hinaus, um es den beyden Soldaten zu bringen; der Grenadier, der ihn hernach schoß, war besonders freundlich gegen ihn, er dankte ihm für das Genossene, und nannte ihn Bruder Herz! denn er sprach nebst seiner französischen Muttersprache auch deutsch; Lavater gieng nun wieder in sein Haus, der Grenadier aber sprach mit einigen Zürchern, welche da in der Nähe standen; bald darauf kam Lavater wieder, um diesen freundlichen Soldaten um Schutz gegen einen Andern anzusprechen, und nun war dieser Mensch wüthend gegen ihn, und schoß ihn.

Wie ist nun diese fürchterliche Veränderung in dem Gemüth dieses unglücklichen jungen Mannes anders erklärbar als folgendergestalt: er war ein gebildeter Mann, der Lavaters Schriften kannte — denn jeder Schweizer, der nur lesen konnte, las sie — zugleich war er revolutionssüchtig, wie sehr viele Waadländer, folglich nicht allein von ganz entgegengesetzter Denkungsart, sondern auch wegen Lavaters Energie in Beziehung auf Religion und Vaterland wüthend gegen ihn aufgebracht: denn nicht gar lange vorher waren seine Briefe an den französischen Director Reubel, und an das Directorium selbst herausgekommen, gedruckt und häufig gelesen worden. Als ihm nun Lavater Wein und Brod brachte, da kannte er ihn noch nicht; nach dem Hinweggehen aber sprach er mit den Umstehenden, und erfuhr nun, daß dieser so freundliche wohlthätige Mann der Pfarrer Lavater sey; jetzt gerieth er in Wuth, die noch ein kleiner Weinrausch vermehrte; gerade jetzt kam nun unglücklicher Weise der gute Mann zu ihm, und wurde geschossen. So ist alles leicht zu begreifen und erklärbar. In dieser Ueberzeugung behaupte ich:

Lavater sey ein Blutzeuge der Wahrheit: denn er wurde wegen seiner religiösen und politischen Gesinnungen und Zeugnisse tödtlich verwundet.

Lavaters Tod war gleichsam das Signal zur großen und herrlichen Entwicklung der Schicksale Stillings, die noch immer in ein undurchdringliches Dunkel der Zukunft verhüllt waren. Um die ganze Sache recht deutlich und nach der Wahrheit ins Licht zu stellen, muß ich seine ganze Lage ausführlich schildern; der christliche Leser wird finden, daß es der Mühe werth ist.

Stillings Hausgenossen, die er zu versorgen hatte, waren folgende Personen:

1. Vater Wilhelm Stilling, der aber nun so weit gekommen war, daß ihm ein junges Mädchen wie Mariechen, nicht mehr aufwarten konnte, sondern es wurde

2. eine alte Wittwe in Dienst genommen, die ihn pflegte, ihn und sein Bette rein hielt. Zu Zeiten kam auch wohl Stillings älteste Schwester, Mariechens Mutter, eine rechtschaffene brave Frau auf eine kurze Zeit zur Hülfe, allein sie hatte selbst eine Haushaltung, und mußte bald wieder zu ihrem Mann, und Kindern.

3. Stilling selbst und

4. seine Elise.

5. Maria Coing, diese war mit ihrem Bruder, der im verwichenen Herbst Prediger zu Braach bey Rotenburg in Niederhessen geworden war, gezogen, um ihm seine Haushaltung einzurichten; da sie aber schwächlich und der Landwirthschaft nicht gewohnt war, so kam sie im folgenden Herbst wieder.

6. Amalia Coing, Jacobs Verlobte; diese beyden Schwestern waren Elisens treue Gehülfinnen in der Haushaltung. Die Coingschen Kinder hatten ihr Vermögen ihrem Schwager übertragen, wofür sie dann bey ihm wohnten, und an seinen Tisch giengen.

7. Jacob selbst; dieser war dann endlich nach langem Harren Regierungs-Advokat und Prokurator in Marburg geworden; ein Beruf, der aber einem Mann von seinem Character wenig eintrug; er wohnte zwar außer des Vaters Hause, aber er gieng doch an seinen Tisch.

8. Caroline die nun auch heranwuchs, und in allem was einem gebildeten Frauenzimmer wohl ansteht, unterrichtet werden mußte.

9. 10. und 11. die drey kleinen Kinder, Friedrich, Malchen, und Tinchen.

12. Die Mariechen, welche bald als Kinderwärterin, bald als Küchenmagd, und bald als Hausmagd treue Dienste leistete, und unentbehrlich war.

13. Eine ältliche Wittwe Boppin; dieser war ihr Mann früh gestorben, und hatte sie mit drey kleinen Knaben zurückgelassen; sie hatte sich lange mit Tagelohngehen ernährt; dann nahm sie Elise als Magd an; ihre wahre Kinder-Einfalt, unbestechliche Treue, reine Sitten, und ungeheuchelte Gottesfurcht machten sie so werth, daß man sie bey allen Gelegenheiten, wo Hülfe nöthig war, holte: denn ihre drey Söhne hatten nun Handwerke gelernt, und waren in der Fremde; sie selbst aber bekam eine Stelle in dem Bürgerstift zu St. Jacob in Marburg, so daß sie also nun versorgt ist; sie war aber doch die mehreste Zeit in Stillings Hause, wo immer genug für sie zu thun war. Zur Aufwartung bey Vater Wilhelm war sie aber nicht zu gebrauchen, weil sie gegen so etwas einen übertriebenen Ekel hatte. Endlich kam dann noch

14. eine ordentliche Magd hinzu, welche in einer solchen Haushaltung natürlicher Weise unentbehrlich ist.

Jeder vernünftige Leser, der die Einrichtung einer Stadthaushaltung kennt, wo alles für baares Geld gekauft, und auch der standesmäßige Wohlstand beobachtet werden muß, und dann auch noch Stillings Verhältnisse in Ansehung der armen Staarblinden weiß, der begreift leicht, daß er in solchen theuern Zeiten keine Schulden abtragen konnte; doch wurden die Zinsen immer richtig bezahlt, und keine neue Schulden gemacht.

Bey dieser häuslichen Lage denke man sich nun Stillings Gedränge in seinem Wirkungskreis:

1. Einen beständigen schriftlichen und persönlichen Zulauf von Augenpatienten aller Art, aus der Nähe und Ferne, so daß dieser Beruf allein einen Mann beschäftigen konnte, indessen aber außer den Reisen, in der häuslichen Praxis so viel als nichts eintrug. Die Reisen aber übernahm er nur wenn er gerufen wurde, und zwar in den Ferien.

2. Eine ungemein große religiöse Correspondenz, deren Wichtigkeit und Nutzstiftung auf mancherley Art nur der beurtheilen kann, der die Briefe gesehen hat, und nun die Aufforderung von allen Seiten, religiöse Bücher zu schreiben, und allein für den Herrn und sein Reich zu wirken; wobey dann nun wiederum nicht allein nichts heraus kam, sondern wo die Honorarien bey weitem nicht zureichten, um das Postgeld zu bezahlen — also hatte hier Stilling zwei äusserst wichtige, weit und breit wohlthätig fruchtbare Berufsarten, zu denen — besonders zum religiösen Wirkungskreis er sich nun auch gänzlich bestimmt und berufen fühlte; aber nun eine so schwere und kostbare Haushaltung, und dann zween Berufe, wo keine Besoldung zu denken und zu erwarten war! — wie ließ sich das mit einander verbinden? — und nun über das Alles noch eine Schuldenlast von sechszehn- bis siebenzehnhundert Gulden — womit sollte diese Summe bezahlt werden? — nun kam noch dazu, daß

3. Stillings Lehramt, aus oben schon einmal angeführten Ursachen, immer unfruchtbarer, und sein Hörsaal immer leerer wurde; da half weder sein bekannter lebhafter Vortrag, noch ehemals so beliebte Deutlichkeit, noch fließende Beredsamkeit — kurz — das Kameralstudium fieng in Marburg an aus der Mode zu kommen, und dann nahm auch die Anzahl

der Studirenden, aus allgemein bekannten Ursachen in allen Fakultäten ab, und dieser unfruchtbare immer rückwärts gehende Beruf war es denn doch, für den Stilling besoldet wurde, und ohne den er schlechterdings nicht leben konnte.

Zu dem allem kam nun noch die drückende Forderung des Gewissens: der rechtschaffene Mann, geschweige der wahre Christ, müsse Amt und Besoldung in die Hände seines Fürsten niederlegen, so bald er es nicht mehr pflichtmäßig verwalten könne; und wenn dieses auch seine Schuld nicht wäre, so sey er doch dazu verbunden. Diese Forderung, die kein Sophist aus Stillings Gewissen heraus demonstriren kann, machte ihm angst und bange, und doch konnte er ihr nicht Folge leisten, er war wie an Händen und Füßen gebunden.

Jetzt frage ich jeden vernünftigen Leser: wie war da eine wahrscheinliche Auskunft, ein Rettungsmittel zu denken? — in der gegenwärtigen Verfassung seiner Haushaltung brauchte er über zweytausend Gulden, ohne damit Schulden abtragen zu können.

Diese mußte ihm entweder der Kurfürst von Hessen geben, und ihn zugleich von seinem Lehr-Amt entlassen, oder

Ein fremder Fürst mußte Stilling mit einer Besoldung von zweytausend Gulden als Augenarzt und religiösen Schriftsteller berufen.

Dies waren die einzigen an sich denkbaren Wege, um aus dieser Lage heraus zu kommen.

Wer nur einigermaßen die kurhessische Verfassung kennt, der weiß, daß der erste Weg moralisch unmöglich war, dazu kam nun noch im Winter 1803 ein Vorfall, der ihn auch von Stillings Seite moralisch unmöglich machte, wie ich weiter unten gehörigen Orts erzählen werde.

Sich die Möglichkeit, oder wenigstens die Ausführbarkeit des zweyten Ausweges als ein Ziel der Hoffnung ausstecken zu wollen, wär schwärmerische Eitelkeit, und wenn dann auch dies Ziel wäre erreicht worden, so konnte Stilling nicht von Marburg wegziehen: denn Vater Wilhelm war in solchen Umständen, daß er sich keine Stunde weit transportiren ließ, und ihn unter den Händen fremder Leute zurückzulassen, das lag in Stillings und Elisens Kreis der Möglichkeit nicht. Und dann war ja auch Jacob noch nicht versorgt; ihn zurückzulassen, und aus der Ferne zu unterstützen, und noch dazu seine Amalie mitzunehmen, und von ihm zu trennen, das war von allen Seiten betrachtet zu hart; mit einem Wort, es fanden sich auch in diesem Fall unübersteigliche Schwierigkeiten.

So war Stillings Lage beschaffen; die mannigfaltigen Geschäfte und das drückende Verhältniß machten ihm das Leben schwer, und dann kam seine gewöhnliche innerliche tiefe Schwermuth noch dazu, so daß er alle mögliche Leidens-Erfahrungen, und einen beständigen Wandel in der Gegenwart Gottes, mit ununterbrochenem Wachen und Beten nöthig hatte, um nicht unter der Bürde zu erliegen. In diesen Umständen war also das Reisen wohlthätig für ihn, und dazu kam es nun auch wieder.

Das Heimweh und die Siegsgeschichte hatten ihm eine große Anzahl Freunde und Correspondenten aus allen Ständen, Gelehrte und Ungelehrte, männlichen und weiblichen Geschlechts, aus allen Provinzen Deutschlands, besonders aber aus dem Würtembergischen, und ganz vorzüglich aus der Schweiz verschaft. In Sanctgallen, Schafhausen, Winterthur, Zürich, Bern, Basel, und auch auf dem Lande hin und wieder befanden sich viele Stillings-Freunde und Leser seiner Schriften; dann hatte auch der junge Kirchhofer, ein vortrefflicher Jüngling, der einzige Sohn des würdigen Conrector Kirchhofers in Schafhausen, in der Mitte der 90ger Jahre in Marburg Theologie studirt, und war in Stillings Haus so wie in seinem Elterlichen behandelt worden; jetzt war er nun Prediger zu Schlatt in seinem vaterländischen Canton; durch dies Verhältniß hatte sich ein inniges Freundschaftsband zwischen der Kirchhoferischen und der Stillingschen Familie gebildet:

die vier christlichgesinnten und sehr gebildeten Schwestern des jungen Kirchhofers, die eine große Bekanntschaft mit den wahren Verehrern und Verehrerinnen des Herrn, durch die ganze Schweiz haben, und fleißig Briefe mit ihnen wechseln, traten nun auch mit Stilling in Correspondenz, und verschaften ihm eine noch größere und sehr interessante Bekanntschaft. Dies Alles bereitete nun die Reise vor, welche in Stillings bisherigem Leben bey weitem die wichtigste und bedeutendste war.

Im März dieses 1801sten Jahres bekam er ganz unerwartet einen Brief von seinem Herzensfreund dem Pfarrer Sulzer aus Winterthur, der ein Bruders-Sohn des berühmten Berliner Gelehrten dieses Namens ist; in welchem er gefragt wurde: ob er wohl dieses Früjahr nach Winterthur kommen, und eine sehr ehrwürdige Matrone, welche staarblind sey, operiren wollte? denn sie wünsche von Stilling, den sie schätzte und liebte, unter Gottes Beystand das Gesicht zu erhalten; Reisekosten und Versäumniß sollten ihm erstattet werden. Dies Anerbieten erfüllte Stillings Seele mit Freude; und die Kinder, besonders Jacob, ahneten Glück von der Reise; bey allem dem glaubte doch Stilling, daß bey einer so großen und kostbaren Reise Vorsicht nöthig sey; er schrieb also Sulzern wieder, daß er zwar gern kommen wolle, allein Elise müsse ihn begleiten, und weil der Postwagen auch die Nacht durch gienge, so könnten sie wegen Schwächlichkeit sich dieser Gelegenheit nicht bedienen, sondern sie müßten Extrapost nehmen, und dies würde etwas kostbar werden. Sulzer antwortete nur kurz, das Alles würde berichtiget werden, sie sollten nur kommen.

Jetzt hielt nun Stilling bey dem Kurfürsten um Urlaub an, und er und seine Elise rüsteten sich zu dieser äusserst interessanten und erwünschten Reise, und um desto ruhiger seyn zu können, wurde beschlossen, daß man Jacob, die Amalie, die Karoline und die drey Kleinen nach Braach zum Bruder Coing und der Schwester Maria bringen, einige Zeit da bleiben, dann den Friedrich und die Malchen da lassen, und dann bey der Rückkehr, mit Amalien, Karolinen und dem zweyjährigen Christinchen über Bergheim gehen, und die Gräfin von Waldeck, die nun wieder von Marburg abgezogen war, besuchen wolle. Während der Zeit sollte dann das gute Mariechen mit den übrigen Hausgenossen den alten Grosvater pflegen, und die Haushaltung besorgen. Dieser Plan wurde nun auch genau so ausgeführt.

Stilling und Elise traten ihre erste Schweizer-Reise Freytags den 27sten März 1801 des Morgens um 5 Uhr an; in Buzbach fanden sie ihre Kinder und Kindes Kinder Schwarz, die ihnen glückliche Reise wünschten, und am Abend wurden sie im liebevollen Hausknechtischen Hause zu Frankfurth mit Freuden empfangen. Des folgenden Tages kauften sie allerhand Nöthiges zur Reise, vorzüglich schafte sich Stilling einen leichten Reisewagen an, der ihm auf einer solchen weiten Reise nöthig war, und den 29sten März auf Palmsonntag giengs dann mit Extrapost auf Heidelberg zu.

Ich darf nicht vergessen zu bemerken, daß Stilling gleich am ersten Tag der Reise seinen äusserst quälenden Magenkrampf in aller seiner Stärke wieder bekam; bisher war er seit geraumer Zeit fast ganz verschwunden gewesen. Dies versalzte ihm nun freylich alles Vergnügen, aber er fand nachher wie gut es war, daß ihm der Herr dies Salz mit auf den Weg gegeben hatte; ohne dies hätte er gewiß Gefahr gelaufen, sich durch alle Lobeserhebungen und Ehrenbezeigungen zu versteigen, und einen schrecklichen Fall zu thun.

Unsere Reisende freuten sich sehr auf Heidelberg, theils um ihre Freunde Miegs, dann aber auch Lisettchen zu sehn, welche nun funfzehn Jahr alt war, und die sie seit 1791, also in zehn Jahren nicht gesehen hatten. Dies Mädchen hatte durch seine ausgezeichnete, und ganz besondere Liebenswürdigkeit die Herzen aller derer gewonnen, die sie kennen lern-

ten; jeder der von Heidelberg kam, und in Miegs Hause gewesen war, konnte Lisettchen nicht gnug rühmen; ihr ganzer
Character war Religiosität, und ein ruhiger stiller Frohsinn;
abgeschieden von allen rauschenden Lustbarkeiten, lebte ihr
ganzes Wesen nur in der höheren Sphäre, und ihre betende
Seele hieng von ganzem Herzen an ihrem Erbarmer. Diese
Tochter nun einmal wieder ans Herz zu drücken, war reine
und hohe Elternfreude.

Lisette hatte aber auch mit einer solchen Sehnsucht ihre
Eltern erwartet, daß man sie am Abend, als jene etwas spät
ankamen, mit Wein laben mußte; um halb neun Uhr des
Abends hielten sie vor Miegs Thür; der Willkomm war unbeschreiblich: Den Montag blieben sie in Heidelberg, und den
Dienstag fuhren sie bis Heilbronn; des Mittwochs setzten sie
ihre Reise fort, und kamen gegen Mittag nach Ludwigsburg;
hier trafen sie im Waysenhause Stuttgardter Freunde an, die
ihnen entgegen gekommen waren, nämlich den Minister von
Seckendorf, mit dem Stilling seit vielen Jahren in einem
christlichen Freundschafts-Verhältniß steht; den Hofmedikus
Doctor Reus, den Regierungs- oder Hofrath Walther — wo
ich nicht irre — von Gaildorf; einen französischen Compagnie-
Chirurgus, Namens Oberlin, ein Sohn des theuren Gottes-
Mannes Oberlin im Steinthal im Elsaß, und vielleicht noch
Andere mehr, deren ich mich nicht mehr erinnere; besonders
aber freute sich Stilling, auch seinen alten Freund, den Way-
sen-Schullehrer Israel Hartmann wieder zu sehen, von dem
Lavater sagte, wenn jetzt Christus als Mensch unter uns wandelte, so würde Er ihn zum Apostel wählen. Die ganze Gesellschaft speiste zusammen im Waysenhause, es war jedem innig
wohl, es ist etwas Großes um eine Gesellschaft lauter guter
Menschen — Elise setzte sich neben den würdigen Greis Hartmann, sie konnte sich nicht satt an ihm sehen, und ihm nicht
genug zuhören, sie fand Aehnlichkeit zwischen ihm und dem
seeligen Vater Coing. Zwischen dem Hofmedikus Reus, seiner

Gattin, Stilling und Elisen knüpfte sich ein genaues Freundschaftsband auf Zeit und Ewigkeit. Den Nachmittag fuhren
sie alle zusammen nach Stuttgardt; Stilling und Elise herberg-
ten im Seckendorfischen Hause.

Stilling machte hier wieder ansehnliche und merkwürdige
persönliche Bekanntschaften mit Würtembergischen frommen
und gelehrten Männern, unter welchen sich sein Herz besonders an Storr, Hofcaplan Rieger, Moser, Dann, u. a. m. anschloß; er fand auch unvermuthet seinen Freund Matthison
hier, der sich bey seinem ehmaligen Hausfreund, dem rechtschaffenen Hofrath Hartmann aufhielt.

Des andern Tages, auf grünen Donnerstag Nachmittag fuhren sie nach Tübingen, auf Charfreytag nach Tuttlingen, und
den Sonntag vor Ostern nach Schafhausen, wo sie von der
Kirchhoferischen Familie mit lautem Jubel aufgenommen
wurden.

Auf dem Wege von Tuttlingen nach Schafhausen — wenn
man nämlich über die Höhe fährt, giebt es einen Ort, von dem
man eine Aussicht hat, die für einen Deutschen, der noch nie in
der Schweiz war, und Sinn für so etwas hat, erstaunlich ist:
man fährt von Tuttlingen aus, allmälich die Höhe hinan, und
über diese hinaus, bis vorn auf die Spitze; hier hat man nun
folgenden Anblick: linkerhand gegen Südosten, etwa eine
Stunde weit in gerader Linie, steht der Riesenfels, mit seiner
nunmehr zerstörten Feste, Hohen-Twiel, und rechter Hand
gegen Südwesten, ungefähr in der nämlichen Entfernung trotzt
einem sein Bruder ein eben so hoher und starker Riese, mit
seiner ebenfalls zerstörten Feste, Hohenstaufen — der Postillon sagte: der hohe Stoffel — entgegen. Zwischen diesen beyden
Seiten-Pfosten zeigt sich nun folgende Landschaft: links, längs
Hohen-Twiel hin, etwa drey Meilen weit, glänzt einem der
Bodensee, weit und breit wie schmelzend Silber entgegen; an
der Südseite desselben übersieht man das paradiesische Thurgau, und jenseits die Graubündtner Alpen; mehr rechts den

Canton Appenzell mit seinen Schneebergen, den Canton Glarus mit seinen Riesengebürgen, besonders den über alle emporragenden Glärnitsch, der hohe Sentis mit den sieben zackichten Kuhfirsten, liegt mehr östlich; so sieht man die ganze Reihe der Schneeberge, bis in den Canton Bern hinein, und man überblickt einen großen Theil der Schweiz — für Stilling war das eine herzerhebende Augenweide. Wenn man die ganze Alpenkette längs dem Horizont hinliegen sieht, so kommt sie einem wie eine große Säge vor, mit der man Planeten spalten könnte.

Stilling blieb bis Osterdienstag in Schafhausen; er machte etliche glückliche Staaroperationen, unter welchen eine besonders merkwürdig war: ein blindgeborner Jüngling von 15 Jahren, ein Sohn frommer christlicher Eltern, des Professor Altorfer, wurde auf Ostermontag Morgen in Gegenwart vieler Personen operirt; als ihm der erste Lichtstrahl in das nunmehr vom Staar befreyte rechte Auge hineinblitzte, so fuhr er auf und rief: ich sehe die Majestät Gottes! — Dieser Ausdruck rührte alle Anwesende bis zu den Thränen; dann wurde auch das andere Auge operirt; eine leichte Entzündung hinderte hernach die Erlangung eines vollkommenen Gesichts; indessen er sieht doch nothdürftig, und Stilling hoft ihm durch eine zweyte Operation zum völligen Gebrauch seiner Augen zu verhelfen.

Noch einen artigen Gedanken dieses guten Jünglings muß ich bemerken: Die Eltern hatten einen goldnen Ring verfertigen lassen, in welchen eine schöne Garbe von Haaren, von einem jeden Mitglied der Familie, schwer von goldnen Früchten, eingefaßt ist; diesen Ring bekam Elise nach der Operation, und der liebe Patient hatte den Einfall, daß folgende Devise darauf eingegraben werden sollte: geschrieben im Glauben, übergeben im Schauen — allein der Raum war zu klein dazu.

Desselben Tages des Nachmittags, giengen Stilling und

Elise in Begleitung der Kirchhoferischen Familie, zu Fuß an den berühmten Rheinfall; der Magenkrampf war aber so heftig, daß er oft zurückbleiben mußte, und auch von dem prächtigen Schauspiel der Natur nicht den erwarteten Genuß hatte. Stilling und Elise giengen auf der hölzernen Altane so nahe an den Wassersturz, daß sie sich darinnen hätten waschen können. Diese erhabene Naturscene ist schlechterdings unbeschreiblich, man muß sie sehen und hören, um eine richtige Vorstellung davon zu bekommen: der immerwährende Donner, das Zittern des Bodens, auf dem man steht, und die ungeheure Wassermasse, die sich milchweiß ungefähr 80 Schuh hoch mit unwiderstehlicher Gewalt den Felsen herabwälzt, und brüllend in den weiten kochenden Kessel stürzt, und das in einer Breite von ein paar hundert Schritten — das Alles zusammen giebt eine Vorstellung, in welcher der stolze Mensch zum Würmchen im Staube wird. Ueberhaupt hat das die Schweiz so an sich, daß sie der stolzen Schwester Kunst, ihre Obermacht zeigt, und sie unter ihre gewaltige Hand demüthigt.

Am folgenden Tage, nämlich Osterdienstags Nachmittags, fuhren unsre Reisende nach Winterthur; auf halbem Wege, in dem romantischen Flecken Andolfingen an der Thur, fanden sie den ehrwürdigen Freund, den Pfarrer Sulzer nebst ein Paar aus der Familie der Matrone, die Stilling hatte kommen lassen, sie waren ihnen entgegen gefahren, und empfiengen sie aufs zärtlichste, und herzlichste; so zusammen setzten sie nun ihre Reise nach Winterthur fort, wo sie des Abends in der Dämmerung ankamen.

Die Patientin, welche Stilling hatte kommen lassen, war die Wittwe Frey in der Harpfe; sie hat zween Söhne bey sich ins Haus verheirathet, mit diesen führt sie eine sehr ansehnliche Handlung. Hier wurde auch Stilling mit seiner Elise — darf ich mich so ausdrücken? — wie Engel Gottes aufgenommen und behandelt.

Lieben Leser! verzeiht mir hier einen sehr gerechten Herzens-Erguß, den ich unmöglich zurückhalten kann.

Es ist mir hier nicht möglich, mit Worten auszudrücken, was Stilling und Elise im Freyischen Hause, in diesem Vorhof des Himmels, genossen haben; allen inniggeliebten Gliedern der Freyischen Familie werden beyde dereinst öffentlich vor allen Himmels-Heeren danken, und laut verkündigen, was für Wohlthaten sie ihnen erzeigt haben; hier ist Zunge und Feder zu schwach dazu — und der Herr wird hier und dort ihr Vergelter seyn. Elise schloß mit den Schwieger-Töchtern der Frau Frey ein ewiges und enges Schwesterbündniß.

Stilling operirte diese liebe Frau des folgenden Tages vollkommen glücklich, sie bekam hernach eine Entzündung ans rechte Auge, aber mit dem linken sieht sie Gott Lob! recht gut.

Stillings Aufenthalt in Winterthur war außerordentlich gedrängt voll von Geschäften: täglich machte er mehrere Operationen, und Hunderte von Leidenden kamen, um sich Raths bey ihm zu erholen; dazu kam nun noch sein unleidlich quälender Magenkrampf, wodurch ihm jeder Genuß, jeder Art, auf das bitterste versalzen wurde. Indessen kam doch Freytags den 10ten April ein Besuch, der auf eine kurze Zeit den Magenkrampf überwog: Lavaters frommer Bruder, der Rathsherr Diethelm Lavater, ein sehr geschickter Arzt, dann der liebe christlichfrohe Geßner, Lavaters Schwiegersohn; und Louise, die unermüdete Pflegerin und Wärterin ihres verklärten Vaters, und dann noch eine erhabene Kreuzträgerin, eine Wittwe Fueßli von Zürich, die nun auch schon unter den Harfenspielern am Crystall-Meer ins Hallelujah mit einstimmt. Diese vier Lieben traten in Stillings Zimmer. So wird es uns dereinst seyn, wenn wir überwunden haben, und in den Lichtgefilden des Reichs Gottes anlangen; die Seeligen der Vorzeit, unsere lieben Vorangegangenen, und alle die großen Heiligen, die wir hienieden so sehr wünschten gekannt zu haben, werden zu unserer Umarmung herbeyeilen; und dann den Herrn selbst — mit seinen strahlenden Wunden zu sehn —! — die Feder entfällt mir.

Diese Lieben blieben über Mittag da, und reisten dann wieder nach Zürich zurück.

Montags den 13ten April reiste Stilling in Sulzers, des jungen Kirchhofers von Schafhausen, und obengedachter Frauen Fueßli Begleitung, nach Zürich, um die dortigen Freunde, und dann auch einen Staarblinden zu besehen, der ihn erwartete; dieser war der berühmte Fabrikant und Handelsmann Eßlinger, dessen fromme und wohlthätige Gesinnung allgemein bekannt ist, und nun auch schon droben im Reich des Lichts ihre Vergeltung empfängt. Eßlinger entschloß sich mit folgenden Worten zur Operation: ich hatte mein Schicksal dem Herrn anheimgestellt, und von ihm Hülfe erwartet, nun schickt er sie mir ins Haus, folglich will ich sie auch mit Dank annehmen.

Jetzt sahe Stilling nun auch die verehrungswürdige Gattin seines verklärten Bruderfreundes Lavaters — ein Weib, das eines solchen Mannes werth war — das Bild der erhabensten Christentugend — Warlich! Lavaters Frau und Kinder sind Menschen der ersten Classe. Am Abend reiste Stilling in Sulzers Begleitung wieder nach Winterthur.

Hier empfieng Stilling ein Schreiben vom Magistrat zu Schafhausen, in welchem Er ihm sehr liebreich und verbindlich für die Wohlthaten dankte, die er einigen Unglücklichen in Ihrer Stadt bewiesen hatte. Am Tag seiner Abreise nach Zürich aber widerfuhr ihm noch eine besondere Ehre: des Mittags über Tisch im Freyischen Haus, kam der Doctor Steiner, ein junger vortreflicher Mann, der ein Mitglied des Magistrats war, und überreichte Stilling mit einer rührenden Rede, die er mit Thränen begleitete, im Namen der Stadt Winterthur, eine schwere, sehr schöne, silberne Medaille in einer netten Capsel, die ein Winterthurer Frauenzimmer ver-

fertiget hatte. Auf dem Deckel dieser Capsel stehen die
Worte:

> Aus des finstern Auges Thränenquellen
> Den starren Blick mit neuem Licht erhellen;
> Statt dunkler Nacht und ödem Grauen,
> Der Sonne prächtiges Licht zu schauen.
> Wer dich, o edler Stilling kennt,
> Der dankt dem Herrn für dies, dein gött-
> liches Talent.

Auf der einen Seite der Medaille steht im Lapidarstyl eingegraben:

Dem christlichen Menschenfreund Heinrich Stilling Hofrath und Professor zu Marburg von den Vorstehern der Gemeine Winterthur, zu einem kleinen Denkmal seines Seegen-
reichen Auffenthalts in dieser Stadt, im April des Jahrs 1801,
und zum Zeichen der Ehrerbietung, und der dankbaren Liebe
ihrer Bewohner.

Auf der andern Seite heißt es in eben dem Styl:

Unermüdlich wirksam stets zum Trost der leidenden
Menschheit säet er trefliche Saat, auf den großen Tag der
Vergeltung.

Mit welcher Rührung und tiefen Beugung vor Gott, er dieses Ehrendenkmal empfieng, und wie er es beantwortete, das
können meine Leser leicht denken.

An diesem feyerlichen Tage, Donnerstags den 16ten April,
reisten nun Stilling und Elise unter einem thränenvollen Abschied von allen Seiten von Winterthur nach Zürich ab. Hier
kehrten sie bey Geßner ein, der sie nebst seinem herrlichen
Weibe, Lavaters Tochter, die mit ihm in Kopenhagen war,
mit Armen der Freundschaft empfieng.

Die erste Arbeit, die Stilling in Zürich verrichtete, war Eß-
lingers Operation; sie gelang sehr gut, er erhielt sein Gesicht,
aber es währte nicht lang, so bekam er den schwarzen Staar,
und blieb nun unheilbar blind, bis an seinen Tod.

Auch diesem Hause kann Stilling erst in der Ewigkeit nach Würden danken, hier ist es nicht möglich.

Hier in Zürich wurde er von außen durch einen unbeschreiblichen Zulauf von Augenkranken, und von innen durch den empfindlichsten Magenkrampf gedrängt und gepeinigt. Zu Zeiten riß ihm dann die Geduld aus, so daß er die Leute hart anfuhr, und sich über die Menge beschwerte; dies nahmen ihm verschiedene Zürcher so übel, daß er hernach rathsam fand, dort ein offenes Schreiben circuliren zu lassen, in welchem er alle und jede, die er beleidigt hatte, um Vergebung bat. Es ist unmöglich, die ganze Menge merkwürdiger, und vortreflicher Menschen, beyderley Geschlechts, die Stilling in der Schweiz überhaupt, und besonders in Zürich persönlich kennen lernte, und die ihn ihrer Freundschaft würdigten, hier namentlich anzuführen. Heß, die beyden Doctoren Hirzel Vater und Sohn, Professor Meyer, der berühmte Kupferstecher und Zeichner Lips, der auch Stilling zeichnete, und in Kupfer gestochen hat, und sonst noch einige namhafte Personen, zeichneten sich, nächst Lavaters Familie, Verwandten und Freunden, in Freundschafts-Bezeigungen vorzüglich aus.

Dienstags den 21ten April reiste Stilling mit seiner Elise nach einem sehr rührenden Abschied von Zürich weg; der Winterthurer Doctor Steiner, der ihm die Medaille überreichte, und der junge Freund Kirchhofer, Pfarrer zu Schlatt, reisten mit.

Daß auch der Züricher Magistrat Stillingen in einem Schreiben dankte, darf nicht vergessen werden.

Die Reise gieng von Zürich über Baden und Lenzburg nach Zofingen im Canton Bern, wo Stilling den Schultheiß Senn — bey dem Wort Schultheiß darf man sich keinen deutschen Dorf-Schultheiß denken — operiren sollte; eben deswegen reiste der Doctor Steiner mit: denn er war ein Verwandter von Senn, und weil sich Stilling nicht aufhalten konnte, so wollte Steiner etliche Tage da bleiben, und die Kur vollenden.

Senn ist ein ehrwürdiger Mann, und stille, bescheidene christliche Tugend ist der Hauptzug in seinem und seiner Familie Character.

Mittwochs Morgens den 22ten April operirte Stilling den Schultheiß Senn, und noch eine arme Magd, und reiste dann mit seiner Elise das schöne Thal, längs die Aar über Aarburg und Olten herab, und dann den Hauenstein hinan. Dieser Berg würde in Deutschland schon für einen hohen Berg gelten, hier aber kommt er nicht in Betracht. Oben auf der Höhe ist der Weg durch einen Felsen gehauen, und wenn man über den Gipfel weg ist, so sieht man nach Deutschland hinüber; im Nordwesten erscheinen zweifelhaft die Vogesischen Gebirge, und im Norden bemerkt man den obern Anfang des Schwarzwaldes; dreht man sich aber um, so erscheint die ganze Alpenkette am Südöstlichen Horizont.

Nachdem sie eine Strecke diesseits herabgefahren waren, so kamen sie vor ein einsames Wirthshaus, aus welchem eine wohlgekleidete artige Frau herausgelaufen kam, und sehr freundlich fragte: ob Stilling in der Kutsche sey? und als sie das Wort Ja! hörte, so floß ihr ganzes Herz mit ihren Augen von Liebes- und Freundschafts-Ergießungen über; sie brachte ein Frühstück heraus, ihr Mann und Kinder kamen auch herzu, und es folgte eine viertelstündige, sehr herzliche und christliche Unterhaltung, dann nahmen die Reisenden Abschied, und fuhren weiter das Thal hinab. Dieser Ort heist Leufelfingen, und der Gastwirth Flühebacher. Mit der Frau Flühebacherin hat Stilling seit dem einen erbaulichen Briefwechsel geführt.

Am Abend um 6 Uhr kamen die Reisenden in Basel an, wo sie auf die freundschaftlichste Art von dem Rathsherrn und Kaufmann Daniel Schorndorf, seiner Gattin und Kindern aufgenommen wurden. In dieser lieben christlich gesinnten Familie verlebten sie einige seelige Tage.

Hier gab es auch wieder vieles zu thun; dann machte auch

Stilling wieder wichtige Bekanntschaften, besonders mit den Theologen von der deutschen Gesellschaft zu Beförderung wahrer Gottseeligkeit, und dann auch sonst noch mit frommen Predigern, Huber, La Roche, u. a. m.

Nach einem Aufenthalt von vier Tagen nahm auch hier Stilling rührenden Abschied, und reiste mit seiner Elise Montags den 27sten April Morgens früh von Basel ab.

Jetzt meine lieben Leser! wer Ohren hat, zu hören, der höre, und wer ein Herz zu empfinden hat, der empfinde! —

Stilling hatte ein tausend sechs hundert und ungefehr fünfzig Gulden Schulden — unter den zwey und siebenzig Staarblinden, die er in der Schweiz operirte, war eine Person, die kein Wort von seinen Schulden wußte, wenigstens nicht von Ferne ahnen konnte, wie viel ihrer wären, und nur aus innerem Antriebe, Stillingen künftig eine bequemere Lage zu verschaffen — ganz genau, ein tausend sechs hundert und funfzig Gulden für die Staaroperation und Kur bezahlte. Als Stilling und Elise des Abends zusammen auf ihr Schlafzimmer kamen, so fanden sie das Geld theils baar, theils in Wechseln, auf ihrem Bette — genau die Summe ihrer Schulden, von der das Werkzeug in der Hand Gottes kein Wort wußte.

Mein Gott wie war beyden guten Seelen zu Muth! — mit einer Rührung ohne gleichen, sanken beyde vor dem Bette auf die Knie, und brachten Dem feurigen Dank, der dies unaussprechlich wichtige Zeugniß seiner allerspeziellesten Vorsorge und Führung so ganz augenscheinlich abgelegt hatte.

Elise sagte: das heißt wohl recht, seinen Freunden giebt Er es schlafend. — Von nun an wolle sie nie wieder mistrauisch seyn.

Noch mehr! — die gute Seele, welche ein paar Jahre vorher die drey hundert Gulden schickte, als Stilling in Cassel, und Elise in der Presse war, wurde jetzt auch besucht: um ihr den gebührenden Dank zu bezeigen; ihr Mann wurde operirt: und als Stilling gegen alle fernere Bezahlung protestirte, so sagte der edle Mann ganz pathetisch: das ist nun meine Sache! und schickte dann Stillingen sechs hundert Gulden in sein Logis; — damit waren nun auch die Reisekosten bezahlt.

Noch mehr! Stillings himmlischer Führer wußte, daß er in wenigen Jahren noch eine hübsche Summe nöthig haben würde; Stilling wußte aber davon kein Wort. Diese Summe wurde ihm von verschiedenen wohlhabenden Patienten mit vielem Dank ausbezahlt. Ausserdem kamen noch so viele Geschenke und Liebes-Andenken an Kostbarkeiten dazu, daß Stilling und Elise aus der Schweiz, wie zwei Bienen von der Blumenreise zurückkamen.

Liebe Leser! Gott der Allwissende weiß, daß dies alles reine, und mit keinem Wort ausgeschmückte Wahrheit ist. Wenn das alles aber nun reine heilige Wahrheit ist, was folgt dann daraus? — Am Schluß dieses Büchleins werden wir es finden.

Unsere Reisenden nahmen ihren Weg durchs Breisgau herab auf Carlsruhe; von Basel bis an diesen Ort, oder vielmehr bis Rastadt, wurde Stilling von einer entsetzlichen Angst gemartert, es war ihm, als ob er dem gewissen Tod entgegen gienge: die Veranlassung dazu war eine Warnung, die ihm insgeheim, und ernstlich zu Basel gegeben wurde, ja nicht über Strasburg zu reisen; aus dieser Stadt rührte auch diese Warnung her, ein Freund hatte desfalls nach Basel geschrieben.

Dazu kam noch ein Umstand: ein gewisser gefährlicher Mann drohte Stillingen in Basel, der Grund von dem Allem liegt in seinen Schriften, welche vieles enthalten, das einem revolutions-süchtigen Freygeist unerträglich ist. Mir ist mit Gewißheit bekannt, daß es Leute giebt, die für Zorn die Zähne auf einander beißen, wenn nur Stillings Name genannt wird; Sonderbar! Stilling beißt bey keines Menschen Namen! — Freunde! auf welcher Seite ist nun Wahrheit? — Wahrlich! Wahrlich! nicht da wo gebissen wird!

Bey allem dem ist es doch etwas Eigenes, daß Stilling nur

zu gewissen Zeiten, und manchmal bey noch geringeren Veranlassungen, eine solche unbeschreibliche Angst bekommt; bey anderen weit größeren Gefahren, ist er oft gar nicht furchtsam. Ich glaube, daß es Einwirkungen eines unsichtbaren bösen Wesens, eines Satans-Engels sind, die Gott aus weisen Ursachen dann und wann zuläßt; eine körperliche Disposition kann Veranlassung zu einer solchen feurigen Versuchung geben, allein das Ganze der Versuchung ist weder im Körper noch in der Seele gegründet, dies kann aber durch nichts anders als durch eigene Erfahrung bewiesen werden. Daß es aber solcher Sichtungen des Satans giebt, das bezeugt die heilige Schrift.

Stillings Angst war am heftigsten zu Freyburg im Breisgau, zu Offenburg und zu Appenweyer. Zu Rastadt wurde sie erträglich, aber hier fieng nun der Magenkrampf an heftig zu rasen; Mittwochs den 29sten April fuhren sie des Morgens mit einem schlafenden Postillon, und zwey müden Pferden nach Carlsruhe, auf diesem Wege war jener Magenkrampf fast unerträglich; Stilling sehnte sich nach Ruhe; anfangs war er nicht Willens zum Kurfürsten zu gehen, sondern sich lieber durch Ruhe zu erquicken; indessen dachte er doch auch, da dieser große weise und fromme Fürst das Heimweh mit so vielem Beyfall gelesen, und ihm desfalls ein paarmal geschrieben hätte, so wäre es doch wohl Schuldigkeit, wenigstens den Versuch zu machen, ob er zur Aufwartung angenommen würde? er gieng also ins Schloß, meldete sich, wurde augenblicklich vorgelassen, und mußte den Abend um 5 Uhr auf ein Stündchen wieder kommen. Ueber diesen Besuch sage ich kein Wort weiter, als daß er den entfernten Grund zur endlichen Auflösung des Stillings-Knoten legte, ohne daß es Stilling damals ahnete.

Donnerstags den 30sten April reisten beyde von Carlsruhe nach Heydelberg; Lisette hatte die ganze Zeit über um eine glückliche Reise für ihre Eltern gebetet. Des andern Morgens

Freytags den 1sten May, reisten sie weiter, Mieg und Lisette begleiteten sie bis Heppenheim; hier vor der Thür des Gasthauses, sahen sie ihre Lisette in diesem Leben zum letztenmal. Mieg gieng mit ihr zurück nach Heydelberg, und Stilling und Elise setzten ihren Weg fort nach Frankfurth, wo sie des folgenden Tages, Sonntags den 2ten May geseegnet, glücklich, und wohlbehalten ankamen.

Von Frankfurth machten sie nun noch eine Reise ins Schlangenbad, um den alten ehrwürdigen Burggraf Rullmann und noch einige Arme zu operiren. Dort in der angenehmen Einöde hatten sie nun Zeit, die ganze Reise zu recapituliren, und nachdem auch hier alles verrichtet war, so reisten sie wieder nach Marburg, wo sie den 15ten May ankamen, und alles gesund und wohl antrafen.

Das Erste was nun Stilling vornahm, war die Abtragung seiner Schulden — das Hauptcapital, welches ihm zu Schönenthal gleich nach seiner Zurückkunft von Straßburg, unter der Bürgschaft seines Schwiegervaters war vorgeschossen worden, das stand noch größtentheils, und die Bürgschaft war noch nicht aufgehoben; aber jetzt geschah es auf einmal. Jetzt blieb er niemand, so viel er sich erinnern konnte, einen Heller mehr schuldig. Er war ehmals deswegen von Heidelberg weggezogen, um vermittelst des großen Gehalts die Schulden zu tilgen — das war sein und Selma's, aber nicht des Herrn Plan: denn der Hauptstock wurde nicht durch die Besoldung, sondern aus der Casse der Vorsehung bezahlt. Die Absicht des Herrn bey dem Zug nach Marburg war keine andere, als ihn vor dem Unglück und den Schrecken des Kriegs zu bewahren, und in Sicherheit zu bringen, und dann seine dreyssigjährige unerschütterliche Standhaftigkeit im Vertrauen auf seine Hülfe, auch dann, wann es am dunkelsten aussahe, und in einem Lande, welches durch den Krieg am mehresten ausgesogen war, auf eine eklatante, auf eine solche Weise zu krönen, so daß jedermann bekennen muß: Das hat der Herr gethan!

Sollte jemand etwas dabey zu erinnern haben, daß ich sage, es sey des Herrn Plan gewesen, Stillingen für den Schrecken des Kriegs zu bewahren, da es ja weit bessere Menschen gäbe, die den Krieg hätten aushalten müssen, so dient einem solchen zur dienstwilligen Antwort: daß ein guter Hirte die schwächsten Schaafe, die am wenigsten aushalten können, am ersten und sorgfältigsten für Sturm und Ungewitter verbirgt.

Wenn die Vorsehung etwas ausführen will, so thut sie es nicht halb, sondern ganz. Stilling war in Strasburg, als er dort studirte, einem Freund zwischen 40 bis 50 Gulden schuldig geblieben, der Freund trieb nicht auf die Bezahlung, und Stilling hatte auch mit der übrigen Schuldenlast so viel zu thun, daß er froh war, wenn ihn ein Creditor in Ruhe ließ. Dies gieng so fort bis zur französischen Revolution, wo es überall auch in Strasburg, drunter und drüber, gieng; nun kam auch noch der Krieg dazu, wodurch die Communication zwischen Deutschland und Frankreich vollends erschwert wurde; und da auch Stilling noch andere und drückendere Schulden hatte, so dachte er an diesen Posten nicht mehr, aber sein himmlischer Führer, der durchaus und vollkommen gerecht ist, dachte allerdings daran; denn alsofort nach Stillings Reise in die Schweiz, kommt ein Freund zum Bruder des längst verstorbenen Strasburger Creditors, und bezahlt nicht allein das Kapitälchen, sondern auch die Interessen von dreyßig Jahren, so daß also seine Zahlung für Stilling beynahe hundert Gulden betrug. Stilling bekam also von unbekannter Hand die Quittung über die Bezahlung dieses Postens, aber er hat nie den Freund erfahren, der ihm auf eine so edle Art diesen Liebesdienst erzeigt hat. Er wird dich aber dereinst finden, Edler Mann! dort, wo alles offenbar wird, und dann erst wird er dir nach Würden danken können. —

Das war eine geseegnete Schuldentilgungs-Reise! — ein

wichtiger Stillings-Knote, eine Schulden-Masse von fünfte-
halb tausend Gulden machen zu müssen, und sie ganz ohne
Vermögen, blos durch den Glauben, redlich und ehrlich, mit
den Zinsen bis auf den letzten Heller zu bezahlen, war nun
herrlich gelöst. Hallelujah!

Etliche Wochen nach Stillings Zurückkunft aus der Schweiz
begegnete ihm etwas Merkwürdiges: er saß an einem Vormittag an seinem Pult, es klopfte Jemand an seine Thür, auf das
Wort herein! trat ein junger Mann von 27 bis 30 Jahren ins
Zimmer; er sahe unstät und flüchtig aus, blickte schüchtern
umher, und oft mit scheuem Blick auf Lavaters Portrait; Sie
sind in Zürich gewesen? fieng er an, ich war auch da! — ich
muß fort! — er gieng unruhig umher, schaute nach Lavaters
Bild, und sagte hastig: ich kann in Deutschland nicht bleiben,
es ist überall unsicher für mich — man könnte mich fangen —
ach Herr Hofrath! machen Sie, daß ich fortkomme! — Stilling gerieth in Verlegenheit, und fragte: sind Sie ein Schweizer? ach ja! antwortete er, ich bin ein Schweizer! — aber ich
habe keine Ruhe, ich will nach Amerika, machen Sie daß ich
dahin komme! u. s. w. unter beständigem Hin- und Herlau-
fen, und Blicken nach Lavaters Bild, sprach er noch mehreres,
das bey Stilling die Vermuthung erregte, er sey Lavaters Mörder. Er rieth ihm also nach Hamburg zu gehen, wo er immer
Gelegenheit fände nach Amerika zu kommen; er möchte aber
eilen, damit er der Polizey nicht in die Hände geriethe; plötzlich lief der arme Mensch zur Thür hinaus und fort.

Nachdem nun Stilling seine so lang getragene Schuldenlast
ehrlich abgewälzt hatte, so wurde nun eine andere Sache vorgenommen. Als Stilling und Elise aus der Schweiz zurück kamen, übernachteten sie in Münster bey ihren Kindern Schwarz;
nachdem sie ihnen nun erzählt hatten, was der Herr an ihnen
gethan, und wie Er sie geseegnet habe, so schlugen Schwarz
und Hannchen vor, ob die Eltern nun nicht des Jacobs und der
Amalie sieben Jahre lang geprüfte Liebe krönen, und sie

trauen lassen wollten, da ja doch in der ganzen Lage dadurch eigentlich nichts geändert oder erschwert würde? — Die Eltern fanden nichts dagegen einzuwenden, und um die beyden Verlobten zu überraschen, und ihnen eine desto höhere Freude zu machen, wollten sie alle Zubereitung geheim halten, dann Freund Schlarbaum mit seiner Familie zum Thee bitten, und der sollte dann auf einmal vortreten und beyde copuliren. Die Ausführung dieses Plans gerieth aber nur zum Theil: die Sache blieb nicht ganz geheim, die Trauung geschah den 12ten Julius in diesem 1801ten Jahre. Jetzt zog nun Jacob wieder bey seine Eltern, er und seine Gattin blieben an ihrem Tisch, und in dem nämlichen ökonomischen Verhältniß wie bisher.

Elise hatte im vorigen Sommer 1800 das Bad zu Hofgeißmar gebraucht, es war mit ihrem Hals aber eher schlimmer als besser geworden: jetzt wollte man nun auch das Schlangenbad versuchen, sie reiste sechs Wochen dahin, aber auch das half wenig.

In diesem Sommer schrieb Stilling den zweyten Band der Scenen aus dem Geisterreich; bey dieser Gelegenheit muß ich doch etwas Artiges und Merkwürdiges erzählen, jeder mag daraus machen was er will: ich habe oben gesagt, daß Stilling im verwichenen Winter, bald nach Lavaters Tod, ein Gedicht, unter dem Namen Lavaters Verklärung herausgegeben habe; in diesem Gedicht holen die beyden vor Lavater verstorbenen Freunde, Felix Heß und Pfenninger in Gestalt zweyer Engel den müden Kämpfer nach seinem Tode ab, und führen ihn nach Neu-Jerusalem. Jetzt, etwa ein halb Jahr nach der Herausgabe dieses Gedichts, kam Stillings frommer und treuer Freund, der reformirte Prediger Breidenstein in Marburg zu ihm, um ihn zu besuchen; beyde redeten über allerhand Sachen, und unter andern auch über jenes Gedicht; es ist artig, sagte Breidenstein, daß Sie des seeligen Felix Heß Versprechen so schön benutzt haben; wie so? — antwortete Stilling, was für ein Versprechen? — Breidenstein erwiederte: Lavater stand vor etlichen und zwanzig Jahren an Felix Hessens Sterbebette, weinte, und sagte: nun stehst du aber nicht an meinem Bette wenn ich sterbe! — Heß antwortete: ich werde dich dann abholen! — Stilling versetzte: Nein warlich! davon habe ich nie ein Wort gehört — das ist doch sonderbar! — wo steht das? ich muß es selbst lesen! — das sollen Sie! sagte Breidenstein, das ist allerdings sonderbar! des andern Tages schickte er Lavaters vermischte Schriften, in welchen eine kurze Lebens-Beschreibung von Felix Heß befindlich ist; da steht nun dies Gespräch genau so, wie es Breidenstein erzählte.

Daß Stilling jene Geschichte nie gehört und gesehn, wenigstens in vielen Jahren nicht daran gedacht hat, wenn er sie auch ehemals gelesen haben sollte, welches ich doch nicht glaube, das kann ich bey der höchsten Wahrheit versichern. Wenn nun also diese sonderbare Sache Zufall ist, so ist er einer der seltensten, die jemals geschehen sind: denn erstlich sagt Heß vor nunmehr ungefehr 30 Jahren, nahe vor seinem Tode, zu Lavater: ich werde dich abholen, wenn du stirbst! — jetzt, so viele Jahre später stirbt Lavater — Stilling entschließt sich, ein Gedicht auf seinen Tod zu machen — entschließt sich die Dichtung so zu entwerfen, daß ihn zwei seiner Freunde abholen sollen, und wählt nun den Mann dazu, der es ihm vor dreyßig Jahren versprochen hatte!!! — Noch Eins:

Als Stilling in Zürich war, so sagte man ihn, Lavater habe noch einen Freund gehabt, mit dem er auf einem noch vertrautern Fuß gestanden habe, als mit Felix Heß, warum er den nicht in seinem Gedicht zu Lavaters Abholung gebraucht habe? — Stilling fragte: wer denn dieser Freund gewesen sey? man antwortete ihm: es sey Heinrich Heß gewesen. Dies veranlaßte nun Stilling diesen Freund in den Scenen aus dem Geisterreich aufzuführen, und zwar so: der verklärte Heinrich Heß sollte Lavatern zur Mutter Maria abholen, weil ihn diese, als einen treuen Verehrer ihres Sohns gern kennen ler-

nen möchte; dann sollte sich Lavater von Maria den Character des Herrn in seinem irrdischen Leben erzählen lassen,
u. s. w. Dies ist nun auch im zweyten Band der Scenen genau
so ausgeführt worden. Lange nachher als das Werk schon gedruckt war, las Stilling einmal von ungefehr in Lavaters Jesus Messias das 26ste Kapitel des ersten Bandes, die stille
Verborgenheit Jesus bis in sein 30stes Jahr, und fand nun
hier wiedrum mit Verwunderung, daß Lavater sich damit
tröstet: die Mutter Maria werde ihm dereinst in den seeligen
Gefilden erzählen, was ihr Sohn in seinem irrdischen Leben
für einen Character gehabt habe. u. s. w. Daß Stilling dies
vorher nie in seinem Leben gelesen hatte, das kann man mir
auf mein Wort glauben.

Diesen Herbst des 1801sten Jahrs kam es auch wieder zu
einer Reise. An einem Ort im nördlichen Deutschland befand
sich eine sehr würdige fromme Person, die den Staar hatte;
sie war zu arm, um nach Marburg zu kommen, oder auch um
Stilling kommen zu lassen. Dieser besprach sich mit Elise über
diese Sache, und sie beschlossen, weil der Herr ihre Schweizer-
Reise so sehr geseegnet hatte, und ihnen so viel Gutes erzeigt
hätte, so wollten sie aus Dankbarkeit nun auf ihre eigene
Kosten zu der würdigen Patientin reisen, und ihr unter Gottes Beystand zu ihrem Gesicht verhelfen; sie rüsteten sich also
wieder zur Reise, und Stilling schrieb an die Person, daß er
kommen wolle. Diese freute sich, wie man leicht denken kann
ausserordentlich, und machte auch Stillings Vorhaben in dortigen Gegenden bekannt, da nun die Reise über Braunschweig
gieng, so wurde er freundlich eingeladen, in dem Stobwasserischen Hause zu logiren — Stobwasser ist ein berühmter
Handelsmann, er hat eine beträchtliche Lakierfabrik, und ist
ein Mitglied der Brüdergemeine. Stilling nahm dies Anerbieten mit Dank an, und da nun auch ihr Weg über Münden
gieng, so beschlossen sie bey Julien einen Besuch abzulegen,
um auch diese gute Seele persönlich kennen zu lernen, diese

lud sie aber freundlich ein, bey ihr zu logiren, welches dann auch mit Freuden zugesagt wurde.

Stilling und Elise traten diese Reise den 18ten September an, sie nahmen Karoline bis Cassel mit, dort sollte sie bleiben, bis die Eltern wieder zurückkämen, denn da sie durch ihr Betragen und herzliche Liebe zu ihren Eltern, diesen Freude machte, so suchten sie ihr das auch bey Gelegenheit zu erwiedern. In Cassel logirten sie bey dem Herrn geheimen Rath von Kunckel, dessen Gattin eine nahe Blutsverwandtin von Elise ist. Der geheime Rath von Kunckel aber war von jeher Stillings wahrer, bewährter und vertrauter Freund, und wird es auch wohl bleiben, so lange ihr beyder Daseyn währt. Kunckel hat von der Pike auf gedient, und ist durch seine treue Thätigkeit geworden, was er ist.

Des folgenden Tages am Nachmittag fuhren sie nach Münden, dort blieben sie den Sonntag. Julie empfieng sie mit der ganzen Fülle der christlichen Liebe, sie und der rechtschaffene reformirte Prediger Klugkist nebst seiner lieben Gattin, erzeigten beyden Reisenden alle mögliche Freundschaft. Julie und Elise schlossen den Schwesterbund auf ewig, und verbanden sich den Weg fortzupilgern, den uns unser anbetungswürdiger Erlöser vorgezeichnet, und selbst vorgegangen hat. Julie hat noch zwei vortrefliche Schwestern, die auch da waren, und den christlich freundschaftlichen Zirkel vermehren halfen.

Zu Göttingen fanden sie den treuen Achelis gerad im Begriff abzureisen; er hatte einen Beruf als Prediger in die Nähe von Bremen bekommen; seine Gattin war schon mit ihrer Schwester voraus nach Bovenden, wo sie ihn erwartete. Achelis begleitete nun Stilling und Elise, und von Bovenden fuhren sie zusammen bis Nordheim, wo sich dann alle unter tausend Seegenswünschen trennten.

Hier in Nordheim überfiel Stilling eine unbeschreibliche Angst; sie fieng eben vor dem Abschied von Achelis an; ob es der gute Mann noch gemerkt hat, das weiß ich nicht. Es war eigentlich eine Angst für bösen Wegen, und für Umfallen der Kutsche — sie war aber so entsetzlich, daß es kaum auszuhalten war; sie währte die ganze Reise durch, und wurde bald stärker, bald schwächer.

Dienstags den 22sten September des Nachmittags kamen sie glücklich im Stobwasserischen Hause zu Braunschweig an; er selbst war mit seiner Gattin in Berlin, wo er auch eine ansehnliche Fabrik hat, seine Leute erzeigten aber den Reisenden alle mögliche Liebe und Freundschaft; es war Stilling und Elise innig wohl unter diesen guten Menschen.

Von hier aus fuhr nun Stilling zu der Person, welche diese Reise veranlaßt hatte; sie wurde sehend. In Braunschweig selbst operirte er zwölf Personen, und vier Stunden von da, zu Ampleben, einem Rittersitz des Herrn von Böttichers, nebst einem Pfarrdorf, eine Frau von Bode, die nebst ihrem Gatten auch zu den wahren Verehrern unseres Erlösers gehört. Stilling und Elise fuhren dahin, blieben einige Tage da, die Frau von Bode wurde auch sehend, und dann giengen sie wieder zurück nach Braunschweig.

Da man Elisen ernstlich gerathen hatte, wegen ihrem Halsziehen den berühmten Arzt, und großen Gelehrten, den Hofrath Beyreiß in Helmstädt zu consuliren, so wurde die Reise auch dahin unternommen. Der große Mann gab sich alle erdenkliche Mühe den Reisenden Vergnügen zu machen, er schrieb auch Elisen eine Kur vor, die sie aber nicht aushalten konnte, weil sie sie zu stark angriff.

Während des Aufenthaltes in Braunschweig machte Stilling verschiedene intressante persönliche Bekanntschaften mit Campe, von Zimmermann, Eschenburg, Pokels und noch andern mehr. Der Herzog bezeigte sich außerordentlich gnädig, er ließ Stilling zweymal zu sich kommen, und unterredete sich lange mit ihm über allerhand Sachen, unter andern auch über die Religion, über welche er sich gründlich und erbaulich äusserte. Dann sagte er auch zu Stilling: Alles was Sie hier gethan haben, das sehe ich so an, als wär es mir selbst geschehen — und des folgenden Tages schickte er ihm sechzig Louisd'or in sein Quartier. Damit war also nicht nur die Reise bezahlt, sondern es blieb auch noch übrig. Es war also der Wille der Vorsehung daß das Schweizergeld zu einem weit andern Zweck aufbehalten werden sollte.

Während Stillings Aufenthalt in Braunschweig, kam die Gemahlin des Erbgrafen von Stollberg-Wernigerode, eine gebohrne Prinzessin von Schönberg, glücklich mit einer jungen Gräfin ins Wochenbett; die Eltern hatten Stilling zum Taufpathen des Kindes gewählt, dies bestärkte nun den Vorsatz, den man schon in Marburg gefaßt hatte, einen kleinen Umweg über Wernigerode zu machen, noch mehr. Dem zu Folge reisten sie Freytags den 9ten October von Braunschweig ab, und kamen des Abends an gedachtem Ort, auf der hohen Burg, der von alten Zeiten her christlich gesinnten gräflichen Familie an.

Hier waren Stilling und Elise wie im Vorhof des Himmels. Er besuchte auch seine alten Freunde, den Superintendenten Schmid, Hofrath Fritsche, Rath Benzler, Regierungsrath Blum, und den Secretair Closse, der sein Lied im Heimweh, Es wankte ein Wanderer alt und müde, vortreflich in Musik gesetzt hat. Den Sonnabend, den Sonntag und den Montag blieben sie bey der gräflichen Familie; ein vornehmer Herr aus Sachsen, der in Geschäften da war, und neben Stilling an der Tafel saß, sagte mit Rührung zu ihm: Warlich man sollte von Zeit zu Zeit hierher reisen, um sich einmal wieder zu erholen und zu stärken — und gewiß! er hatte Recht; Religion, Wohlstand, Feinheit der Sitten, Frohsinn, Anstand und völlige Prätensionslosigkeit, bestimmen den Character eines jeden Mitglieds dieser edlen Familie.

Bey allem dem wich hier Stillings Schwermuth nicht, sie war kaum auszuhalten.

Dienstags den 13ten October nahmen die Reisenden von der Wernigeroder Herrschaft rührenden und dankbaren Abschied; der Graf ließ sie durch seinen Kutscher mit zwey Pferden bis nach Seesen fahren, von da nahm dann Stilling Post auf Gandersheim; wo eine vieljährige Freundin von ihm, die Gräfin Friderike von Ortenburg, Stiftsdame ist; diese hatte ihn ersucht sie zu besuchen, weil sich dort an den Augen Leidende befänden, die ihn erwarteten.

Die Gräfin Friderike freute sich sehr über Stillings Besuch; überhaupt erzeigte man beyden Reisenden dort viele Ehre: sie speisten des Abends bey der Prinzessin von Coburg, welche in Abwesenheit der Fürstin Aebtissin ihre Stelle vertritt. Stilling bediente hier verschiedene Patienten, und operirte eine arme alte Frau. Den Abend vor der Abreise stieg seine Schwermuth bis zur Höllenangst; gegen Mitternacht aber wendete er sich mit großem Ernst im Gebet zu Gott, daß es durchdringen mußte, und nun schlief er ruhig bis an den Morgen, und setzte dann mit seiner Elise seine Heimreise fort; sie kamen des Abends spät in Münden an; wo wiederum Julie, Klugkist und seine Gattin in Freundschafts-Bezeugungen wetteiferten.

Jetzt bemerkte man deutlich, daß es mit Juliens altem Vater zu Ende gieng; Stilling und Elise baten sie also, sie möchte, wenn ihr Vater zu seiner Ruhe eingegangen wäre, zum Besuch nach Marburg kommen: denn das würde ihr zur Erholung und Aufheiterung dienen. Julie versprach, sie wolle kommen.

In Cassel bekam Stilling viel zu thun, so daß er vom Morgen bis an den Abend Recepte schreiben, und Rath ertheilen mußte, er operirte auch hier verschiedene Personen.

Meine Leser werden sich erinnern, daß Bruder Coing zu Braach bey Rothenburg an der Fulda, 11 Stunden von Cassel, Prediger geworden sey, und daß Maria Coing nebst den beyden Kindern Friedrich und Malchen auch jetzt da waren. Diese beyden Kinder, auch die Schwester Maria, wenn sie es wünschte, dort abzuholen, dann aber auch und vorzüglich den guten lieben Bruder einmal zu besuchen, war Stillings und Elisens Vorhaben, besonders da sie jetzt in der Nähe waren; um dieses Vorhaben auszuführen, reisten sie Donnerstags den 22sten October von Cassel ab; bey dem Ausfahren durchs Leipziger Thor sagte er zu seiner Frau: Ach liebes Kind! was gäb ich drum, wenn ich jetzt nach Marburg fahren könnte! — Elise antwortete: Ey so laß uns das thun! — indessen Stilling wollte nicht, denn er dachte, wenn ihm ein Unglück bevorstünde, so könnte ihm das allenthalben widerfahren; sie fuhren also fort, der Bruder kam ihnen zu Pferd entgegen, und am Abend kamen sie glücklich in Braach an.

Der Aufenthalt an diesem an sich angenehmen Ort, war auf acht Tage festgesetzt, während der Zeit war Stilling zu Muth, wie einem armen Sünder, der in wenigen Tagen hingerichtet werden soll; er operirte ein Frauenzimmer in Rothenburg und bediente verschiedene Patienten. Maria, die in Braach schwächlich geworden war, sollte nun nebst den beyden Kindern wieder mit nach Marburg reisen, und die Abreise wurde auf Donnerstag den 29sten October bestimmt. Zu diesem Ende schickte Bruder Coing nach Morschen auf die Post, und bestellte die Pferde.

Mittwochs Abends also den Tag vor der Abreise, stieg Stillings Schwermuth so hoch, daß er zu Elisen sagte: wenn die Quaal der Verdammten in der Hölle auch nicht größer ist, als die Meinige, so ist sie groß genug.

Des folgenden Morgens kam der Postillon zu bestimmter Zeit, er hatte den Postwagen nach Rothenburg gefahren, folglich brachte er vier Pferde, die aber gegen alle Postordnungen sehr munter und lustig waren; er spannte ein, und fuhr ledig durch die Fulda, Stilling, Elise, Maria, die Kinder und der Bruder, ließen sich einen Schußweges weiter oben in einem Nachen übersetzen, mittlerweile kam der Postillon jenseits die Wiese herauf, und hielt am gegenseitigen Ufer.

Sie stiegen ein: Stilling saß hinten rechter Hand, neben ihm

Elise mit dem Malchen auf dem Schooß; gegen ihr über Maria, und gegen Stilling über der Friedrich; jetzt nahm Bruder Coing Abschied und gieng wieder zurück; plötzlich klatschte der Postillon, die vier raschen Pferde giengen los in vollem Trapp, der Postillon drehte kurz, die vorderen Kutschenräder faßten die Langwit, und schleuderten die Kutsche mit einer solchen Gewalt auf den Boden, daß der Kasten rundum in der Mitte entzwey borst; da es nun eine Halbschäse, also vorn unbedeckt ist, so flogen Elise, Maria und die beyden Kinder dort über die Wiese hin, Stilling aber, der auf der Fallseite hinten im Eck saß, blieb im Wagen, und wurde jämmerlich zugerichtet. Zum Glück fuhr der Kehrnagel heraus, so daß die Kutsche nicht geschleift wurde, sie blieb also still liegen, und Stilling lag so fest eingeklemmt, daß er sich nicht regen konnte. Es ist außerordentlich merkwürdig, daß in dem Augenblick alle Schwermuth weg war; ungeachtet der heftigen Schmerzen, denn der ganze Körper war wie geradbrecht, fühlte er eine innere Ruhe und Heiterkeit, eine solche erhabene Freude, wie er sie noch nie empfunden hatte; und ungeachtet er noch gar nicht wußte, welches die Folgen seyn würden, so war er so innig ergeben in den göttlichen Willen, daß ihn auch nicht die geringste Furcht vor dem Tod anwandelte; so sehr auch der Postillon einen derben Ausputzer, und dann eine namhafte Strafe verdient hatte, so sagte ihm Stilling doch sehr gütig, und weiter nichts, als: Freund! ihr habt zu kurz gedreht.

Elise, Maria und die Kinder hatten nicht das geringste gelitten — Bruder Coing kam auch wieder herzugelaufen — als sie nun den Mann, an dem ihrer aller Seele hängt, so blutrünstig und entstellt unter der Kutsche liegen sahen, so fiengen sie alle jämmerlich an zu lamentiren; die Kutsche wurde aufgehoben, und der verwundete und gequetschte Mann hinkte an Elisens Arm wieder nach Braach zurück, der Postillon schleppte die eben so verwundete und gequetschte Kutsche auch dahin, und er kam so mit genauer Noth davon, daß ihn die Braacher Bauern nicht tüchtig zudeckten. Diese waren aber auf andere Weise thätig; der Eine warf sich aufs Pferd, und rennte in vollem Gallop nach Rothenburg um Aerzte zu holen, und die andern schickten Erfrischungen so gut sie sie hatten, und so gut sie es verstunden; alles wurde aber natürlicher Weise, so angenommen, als ob es das Kostbarste und Schicklichste sey.

Stillings körperlicher Zustand war erbärmlich: die ganze rechte Brust war dick aufgeschwollen, und wenn man mit der Hand darüber her strich, so rauschte es; eine Rippe war geknickt; hinten unter dem rechten Schulterblatt empfand er heftige Schmerzen; an der rechten Schläfe hatte er eine Wunde, die heftig blutete, und nur einen Strohhalm breit von der Schlaf-Pulsader entfernt war, und in der rechten Leiste und Hüfte empfand er heftige Schmerzen, so oft er den Schenkel bewegte. Kurz, jede Bewegung war schmerzhaft.

Die Aerzte von Rothenburg, der Leibarzt Hofrath Meiß und der Leibchirurgus Freyß zwei sehr geschickte Männer, fanden sich bald ein, und durch ihre treue Pflege und Gottes Seegen wurde Stilling in wenigen Tagen so weit wieder hergestellt, daß er nach Marburg reisen konnte. Die Kutsche aber konnten sie mit aller ihrer gelehrten Geschicklichkeit nicht kuriren, aber sie sorgten denn doch auch für ihre Heilung, diese wurde dem Hofsattler übertragen, der sie so gut wieder herstellte, daß sie fester wurde als vorher.

Montags den 2ten November wurde die Reise nach Marburg angetreten: Stilling ritt langsam, weil er in den schrecklichen Wegen dem Fahren nicht traute, es war aber auch rathsam: denn die Frauenzimmer und die Kinder wurden noch einmal — doch ohne Schaden umgeworfen. Coing begleitete seinen Schwager zu Pferd bis Wabern, wo Karoline sie erwartete; des folgenden Tages fuhren sie dann alle zusammen nach Marburg, weil von da an der Weg Chaussee ist, Coing ritt aber wieder nach Braach zurück. Mit den Folgen dieses Falls hatte Stilling noch eine Weile zu kämpfen, besonders blieb ihm noch lange ein Schwindel übrig, der aber endlich auch ganz verschwunden ist.

Stillings Zustand während dieser Braunschweiger Reise bis daher, kann ich am besten durch ein Gleichniß begreiflich machen: ein einsamer Reisender zu Fuß, kommt am Abend in einen Wald; durch diesen muß er noch, ehe er an die Herberge kommt. Es wird Nacht, der Mond scheint im jungen Licht, also nur dämmernd; jetzt gesellt sich ein sehr verdächtiger furchtbarer Mann zu ihm, dieser weicht nicht von ihm, und macht immer Mine ihn anzufallen, und zu ermorden, endlich greift er ihn auf einmal an, und verwundet ihn — plötzlich sind einige der besten Freunde des Reisenden bey der Hand, der Feind flieht, der Verwundete erkennt seine Freunde, die ihn nun in die Herberge bringen und ihn pflegen, bis er wieder wohl ist. Liebe Leser! nehmt dies Gleichniß wie ihr wollt, aber mißbraucht es nicht!

Der Anfang des 1802ten Jahrs war traurig für Stilling und Elise. Sonntags den 3ten Januar bekam er einen Brief von Freund Mieg aus Heidelberg, worinnen er ihm meldete, Lisette sey krank, er glaube aber nicht, daß es etwas zu bedeuten hätte, denn die Aerzte gäben noch Hoffnung. Bey dem Lesen dieses Briefs bekam Stilling einen tiefen Eindruck ins Gemüth, sie sey wirklich tod. Es liegt so in seiner Seelen, daß er sich allemal freut, wenn er erfährt, daß ein Kind, oder auch sonst ein frommer Mensch gestorben ist: denn er weiß alsdann wieder eine Seele in Sicherheit — dies Gefühl macht ihm auch den Tod der Seinigen leichter, als sonst gewöhnlich ist; indessen da er ein gefühlvolles Herz hat, so setzt es doch in Ansehung der physischen Natur immer einen harten Kampf ab, dies war auch jetzt der Fall, er litt einige Stunden sehr, dann opferte er sein Lisettchen dem Herrn, der es ihm gegeben hatte, wieder auf; und den 6ten Jänner, als er die Todesnachricht von Mieg bekam, war er stark, und konnte die sehr tief gebeugten Pfleg-Eltern selbst, und kräftig trösten, aber Elise litt sehr.

Die Freunde Mieg ließen Lisette sehr ehrenvoll begraben, Mieg gab ein klein Büchelchen heraus, das ihren Lebenslauf, Character, Tod und Begräbniß, und einige bey dieser Gelegenheit entstandene Schriften oder Aufsätze und Gedichte enthält.

Man kann sich kaum die Wehmuth vorstellen, die diese Pflegeeltern bey dem Heimgang dieses lieben Mädchens empfanden; sie hatten sie vortreflich erzogen und gebildet, und Gott wird es ihnen vergelten, daß sie sie zur Gottesfurcht und zu einem christlichen Sinn angehalten haben.

Merkwürdig ist es, daß die alte Mutter Wilhelmi einige Wochen hernach ihrem Liebling folgte, so wie es ihre Tochter Mieg schon längst befürchtet hatte.

Um diese Zeit starb auch der Bürgermeister Eicke zu Münden, Juliens Vater. Stilling und Elise wiederholten also ihre Einladung an Julie, zu kommen, so bald alle ihre Sachen in Ordnung seyen, sie folgte diesem Ruf, und kam mitten im Jänner nach Marburg, wo es ihr in Stillings häuslichem Zirkel, und christlichem Umgang so wohl gefiel, daß sie endlich den Wunsch äußerte, in dieser Familie zu leben. Stilling und Elise freuten sich über diese Aeußerung, und die Sache wurde in Ordnung gebracht: Julie zahlt ein hinlängliches Kostgeld, und beschäftigt sich dann mit der Bildung der kleinen Mädchen Malchen und Christinchen; gegen die Bezahlung des Kostgeldes protestirte nun zwar Elise ernstlich, aber Julie beharrte dabey, daß sie unter keiner andern Bedingung unter ihnen wohnen könne; beyde verschwisterte Seelen wurden sich also endlich einig; im März reiste Julie nach Erfurth, um eine Freundin zu besuchen, und im folgenden August kam sie wieder. Von der Zeit an ist sie nun Stillings häuslichem Zirkel einverleibt, in welchem sie durch ihre Gottesfurcht, Heiterkeit, Leidens-Erfahrung, und besonders durch Leitung und Bildung der Mädchen, ein wahrer Seegen Gottes ist.

In diesem Frühjahr kam es auch wieder zu einer Reise: Stilling wurde nach Fulda verlangt, Elise begleitete ihn. Bey der Rückreise nahmen sie den Weg über Hanau und Frankfurth, und besuchten dann auch den Prinzen Friedrich von Anhalt, und die Gräfin Louise, die den vorigen Herbst von Marburg weg und nach Homburg vor der Höhe gezogen waren. Bey dieser Gelegenheit lernten sie auch die Wittwe des Prinzen Victor von Anhalt kennen; diese ist eine würdige Schwester der Fürstin Christine zur Lippe, eine wahre Christin und die personifizirte Demuth. Nach einer Abwesenheit von etwa vier Wochen kamen sie wieder in Marburg an. Bald nachher wurde Amalie glücklich von einer jungen Tochter entbunden.

Jetzt nahte sich auch nun der wichtige Zeitpunkt, in welchem Caroline zum Abendmahl confirmirt werden sollte; sie war nun vierzehn und ein halb Jahr alt, und für ihr Alter groß und stark. Zwey Jahr hatte sie bey den würdigen Stillingsfreunden, den beyden reformirten Predigern Schlarbaum und Breidenstein einen sehr guten Religions-Unterricht bekommen, und der hatte auch wohlthätig auf sie gewirkt: sie hat einen frommen christlichen Sinn, und es ist für den Vater eine große Freude, und sehr beruhigend, daß seine drey ältsten Kinder auf dem Wege sind, wahre Christen zu werden. Julie schrieb aus Erfurth an Caroline, und trug der Tante Duising auf, ihr den Brief an ihrem Confirmations-Tage zu überreichen, es ist der Mühe werth, daß ich ihn hier einrücke:

„Meine theuere ewiggeliebte Caroline!

„An dem festlichsten Tage deines Lebens, wo alle deine Lieben mit neuer Liebe Dich ans Herz drücken, da wird auch mein Gebet sich mit dem ihrigen vereinigen; vielleicht in derselben Stunde, in welcher Du die feierlichen Gelübde ewiger Treue und Liebe an Den ablegst, der immer unsre ganze Seele erfüllen sollte, bete auch ich zu Ihm für Dich um Glauben, Treue, und Liebe.

O meine liebste beste Caroline! Ich bitte Dich flehentlich, bedenke es doch ja recht, und halte doch ja, was Du an diesem für Dich in Zeit und Ewigkeit so wichtigen Tage versprichst! — Liebe den Herrn wie Du kein anderes Wesen liebst! — Du kannst nichts Größeres, Besseres, und Wichtigeres thun — laß dir weder durch Freuden noch durch Leiden — nicht durch Schmeicheley noch durch Spott der Welt — durch nichts laß Dir die Krone rauben, die Dein Glaube heut in der Hand des Herrn für Dich erblickt, und bleibe ihm treu bis in den Tod, u. s. w."

Die Confirmation geschahe auf Pfingsten mit Gebet und vieler Rührung von allen Seiten.

Stillings Lage wurde indessen immer drückender, auf einer Seite wurde sein religiöser Wirkungskreiß größer, fruchtbarer und bedeutender: die Directoren der Erbauungsbücher-Gesellschaft in London, welche in ein paar Jahren schon für eine Million Gulden erbauliche und nützliche Schriften unter die gemeinen Leute in England ausgetheilt hatten, schrieben ihm einen herzerhebenden Brief, und munterten ihn auf, diese Anstalt auch in Deutschland zu bewerkstelligen. Zugleich nahm auch seine religiöse Correspondenz, und nicht weniger die Praxis seiner Augenkuren zu; auf der andern Seite aber wurde sein eigentlicher akademischer Beruf immer unfruchtbarer: die deutsche Entschädigung hatte die Provinzen, aus denen gewöhnlich die Universität Marburg besucht wurde, an andere Regenten gebracht, die selbst Universitäten haben, wohin also nun ihre jungen Leute gehen, und da studiren müssen; die Zahl der Studirenden wurde also merklich kleiner, und wer noch studirte, der wendete sich zu den Brodstudien, zu welchen das Kameralfach nicht gehört; und endlich wird man auch auf allen Universitäten eine Abnahme des Triebs zum Studiren bemerken; die Ursache davon gehört nicht hierher.

Genug Stillings Auditorium wurde immer kleiner, so daß er oft nur zwey bis drey Zuhörer hatte — dies war ihm unerträglich — eine so große Besoldung, und so wenig dafür thun zu können, wollte sich mit seinem Gewissen nicht vertragen, und doch war er wie angenagelt, er konnte nicht anders, er mußte aushalten: denn ohne diese Besoldung konnte er nicht leben; bey allem dem erfüllte nun sein großer und einziger Grundtrieb, für den Herrn und sein Reich allein zu wirken und zu leben — sein ganzes Wesen; er sahe und hörte alle Tage, wie weit und breit wohlthätig sein religiöser Wirkungskreis war, und den mußte er hintenan setzen, um eines gar unfruchtbaren Broderwerbs willen.

Endlich kam nun noch ein Hauptumstand zu dem Allen: der Kurfürst von Hessen will zwar von ganzem Herzen die Religion unterstützen, aber Er hat auch einen Grundsatz, der an und für sich selbst ganz richtig ist, nämlich: jeder Staatsdiener soll sich dem Fach, dem er sich einmal gewidmet hat, ganz widmen — Er sieht gar nicht gern, wenn einer zu einem andern Beruf übergeht; nun war aber Stilling in dem Fall, daß er gegen die beyden Theile dieses Grundsatzes handeln mußte, auch dies machte ihm manche traurige Stunde — sein Kampf war schwer — aber gerade jetzt fieng auch die Vorsehung an von weitem Anstalten zur Ausführung ihres Plans zu treffen; es ist der Mühe werth, daß ich hier Alles mit der genauesten Pünktlichkeit erzähle.

Den 5ten Julius dieses 1802ten Jahres bekam Stilling von einem, ihm ganz unbekannten armen Handwerksmann, aus einem von Marburg sehr weit entfernten Ort, der auch kein Wort von Stillings Lage wußte und wissen konnte, indem er sie niemand entdeckte, auch nicht konnte und durfte, einen Brief, in welchem dieser Mann ihm erzählte, er habe einen merkwürdigen Traum gehabt, in welchem er ihn auf einem großen Felde, auf welchem viele Schätze auf Häufchen umher zerstreut gelegen hätten, hin und her gehend und beschäftigt gesehen; und er habe nun den Auftrag bekommen, ihm zu schreiben, und ihm zu sagen: er solle nun alle diese Schätze beysammen auf einen Haufen tragen, dann sich dabey zur Ruhe setzen, und dieses einzigen Schatzes warten.

Stilling hat in seinem ganzen Leben so viele Wirkungen des entwickelten Ahnungs-Vermögens gesehen, gehört und emp-funden, auch so viele — ohne die Theorie vom Ahnungs-Vermögen — unbegreifliche Wahrsagereyen hysterischer und hypochondrischer Menschen erlebt, daß er wohl weiß, wohin solche Dinge gemeiniglich gehören, und unter welche Rubrik sie zu bringen sind. Der Inhalt dieses Briefs aber, stand so im Einklang mit dem, was in seinem Innern vorgieng, daß er es unmöglich als eine Sache von ohngefehr ansehen konnte; er schrieb also dem Mann, daß er zwar wohl einsähe, daß die Vereinigung des Mannigfaltigen ins Einfache gut für ihn wäre, aber er müsse von seiner Professur leben, er möchte sich also ferner erklären, wie er das meyne? die Antwort war: er solle das der Fügung des Herrn überlassen, der würde es wohl einzurichten wissen. Dieser Vorfall brachte in Stillings Ge-müth die erste Ahnung einer nahen Veränderung und Ent-wicklung seiner endlichen Bestimmung hervor, und gab ihm nunmehr die gehörige Richtung, und den Blick auf das für jetzt noch kaum merkbare Ziel, damit er kein Tempo ver-säumen möchte.

Ungefähr um die nämliche Zeit, oder noch etwas später, bekam er auch einen Brief vom Pfarrer König zu Burgdorf im Emmenthal im Canton Bern, daß er kommen möchte; denn für die Sicherheit der Reisekosten sey gesorgt. Dieser Pfarrer König war staarblind, und hatte schon vorher mit Stilling desfalls correspondirt; dieser hatte ihm auch versprochen zu kommen, sobald er nur wisse daß ihm die Reisekosten erstat-tet würden. Jetzt fiengen also Stilling und Elise an, sich zur zweyten Schweizerreise zu rüsten.

Während aller dieser Vorfälle nahm Vater Wilhelms Ge-

sundheitszustand, der bisher so ganz fest und dauerhaft gewesen war, eine ganz andere Richtung: in Ansehung seiner
Seelenkräfte war er nun so ganz Kind geworden, daß er gar
keinen Verstand und Urtheilskraft mehr hatte; sein Körper
aber fieng an die zum Leben nöthigen Verrichtungen zu ver-
nachlässigen; zudem lag er sich wund, so daß nun sein Zustand höchst bedauernswürdig war, täglich mußte der Wundarzt mit ein Paar Gehülfen kommen, um ihm seinen wunden
Rücken und übrige Theile zu verbinden, wobey der arme
Mann so entsetzlich lamentirte, daß die ganze Nachbarschaft
um seine Auflösung betete.

Stilling konnte den Jammer nicht ertragen, er gieng gewöhnlich fort, wenn die Verbindungszeit kam; aber auch zwischen der Zeit winselte er öfters erbärmlich. Endlich kam dann
auch der Tag seiner Erlösung; am sechsten September Abends
um halb zehn Uhr gieng er zu den seeligen Wohnungen seiner
Vorfahren über. Stilling ließ ihn mit den Feyerlichkeiten begraben, die in Marburg bey Honoratioren üblich sind.

Wilhelm Stilling ist also nun nicht mehr hienieden; sein
stiller, von den Großen dieser Erde unbemerkbarer, Wandel,
war denn doch Saat auf eine fruchtbare Zukunft. Nicht der
ist immer ein großer Mann der weit und breit berühmt ist; —
auch der ist nicht immer groß, der viel thut, sondern der ists
im eigentlichen Sinn, der hier säet, und dort tausendfältig
erndtet. Wilhelm Stilling war ein Thränensäer — er gieng hin
und weinte, und trug edlen Saamen; jetzt wird er nun auch
wohl mit Freuden erndten. Seine Kinder Heinrich und Elise
freuen sich dereinst auf seinen Willkommen — Sie freuen sich,
daß er mit ihnen zufrieden seyn wird.

Acht Tage nach Vater Wilhelm Stillings Tod traten Stilling und Elise ihre zweyte Schweizer-Reise an: Montags den
13ten September 1802 fuhren sie von Marburg ab; in Frankfurth fand Stilling Augen-Patienten, die ihn ein Paar Tage
aufhielten. Donnerstags den 16ten kamen sie des Nachmittags

frühzeitig nach Heydelberg; der Willkommen bey Freundin Mieg war erschütternd von beyden Seiten. Mieg war in Geschäften auf dem Lande, und kam erst gegen Abend wieder; er hatte des Mittags in Gesellschaft eines angesehenen Mannes gespeist, der den Gedanken geäußert hatte: ein großer Herr müsse Stilling bloß dafür besolden, daß er seinen wohlthätigen Beruf an Augen-Kranken ungehindert ausüben könnte. Dies machte Stilling wieder aufmerksam, und alles was vorhergegangen war. Der Traum jenes Handwerksmannes, Vater Wilhelms Tod, und nun diese Aeußerung — die weiter von keiner Bedeutung war, aber gerad jetzt Eindruck machte — und endlich wieder eine Schweizer-Reise — das alles zusammen brachte eine hochahnende Stimmung in Stillings Gemüth hervor.

Des folgenden Tages, Freytags den 17ten September, setzten beyde Reisende ihren Weg nach Carlsruhe fort.

Hier muß ich in meiner Erzählung etwas zurückgehen, um Alles unter einen gehörigen Gesichtspunkt zu bringen.

Jacob war — wie ich oben bemerkte — im verwichenen Frühjahr Vater geworden; ungeachtet seiner Geschicklichkeit und Rechtschaffenheit, und ungeachtet aller guten Zeugnisse der Marburger Regierung, war doch in Cassel für ihn nicht das geringste auszurichten. Nun konnte er bey seiner Denkungsart von der Rechts-Praxis unmöglich leben, sein Vater mußte ihn also beträchtlich unterstützen, und über das Alles sahe er nun den Anwachs einer Familie vor sich; dies Alles zusammen drückte den guten jungen Mann sehr, er hatte also dringend bey seinem Vater angehalten, er möchte ihn bey seiner Durchreise in Carlsruhe dem Kurfürsten empfehlen; denn er sey ja ursprünglich ein Pfälzer, und könne also auch dort Anspruch auf Versorgung machen.

Es ist Stillings ganzem Charakter zuwider, einen Fürsten, bey dem er in besondern Gnaden steht, um irgend etwas von der Art zu bitten, oder jemand zu einem Amt zu empfehlen.

So dringend nöthig nun auch seines Sohnes Versorgung war, so schwer und fast unmöglich dauchte es ihm, für ihn bey dem Kurfürsten anzuhalten.

Noch muß ich erinnern, daß die Gräfin von Waldeck, um dem Jacob bey seiner Hochzeit eine Freude zu machen, bey dem regierenden Grafen von Wernigerode angehalten hatte, Er möchte ihm den Justiz-Raths-Titel geben; dies geschahe, und der Kurfürst von Hessen erlaubte auch, daß er sich dieses Titels bedienen möchte. Jetzt wende ich mich nun wieder zur Fortsetzung der Geschichte.

Stilling und Elise kamen also Freytags den 17ten September des Abends in Carlsruhe an. Sonnabends Morgens, den 18ten, sahe Stilling in das bekannte Losungs-Büchlein der Brüder-Gemeine, welches auf jeden Tag im Jahr zween Sprüche aus der Bibel, nebst zweyen Lieder-Versen enthält: Der erste Spruch wird die Losung genannt, und der zweyte heißt der Lehrtext. Stilling nimmt es auf allen Reisen mit, um täglich einen religiösen Gegenstand zur Beschäftigung für Kopf und Herz zu haben. Mit Erstaunen fand er auf den heutigen Tag die Worte: 2 Sam. 7, V. 25. Bekräftige nun Herr Gott das Wort in Ewigkeit, das du über deinen Knecht und über sein Haus geredet hast, und thue wie du geredet hast. Der Lieder-Vers hieß:

> O laßt uns seine Treue ehren,
> Seyd ganz zu seiner Absicht da!
> Er führt sie aus, Hallelujah!

Nun suchte er auch den Lehrtext auf den heutigen Tag, und fand die schönen Worte: Sey getreu bis in den Tod, so will ich dir die Krone des Lebens geben! —

Dieser merkwürdige Umstand vollendete nun die froh-ahnende Zuversicht, es werde heute zu einer Art von Entwicklung kommen. Bald darauf trat ein Bedienter vom Hofe ins Zimmer, dieser brachte einen gnädigen Gruß vom Kurfürsten mit dem Ersuchen, um neun Uhr zu Ihm zu kommen, und den Mittag zur Tafel zu bleiben.

Diesem Befehl zufolge, und so vorbereitet, gieng also Stilling um neun Uhr ins Schloß, er wurde augenblicklich vorgelassen, und sehr gnädig empfangen. Nach einigen Wortwechselungen fühlte Stilling die Freymüthigkeit in sich, seinen Sohn zu empfehlen, er machte vorher die Vorbereitung, daß er sagte, es sey nichts schwerer für ihn, als Fürsten, die Gnade für ihn hätten, Anträge von der Art zu machen, allein seine Umstände und seine Lage drängten ihn so, daß er jetzt einmal eine Ausnahme von der Regel machen müßte: hierauf schilderte er nun seinen Sohn nach der Wahrheit, und erbot sich zu den gültigsten schriftlichen Beweisen, nämlich den Zeugnissen der Marburger Regierung; endlich bat er dann, Se. Durchlaucht möchten ihn nur von der Pike auf dienen lassen, und ihn dann so befördern wie er es verdiene; wenn er nur soviel bekäme, daß er bey gehöriger Sparsamkeit leben könne, so würde er das als eine große Gnade ansehen; dann schloß er mit den Worten: Ew. Durchlaucht nehmen mir diese erste und letzte Empfehlung nicht ungnädig. Der Kurfürst äußerte sich sehr gnädig, und sagte: Er wolle bey der Organisation der Pfalz sehen, ob Er ihn unterbringen könne; reden Sie doch auch, setzte der vortreffliche Fürst hinzu, mit den Ministern und Geheimen Räthen, damit sie von der Sache wissen, wenn sie zur Sprache kommt! — Daß das Stilling versprach, und auch das Versprechen hielt, das versteht sich.

Diese Vorbereitung hatte nun Veranlassung gegeben, von Stillings eigener Lage zu reden; der Kurfürst flößte Stilling ein solches Zutrauen ein, daß er sich gerade aus so erklärte, wie es in seinem Innern lag; hierauf sagte der große und edle Fürst: Ich hoffe, Gott wird mir Gelegenheit verschaffen, Sie aus dieser drückenden Lage heraus zu bringen, und so zu setzen, daß Sie bloß Ihrer religiösen Schriftstellerey, und Ihrer

Augen-Kuren warten können; Sie müssen von allen irrdischen Geschäften und Verhältnissen ganz frey gemacht werden.

Wie Stillingen in dem Augenblick — in welchem ihm die große Entwicklung seines Lebensplans so herrlich aus der Ferne entgegenstralte — zu Muthe war, das ist unbeschreiblich. Eilen Sie mit der Ausführung dieser Sache? fuhr der Kurfürst fort. Stilling antwortete: nein! gnädigster Herr! auch bitte ich unterthänigst, ja zu warten, bis die Vorsehung irgendwo eine Thür öffnet, damit niemand darunter leidet, oder auf irgend eine Art zurückgesetzt wird. Der Fürst erwiederte; also ein halb Jahr oder ein Jahr könnten Sie noch wohl warten? Stilling antwortete: ich warte so lang es Gott gefällt, bis Ew. Durchlaucht den Weg gefunden haben, den die Vorsehung vorzeichnet.

Das übrige dieses in Stillings Geschichte merkwürdigen Tages, übergehe ich, nur das bemerke ich noch, daß er auch der Frau Markgräfin aufwartete, die sich noch immer über den Tod Ihres Gemals nicht trösten konnte.

Wer den Kurfürsten von Baden kennt, der weiß, daß dieser Herr nie sein fürstlich Wort wieder zurücknimmt, und allemal mehr hält und thut, als er versprochen hat. Jedes christliche Herz, das Gefühl hat, kann Stilling nachempfinden, wie ihm jetzt zu Muthe war. Gelobet sey der Herr! seine Wege sind heilig, wohl dem, der sich ihm ohne Vorbehalt ergiebt! — Wer sich auf Ihn verläßt, wird nicht zu Schanden.

Sonntags Morgens operirte Stilling noch einen alten armen Bauersmann, den der Kurfürst selbst hatte kommen lassen; dann setzte er mit seiner Elise die Reise nach der Schweiz fort. Je näher sie diesem ihren Ziel kamen, desto furchtbarer wurde das Gerücht, daß die ganze Schweiz unter den Waffen, und im Aufstand sey; angenehm war das nun freylich nicht, allein Stilling wußte, daß er in seinem wohlthätigen Beruf reiste, und faßte also auch mit Elise ein festes Vertrauen auf die göttliche Bewahrung, und dies Vertrauen war auch nicht vergeblich.

In Freyburg im Breißgau erfuhren sie die harte Prüfung, welche die Stadt Zürich den 13ten September hatte aushalten müssen, aber auch, daß sie den Schutz Gottes mächtig erfahren hatte. Dienstags den 21sten September kamen sie des Abends zu Basel im lieben Schorndorfischen Hause gesund und glücklich an, da es aber in der Gegend von Burgdorf noch immer unruhig war, so schrieb Stilling an den Pfarrer König, er sey in Basel, und erwarte von ihm Nachricht, wann er sicher kommen könne? Bis diese Nachricht kam, waren sie beyde ruhig und vergnügt in Basel; er diente einigen Augenkranken, und operirte auch zween Blinde.

Am folgenden Tage, Mittwochs den 22. September, hatte Stilling eine große Freude: in Basel lebt ein sehr geschickter Maler, Marquard Wocher, ein Mann vom edelsten Herzen, und christlichen Gesinnungen; dieser hatte Stillingen auf der ersten Schweizer-Reise zu einem dortigen angesehenen Mann, Herrn Reber geführt, der eine sehr prächtige Gemälde-Sammlung hat; hier zog ein *ecce homo* Gemälde Stillings ganze Aufmerksamkeit auf sich. Bey der längeren Betrachtung dieses leidenden Christus-Bildes kamen ihm die Thränen in die Augen; Wocher bemerkte dies, und fragte: Gefällt Ihnen dies Stück? — Stilling antwortete: Ausnehmend! — Ach wenn ich nur eine treue Copie davon hätte! — aber ich kann sie nicht bezahlen — Die sollen sie haben, erwiederte Wocher, ich mache Ihnen ein Präsent damit.

Jetzt heute brachte Wocher dies prächtige Stück zum Willkomm, alle Kenner bewundern es.

Hier ist nun auch der Ort, wo ich einer außerordentlichen Wohlthat Gottes gedenken muß — wer kann sie alle erzählen? — aber eine und andere, die mit dieser Geschichte in Verbindung steht; kann doch nicht übergangen werden.

Meine Leser werden sich des Meister Isaacs zu Waldstädt

erinnern, wie er Stilling so liebevoll in der höchsten Tiefe seines Elends aufnahm, und von Haupt bis zu Fuß kleidete; nun hatte ihm zwar Stilling, als er bey Spanier war, die baaren Auslagen wieder ersetzt, aber es drückte ihn doch oft, daß er der braven Familie dieses edlen Mannes jene Liebe auf keine Weise vergelten könne. Jetzt kam es zu dieser Vergeltung, und zwar auf eine herrliche Gottgeziemende Weise.

Der älteste Sohn des Meister Isaacs hatte auch das Schneider-Handwerk gelernt, war dann auf seiner Wanderschaft nach Basel gekommen, hatte sich einige Jahre dort aufgehalten, und da er auch das wahre Christenthum liebt, so war er dort auch mit wahren Christus-Verehrern bekannt geworden, hernach hatte er sich dann in Waldstädt — Rade vorm Wald im Herzogthum Berg — seiner Vaterstadt als Schneidermeister niedergelassen, seine Geschwister zu sich genommen, und mit ihnen hausgehalten; da er aber das Sitzen nicht vertragen konnte, so fieng er eine kleine Handelschaft an: ein braver Kaufmann gab ihm Credit, und so nährte er sich und seine Geschwister ehrlich und redlich. Jetzt in diesem Sommer den 24sten August kommt Feuer aus, die ganze Stadt liegt in wenigen Stunden ganz in der Asche, und den guten Kindern des frommen Isaacs war nicht allein das, was ihnen selbst zugehörte, sondern auch der ganze Vorrath erborgter Waaren verbrannt. Freund Becker — so schreibt sich eigentlich die Familie — schrieb dies Unglück nicht selbst an Stilling, dazu denkt er zu delicat; aber ein anderer Freund schrieb ihm, und erinnerte ihn, was er dieser Familie schuldig sey — Stilling gerieth in Verlegenheit; das, was er der Familie schenken konnte, wenn er sich auch aufs stärkste angrif, war immer nur eine Kleinigkeit für sie, und doch für ihn in seiner Lage drückend; er schickte also etwas, und da er gerade jetzt kurz vor der Reise das 12te Stück des grauen Mannes schrieb, so fügte er hinten eine Nachricht von diesem Unglück an, und bat um mitleidsvolle Hülfe. Jetzt in Basel mußte nun Stilling auf Ersuchen der Mitglieder von der deutschen Gesellschaft, eine Erbauungs-Rede halten, wo etliche hundert Menschen versammelt waren; am Schluß der Rede, erinnerte Stilling an ihren ehemaligen Freund, und erzählte sein Unglück, dies wirkte so viel, daß diesen Abend beynahe hundert Gulden gesammelt wurden, die man Stilling brachte. Dies war der hübsche Anfang einer ansehnlichen Hülfe: denn die Erinnerung im 12ten Stück des grauen Mannes hat den Beckerischen Kindern ungefehr tausend und der Stadt Rade vorm Wald gegen fünfhundert Gulden eingetragen, welches Geld alles an Stilling eingesendet wurde.

Ich erzähle dieses bloß deswegen, um zu beweisen, daß der Herr für diejenigen, die sich ganz und unbedingt von ihm führen lassen, so vollkommen sorgt, daß sie durchaus alle Schulden, auch sogar die Liebeserzeigungen wieder erstatten können.

In einigen Tagen kam dann auch die Nachricht von Burgdorf, daß dort Alles ruhig sey, daher machten sich Stilling und Elise Mittwochs den 29sten September auf den Weg; in Liestall operirte er jemand, zu Leufelfingen speisten sie bey Freundin Flühebacherin, zu Olten fanden sie Freunde und Freundinnen von Aarau, mit denen sie Thee tranken, und zu Aarburg holte sie der würdige Schultheiß Senn von Zofingen ab, bey dem sie übernachten sollten; als sie nun so in den Abendstunden das herrliche Aarthal hinauf fuhren, und die zum Untergang sich neigende Sonne die ganze Landschaft überstralte, so sahe Stilling auf einmal im Südwesten über dem Horizont eine purpurfarbige Lufterscheinung, prächtig anzusehen; bald entdeckte er, daß es ein Schneegebürge, wahrscheinlich die Jungfrau oder das Jungferhorn war. Wer so etwas nie gesehen hat, der kann sich auch keine Vorstellung davon machen, es ist eben, als sehe man in eine überirrdische Landschaft, ins Reich des Lichts, allein bey diesem Sehen bleibts auch, denn dorthin zu klettern, und da im ewigen

Schnee und Eis zu hausen, das möchte wohl eben nicht angenehm seyn. Freund Senn, der in seinem Cabriolet vorausfuhr, drehte sich um, und sagte, welch' eine Majestät Gottes — ich habe nun die Schneeberge so viel hundertmal beleuchtet gesehen, und doch rührt mich der Anblick noch immer.

Nach einer sehr liebreichen Bewirthung im Sennischen Hause zu Zofingen, fuhren sie des andern Morgens nach Burgdorf, wo sie des Abends um 6 Uhr ankamen, und sich ins Pfarrhaus einlogirten. Die Stadt Burgdorf liegt auf einem Hügel, der einem Sattel ähnlich ist, auf der Spitze gegen Abend steht die Kirche mit dem Pfarrhaus, und auf der Spitze gegen Morgen liegt das Schloß, zwischen beyden Spitzen auf dem Sattel selbst befindet sich die Stadt, die dann wie eine bunte Satteldecke an beyden Seiten hinabhängt; an der Nordseite rast die Emme, ein reissender Waldstrom, vorbey, von beyden Spitzen hat man eine vortrefliche Aussicht: gegen Nordwesten den Jura, dort das blaue Gebürge genannt, und im Süden erscheint dann wieder die prächtige Alpenreihe, vom Mutterhorn und Schreckhorn an, bis weit über die Jungfrau hinaus.

Hier operirte Stilling verschiedene Blinde; der würdige Pfarrer König wurde auch mit einem Auge vollkommen sehend, ausserdem aber bediente er viele Augenpatienten. Einer Operation muß ich noch besonders gedenken, weil dabey etwas vorfiel, das den Character der Schweizerbauern ins Licht stellt: zwei schöne starke Männer, bäurisch aber gut und reinlich gekleidet — Reinlichkeit ist ein Hauptcharakterzug der Schweizer — kamen mit einem alten ehrwürdigen Graukopf ins Pfarrhaus, und fragten nach dem fremden Doctor; Stilling kam, und nun sagte der Eine: da bringe wer unsern Vater — er ischt blend — chönnterm helfe? — Stilling besahe seine Augen, und antwortete: Ja lieben Freunde! Mit Gottes Hülfe soll euer Vater sehend wieder nach Haus gehen. Die Männer schwiegen, aber die hellen Thränen perlten die Wangen herab, dem blinden Greiß bebten die Lippen, und die starren Augen wurden naß.

Bey der Operation stellte sich der eine Sohn auf die eine Seite des Vaters, und der Andere auf die andere Seite, in dieser Stellung sahen sie zu; als nun alles vorbey war, und der Vater wieder sah, so flossen wieder die Thränen, aber keiner sagte ein Wort, ausser daß nun der Aelteste fragte: Herr Dochtor! was sind wer schuldig? — Stilling antwortete: ich bin kein Arzt für Geld, da ich aber auf der Reise bin, und viele Kosten habe, so will ich etwas annehmen, wenn ihr mir etwas geben könnt, es darf euch aber im geringsten nicht drücken; — pathetisch erwiederte der älteste Sohn — uns drückt nichts, wenns unsern Vater betrift! — und der Jüngere setzte hinzu: unsre linke Hand nimmt nicht wieder zurück, was die Rechte gegeben hat! — das sollte so viel heißen — das was wir geben, das geben wir gern. Stilling drückte ihnen mit Thränen die Hände, und sagte: vortreflich! — ihr seyd edle Männer — Gott wird euch seegnen!

Stilling und Elise bekamen viele Freunde und Freundinnen in Burgdorf; man überhäufte sie mit Wohlwollen und Liebes-Erzeigungen, und die vortrefliche Frau Pfarrerin König beschämte sie durch ihre überfließende treue Verpflegung und Bewirthung. Hier lernten sie nun auch den berühmten Pestaluzzi und sein Erziehungs-Institut kennen, das jetzt allenthalben so viel Aufsehens macht. Pestaluzzis Hauptcharakterzug ist Menschen- und besonders Kinderliebe; daher hat er sich auch seit langer Zeit mit dem Erziehungs-Geschäfte abgegeben; er ist also ein achtungswerther edler Mann. Eigentlich ist seine Erziehungs-Methode nicht der Gegenstand, der so viel Aufsehens macht, sondern die Lehr-Methode, der Unterricht der Kinder — dieser ist erstaunlich, niemand glaubt es bis er es gesehen, und gehört hat — aber eigentlich werden dadurch nur die Anschauungs-Begriffe entwickelt, die sich auf Raum und Zeit beziehen; darinnen bringen es diese Zöglinge in kurzer Zeit zu einem hohen Grad der Vollkommenheit. Wie es aber nun mit der Entwicklung abstrakter Begriffe, dann der sittlichen und religiösen Kräfte gehen, und was überhaupt die Pestaluzzische Methode für Einfluß auf das praktische Leben in die Zukunft haben wird, das muß man von der Zeit erwarten. Deswegen sollte man behutsam seyn, und erst einmal sehen, was aus den Knaben wird, die auf diese Art gebildet worden sind. — Es ist doch warlich! bedenklich, in Erziehungs-Sachen so schnell zuzufahren, ehe man des guten Erfolgs gewiß ist.

Montags den 4ten October des Nachmittags reisten Stilling und Elise vier Stunden weiter nach Bern, wo sie bey dem Verwalter Niehans einem frommen und treuen Freund Gottes und der Menschen einkehrten. Der viertägige Aufenthalt in dieser ausnehmend schönen Stadt war gedrängt voller Geschäfte: Staar-Operationen, Bedienung vieler Augenkranken, Besuche geben und annehmen, lösten sich immer mit großer Eile ab. Dann gewonnen auch hier wieder beyde Reisende einen großen Schatz von Freunden und Freundinnen, besonders kam Stilling mit den dreyen gottesfürchtigen Predigern Wyttenbach, Müeßlin und Lorsa in nähere Bekanntschaft. Auch die schätzbaren Brüder Studer dürfen nicht vergessen werden; der eine beschenkte ihn mit einem herrlichen illuminirten Kupferstich, der die Aussicht von Bern auf die Schneegebirge vorstellt, und von ihm selbst verfertigt ist.

Sonntags Morgens den 10ten October reisten Stilling und Elise wieder von Bern ab; unterwegs besahen sie zu Hindelbank das berühmte Grabmahl der Frau Pfarrerin Langhans, welches der hessische große Künstler Nahl verfertigt hat.

Zu Burgdorf operirte Stilling noch einige Blinde, und dann reisten beyde wieder über Zofingen nach Zürich, Winterthur und St. Gallen, wo sie bey dem frommen und gelehrten Antistes Stähelin logirten, und wiedrum mit vielen edlen Menschen das Band der Freundschaft knüpften. Hier operirte er nur eine Person, diente aber mehrern Augenkranken.

Mittwochs den 27sten October fuhren sie durch das paradiesische Thurgau längs dem Bodensee nach Schafhausen, unterwegs zu Arbon wurde noch ein Mann vom Staar befreyt. In Schafhausen kehrten sie wieder im lieben Kirchhoferischen Hause ein. Auch hier gabs wieder viel zu thun, aber auch Gemüths-Unruhe und Traurigkeit, denn Sonntags den 31sten October, des Nachmittags rückten schon die Franzosen da ein.

Montags, den 1sten November, verließen sie die liebe Schweiz, und da ein blinder Kaufmann von Ebingen einen Expressen nach Schafhausen geschickt hatte, so mußten sie einen beträchtlichen Umweg über Mößkirch und die schwäbische Alb nehmen; von Ebingen wurden sie nach Balingen abgeholt, wo es auch viel zu thun gab, und von da fuhren sie dann nach Stuttgard, wo sie im Seckendorfischen Hause einen gesegneten Aufenthalt hatten, und wo Stilling auch wieder vielen Leidenden dienen konnte.

Hier fand er auch zu seiner großen Freude den Herrnhuter Unitäts-Aeltesten Goldmann, mit dem er in ein inniges Bruder-Verhältniß kam.

Von Stuttgard mußten sie wieder einen großen und beschwerlichen Umweg über den Schwarzwald nach Calw nehmen, wo Stilling den frommen Pfarrer Hävlin von Neu-Bulach, mit seiner lieben trefflichen Gattin und Tochter fand, die ihm alle drey schon durch Briefwechsel bekannt waren. Auch hier versammelte sich, im Hause des christlichen Buchhalters Schille, ein Kreis edler Menschen um die Reisenden her. Von hier fuhren sie nun Dienstags, den 9ten November, nach Carlsruhe. Auf Verlangen der Frau Markgräfin hatte Stilling diesen Umweg wieder gemacht, weil sich dort noch Blinde fanden, die operirt werden mußten. Der Kurfürst wiederholte sein Versprechen, und Freytags den 12ten November traten sie ihre Nachhause-Reise über Mannheim und Frankfurth an, hier und in Vilbel wurden noch drey Blinde operirt, und Dienstags den 16ten November, kamen sie gesund und glücklich wieder in Marburg an.

Die erste Schweizer-Reise löste den ersten Stillings-Knoten, nämlich die Bezahlung der Schulden, und die zweyte löste den zweyten, nämlich Stillings endliche Bestimmung.

Was der erhabene Welt-Regent anfängt, das vollendet er auch im Kleinen wie im Großen, in der Bauernhütte, wie am Hof. Er vergißt so wenig der Ameise, wie des größten Monarchen. Ihm mißlingt nichts, und nichts bleibt ihm stecken. Die Vorsehung gieng ihren hohen Gang fort.

Bruder Coing heirathete im Frühjahr 1802 ein treffliches Frauenzimmer, das seiner werth ist. Stilling, Elise, Schwester Maria und Jacob reisten auf die Hochzeit, welche zu Homberg in Niederhessen, im Hause der würdigen Frau Metropolitanin Wiskemann, der Braut Mutter, gefeyert werden sollte. Nun lebt in Cassel ein edler, christlichgesinnter und vermögender Mann, der Rath Cnyrim, dieser war Wittwer, und seine beyden liebenswürdigen Kinder verheirathet; er lebte also mit einem Bedienten und einer Köchin allein, und bedurfte nun wieder eine fromme und rechtschaffene Gattin, die an seiner Hand den Lebensweg mit ihm fortpilgerte. Ein Bruder dieses würdigen Mannes ist Prediger in Homberg, und ebenfalls ein sehr lieber Mann, dieser sahe und beobachtete Schwester Maria, und fand, daß sie seinen Bruder in Cassel glücklich machen würde. Nach Beobachtung der gehörigen Vorsichts- und Wohlstands-Regeln, kam diese Verbindung zu Stande, und Maria — die edle, sanfte, gute und christliche Seele, hat einen Mann bekommen, so wie er gerade für sie paßt; sie ist so glücklich, wie man hienieden seyn kann.

So ruht der Eltern Coing Segen auf ihren vier Kindern; sie sind alle glücklich und gesegnet verheirathet: denn Bruder Coing hat eine Gattin bekommen, wie sie der Herr einem

Manne giebt, den er liebt; auch Amalia lebt glücklich mit Stillings rechtschaffenem Sohn; Elise geht den sauersten und schwersten Gang, an Stillings Seite, allein nebst Vater Coings Segen, wird ihr Vater Wilhelm noch eine besondere Gnade vom Herrn erbitten.

Das 1802te Jahr wurde mit einem angenehmen Besuch beschlossen: Stillings nächster Blutsverwandter, und vertrauter Jugend-Freund von der Wiege an, der Ober-Bergmeister von Dillenburg besuchte ihn auf einige Tage; er ist Johann Stillings zweyter Sohn, und ein rechtschaffener geschickter Mann, beyde erneuerten ihren Bruderbund und schieden dann wieder von einander.

Im Anfange des 1803ten Jahres trug sich etwas zu, das auf Stillings endliche Bestimmung einen wichtigen Einfluß hatte: es kam nämlich ein Rescript von Cassel an die Marburger Universität, des Inhalts: Daß kein Schriftsteller in Marburg seine Geistes-Producte dem Druck übergeben sollte, bis sie vom Prorector und dem Decan der Facultät, in deren Fach die Abhandlung gehöre, geprüft worden sey.

Diese Einschränkung der Preßfreyheit, die nicht etwa das ganze Land, oder alle gelehrte Schulen und Gelehrten in Hessen, sondern bloß und allein Marburg betraf, that allen dortigen Professoren, die sich im geringsten nichts Böses bewußt waren, ungemein wehe: denn wie sehr dadurch ein ehrlicher Mann allen nur möglichen Neckereyen ausgesetzt wird, wenn zween seiner Collegen das Recht haben, seine Arbeiten zu prüfen; das können nur Gelehrte, eigentlich nur Professoren beurtheilen, die das ohnehin so schwere Collegial-Verhältniß auf Universitäten kennen.

Stilling dachte hin und her — und das that wohl jeder Marburger Professor — was doch wohl die Veranlassung zu diesem so sehr harten Rescript gewesen seyn möchte? — Jetzt war, außer den gewöhnlichen akademischen Schriften, Programmen, Dissertationen u. d. g. nichts von einem Marburger

Verfasser herausgekommen, als der graue Mann von Stilling, und dann die theologische Annalen von Wacheler; einer von beyden mußte also wahrscheinlicher Weise verdächtig gemacht worden seyn. Stilling durchdachte die letzten Hefte des grauen Mannes, und fand nicht das geringste Anstößige; er konnte also unmöglich denken, daß eine so orthodoxe Schrift, welche Religiosität, die allgemeine Ruhe und Sicherheit, und die Erhaltung des Gehorsams und der Liebe der Unterthanen gegen ihre Regenten zum Zweck hat, Ursach zu diesem, für die Universität so traurigen Gesetz gegeben habe; um aber doch zur Gewißheit in dieser Sache zu kommen, schrieb er einen sehr höflichen und herzlichen Brief an einen gewissen Herrn in Cassel, dem er in seinem Leben kein Haar gekränkt hatte, und erkundigte sich mit Bescheidenheit nach der Ursache des harten Censur-Rescripts — allein wie erschrack er, als er in einer ziemlich stachlichten, nicht liebevollen Antwort, die Nachricht bekam: der graue Mann habe das Censur-Rescript veranlaßt — nach und nach wurde dies auch allgemein bekannt, und nun kann sich jeder leicht vorstellen wie Stilling zu Muthe seyn mußte, wenn er bedachte, daß er die Veranlassung zu einer, für die Universität so schweren, Bürde, gegeben habe; jetzt war er nun auf einmal mit Marburg und Hessen fertig; — Zeit und Weile wurden ihm zu lang, bis der Herr sein Schicksal vollends entschied. Daß der Kurfürst von Hessen an diesem Rescript durchaus unschuldig war, das brauche ich wohl nicht zu erinnern — Wie kann ein großer Herr alle Schriften lesen und prüfen? — diese und noch viele andere Sachen muß er sachkundigen Männern zur Entscheidung überlassen. Ich berufe mich auf alle Leser des grauen Mannes, und wenn mir einer eine einzige Stelle zeigen kann, die den Reichs-Censur-Gesetzen entgegen ist, so will ich verloren haben.

Hätte man nun nicht Stillingen einen Wink geben sollen, er möchte doch den grauen Mann nicht schreiben? — ihn aber der ganzen Universität, allen seinen Collegen zum Stein des Anstoßes zu machen, das war sehr hart für einen Mann, der dem Fürsten und dem Staat sechzehn Jahr lang mit aller Treue gedient hat.

Ja wahrlich! jetzt war in Hessen Stillings Bleibens nicht mehr, und wie gut war es, daß er nun gerade kurz vorher in Carlsruhe eine frohe Aussicht erhalten hatte. Er erklärte öffentlich, und auch in seinem Votum, welches auf sein Verlangen der Vorstellung der Universität an den Kurfürsten beygelegt wurde, Seine Durchlaucht möchte doch der Universität das Censur-Rescript wieder abnehmen, er allein wolle sich ihm unterwerfen, allein das half nicht, es blieb bey dem einmal gegebenen Gesetz.

Der Kurfürst hatte übrigens von jeher viele Gnade für Stilling, er wird Ihm noch in der Ewigkeit dafür danken, und seine ehrfurchtsvolle Liebe gegen diesen in so mancher Absicht großen Fürsten wird nie erlöschen.

In diesen Osterferien kam es wieder zu einer wichtigen und merkwürdigen Reise: In Herrnhut in der Ober-Lausitz und den dortigen Gegenden waren viele Blinde und Augenkranke, die Stillings Hülfe verlangten, sein treuer und lieber Correspondent Erxleben schrieb ihm also: er möchte kommen, für die Erstattung der Reisekosten sey gesorgt. Stilling und Elise rüsteten sich also wiederum zu dieser großen Reise: denn Herrnhut ist von Marburg neun und funfzig deutsche Meilen entfernt.

Freytags den 25sten März reisten sie von Marburg ab, wegen der bösen Wege in Thüringen, beschlossen sie über Eisenach zu gehen, hier sahe Stilling seinen vieljährigen Freund den Kammer-Director von Göchhausen zum erstenmal, dieser edle Mann war krank, indessen es besserte sich bald wieder mit ihm. Unterwegens hielten sie sich nirgends auf; sie fuhren über Gotha, Erfurth, Weimar, Naumburg, Weißenfels, Leipzig, Wurzen — wo sie mit ihrem christlichen Freund, dem

Gerichts-Director Richter, welcher nebst seiner Tochter Auguste mit Stilling in einem erbaulichen Briefwechsel steht, ein paar Stunden sehr angenehm zubrachten — und Meissen nach Dresden; hier übernachteten sie im goldnen Engel, und fanden auch hier ihren Freund von Cuningham kränklich; Stilling machte noch diesen Abend einen Besuch bey dem verehrungswürdigen Minister von Burgsdorf, und wurde wie ein christlicher Freund empfangen.

Freytags den ersten April reisten sie nun in die Lausitz, sie kamen am Nachmittag schon zu Kleinwelke, einem schönen Herrnhuter Gemeinort, an; sie fanden ihren Freund den Prediger Nietschke in tiefer Trauer, er hatte seine trefliche Gattin vierzehn Tage vorher für dieses Leben verloren. Stilling weinte mit ihm, denn das ist der beste Trost, den man einem Mann geben kann, dem, so wie Nietschke, alle Trostquellen geöffnet sind; die Natur fordert ihr Recht, der äussere Mensch trauert, indem der innere Gott ergeben ist.

Hier wohnten sie des Abends der Singstunde, oder dem Anfang der Feyer der Charwoche bey, auch machten sie angenehme Bekanntschaften. Stilling besahe auch einige Blinde, die er bey der Rückreise operiren wollte.

Sonnabends den 2ten April fuhren sie des Morgens von Kleinwelke über Budissin und Löbau nach Herrnhut. Dieser Ort liegt auf einer flachen Anhöhe zwischen zwey Hügeln, deren der eine nördlich, der andere südlich ist; jener heißt der Hutberg und dieser der Heinrichsberg, auf jedem steht ein Pavillon, von dem die Aussicht ausserordentlich schön ist: gegen Osten etwa fünf Stunden weit, sieht man das majestätische Schlesische Riesengebürge, und gegen Mittag nach Böhmen hin.

Wie herzlich und liebevoll Stilling und Elise an diesem äusserst lieben und angenehmen Ort empfangen wurden, und was sie Gutes da genossen haben, das läßt sich unmöglich beschreiben. Eben so wenig kann ich die Geschichte des zehntägigen Aufenthalts erzählen, denn es würde dies Buch allzusehr vergrößern, und dann wurde auch Stilling von den Vorstehern ernstlich ersucht, ja nicht viel zum Lob der Brüdergemeine zu sagen und zu schreiben: denn sie gedeyhten besser unter Druck, Verachtung und Vergessenheit, als wenn man sie rühmt.

Erxleben und Goldmann freuten sich vorzüglich ihrer Ankunft, der erste als Correspondent, und der zweyte als persönlicher Bekannter von Stuttgardt her. Daß ich übrigens keines Freundes und keiner Freundin weiter hier namentlich gedenke, wird mir niemand verübeln — wie könnte ich sie alle nennen? — und geschehe das nicht, so könnte es dem wehe thun, der ausgelassen würde.

Würde ich auch nur die vielen Standespersonen und Adlichen, mit denen Stilling und Elise hier in ein brüderliches Verhältniß kamen, bemerken wollen, so müßte das der Menge der vortreflichen Seelen aus der Bürgerschaft wieder leid thun, und das mit Recht: denn in dem Verhältniß, worinnen man in Herrnhut steht, ist man alle im Herrn Jesu Christo verschwistert, da gilt kein Stand mehr etwas, sondern die neue Creatur, die aus Wasser und Geist wiedergeboren ist. Wer übrigens Herrnhut in seiner religiösen und politischen Verfassung gern kennen möchte, der lese nur Pastor Frohbergers Briefe über Herrnhut, da findet er alles genau beschrieben.

Die Feyer der Charwoche ist in allen Brüdergemeinen, vorzüglich aber in Herrnhut herzerhebend und himmlisch, Stilling und Elise wohnten allen Stunden, die ihr gewidmet sind, fleißig und andächtig bey; auch erlaubten ihnen die ehrwürdigen Bischöfe und Vorsteher, am grünen Donnerstag Abend mit der Gemeine zu communiziren; diese Communion ist, was sie eigentlich seyn soll: eine feyerliche Vereinigung mit dem Haupte Christo und mit allen seinen Gliedern unter allen Religionspartheyen. Was ein christlich gesinntes Herz in dieser

Stunde empfindet, und wie einem da zu Muth ist, das kann nicht beschrieben, sondern es muß erfahren werden. Es war Stilling zu dieser Zeit zu Muth, als wenn er zu seiner neuen künftigen Bestimmung eingeweiht würde; und zu solch einer Einweihung war denn freylich kein Ort geschickter, als der, wo Jesus Christus und seine Religion vielleicht am reinsten und lautersten in der ganzen Welt bekannt und gelehrt wird, als der Ort, wo nach dem Verhältniß der Menschen-zahl überhaupt, gewiß die mehresten wahren Christen wohnen.

Zweyer Personen in Herrnhut muß ich doch noch besonders gedenken: nämlich der dortigen Ortsherrschaft, welche aus dem Baron von Wattewille und seiner Gemahlin, einer ge-bornen Gräfin von Zinzendorf, besteht; diese würdige Dame ist ihrem seligen Vater sehr ähnlich, und fließt auch eben so von Gottes- und Menschenliebe über; auch ihr Gemahl ist ein edler und Gottliebender Mann; beyde erzeigten Stilling und Elise viele Freundschaft.

Stilling operirte in Herrnhut verschiedene Personen, und gieng einigen Hunderten mit Rath und That an die Hand. Das Gedränge der Hülfsbedürftigen war außerordentlich groß.

Dienstags, den 12ten April, also am dritten Ostertag, rei-sten sie unter dem Segen vieler edler Menschen von Herrnhut nach Klein-Welke. Hier wurden noch einige operirt, und am folgenden Tage fuhren sie nach Dresden, wo sie bis den Sonn-abend blieben, und dann ihren Rückweg über Waldheim, Coldiz, Grimma und Wurzen nach Leipzig nahmen. Die Ur-sachen dieses Umwegs waren einige Blinden im Armenhause zu Waldheim, denen der liebevolle Vater der Armen, der Minister von Burgsdorf, gern zu ihrem Gesicht helfen wollte, und dann eine freundliche Einladung seiner Kinder von Hopf-garten in Coldiz; hier operirte Stilling die letzten Staarblin-den auf dieser Reise. Es thut mir wehe, daß ich nicht allen den

lieben vortrefflichen Menschen, die Stilling und Elise so unaussprechlich viele Liebe erzeigt, und mit denen sie sich auf
Zeit und Ewigkeit vereinigt haben, hier laut und öffentlich
danken kann und darf; allein jeder sieht ein, daß das aus
vielen wichtigen Gründen nicht angeht. Wir wollen das auf
die Ewigkeit versparen.

Donnerstags, den 21sten, Nachmittags reisten sie von Leip-
zig ab, und blieben über Nacht in Weissenfels; den folgenden
Tag fuhren sie bis Weimar; und da sie Bestellungen nach dem
Herrnhuter Gemeinort Neu-Dietendorf hatten, so machten
sie von Erfurth aus einen kleinen Umweg dahin, blieben den
Sonntag da, und reisten dann des Montags über Gotha nach
Eisenach. In Gotha wartete Stilling dem Herzog auf, mit dem
er eine kurze interessante Unterredung hatte.

In Eisenach fanden sie ihren lieben Freund von Göchhausen
wieder besser; mit ihm, seinem Bruder und Schwester, und
mit dem würdigen Doctor Müller brachten sie einen vergnügten Abend zu, und fuhren dann Dienstags, den 26sten April,
nach Cassel. Hier ruhten sie nun aus bis Montags den 2ten
May. Bruder Coing kam mit seiner Gattin auch dahin, alle
Geschwister waren diese Tage über sehr vergnügt zusammen.
Dann reiste Bruder Coing mit seiner Julie wieder nach Hause,
und Stilling und Elise an so eben bemerktem Tage wieder
nach Marburg.

Es ist bekannt, daß der Landgraf von Hessen-Cassel in
diesem Frühjahr die Kurwürde annahm, zu welchem Ende
große Feyerlichkeiten veranstaltet wurden. Während dieser
Zeit, Freytags den 20sten May, bekam Stilling des Morgens
früh einen Brief durch eine Staffette von Cassel, in welchem
er ersucht wurde, augenblicklich Post zu nehmen und dorthin
zu kommen, denn der Prinz Carl von Hessen aus Dännemark
sey da, er habe seinen Bruder unerwartet überrascht, und
wünsche nun auch Stilling zu sprechen. Dieser machte sich also

sogleich auf, bestellte Post, Elise rüstete sich auch, und um halb sechs saßen beyde schon in ihrer Kutsche; Abends um neun Uhr kamen sie bey den Geschwistern Cnyrim in Cassel an. Die beyden folgenden Tage verlebte Stilling äußerst vergnügte Stunden mit dem Prinzen: Sachen von der äußersten Wichtigkeit, das Reich Gottes betreffend, wurden verhandelt. Prinz Carl ist ein wahrer Christ; Er hängt mit dem höchsten Grad der Liebe und der Verehrung am Erlöser, Er lebt und stirbt für ihn, dabey hat Er seltene und außerordentliche Kenntnisse und Erfahrungen, die aber bey weitem nicht für jedermann sind, und von denen hier auf keinen Fall die Rede seyn kann. Nach einem christlichen und liebevollen Abschied von diesem großen und erleuchteten Fürsten, reisten also Stilling und Elise, Montags den 23sten May, wieder von Cassel ab, und kamen des Abends in Marburg an.

Diesen Sommer waren Stillings Collegien sehr schlecht besetzt. Hätte er vorigen Herbst nicht die neue Aussicht in Carlsruhe bekommen, so würde er sich nicht haben trösten können. Jetzt nahten nun die Pfingstfeyertage heran. Stilling und Elise hatten sich schon lange vorgenommen, in diesen Ferien ihre Freunde zu Wittgenstein zu besuchen, und weil Stillings Geburts-Dörfchen nur fünf Stunden von dort entfernt ist, so wollten sie zusammen nach Tiefenbach und Florenburg wallfahrten, und alle die Oerter besuchen, die Stillings Jugend und Jünglings-Jahre — wenigstens ihnen beyden — merkwürdig gemacht hatte. Stilling freute sich sehr, diese Oerter, die er in sieben bis acht und dreyßig Jahren nicht gesehen hatte, am Arm seiner theuren Elise einmal wieder zu besuchen. Ihn überlief ein Schauer, wenn diese Vorstellungen seiner Seele vorübergiengen.

Diesen Vorsatz auszuführen reisten beyde in Begleitung ihres achtjährigen Sohns Friedrich, dem sie des Vaters Heymath zeigen wollten, den Tag vor Pfingsten, Sonnabends den

28sten May nach Wittgenstein, welches sieben Stunden von Marburg entfernt ist. Der dortige gräfliche Canzley-Director Hombergk zu Vach ist gebürtig von Marburg, und nicht allein Elisens naher Blutsverwandter, sondern er und seine Gattin sind auch Stillings und Elisens vertraute Freunde und vortrefliche Menschen. Der Aufenthalt bey diesen guten Seelen war sehr wohlthätig, und alle dortige Freunde thaten ihr Bestes, um beyde Besuchende auf alle Weise zu erquicken und zu erfreuen.

Der Dienstag nach Pfingsten war nun der Tag, an welchem die Reise nach Stillings Geburtsort vorgenommen werden sollte; Hombergk und seine Gattin wollten sie begleiten — allein Stilling wurde von einer unerklärbaren Angst überfallen, die sich vermehrte, so wie sich der Tag näherte, und die ihm die Ausführung seines Vorhabens unmöglich machte; so sehr er sich vorher auf die Besuchung des Schauplatzes seiner Jugend-Scenen gefreut hatte, so sehr schauderte er jetzt dafür zurück — es war ihm gerade so zu Muth, als ob dort große Gefahren auf ihn warteten, Gott weiß allein den Grund und die Ursache dieser so sonderbaren Erscheinung — es war nicht eine solche Angst, wie die, welche er auf der Braunschweiger Reise empfand, sondern es war vielleicht das Warnen seines Schutz-Engels, welches mit der Sehnsucht, seinen Geburtsort zu sehen, kämpfte, und dieser Kampf machte Leiden. Jener war ein Hiobs, dieser aber ein Jacobs Kampf. — Aus dieser Reise wurde also nichts, seine Lieben respectirten seine Angst, und gaben also nach.

Zu Wittgenstein kam nun endlich der merkwürdige Zeitpunkt, in welchem Stilling, im drey und sechzigsten Jahr seines Alters, die Entscheidung seines Schicksals erfuhr: er bekam einen Brief von seinem Sohn aus Marburg, in welchem ihm dieser die frohe Nachricht schrieb, daß ihn der Kurfürst von Baden als wirklichen Justitzrath mit einem ordentlichen Gehalt an Geld und Naturalien nach Mannheim ans Kurfürst-

liche Hofgericht berufen habe — das war eine Vocation, die
ihrer beyder Erwartung übertraf — dann war auch eine besondere Anfrage an Stilling beygelegt, nämlich: ob er wohl,
vor der Hand, bis man seine Besoldung verbessern könnte,
für zwölf hundert Gulden jährlich kommen wollte?

Die Freude über des langgeprüften Jacobs Versorgung, und
die nahe und gewisse Aussicht, aus der nunmehro unerträglich
gewordenen Lage herauszukommen, erfüllten Stilling und
Elise mit Wonne und tiefer Beruhigung, mit Thränen opferten
sie Gott Dank, und eilten nach Haus, weil der Jacob auch
zugleich Befehl bekommen hatte, so bald als möglich zu kommen, und sein Amt anzutreten. Sie fuhren also Freytags den
3ten Junius von Wittgenstein ab, und kamen des Nachmittags
zu Marburg an.

Jetzt wurden nun alle Hände in Wirksamkeit gesetzt, um
Jacobs und Amaliens Zug nach Mannheim zu beschleunigen.
In Stillings Seele aber entstand nun ein heftiger Kampf zwi-
schen Vernunft und Glauben.

Wenn man jetzt Stillings Lage bloß nach vernünftigen
ökonomischen Gründen beurtheilt, so war es allerdings bedenklich, eine Stelle mit Zwölfhundert Thalern im zwanzig
Guldenfuß, gegen Zwölfhundert Gulden Reichscourant, zu
verwechseln, besonders da bey jener starken Besoldung nichts
übrig blieb — es ließen sich so gar Gründe denken, die Stillingen seine Schwierigkeiten benehmen, ihn bestimmen konnten, in Marburg zu bleiben, und seine Stelle zu behalten; denn
er konnte ja ruhig so fortfahren wie bisher — in den Ferien
reisen, und zwischen denselben sein Amt treulich verwalten;
kamen wenige oder gar keine Zuhörer, so war das ja seine
Schuld nicht — und was seinen Grundtrieb für die Religion
zu wirken betraf, so konnte das ja nebenher, wie bisher, geschehen, und wenn er dann nicht alles zwingen konnte, so
fordert ja Gott nichts über Vermögen, man läßt den Stein
liegen, den man nicht heben kann. u. s. w.

Stillings Gewissen aber, das durch viele Glaubens- und Leidens-Erfahrungen berichtigt, und durch die langwierige vieljährige Zucht der Gnade von allen Sophistereyen gereinigt ist, urtheilte ganz anders; nach seiner innigsten Ueberzeugung, mußte er durchaus sein Amt niederlegen, seine Besoldung in die Hände seines Fürsten wieder zurückgeben, so bald er sie nicht mehr zur Befriedigung desselben und seines eigenen Gewissens verdienen konnte — Dieser Satz leidet durchaus keine Einschränkung, und wer anders denkt der denkt unrichtig. Stilling konnte das auch getrost thun und wagen, da ihm jetzt ein Weg gezeigt wurde, auf welchem er zum Ziel gelangte, so bald er ihn einschlug; er hatte in wenigen Jahren erfahren, daß der Herr Mittel genug habe, ohne die Marburger Besoldung aus der Noth zu helfen: denn nicht mit dieser sondern mit Schweizergeld wurden die Schulden getilgt, mit diesem und nicht mit jener wird der Zug und die neue Einrichtung bestritten. Es ist ferner des wahren Christen unbedingte Pflicht, so bald ihm unter verschiedenen Berufsarten die Wahl gelassen wird, diejenige zu wählen, die der Menschheit den mehresten Nutzen bringt, am wohlthätigsten wirkt, und dabey kommt es nun gar nicht auf ein kleineres, oder überhaupt auf ein Gehalt an: denn so bald man diesen Grundsatz befolgt, so bald tritt man in den unmittelbaren Dienst des Vaters und Regenten aller Menschen; daß der nun seine Diener besoldet, ihnen giebt was sie bedürfen, das versteht sich — Stilling fand sich also hoch verpflichtet, dem Ruf zu folgen: denn daß er durch seine Augencuren, und vorzüglich durch seine Schriftstellerey unendlich mehr Nutzen stiftete, als durch sein akademisches Lehramt, das ist gar keinem Zweifel unterworfen, und eben jene Fächer machten seinen ganzen Beruf aus, wenn er die Badensche Vocation annahm, es war also durchaus Pflicht, den Ruf anzunehmen, vorzüglich da noch mit der Zeit Besoldungs-Vermehrung und zwar von einem Herrn versprochen wurde, der gewiß hält, was er verspricht.

Zu diesem allem kam nun noch Stillings ganze Führung von der Wiege an; der müßte sehr blind seyn, der nicht einsehen könnte, daß diese planmäßig den Weg zu der Thür gezeigt hat, die der Kurfürst von Baden jetzt öffnete. Hätte Stilling eine andere Gelegenheit erwarten wollen, wo ihm mehr Besoldung zugesagt würde, so wäre das in seiner Lage, bey seinen Glaubens-Erfahrungen, ein höchst strafbares Mißtrauen, und da die Vorsehung diesen Ruf unzweifelbar vorbereitet und zubereitet hatte, auch eine schwere Sünde des Ungehorsams gewesen, wenn er sie nicht angenommen hätte; und dann war diese Vocation so selten, so einzig in ihrer Art, daß man unmöglich noch einmal eine ähnliche erwarten konnte; und endlich sieht der Erleuchtete, der wahre Christ leicht ein, daß Stillings großer Führer keinen andern Zweck dabey hat, als ihn und seine Elise immerfort im Glaubens-Odem zu erhalten, — sie in die Lage zu setzen, daß sie ihm immer nach seiner milden Hand sehen, und ihre Augen auf ihn warten müssen. Diese Ueberzeugungen alle bestimmten beyde den Ruf in Gottes Namen anzunehmen; um aber doch alles zu thun, was gethan werden konnte, um sich vorwurfsfrey zu erhalten, schrieb Stilling an den Kurfürsten von Baden, und bat wo möglich, noch um eine Zulage an Natural-Besoldung; darauf kam dann die Vocation, in welcher ihm diese Zulage zugesichert wurde, so bald irgendwo eine fällig werden würde.

Jetzt lieben Leser! war nun auch die grosse Frage über Stillings eigentliche und endliche Bestimmung entschieden, und der zweyte große und größte Knoten seiner wunderbaren Führung gelöst — jetzt kann man nicht mehr sagen, sein Glaube und Vertrauen auf Jesum Christum und seine Welt-Regierung, sey Schwärmerey und Aberglauben; im Gegentheil, der Erlöser hat sich selbst, und den Glauben seines Knechts herrlich und augenscheinlich legitimirt, und zum Beweis, daß ihm Stillings Entschluß wohlgefällig sey, gab Er

ihm noch folgendes herrliche Zeichen seines gnädigen Beyfalls.

Mehr als funfzig Meilen von Marburg entfernt, lebt eine
Dame, die von Stillings gegenwärtiger Lage und Bedürfnissen
nicht das Allergeringste wußte, der er aber durch seine Schriften bekannt war; diese fühlt sich in ihrem Gemüth angeregt,
Stillingen 20 alte Louisd'or zu schicken. Sie folgte dieser Anregung einfältig und im Glauben, packte die 20 Louisd'or ein,
und schrieb dann dabey: sie habe einen Trieb in sich gespürt,
ihm das Geld zu schicken, er werde nun wohl wissen es zu
gebrauchen, und wozu es dienen solle. — Durch diese hundert
und achtzig Gulden wurde nun das, was von der Schweizer-
reise noch übrig war, vermehrt, und also der Zug von Marburg, und die Einrichtung einer neuen Haushaltung an einem
fremden Ort, dadurch erleichtert; ich vermuthe aber, daß Stillingen noch etwas bevorsteht, das die Ursache enthält, warum
ihm dies Geld zugewendet worden ist.

Guter Gott! welch eine Führung, wenn man sie mit unge-
trübtem Auge, und unpartheyisch betrachtet! — hätte einer
von allen bisherigen Zügen der Vorsehung gefehlt, so wäre es
nicht möglich gewesen, diese Vocation anzunehmen; hätte
Stilling in der Schweiz nur sein Schuldencapital, und die Reisekosten bekommen, so wär das eine herrliche und sichtbare
Gnade Gottes gewesen, aber dann hätte er doch in Marburg
bleiben müssen, weil es ihm an den Mitteln zum Fortziehen,
und zum Einrichten an einem fremden Ort gefehlt hätte:
denn in Marburg behielt er von allem seinem Einkommen
nichts übrig.

Gelobet sey der Herr! Er ist noch der alte Bibelgott — Ja!
Er heißt mit Recht: Ich bin, der ich war, und seyn werde,
immer der Nämliche. Jesus Christus gestern, heute, und derselbe in Ewigkeit.

Sonntags den 25sten Junius zogen Jacob und Amalie unter
vielen Thränen aller Freunde, und unter den herzlichsten

Seegnungen der Eltern nach Mannheim; und nun rüsteten sich
auch Stilling und Elise zu ihrem Zug nach Heidelberg, welchen Ort ihnen der Kurfürst zum künftigen Wohnplatz an-
gerathen hatte: denn sie können in den Badenschen Ländern
wohnen wo sie wollen, weil Stilling kein Amt hat, sondern
nun blos und allein dem großen Grundtrieb, der von Jugend
auf in ihm zur Entwicklung gearbeitet hat, und jetzt erst reif
geworden ist, nämlich als ein Zeuge der Wahrheit, für Jesum
Christum, seine Religion und sein Reich zu wirken, und dann
durch seine wohlthätige Augenkuren dem leidenden Nächsten
zu dienen, gewidmet ist; bey allem dem, war es aber doch die
größte Schuldigkeit den Rath des Kurfürsten als einen Befehl
anzusehen, welches auch darum leicht war, weil Stilling keinen bequemern und angenehmern Ort wußte, und weil er
auch schon da bekannt war, indem er ehemals da gewohnt
hatte.

Bey dem Kurfürsten von Hessen hielt er nun um seinen
Abschied an, und er bekam ihn auch, und bey dem Wegziehen schrieb Stilling noch einmal an ihn, und dankte ihm für
alle bisher genossene Gnade und Wohlthaten, und bat um
ferneres gnädiges Wohlwollen, welches ihm dann auch der
Kurfürst in einem gnädigen Handschreiben zusicherte.

Was für eine wehmüthige Empfindung Stillings Abzug in
ganz Hessen, vorzüglich aber in Marburg verursacht habe,
das läßt sich nicht beschreiben: die ganze Bürgerschaft trauerte,
und bey dem Wegziehen, Sonnabends den 10ten September
des Morgens früh, weinte die ganze Nachbarschaft — von
diesen rührenden Auftritten kein Wort mehr. Stillings und
Elisens Herzen wurden tief verwundet; besonders als sie
bey dem Kirchhof vorbey fuhren, wo so viele ihrer Lieben
ruhen.

Daß Freundin Julie mit zog, das versteht sich. Sie fuhren
des ersten Tages zu ihren Kindern Schwarz nach Münster;
hier blieben sie den Sonntag und den Montag, welcher Stil-

lings Geburtstag war, und jetzt ausnehmend herrlich gefeyert wurde: Schwarz und Julie hatten den Plan dazu entworfen, und er wurde vortreflich ausgeführt. Die Geburtstags-Feyern alle habe ich seit 1791 nicht mehr erzählen mögen, sie enthalten zu viel schmeichelhaftes und ruhmvolles, und dies Alles zu beschreiben, würde ekelhaft seyn.

Dienstags den 13ten September nahmen sie von ihren Kindern Schwarz Abschied, und fuhren bis Frankfurth; hier blieben sie den Mittwoch und den Donnerstag; den Freytag fuhren sie bis Heppenheim, und Sonnabends den 17ten September Vormittags zogen sie in Heidelberg ein; artig war auch die heutige Losung, sie steht 2. Mos. 15. v. 17. bringe sie hinein, und pflanze sie auf den Berg deines Erbtheils, den du Herr dir zur Wohnung gemacht hast, zu deinem Heiligthum, Herr! das deine Hand bereitet hat. Daß man hier den Berg des Erbtheils Jehovah, und sein Heiligthum nicht auf Heidelberg anwenden dürfe, brauch ich wohl nicht zu erinnern, sondern Stilling dachte sich unter dem Berg des Erbtheils Jehovah, seiner Wohnung und seinem Heiligthum, das geistliche Zion, und den mystischen Tempel Gottes, in welchem er nun als sein Knecht angestellt werden, und wirken sollte.

Freund Mieg hatte für eine schöne Wohnung, und die Freundinnen Mieg und Bassermann für andere Bedürfnisse gesorgt. Da wohnt nun Stilling mit seiner Elise, mit Julien, mit Karoline, den dreyen Kindern Friedrich, Malchen und Christinchen, der treuen, lieben und guten Mariechen und einer Magd, und harret nun ferner des Herrn, und seiner gnädigen Führung.

Wie sehr gern hätte ich gewissen lieben Familien, und nähern innigen Herzensfreunden in Marburg hier öffentlich vor dem ganzen Publikum für ihre Liebe und Freundschaft gedankt — aber sagt, Ihr Lieben! wie konnte ich das, ohne hier oder da jemand, den ich nicht nenne, oder nennen kann, zu kränken? — die ganze liebe trauliche Stadt Marburg ist meine

Freundin, und ich bin ihr Freund, und in diesem Verhältniß bleiben wir gegen einander bis zu unserer Verklärung, und weiter hin, so lang unser Bewußtseyn währet. Ihr Lieben Alle kennt uns und wir Euch. Der Herr unser Gott uns Alle. Der sey Euer großer Lohn. Amen!

Rückblick auf Stillings bisherige Lebensgeschichte

Zuvörderst bitte ich alle meine Leser recht herzlich, diese noch übrigen wenigen Blätter mit ruhigem und unpartheyischem Gemüth zu lesen, und sorgfältig zu prüfen: denn sie enthalten den wahren Gesichtspunct, aus welchem Stillings ganzes Leben, alle fünf Bände durch, angesehen und beurtheilt werden muß.

Daß ich der Hofrath Jung, der Verfasser aller fünf Bände, selbst Heinrich Stilling bin, daß es also meine eigene Geschichte ist, das weiß jedermann, mein Incognito dient daher zu weiter nichts, ich lege es ab, und spreche nun nicht mehr in Stillings, sondern in meiner eigenen Person.

Die erste Hauptfrage: ob meine ganze Geschichte, so wie ich sie in Heinrich Stillings Jugend, Jünglings-Jahren, Wanderschaft, häuslichem Leben und Lehrjahren erzählt habe, wirklich und in der That wahr sey? kann ich mit gutem Gewissen, mit Ja beantworten: in meiner Jugend-Geschichte sind die Personen, ihre Charactere, und die Geschichte selbst nach der Wahrheit geschildert und beschrieben, aber es kommen allerley Verzierungen darinnen vor, weil sie der damalige Zweck nöthig machte, diese Verzierungen nehmen aber in den folgenden Bänden so ab, daß in den Jünglings-Jahren wenige, in der Wanderschaft noch wenigere, und im häuslichen Leben gar keine mehr vorkommen, nur die Personen und Oerter mußten aus gewissen Rücksichten, die ich nicht vermeiden konnte, unter erdichtete Namen versteckt werden; in diesem Bande aber, in Stillings Lehr-Jahren kommt nicht allein keine Verzierung mehr vor, sondern ich habe auch alle Oerter und Personen, zwey, nämlich Raschmann und einen gewissen Candidaten ausgenommen, mit ihren wahren Namen benannt, und zwar aus der sehr wichtigen Ursache, damit jedermann prüfen und erfahren könne, ob ich die reine ungeschminkte Wahrheit erzähle? — und warlich es ist sehr

der Mühe werth sich davon zu überzeugen: denn wenn meine
Geschichte in ihrem ganzen Umfang wahr ist, so entstehen
Resultate daraus, die sich wohl die wenigsten Leser vorstellen, die Mehresten aber nicht von Ferne ahnen können. Es ist
also eine unnachläßige Pflicht für mich, diese Resultate, diese
Folgerungen, gewissenhaft, und mit vernunftmäßiger logi-
scher Richtigkeit zu entwickeln und darzustellen. Ich bitte
also alle meine Leser inständig, alles Folgende aufs genaueste
und schärfste zu prüfen.

1) Die Schicksale des Menschen von seiner Geburt an, bis
an seinen Tod, entstehen entweder alle der Reihe nach, durch
ein blindes Ohngefehr, oder

2) Nach einem von Gott mit Weisheit entworfenen Plan zu
dessen Ausführung die Menschen entweder als wirklich freye
Wesen, oder so wie die physische Natur, maschinenmäßig,
doch so, daß es ihnen deucht, sie handelten frey, mitwirken.
Diese letztere fürchterliche Idee: nämlich der Mensch schiene
nur frey zu handeln, im Grund aber wirke er doch maschinenmäßig, ist das, was man Determinismus nennt. Es ist hier der
Ort nicht, diesen schrecklichen Unsinn zu widerlegen, wenn es
aber verlangt wird, so kann ichs, Gottlob! unwidersprechlich.

Ich nehme also hier als ausgemacht an, daß Gott die Welt
mit unendlicher Weisheit regiere, doch so, daß die Menschen
als freye Wesen mit einwirken, und dies um deswillen, weil
der Determinismus auf meinen gegenwärtigen Zweck keinen
Einfluß hat.

Es liegt schon im Begriff des Worts, blindes Ohngefehr, daß
dies Unding keine vorher bedachte Plane entwerfen, mit
großer Weisheit die Mittel zur Ausführung von Ferne vorbereiten, und hernach mit Kraft ausführen könne; wo man
also dies Alles wie in meiner Lebensgeschichte, mit der höchsten Evidenz wahrnimmt, da wär es Unsinn an ein blindes
Ohngefehr zu denken; und da auch in den Schicksalen eines
jeden Menschen, folglich auch bey mir unzählich viele andere

Menschen mit zum Ziel wirken, so können alle diese mitwirkende Wesen unmöglich unter der Leitung eines blinden Ohn-
gefehrs stehen; ich setze also den Schluß fest, daß nichts von
ohngefehr geschehe, und geschehen könne.

Daß der Mensch durchgehends genommen, zum Theil Meister seines Schicksals seyn könne, und auch gewöhnlich sein
Glück oder Unglück größtentheils sich selbst zuzuschreiben
habe, das wird wohl keiner meiner Leser bezweifeln, er müßte
denn ein Determinist seyn; mit diesem aber komme ich hier
gar nicht in Collision; Ob ich aber zu meiner Führung mit-
gewirkt habe, — ob ich auch nur auf die entfernteste Art, zu
irgend einem meiner entscheidenden Schicksale auch nur das
Geringste planmäßig beygetragen habe? das ist eine Frage,
worauf hier Alles ankommt — denn kann ich beweisen, daß
das nicht der Fall ist, so entstehen Folgen daraus, die ins Große
und Ganze gehen, und von der äussersten Wichtigkeit für
unsere Zeitgenossen sind.

Es giebt Menschen, welche von Jugend auf einen gewissen
Grundtrieb in sich empfinden; diesen fassen und behalten sie
im Auge bis an ihren Tod; sie wenden allen ihren Verstand
und alle ihre Kräfte an, den Zweck wozu sie ihr Grundtrieb
antreibt, zu erreichen. Z. B. der Eine hat eine unüberwindliche Neigung, einen Grundtrieb zu mechanischen Arbeiten;
er ringt, strebt, arbeitet und erfindet so lang, bis er Kunst-
werke hervorbringt, die den, der sie sieht, in Erstaunen setzen.
Dies ist nun der Fall mit allen Berufs-Arten, Künsten und
Wissenschaften; in jedem Fach findet man solche emporrin-
gende Menschen, man nennt sie große Männer, große Geister,
Genie's u. s. w. Vielen gelingt aber auch, bey aller ihrer Kraft
und Stärke des Grundtriebs, alle ihre Mühe und Bestreben
nicht, weil es nicht in den Plan der großen Welt-Regierung
paßt; — vielen, auch solchen großen Geistern, die entsetzlich
viel Böses in der Welt stiften, gelingts, und zwar darum, weil
ihre Wirksamkeit mit ihren Folgen zu guten Zwecken ge-

braucht werden kann. Es ist also ausgemacht, und ganz gewiß, daß solche Menschen, wenigstens größtentheils, selbst
ihren Lebensplan gemacht und ausgeführt haben, und ihr
Grundtrieb war ihnen natürlich. Man durchdenke den Lebensgang vieler großer und berühmter, guter und böser Männer, und dann wird man an dieser meiner Behauptung nicht
mehr zweifeln können.

Jetzt ist nun das die eigentliche große — die Hauptfrage:
Bin ich ein solcher Mensch? — gehöre ich unter die eben bemerkte Classe merkwürdiger Männer, die ihre Schicksale
großentheils selbst bewirkt haben?

Wir wollen diese Frage aufs strengste und unpartheyisch
untersuchen und beantworten: es kommt also erstlich darauf
an, ob ich wirklich einen solchen mächtigen Grundtrieb hatte?
— Allerdings! — Ja! ich hatte ihn, und habe ihn noch: er ist,
weit ausgebreitete ins Große und Ganze gehende Wirksamkeit für Jesum Christum, seine Religion, und sein Reich, —
aber man muß wohl bemerken, daß dieser Trieb ganz und
gar nicht in meinem natürlichen Character lag — denn dieser
ist vielmehr, ins Große und Ganze gehender höchst leicht-
sinniger Genuß physischer und geistiger sinnlicher Vergnügen;
ich bitte, diese Grundlage meines Characters, ja nicht aus der
Acht zu lassen. Jener erste gute Grundtrieb wurde ganz von
außen in mich gebracht, und zwar folgendergestalt:

Meiner Mutter früher Tod legte den Grund zu Allem, damit fieng mein himmlischer Führer im zweyten Jahre meines
Alters an; wäre sie am Leben geblieben, so war mein Vater
ein Bauer, dann mußte ich früh mit ins Feld, ich lernte lesen,
und schreiben, und das war Alles; mein Kopf und mein Herz
wurden dann mit den alltäglichsten Dingen angefüllt, und
was aus meinem sittlichen Character geworden wäre, das
weiß Gott. Jetzt aber da meine Mutter starb, wurde meines
Vaters religiöser Character aufs höchste gespannt, und durch
Umgang mit Mystikern bekam er seine Richtung; er zog sich

mit mir in die Einsamkeit zurück, seine Schneider-Profession
paßte ganz dazu, und seinen Grundsätzen gemäß, wurde ich
ganz von der Welt abgeschieden erzogen; Kopf und Herz
bekamen also keine andere Gegenstände zu hören, zu sehen,
und zu empfinden, als religiöse; ich mußte immer Geschichten
und Lebensläufe großer, und im Reich Gottes berühmter,
und heiliger Männer und Frauen lesen; dazu kam dann auch
das wiederholte Lesen und Wiederlesen der heiligen Schrift;
mit einem Wort, ich sahe und hörte nichts als Religion und
Christenthum, und Menschen, die dadurch heilig und fromm
geworden waren, und für den Herrn und sein Reich gewirkt
und gelebt, auch wohl Blut und Leben für ihn aufgeopfert
hatten; nun ist aber bekannt, daß die ersten Eindrücke in eine
noch ganz leere Seele, besonders wenn sie allein, stark, und
Jahre lang anhaltend sind, dem ganzen Wesen des Menschen
gleichsam unauslöschbar eingeätzt werden, das war also auch
mein Fall: jener Grundtrieb: weit ausgebreitete ins Große und
Ganze gehende Wirksamkeit, für Jesum Christum, seine Religion und sein Reich, wurde meinem ganzen Wesen so tief
eingeprägt, daß ihn während so vieler Jahre kein Leiden und
kein Schicksal hat schwächen können, er ist im Gegentheil
immer stärker und unüberwindlicher geworden; wurde er
auch zu Zeiten durch dunkle Aussichten auf kurz oder lang
dem Anschauen entrückt, so fiel er mir hernach doch wieder
um so viel deutlicher in die Augen. Daß ich als Kind diesen
Grundtrieb gesucht und gewollt hätte, das wird wohl niemand einfallen — daß ihn mein Vater zum Zweck gehabt
habe, ist lächerlich; der wollte erstlich einen christlichen frommen Menschen, und dann einen tüchtigen Schulmeister aus
mir machen; und da dieser Beruf in meinem Vaterlande keinen Hausvater mit Frau und Kindern ernährt, so sollte ich
sein Handwerk dazu lernen, um dann ehrlich durch die Welt
kommen zu können. Daß er mir solche Geschichten zum Lesen
gab, geschahe deswegen, weil doch Kinder etwas Unterhal-

tendes haben müssen, und dann sollte es mir Lust machen, ein wahrer Christ zu werden. Daß aber jener Grundtrieb daraus entstand, das war die Absicht, nicht eines blinden Ohngefährs, nicht meines Vaters, nicht die meinige, sondern des großen Welt-Regenten, der mich dereinst brauchen wollte.

Ich setze also fest, daß Gott nicht durch natürliche Anlagen, sondern durch seine weise Leitung und Regierung ganz allein jenen Grundtrieb, ins Große und Ganze für Jesum Christum und sein Reich zu leben und zu wirken, meinem Wesen eingegeistet, und zur eigenthümlichen Eigenschaft gemacht habe.

Da aber nun mein natürlicher Grundtrieb: ins Große und Ganze gehender höchstleichtsinniger Genuß physischer und geistiger sinnlicher Vergnügen, jenem mir eingeimpften Grundtrieb schnurgrade zuwider wirkte, so fieng mein himmlischer Führer schon früh an, diesen beschwerlichen Feind zu bekämpfen; das Werkzeug dazu war ebenfalls mein Vater, aber wiederum ohne es nur von Ferne zu ahnen: denn er wußte meinen natürlichen Grundtrieb ganz und gar nicht, sonst hätte er ganz gewiß Klippen vermieden, an denen ich unvermeidlich hätte scheitern müssen, wenn mich Gottes Vaterhand nicht leicht hinüber geführt hätte. Von dem Allen ahnete aber mein Vater nichts — bloß aus dem mystischen Grundsatz der Abtödtung des Fleisches, wurde ich fast täglich mit der Ruthe gehauen — Ja ich weiß ganz gewiß, daß er mich manchmal bloß deswegen gezüchtiget hat, um seine Liebe zu mir zu kreuzigen und zu verläugnen. Bey jedem Andern hätte diese Art der Zucht entsetzlich schädliche Würkung gethan, bey mir aber — man glaube es auf mein Wort — war es eine unumgänglich nöthige Erziehungs-Methode; denn meine leichtsinnige Sinnlichkeit gieng in unbewachten Augenblicken unglaublich weit; niemand, als Gott und ich, weiß es, welche entsetzliche Gedanken, Wünsche und Begierden in meiner Seele geweckt wurden; es war, als ob eine mächtige feindselige Kraft unschuldige nichts Böses wollende Menschen aufgereizt hätte, mich in die giftigsten und schrecklichsten Versuchungen und Gefahren, für meinen sittlichen Charakter zu stürzen, allein es gelang nie; nicht mein religiöser Grundtrieb, nicht meine Grundsätze — denn wo hat ein Kind Grundsätze? sondern bloß meines Vaters strenge Zucht und Gottes gnädige Bewahrung sind die Ursach, daß ich nicht hundertund tausendmal in den Abgrund des Verderbens gestürzt bin.

Eben dies in mir liegende große, meinem religiösen Grundtrieb ganz entgegenwirkende Verderben ist die Ursach, warum mein himmlischer Führer mich über sechzig Jahre lang in der Schule der Leiden üben mußte, ehe Er mich brauchen konnte; und man wird im Verfolg immer finden, daß alle Leiden dahin abzielten Leichtsinn und Sinnlichkeit zu tödten, und mit der Wurzel auszurotten.

Jetzt kommt es nun darauf an, zu untersuchen, ob ich denn wirklich ein großer Mann, ein großer Geist, oder groß Genie bin? — das ist: ob ich mich mit Macht durch eigene Kräfte und Anlagen dahin gebracht habe, dem von Gott mir geschenkten Grundtrieb, für Christum, seine Religion, und sein Reich, ins Große und Ganze zu wirken, nunmehr Folge leisten zu können?

Was mein Vater aus mir machen wollte, war ein guter Schulmeister und nebenher ein Schneider, und den Zweck erreichte er auch in so fern, daß ich Schulmeister und Schneider wurde; ich aber hatte keinen höhern Wunsch, als Prediger zu werden. — Diese Wirkung brachte also mein religiöser Grundtrieb hervor — ich wollte Theologie studiren; das hätte mein Vater zwar auch gern gesehen, aber es war durchaus nicht möglich, sein ganzes Vermögen reichte nicht hin, mich nur zwey Jahre lang auf der hohen Schule zu unterhalten. Es mußte also bey dem Schulmeister und Schneider bleiben, und mein Grundtrieb begnügte sich nun mit unersättlichem Lesen und Forschen, in allen Fächern der Wissenschaften: denn da mein Geist nun einmal Geschmack an geistigen Vorstellungen und Wissenschaften, oder ein ästhetisches Gefühl bekommen hatte, so lief er nun diese Bahn unaufhaltbar fort, und suchte nur immer Gelegenheit zu lesen, und auf den Büchern zu brüten. Das was ich also in den Fächern der Wissenschaften an Kenntnissen errungen habe, das könnte man allenfalls meinem Fleiß und meiner Thätigkeit zuschreiben; und so viel ist auch wahr, daß es der Herr nebenher zu einem Vorbereitungsmittel gebraucht habe, aber zur Entwickelung meiner wahren Bestimmung, hat es geradezu nichts geholfen.

Immerfort an der Nadel zu sitzen, und den Leuten Kleider zu machen, das war mir in der Seelen zuwider, und die Knaben und Mädchen immer und ewig im A.b.c, im Buchstabiren, im Lesen und im Schreiben zu unterrichten, das war mir eben so langweilig; nach und nach dachte ich mir die Bestimmung Schneider und Schulmeister zu seyn, als etwas höchsttrauriges, und damit fieng auch mein inneres Leiden an: denn ich sahe keine Möglichkeit, Prediger, oder sonst etwas zu werden.

Die strenge Zucht meines Vaters blieb immer; ich wurde freylich nun nicht mehr alle Tage geschlagen, aber in seiner Nähe war mir nie wohl: Seine unerbittliche Strenge bey jedem kleinen Fehler, weckte den unwiderstehlichen Trieb in mir, mich so oft, und so lange wie möglich von ihm zu entfernen, und dies auch noch um deswillen, weil ich bey ihm von früh Morgens bis in die späte Nacht, an der Nadel sitzen mußte; daher kams denn, daß ich jeden Ruf zu einer Schulstelle mit größter Freude annahm; da ich aber nicht mit Lust, sondern bloß aus Pflicht Kinder unterrichtete, und dann auch außer den Schulstunden auf den Büchern brütete, so war ich im Grunde kein guter Schullehrer, und mit dem Schneiderhandwerk etwas nebenher zu verdienen, daran dachte mein Herz nicht; zudem brachte mich mein gutmüthiger Leichtsinn um das bischen Lohn, das ich als Schullehrer bekam, folglich mußte mich mein Vater immer neu kleiden und unterhalten;

er sahe also zu seinem größten Leidwesen, daß ein guter Schulmeister an mir verdorben war; dadurch wurde er also natürlicher Weise noch ernsthafter und unfreundlicher gegen mich, und als er nun noch gar eine weltlich gesinnte gefühllose Frau bekommen hatte, welche forderte, daß ihr Stiefsohn mit ins Feld gehen, alle Bauernarbeit, auch die schwerste verrichten, hacken, mähen und dreschen sollte; so stieg mein Jammer aufs höchste, dazu waren meine Glieder von Jugend auf nicht angewöhnt worden, jetzt litt ich erschrecklich. Von den rauhen Werkzeugen wurden die Hände immer voller Blasen, und die Haut blieb am Hackenstiel kleben, wenn ich die Grassense oder den Dreschflegel schwung, so krachten mir Rippen und Hüften; Tage und Wochen schienen mir eine Ewigkeit zu seyn, und über das Alles war die Zukunft finster, ich konnte mir keine Rettung aus dieser Lage denken, auch berief man mich nicht mehr zu Schulämtern, es blieb mir also nichts mehr übrig, als auf dem Lande umher bey Schneidermeistern als Geselle zu arbeiten, dazu fand sich dann auch Gelegenheit; aber bey dem allen kam ich so in Kleidern und Wäsche zurück, daß ich von jedermann als ein Taugenichts und verlorner Mensch betrachtet wurde. Mein religiöser Grundtrieb glänzte mir aus der Ferne entgegen; wenn ich mir Spener, Franke und überhaupt so recht fromme Prediger dachte, und mir dann vorstellte, welch eine Seeligkeit es für mich seyn würde, so ein Mann zu werden, und daß es doch in meiner Lage unmöglich wäre, so brach mir das Herz.

Die Absichten, warum mich die Vorsehung in diese entsetzlich traurige Lage führte, waren zweyfach: erstlich um meine über alle Vorstellung gehende Sinnlichkeit, und den unbändigen Leichtsinn zu bekämpfen — Diese Absicht merkte ich wohl, — und dann um mich aus meinem Vaterland zu bringen, weil sie in demselben ihren Plan mit mir nicht ausführen konnte; diesen Zweck aber merkte ich ganz und gar nicht, ich war dergestalt in mein Vaterland verliebt, daß mich nur die äußerste Nothwendigkeit hinausbannen konnte, und dazu kam es dann auch, ich gieng fort.

Man merke hier wohl, daß dieser erste Schritt zu meiner künftigen Bestimmung, schlechterdings nicht mit sondern gegen meinen Willen geschah; ich mußte durch die Macht der Vorsehung hinaus getrieben werden — es ist zu meinem Zweck alles daran gelegen, daß man sich bis zur höchsten Evidenz überzeuge; ich habe nichts zum Plan meiner Führung beygetragen.

Mein erster Vorsatz war nach Holland zu gehen, und da bey Kaufleuten Dienste zu suchen, allein in Solingen im Herzogthum Berg, machte man mir diesen Vorsatz leid, ich blieb da und arbeitete auf dem Handwerk. Diese Beschäftigung war mir nun von Herzen zuwider: denn meine Sinnlichkeit forderte immer belustigende Abwechselung; Romanen oder sonst unterhaltende Geschichten zu lesen, das wars eigentlich, wohin meine Sinnlichkeit ihre Richtung genommen hatte; meine Imagination, meine Phantasie war immerhin mit den allerromanhaftesten Bildern in unaussprechlicher Lebhaftigkeit beschäftigt, und mein Leichtsinn setzte sich über alle Bedenklichkeiten weg. Die ewige Liebe erbarmte sich hier zwar meiner so, daß sie mich durch einen unaussprechlich innigen, tief in mein Herz dringenden, und mein ganzes Wesen erfüllenden Zug zur Einkehr, und mein ganzes künftiges Leben dem Herrn zu widmen, unwiderruflich bestimmte; dieser Zug ist auch bis daher immer geblieben, und wird bleiben bis ich vor seinem Thron stehe; aber dadurch war mein natürliches Verderben noch lange nicht ausgewurzelt, das mußte nun Jesus Christus durch seine große und herrliche Erlösung, durch seinen Geist, vermittelst langwieriger, schwerer und leidensvoller Prüfungen bekämpfen und überwinden; noch ist dies große Geschäft nicht vollendet, und wird auch nicht vollendet werden, bis meine Seele vom Leibe der Sünden und des Todes befreyt ist.

Ungeachtet nun mein Geist seine Richtung zum großen Ziel der Menschenbestimmung genommen hatte, so gab es doch noch unendlich viele Abwege, und bald gerieth ich auf einen: meine Abneigung gegen das Schneiderhandwerk machte, daß ich sogleich zufuhr, als mir die Hauslehrerstelle bey einem Kaufmann angetragen wurde, und mein Leichtsinn erkundigte sich — nach nichts! — Hier stieg mein Jammer auf die höchste Stufe, solch eine Schwermuth, solch eine Höllenquaal, solch eine Entbehrung alles dessen was Menschen trösten kann, vermag sich niemand vorzustellen, der so etwas nie erfahren hat. Hier wurde Sinnlichkeit und Leichtsinn an der Wurzel angegriffen. Endlich hielt ichs nicht mehr aus, ich lief fort, irrte in der Wildniß umher, besann mich wieder, gieng zurück nach Rade vorm Wald, und der seelige Johann Jacob Becker (Meister Isaak) machte das herrliche Meisterstück der christlichen Menschenliebe an mir; — jetzt war ich aber auch so gründlich von meinem Widerwillen gegen das Schneiderhandwerk curirt, daß mich hernach Herr Spanier und der Meister Becker selbst kaum bereden konnten, bey Ersterem die Hauslehrerstelle anzunehmen; und ich bin sogar jetzt noch so weit von jenem Widerwillen entfernt, daß ich mich — wenn es seyn müßte — im Augenblick wieder auf die Werkstatt setzen könnte.

Während meinem Aufenthalt bey Spanier schien sich Alles dazu anzuschicken, daß ich Kaufmann werden sollte; ich wurde täglich in Handelsgeschäften gebraucht, alles gieng mir gut von statten; und ob ich gleich von Natur keine Neigung zur Handlung hatte, so glaubte ich doch, es sey Gottes Führung, der ich wohl würde folgen müssen; besonders da mir auch heimlich versichert wurde, daß eine reiche, schöne und rechtschaffene junge Kaufmannstöchter für mich bestimmt sey, ihr Vater wolle sie mir geben, und mich dann in Compagnie nehmen. Ob ich gleich an dem allen keine sonderliche Freude hatte, so glaubte ich doch es sey Gang der Vorsehung, dem ich folgen, und die ganze Sache als ein besonderes Glück ansehen müßte.

In dieser Vorstellung und Erwartung bekam ich, ganz gewiß ohne mein Mitwirken, den in meiner Geschichte vorkommenden besondern Eindruck, ich müßte Medizin studiren; Gut: — ich für mich hatte nichts dagegen, und diejenigen, die mein Schicksal lenken wollten, auch nicht; denn sie sagten: es sey doch auffallend für eine vornehme Familie, einem Menschen, der noch vor kurzem Schneiderbursch gewesen sey; seine Tochter zu geben; hätte ich aber studirt und promovirt, so könne das Alles denn doch füglich ausgeführt werden, ich wäre dann Doctor und Kaufmann zugleich. Das war Plan der Menschen, und auch mein Plan, aber nicht der Plan meines himmlischen Führers. Bald nachher widerfuhr mir die merkwürdige Geschichte mit dem Pastor Molitor zu Attendorn, der mir seine Augen-Arcana mittheilte, und dann sich niederlegte und starb. Daß ich in meinem Leben nicht daran gedacht hatte, Augen-Arzt zu werden, und daß auch weder ich, noch jemand von den Meinigen, auch nur von Ferne Veranlassung zu dieser Mittheilung gegeben hatte, das weiß Gott! — und nun überlege nur jeder, der meine Geschichte gelesen hat, was mir meine Augen-Curen bis daher gewesen, noch sind, und noch seyn werden! — Wer da nicht die Alles regierende Hand einer Allwissenden Allmächtigen Gottheit erkennt, der hat keine Augen zum Sehen, und keine Ohren zum Hören, ihm ist nicht zu helfen.

Ich bediente mich der erlangten Mittel zu Augenkrankheiten, und kam dadurch in Bekanntschaft mit der würdigen Familie meines seeligen Schwiegervaters, Peter Heyders, zu Ronsdorf im Herzogthum Berg, und gegen alles Erwarten, gegen alle meine Plane und Vorsätze, muß ich mich da mit einer abgezehrten, sehr schwächlichen Person am Krankenbette versprechen — eine Handlung, woran wahrhaftig meine Sinnlichkeit nicht Schuld war, ich that es blos aus Gehorsam gegen Gott, weil ich glaubte, es sey sein Wille; es war da an meiner Seite an keine Verliebeley, an nichts dergleichen zu denken. Ich versprach mich mit Christine, ob ich gleich wußte, daß mich ihr Vater im geringsten nicht unterstützen konnte, und daß nun die Unterstützung von der vorher zu erwartenden Seite gänzlich aus war. Und nun gieng ich mit einem halben Laubthaler auf die Universität nach Strasburg, wie wunderbar mich dort der Herr durchgeführt habe, ist aus meiner Geschichte bekannt.

Jetzt frage ich abermal, war es mein Plan, mich mit Christinen zu verheirathen, und war es mein Machwerk Medizin in Strasburg zu studiren?

Ich kam wieder, setzte mich als ausübender Arzt und Augenarzt, ganz ohne Besoldung in Elberfeld. Nun erwartete ich ausserordentliche Folgen in meiner Praxis: denn ich sahe mich als einen Mann an, den der Herr besonders zu diesem Beruf ausgerüstet habe — dann dachte ich mit meinem religiösen Grundtrieb für den Herrn und sein Reich zu wirken, in Verbindung mit diesem, und glaubte, ich würde nun am Krankenbette ein sehr wohlthätiges Werkzeug in der Hand des Herrn seyn, und den Kranken nach Leib und Seel dienen können, und dann dachte ich, ich wollte religiöse Bücher schreiben, und dadurch dann meinem Grundtrieb Genüge leisten, aber von allen diesen Erwartungen kam ganz und gar nichts, meine Praxis war ganz und gar nicht ausserordentlich, sondern sehr ordentlich; sehr gewöhnlich, ausser daß meine Augenkuren viel Aufsehen machten, besonders waren meine Staar-Operationen ausnehmend glücklich — aber auch diese habe ich meinem eigenen Geschicke ganz und gar nicht zu verdanken: ich lernte sie zwar in Strasburg, aber blos, weil sie zum chirurgischen Studium gehören, für der Ausübung aber hatte ich einen solchen Schauder und Abscheu, daß ich noch wohl weiß, wie mir zu Muth war, als die arme Frau zu Wichlinghausen, der seelige Pastor Müller, der Doctor Dinkler in

Elberfeld, und Freund Troost daselbst, mich gleichsam zwangen, die Operation an der so eben gemeldeten armen Frau zu wagen; mit Zittern und Beben machte ich sie ganz erbärmlich schlecht — und die Frau sahe vortreflich — nun bekam ich zwar mehr Muth, und doch noch jetzt, nachdem ich über funfzehnhundert Blinde operirt habe, wandelt mir noch immer eine Angst an, wenn ich operiren soll.

Ich bezeuge also wiederum bey der höchsten Wahrheit, daß ich im geringsten nichts dazu beygetragen habe, daß ich Augen-Arzt — und noch dazu ein so ganz ausserordentlich gesegneter Augen-Arzt geworden bin. Das ist ganz allein Führung des Herrn.

In welche tiefe Schwermuth ich nun versank, als ich vor Augen sahe, daß auch die Arzneykunde mein Fach nicht sey, das läßt sich nicht beschreiben; dazu kam nun noch die drükkende Last meiner Schulden, die jedes Jahr beträchtlich wuchs, ohne daß ich es ändern und verhüten konnte — das war wahrhafte Arzney gegen Sinnlichkeit und Leichtsinn, und beyde wurden auch, Gott sey's gedankt! ganz mit der Wurzel ausgerottet — nun sah ich ganz und gar keinen Ausweg mehr: ich hatte Frau und Kinder, immer wachsende Schulden, und immer abnehmendes Verdienst — an Gelehrsamkeit und Kenntnissen fehlte es mir nicht; ich durchkroch alle alte und neue Winkel der medizinischen Litteratur, aber ich fand in dieser schwankenden Wissenschaft lauter Unwissenschaft, alles bloße Wahrscheinlichkeit und Vermuthung; jetzt war ich der Arzneykunde herzlich müde; aber womit sollte ich mich nun nähren, und — womit meine Schulden bezahlen? — da mußte ich mich der Vorsehung auf Gnade und Ungnade ergeben, und das that ich auch auf immer und ewig, und von Herzen, und diese Uebergabe ist nicht allein nicht aufgehoben, sondern sie ist bis dahin immer stärker, und immer unbedingter geworden.

Religiöse Bücher? — Ja die schrieb ich, aber ohne merklichen Erfolg: die Schleuder eines Hirtenknaben, die große Panacee gegen die Krankheit des Religionszweifels, und die Theodicee des Hirtenknaben, thaten wenig Wirkung, dagegen Stillings Jugend — ein Aufsatz, den ich gar nicht zum Druck, sondern blos einer Gesellschaft junger Leute zum Vorlesen geschrieben hatte, und den Göthe ganz ohne mein Wissen und Wollen zum Druck beförderte, machte unerwartete und unglaubliche Sensation; ich wurde dringend aufgefordert fortzufahren, und schrieb nun in Elberfeld nacheinander, Stillings Jünglings-Jahre und Wanderschaft. Ich darf kühn behaupten, daß sehr wenig Bücher ihren Verfassern ein so großes, edeldenkendes, und wohlwollendes Publikum erworben haben, als eben dieses; und noch jetzt, nach acht und zwanzig Jahren, nach so vielen Veränderungen, Fortschritten und Rückschritten in Kultur und Litteratur, ist und bleibt Stilling Mode; man liest ihn noch immerfort, mit eben der Lust, und mit eben der Erbauung als im Anfang; und welch einen Seegen dies Buch in Ansehung der Religion und des wahren Christenthums gestiftet hat, das weiß der Allwissende und zum Theil auch ich; denn ich kann eine Menge schriftlicher Zeugnisse dieser Wahrheit aufweisen. Stillings Lebensgeschichte legte also den ersten und bedeutenden Grund zu meiner wahren Bestimmung, und Befolgung meines religiösen Grundtriebes.

Jetzt bitte ich wiederum sorgfältig zu bemerken, daß ich zu diesem ausserordentlich wichtigen Theil meiner Geschichte, der den Grund zu meiner endlichen wahren Bestimmung, nämlich der Befolgung meines religiösen Grundtriebes legte, im geringsten keine Veranlassung gab, sondern daß es pur freye Verfügung der Vorsehung war.

Fragt man mich, warum mich mein himmlischer Führer nicht schon damals auf meinen rechten Posten setzte? so antworte ich: — damals war noch gar Vieles an mir weg zu poliren; ich war auch in meinen Grundsätzen noch nicht fest ge-

nug; ich kämpfte noch mit dem Determinismus, und dann war
es auch noch lange nicht an dem Zeitpunkt, in welchem ich
wirksam seyn sollte.

Als endlich die Noth am größten war, und ich weder aus
noch ein wußte, so wurde ich auf eine Art gerettet, an die ich
nie von ferne gedacht hatte, und die ich mir nie hätte träumen
lassen: auf Veranlassung einer Abhandlung über die Forstwirthschaftliche Benutzung der Gemeinwaldungen im Fürstenthum Nassau-Siegen, meinem Vaterland — womit ich
einem gewissen Freund einen Gefallen zu erzeigen glaubte,
wurde ich an die neuerrichtete Kameralschule zu Kaysers-
Lautern in der Pfalz zum ordentlichen, öffentlichen Lehrer
der Landwirthschaft, Technologie, Handlungs-Wissenschaft,
und Vieharzneykunde, mit sechshundert Gulden fixer Besoldung berufen, und bey meinem Abzug wurden die dringendsten Schulden, nämlich achthundert Gulden, auf eine eben so
unerwartete Art getilgt, als in der Schweiz zuletzt vor drittehalb Jahren der Hauptstock derselben getilgt wurde. Ich zog
also mit meiner Familie nach Lautern.

Daß dies abermal nicht mein angelegter Plan, nicht
meine Führung, sondern lediglich und allein Plan und
Ausführung meines himmlischen Führers war, das muß jedermann fühlen, der nur einigermaßen des Nachdenkens fähig
ist.

Jetzt glaubte ich aber nun gewiß, daß das Studium der
Staatswirthschaft der Beruf sey, wozu mich die Vorsehung
von Jugend auf geleitet, und vorbereitet habe: denn ich hatte
Gelegenheit gehabt, alle die Fächer, die ich lehrte, selbst prac-
tisch zu lernen; ich hatte Medizin studirt, weil mir die Hülfswissenschaften dazu, in meinem gegenwärtigen Beruf unentbehrlich waren. Durch diese Ansicht wurde mein religiöser
Grundtrieb nicht ausgelöscht, sondern ich gedachte ihn mit
diesem Beruf zu verbinden; in dieser Ueberzeugung blieb ich
fünf und zwanzig Jahr ganz ruhig, und arbeitete mit aller

Treue in meinem Beruf; dieses beweisen meine eilf Lehrbücher, und die große Menge von Abhandlungen, die ich während dieser Zeit geschrieben habe; mein Herz dachte besonders auch in meinem Alter, an keine Veränderungen mehr, bis endlich das Heimweh zum mächtigen Mittel wurde, mich auf meinen eigentlichen Standpunkt zu stellen.

Wie unabsichtlich ich das Heimweh geschrieben habe, das wissen meine Leser aus diesem letzten Bande; die Vorbereitungen dazu, nämlich das Sammeln vieler Sentenzen, das Lesen humoristischer Schriften u. d. g. waren nicht im Geringsten planmäßig bey mir, aber planmäßig bey Gott — der Entschluß das Heimweh herauszugeben, war so wenig vorbedacht, daß ich mich erst dazu entschloß, als mich Krieger bat, ich möchte ihm doch etwas ästhetisches ausarbeiten, und als ich anfieng, war es noch gar nicht mein Zweck, ein Werk von einer solchen Bedeutung zu schreiben, als es mir unter den Händen ward, und als es sich hernach in seiner Wirkung zeigte — dieser war und ist noch ungemein groß; es wirkt wie ein Ferment in allen vier Welttheilen — dies kann ich beweisen — Jetzt kam von allen Seiten die Forderung an mich, mich ganz der religiösen Schriftstellerey zu widmen, ich sey von Gott dazu bestimmt, u. s. w. der graue Mann, die Scenen aus dem Geisterreich, und die Siegsgeschichte, vermehrten und verstärkten diese Aufforderung meines aus vielen tausend guten Menschen bestehenden Publikums — allein wie konnte ich diesen Stimmen Gehör geben? — eine Menge häuslicher Hindernisse standen im Wege, — meine Schulden waren noch nicht bezahlt — und wo war der Fürst, der mich zu einem solchen ganz ungewöhnlichen Zweck besoldete? — Antwort: der Herr räumte auf eine herrliche und göttliche Weise die Hindernisse aus dem Wege — auf eine herrliche und göttliche Weise bezahlte er meine Schulden, und das Heimweh hatte den großen, guten, und frommen Kurfürsten von Baden so vorbereitet, daß Er sich sogleich bey der ersten Veranlassung dazu entschloß, mich auf meinen wahren Standpunkt zu stellen.

Seht, Meine Lieben! so unbeschreiblich weise und heilig hat mich der Herr endlich zu dem Ziel geleitet, wozu Er mir schon in den ersten Kinderjahren den Grundtrieb einimpfen ließ. Meine jetzige Beschäftigung ist also:

1. Fortsetzung meiner Augencuren: denn dieser Beruf ist durch des Herrn Führung legitimirt, und mir angewiesen.

2. Fortsetzung meiner religiösen Schriftstellerey, so wie sie mir mein himmlischer Führer an die Hand giebt, und

3. Die Austheilung und Ausarbeitung kleiner erbaulicher Schriften für den gemeinen Mann, wozu mir Geldbeyträge von guten christlich gesinnten Freunden geschickt werden, um solche Schriften umsonst unter das gemeine Volk vertheilen zu können. Ob nun der Herr noch etwas Weiteres mit mir vor hat, das weiß ich nicht — ich bin sein Knecht, Er brauche mich wie es Ihm gefällig ist! — aber ohne bestimmt seinen Willen zu wissen, thue ich auch keinen Schritt.

Jetzt werden nun auch wohl alle meine Leser überzeugt seyn, daß ich kein großer Mann, großer Geist, oder groß Genie bin: — denn ich habe zu meiner ganzen Führung im geringsten nichts beygetragen; auch meine natürliche Anlagen mußten durch viele Mühe, und auf langwierigen Leidenswegen, erst mühsam vor- und zubereitet werden; ich war bloß leidende Materie in der bildenden Hand des Künstlers; Thon in der Hand des Töpfers. Wer mich also für einen Mann von großen Talenten, und großen Tugenden ansieht, oder mich gar als einen großen Heiligen taxirt, der thut mir sehr unrecht: er verfährt gerade so unschicklich, als wenn einer eine alte eichene grob und bäurisch ausgearbeitete Kiste darum für ein großes Kunst- und Meisterstück rühmen und preisen wollte, weil ein großer Herr kostbare Schätze zum täglichen Gebrauch darin aufhebt. Wer sich über mich wundern und freuen will, der bewundere meine Führung, bete den

Vater der Menschen an, und danke Ihm, daß Er sich noch immer nicht unbezeugt läßt, und auch auf seinen heiligen Wegen Zeugen ausrüstet, und um die eilfte Stunde noch Arbeiter in seinen Weinberg sendet.

Jetzt bitte ich nun inständig, Gott und der Wahrheit die Ehre zu geben, und folgende Sätze genau zu prüfen:

1. Zeigt meine ganze Lebensgeschichte nicht unwidersprechlich, daß mich nicht menschlicher Verstand und Weisheit, sondern der — der der Menschen Herz, Handlungen, und Schicksale — doch ohne Zwang ihres freyen Willens — zu lenken versteht, von Anfang bis zu Ende wahrhaft nach einem vorbedachten Plan geleitet, gebildet, und erzogen habe?

2. Zeigt meine Geschichte nicht ebenfalls unwiderlegbar, daß von meiner Seite nicht das geringste, weder zum Entwurf noch zur Ausführung meines Lebensplans geschehen sey? — weder Schwärmerey noch Irrthümer hatten an jenem Plan, und an dessen Ausführung Theil: denn wo ich schwärmte oder irrte, da wurde ich immer durch die Entwicklung eines Bessern belehrt.

3. Wenn mich also nun der Allweise, Allgütige und Allesvermögende Weltregent selbst geleitet, vor- und zubereitet hat, ohne daß weder ich selbst noch irgend ein Mensch Antheil an seinem Plan hatte, kann Ihm da sein Werk mißlungen seyn? — kann Er einen Irrgeist, einen Schwärmer, und Obscuranten — so — leiten und führen wie mich, um die Menschen zu täuschen? — Ja! zulassen kann Ers, daß sich ein Schwärmer und Verführer selbst durch Schwierigkeiten durcharbeitet und eigenmächtig sich ein Publikum erwirbt: denn Er läßt freye Wesen auch frey wirken, so lange es mit seinem hohen Rath bestehen kann; aber zeige mir einer in meinem ganzen Leben, daß ich mich irgendwo durch Schwierigkeiten von der Art durchgearbeitet, oder gesucht habe, mir ein Publikum in religiöser Hinsicht zu erwerben.

4. Folgt also nun nicht aus dem Allen, daß mein religiöses

Lehrsystem, welches kein anderes ist als dasjenige, welches Christus und seine Apostel — und nachher alle rechtgläubige Kirchen-Väter alle Jahrhunderte durch, gelehrt haben, wahr, und abermals durch meine Führung legitimirt worden sey? — ich kann Ideen, — ich kann Nebenbegriffe haben, die noch unlauter, noch nicht genug berichtiget sind, aber in der Hauptsache des Christenthums irre ich so gewiß nicht, als ich gewiß bin, daß mich Gott mein ganzes Leben durch geführet, und selbst zum Zeugen der Wahrheit gebildet hat. Indessen bin ich mir vor Gott mit der vollkommensten Aufrichtigkeit bewußt, daß keine meiner religiösen Ideen durch mühsames Nachdenken entstanden, oder Resultat irgend einer Deduction der bloßen Vernunft sey, sondern Alle sind Aufschlüsse in meinem Gemüthe, die mir bey dem Betrachten schwieriger Bibelstellen von selbst gekommen sind. Die Hauptsache des Christenthums aber beruht, nach meiner Ueberzeugung, auf folgenden Grundsätzen.

1. Die heiligen Schriften, so wie wir sie gegenwärtig haben, enthalten vom ersten Capitel des ersten Buchs Mosis an, bis aufs letzte Capitel des Propheten Maleachi, und vom ersten Capitel des Evangeliums Matthäi an, bis aufs letzte Capitel der Apokalypse, die Geschichte der Offenbarungen Gottes an die Menschen, und sind daher die einzige zuverläßige Quelle aller derer übersinnlichen Wahrheiten, die dem Menschen zu seiner Bestimmung nöthig sind.

2. Die ersten Menschen waren von Gott vollkommen erschaffen worden, sie sündigten aber durch Ungehorsam gegen Gott, und verloren dadurch das Gleichgewicht zwischen den sinnlichen und sittlichen Grundtrieben; die sinnlichen wurden immer überwiegender, und daher wurde in ihrer ganzen Nachkommenschaft das Dichten und Trachten des menschlichen Herzens böse von Jugend auf und immerdar.

3. Vorher war auch schon eine Classe höherer geistiger Wesen von Gott abgefallen und böse geworden; der Fürst dieser

Wesen hatte die ersten Menschen zum Abfall verleitet; diese bösen Geister können dann auf den geistigen Theil des Menschen wirken, wenn er ihnen Anlaß dazu giebt; es giebt aber auch gute Geister, die um den Menschen her sind, und ebenfalls auf ihn wirken, wenn es die Umstände erfordern. Jene bösen Geister nebst ihrem Fürsten, den Satan, seine Engel und alle bösen Menschen, nenne ich das Reich der Finsterniß.

4. Gott hat von Ewigkeit her ein Wesen ausgebohren, das mit ihm gleicher Natur ist, und gegen Ihn in dem Verhältniß steht wie ein Sohn gegen seinen Vater, daher nennet es auch die Bibel den Sohn Gottes, den Logos, das Gottwort, dieser Sohn Gottes übernahm die Führung und Erlösung des gefallenen menschlichen Geschlechts; im alten Bunde offenbarte Er sich unter dem Namen Jehovah, und im neuen Bunde als wahrer Mensch unter dem Namen Jesus Christus. Er ist Gott und Mensch in einer Person.

5. Dieser Gottmensch Jesus Christus erlöste die gefallene Menschheit durch seinen blutigen Opfertod, von der Sünde, vom Tode, und von der Strafe der Sünden. In diesem blutigen Opfertod liegt der Grund zur Versöhnung mit Gott, zur Vergebung der Sünden, folglich auch der Seeligkeit. Die Sittenlehre Christi, die schon in allen ihren Puncten im alten Testament enthalten, und sogar von Heiden fast vollkommen gelehrt worden ist, dient nur blos dazu, damit man prüfen könne, ob der blutige Opfertod Christi, und in wie fern er an einem Menschen seine Würkung gethan habe? — Sie ist natürliche Folge des Erlösungsgeschäfts, aber ohne dieses eben so wenig Gottgefällig auszuüben möglich, als daß ein Kranker die Geschäfte eines Gesunden sollte verrichten können.

6. Jesus Christus stand von den Todten auf, und wurde dadurch auch die Grundursache der Auferstehung der Menschen, dann fuhr er gen Himmel, und übernahm die Weltregierung. Er ist also jetzt der Gott, der Alles regiert, alle Schicksale der Menschen lenkt, und im Großen wie im Klei-

nen, im Ganzen wie im Einzelnen, Alles zum großen Ziel der
Menschen-Erlösung leitet, und endlich hinausführt. Zu dem
Ende steht Er mit allen seinen wahren Verehrern und treuen
Dienern, nebst den heiligen Engeln, als das Reich des Lichts,
dem Reich der Finsterniß gegen über; beyde kämpfen so lange
gegen einander, bis das letzte ganz überwunden, und so das
Erlösungs-Geschäft vollendet ist; dann überantwortet der
Sohn dem Vater wieder das Reich, und dieser ist dann wieder
Alles in Allem.

7. Gott will und muß in Jesu Christo, in seinem Namen,
das ist: in seiner Person angebetet werden. Gott außer Christo, ist ein metaphysisches Unding, das sich die kühne Vernunft von der Idee eines höchst vollkommenen Menschen abstrahirt hat; dieses Unding, das nirgends als im Kopf der
Philosophen existirt, anbeten, ist pure Abgötterey. In Christo
findet man nur den Vater der Menschen, nur da will und
kann er angebetet werden.

8. Der heilige Geist, der Geist des Vaters und des Sohns, ist
wahrhaft ein Wesen, mit dem Vater und dem Sohn gleicher
göttlicher Natur. Er ist eine moralische göttliche Liebeskraft,
die von Beyden ausgeht, so wie Licht und Wärme von der
Sonne ausstrahlt; seit den ersten Pfingsten bis daher ist Er
beständig wirksam; jeder der von Herzen an Christum
glaubt, seine Heilslehre annimmt, sein Sündenelend herzlich
bereut, und nun mit inniger Sehnsucht wünscht, von der Sünde
frey, und ein wahres Kind Gottes zu werden, der zieht nach
dem Verhältniß seines Glaubens und in dem Grad seiner
Sehnsucht, den heiligen Geist an, so daß dann seine sittlichen
Kräfte immer mehr und mehr gestärkt, und seine sinnlichen
je mehr und mehr geschwächt werden.

Dies ist mein beständiges, wahres, durch viele Prüfungen,
Erfahrungen und Läuterungen bewährtes Glaubens- Lehr-
und Lebens-System; welches ich nicht durch Speculation, und
durch Bemühung des Kopfs, sondern während meinem viel-

jährigen Ringen nach Licht und Wahrheit, aus Drang und Bedürfniß des Herzens, einzeln, nach und nach, wie seltene Goldkörner, an meinem mühseligen Pilgerwege aufgelesen, gesammelt, und dann in ein vernünftiges Ganzes gebracht habe. Es ist das reine, durch keine Sophisterey und Mode-Exegese getrübte Dogma der heiligen Schrift, auf dessen Gewißheit und Wahrheit ich leben und sterben will.

Dieser alten christlichen Glaubens- und Heilslehre steht nun die neue Aufklärung gerade gegen über; edle und Wahrheit liebende rechtschaffene Männer, ziehen die letztere der erstern aus dem Grunde vor, weil sie überzeugt sind, daß die durch die Aufklärung modifizirte, Religionslehre der menschlichen Vernunft angemessener sey, als jenes altchristliche System; sie haben daher eine Exegese, eine Bibel-Erklärung erfunden, die zu ihrer Philosophie paßt; allein die guten Männer merken, oder merken nicht, daß die Tendenz dieser neuen Aufklärung auf bloße Natur-Religion hinstrebt; deren Dogmen bloße Sittenlehre ist, die am Ende die Sendung Christi ganz unnöthig macht, und der Bibel nicht mehr bedarf. Da nun aber weder das ästhetische Gefühl, noch die Schönheit der Tugend, die durch den Fall Adams verlohrnen sittlichen Kräfte geben kann, so nimmt unter der Herrschaft der Aufklärung die Sittenlosigkeit unaufhaltbar zu, das Verderben wächst mit beschleunigter Bewegung, die Menschheit sinkt in die allersinnloseste Barbarey zurück, und die göttlichen Gerichte üben strenge und gerechte Rache über ein Volk aus, das alle Mittel zur sittlichen Besserung und Veredlung verachtet.

Dagegen beweist die Erfahrung aller Jahrhunderte an Millionen einzelnen Menschen, daß die altchristliche Glaubenslehre ihre Anhänger zu guten und heiligen Bürgern, Ehegatten, Freunden, Eltern und Kindern gebildet habe; die Aufklärung kann wohl hin und wieder, einen honnetten Menschen, und bürgerliche Tugend — aber doch nur zur Noth —

zu Stande bringen; ein solcher Mensch kann zu Zeiten eine glänzende That ausüben, aber im Verborgenen, völlig unbekannt, aus wahrer Gottes- und Menschenliebe, auch den Feinden, mit Aufopferung, Wohlthaten erzeigen, das ist schlechterdings nur da möglich, wo der Geist Christi herrschend ist.

Nun entsteht aber die höchst wichtige Frage: woher es doch komme, daß solche edle Wahrheit-liebende Männer bey allen diesen unzweifelbaren Erfahrungen, denn doch noch immer bey ihrem Aufklärungssystem bleiben? — hierauf dient zur Antwort: es giebt zwey Prämissen — zwey Grundlagen aller religiösen Demonstrationen; sind diese Prämissen falsch, so wird auch jede mathematisch richtige Beweisführung falsch und unrichtig; und das ist hier gerade der Fall.

Die ganze christliche Glaubenslehre gründet sich auf folgenden Grundsatz: Gott schuf die ersten Menschen als freywirkende Wesen, mit der Tendenz zu immer wachsender sittlicher Vollkommenheit, und damit in gleichem Schritt gehenden Genuß des höchsten Guts; sie ließen sich aber durch ein unbekanntes böses Wesen verführen, daß sie ihre Tendenz zu immer wachsender sinnlichen Vervollkommnung, und damit in gleichem Schritt gehenden Genuß der irrdischen Güter anwendeten. Diesen Grundsatz lehrt uns die heilige Schrift; und daß er unzweifelbar wahr sey, das lehrt uns eine beynahe sechstausendjährige Erfahrung. Hieraus folgt nun unmittelbar:

Wäre der Mensch in seinem natürlichen Zustand geblieben, so wär ihm auch die Befolgung der Sittenlehre natürlich gewesen, sein Kopf hätte sie ihm gesagt, und sein Herz hätte sie befolgt; dann war also die Natur-Religion die einzige wahre. In dem gegenwärtigen gefallenen Zustand aber, wo die Sinnlichkeit allwaltend herrscht, und die sittlichen Kräfte gelähmt sind, kann man von dem schwächern Theil nicht fordern, daß es das Stärkere überwinden soll, folglich ist in der Natur kein Weg zur Erlösung, sondern der Schöpfer muß wiederum ins Mittel treten, wenn die Menschheit gerettet werden soll.

Wer nun auf diese Vordersätze eine richtige logische Demonstration gründet, der findet die ganze christliche Heilslehre sehr vernünftig, und die heutige Aufklärung sehr unvernünftig.

Der Grundsatz der Aufklärung aber ist nun folgender: die ganze Schöpfung ist ein zusammenhängendes Ganze, welchem der Schöpfer seine geistigen und physischen Kräfte angeschaffen, und ihnen ihre ewige und unveränderliche Gesetze gegeben hat, nach welchen sie unaufhaltbar wirken; so daß also nun keine göttliche Einwirkung mehr nöthig ist; folglich geht Alles in der ganzen Schöpfung einen unabänderlichen nothwendigen Gang, der das allgemeine Beste aller Wesen zum Zweck hat. Die Menschenklasse ist ein Theil dieses Ganzen, und die ewigen Gesetze der Natur wirken, so daß der freye Wille jedes Menschen, bey jeder Handlung so gelenkt wird, daß er das thut, was er thut. Die Sittenlehre enthält die Gesetze, nach denen der freye Wille geleitet werden muß. Dieser Grundsatz ist der eigentliche Determinismus, und man mag sich verstecken und verwahren wie man will, bey allen, auch den gemäßigsten Neologen, ist er mehr oder weniger, offener oder versteckter, die Grundidee von Allem.

Wie mag aber wohl die Vernunft zu dieser Idee gekommen seyn? — Antw. auf einem sehr natürlichen Wege; sie sucht sich von dem Daseyn eines höchsten Wesens zu überzeugen, und dann auch seine Natur und Eigenschaften zu ergründen; und da sie in der ganzen sinnlichen Schöpfung kein anderes vernünftiges Wesen kennt, als sich selbst, so abstrahirt sie alle Schranken von der menschlichen Seele weg, und findet alsdann eine unendlich vernünftige, allmächtige, allwissende, allliebende, allgegenwärtige menschliche Seele, die sie nun Gott nennt; so wie nun ein menschlicher Künstler ein Kunstwerk, z. B. eine Uhr macht, diese Uhr aber sehr unvollkom-

men seyn würde, wenn der Künstler immerfort, bald hier
bald da, ein Rädchen drehen, rücken, oder auf irgend eine
Art immer nachhelfen müßte, so hat der höchst vollkommene
Künstler auch eine Maschine gemacht, die aber, eben darum,
weil der Meister höchst vollkommen ist, auch höchst vollkommen seyn muß, und also nirgend einer Nachhülfe oder
Mitwirkung des Künstlers nöthig haben darf.

Daß aber dieser schreckliche Grundsatz nicht wahr ist, das
sagt uns unser eigenes Freyheitsgefühl, aber auch eben die
nämliche Vernunft: denn wenn er wahr wäre, so wäre — man
mag sich drehen und wenden wie man will — jede menschliche Handlung, so wie sie geschieht, vom Schöpfer bestimmt.
Die greulichsten Thaten, die irgend nur Menschen begehen
können, und die schrecklichsten Leiden, die sich die Menschen
unter einander zufügen, alle die Unterdrückungen der Witt-
wen und Waysen, alle Greuel des Kriegs u. s. w., das Alles
hat der Gott der neuen Aufklärung gewollt: denn Er hat ja
die Natur so eingerichtet, daß das Alles erfolgen mußte
u. s. w.

Daß jede nur einigermaßen vernünftige Vernunft, für diesem gewiß logisch richtigen Folgesatz zurückbeben muß, wird
niemand läugnen — folglich steht hier die Vernunft mit sich
selbst im Widerspruch, und wo das der Fall ist, da hört ihr
Gebiet auf, da ist ihre Grenze. Schrecklicher läßt sich nichts
denken, als wenn man die menschliche Vernunft, besonders in
unsern Zeiten, wo der unbändigste Luxus, und die unbändigste Sittenlosigkeit mit einander wetteifern, auf solche Wege
leitet — und nun das noch gar christliche Religion nennen
will — o der ungeheuern Gotteslästerung!

Meine Lieben! seyd entweder ganz Christen nach dem wahren altevangelischen System, oder seyd ganz Naturalisten, so
weiß man doch wie man mit Euch dran ist. Denkt an Laodicea. Der Mittelweg ist eine Falle, die der Satan den Menschen gestellt hat.

Lieben Brüder! lieben Schwestern alle! wir wollen uns an den Vater unsers Herrn Jesu Christi, an Jesum Christum, und seinen Geist treulich halten, die heiligen Schriften alten und neuen Testaments, so wie wir sie haben, und wie sie der gesunde Menschenverstand versteht, für unsere einzige Glaubens- und Erkenntnißquelle annehmen; Er kommt bald, und dann wird Er unsere Treue gnädig ansehen. Amen.

Melod. Wie groß ist des Allmächtgen Güte!

1.

Du, der du auf dem ewgen Throne
    Das Schicksal aller Wesen wägst!
Auf deinem Haupt die Strahlen-Krone
    Von Myriaden Welten trägst!
Umkreist vom Heer der Seraphinen,
    Umglänzt mit siebenfachem Licht!
Im Jubel aller, die dir dienen,
    Verschmäh' den Staub vom Staube nicht!

2.

Merkt auf, Ihr Himmel, hör Du Erde!
    Des Donners Brüllen schweige still!
Damit mein Lied verstanden werde,
    Das ich dem Herrn jetzt singen will;
Ihr Sänger am crystallnen Meere,
    Ach leiht mir Euer Harfenspiel!
Auf daß ich meinen Führer ehre,
    Ach daß ihm doch mein Lied gefiel!

3.

Du unaussprechlich holde Liebe,
    Du meines Wesens Element!
Ach sieh' doch, wie aus reinem Triebe
    Mein Herz in deiner Liebe brennt!
Ich war ein Nichts, ein Nichts im Staube,
    und du, mein Alles! wähltest mich:
Durch lange Prüfung wuchs mein Glaube,
    Und meine Sehnsucht fande dich.

4.

Du wähl'st zum Schauspiel deiner Führung,
    Zum Zeugen deiner Wahrheit mich.
Nun spricht mein Herz mit tiefer Rührung:
    Mein Gott! ich leb' und sterb' für dich.
Ja! ja ich will dich treu bekennen!
    Verleih' mir Kraft und Muth dazu!
Kein Schicksal soll mich von dir trennen,
    Wo ist ein solcher Freund wie du?

5.

Du Geber aller guten Gaben!
    Fandst in der niedern Hütte mich;
Du fandst den armen Bauern-Knaben,
    Du sahst mich, und erbarmtest dich!
Du merktest auf des Vaters Flehen,
    Der Mutter Seufzen hörtest du!
Nun sprachst du Ja! es soll geschehen!
    Und wehtest Geist und Kraft mir zu.

6.

Nun wogst du auf der goldnen Waage
    Des Schicksals meine Leiden ab;
Bestimmtest auch die Zahl der Tage,
    Von meiner Wiege, bis zum Grab;
Entwarfst zu meinem Wirkungs-Kreise
    Schon damals den erhabnen Plan;
Und zeigtest zu der Pilger-Reise
    Von weitem mir die steile Bahn.

7.

Ein Engel am Erlösers-Throne,
    Bekam nun auch Befehl von dir;
Er legte ab die Perlen-Krone,
    Und kam in Ernst gehüllt zu mir.
Er schien das Mitleid nicht zu kennen,
    Als wüßt' er von Erbarmung nichts.
Vielleicht wirst du ihn einst ernennen
    Zum Herold deines Welt-Gerichts.

8.

Er führte mich mit Engels-Treue
　　Durch meiner Jugend bunte Flur.
Ich folgte ihm mit banger Scheue,
　　Und sah' auf seine Winke nur.
Bald folgt' ich ihm durch rauhe Lüfte,
　　Mit wundem Fuß auf Dornen nach;
Bald schleppt' er mich durch Felsen-Klüfte.
　　So war mein Schicksal Tag für Tag.

9.

Oft schien ein zweifelhafter Schimmer
　　Das Ende meines Wegs zu seyn;
Ich eilte stärker, hoffte immer
　　Mich bald des frohen Ziels zu freun;
Allein auf einmal riß der strenge
　　Begleiter mich von meiner Bahn,
Und führt' aufs Neue durchs Gedränge
　　Den steilen Felsen mich hinan. —

10.

Ich trug auf allen meinen Wegen
　　Der Schulden Centnerschwere Last.
Wie Pesthauch wehte mir entgegen
　　Die Schwermuth, ich erstickte fast.
Kein Ostwind fächelt' mit dem Flügel
　　Dem müden Pilger Kühlung zu;
Ich fand auf keinem Blumenhügel
　　Im milden Schatten sanfte Ruh.

11.

So wankt' ich auf dem Thränen-Pfade,
　　Durch manche Krümmung hin und her.
Auf einmal strahlte Huld und Gnade,
　　Und meine Bürde war nicht mehr:
Mein Führer nahm mit starken Armen
　　Die Last von meiner Schulter ab;
Mit einem Blicke voll Erbarmen
　　Warf er sie in das Thal hinab.

12.

Ich wallte leichter, doch noch immer
    Beschwerlich, meinem Führer nach,
Bis endlich mir ein heller Schimmer
    Verkündigte den nahen Tag.
Er kam, Er kam! der goldne Morgen,
    Nun sah' ich mich am frohen Ziel!
Nun schwanden sie, die bangen Sorgen,
    Ertöne laut mein Saitenspiel!

13.

Stimmt ein, Ihr Sänger dort am Throne!
    Stimmt in mein Lied im Thränenthal!
Bis ich einst in der Kämpfer-Krone,
    Dort bey des Lammes Hochzeits-Mahl,
Im Harfen-Jubel hoher Feyer,
    Mit Euch Jehovah preisen kann;
Mit Bruderhuld umfaßt mein Treuer,
    Mein Führer mich, und lächelt dann.

14.

Bis dahin ströme Gottes Frieden
    Und hohen Muth ins matte Herz!
Und leite meinen Gang hienieden,
    Und meine Richtung himmelwärts!
Nun will ich goldne Körner streuen,
    Dann leite mich nach deinem Rath!
Und laß auch endlich wohl gedeihen
    Des müden Pilgers Thränensaat!

Heinrich Stillings
Alter.

Eine wahre Geschichte.

Oder

Heinrich Stillings
Lebens-Geschichte.

Sechster Band.

Heidelberg,
bey Mohr und Winter.
1817.

HEINRICH STILLINGS
ALTER

von ihm selbst beschrieben.
Ein Fragment.

Bald am Ziel meiner Wallfahrt, im Anfange meines sieben
und siebenzigsten Lebensjahrs, nach einem Jahr durchkämpf-
ter körperlicher Leiden, Magenkrampf und Entkräftungen,
durchweht mich gleichsam ein heiliger Schauer. Die große
Reihe durchlebter Jahre gehet wie Schattenbilder an der
Wand vor meiner Seele vorüber, und die Gegenwart kommt
mir vor, wie ein großes feyerliches Bild, das aber mit
einem Schleyer bedeckt ist, den ich erst lüften werde, wenn
meine Hülle im Grabe ruht, und der Auferstehung entgegen reift. Gnade und Barmherzigkeit, Seligkeit durch
die Versöhnungsgnade meines himmlischen Führers wird
von diesem Bilde mein ganzes Wesen durchstrahlen. Hallelujah!

Es sieht doch jetzt ganz anders um mich her aus, als wie ich
meine Umgebungen in Heinrich Stillings Jugend beschrieben
habe. Mein Alter und meine Jugend sind gar sehr verschiedene Standpunkte; ich sitze nicht mehr im kleinen dunklen
Stübchen zwischen Sonnenuhren, am eichenen Umklapptisch,
und nähe für den Nachbar Jacob an einem Brustlatz, oder
mache Knöpfe an den Sonntagsrock für Schuhmachers Peter.
Eberhard Stilling schreitet nicht mehr im leinenen Kittel kräftig umher, und Margreth kommt nicht mehr emsig, um hinter
dem Ofen im bunten Kästchen Salz in die Suppe zu holen.
Nicht mehr schnurren die Räder meiner blühenden Muhme

um die Oellampe her, und die Stimme ihres Gesanges ist längst verhallt.

Oheim Johann Stilling kommt nicht mehr, uns staunenden Zuhörern von seinen neuen Entdeckungen in der Elektrizität, Mechanik, Optik, Mathematik und dergleichen zu erzählen. Nein! es sieht nun ganz anders um mich her aus.

Da sitze ich auf dem bequemen Großvaterstuhl vor meinem viel gebrauchten Pult, und an den Wänden um mich her hängen Pfänder zur Erinnerung an meine nahen und fernen Freunde. Meine viele Jahre lang schwer leidende und schwer geprüfte Elise wankt um mich her, und besorgt Gegenwart und Zukunft, und meine jüngste Tochter Christine geht ihr an die Hand, und führt ihre Verordnungen aus. Sie ist die einzige von meinen Kindern, die noch bey mir ist, und die mich oft durch ihr Clavierspielen ermuntert und erquickt.

Meine Tochter Hanna lebt mit ihrem lieben Schwarz und zehen Kindern zu Heidelberg im Segen; ihre älteste Tochter ist mit dem Professor Vömel in Hanau verheyrathet, und hat mich mit einem Urenkel beschenkt, dessen Pathe ich bin; und der älteste Sohn Wilhelm war Rector an der Schule zu Weinheim an der Bergstraße und auch Diakonus daselbst; jetzt ist er hier Hofmeister und Erzieher des einzigen Sohnes unsers würdigen Staats-Ministers des Herrn von Berkheim. Die Universität Heidelberg gab ihm das Doctor-Diplom der Philosophie wegen seines Fleißes, wegen seiner Kenntnisse und gesitteten Betragens; auch dieser besucht mich beynahe täglich. Mein Sohn in Rastatt lebt mit seiner Frau und sechs Kindern im Segen. Der Herr führt ihn schwere Wege, aber er geht sie mit den Seinigen, wie es dem Christen geziemt; seine älteste Tochter Auguste ist auch bey mir, um im Graimbergischen Institut zum ehrbaren christlichen Frauenzimmer gebildet zu werden; auch diese hilft mir meine alten trüben Tage erheitern.

Da die würdige Stifterin des eben gedachten Instituts, die

Frau von Graimberg, die Erziehung der beyden großherzoglichen Prinzessinnen übernommen, und meine dritte Tochter Amalia als Gehülfin ins Schloß mitgenommen hat, so hat nun meine ältere Tochter Karoline die Führung des Instituts als Vorsteherin angetreten; ihr schöner Wirkungskreis erheitert den Abend meines Lebens, und beyde Töchter besuchen uns beyde Eltern fast täglich. Endlich verlebte auch mein zweyter Sohn Friederich noch das letzte halbe Jahr bey uns, ehe er als Kameralist und Oekonom seine Laufbahn in Rußland antritt; seine Guitarre und sein schöner männlicher Gesang verscheuchen mir manche trübe Stunde. Doch mir fällt eben ein, daß die Großväter und Großmütter gar gesprächig werden, wenn von ihrer Familie die Rede ist; um nun nicht in diesen Fehler zu verfallen, will ich lieber einlenken, und den Faden meiner Lebensgeschichte an Stillings Lehrjahre anknüpfen.

Bey meiner Ankunft in Heidelberg 1803 im September, erfuhr ich, daß der Großherzog, damals noch Kurfürst, in Mannheim sey; ich fuhr also des andern Tages dahin, um Ihm persönlich meine Ankunft anzuzeigen, und mich Ihm zu empfehlen. Er empfing mich sehr gnädig, und sagte: Ich freue mich, Sie in meinem Land zu wissen; ich habe von Jugend auf den Wunsch gehabt, der Religion und dem Christenthum alle meine Kräfte zu widmen; allein Gott hat mir das Regentenamt anvertraut, dem ich alle meine Kräfte schuldig bin; Sie sind nun der Mann, den Gott zu diesem Zweck zubereitet hat. Ich entbinde Sie daher von allen irdischen Verbindlichkeiten, und trage Ihnen auf, durch Ihren Briefwechsel und Schriftstellerey Religion und praktisches Christenthum an meiner Stelle zu befördern; dazu berufe und besolde ich Sie.

Das war nun auch meine politische und rechtskräftige Vocation zu meinem künftigen Beruf, der nichts fehlte, als eine schriftliche Ausfertigung, die ich aber nicht für nöthig hielt, indem ich wohl wußte, daß mich desfalls niemand in Anspruch nehmen würde. Ich kehrte also mit einer innigen Seelenruhe nach Heidelberg zurück, denn nun war ja der große Grundtrieb, der von der Wiege an mein Inneres gedrängt hatte, befriedigt. Nur ein Hauptpunkt störte, ungeachtet meines unerschütterlichen Vertrauens auf meinen himmlischen Führer, meine Ruhe: ich fand alles in Heidelberg ganz anders, als ich es vor zehn und einem halben Jahre verlassen hatte; alles war theuer, nicht wohlfeiler, als in Marburg, Verschiedenes noch theuerer; man hatte uns geschrieben, wir sollten unser Hausgeräthe verkaufen, denn wir könnten es in Heidelberg besser wieder anschaffen; allein wir fanden es ganz anders. Unsere schönen Möbels gingen in Marburg für geringe Preise fort, und wir mußten schlechtes Geräthe für theure Preise dafür anschaffen; kurz der Zug von Marburg nach Heidelberg, nebst der völligen Einrichtung am letztern Orte kostete gegen tausend Gulden; ich konnte dies noch von dem Segen, den mir meine Reisen gebracht hatten, bestreiten; aber zur Nachhülfe blieb auch nichts übrig.

In Marburg hatte ich gegen dritthalb tausend Gulden einzunehmen, und sie auch bey aller Sparsamkeit gebraucht, ohne etwas übrig zu behalten; Verhältnisse, die ich dem Publikum nicht entdecken und nicht erklären kann, vermehrten meine Ausgabe beträchtlich. Diese Verhältnisse waren nun beynahe noch immer die nämlichen, und sie zu bestreiten hatte ich kaum die Hälfte von meinem Marburger Einkommen einzunehmen. So wie wir beyde, ich und meine Frau, am Schlusse des Jahres 1803 nach und nach diese Entdeckungen und Erfahrungen machten, und fanden, daß wir in Heidelberg im geringsten nicht wohlfeiler haushalten konnten, als in Marburg, so lagerte sich schwarze Schwermuth wie ein Berg auf meine Seele; meine Vernunft sprach sehr lebhaft und laut: Du hast nie einen Schritt gethan, dich eigenmächtig aus der Lage zu setzen, in die dich die Vorsehung geführt hatte; darum half dir dein himmlischer Führer auch mächtig durch. — Ist dies aber auch jetzt der Fall? — Hast du weder mittelbar noch unmittelbar dazu beygetragen, daß dich der Kurfürst von Baden hierher berufen hat? — War dein Grundtrieb, für den Herrn und sein Reich zu wirken, rein? Lag nicht in der Tiefe deiner Seele auch die Eitelkeit verborgen, als ein großes Licht in der Kirche Gottes zu glänzen, und durch deine Schriften in aller Welt berühmt zu werden? — Und endlich: giebt es wohl höhere Pflichten, als dafür zu sorgen, daß Frau und Kinder nicht in Mangel und Armuth gerathen? — Und ist es zu verantworten, wenn man die Mittel, die die Vorsehung dazu an die Hand gegeben hat, gegen eine Lage vertauscht, die doch bey allem guten Meynen und guten Willen noch im Dunkel der Zukunft verhüllt ist? u. s. w. Alle diese Fragen standen wie strafende Richter vor meiner Seele, und ich konnte kein Wort zu meiner Vertheidigung vorbringen. — Großer Gott! wie war's mir zu Muthe! — ich fand nun keinen andern Ausweg, als mich durch die strengste, genaueste und unpartheyische Selbstprüfung zu erforschen, wie es in Ansehung aller dieser Punkte mit mir stehe?

Bey dieser Untersuchung fand ich nun, was alle Adamskinder in solchen Fällen finden, daß alles, was sie beginnen, und worinnen sie mitwirken, mit Sünden befleckt ist, aber in der Hauptsache meiner Führung fand ich nichts, das mir zum Vorwurf gereichen konnte, denn alle Umstände, die meinen Wirkungskreis, meine Verhältnisse und meine Lage in Marburg bestimmten, gaben mir einmüthig den Wink, mich von diesem Standpunkte zu entfernen; was aber nun diesem Wink vollends das Siegel eines göttlichen Berufs aufdrückte, war, daß es Einen Fürsten gab, der gerade einen solchen Mann brauchte, dessen Grundtrieb, für den Herrn und sein Reich zu wirken, bey ihm herrschend war, und daß dieser Fürst diesen Mann kannte und liebte; ein Fall, der wohl der Einzige in seiner Art ist.

Schon im verwichenen Sommer, als mir der Kurfürst schrieb, er könne mir jetzt 1200 Gulden geben, ich möchte kommen, er würde nach und nach meine Umstände verbessern, eröffnete ich ihm, daß ich davon nicht leben und bestehen könnte; da aber darauf kein Entschluß folgte, so überlegte ich noch einmal alles genau, und fühlte nun die Pflicht, dem Rufe zu folgen, denn ich war überzeugt, daß er der Einzige sey, den ich in meinem ganzen Leben erwarten konnte.

Bey der Prüfung, ob mein Grundtrieb, für den Herrn zu wirken, rein sey? oder ob sich nicht auch in geheim die Eitelkeit mit einmische, ein großer und durch meine Schriften berühmter Mann zu werden? fand ich, daß alle unsere besten Werke im göttlichen Lichte die Probe nicht aushalten, aber ich fand auch, daß ich, wenn Eitelkeit mein Grundtrieb wäre, gewiß den Beruf nicht wählen würde, der gerade der Verachtung und dem Widerspruch der großen Männer dieser Zeit am meisten ausgesetzt ist. Nachdem ich dieses alles im Reinen hatte, so war nun von Versorgung meiner Familie nicht mehr die Rede; denn war ich überzeugt, daß ich den Willen meines himmlischen Führers befolgt hatte, so kümmerte mich das nicht mehr. Wie herrlich der Herr mein Vertrauen legitimirte, das wird der Verfolg dieser Geschichte zeigen.

Den Schluß des 1803ten Jahres brachte ich nun mit Einräumung meiner Bibliothek und mit der völligen Einrichtung meines Schreibepultes und meiner Studierstube zu, welche Geschäfte aber durch eine Menge Briefe und Gesuche, auch von Augen-Kranken, fast täglich unterbrochen wurde. So beschloß ich dies für mich so merkwürdige Jahr, und fieng dann das 1804te mit der Fortsetzung meiner Lebensgeschichte, mit Heinrich Stillings Lehrjahren an. Diese Schrift, nebst der Ausarbeitung des 15. Hefts des grauen Mannes, und ein Paar Erzählungen in Aschenbergs Taschenbuch beschäftigten mich diesen Winter, der überhaupt für mich und die Meinigen sehr leidend war: denn unsere Karoline wurde gefährlich krank, und unsere jüngste Tochter Christine bekam ein Geschwür am

linken Arm, das einen Knochenfraß, Lähmung, oder gar den
Tod befürchten ließ; Karoline wurde endlich wieder gesund,
aber Christine, damals im fünften Jahr, schien nach und nach
auszuzehren, und unheilbar zu werden; zugleich kam es nun
auch dazu, daß mein Geldvorrath auf die Neige gieng, folglich wieder von höherer Hand geholfen werden muß; diese
Hülfe zögerte aber auch nicht: denn gegen das Ende des Monats März erhielt ich einen Brief aus der Oberlausitz von
einer sehr verehrungswürdigen Freundin, die mich auffor-
derte, zu kommen, indem viele arme Blinde und an den Augen
Leidende meine Gegenwart erforderten; die Reisekosten würden vergütet werden, und ich würde schon unterwegs 200
Thaler (360 Gulden) zur Unterstützung antreffen.

Wir dankten dem Herrn für seine fortdauernde gnädige
Führung, und fiengen nun an uns zu dieser weiten Reise vorzubereiten; denn von Heidelberg bis Herrenhut, oder lieber
Görlitz, wohin ich auch berufen wurde, sind 80 teutsche Meilen, oder 160 Stunden.

Meine erste Schuldigkeit war nun, dem Kurfürsten von dieser Reise Nachricht zu geben; ich fuhr also nach Carlsruhe,
wo ich einige vergnügte Tage in seiner Gesellschaft zubrachte.

Bey dieser Gelegenheit trug er mir auf, mit Gliedern der
Unitätsältesten-Conferenz zu Bertholsdorf zu reden, denn Er
wünsche sehr, daß im Badischen ein Brüdergemeindeort angelegt werden möchte. Dann nahm ich Abschied von Ihm,
und kehrte wieder nach Heidelberg zurück.

Obgleich unsere Freundin Julie Richerz mit wahrer Mut-
tertreue für unsere zwey kleinen Mädchen sorgte, so fiel es
uns doch und besonders meiner Frau schwer, die kleine elende
Christine auf so viele Wochen zu verlassen; indessen es war
nicht zu ändern: denn ich, als ein 64jähriger Mann, konnte
wegen meiner öftern Anfälle vom Magenkrampf nicht allein
reisen.

Den 3. April 1804 traten wir also unsere Reise mit unserm

eigenen Wagen, und mit Extrapost an; das Frühlingswetter war ungemein angenehm; zu Heidelberg und die Bergstraße hinab blühten die Mandel- und Pfirsichbäume in voller Pracht; die ganze Natur schien uns anzulächeln, und eine vergnügte Reise zu verkündigen; allein wir täuschten uns, denn als ich am Nachmittage zwischen Darmstadt und Frankfurt den Feldberg in der Ferne sah, wie er noch von oben herab bis zur Hälfte mit Schnee bedeckt war, und daß die Wetterauergebirge noch in dies Winterkleid gehüllt waren, so fieng ich an zu fürchten, denn ich kannte den Weg nach Herrenhut noch von der ersten Reise her; wir kamen den Abend in Frankfurt an.

Es kann den Lesern der Geschichte des Abends meines Lebens sehr gleichgültig seyn, wie es uns von einem Tage zum andern, auf allen Poststationen ergangen ist; genug, es war eine mühselige Reise: Magenkrämpfe von innen, und beständige Gefahr von Witterung und bösen Wegen von außen war an der Tagesordnung; es gab aber auch mitunter Erquickungen und Frühlingstage; freylich selten, aber desto angenehmer und stärkender waren sie.

Daß unterwegens die 200 Thaler unser warteten, das versteht sich von selbst.

Wir hielten uns auf dieser Reise ein Paar Tage in Kassel, einen in Eisenach und anderthalbe in Erfurth auf. Endlich kamen wir den 19. April des Abends nach Kleinwelke, einem Brüdergemeindeort, nahe bey Bautzen, in der Oberlausitz.

Hier fieng nun schon mein Wirkungskreis an, zu dem ich durch diese Reise berufen war: Staar- und Augenpatienten aller Art kamen in Menge, und ich diente ihnen in Schwachheit so viel und so gut ich konnte.

Den 23. reisten wir von Kleinwelke nach Herrenhut, wo wir im Gemeinlogis einkehrten, und auch alsbald von verschiedenen lieben Freunden besucht wurden. In Herrenhut genossen wir die Früchte der Bruderliebe in ihrer ganzen

Fülle, und der Herr gab mir auch Gelegenheit, viel zu wirken und vielen Leidenden zu dienen.

Ich trug auch der Unitätsältesten-Conferenz in Bertholsdorf den Wunsch des Kurfürsten von Baden, einen Brüdergemeindeort in seinen Staaten zu haben, vor; allein da man eben im Begriff war, die Gemeinde Königsfeld auf dem Schwarzwalde, im Würtembergischen, nahe an der Badischen Gränze, zu gründen, so konnte aus einem doppelten Grunde obiger Wunsch nicht gewährt werden: erstlich, weil die Anlage eines solchen Gemeindeorts sehr viel kostet, und zweytens, weil Königsfeld an der Badischen Gränze liegt, eine zweyte Gemeinde in der Nähe also überflüßig seyn würde. Artig ist es indessen, daß einige Jahre später, durch einen Ländertausch, Königsfeld unter Badische Hoheit kam, und also Carl Friederichs frommer Wunsch doch noch erfüllt wurde.

Wir blieben bis den 9. May zu Herrenhut, und fuhren dann um 11 Uhr fünf Stunden weiter nach Görlitz, wohin ich auch von Augenkranken berufen wurde.

Görlitz ist eine äußerst angenehme, sehr nahrhafte und blühende Stadt; sie liegt auf einer schönen fruchtbaren Ebene, die sich gegen Morgen durch einen felsigen Absturz an das Flüßchen die Neiße anschließt. Auf diesem Felsen steht die prächtige Peter-Paulskirche, die durch ihre große und wunderbare Orgel, durch ihre große Glocke und unterirdische Kirche berühmt ist; der Sonnenaufgang über das Riesengebirge ist in dieser Stadt ein herrlicher Anblick. Gegen Südwesten, in einer kleinen Entfernung, steht der Berg, die Landskrone, ganz einsam; hier scheint er gar nicht hoch zu seyn, und doch sieht man ihn in der ganzen Lausitz, sobald man nur ein wenig in die Höhe kommt. Die Ursache ist, weil in dieser Gegend das ganze Land am höchsten ist.

Görlitz war mir auch noch von einer andern Seite her merkwürdig: der berühmte Jacob Böhm war hier Schuh-

machermeister und Bürger; es war mir außerordentlich rührend, sein Andenken noch so blühend und im Segen zu finden;
man macht sich in Görlitz eine Ehre daraus, daß Böhm Bürger daselbst war, ungeachtet er vor 200 Jahren dort lebte,
und unverdienter Weise, besonders von der damaligen Geistlichkeit, vorzüglich vom Pastor Primarius Gregorius Richter
schnöde mißhandelt wurde. Böhm lehrt in seinen Schriften
nichts, das der Augsburgischen Confession widerspricht; er
war ein fleißiger Kirchengänger, und genoß das Abendmahl
oft; in seinem Lebenswandel war er untadelhaft, ein treuer
Unterthan, ein musterhafter Hausvater und Ehegatte und ein
liebevoller Nachbar; das alles weiß man in Görlitz noch wohl,
und dennoch behandelte ihn die stolze Priesterschaft wie einen
Erzketzer. Einsmals an einem Morgen kam Meister Böhm
zum Herrn Pastor Richter, um etwas zu besorgen; so wie er
zur Thüre herein trat, ergriff Richter einen Pantoffel, und
warf ihn dem guten Schuster an den Kopf; dieser hob ihn
ganz ruhig auf, und trug ihn dem Herrn Pastor wieder vor
die Füße. Als Böhm 1624 gestorben war, so wollten ihn die
Prediger nicht auf den Kirchhof begraben lassen; man berichtete den Fall an's Oberconsistorium in Dresden. Die Leiche
mußte also stehen bleiben, bis die Resolution zurück kam,
welche befahl, daß man Böhms Leiche mit allen Ehren, wie
es einem guten Christen gebühre, beerdigen, und daß ihm die
gesammte Geistlichkeit das Geleit geben sollte. Dies geschah
denn auch, aber nur bis unter das Thor, wo die gestrengen
Herrn wieder umkehrten. Der Kirchhof liegt an der Nordseite der Stadt; ich ließ mir Böhms Grab zeigen, welches mit
einem kleinen viereckigten gehauenen Stein, der Böhms Ge-
burtsjahr, Namen und Sterbejahr bezeichnet, bedeckt ist. Ein
namhafter privatisirender Gelehrter in Görlitz erzählte mir,
daß er auf einem Spaziergange zween Engländer bey diesem
Grabe gesehen, wie sie ihre Tobacksdosen ausgeleert, und mit
Erde von Böhms Grabe angefüllt hätten, dieses habe ihn be-

wogen, einen neuen Stein darauf zu legen, indem der alte kaum mehr zu sehen gewesen sey.

Wir genossen in dieser angenehmen Stadt viele Freundschaft, und ich hatte Gelegenheit genug, auch Leidenden zu dienen. Nach einem Aufenthalt von sechs Tagen reisten wir von Görlitz ab nach Niesky, einem ansehnlichen Brüdergemeindeort, wo sich auch das Seminarium befindet, in welchem junge Leute zum Lehramt vorbereitet und gebildet werden. Hier lernte ich vortreffliche und gelehrte Männer, auch sonst interessante Mitglieder der Brüdergemeinde kennen, die uns auch viele Liebe und Freundschaft bewiesen.

Des folgenden Tages fuhr ich einige Stunden weit auf's Land, um einen blinden Standesherrn zu operiren; ich sah die sogenannte Schneekuppe, den höchsten Gipfel des Riesengebirges, in der Ferne vor mir; mir dünkt doch, daß der Blauen, am obern Ende des Schwarzwaldes, noch höher, als der Brokken und die Schneekuppe sey; indessen sind diese Berge nur Hügel gegen die Schweizer-Alpen.

Am Nachmittag kehrte ich wieder nach Niesky zurück; wir logirten im Gasthause der Gemeinde, wie das an allen Gemeindeorten gebräuchlich ist, mit allen dem Besuchen und Besuchtwerden, mit allen Operationen und Augencuren mag ich meine Leser nicht aufhalten; das war, wie allenthalben, wo ich hin kam; nur eine Bemerkung muß ich hier einschalten. Die Lausitz hat ihre ganz eigene Verfassung; sie besteht aus lauter adelichen Gütern, welche Standesherrschaften, so wie die adlichen Besitzer auch Standesherren genannt werden. Bertholsdorf ist eben eine solche Herrschaft; sie gehört aber jetzt der Brüdergemeinde, die ihren Standesherrn aus ihren Mitgliedern wählt, deren immer mehrere von Adel sind. Dann gehören auch sechs Städte zur Lausitz, unter denen Bautzen und Görlitz die ersten sind; auch diese sechs Städte haben ihre besondern Freyheiten und Vorzüge.

Die Unterthanen aller dieser Herrschaften sind durchgehends Wenden, nämlich Nachkommen der alten Vandalischen Nation, die zur Zeit der Völkerwanderungen eine so große Rolle spielte. Sie bekennen sich alle zur christlichen Religion, haben aber noch immer ihre eigene Sprache, ob sie gleich fast alle teutsch verstehen und sprechen; auch findet man noch Kirchen, worin Wendisch gepredigt wird. Alle sind leibeigen.

Des folgenden Tages bekamen wir eine Einladung von einer benachbarten Standesherrschaft, wir sollten ein Paar Tage bey ihnen zubringen, damit ich eine alte blinde Frau in ihrem eigenen Hause operiren könnte; wir fuhren also den Nachmittag nach diesem paradiesischen Landsitz hin. Am Abend nahm mich die Edelfrau am Arm, und führte mich durch hügelichte Baumgärten, am Ende des Dorfs, in eine kleine, ärmliche, aber reinliche und wohl erhaltene Bauernhütte; wir fanden im dunkeln Stübchen ein altes blindes Mütterchen auf einem Stuhl sitzen.

Guten Abend, Mütterchen! sagte die Gräfin: hier schickt dir der liebe Gott einen Freund, durch den er dir dein Gesicht wieder schenken will.

Die Frau fuhr vom Stuhl auf, strebte vorwärts, streckte die Hände aus, und stöhnte mit Thränen: wo sind Sie? Engel Gottes! Die Gräfin küßte sie auf eine Wange, und sagte: Setze dich, Mütterchen! hier hast du etwas, das mußt du morgen einnehmen, und übermorgen bring' ich dir dann diesen Freund, der dir die Augen öffnen wird. Ich sprach auch noch einige freundliche Trostworte mit der alten Bäuerin, und dann giengen wir nach Hause. Am bestimmten Tage des Morgens gieng ich mit der Gräfin wieder dahin, und operirte die Frau; dann stellte ich sie mit ihren nunmehr wieder geöffneten Augen vor die Gräfin. Nein! solche Augenblicke sind schlechterdings unbeschreiblich. — Das war ein schwaches Bild von der Scene, die ich bald erleben werde, wenn ich armer Sünder nackt und blos vor Ihm erscheinen und Ihn dann mit geöffneten Augen sehen werde, wie Er ist. Mit Thränen der Freude umarmte die Gräfin das hochglückliche Weib; dann giengen wir wieder nach Hause; daß die Patientin nach Wunsch verpflegt wurde, das ist leicht zu denken. — Aber nun hatte die gute Gräfin noch eine andere Herzensangelegenheit: es kam nun darauf an, wie sie mir auf eine zarte gefühlige Art die 200 Thaler, die sie für mich als Belohnung für die Operation bestimmt hatte, in die Hände bringen sollte; auch das führte sie meisterhaft aus.

Selig bist du nun, durch viele Leiden vollendete, schwer geprüfte und verklärte Freundin! Ruhe sanft in den Armen deines Erlösers, bis wir uns wieder sehen.

Es ist eine durchaus richtige Bemerkung, daß Unterthanen nie glücklicher seyn können, als wenn sie Leibeigene solcher vortrefflicher Herrschaften sind.

Wir blieben neun Tage in Niesky, und als meine Geschäfte geendigt waren, so reisten wir wieder zurück nach Kleinwelke, wo wir den 24. May des Abends ankamen.

Hier fand ich nun wieder viel zu thun, so daß ich bis den 29. da bleiben mußte.

An diesem Tage reisten wir wieder zurück nach Herrenhut, zur Prediger-Conferenz, zu welcher ich eingeladen worden.

Es ist der Mühe werth, daß ich diese merkwürdige Anstalt meinen Lesern etwas näher entwickle.

Es waren jetzt gerade 50 Jahre, als der Bischof Reichel diese Zusammenkunft veranlaßte, und jetzt lebte der ehrwürdige Greis noch, so daß er also das Jubiläum dieser Prediger-Conferenz feyern konnte. Am 30. May kommen eine Menge Prediger aus beyden protestantischen Confessionen, aus allen benachbarten Provinzen, in Herrenhut zusammen; es waren ihrer jetzt ungefähr 70. Kein Prediger wird abgewiesen, und es kommt hier nicht darauf an, ob er mit der Brüderkirche in Verbindung steht, oder nicht. Leute aus andern Ständen werden ohne besondere Vergünstigung nicht zugelassen, die Standesherren ausgenommen; denn diese müssen doch wissen, was ihre Prediger thun und beschließen, um nöthigenfalls die Hand bieten oder mitrathen zu können. Einigen Candidaten vergönnt man auch den Zutritt. Man versammelt sich des Morgens um acht Uhr, eröffnet die Sitzung mit Gebet und Gesang, und berathschlagt sich dann nicht so sehr über wissenschaftliche Gegenstände, als vielmehr über die Amtsführung, das Leben und den Wandel der Prediger und der Gemeindeglieder und besonders über die Aufrechthaltung der reinen Lehre des praktischen Christenthums.

An diese Prediger-Conferenz laufen nicht allein Briefe aus allen Provinzen Europens, sondern aus allen Welttheilen ein; diese können nun unmöglich alle an diesem Tage gelesen werden; man wählt also die wichtigsten heraus, liest sie vor, berathschlagt sich darüber, und beantwortet sie hernach. Die Verhandlungen dieses Tages werden zu Papier gebracht, und diese Protokolle theilt man dann den auswärtigen Mitgliedern und Freunden der Brüdergemeinde mit.

Das Jubiläum machte die gegenwärtige Versammlung besonders merkwürdig: die beyden Bischöffe Reichel und Rößler, die noch viele Jahre mit Zinzendorf gearbeitet, und Asien, Afrika und Amerika im Dienst des Herrn bereist hatten, waren gegenwärtig. Der Erste, als der eigentliche Stifter der Anstalt, und der Prediger Baumeister aus Herrenhut eröffneten die Sitzung mit kurzen und Salbungsvollen Reden. Solche Männer muß man gehört haben, wenn man über religiöse Beredsamkeit ein Urtheil fällen will.

Des Mittags wird die ganze Gesellschaft im Gemeindegasthaus von der Gemeinde anständig, mäßig, aber bis zur Sättigung bewirthet, und des folgenden Morgens reisen dann die Herren alle wieder ab.

Dies war nun auch unser Fall; wir reisten über Kleinwelke, Ponnewitz, Königsbrück und Hermsdorf nach Dresden, weil wir von gedachten Orten her von den Standesherrschaften sehr liebevoll waren eingeladen worden. Wir blieben an jedem Ort über Nacht, und kamen den 4. Juni Vormittags um 9 Uhr in Dresden an. Hier blieben wir diesen Tag, besuchten unsere Freunde, und setzten dann des folgenden Morgens unsern Weg fort. In Wurzen und Leipzig wurde ich durch Staar- und Augen-Patienten aufgehalten; eben so auch in Erfurt und Kassel; hier erfuhr ich nun zu meiner Verwunderung, daß der Kurfürst von Baden meinen Schwiegersohn Schwarz zum Professor der Theologie nach Heidelberg berufen, und daß er den Beruf angenommen habe. Dazu hatte ich nun nicht das geringste beygetragen: denn ich hatte mir's zum unverbrüch- lichsten Gesetz gemacht, meinen Einfluß, den ich in meinem gegenwärtigen Verhältniß auf den Kurfürsten haben konnte, nie zu irgend einer Empfehlung, und am wenigsten meiner Kinder und Verwandten zu benutzen; indessen war es mir doch unendlich wichtig und anbätungswürdig, daß die gütige Vorsehung meine zwey ältesten verheyratheten Kinder mit ihren Familien in meine Nähe führte und so anständig ver- sorgte.

In Marburg, wo ich ebenfalls einige Tage bleiben mußte, besuchte mich Schwarz, um mir die Geschichte seiner Voca- tion zu erzählen, wobey wir uns dann über die Wichtigkeit seiner Bestimmung mit großem Ernst unterhielten. Von hier setzten wir nun unsere Reise ohne Aufenthalt bis Heidelberg fort, wo wir am 4. Juli des Abends gesund und an Leib und Seele gesegnet, ankamen. Bis Weinheim waren uns unsere Mannheimer und Heidelberger Kinder entgegen gefahren, wo wir dann auch unser Christinchen gesund und genesen antra- fen. Das alles stimmte uns zum lebhaftesten Dank gegen un- sern himmlischen Führer.

Auf dieser mühseligen und gefahrvollen vierteljährigen Reise hatte uns doch die Vorsehung so gnädig geleitet und bewahrt, daß uns auch nicht der geringste Unfall begegnet war, und wenn ich vollends alle die Wohlthaten und Segnun- gen erzählen wollte, die wir genossen hatten, und die erbaulichen Unterredungen, und den himmlischen Umgang mit so vielen begnadigten Kindern Gottes aus allen Ständen mittheilen könnte, so würde es vielen Lesern zur Erbauung dienen, allein die Bescheidenheit auf meiner Seite, und das leidige Splitterrichten auf der andern, macht mir zur Pflicht, davon zu schweigen, aber das kann ich versichern, daß uns beyden diese Reise zu unserer Belehrung und Heiligung ausnehmend beförderlich gewesen.

Unser Aufenthalt in Heidelberg währte diesmal nicht lange: der Kurfürst, der noch immer in Schwetzingen war, ließ mich von Zeit zu Zeit in der Hof-Equipage zur Tafel holen; einst sagte er während dem Essen: Lieber Freund! ich gehe nun bald nach Baden; Sie müssen mit mir auf einige Wochen dahin gehen, denn ich habe Sie gern in der Nähe. Ich antwortete: Euere Kurfürstliche Durchlaucht haben zu befehlen; im Grund aber erschrack ich, denn woher sollte ich das Geld nehmen, mich einige Wochen an einem solchen stark besuchten Badorte aufzuhalten? die Reise hatte mir freylich einige hundert Gulden eingetragen, die hatte ich aber nöthig auf die Zukunft und den Winter; plötzlich faßte ich mich, und mein alter Wahlspruch, der so oft mein Stecken und Stab gewesen war: — der Herr wird's versehen — — beruhigte mich. Nach der Tafel nahm mich der Kurfürst mit in sein Cabinet, und gab mir 300 Gulden, mit den Worten: das ist für den Aufenthalt in Baden.

Meine Beschäftigung bestand in meinem starken Briefwechsel, im Schreiben des grauen Mannes und des christlichen Menschenfreunds, dann auch in Bedienung vieler Staar- und Augen-Patienten, die täglich kamen, und Hülfe suchten.

Der 24. Julius war nun der Zeitpunkt, an dem ich nach Baden gehen mußte; ich nahm also unsere Freundin Julie, meine Frau, die kleine Christine, und meine Nichte Mariechen, die uns aufwarten sollte, mit; denn meiner Frau, der Julie und der geschwächten Christine war das Bad sehr heil-

sam; wir bezogen unser Quartier im Gast- und Badhause zum
Salmen, während dem unsere Karoline mit den beyden kleinen, dem Friedrich, der Amalie und den Mägden die Haushaltung in Heidelberg fortsetzte.

Baden ist eine uralte, zu der Römer Zeiten schon stark be-
suchte Badstadt; sie liegt in einem paradiesischen Thal, und
ist ein äußerst angenehmer Aufenthalt; sie ist 7 Stunden von
Karlsruhe und 2 von Rastadt entfernt; das Thal nimmt seine
Richtung von Südosten nach Nordwesten, und wird von dem
Flüßchen Ohß durchströmt, das sich besonders durch Holz-
flößen wichtig macht: den Horizont begränzt das hohe zak-
kichte Gebirge des Schwarzwalds, an dessen Fuß auf beyden
Seiten des Thals, fruchtbare, von unten bis oben mit Aeckern,
Weinbergen und Gärten besäete Hügel das Auge ergötzen.
An einem dieser Hügel, gegen Norden, hängt an der Mittags-
seite die Stadt herab; auf der Spitze steht das Schloß, welches
vor der Erbauung Rastadts von dem Markgrafen von Baden-
Baden bewohnt wurde.

Durch die weite Oeffnung des Thals gegen Nordwesten
sieht man über die paradiesischen Gefilde des Großherzog-
thums Baden, und des schwelgenden Elsaß hin in blauer Ferne
die romantischen vogesischen Gebirge, und der majestätische
Rhein durchschlängelt dieses weite Thal wie ein breites Sil-
berband, das man über ein buntes Blumenfeld hinwirft. Wenn
im hohen Sommer die Sonne über die Vogesen untergeht, und
das Badner Thal bis an's Hochgebirge im Hintergrund beleuchtet, so ist das ein Anblick, der zu den größten Natur-
schönheiten gehört; er muß gesehen werden, beschreiben kann
man ihn nicht. Uebrigens ist die Luft hier so balsamisch und
rein, daß auch viele, blos um sie zu athmen, hieher kommen,
ohne die Bäder zu gebrauchen.

Daß ich keiner von den gewöhnlichen Badgästen war, die
nur dahin kommen, um sich einmal im Jahr lustig zu machen
(denn dazu hat jede Art des sinnlichen Geschmacks Gelegen-

heit genug), das werden mir meine Leser wohl auf mein Wort glauben.

Ich beschäftigte mich eben so, wie zu Haus, mit Briefschreiben, Schriftsteller-Arbeiten und Augen-Curen, versäumte aber dabey nicht, täglich, wenn es nur die Witterung erlaubte, hinaus in den Garten Gottes zu gehen, um die wandelnde, nicht jedem merkbare Stimme der ewigen Liebe zu hören. Nach und nach sammelte sich auch ein Kreis guter Menschen, in dem es uns wohl war, und die den reinen Naturgenuß mit uns theilten.

Hier schrieb ich das erste Taschenbuch von 1805, welches das gänzlich mißlungene Bildniß des Kurfürsten enthält; dieser hielt sich mehrentheils zwey Stunden von hier, auf der Favorite, einem sehr niedlichen Lustschlosse, auf, wo ich ihn von Zeit zu Zeit besuchte.

Gegen das Ende des Monats August gab es wieder Anlaß zu einer Reise: der alte blinde Pfarrer Faber zu Gaißburg, in der Nähe von Stuttgart, wünschte von mir operirt zu werden . . .

DOKUMENTE ZUR LEBENSGESCHICHTE JUNG-STILLINGS

1. Goethe regt Jung-Stilling zur Abfassung seiner Lebensgeschichte an (1770/1771)

Johann Wolfgang von Goethe, Aus meinem Leben. Dichtung und Wahrheit. Zweiter Theil. Goethes Werke 27 (Weimar 1889) S. 250—254.
In dem folgenden Abschnitt hielt Goethe im Alter die Eindrücke seiner Begegnungen mit Jung-Stilling in Straßburg (Herbst 1770 bis Herbst 1771) fest. Dabei ließ er in sein freundliches Urteil von der bereits Mitte der 1770er Jahre auf beiden Seiten eingetretenen und nie wieder überbrückten Entfremdung nichts einfließen. (Vgl. die Skizze dieser „Freundschaft" bei Stecher, S. 139—152 und 274 f.)

... Bei meiner Art zu empfinden und zu denken kostete es mich gar nichts, einen jeden gelten zu lassen für das was er war, ja sogar für das was er gelten wollte, und so machte die Offenheit eines frischen jugendlichen Muthes, der sich fast zum erstenmal in seiner vollen Blüthe hervorthat, mir sehr viele Freunde und Anhänger. Unsere Tischgesellschaft vermehrte sich wohl auf zwanzig Personen, und weil unser Salzmann bei seiner hergebrachten Methode beharrte, so blieb alles im alten Gange, ja die Unterhaltung ward beinahe schicklicher, indem sich ein jeder vor mehreren in Acht zu nehmen hatte. Unter den neuen Ankömmlingen befand sich ein Mann, der mich besonders interessirte; er hieß Jung, und ist derselbe, der nachher unter dem Namen Stilling zuerst bekannt geworden. Seine Gestalt, ungeachtet einer veralteten Kleidungsart, hatte, bei einer gewissen Derbheit, etwas Zartes. Eine Haarbeutel-Perücke entstellte nicht sein bedeutendes und gefälliges Gesicht. Seine Stimme war sanft, ohne weich und schwach zu sein, ja sie wurde wohltönend und stark, sobald er in Eifer gerieth, welches sehr leicht geschah. Wenn man ihn näher kennen lernte, so fand man an ihm einen gesunden Menschenverstand, der auf dem Gemüth ruhte und sich deßwegen von Neigungen und Leidenschaften bestimmen ließ, und aus eben diesem Gemüth entsprang ein Enthusiasmus für das Gute, Wahre, Rechte in möglichster Reinheit. Denn der Lebensgang dieses Mannes war sehr einfach gewesen und doch gedrängt an Begebenheiten und mannichfaltiger Thätigkeit. Das Element seiner Energie war ein unverwüstlicher Glaube an Gott und an eine unmittelbar von daher fließende Hülfe, die sich in einer ununterbrochenen Vorsorge und in einer unfehlbaren Rettung aus aller Not, von jedem Übel augenscheinlich bestätige. Jung hatte dergleichen Erfahrungen in seinem Leben so viele gemacht, sie hatten sich selbst in der neueren Zeit, in Straßburg, öfters wiederholt, so daß er mit der größten Freudigkeit ein zwar mäßiges aber doch sorgloses Leben führte und seinen Studien auf's ernstlichste oblag, wiewohl er auf kein sicheres Auskommen von einem Vierteljahre zum andern rechnen konnte. In seiner Jugend, auf dem Wege Kohlenbrenner zu werden, ergriff er das Schneiderhandwerk, und nachdem er sich nebenher von höhern Dingen selbst belehrt, so trieb ihn sein lehrlustiger Sinn zu einer Schulmeisterstelle. Dieser Versuch mißlang, und er kehrte zum Handwerk zurück, von dem er jedoch zu wiederholten Malen, weil jedermann für ihn leicht Zutrauen und Neigung faßte, abgerufen ward, um abermals eine Stelle als Hauslehrer zu übernehmen. Seine innerlichste und eigentlichste Bildung aber hatte er jener ausgebreiteten Menschenart zu danken, welche auf ihre eigne Hand ihr Heil suchten, und indem sie sich durch Lesung der Schrift und wohlgemeinter Bücher, durch wechselseitiges Ermahnen und Bekennen zu erbauen trachteten, dadurch einen Grad von Cultur erhielten, der Bewunderung erregen mußte. Denn indem das Interesse, das sie stets begleitete und das sie in Gesellschaft unterhielt, auf dem einfachsten Grunde der Sittlichkeit, des Wohlwollens und Wohlthuns ruhte, auch die Abweichungen, welche bei Menschen von so beschränkten Zuständen vorkommen können, von geringer Bedeutung sind, und daher ihr Gewissen meistens rein und ihr Geist gewöhnlich heiter blieb: so entstand keine künstliche, sondern eine wahrhaft natürliche Cultur, die noch darin vor andern den Vorzug hatte, daß sie allen Altern und Ständen gemäß und ihrer Natur nach allgemein gesellig war; deßhalb auch diese Personen, in ihrem Kreise, wirklich beredt und fähig waren, über alle Herzensangelegenheiten, die zartesten und tüchtigsten, sich gehörig und gefällig auszudrücken. In demselben Falle nun war der gute Jung. Unter wenigen, wenn auch nicht gerade Gleichgesinnten, doch solchen, die sich seiner Denkweise nicht abgeneigt erklärten, fand man ihn nicht allein redselig, sondern beredt; besonders erzählte er seine Lebensgeschichte auf das anmuthigste, und wußte dem Zuhörer alle Zustände deutlich und lebendig zu vergegenwärtigen. Ich trieb ihn, solche aufzuschreiben, und er versprach's. Weil er aber in seiner Art sich zu äußern einem Nachtwandler glich, den man nicht anrufen darf, wenn er nicht von seiner Höhe herabfallen, einem sanften Strom, dem man nichts entgegenstellen darf, wenn er nicht brausen soll, so mußte er sich in größerer Gesellschaft oft unbehaglich fühlen.

Sein Glaube duldete keinen Zweifel und seine Überzeugung keinen Spott. Und wenn er in freundlicher Mittheilung unerschöpflich war, so stockte gleich alles bei ihm, wenn er Widerspruch erlitt. Ich half ihm in solchen Fällen gewöhnlich über, wofür er mich mit aufrichtiger Neigung belohnte. Da mir seine Sinnesweise nichts Fremdes war und ich dieselbe vielmehr an meinen besten Freunden und Freundinnen schon genau hatte kennen lernen, sie mir auch in ihrer Natürlichkeit und Naivetät überhaupt wohl zusagte, so konnte er sich mit mir durchaus am besten finden. Die Richtung seines Geistes war mir angenehm und seinen Wunderglauben, der ihm so wohl zu statten kam, ließ ich unangetastet. Auch Salzmann betrug sich schonend gegen ihn; schonend, sage ich, weil Salzmann, seinem Charakter, Wesen, Alter und Zuständen nach auf der Seite der vernünftigen oder vielmehr verständigen Christen stehen und halten mußte, deren Religion eigentlich auf der Rechtschaffenheit des Charakters und auf einer männlichen Selbstständigkeit beruhte, und die sich daher nicht gern mit Empfindungen, die sie leicht in's Trübe, und Schwärmerei, die sie bald in's Dunkle hätte führen können, abgaben und vermengten. Auch diese Classe war respectabel und zahlreich; alle ehrlichen tüchtigen Leute verstanden sich und waren von gleicher Überzeugung so wie von gleichem Lebensgang . . .

2. Um seine technischen Kenntnisse über die Gewinnung von Holzkohle zu legitimieren, verweist Jung-Stilling auf seinen Lebenslauf (1776)

Johann Heinrich Jung, Beschreibung der Nassau-Siegenschen Methode, Kohlen zu brennen, mit physischen Anmerkungen begleitet, in: Bemerkungen der Kuhrpfälzischen physikalisch-ökonomischen Gesellschaft vom Jahre 1776 (Lautern 1779), S. 257—372, hier S. 258—268.

Ein erstes Beispiel für den jeweils verschiedenen Zusammenhang, in welchem Jung-Stilling auf seinen Lebenslauf zurückgriff, aus der Zeit zwischen der Niederschrift (seit 1772) und der Veröffentlichung der drei ersten Teile der Lebensgeschichte (1777/1778). Bei unterschiedlicher Zielsetzung sind hier wie dort die gleichen religiösen Grundsätze und moralischen Maßstäbe erkennbar.

. . . Daß ich würklich in allem Betrachte wahre Erfahrungen zum Grunde der hierin enthaltenen Bemerkungen gelegt habe, kann der geehrte Leser mir auf mein Wort glauben, so bald ich ihn überzeugt habe, wie ich Gelegenheit gehabt, diese Erfahrungen zu sammeln; und dieses kann ich nicht anders leisten, als durch Erzählung eines Stückes meiner Lebensgeschichte. Eine Reihe ziemlich hoher Gebirge scheidet das Fürstenthum Nassau-Siegen von den Grafschaften Wittgenstein und Berlenburg: in diesen Gebirgen, welche aus lauter Hochgewälde bestehen, liegen kleine Dörfer hier und da zerstreuet, welche in den Thälern ihre schöne Wiesen, langs den Füsen der Berge hin aber ihre Gärten und Felder haben. Auch besizen sie gewisse Markungen und Gehölze, welche sie benuzen, so wie ich in meiner Abhandlung von der Holzzucht [1] erzählet habe. In einem von diesen Dörfern auf der Nassauischen Seite, dem Gebirge gegen Abend,[2] liegt ein Dörfchen, Im Grund genannt, welches ins Amt und Kirchspiel Hilgenbach gehört. Daselbst haben meine Vätter in ununterbrochener Fortdauer ein Haus und Bauergütchen bewohnt, und sich davon genähret, ohne dass wir den Anfang und die Herkunft unsers Geschlechts von undenklichen Jahren sollten bestimmen können; das ist aber gewiß, daß ich mich rühmen kann: keiner von meinen Voreltern ist mit einer befleckten Seele und beladenen Gewissen zu seinen Vättern gesammelt worden. So weit wir zurück rechnen können, waren sie alle ehrbare rechtschaffene Deutsche Biedermänner und fromme Leute.

Alle Bauern unsers Dorfes und der benachbarten Dörfer waren Kohlenbrenner, und so auch mein würdiger Grosvatter, Johann Eberhard Jung, einer von den seltenen Männern, die blos von der rohen Natur gebildet, dennoch Ernst, Sittsamkeit und sanfte Bescheidenheit zu Haupteigenschaften ihres Carakters gemacht haben. Wenn er in seinem leinenen Kittel durchs Dorf über die Strase ging: so verschwand Gelächter, Ausgelassenheit und Muthwille, ohne dass er jemalen polterte oder jemand bestrafte. Heiter und freundlich ernst sah er ruhig durch die Menschen hin, ihn kümmerte nichts, als was seinen Gott, sein Herz und seine Ehre antastete. Sein ältester Sohn, mein Oheim, schwung sich zuerst, durch seinen unersättlichen Hunger nach Kunst und Wissenschaften, über seines Gleichen Bauernknaben empor, wurde Schulmeister, dann Drechsler und Uhrmacher, hernach Landmesser, Markscheider, Bergschöffe, Probirer und darauf Nassau-Siegenscher Landbergmeister, welche Stelle er noch bis jezt mit Ruhm und Ehre bekleidet. Mein Vater (welcher gebrechliche Füse hat) lernete das Schneiderhandwerk und widmete sich darauf ebenfalls, so lang er ledig war, dem Schulhalten. Er heiratete demnächst und zeugete mich

---

[1] J. H. Jungs Staatswirthschaftliche Anmerkungen bei Gelegenheit der Holznüzung des Siegerlandes, in: Bemerkungen der Kuhrpfälzischen physikalisch-ökonomischen Gesellschaft, vom Jahre 1775 (Lautern 1779) S. 126—169.

[2] Westlich des Gebirges.

nur allein mit meiner Mutter, und diese starb anderthalb Jahre nach meiner Geburt, so, daß ich allso unter der Aufsicht meiner Groseltern und
meines lieben Vatters erzogen wurde bis ins fünfzehente Jahr meines
Alters, wo ich ebenfalls anfing Schule zu halten, und dabei in müsigen
Stunden das Handwerk meines Vatters, um bessern Unterhalt willen, zu
treiben. In diesen meinen Jugendjahren nun bis ins drei und zwanzigste
meines Alters, habe ich die schönste Gelegenheit gehabt, erstlich die Kohl-
brennerei genau und praktisch kennen zu lernen. Ich war wißbegierig, und
mein Grosvatter ganz zum Erzählen und Unterrichten aufgelegt; alles
prägte sich tief meiner Seelen ein, und noch jezo ist's mir als wenn ich alles
erst gestern gesehen hätte.

Eben so fügte es sich, daß ich Gelegenheit hatte, die dortige herrliche
Eisenschmelzereien, und Eisenstabhämmer gründlich kennen zu lernen.
Mein Vatter widmete sich ebenfalls der Landmesserei. Ich half ihm, war
sein Handlanger; wir hatten, sonderlich in der Grafschaft Mark, viel mit
Gütertheilungen zu tun. Ich sahe daselbst die Osemund- und Drathmanu-
fakturen, entdeckte die vornehmsten und wesentlichsten Handgriffe derselben, und bereicherte allso meine Erkenntnisse. Darauf leitete mich die
anbetungswürdige Vorsehung durch seltsame und schreckliche Wege ins
Herzogthum Berg zu einem grosen Fabrikanten und Kaufmanne, einem
Tochtersohne des in meiner Abhandlung vom Handlungsgenie [3] gedachten Clarenbachs, Herrn Peter Johann Flender, einem Manne von grosen
ökonomischen und Handlungseinsichten; er besizt viele und schöne Güter,
eine grosse Eisenfabrike und Handlung mit dieser Waare. Dieser rechtschaffene Mann zog mich von meinem Handwerke, und aus dem Staube
hervor, ließ mich erst die Französische Sprache lernen, die Lateinische
hatte ich schon hinlänglich begriffen, und nahm mich darauf für seine
Kinder als Hauslehrer an; wobei ich ihm in allen seinen Geschäften, so
viel ich konnte, treuen Beistand leistete. Hier war ich sieben Jahre, welche
ich als so viele Lehrjahre in der Handlung, Fabrikenwesen und Ökonomie
ansehen kann; eine starke Neigung zu allem, was Wissenschaft heist, feu-
erte mich beständig an, alles zu beobachten und zu bemerken, was nur in
Landwirtschaft und Commerzium einschlägt.

Vorzüglich war es ein Glück für mich daß ich just nach und nach ein
Gewerb mit allen seinen Zweigen kennen lernte. Im Nassauischen sind die
ergiebigsten Eisen- und natürliche Stahlbergwerke, ich bin da gebohren,
und sah die Erze bearbeiten, ausfördern, rösten und schmelzen. Unter den
Kohlbrennern erzogen, wußte ich auch diese Kunst (eine Kunst ist es

---

[3] Anmerkungen über das Handlungs-Genie, von Johann Heinrich Jung,
in: Bemerkungen (s. Anm. 1) . . . vom Jahre 1776 (Lautern 1779) S. 3—64.

würklich) das Roheisen und Rohstahl sah ich zu Stäben schmieden, eben dieses Roheisen sah ich im Märkischen zu Osemund und Drath verarbeiten. Eben das Nassauische Stabeisen sah ich im Bergischen zum Schiffbaue in kleinern Hämmern zurichten sieben ganzer Jahre lang; wiederum dieses Eisen und Stahl sah ich im Remscheid zu unzähligen kleinen Hausgeräthen umschaffen, und aus eben diesem Nassauischen Eisen und Stahle, werden in dem weltberühmten, mir jezt nah benachbarten Solingen, die mancherlei Arten von Waffen, und schneidenden Werkzeugen zubereitet. In hiesigen Gegenden wird mehrenteils alles mit Steinkohlen gewärmet und verarbeitet, auch dieser ihre Güte und Beschaffenheit habe ich kennengelernt, und da ihre Heimat nahe bei uns ist: so ist auch Gelegenheit genug vorhanden, das Nöthige davon zu wissen.

Endlich führte mich der Vatter der Menschen, recht per varios casus per tot discrimina rerum, zu meiner Bestimmung. Ich lernte bei Flender, durch Hilfe eines gelehrten und rechtschaffenen Predigers, das Griechische, arbeitete mich durch die Logik und Metaphysik mit vieler Mühe durch, demonstrirte alle Säze selber aus ihren Grundsäzen und wieder in dieselbe zurück, ich lernete die mathematische Lehrmethode kennen, und dieses war mir um so viel leichter, da ich aus Lust und auch aus Beruf der Mathematik ziemlich kundig war; ich bereitete mich zu meinem Studiren durch Lesen der brauchbarsten Schriftsteller, und reiste im Glauben und Vertrauen auf meinen Gott und Versorger im Jahre 1769 nach Strasburg,[4] allwo ich den herrlichen Unterricht, zweier weltberühmten Lehrer, des unsterblichen Spielmanns, und des zweiten Hallers, des unvergleichlichen Lobsteins, genoß. Schurer, Ehrmann und Hermann, Männer, deren Namen zu ihrem Lobe genug sind, thaten Fleis, mich mit Wissenschaft auszurüsten, und so vollendete ich meine akademischen Jahre, und disputirte den 24. März 1772 über meine Probeschrift, welche unter dem Titel: Specimen Historiae Martis Nassovico-Siegenensis, eine kurze Geschichte der Nassau-Siegenschen Manufakturen enthält, und nahm ein Jahr nachher den Doktorhut an. . . .

---

[4] 1769 ist unzutreffend; alle übrigen Angaben Jung-Stillings sprechen von 1770, vgl. z. B. S. 694 (zum 28. 8. 1770).

3. Jung-Stilling verteidigt seine Lebensgeschichte gegen die Kritik
dreier Rezensenten (1779)

Johann Heinrich Stilling, Antwort auf den Auszug eines Briefs über
Stillings Wanderungen vom Verfasser derselben, in: Rheinische Beiträge
zur Gelehrsamkeit, Jg. 1779, S. 291—305.
Dieser Brief, dessen Empfänger bislang unbekannt geblieben ist, liefert
wertvolle zusätzliche Angaben über die Entstehung und die erste Auf-
nahme der Lebensgeschichte. Hiernach hat Goethe im ersten Teil, dessen
Abfassung in das Jahr 1772 zurückreicht, „grose und religiöse Stücke weg-
gelassen", während Jung-Stilling in Teil 2 und 3 „zwischen dem roman-
tischen und theologischen Tone das Mittel zu halten" suchte, gleichzeitig
aber für die Einzelheiten beteuert: „Stillings Geschichte ist durch und
durch vollkommen wahr."

Sie edler, rechtschaffener deutscher Bruder! sind der erste unter meinen
widerwärtigen Recensenten, dem ich antworte. Sie kommen mit einer
Stimme der Freundschaft, des Wohlwollens, und wer so kömt, der findet
mich allemal zu Hause.[1] Seitdem Herr Wieland Bunkeln recensirt hat,
haben wir andere dem Herrn Nikolai und seinen Leuten nichts mehr zu
sagen.[2] Seine deutsche Bibliothek hat, wie alle Staten, ihre Periode. Der
Anfang ist Kraft und Leben, das Mittel Verstand und weise Thätigkeit,
das End Luxus, Muthwillen, Ungereimtheiten, und so mithin allmäliger
oder plözlicher Umsturz. Solcher Recensionen, wie diejenige ist, die Stillings Jugend betrift, dörfen nur noch mehrere kommen, und dann: Schlaf
wohl, allgemeine deutsche Bibliothek, bis du mit allen deinen Bänden im
Staube vermodert bist! Der Kraftmann aus der Nachwelt wird langs
gehen, aufschlagen, blättern und sagen: das war ein unfreundlicher Mann,
was macht man da mit all den Bänden? — Ha! es ist doch noch immer
ein karakteristisches Buch des achtzehenten Jahrhunderts, es zeigt so mit
unter auch den Gang des falschen Propheten in seiner Kindheit.
Den andern Recensenten in der Theaterzeitung [3] erinnere ich mit glüen-

[1] Die Rezension dieses unbekannten Kritikers findet sich unter dem
Titel ›Auszug eines Briefs über Stillings Wanderungen‹ in den Rheinischen
Beiträgen zur Gelehrsamkeit, Jg. 1779, S. 217—224.
[2] Die scharfe anonyme Kritik, die ›Henrich Stillings Jugend‹ in der von
dem bekannten Aufklärer Friedrich Nicolai herausgegebenen Allgemeinen
Deutschen Bibliothek 36 (1779) S. 606 zuteil wurde, weist Jung-Stilling
damit von vornherein polemisch zurück.
[3] Gemeint ist das in der Litteratur- und Theaterzeitung, Jg. 1778,

der Sele und wärmster Empfindung an jenen Abend, an jenen Nachmittag, wo wir in freundschaftlicher Uebereinstimmung der Herzen (so stelte er sich wenigstens) bei unserm gemeinschaftlichen Freunde, dem Herrn G*** speisten. An jene freundschaftliche Umarmung, wo mein Herz an seiner Brust klopfte, wo er mir schwur, nie wieder die Feder gegen mich zu schärfen, nach Hause reiste, und darauf einem berliner Recensenten, der Stillings Jugend rühmlich recensirte,[4] einen Verweis gab, warum er dises Buch gelobet, da doch ich (der verhaste Doktor Jung) der Verfasser sei, wie er dabei schmählich gelogen, daß ich keinen Verleger finden können, aus Geldmangel aber Herrn Goethe das Manuscript aufgedrungen, der mir dann aus Barmherzigkeit dreisig Dukaten geschickt, und so des Gewäsches mehr. Mann mit der falschen Sele! macht ihnen dises ganze Verfahren nicht Angst vor dem Throne des Weltrichters zu erscheinen? Alles, was der Mann da von der Geschichte mit der Handschrift und dem Verleger her erzählt, könt' ich leicht mit voller Gewißheit widerlegen; allein wer mich kent, der wird mir auf mein Wort glauben, daß es nicht wahr ist, und wer mich nicht kent, den kann auch meine Erzählung nicht überzeugen.

Nach disem Seitenblicke auf ein Par, uns sehr gleichgiltige Schmierereien, wende ich mich an sie, rechtschaffener Mann! an den Verfasser des Briefes oder Auszuges aus demselben. Sie sagen: der erste Theil (Stillings Jugend) sei unstreitig als Lektür betrachtet, der angenehmere, ungeachtet man ihm ansehe, daß der wahren Geschichte durch eine fremde Hand nachgeholfen worden wäre. Sie glauben: ein anderer Meister habe verschönernde Figuren hinein gemalt u. s. w. Erlauben sie, theurer Mann! so ist die Sache nicht, ich will ihnen vor Gott die reine Wahrheit erzählen: Als ich zu Strasburg studirte, hatte sich daselbst eine Anzahl edler Jünglinge zu einer Gesellschaft der schönen Wissenschaften zusammen gebildet, ich gerieth mit in dises angenehme Band, und arbeitete fleisig mit ihnen. Der grose Dr. G.[5] studirte auch daselbst, und ob er sich gleich nicht mit einlies: so erschien er doch zuweilen bei uns, und munterte mich sehr auf, den lieben Jünglingen zu helfen. Nachdem ich nun von da weg war, und mich in Elberfeld niedergelassen hatte: so fühlte ich Drang in meinem Herzen, den jungen Herren ferner zu dienen; meine Geschäfte liesen aber keine

---

S. 222 abgedruckte Schreiben des Krefelder Kaufmanns Engelbert von Bruck an die Redaktion. Der gemeinschaftliche Freund, bei dem die beiden Kontrahenten Jung-Stilling und von Bruck speisten, war der fromme Kaufmann Grahe.

[4] Ebenda Jg. 1778, S. 27—29.

mühsame Arbeiten zu. Da ich nun wuste, wie sehr meine Freunde in Strasburg den leichten wizelnden französischen Geschmack liebten, auch wie sehr ihr Glaubensgrund in der Religion schwankte, so glaubte ich: wenn ich ihnen meine Lebensgeschichte in einem romantischen blumichten Kleide vorlegte: so würden die deutlichen Fustapfen der göttlichen Fürsicht ihnen auf eine angenehme Art gezeigt; sie würden mit Freuden, und auch mit Nuzen lesen. Ich machte also den Titel: Heinrichs Stillings Lebensgeschichte in Vorlesungen, und schickte dann und wann ein Stück hinauf. So entstand Stillings Jugend. Nun zerschlug sich die strasburger Gesellschaft, und ich dachte an Stillings Lebensgeschichte gar nicht mehr. Ein Par Jahre nachher besuchte mich der berühmte G. in Elberfeld.[5] Bei der Gelegenheit fragte er mich: ob ich denn gar nichts schönes seit der Zeit gemacht hätte, und da wies ich ihm Stillings Lebensgeschichte. Er fragte mich, ob er sie mitnehmen dörfte? ich sagte ja. Nun dachte wahrlich mein Herz nicht daran, daß dises Stück gedruckt werden würde, und doch geschah es, denn G*** schrieb mir,[5] wo ich nicht irre, im Jahre 1776 im Frühlinge, daß er mein Manuscript ein wenig gemustert, und zum Drucke verkauft habe. Ich erschrack von Herzen darüber, denn ungeachtet ich alle Personen mit fremden Namen benennet hatte: so befürchtete ich doch verdriesliche Folgen, doch es war nun nicht mehr zu ändern. Ich bekam also bald hernach das Büchlein unter dem Namen: Stillings Jugend, zu Gesichte, und fand, daß G. viel Planes und Seichtes ausgemerzet habe, so gar sind grose und religiöse Stücke weggelassen, oder verändert worden; aber Verzierungen hat er weder hinzu, noch davon gethan, die da sind, sind alle von mir.

Was ihnen aber, mein werthester Herr! am zweiten und dritten Band auffält, nämlich ein Mangel an disen Verzierungen, davon will ich ihnen auch die Ursache sagen. Ich lebte und wohnte in Elberfeld, wo es eine Menge sehr rechtschaffener Leute gibt, die zwar wahre Christen sind, und Gott von Herzen fürchten, denen es aber zugleich an hinlänglicher Weltkentnis fehlet; und deswegen gar nichts leiden können, was nicht im Tone der Bibel oder sonsten gottseliger Männer geschrieben ist. Dise guten Leute machten mir wegen Stillings Jugend unsägliche Leiden, ich wurde als ein Freigeist verabscheuet, und dises that mir in meinem Berufe vielen Schaden. Um dises Uebel und Aergernis einiger Masen wieder gut zu machen: so suchte ich im zweiten und dritten Bande zwischen dem romantischen und theologischen Tone das Mittel zu halten. Dises fiel mir aber schwer, denn wo ich allenfals Blumen hingestreuet hätte, da muste ich nun mit Kleinigkeiten ausfüllen. Zu Elberfeld erreichte ich meinen Zweck

---

[5] G. = Goethe.

vollkommen, aber wie ich sehe, so sind sie und vielleicht mehrere meiner Leser damit nicht zufrieden. Doch ich schmeichle mir, sie werden's nun auch sein.

Aber jezt kommen sie, und geben mir härtere Nüsse zu knacken. Was Stillings Abschied aus dem hochbergischen Haus betrift,[6] da müssen sie bedenken, ob ein Mensch, der durch die rasendste Lage, in eine betäubende Schwermuth verfält, und halb unvernünftig geworden ist, noch lang nachdenken könne, was wohlanständig sei. Verdient ein höchst abergläubischer Bauernjung Vorwürfe, wenn er in stiller Nacht ein Gespenst wähnt zu sehen, und umkehrt? — Viel weniger der damals arme Stilling, der oft nah daran war, sich das Leben zu nehmen — Wie! dem solte man nun noch vorraisonniren, was er hätte thun sollen? — ja wenn er kaltblütig gewesen wäre, dann hätte er anders gehandelt. Wer wird bleiben, wo man glaubt, das Haus brenne einem über dem Kopfe? — Und über dem waren geheime, sehr schwere Umstände zu Herrn Hochbergs Hauswesen, die auch den vernünftigsten Mann würden heimlich fortgetrieben haben. Dise Umstände aber gebieten mir zu schweigen, da noch Leute leben, die ich hoch beleidigen würde, wenn ich sie offenbarte. Stilling war ein Opfer, und die Schande seiner Flucht macht ihm Ehre vor Gott und seinen Engeln, sag die Welt, was sie wolle. Was den Verdacht der Untreue betrift, da war nun Stilling freilich zu blöde, um seine Ehre zu retten, und was würde das geholfen haben, da man ihn heimlich für untreu hielt, ein jeder würde geantwortet haben: man macht euch ja keine Vorwürfe, beist euch etwa das Gewissen?

Der Abschied bei Spanier[7] — Da wüst' ich doch gar nicht, was da sonderliches versehen wäre. Die sonderbare gewaltsame Hinreisung zur Verlobung mit seiner Christine,[8] die ihm selber Angst machte, die erheischte doch nun endlich einmal einen Abschied von dem braven Manne, und mir dünkt noch immer, ein siebenjähriger sehr schwerer und äuserst treuer Dienst, der Stillings Glieder auf immer geschwächt hat, und das gegen einen sehr mäsigen Lohn, so daß man bei aller Sparsamkeit am Ende keinen Heller mit aus dem Hause nimt, und kaum nothdürftige Kleider hat, sei doch eben kein undankbarer Abschied zu nennen. Wann der vierte Band von Stillings Leben erscheint: so wird sichs zeigen, ob der theure edle Herr Spanier, nachdem er sich einmal besonnen, mit seinem Stilling unzufrieden gewesen. Und hier dringt mich abermal die Noth zu gestehen, daß auch ein gewisser Umstand bei der Sache obwaltete, der in

[6] In dieser Ausgabe S. 207 ff.
[7] S. S. 256 f.
[8] S. S. 249 ff.

alles mitwirkte, und Stilling nöthigte, so und nicht anders zu handeln, wenn er seinem Gewissen nach, zu Werke gehen wolte.

Ferner: daß Stilling zu Strasburg seinem ewig zu verehrenden Wohlthäter verdeckt antwortete,[9] das rügen sie, liebster Recensent! Ja! wenn ich die Sache recht bei dem Lichte besehe: so ist eine Schwachheit an Stillings Seite mit unter gelaufen. Allein vergeben sie das dem guten Manne, und hier deucht mir, dörfte ich wohl sagen: wer unter euch ohne Sünde ist, der werfe den ersten Stein auf ihn. Niemand besser, als er selber weis es, was es heise, ohne einen Schritt vor sich hin sehen zu können, auf Gottes pure Leitung zu trauen. Aber ich höre sie sagen, dises hätten sie dort am rechten Orte sagen sollen! Ich muß ihnen gestehen, daß ich nicht weis, ob ich es thun würde, wenn ich es noch zu schreiben hätte, denn ich zweifele in der That, ob da ein merklicher Fehler vorgegangen. Fragen sie ihr eigen Herz, ob sie nie einen Fehler gemacht, der schlimmere Folgen gehabt habe?

Was die biblische Stelle vom Propheten Habakuk betrift [10], da bezeuge ich ihnen vor dem Allgegenwärtigen, daß da so wenig ein Späschen zu finden ist, daß ich wahrlich nicht weis, wie sie dazu kommen, eines daraus zu machen. Es war ein Ausfluß meiner, vor Empfindung und Liebe zu meinem Vatter trunkenen Sele, ein jauchzender Ausruf, der alle Engel freuen muß, und den seligen Habakuk selber. Denn, aufgehoben war Stilling in dem Augenblicke, er schwebte in aetherischen Lüften.

Vergeben sie mir, theuerster Unbekanter! am Schlusse ihres Briefs empfinde ich etwas Bitterkeit — Weg damit! last uns doch nicht den Kopf warm machen! — Sie haben ja doch nur eine Stimme im Volke, ich habe aber hunderte schon gehöret, die da behaupten: daß man Stillings Geschichte allen Kindern in die Hand geben solte. Alle die Untersuchungen, die sie mir da auftragen, habe ich oft und vielfältig gemacht, und für alle meine begangene Fehler durch meinen Erlöser Ruhe gefunden, ich hoffe auch durch seine Gnade täglich wenigere zu begehen. Ob ich aber Gott versucht, ob ich meine eigene Einbildungen für göttliche Eingebungen gehalten. Nun darüber läst sich gar nichts sagen. Der Erfolg hat mich gelehret, daß ich durch viele Leiden habe sollen von meinen tief eingewurzelten Fehlern geläutert werden. Ich hoffe zu Gott, dise strenge Heilmethode werde am Ende noch gute Wirkung thun; der Tag wirds klar machen, in wie weit ich Gott versucht, und ihm eigene Einbildungen zugeschrieben habe. Solte das aber mit untergelaufen sein, wie ich vielleicht gestehen müste, so ist die Frage: was dabei der lesende Jüngling für Gefahr liefe?

[9] S. o. S. 267.
[10] Ebda.

Lieber wäre es mir, wenn mein Leser ein wenig mehr Enthusiast für Gott, als für ein Mägdchen, durch meine Schriften würde.

Noch eins, werthester Unbekanter! erlauben sie mir, daß ich ihnen sage, sie haben mit der ganzen Recension von Stillings Lebensgeschichte einen Fehler begangen, so wohl als Christ, als auch, als Philanthrope. Stillings Geschichte ist durch und durch vollkommen wahr, und ganz ohne Dichtung, bis auf die Nebenverzierungen; folglich muste ich gerad erzählen, wie die Sache bei Hochberg, bei Spanier u. s. w. zuging; haben sie nun was dawider zu sagen, wenn man Wahrheit erzählt: so irren sie sehr. Dünkt ihnen aber, ich hätte alle Fehler verschweigen sollen: so muß ich ihnen bezeugen, daß es sehr unerlaubt gewesen wäre, aus dem Menschen Stilling, mit Lügen, einen Engel Grandison zu machen. Haben doch die biblischen Schriftsteller ihre Fehler treuherzig und zur Warnung erzählt, warum solte ich nicht einem so heiligen Beispiele folgen? Es bleibt also nichts übrig, als ich hätte überall hübsch beiher bemerken sollen: das war ein Fehler von Stilling, jenes aber eine Tugend, das war Schüchternheit, und das — was weis ich? — Denken sie doch, wie abgeschmackt es stehen würde, wenn ein Maler, mag er auch der schlechteste sein, mit dürren Buchstaben hinsezte: das ist ein Baum, das ist eine Kuh, das ein Hase u. s. w. So viel Kentnis traut man doch einem jeden zu, Bild von Bild zu unterscheiden, und eben so fodert man von einem jeden Leser, ein klein wenig moralisches Gefühl zu haben.

Sehen sie, mein Bester! sie haben also nicht mein Buch, sondern mein Leben und Handlungen beurtheilt, darauf muß ich ihnen aber sagen, daß wir Menschen unter einander uns nicht richten sollen, damit wir nicht gerichtet werden. Wir haben alle unsere Schwachheiten. Es war also nicht nach der Regel Christi gehandelt, sich vor das Volk hinzustellen, und öffentlich in einer gedruckten Schrift zu sagen: Stilling hat's da und dort nicht recht gemacht, und eben so wenig war es menschenliebend, seinen moralischen Karakter zu rügen, besonders da dasjenige, was sie tadeln, noch lang keine wirklich bewiesene Fehler sind.

Vergeben sie mir, bester Mann! daß ich ihnen dises etwas trocken gesagt habe, der lezte Absaz ihres Briefes hat mir dise Ausdrücke abgedrungen. Leben sie übrigens so wohl, als ich's ihnen wünsche, ist hinter dem angenehmen Tone, den sie führen, kein falsches Herz verborgen: so reich ich ihnen mit treuem Herzen meine Bruderhand, und bin

Ihr

treuster Freund,
Johann Heinrich Stilling.

4. Jung-Stilling schildert Lavater sein Leben und Leiden seit 1772

Jung-Stilling an Johann Kaspar Lavater in Zürich (Kaiserslautern, 29. 4. 1780), handschriftlich in der Zentralbibliothek Zürich, Lavater Ms. 515, 317.

Neun Jahre vor der Veröffentlichung des vierten Teils seiner Lebensgeschichte (1789) berichtet Jung-Stilling von seinen Schwierigkeiten als Arzt in Elberfeld und von seinen Geldschulden, die auch jetzt noch, nach seiner Berufung als Professor nach Kaiserslautern (1778), auf ihm lasten, — eine eindrückliche Vorwegnahme der Darstellung in ›Henrich Stillings häusliches Leben‹.

Lautern, den 29sten April 1780

Liebster Lavater!

Jetzt eröfnet sich mein Herz und Dir bester Bruder! strömt ein ganzes Meer lang verschlossener Angelegenheiten in Deine Brust über. Schon längst hätt' ich mich Dir gern entdekt, aber ein Gedanke hielt mich zurück. Laß Dir nur nicht einfallen verehrungswürdiger Lavater! als wenn meine Seele Forderungen an Dein Liebendes Herz machte, Hülfe auf einerley Weise von Dir begehrte, solche Vorstellungen sind mir unerträglich, ja unerträglich ist mir der Gedanke, jemands Liebe auf Proben zu sezen, eh ich weiter gehe, muß ich Dich um Jesus willen bitten, so von mir nicht zu denken, blos diese Furcht, Dich auf solche Art in Verlegenheit zu sezen, hat mich aufgehalten, daß ich mich Dir noch nicht entdeckt habe. Nun ich wag' es, Bruder! stelle Dich in Deiner Einsamkeit vor den Allgegenwärtigen hin, sez Dich mit mir zu den Füsen unsers Herrn der Herrlichkeit der durch unaussprechliche Leyden vor uns her zu seinem Thron aufgestiegen ist. Nun ließ mit Bedacht weiter, behalt aber in Deiner Bruderseelen verborgen, was Du liesest, und las es niemand wissen als uns beyde.

Du hast Stillings Lebensgeschichte alle drey Bände gelesen? Hier ergänz ich Dir Mein Bester! was noch fehlt bis an diesen Tag, stelle Dir meine ganze Lage offen vor, und fordre von Dir eine unverfälschte nicht blöde, sondern offenherzige Antwort, was Du von meinen Umständen denkst. Ich zittre und zage, ich bin bange, ob mich der Herr auf die härteste Probe sezen möchte, und da möcht ich scheitern. O Bruder! welche Wege muß Dein armer Bruder Jung gehen! ich hätte Dir oft geschrieben, denn ich kenne keinen Menschen mit dem ich so sympathisire, dessen Schriften ich so von Herzen gern lese, allein eines Theils wolt ich Dir kein Porto aufladen 2) Dich in Deinen Geschäften nicht stören und endlich 3tens sind meine Klagen so beschaffen, daß ich bey jedem gleich den Verdacht erweken muß, ich machte Anspruch auf eine thätige Liebe, und das

entfernt dann viele Freunde, deren ich doch nicht gern einen einzigen
misse, jezt aber entreisse ich mich allen diesen Fesseln und klage Dir, Gott
weis es, daß ich keine thätige Hülfe von Dir fordre, sondern nur Balsam
auf meine tödlich verwundete Seele, wo soll ich hin als zu einem Bruder?
— Mein ganzes Leben ist schon seit 20 Jahren dunkler Glaube und mehrentheils Hoffen, Harren und bäten, und jezt noch mehr als je, ja ich
glaube noch, ich bäte immerfort, und je mehr ich bäte ziehen sich alle
Gewitter über meinem Haupt zusammen, noch immer glaube ich, aber
über das alles zittert meine ganze Seele, Mark und Bein ist mir zerschlagen, und doch glaub und hof ich noch immer auf meinen Erlöser, meinen
Helfer und meinen Jesus.

Meine erste Jugend war voller Leyden. Mein Vatter, der zu der Zeit
der strengsten Mystik ergeben war, suchte auch meinen Willen ganz zu tö-
den, mich in der selbst Verläugnung zu üben, ich war in täglichen schweren Leyden, immerwährende Furcht vor derben unbarmherzigen Schlägen
zermalmte beständigfort mein ohnehin weiches Herz, im 7ten Jahr kam
ich in die Schule, der Schulmeister ein unwissender unfühlbarer Mensch
wandte all seinen Has auf mich Gott weis auch warum? Gewis die immerwährende Leiden hatten mich so zahm so biegsam gemacht, daß ich keinen
einzigen Starrsinn gedenken, viel weniger ausüben, geschweige auf Kna-
benart muthwillig seyn konte, blos Ursachen welche der Schulmeister vom
Zaun brach, brachten mir täglich Schläge zu und mein guter frommer Vatter aus lauter Rechtschaffenheit züchtigte mich noch dazu, ob er gleich
selbst Thränen dabei vergos. Dies dauerte so fort, bis ich gröser ward, da
war mir nun das Schneider Handwerk ein Leyden, ich entfloh dem
immer, indem ich Schulmeister wurde, aber auch in dem Zustand war ich
beständig in der Presse, immer sponnen sich ins geheim und öffentlich
Schiksale an, die mich wieder ans Handwerk trieben, dieses trieb mich
dann wieder auf Schulen, wie Du das alles aus dem Stilling sehen kanst.
Da findest Du auch, wie ich endlich gar mein Vatterland verlasen und in
die Fremde gehen muste, auch das weist Du englischer Lavater! wie es mir
da ergangen bis ich Doktor der Arzneykunde geworden.

Allein hier muß ich anfangen und Dir meine fernere Geschichte erzählen. Von Kindsbeinen an war mein ganzer Carakter auf die Wissenschaften gestimmt, dazu, und zu nichts anders war ich gebohren eh kont
ich nicht zu meiner Bestimmung gelangen, bis ich in diesem Fach war. Nun
ferner: Du weist aus dem *Stilling,* wie ich zu meiner Heurath gekommen
bin, es sey nun zugegangen wie es wolle, ich und meine treue Gattin waren
in dem Punct unsrer Verlobung (Du wirst Dich der wunderbaren Geschichte erinnern) frey, wahrhaftig! in dem Zeitpunct war ich frey von
aller Unreinigkeit, mir war die Verlobung heilig und meine ganze Seele

verabscheute den Gedanken, daß ich durch diese Heurath mir Mittel zum Studiren verschaffen wollte. Mein Herr und mein Gott! du weist es wie ich dir gefleht habe, du wolltest doch meine wehrte Schwieger Eltern von der Last mich studiren zu lasen befreyen! — ich gieng auf den *Wink Gottes* nach Strasburg, gieng aus Glauben u. Vertrauen dorthin. Du weist Bruder! wie mich mein Helfer und Erbarmer in Franckfurth, wie er mich in Strasburg errettete, wie wunderbar Er mir half. Indessen alles kam doch endlich auf meinen Schwieger Vatter. Er übernahm endlich die Bürgschaft für mich. Wie ich in *Elberfeld* etablirt war, so war ich ihm 1500 Reichsthaler schuldig. Ich war muthig im Vertrauen auf meinen Gott. Ich glaubte, jetzt hat dich nun der Herr in deinen Beruf gesezt, jezt wird Er dich seegnen, dich zu seinem Werkzeug gebrauchen, und so wirst du deinen Schwieger Vatter nach und nach bezahlen können, und dann willst du ihn durch Unterstüzung, durch Rath und That erfreuen. O wie jauchzte da oft mein Herz, wenn ich dachte, wie ich nun den armen Kranken erquiken, wie ich nun, in Hülle und Fülle, Menschen Liebe üben und meinen besten Eltern und Freunden ein tröstender Engel seyn wollte. Ach Bruder! wie weit anders giengs mir in Elberfeld! — Meine Lebens Art regulirte ich schon damahls in Essen, Trinken, Kleydern und Mobilien nur nach der Nothdurft, nicht einmahl ganz nach der Nothdurft des Standes, sondern so, daß nur niemand die Augen über uns aufreissen konte. Der Herr mein Erbarmer hat auch bis dahin so für mich gesorgt, daß es mir noch nicht ein einzigs mahl in den 8 Jahren an irgendeinem Ding gefehlt hat. O wie oft bemerkte ich den sichtbaren Fustritt der Vorsehung vor mir! — ich will Dich, mein Bester! nicht mit den gewöhnlichen häuslichen Leyden aufhalten, Krankheit meiner zärtlich geliebten Cristine bis auf den Tod, und oftmahlige Aufopfrung dieses meines theuren Kleinods in die VatterHände Gottes meines Vatters u.s.w. ich will nur blos von dem schrecklichen Gewitter reden, das sich so nach und nach über mein Haupt zusammengezogen hat. In Elberfeld ists durchgängig üblich, daß man in den Kramladen das Jahr durch seine Bedürfnisse anschreiben läst, und auf Neujahrstag bezahlt, dazu ist alles eingerichtet, die Bürger bezahlen dann auch den Arzt, und eher nicht, mithin ist dieser auch gezwungen, seine Rechnungen bey den Krämern stehen zu lasen, weilen man nicht bezahlen kan, bis man selber empfängt. Nun was geschah: Ich bemerkte freylich schon zu Strasburg, daß die Naturgeschichte, die Physik, die Chymie, die Anatomie, Physiologie, mit einem Wort die Propedeutica herrliche Wissenschaften seyen, ich sezte mich auch darinnen fest, aber in praxi fand ich schon ganz unüberwindliche Schwierigkeiten, aber Hilf Gott! die fand ich erst am Krankenbette, ich beobachtete die grösten Aerzte, wie sie es machten, und ich fand, je gröserer Arzt, je gröserer Charlatan, und je frömmer er war, desto feiner war seine Charlatanerie, da ward ich traurig, weder zur groben noch zur feinen Charlatanerie hatt ich auch die entfernteste Anlage, ich handelte natürlich und offen, und fand nun daß ich am Krankenbett ein ganz unbrauchbarer Mann war. Ich verzagte noch nicht, ich glaubte, durch mein Gebät, durch meinen Fleiß im studiren würde mich mein Gott auf die wahre natürliche Spur bringen, ich gab mich tapfer ans Werk, studirte über 5 Jahr in den Geheimnüssen der Natur, ich fand nebenher zu meinem Erstaunen höchst wichtige Dinge, ich fand die Mutter Natur am Thor der Ewigkeit sizen, mit ihrer siebenfachen Kraft in die Schöpfung würcken, O Bruder! was ich fand werd ich zu seiner Zeit der Welt sagen, noch hab ich die Zeit nicht. Ich fand auch endlich den Weg des wahren Arztes, aber Gott! wie einfach wie gering ist der, nun fieng ich den an zu gehen, allein da war eben so wenig Seegen bey als vorher, mit einem Wort: ich fand, daß ich nicht zum Arzt gebohren war. Überhaupt muß ich Dir Herzensbruder! das noch sagen, geheim und unbemerkt geschahen an den Armen oft Wunder durch meine Hand, aber der Herr vergalt mirs nicht öffentlich wie Er verheisen hat, ich ließ doch nicht ab, sondern fuhr muthig fort, so bald ich aber an einen Kranken gerieth, der Aufsehen machte, der mir Ruf gebracht haben würde, so war ich durchgehends über allen Begrif unglücklich [1], ich wurde durchgehends für einen Ignoranten angesehen und wenig mehr gebraucht. Auch meine alten Freunde verliesen mich, denn da mich nun mein Beruf unter die Menschen rief, jene aber die Stille und das einsame Kämmergen liebten, so glaubten sie, nach Ihrer Art zu reden, ich sey wieder in die Welt gerathen und also verloren.

Indessen, meine von Jugend auf tief eingewurzelte Neigung zum Lehramt, meine natürliche nicht gemeine Anlage zur Beredsamkeit, meine reine männliche Stimme, überhaupt meine rednerische Talente, glückliche EinbildungsKraft und bisgen Genie verleiteten mich den jungen Wund Aerzten in Elberfeld Collegia zu lesen. Darinn war ich sehr glücklich, alle Gelehrten, die mich hörten, riefen einhellig, Sie sind ein gebohrner Professor und müsens werden. Dies war auch je mein höchster Wunsch, allein ich durfte dahin nicht denken, theils um mein Herz nicht zu erheben, theils auch, weilen ich aus Erfahrung gelernt hatte, wie entsetzlich ich wegen meines Hangs zum Ruhm oft von der Vorsehung in Leyden geführt worden, endlich war auch für mich gar kein Anschein da, denn ich als ein äusserst unglücklicher Practicus konte gar keinen Anspruch auf einen medizinischen Lehrstul machen.

Während all dieser Zeit, kam ich alle Neujahrs Tage viel zu kurz, mein Verdienst war klein, so daß er meine Nothdurft kaum zur Hälfte be-

[1] Erfolglos

stritte, immer waren schöne Aussichten vor mir, etwas zu verdienen, entweder durch Staarcuren oder durch Schriften, aber alles zerrann unter der Hand wie Wasser, und Gott weis es! nie war ich ein Verschwender, noch weniger als es dem Christen erlaubt ist, legte ich an [2]. Und doch, Gott sey Danck! nie fehlte es mir am nothdürftigen, ausgenommen daß ich keine Schulden bezahlen konte, sondern von Jahr zu Jahr mehrere wurden. Ich passirte bald nicht nur für einen schlechten Arzt, sondern so gar für einen erklärten Lump, der ganz verdorben wäre. Meine Schwieger Eltern begannen zu verzagen, und kalt zu werden. Gott im Himmel! was litte ich da? ein Mann voll Ehrbegierde, der Wohllebenheit, Anstand und Würde liebt, der (Vergieb mir O Gott! daß ichs nur meinem Bruder sage) der ins geheim oft Wohlthaten austheilte mit Rath, That und Hülfe, der gern Schäze besessen hätte um sie den Armen austheilen zu können, gewis nicht, um reich zu seyn. O weg mit diesem Gedanken, nur meine Nothdurft und keine Schulden bester Vatter! O Vatter Vatter, wo sind deine Verheissungen alle, nur keine Schulden!!! — Endlich 1778 in Anfang des Jenners war meine Noth aufs höchste gestiegen, jezt waren aufs neue über 1500 Rthl Schulden in 7 Jahren erwachsen, also allzusammen 3000 Rthl., und zu dem allem kein Heller Vorrath. Die Freunde die mir auf Hofnung und Redlichkeit die Kramschulden getilgt hatten, wurden nun auch kalt zum Theil feindseelig, wo nun hin? Ich warf mich vor den Herrn in den Staub, meiner treuen Gattin verhehlte ich mein Elend zum Theil, aber das mehreste wuste sie, sie war immer kränklich, sie sehnte sich fort nach einem Ort der Ruhe, und ich sahe für Augen, daß sie bald an der Auszehrung für Gram sterben würde, sie ist die rechtschaffenste Frau, bis zum Überflus sparsam und doch alles ohne Nuzen. Was geschah?

Der Herr Regierungs Rath Medicus in Mannheim,[3] ein Mann von wahrhaft grosem Herzen und Talenten, der eigentliche Schöpfer der hiesigen oekonomischen Gesellschaft und der Cameral-Hohen Schule allhier, dabey aber in seinen Handlungen etwas ungestümm und treibend, und nicht immer ordentlich, nicht ohne Religion aber so a la Bahrd et consorten,[4] übrigends aber gefühlig fürs Gute und die Wahrheit, hatte mich indessen schon früh in Elberfeld entdekt. Vor etwa 4 Jahren schrieb er an mich und ersuchte mich um eine Sache darinnen ich ihm nicht dienen konte, ohne mich in Elberfeld noch mehr verhast zu machen. Damit ich aber doch dem rechtschaffenen Mann zeigen möchte, daß ich gern dem Lauterer Insti-

---

[2] wandte ich auf, verbrauchte ich
[3] Über Medicus vgl. S. 345 und Anm.
[4] Gemeint ist der Theologe Karl Friedrich Bahrdt (1741—1792), der bekannte Vertreter des Rationalismus.

tut, welches in aller Absicht so herrlich ist, dienen möchte, so schrieb ich Staatswirthschaftliche oekonomische Abhandlungen, für die Bemerkungen welche die oekonomische Gesellschaft jährlich druken läßt.[5] Diese meine Abhandlungen fanden solchen Beyfall, daß man mich durch ein Patent bald darauf zum ordentlichen Mitglied unentgeltlich annahm. Ich ließ das alles so nach Gottes Willen gehen, weilen ich aber fand, daß meine langwierige praktische Erfahrungen in der Landwirthschaft, Fabriken und Handlung vom Publikum so hoch angeschrieben wurden, so fuhr ich fort, in dieser Materie zu studiren und zu arbeiten, sezte aber nebenher noch immer meine Praxin so klein und unbeträchtlich sie auch war getrost fort. So stunden also die Sachen mit mir 1778 im Anfang des Jahrs, nun war ich Collekteur für die Bemerkungen um sie in Elberfeld abzusezen, ich war dafür an Medikus 28 Gulden schuldig, ich hatte auf verschiedene gewisse Posten gerechnet, die mir einkommen musten, sie blieben aber aus; ich konte auch Medikus nicht bezahlen. Gott! ich gerieth in Verlegenheit, ich schrieb also 1778 im Jenner an ihn und erzählte ihm alle meine Umstände. Medikus antwortete mir sehr tröstlich und trug mir die Professorsstelle in Lautern mit 600 Gulden jährlichen Gehalts und denn die Collegien Gelder noch apart an. Hier fühlte ich nun meine ganze Bestimmung, so gleich fühlte ich, daß das der Posten seye, den ich würde mit unaussprechlichem Nutzen bekleyden können, ja ich fühlte, daß mich mein Herr dahin führen würde, ich schrieb daher Medikus, ich würde folgen, wenn mich nur meine Schuldherren würden ziehen lasen. Nun legte ich mich schon auf mein zukünftiges Fach. Die Sache wurde dem Churfürsten vorgetragen, der gab Seine volle Einwilligung dazu, nun fehlte nichts mehr, als daß mich der akademische Senat zu Lautern wählte, auch das fand keinen Anstand.

Ich verfuhr dennoch in dieser wichtigen Sache auch behutsam, ich legte meine ganze Lage meinen noch übrigen Freunden vor, alle trieben mich den Beruf anzunehmen, nur mein Schwieger Vatter war ein wenig bedenklich, weilen er die 1500 Rthlr. für mich geliehen hatte, denn selbst hatte Er so viel nicht aus seiner Handlung zu missen. Auf einmahl den Herbst 1778 kam ein Donnerschlag. Medikus schrieb mir alles sey jezt nichts, die Hohe Schule sollte verlegt werden, und man könne jezt keinen Professor mehr annehmen, nun lagen alle meine Hofnungen im Staub, einige Stunden war ich wie betäubt, ich hatte mich zum Abzug geschikt gemacht, alle Patienten abgewiesen, und nun sas ich bis über die Ohren in Schulden und ganz ohne Brod. Doch ich faste mich wieder, fieng auf einmahl an, muthig unter die Leute zu gehen, und ich fieng wieder an wie vorher zu praktisiren. Völlig hatt' ich mich ergeben, Gott möchte machen was Er wollte.

---

[5] Vgl. S. 649 ff.

Kurz darauf kam mein Beruf vom Churfürsten, als Professor der Landwirthschaft, der Technologie, der HandelsWissenschaft und der Vieharzney mit 600 Gulden jährlichem fixen Gehalt. Ich erstaunte, bätete an, und traute Gott, fieng an einzupaken und zum Abzug mich anzuschiken, daß war zu Ende Octobers 1778. Nun waren aber bey 500 Rthlr unumgänglich zu bezahlen, und den Donnerstag vor dem Sonntag meiner Abreise war noch kein Anschein zur Bezahlung da, den Freytag aber oefneten sich Thüren, so daß ich die 500 Rthlr nicht nur bezahlen, sondern noch Reisgeld nach Lautern übrig hatte. Nun zog ich im Namen Gottes hieher.

Hier fand ich nun eine trokene dürre Wüste ohne Leben und Erkänntnüß nach Leib und Geist, blos meine Herren Collegen sind 2 würdige herrliche Männer, sie sind mir auch gnug. Der reformirte und der Lutherische Inspektor sind beyde junge aber auch sehr liebenswürdige Leute, das ist denn auch alles, was hier ist. Der Zulauf zu unserer Hohen Schule beginnt, und ich darf dies wohl in Dein Bruderherz sagen, ich werde von den Studenten verehrt und geliebt, hab allen Beyfall weit und breit, Kraft zu arbeiten und zu lehren, so wie ich will. Kurz ich bin ganz auf meinem Posten, wozu mich mein Schöpfer von Jugend bestimmt und wunderbar geleitet hat, aber nun zieht sich alles, was von je her drohte über meinem Haupt zusammen, und dies muß ich Dir nun noch sagen.

Mit meinem Einkommen kan ich an diesem wohlfeilen Ort wohl auskommen, aber nicht auf einmahl sondern erst nach und nach meine Schulden abtragen. Denke Bruder! nun stürmen die Creditoren auf meinen guten Schwieger Vatter loß, er soll nun die 1500 Reichsthaler bezahlen, und das kan er nicht ohne sich zu ruiniren, er klagt gen Himmel, klagt über mich, ich soll helfen, Gott, Erbarmer! mein Wohltäter, der im Glauben und Vertrauen auf Dich Mein Gott! mir half, soll durch mich zu Grund gehen, das soll ich ansehen, ohne helfen zu können, im Junius künftigen Sommer ist der schreckliche Termin. Die andren Creditoren in Elberfeld, wo ich nun noch an 1000 Rthlr. schuldig bin, murren auch und wollen bezahlt seyn. Wo soll ich hin? —

Nach so vielen Glaubens Proben bester Bruder! nach so mancher herrlichen sichtbaren Hülfe die ich erfahren, bin ich jezt mehrentheils schwach im Glauben, sehr oft ohne Empfindung von der Vatterliebe Gottes und Christi, ich ringe mit dem Tod und weis weder aus noch ein, andre Umstände, die noch von der Seiten her dazu kommen, machen mein Leyden fast unerträglich. Ich höre auf zu klagen, Du empfindsamer Gottliebender Bruder! kanst mir nachempfinden, wie mir zu Muth ist, ich erliege, wo mir der Herr nicht bald hilft.

Jezt protestire ich nochmahl, mein Theuerster! gegen alle Gedanken, als suchte ich leibliche Unterstüzung von Dir, aber das bitte ich flehentlich, lege Dich mit mir vor dem Erbarmer in den Staub, hilf mir bäten, daß der Herr meinen immer so standhaft gewesenen Glauben mit Seegen crönen und mich aus allen meinen Nöthen erlösen wolle. Bäte mit mir, und vor mich, und dann schreib mir aus der Fülle Deines Herzens, was Dir Gott zum Trost für mich geben wird. Ach Bruder! habe Mitleyden mit meiner Schwäche, und hilf mir tragen.

Der Pak Exemplare von des würdigen Pfenningers Magazin liegt da noch [6] der Ort ist hier nicht dazu, um so etwas abzusezen, wie gern ich Euch Lieben dort diente.

In meinem Innersten ist noch immer ein dunkeler Grund des Glaubens und der Hofnung. Ich umarme Dich Herzensbruder, und bin mit unendlicher Bruderliebe

Dein Jung

5. Jung-Stilling skizziert seine Lebensgeschichte im Blick auf seine Ausbildung zum gelehrten Schriftsteller und Professor der Staatswirtschaft (1788)

Meine Geschichte als Lehrer der Staatswirthschaftlichen Wissenschaften, statt einer Vorrede, in: Johann Heinrich Jung, Lehrbuch der Staats-Polizey-Wissenschaft, Leipzig 1788 (Nachdruck Frankfurt/M. 1970). S. V—XXXV.

Um sich nach seiner Berufung an die Universität Marburg (1787) als Gelehrten vorzustellen, schildert Jung-Stilling seinen inneren und äußeren, religiös-moralischen und wissenschaftlichen Bildungsgang, den er jetzt, von dem inzwischen erreichten Ziel aus, immer mehr als seine „planmäßige Führung" durch Gott beschreibt. Während er dabei auf seine Jugend, Jünglingsjahre und Wanderschaft verhältnismäßig ausführlich Bezug nimmt, behält er den ausführlichen Bericht von den „schrecklichen sieben Jahren" in Elberfeld (1772—1778) dem vierten Teil seiner Lebensgeschichte vor.

Ich hab schon seit langer Zeit sehnlich gewünscht, meinen geliebten Teutschen Lesern endlich einmal Rechenschaft von meinem Würkungskreis als Gelehrter thun zu dürfen, wenn man mir anders diesen Ehrentitel zugestehen will; ich wenigstens bekenne mit voller Ueberzeugung, daß zu

[6] Das von Johann Konrad Pfenninger (1747—1792), dem Freund und Kollegen Lavaters, herausgegebene ›Christliche Magazin‹, für welches Jung-Stilling Abonnenten werben sollte.

einem wahren Gelehrten immer noch weit mehr gehöre, als ich mir bewust bin: Doch mit Bescheidenheit pralen ist grösere Eitelkeit als stolz seyn, ich wende mich lieber zu meinem Zweck.

Meine Verfassung in Lautern und hernach in Heydelberg war nicht von der Art, daß ich aus freyer Brust reden konte; es gab Verhältnisse, die mirs zur Pflicht machten zu schweigen, ich konte daher meinen Wunsch nie befriedigen, nie dem Publicum sagen, wie es mich als Schriftsteller und Lehrer zu beurtheilen habe, welches ich doch in meiner Lage für höchst nöthig halte, denn ich bemerkte gar oft, daß man nicht im wahren Gesichtspunct stand, wenn man einen Blick auf meinen Würkungskreis warf, und doch glaube ich überzeugt zu seyn, daß man den Mann durchaus kennen müsse, dessen mündliche oder schriftliche Lehren Eingang finden, und das gehörige Zutrauen haben sollen.

So bald ich daher im verwichenen Frühjahr, nämlich im Jahr 1787 auf Ostern hieher nach Marburg kam, und mein neues Lehramt antrat, so beschloß ich die erste Gelegenheit zu benuzzen, um den Lesern meiner sämtlichen Staatswirthschaftlichen Schriften mich ganz so zu zeigen, wie ich bin, und ihnen offenherzig zu gestehen, woher es komme, daß ich innerhalb neun Jahren, nun schon acht Lehrbücher geschrieben habe[1], mit denen ich unter allen vielleicht am wenigsten zufrieden bin; denn keine Forderung ist doch billiger als die: daß niemand etwas drucken lassen soll, bis das Ganze, dessen Plan er sich entworfen hat, vollkommen reif ist. Diese Gelegenheit fand sich bey der Herausgabe dieses Werks, und ich eile nun mit Freuden meinen so lang genährten Wunsch zu erfüllen.

Den Lesern von Stillings- oder welches eins ist, meiner Lebensgeschichte, ist mein Herkommen bekannt; meine Großeltern und Eltern waren sehr geringe und arme Bauersleute, aber zugleich Menschen von dem vortreflichsten und edelsten Caracter, so wie es überhaupt wenige giebt, sie verlebten ihre Tage still und unbemerkt, und begnügten sich mit dem inneren und seeligen Bewustseyn der bessern Zukunft.

— *Hilares et nos occurrere morti*
Novimus, et nostros ultro finire labores.

Mein Großvater verheurathete meinen Vater bey sich ins Haus; dieser hatte wegen seiner gebrechlichen Füße das Schneider-Handwerk gelernt,

---

[1] Das Lehrbuch der Staats-Polizey-Wissenschaft selbst ist hier mitgezählt; die vorausgegangenen sieben Lehrbücher sind im folgenden (S. 682) aufgeführt. Bibliographische Angaben im einzelnen bei Güthling S. 8—12 und Max Geiger S. 21—23, 25, Nr. 13, 24, 27, 34—37, 51, sowie bei Gero von Wilpert und Adolf Gühring, Erstausgaben deutscher Dichtung (1957) S. 640 f., Nr. 13, 16, 19, 21—24, 31.

zugleich hin und wieder auf den Dörfern schulgehalten, und war überhaupt als ein vortreflicher Kinderlehrer bekannt. Das Dörfgen, in welchem
meine Voreltern und Eltern gewohnt haben, heist Im Grund, und liegt in
einem waldigten Gebürge des Fürstenthums Nassau-Siegen, im Amt Hilgenbach, hier wurde ich den 12ten September 1740 gebohren; anderthalb
Jahre nach meiner Geburt starb meine Mutter, welches meinen Vater dergestalt darnieder schlug, daß er sich in die Einsamkeit zurückzog, sich mit
seinem Handwerk nährte, und ganz allein in der Ausübung der Religion
Linderung seiner Schmerzen, und Ersaz seines Verlustes suchte. Ich war
sein einziges Kind, alle seine Liebe strömte auf mich in vollem Maaß, und
wär er ein Mann von gewöhnlichem Schlag gewesen, so würde ich verzär-
telt, und bey meinem höchst lebhaften und empfindsamen Temperament
ein elender Taugenichts geworden seyn, allein die Vorsehung, die Ihre
heilige Absichten mit mir hatte, leitete meinen Vater so, daß er seine Liebe
zu mir in der besten Erziehung äusserte, die ihm in seinen Umständen
möglich war: er hatte den grosen und wichtigen Grundsaz, der Mensch
müsse von der Wiegen an immer Willenlos gehalten werden, um sich hernach in alle Schicksale seines Lebens finden zu können, und er übte diesen
Grundsaz ununterbrochen aus; alles was ich nur mit einiger Leidenschaft
verlangte, das erhielt ich nie, und zugleich wurde in jeder Befriedigung
meiner Bedürfnisse eine Reinlichkeit und Ordnung beobachtet, die fast
ohne Beyspiel war. Dadurch bekam mein Geist eine Richtung, und mein
ganzes Ich eine Geschmeidigkeit, die mich in meinem ganzen Leben, durch
eine ganze Kette der schweresten Leiden immer aufrecht, und im festen
Vertrauen auf Gott erhalten haben.

   Da die Hanthierung meines Vaters von der Art war, daß er immer auf
seiner Stuben sizzen muste, so konte er auch meine Erziehung vollkommen
abwarten; er hielt mich von allen Kindern entfernt, und niemand sah
mich ausser dem Hause, doch durfte ich täglich in den Hof spazieren
gehen, so bald sich mir aber irgend ein Knabe näherte, so pfiff er, und ich
eilte wieder in meine Einsamkeit.

   So wie ich Morgens aufgestanden war, kniete mein Vater mit mir nieder, und betete mit Inbrunst, besonders für mich; mit heiligem Schauer
denk ich noch oft dran, wie er gleichsam seinen Gott beschwor einen rechtschaffenen Mann aus mir zu machen; dann bestand mein ganzes Geschäfte
den Tag über, im Lesen, Schreiben, Rechnen, und Erlernung der Religions-
Wahrheiten; da nun mein Kopf und mein Herz weder mit Kinderspielen,
noch mit sonst etwas in der Welt angefüllet waren, so machte alles was ich
lernte tiefen Eindruck auf mich, und hier liegt der Grund, warum Gelehrsamkeit und Wissenschaften von je her meine Lieblings-Neigungen gewesen sind. Den Abend vor Schlafengehen betete mein Vater abermal auf

die nämliche Weise wie des Morgens, und so verlebte ich meine ersten zehen Jahre in dem Hause meines Großvaters.

Die Begriffe, welche mir mein guter Vater von der Religion beybrachte, waren nichts weniger als pedantisch, und bloß dieses war mein groses Glück; hätte ich ganze Stunden lang trockene dogmatische Schriften lesen, oder gar auswendig lernen müssen, so wär ich gewis ein Feind aller wahren Gottesverehrung geworden, allein davor blieb ich bewahrt; ich wurde beständig durch Ermahnungen und Beyspiele zur höchsten Moral angewiesen, und mein Vater schleppte mir von allen Seiten her Lebensbeschreibungen vortreflicher Menschen, und wahrer Christen zusammen: dadurch wurde der Trieb ihnen gleich zu werden so tief in meine Seele eingegeistet, daß er würklich die einzige Ursache von allem ist, was ich nunmehro durch die gütige Leitung der hohen Vorsehung geworden bin.

Indessen muste ich doch den Heydelbergischen Catechismus mit allen seinen Glossen auswendig lernen, wenn ich dereinst zum Abendmahl sollte confirmirt werden, mein Vater stellte mir die Nothwendigkeit vor, er sagte mir: Du brauchst das nicht als Christ, sondern als Glied der reformirten Kirchen, lerne du nur täglich etwas auswendig, so kanst du zu seiner Zeit alles, was du können must; ich befolgte dies, und bestand endlich in der öffentlichen Prüfung so, daß jedermann darüber erstaunte.

Doch ich eile weiter, damit ich hier nicht am unrechten Ort zu weitläuftig werde; ich will also alles kurz zusammen fassen: um mich nicht zu ermüden, wechselte mein Vater mit meiner Lektür ab, ich durfte auch mit unter Romanen und Geschichten lesen, und da ich nichts anders that, so war ich in meinem siebenden Jahr schon so weit in der Erkänntniß fortgerückt, daß mich jedermann für ein halbes Wunder hielt. Bey allem dem wurde ich ausserordentlich streng in der Zucht gehalten, die Ruthe war so zu sagen mein täglich Brod, und jede auch die kleinste Vergehung wurde damit bestraft; man tadelte dies an der sonst so vortreflichen Erziehungsmethode meines Vaters; er hatte auch würklich die Absicht nicht, die die Vorsehung dabey beäugte, denn bey ihm war es Uebung in der Abtödung des Fleisches und aller sinnlichen Lüste, er würde mit jedem Kind so verfahren, und also gefehlt haben; in dem göttlichen Plan aber war diese Führung erhaben, und höchst nothwendig, die Vorsehung sezte diese strenge Erziehung durch viele unbeschreibliche Trübsalen ununterbrochen fort, und es ist noch nicht lange, daß diese Strenge etwas nachgelassen hat, ich fühle auch sehr wohl, was mein natürlicher Leichtsinn, und meine Lebhaftigkeit aus mir gemacht haben würden, wenn ich nicht von der Wiegen an so streng geführt worden wäre.

Nun war meine ganze Seele zur Gelehrsamkeit, und zu den Wissenschaften bestimmt, ich wünschte nichts anders als ein Gelehrter zu werden, und zu studiren, allein wie sollte ich diese Sehnsucht befriedigen? Das ganze Vermögen meines Vaters betrug keine fünf hundert Gulden, ans Studiren war also nicht zu denken; es wurden freylich allerhand Plane gemacht, allein jeder war unausführbar, und mein Vater begnügte sich also damit, mich noch einige Zeit in die lateinische Schule zu schicken, wozu Gelegenheit in der Nähe war, und mich dann dem Schulhalten zu widmen, weiter konnte seine Absicht nicht gehen; da aber die Schulbedienungen von der Art sind, daß sie ihren Mann nicht nähren können, so blieb weiter nichts übrig, als daß er mich auch noch sein Handwerk lehrte; dieses war mir nun zwar äusserst zuwider, allein es muste seyn, wenn ich mich anders ehrlich durchbringen wollte. Indessen gerieth ich in die Mathematik, denn mein Vater war auch zugleich Landmesser, er hatte also einige geometrische Bücher, ich lehnte noch einige dazu, studirte für mich allein, und machte erstaunliche Fortschritte.

Indessen lebte ich unter lauter Kohlbrennern, Bauern, Bergleuten, Eisenschmelzern, und Hammerschmieden, und da ich von der Wiegen an mit hellem Blick alles anzusehen gewohnt war, und nun so gar auch Känntnisse von der reinen und angewandten Mathematik, und besonders von der Mechanik hatte, so wurden mir die Produktions-Wissenschaften; nämlich die Forst- und Landwirthschaft, der Bergbau, und die Metallurgie ganz geläufig; man bemerke hier meine planmäsige Führung: eben diese Wissenschaften waren es, die ich erst dreysig Jahre hernach auf hohen Schulen lehren sollte, wer hieß mich das alles so genau beobachten, so genau studiren? Weder ich noch jemand in der Welt dachte damals dran, daß mir diese Känntnisse jemals würden nüzzen können, indessen war mein innerer Trieb unbeschreiblich, und ich folgte ihm.

Im funfzehnten Jahr meines Alters wurde ich erst Schulmeister auf einem Dorf an der Wittgensteinischen Gränze; ich wohnte in dem Haus eines Försters, wo ich noch mehrere Forstkänntnisse sammelte; ich bekam also praktische Begriffe, die man unmöglich aus Büchern oder auf hohen Schulen von bloßen Gelehrten erhalten kan. Von diesem Ort rückte ich sieben Jahre lang als Schulmeister, in meinem Vaterland, von einem Dorf zum andern fort; allenthalben waren Eisenschmelzen, Bergwerke, Eisenhämmer, und Landwirthschaft im höchsten Flor, ohne irgend eine Absicht, wurden mir alle diese Geschäfte gründlich bekannt; ich benutze nebenher jede müsige Stunde, und übte mich in der Mathematik, Geographie, Geschichte, mit einem Wort in allen Wissenschaften, wovon mir nur Bücher unter die Hände fielen. Nun ist aber dort der Gebrauch eingeführt, daß die Bauern ihren Schulmeister jedes Jahr wählen, oder, wie sie zu sagen pflegen, miethen, geschieht das nicht, so muß er abziehen, und es wird ein neuer gedungen; diese Leichtigkeit abgesezt zu werden, hat zwar den

Nuzzen, daß die Schulmeister fleisiger und wachsamer sind, als anderswo, allein sie sind auch der Cabale mehr ausgesezt, dies leztere traf mich auf eine ganz ungewöhnliche Art: ich war in den sieben Jahren an sechs verschiedenen Orten, an jedem hatte ich warme enthusiastische Freunde, aber auch die bittersten Feinde; vielleicht war meine ganz isolirte Erziehung Schuld daran, ich war zu offenherzig, zu sonderbar, zu auffallend, und daher kam es, daß meine Feinde gar leicht eine Blöße fanden, wo sie mich tief verwunden konten; ich wurde also fast von jedem Dorf mit dem bittersten Haß verstoßen, und zugleich mit der wärmsten Zärtlichkeit beweint. Ich muste dann allemal wieder zu meinem Vater und seinem Handwerk meine Zuflucht nehmen, dieser hatte aber wieder geheurathet, er besaß ein Bauerngut, welches er neben seiner Profession bearbeitete; hier gieng nun mein Elend an: denn nun muste ich alle Bauernarbeit verrichten, wozu kein Glied an meinem Leibe Geschick hatte, weil ich von Jugend auf nicht daran gewöhnt war, ich weinte ins Geheim für Müdigkeit, und es bemeisterte sich meiner allmälig eine Schwermuth, die mir das Leben fast unerträglich machte; ich sehnte mich dann wieder nach einem Schuldienst, und kaum hatte ich ihn, so entstunden wieder Cabalen, die mich endlich vor das Consistorium brachten, wo ich bey aller meiner Unschuld aufs schändlichste mishandelt wurde. Jezt war es um mein Schulhalten geschehen, bey meinem Vater konte ich auch nicht aushalten, und so arbeitete ich hin und wieder bey andern Meistern auf dem Handwerk; mein Vater beklagte mich zwar, allein er so wohl als meine übrige Verwandten hielten doch dafür, es würde wohl nichts aus mir werden, und man gab mich verlohren. Die wehmüthigen Empfindungen, die ich dabey hatte, vereinigt mit dem innern erstaunlichen Drang und Hunger nach Wissenschaft, spannten mich unaufhörlich auf die Folter, so daß ich endlich im Jahr 1762 meinen Stab in die Hand nahm, und als Handwerksbursch aus meinem Vaterland ins Herzogthum Berg wanderte.

In Solingen fand ich Arbeit, Bewunderer und Freunde, und eben dieses war mein Unglück, jeder sagte mir laut, ich verdiente ein ander Schicksal, und ich glaubte es selbst, daher schämte ich mich meines Handwerks, mein Stolz trieb mich immer an, einen nach meiner Meynung anständigern Beruf zu suchen und so gerieth ich abermal wieder ins Unglück, und zwar in das allererschrecklichste, gegen welches meine vorige Lage ein Elysium gewesen war.

Ich kam nämlich aufs Land bey einen vornehmen Kaufmann als Hauslehrer; dieser nebst seiner Frauen waren hochmüthige und ungefühlige Menschen; Geld und Familien-Verhältnisse waren ihnen Menschenwürde, alles übrige Betteley; ich hingegen war äusserst arm, ohne Kleider, und entblöst von jedem Befriedigungsmittel menschlicher Bedürfnisse. Daher wurde ich äusserst verächtlich, und als ein Landstreicher angesehen, alle meine Känntnisse galten nichts, man schämte sich meiner, schloß alles was Werth hatte vor mir zu, und kaum wurde das vom Gesinde bemerkt, so fieng das eine und das andere an zu naschen, auch wohl etwas zu veruntreuen, und dann wurde der Verdacht auf mich geschoben; dazu kam noch, daß man mich den ganzen Tag mit den Kindern einsperrte, so daß ich weder Menschen noch freye Luft geniesen konte.

Jezt kam mein Kummer auf die höchste Stuffe, mein Körper zehrte so ab, daß nichts als Haut und Knochen an mir war, und Gottes Hand allein bewahrte mich, daß ich mir nicht das Leben nahm. Doch ich mag meine Leser mit allem meinem Jammer nicht ermüden, gnug, ich entfloh im März des 1763sten Jahrs aus meinem Fegfeuer, gieng durch das Städtgen Rade vorm Wald gegen die Grafschaft Mark zu, ohne einen Heller Geld zu haben; hier irrte ich im Wald umher, und es war nun an dem, daß ich in meinem Leben zum erstenmal hätte mein Brod betteln müssen, als ich auf einmal erwachte und mein Handwerk lieb gewann; nun beschloß ich feyerlich lebenslang ein Handwerksmann zu bleiben, mein Stolz war nun aus dem Grunde geheilt, ich kehrte also in obengedachtes Städtgen zurück, fand daselbst bey einem edlen vortreflichen Manne Arbeit, und Seelenfrieden, mir ward es wieder innig wohl, und dieser Knecht Gottes kleidete mich von Haupt zu Fuß, und versah mich mit allem was ich bedurfte.

Nachdem ich hier etwa 16 Wochen sehr vergnügt gelebt hatte, suchte mich ein anderer reicher Kaufmann wieder zum Hauslehrer zu bekommen, ich sträubte mich lange dagegen, ließ mich aber doch endlich überreden, und hier war es, wo die Vorsehung anfieng mich aufwärts zu führen; Herr Peter Johannes Flender an der Krähwinklerbrück, eine Stunde von Rade vorm Wald wohnhaft, nahm mich nicht nur zum Hauslehrer, sondern auch zugleich zum Comtoirbedienten an, er ließ mich französisch lernen, und da ich nun seine Söhne so wohl in dieser als in der lateinischen Sprache unterrichten muste, so wurde ich selbst fertiger in denselben, und also immer geschickter zu studiren; aus bloser Liebhaberey legte ich mich auch auf das Griechische, in welchem ich hinlängliche Känntnisse erlangte; vorzüglich aber übte ich mich in der Philosophie nach Wolfs und Gottscheds Grundsäzzen, und da ich glaubte die Logik müsse in den Eigenschaften der Dinge eben das seyn, was die Rechenkunst in Ansehung ihrer Gröse und Zahl ist, so gab ich mir erstaunliche Mühe im Definiren und Demonstriren; freylich fand ich nun, daß man in Erfindung solcher Wahrheiten nicht zur mathematischen Gewißheit kommen könne, zugleich aber fieng ich auch an zu glauben, daß das eben nicht nöthig sey, indem man sich mit der moralischen wohl begnügen könne.

Wenn es wahr ist, was man mir schon oft gesagt hat, daß in meinen

Schriften System, Deutlichkeit und Ordnung hervorleuchte, so habe ich diese Vorzüge ganz allein den Stunden zu danken, in welchen ich bey Herrn Flender mit unsäglicher Mühe Wolfs Schriften durchgearbeitet, und alles nachdemonstrirt habe.

Schon bey meinem Vater war das Reich der Phantasie ein Steckenpferd für mich, ich las Dichter und Romanen. Dieses sezte ich jezt noch immer fort; nun las ich Miltons verlohrnes Paradies, Klopstocks Messias, und andere mehr; schon als Kind hatten mich der Homer und der Virgil bezaubert, die ich in alten teutschen Uebersezzungen gelesen hatte, und jezt bekam ich eine Vorliebe zu den epischen und männlichen erzählenden Gedichten, die sich auch auf immer fest in mein Wesen verwebt hat.

In meiner jezzigen Lage befand ich mich wohl, Herr Flender vertraute mir immer mehr an, ich verwaltete zween abgelegene Eisenhämmer, lernte also die Handlung, und die Fabriken aus dem Grund kennen, und da ich auch Landgüter zu verwalten hatte, so sezte ich mich auch in der Landwirthschaft immer fester. Dem allem ungeachtet würkte etwas in mir, das ich zu der Zeit nicht kannte, wie sehr ich mich auch manchmal prüfte und untersuchte, es war ein innerer mächtiger Drang nach einer anderen Bestimmung, die ich aber mit aller Mühe nicht errathen konte; ich fühlte wohl, daß sie im Gebiet der Gelehrsamkeit war, aber wenn ich mir alle Facultäten dachte, so fand ich doch an keiner ein rechtes Behagen; nichts erhub indessen meine Seele mehr als wohlgeschriebene politische Romane, und die Geschichte solcher Landesherren, die zum Besten ihres Volks gewürkt hatten; wenn ich über Land gieng, welches oft an mich kam, so träumte ich mir immer Regierungen und Staatsverfassungen, kurz meine ganze Seele arbeitete in diesem Fach ohne zu wissen warum? so gar schämte ich mich dieser Neigung, und bedaurte mich selbst, daß ich auf einem Steckenpferd ritte, welches so ganz ausser meinem Würkungskreis lag; daher redete ich auch wenig von dieser Sache, um nicht für einen politischen Kannengieser gehalten zu werden.

Dieser innere und mächtige Trieb machte mich denn doch immer unzufrieden; ich that alles was mir aufgetragen war mit äusserster Treue, aber nicht mit Lust, ich spürte immer eine ewige Langeweile, und wuste nicht warum, sahe auch keinen Ausweg je meine Neigung befriedigen zu können. Dazu kam noch die Ungewißheit was dereinst aus mir werden würde; zum Handwerksmann war ich nun verdorben, dem Schulamt war ich auch entflogen, und zur Handlung hatte ich weder Lust noch Vermögen.

Endlich im Jahr 1768 erwachte auf einmal die Lust in mir Medizin zu studiren; verschiedene Umstände würkten zusammen, daß ich mich diesem Theil der Gelehrsamkeit widmete; Herr Flender bestärkte mich in dem Vorsaz, und er mochte wohl einen Plan mit mir haben, der seiner Meynung nach mich glücklich machen sollte, allein mein Plan konte er nicht seyn. Ich studirte nun für mich selbst, las anatomische und physiologische Schriften, und präparirte mich so gut ich konte zu diesem meinem künftigen Beruf.

Indessen wurde ich mit einem rechtschaffenen Bandfabrikanten zu Ronsdorf, eine gute Stunde von Elberfeld bekant, ich verband mich mit seiner ältsten Tochter, nahm im Jahr 1770 im Herbst meinen Abschied von Herren Flender; nachdem ich sieben Jahr in seinem Dienst gewesen war, und gieng nun nach Strasburg, um die Arzneykunde zu studiren. Die sonderbaren Schicksale, und die fast wunderbare Vorsorge Gottes, welche ich in allen diesen Umständen erfahren habe, stehen in Stillings Lebensgeschichte nach der Wahrheit beschrieben, und ich übergehe sie hier, weil ich jezt nur den Zweck habe meine Geschichte als Gelehrter mitzutheilen.

Zu Strasburg gerieth ich in einen Zirkel von Männern, der ausserordentlich viel zu meiner Ausbildung beytrug: Goethe studirte auch da, und speiste mit mir an einem Tisch, so auch der jezzige Inspector der Pfeffelischen Kriegsschule in Colmar, Herr Lerse, ferner Herr Lenz, und besonders der ehrwürdige Actuarius Salzmann; lauter Männer von vorzüglichem Geist und Herzen. Herder hielt sich auch eine Zeit lang dort auf, und ich hatte die Ehre genau mit ihm bekannt zu werden. Indessen hörte ich die treflichen Männer Spielmann und Lobstein, nebst Schürern, Ehrmann, und anderen geschickten Lehrern mehr. Eins kan ich nicht unbemerkt lassen: schon als Schulmeister war der öffentliche Vortrag meine gröste Lust gewesen, denn im Siegenschen ist es ein alter Gebrauch, daß der Schulmeister des Sonntags Nachmittags für seine Dorfgemeine einen Gottesdienst halten, und ihr eine Predigt aus einer Hauspostille vorlesen muß; dieses war mir nun eine besondere Freude, und ich hatte es nach meiner Art in der Declamation so weit gebracht, daß ich in dem Vorlesen einen allgemein anerkannten Vorzug hatte. Als ich nun die Professoren zuerst ihre Collegien lesen hörte, so wurde der Trieb in mir unwiderstehlich, auch solche Collegia zu halten, und ich beschloß daher gleich den ersten Winter eine Lehrstunde in der Philosophie zu geben; ich machte mein Vorhaben bekannt, und bekam eine Menge Zuhörer, jezt fieng ich an mich mit äusserstem Fleiß im öffentlichen Reden zu üben, und so sezte ich mich auch in der Weltweisheit immer fester. Nun fand ich aber auch allmälig, daß die Leibniz-Wolfianische Philosophie ausserordentliche Lücken habe, daher suchte ich höhere Quellen, und fand sie auch. Unter allen Wissenschaften die ich studiren muste, zogen mich die Physik und Chymie besonders an, und das zweyte Jahr las ich für Herrn Spielmann die Chymie publice; endlich schrieb ich 1772 im Winter meine Inaugural-Dissertation *Specimen Historiae Martis Nassovico-Sigenensis*, wurde examinirt, und disputirte den 22sten März ohne Vorsiz, wie ich wohl ohne eiteln Ruhm sagen kan, mit ganz besonderm Beyfall; ich reiste nun fort, und ließ mich als ordentlicher Arzt in der berühmten Bergischen Handelsstadt Elberfeld nieder.

Jezt glaubte ich nun nicht anders als ich sey von der Vorsehung zum Arzt berufen und bestimmt worden, besonders weil sie mich so sichtbarlich unterstüzt und geleitet hatte, daher erwartete ich nun auch vorzüglichen Segen in Heilung der Krankheiten, allein wie erstaunte ich, als ich fand, daß die praktische Arzneykunde durchaus meine Sache nicht war; ich hatte mir dieselbe viel wissenschaftlicher und gewisser vorgestellt, fand aber nun in den meisten Fällen, daß die Prämissen, woraus ich meine Heischesäzze folgern sollte, ganz vor meinen Augen verborgen waren, und daß ich mehrentheils als bloßer Empiriker verfahren muste. Dazu kam noch, daß ich mich mit diesem Beruf nähren muste, weil ich und meine Frau kein Vermögen hatten, nun waren aber ausser mir noch vier wackere Aerzte in der Stadt, die alle in voller Würksamkeit standen, und sich so zu sagen in die ganze Einwohnerschaft getheilt hatten, so daß für mich niemand übrig blieb als die Armen, und solche Kranken, die kein Mensch heilen konte, und die also noch ihr Heil bey mir versuchten; ich hatte also gnug zu thun, aber ich konte nicht von meiner Praxis leben, denn ich wurde nicht bezahlt, dazu kam dann noch mein natürlicher Hang zur Wohlthätigkeit, und eine immerwährende Kränklichkeit meiner Frauen, so daß mein Zustand viel trauriger wurde als jemals. Ich mag von den schrecklichen sieben Jahren, die ich als Arzt in Elberfeld verlebt habe, nichts mehr sagen, sondern ich verspare alles in die Fortsezzung von Stillings Lebensgeschichte.[2]

Indessen verzweifelte ich in den ersten Jahren noch nicht ganz, und ich fieng nun an mit äusserstem Fleiß zu untersuchen, ob die Arzneykunde nicht mehrerer Gewißheit fähig seye? Ich studirte also mit äusserstem Fleiß, durchkroch so zu sagen alle Winkel dieser Wissenschaft, las beständig physiologische und chirurgische Collegia für die jungen Wundärzte, und that überhaupt was ich konte, allein ich fand am Ende, daß ich nie als praktischer Arzt glücklich seyn würde, weil es mir zwar nicht an Wissenschaft, wohl aber an dem unnennbaren Etwas fehlte, das auch den sehr mittelmäsigen Arzt zu beglücken fähig ist.

Während der Zeit gerieth ich zufälliger Weise an die Staar-Operationen, diese machten mir Freude, besonders weil ich vorzügliches Glück dabey hatte, und ich wurde überhaupt als Augenarzt berühmt. Zugleich wurde ich mit den berühmten Brüdern Jakobi in Düsseldorf bekannt, der

---

[2] Hinweis auf ›Henrich Stillings häusliches Leben‹, dessen Niederschrift Jung-Stilling noch nicht begonnen hatte, hiermit aber in Aussicht stellt (erschienen 1789).

Herr Geheime Rath entdeckte an mir, so wie er glaubte, ein besonderes Genie, ich muste etwas für den damals entstandenen teutschen Merkur schreiben, und dieses war Ase-Neitha eine orientalische Erzählung,[3] ein Aufsaz, der würklich Beyfall fand, und mich aufmunterte mehreres von der Art zu versuchen. Doch ich übergehe das alles, weil es nicht zu meinem jezzigen Zweck dient.

Nach und nach fieng ich an gewahr zu werden, daß ich nicht zur Arzneykunde berufen seye, aber wozu dann? — Das war eine erschreckliche Frage für mich, ich hatte Frau und Kinder — und — Schulden, wer dies Unglück nicht kennt, der kennt das gröste nicht, das einem redlichen und aufrichtigen Mann zustoßen kan; alle Jahr wurden meine Schulden größer, und ich sahe keine Rettung und keinen Ausweg; mit einem Wort, wenn mich die Religion und mein unerschütterliches Vertrauen auf die Vatertreue meines Gottes nicht erhalten hätte, so wär ich vergangen in meinem Elend.

Im Jahr 1776 schrieb mir der Herr Regierungsrath Medikus in Mannheim wegen einer Sache, worinne ich ihm aber wegen meiner Lage nicht willfahren konte. Es ist ganz Teutschland bekannt, daß dieser rastlose Gelehrte die ehmalige Bienengesellschaft in Lautern gegen das Ende der sechziger Jahre in eine physikalisch-oeconomische verwandelte, und nach und nach die berühmte Cameral-Hohe-Schule, das erste Institut dieser Art, daran anknüpfte; Churfürst Carl Theodor begünstigte alle seine Vorschläge, und die bekannten vortreflichen Männer, Sukow und Schmid, wurden als die ersten Lehrer an diese hohe Schule berufen. Ich wuste von dieser ganzen Sache ein und anderes aus dem allgemeinen Gerücht, hatte aber keine weitere Aufmerksamkeit darauf; da ich nun, wie oben gemeldet, dem Herren Regierungsrath Medikus nicht willfahren konte, ihm aber doch meine Bereitwilligkeit zeigen wollte, so schlug ich ihm vor, ob ich ihm nicht mit Abhandlungen für das periodische Werk: Bemerkungen der Churpfälzischen physikalisch-oeconomischen Gesellschaft in Lautern, dienen könnte? Dieser Vorschlag wurde angenommen, und ich arbeitete eine nach der andern aus: ich beschrieb nämlich meine Erfahrungen, welche ich in Forstsachen, in den Fabriken und der Handlung gemacht hatte,[4] man nahm meine Arbeiten mit unerwartetem Beyfall auf; so gar wurde ich

[3] Hierzu s. S. 306 und Anm.

[4] Gemeint sind die S. 650 f. Anm. 1 und 3 genannten Abhandlungen, sowie vielleicht die ›Geschichte des Nassau-Siegenschen Stal- und Eisengewerbes ...‹ in: Bemerkungen der Kuhrpfälzischen physikalisch-ökonomischen Gesellschaft (1777) S. 106—225 und (1778) S. 321 ff., vgl. Max Geiger S. 20, Nr. 8.

gleich anfangs schon als Mitglied dieser würdigen Gesellschaft erklärt, und ich erhielte darüber mein Patent.

Indessen wurde mein Zustand immer trauriger und drohender, und ich ahndete noch immer keine frohe Auskunft; als ich aber 1778 auf Neujahr bey Ausfertigung meiner Rechnungen abermals weiter zurück gekommen war, und noch über das meine Praxis abnahm, so wuste ich keinen Rath mehr; zudem hatte ich in dortigen Gegenden Pränumeranten für die Bemerkungen der physikalisch-oeconomischen Gesellschaft gesammelt, die Zeit war da, daß dies Geld eingesendet werden muste, allein ich hatte es nicht, sah mich deswegen genöthigt dem Herrn Medikus meine Lage zu entdecken, und ihm zu sagen, daß ich bey der Ausübung der Arzneykunde mein Glück nicht machen könte; Medikus schrieb mir alsofort wieder zurück: er getraue sich den Churfürsten dahin zu bestimmen, daß Er mich als Lehrer der Landwirthschaft, Fabriken und Handlung und der Vieharzneykunde mit 600 Gulden Gehalt an der Cameral-Hohen-Schule anstellte; dieser Vorschlag drung mir tief in die Seele, und ich kan nicht umhin zu bemerken, daß damals etwas sonderbares mit mir vorgieng: ich fühlte nämlich bey dem Lesen dieses Briefs, daß dies die Bestimmung meines Lebens, und der Beruf sey, zu dem mich die hohe Vorsehung von der Wiegen an vorbereitet habe; alles was ich lehren sollte, hatte ich praktisch und so zu sagen mit der Faust gelernt, und nun auch als Medicus gerad alle die Hülfswissenschaften, und zwar mit vorzüglicher Vorliebe studirt, die dazu nöthig waren; zugleich stand das ganze System der Staatswirthschaft deutlich und sonnenhell vor meinen Augen, und es ist der Mühe werth, daß ich es hier nur mit ein paar Worten darlege.

Der Regent hat zwo Hauptpflichten: 1) sein Volk zu schüzzen, und 2) es zu beglücken.

Das Schuzgeschäfte besteht gegen die auswärtigen Feinde im Krieg, und zur Handhabung der innern Ruhe, in der Ausübung der Gerechtigkeitspflege.

Die Beglückung geschieht durch Erleichterung des Würkungskreises sämtlicher Unterthanen, und seiner Leitung zum höchsten Wohlstande.

Der Würkungskreis der Unterthanen besteht in sämtlichen Productionsbeschäftigungen, in der Fabrication, und in der Handlung.

Wenn die Diener der regierenden Gewalt diesen Würkungskreis regieren und leiten sollen, so müssen alle seine Theile zu ordentlichen systematischen Wissenschaften erhoben, und von jenen ordentlich studiret werden.

Dann besteht der Würkungskreis der regierenden Gewalt und ihrer Dienerschaft erstlich darinnen, daß sie die ganze bürgerliche Gesellschaft so leite, einrichte und ordne, damit ihr ganzer Gang, so wohl im Leben als

Erwerben dem höchsten Wohlstand entgegen strebe, und ihn würklich erreiche; dies alles bewürkt sie durch die Polizey.

Da alle diese Bemühungen, die Ausführung dieser Polizey und des Schuzgeschäftes nebst der Erhaltung des Regenten eine jährliche Aufwandssumme erfordern, welche nothwendig von der bürgerlichen Gesellschaft bestritten werden muß, so entsteht eine Wissenschaft, welche lehret, wie man diese Summe auf eine gerechte Weise auf alle Unterthanen vertheilen, von ihnen erheben, und zugleich durch eine gute Rechnungsführung zu Buch tragen müsse; diese Wissenschaft ist die Lehre vom Finanz- und Rechnungswesen.

Wenn nun diese Summe in die Generalcasse eingebracht worden, so muß man sie nun auch zweckmäsig verwenden; dieses geschieht durch die beste Einrichtung der Staatsverfassung, Bildung des Regenten, und seiner Dienerschaft, und überhaupt durch die beste Einrichtung der Staatsmaschine, damit alles leicht und ungehindert von statten gehen möge, diese Wissenschaft nenne ich die eigentliche Staatswirthschaft, oder die Staatshaushaltungskunde.

Dieses ganze System entwickelte sich leicht und gleichsam in einem Augenblick in meinem Gemüth, und es gab mir eine innere Beruhigung und einen Frieden, den ich in meinem ganzen Leben noch nie in dem Grad geschmeckt hatte. Nun schrieb ich an Medikus, daß ich den Beruf annehmen würde, dieser stellte also dem Churfürsten die Sache vor, Se. Durchl. genehmigten den Vorschlag, und so wurde ich im Frühjahr 1778 von der Cameral-Hohen-Schule zum ordentlichen öffentlichen Lehrer der Landwirthschaft, Technologie, Handlung und Vieharzneykunde erwählt.

So bald ich diese Nachricht hatte, legte ich mich nun mit Ernst auf meine neue Bestimmung, indem ich mein obiges System weiter bearbeitete und zergliederte; nun hielt ich aber für nüzlich, daß der Jüngling, so wie er auf die hohe Schule käme, mit diesem System hinlänglich bekannt gemacht würde, damit es ihn im ganzen Lauf seiner Studien sicher leiten möchte, daher beschloß ich ein Lehrbuch zu schreiben, dem ich den Titel Grundlehre sämtlicher Cameral-Wissenschaften beyzulegen gedachte; ich fieng auch schon würklich an, daran zu arbeiten, und zog mich allmälig ganz aus meiner medizinischen Praxis heraus, so brachte ich den Sommer zu, und dachte nun nicht anders, als daß ich im Herbst nach Lautern ziehen würde, allein wie erschrak ich, als ich, ohne auch nur den Schlag von ferne zu ahnden, einen Brief von Medikus bekam, in welchem er mir ankündigte, daß aus meinem Beruf nichts werden könnte, weil mit der Cameral-Schule eine Aenderung vor der Thür seye, die es bedenklich mache mehrere Lehrer anzustellen. Jezt war mein Zustand erschrecklich, doch faßte ich mich endlich, ergab mich in mein Schicksal, und fieng wieder an zu praktisiren.

Kaum hatte ich mich beruhigt, so kam meine Vocation, und ich zog im October auf meinen Posten.

Den ersten Winter arbeitete ich meine Grundlehre ins Reine und ließ sie drucken, zugleich aber las ich mein erstes Collegium über das Manuscript; jezt fühlte ich recht, wie sehr ich in meiner natürlichen Laufbahn war, Stimme, Brust, Vortrag, alles befand sich wie es seyn sollte, alles schien mir bekannt, leicht und geläufig.

Bey der Erscheinung meiner Grundlehre im Publico war mir von Herzen bange, mein System war noch roh und unbearbeitet, und ich stieß gar oft auf Gegenstände, die ich noch gar nicht durchschauen konte, das Ganze war recht gut, aber in der Zergliederung fehlte noch viel, und doch drung mich Noth und Klugheit damit ans Licht zu treten: denn erstlich war ein Leitfaden zu diesem Collegium nöthig, und zweytens entstand ein allgemeines Vorurtheil gegen mich; das Publicum konte nicht begreifen, wie ein praktischer Arzt so *ex abrupto* ein Lehrer der Cameralwissenschaften werden könte; ich hielt also für nöthig öffentlich ein Probestück meiner Fähigkeiten darzulegen, um zu zeigen, was ich jezt schon vermöchte, und was ich also bey fernerer Verwendung vermögen würde. Indessen wurde mein Buch noch gut gnug aufgenommen, besser als ich erwartet hatte, dies machte mir nun Muth in Bearbeitung meines Systems getrost fortzufahren.

Das darauf folgende Frühjahr fieng ich nun an die Forstwirthschaft, die Landwirthschaft und die Technologie zu lesen; zur Forstwirthschaft war ich nicht verpflichtet, allein ich legte mir diese Pflicht selbst auf, denn ich glaubte sie sey dem staatswirthschaftlichen Beamten unentbehrlich. Ich suchte ein Lehrbuch, fand aber unter allen keins das in mein System paßte, ich dictirte also im Collegium, und that so gut ich konte; die Landwirthschaft und Technologie las ich über Herrn Beckmanns vortrefliche Compendien,[5] allein ich muß aufrichtig gestehen, mein System stand vor mir, ich sahe es im Geist als ein prächtiges Gebäude an, das ich vollenden müste, und ich fand nirgend einen Leitfaden, der in meinen Plan nur einigermassen paßte. Ich faßte also den kühnen Entschluß, für erst einmal mein Lehrgebäude aus dem Groben zu bearbeiten, und über meine Wissenschaften rohe Entwürfe herauszugeben, und so bitte ich auch alle meine Leser alle meine bisherige staatswirthschaftliche Schriften anzusehen; ich muste sie schreiben, um meine Lehrstunden ordentlich halten, und meinen Zuhörern das ganze System vortragen und beybringen zu können, un-

---

[5] Johann Beckmann, Grundsätze der teutschen Landwirthschaft, 3te Ausgabe, Göttingen 1790; Anleitung zur Technologie, 2. Ausgabe, Göttingen 1780.

möglich aber war es mir in so kurzer Zeit etwas Vollendetes zu liefern; wenn mir Gott Leben und Gesundheit schenkt, so werde ich, wenn nun noch meine Finanzwissenschaft und Staats-Haushaltungskunde heraus ist, wieder vorn anfangen, und dann mein ganzes System, so viel es in diesem gebrechlichen Leben thunlich ist, vollendet der Welt darlegen. Doch ich kehre wieder zu meiner Geschichte zurück.

Mein Herr College Sukow lehrte die Hülfswissenschaften, reine und angewandte Mathematik, die oeconomische Naturgeschichte, Naturlehre, und Scheidekunst, und zwar alles zum oeconomischen Zweck. Herr Hofrath Schmid aber trug das Natur- und Völkerrecht, die gewöhnliche Polizey, Finanz- und Staatswirthschaft vor. Nun hatte ich aber keinen heisern Wunsch, als daß die ganze Cameral-Schule von Anfang an, bis zu Ende, nach meinem System gelehrt und gearbeitet hätte, und doch durfte ich mein Verlangen nicht äussern; jeder Gelehrte hat seinen eigenen Plan und Gang, und es wäre Tollkühnheit und Raserey von mir gewesen, wenn ich den beyden verehrungswürdigen Männern Anträge von der Art hätte machen wollen; ich füllte also bloß die Lücke zwischen Sukow und Schmid aus, so daß ich jedes halbe Jahr die Grundlehre sämtlicher Cameralwissenschaften, und dann im Sommer die Forstwirthschaft, Landwirthschaft und Technologie, im Winter aber das Rechnungswesen, die Handlungswissenschaft, die Vieharzneykunde, und die Gewerbpolizey lehrte. Bey allem dem wuchs aber das Verlangen in mir, einmal in eine Lage zu kommen, in welcher ich das ganze staatswirthschaftliche Fach ganz allein zu bearbeiten und zu lehren haben würde, denn mein Trieb ist unüberwindlich, mein System ganz zu vollenden, dies war mir aber in Lautern und Heydelberg unmöglich. Dies ist der erste Grund, warum ich die Pfalz verließ, und den Ruf nach Marburg annahm. Dazu kam aber noch ein zweyter:

Meine Erziehung, mein bisheriger Lebenswandel, und Verhältnisse, und mein Caracter, in welchem Offenherzigkeit, die nicht immer mit der gehörigen Behutsamkeit verpaart gieng, besonders hervorstach, stellten mich gleich von Anfang meinen Mitarbeitern auf einer Seite dar, die man nicht in ihrem wahren Licht betrachtete; meine rastlose Tätigkeit, die so äusserst gut gemeynt war, wurde als Empordrang angesehen, man glaubte ich wollte jedem den Rang ablaufen; den Beyfall, den ich in meiner Amtsführung hatte, suchte ich nicht zu verdecken, sondern da ich von Herzen glaubte, jeder müste sich mit mir darüber freuen, so äusserte ich mich hin und wieder darüber, und zwar mit einer Art von Entzücken; dieses wurde nun als ein Triumph über meine Collegen betrachtet, es war also nichts natürlicher, als daß bald Mistrauen und Kälte entstand, welche so gar heimliche Schranken erzeugte, die man, wie man glaubte, meinem emporstrebenden Geist entgegen sezzen müste. Ich merkte das alles bald mit dem

äussersten Kummer, aber die wahre Ursache ahndete ich erst, als es zu
spät war, ich suchte daher alle die um mich waren, durch Dienstfertigkeit
und Freundlichkeit zu gewinnen, allein das Mistrauen war einmal tief eingewurzelt, man sah das als Falschheit an, und betrachtete mich als einen
politischen Menschen, vor dem man sich in acht zu nehmen habe.

Indessen wurde im Jahr 1784 im Herbst die Cameral-Hohe-Schule nach
Heydelberg verlegt, allerhand Umstände kamen noch hinzu, so daß jenes
Mistrauen mehr zu als abnahm; alle meine Treue, mein Fleiß und meine
Mühe wurden von denen verkannt, die mir doch wenigstens ihre Zufriedenheit hätten bezeugen sollen; das alles zusammen machte mir endlich meine Lage schwer, so daß ich verwichenen Winter 1787, auch
noch darum um so viel lieber den Ruf hieher nach Marburg annahm,
weil er in Ansehung der Besoldung das Glück meiner Familie auf immer
gründete.

Gott weiß, daß ich hier weder dem Herren Regierungsrath Medikus,
noch irgend einem meiner ehmaligen Herren Collegen etwas zur Last legen, oder zu nah geredet haben will, wir haben Beyspiele gnug, daß sich
auch die besten Menschen nicht verstanden, besonders wenn Collegial-
Verhältnisse dazu kamen. Gott segne die Staatswirthschafts-Hohe-Schule
mit Ihrem Director und Lehrern! nur das erlaube man mir zu sagen: sie
haben mich alle sehr verkannt, und es wird eine Zeit kommen, wo sie das
einsehen und bereuen werden.

Meine Vocation hieher nach Marburg legte mir nun die Pflichten auf,
die Oeconomie, Finanz- und Cameralwissenschaften zu lehren, allein ich
würde meinem innern Trieb nicht entsprechen, wenn ich mich damit beruhigen wollte; hier bin ich in meinem Fach ganz allein, keiner beneidet,
keiner hindert mich, durch viele Erfahrungen belehrt, bin ich behutsamer
und klüger geworden, auf diese Weise kan ich also mein ganzes System
nach den Wünschen meines Herzens ganz ausfüllen, und dies geschieht, so
lang mir Gott Leben und Gesundheit fristet, folgender Gestalt:

Der Sommercours ist allemal dem Würkungskreis der Unterthanen,
oder den Gewerbwissenschaften gewidmet, der Wintercours hingegen dem
Würkungskreis der gesezgebenden Gewalt.

Da die Grundlehre sämtlicher Staatswirthschaftlichen Wissenschaften
sehr gemeinnüzig ist, so lese ich sie jedes halbe Jahr publice, und zwar
Mittwochs und Samstags in einer Vormittagsstunde, in den übrigen vier
Tagen der Wochen widme ich im Sommer die nämliche Stunde der
Forstwissenschaft, und im Winter dem Bergbau; dann lehre ich im Sommer noch drey Stunden des Tages, in der ersten die Landwirthschaft,
in der zweiten die Technologie, und in der dritten die Handlungswissenschaft.

Im Winter bestimme ich, nebst der Morgenstunde, die die Grundlehre und den Bergbau enthält, die erste der Polizey, die zweyte der Finanzwissenschaft und dem Rechnungswesen, und die dritte der Staatshaushaltungskunde; so gebe ich also täglich vier Stunden, und mein ganzes System wird in einem Jahr ausgefüllt.

Als ich hieher kam hatte ich folgende Lehrbücher herausgegeben:
1) Grundlehre sämtlicher Cameralwissenschaften.
2) Lehrbuch der Forstwirthschaft, 2te Auflage.
3) Lehrbuch der Landwirthschaft.
4) Lehrbuch der Fabrikwissenschaft.
5) Lehrbuch der Handlungswissenschaft.
6) Lehrbuch der Vieharzneykunde.

Diese Wissenschaft habe ich nun hier meinem Collegen dem würdigen Herrn Professor der Arzneykunde, Busch überlassen, der sie über mein Compendium schon würklich vorträgt, denn sie lag immer zu weit ausser meiner Sphäre.

7) endlich, Lehrbuch der Cameral-Rechnungswissenschaft. Ich hab schon oben erinnert, daß ich mit keinem von diesen Werken zufrieden bin, denn sie sind alle blos vorläufige rohe Entwürfe, deren ich aber bedurfte, wenn ich meine Wissenschaften systematisch lehren wollte; ich muste allemal eilen, um nur einen Leitfaden zu bekommen. Der unpartheyische sachkundige Mann wird aber doch bey dem allem System, Ordnung, Deutlichkeit und Tendenz zu einem gewissen Ziel, nämlich der Staatsbeglückung, bemerken, und also einsehen, daß noch aus meinen Kindern etwas werden kan, wenn sie nun nur gut erzogen werden.

Verwichenen Sommer im August fieng ich an auf meine Wintercollegia zu denken: hier hatte ich mich auf des berühmten Herren von Sonnenfels Grundsäzze[6] verlassen, als ich aber seine Polizey durchgieng, so fand ich, daß sie von meinem System himmelweit verschieden war; denn ich denke mir unter dem Wort Polizey alle Mittel, welche die regierende Gewalt anwendet, die bürgerliche Gesellschaft so zu ordnen und einzurichten, daß jeder einzelne und mit ihm das Ganze sicher, ruhig und bequem seine irdische Glückseligkeit erlangen kan, und würklich erlangt; in gedachtem Buche aber fand ich nur die gewöhnliche Polizey, und zwar blos aus dem Begrif der Sicherheit hergeleitet. Seine Finanzwissenschaft aber fand ich bis auf die Verzehrungssteuer meinen Begriffen gemäß, diese wählte ich

[6] Joseph von Sonnenfels, Grundsätze der Polizey, Handlung und Finanz: Zu dem Leitfaden des politischen Studiums, 5. Auflage, 1 (1786), 2 und 3 (1787).

also zum Lehrbuch, und beschloß nun noch vor Winter abermal einen rohen Entwurf der Polizey zu schreiben, und darüber zu lesen. Ich gab mich also ans Arbeiten, und Herr Reich in Leipzig ans Drucken, und so kamen immer so viel Bogen, als ich zu meinem Collegium brauchte. Mein edler Freund Reich starb, und so ist dies das lezte Werk, welches er verlegt hat.

Auf diese Weise ist also folgendes Werk wieder in Eile und auf eine Art entstanden, die Entschuldigung bedarf, viele Vorschläge mögen wohl gedehnt, viele unreif, und noch viele unausführbar seyn, allein die Ordnung und das System halte ich doch beynahe für vollkommen, und ich glaube damit wird man sich wohl beruhigen. Wenn man mit diesem Buch indessen so zufrieden ist, wie mit allen vorigen, so danke ich Gott und der Nachsicht unserer Rezensenten; meine Geschichte wird jeden überzeugen, daß ich in meiner Lage nicht mehr habe thun können; habe Geduld geliebtes teutsches Vaterland! Fristet mir mein groser himmlischer Führer das Leben und meine Gesundheit, so folgt nun nächsten Sommer meine Finanzwissenschaft, dann die Staatshaushaltungskunde, und dann werde ich wieder von vorne anfangen, ein Werk nach dem andern ins Reine arbeiten, und so vollkommen machen, als es mir möglich ist; möchte ich nur so lange leben, bis auf diese Weise mein ganzes System fertig ist!

Muß ich mich auch etwa über den Titel Staats-Polizeywissenschaft erklären? — ich wollte mein Lehrgebäude dadurch von der gewöhnlichen Polizey, welche auch mit dazu gehört, unterscheiden, mehr brauch ich wohl nicht zu sagen.

Leser! — Zuhörer! Freunde alle! — blickt in mein gutes redliches offenes Herz, und liebt mich wie ich Euch alle liebe.

Marburg den 12ten Jenner
1788.

Dr. Jung

6. Jung-Stilling kennzeichnet seine Lebensgeschichte als göttliche Führung (1801)

Der folgende Brief, dessen Handschrift nicht erhalten ist, findet sich mehrfach gedruckt, zuletzt bei Wilhelm Güthling, Der Jung-Stilling-Brief vom 7. Januar 1801 an Wilhelm Berger und andere, in: Siegerland 47 (1970) S. 10—16, hiernach der folgende Text.

Gegenüber einem Kreis von strengen Anhängern Tersteegens in Mülheim an der Ruhr betont Jung-Stilling, daß sein Aufstieg zum Hofrat und Professor eine Kette gottgewollter Fügungen war. Vor allem beleuchtet er

sein religiöses Verhalten und Empfinden, das seit der Abfassung des ›Heim-
wehs‹ (1794) eine fühlbare Steigerung erfahren und die neuartige Über-
zeugung in ihm geweckt hat, Gottes Führung habe ihn nunmehr zum
religiösen Schriftsteller ausersehen.

Den lieben und innig hochgeschätzten Brüdern Berger, Tops, Roßhof
Vater und Sohn, und Evertsen wünsche ich Gnade und Frieden! Ich danke
zuvörderst Gott in Jesu Christo, und dann auch Ihnen allen meine teuersten Brüder! Daß nun das Hindernis, welches unserer völligen Herzens-
und Geistesvereinigung im Wege stand, durch Eure liebevolle Verzeihung
meiner Fehler, gänzlich gehoben ist. Tragt mich Schwachen, weil Ihr stark
seid, und ich gar viel zu tragen habe! Ich werde Euch allen, jedem besonders hinführo gerne auf jeden Brief antworten, für diesmal aber muß ich
Euch allen in einem Brief einerlei schreiben, weil Ihr alle es wissen müßt,
und ich keine Zeit habe, einerlei Sachen fünfmal zu schreiben.

Es liegt mir nämlich noch etwas auf dem Herzen, das ich aus dem Wege
räumen und berichtigen muß, weil es noch immer, entweder Euch allen
oder doch dem einen oder dem andern einen Anstoß geben könnte! —
warum bin ich Hofrat und Professor, warum ein vornehmer und ange-
sehener und berühmter, gelehrter Mann geworden, und nicht Schneider
und Schulmeister, also nach dem Muster und Beispiel unseres Herrn, nicht
in der Niedrigkeit geblieben? — Habe ich wohl auch die Regel befolgt:
Trachtet nicht nach hohen Dingen, sondern haltet euch herunter zu den
Niedrigen? [1]

Jedem Christen, dem es ums Seligsein ein wahrer Ernst ist, und der da
weiß, daß es unmöglich ist, ohne wahre Herzensdemut und Herzensrein-
heit, mit Gott in innige Gemeinschaft durch Christum zu kommen, dem
muß das an mir aufgefallen sein. Ich habe zwar in meiner, das ist in
Stillings Lebensgeschichte, das Nötige darüber gesagt, allein die Sache ist
doch so noch nicht ins Licht gestellt worden, nicht in den Gesichtspunkt
gesetzt, daß sich Seelen, wie Ihr, meine lieben Brüder! völlig darüber
beruhigen könnten. Höret daher meine Erklärung über diesen Punkt. —
Daß ich durchaus ganz und gar nichts bin, nicht sein will und von mir
selbst durchaus auch kein Sandkörnchen schwer Gutes an mir finde, das
versteht sich von selbst; aber ebenso wahr und gewiß ist es auch, daß ich
nicht das allergeringste weder direkt noch indirekt dafür kann, oder dazu
beigetragen habe, daß ich Kurpfälzisch-Bayrischer Hofrat und Professor
der Staatswirtschaft in Marburg und ein berühmter Gelehrter geworden

---

[1] Römer 12, 16.

bin; Ihr werdet alle davon überzeugt werden, wenn ich folgende Aufschlüsse über meine Führung gebe, die ich vor dem Angesicht des Herrn niederschreibe und heilig versichere, daß sie Wahrheit sind.

Schulmeister konnte ich in meinem Vaterlande nicht bleiben: denn ich war durch Verfolgung und Schicksale mancher Art so in Mißkredit geraten, daß mich so leicht niemand mehr zum Schuldienst verlangte; wie viel und wie wenig ich daran schuld war, das weiß Gott allein.

Als Schneiderbursch bei meinem Vater zu arbeiten, das ging nicht an: denn ich hatte eine Stiefmutter, welche es für Müßiggang ansahe, wenn ich in der Stube auf dem Handwerk arbeitete, ich sollte Feld- und Bauernarbeit verrichten, und das war mir unmöglich, ich hatte zu schwache Nerven dazu, und hatte es nicht gelernt.

Es blieb mir also nichts übrig, als auf mein Handwerk zu wandern; ich ging also nach Solingen — vor 38 Jahren — wo ich bei einem Meister Stöcker,[2] der am Kirchhof wohnte, auf dem Schneider-Handwerk arbeitete; hier wurde ich stolz — das Handwerk war mir zu gering, ich schämte mich dessen, und suchte also eine Kondition — es ist merkwürdig, daß ich auch in eben der Zeit eine bleibende Rührung und Erweckung bekam: denn die vorherigen Rührungen, die ich von Jugend auf hatte, hatten nur kurze Zeit gedauert.

Von der Zeit an, 1762 im Frühjahr, blieb der Trieb für den Herrn zu leben und zu sterben beständig in mir. Mein Stolz wurde erhört, ich kam zu Herrn Peter Hartcop auf der Bever in der Nähe von Hückeswagen; von den innern und äußern Leiden, die ich da als Hauslehrer seiner Kinder ausgestanden habe, sag ich kein Wort, aber ich wurde näher zum Herrn gebracht, und hier las ich zuerst Tersteegens Schriften, die mir sehr gesegnet waren. Im Frühjahr 1763 ging ich aus meinem Dienst von der Bever weg, und kam nach Radevormwald, wo ich bei einem frommen Schneidermeister Joh. Jak. Becker wieder auf dem Handwerk arbeitete; jetzt war ich fest entschlossen, als Handwerksmann zu leben und zu sterben, es möchte auch kosten was es wolle, und dabei dem Herrn treu zu dienen.

Hier wurde ich mit Herrn Flender an der Krähwinkler Brücke bekannt, der mir es aber so nahelegte, daß ich mich endlich wieder überreden ließ und als Hauslehrer seiner Kinder zu ihm zog; dies geschah aber mit Furcht und Zittern, und ich entschloß mich nicht eher dazu, bis meine christlichen

---

[2] Die Drucke haben: „Stöder" die Eintragung Jung-Stillings zum 12. 4. 1762 (s. u. S. 692) ist jedoch — mit Hans Kruse, in: Westfälische Lebensbilder 4 (1933) S. 212 — als „Stöcker" zu lesen.

Freunde mich überzeugt hatten, es sei Gottes Wille. Bei Herrn Flender war ich 7 Jahre bis 1770, ich unterrichtete seine Kinder und half ihm in seiner Fabrikhandlung. Während dieser Zeit ging also mein Handwerk verloren, und ich wurde untüchtig dazu. Was sollte also nun aus mir werden? — es fand sich eine Gelegenheit, die Tochter eines blühenden Handelshauses zu heiraten. Das Mädchen war eine der größten Schönheiten und sehr begabt, aber ich fand in meinem ganzen Wesen einen Widerwillen gegen die Handlung; ich fand zu viel Sünden darinnen, und ich hatte nicht Geldliebe genug, um in diesem Geschäfte nicht früher oder später Fallit, und sehr unglücklich zu werden; ich schlug also diese Winke aus.

Dagegen zeigten sich ganz andere Aussichten, mir wurden von einem berühmten Augenarzt Arkana angeboten, wenn ich Medizin studieren wollte, um sie recht gebrauchen zu können; ich hatte auch schon von innen und außen Winke zum studio medico gehabt, und mich schon lange in Philosophie und Sprachen geübt. So entschloß ich mich denn in Gottes Namen Medizin zu studieren, ungeachtet ich keinen Heller dazu wußte und hatte.

Zu eben der Zeit versprach ich mich zu Ronsdorf mit meiner ersten Frau, Peter Heiders, eines Florettfabrikanten und frommen Mannes frommen Tochter. Diese ganze Heirat war weiter nichts als die Folge einer frommen Schwärmerei, worüber ich hier nichts weiter sagen will, als ich heiratete das gute fromme, aber irrende Mädchen auf ihrem Krankenbette bloß aus Pflicht; Liebe hatte ich nicht zu ihr, sondern ich glaubte, Gott fordere dies Opfer von mir, ich gewann sie aber doch herzlich lieb, und hab sie während ihrer langen Kränklichkeit bis in ihren Tod treulich verpflegt.

Ich studierte, und mein Vertrauen auf Gott ließ mich nicht stecken: denn mir wurde geschickt, was ich brauchte, ohne daß ich vorher wußte, woher ich einen Heller nehmen sollte.

Dies, meine teuersten Brüder, muß Euch fest überzeugen, daß mein Studieren Gottes Wille war, denn er lenkte fremden Leuten das Herz mich mit dem Nötigsten zu versorgen: denn mein Schwiegervater konnte es nicht, und es läßt sich von Gott nicht denken, daß er die eitlen stolzen Wünsche der Menschen so merkwürdig befördere.

Ich studierte in Straßburg, hatte aber das Unglück, daß mir der Geist dieser Zeit Pfeile der Versuchung und des Unglaubens in mein Herz schoß, welche Wunden hinterließen, die mich noch immer schmerzen und mir sehr viele Kämpfe verursachen. O lieben Brüder! ich kämpfe oft schrecklich, ich muß meinen Weg fortpilgern ohne eine Hand vor den Augen zu sehen, und wenn mich der Herr auch töten wollte, so will ich

doch auf ihn hoffen. Ach der Weg des dunkeln Glaubens ist schwer! —
Die Empfindung der Gegenwart Gottes hilft mir über alle Schwierigkeiten weg, dies ist das einzige, was mich aufrecht hält.

Ich zog 1772 im Frühjahr nach Elberfeld als Arzt. Hier gingen nun erst meine Prüfungsjahre an: fast alle dortigen Erweckten waren mir einigermaßen zuwider — keiner war ganz zufrieden mit mir — Du wirst Dich dessen erinnern, liebster Bruder Evertsen! in Eurem Haus fand ich oft Trost und Erquickung, obgleich Du und Dein seliger Bruder auch nicht klug aus mir werden konntet. — Viele der dortigen Erweckten waren mir sogar im eigentlichen Sinne von Herzen feind. Ich glaube wohl, daß ich durch meinen lebhaften, leichtsinnigen und unüberlegten Charakter an allem schuld war, aber im innern Grund meiner Seele war doch die Übergabe an die ewige Liebe völlig und beständig — dies konnte aber niemand wissen, man sah aufs Äußere und urteilte danach. Ach es geht lange Zeit dazu, bis die natürlichen Unarten durch das göttliche Reinigungsfeuer weggefegt sind; das hätte man doch auch bedenken sollen; indessen auch das gehörte zu meiner Feuerprobe. Ich und meine Frau hatten kein Vermögen, meine Praxis brachte wenig ein, und doch mußte ich leben, das Geld, womit ich studiert hatte, mußte auch bezahlt sein, von Jahr zu Jahr wurden die Schulden größer und damit wuchsen meine Leiden, so daß ich's kaum ertragen konnte; zudem nahm meine Praxis ab, nur meine Augenkuren waren gesegnet. Zwar half der Herr öfters wunderbar dem augenblicklichen Mangel ab, aber im ganzen war in Elberfeld keine Aussicht für mich ferner zu leben, viel weniger Schulden zu bezahlen; bei dem allen aber rührte ich keinen Finger, um aus meiner schrecklichen Lage zu kommen, sondern ich ließ lediglich den Herrn walten.

Auf einmal, ganz ohne mein Denken und Suchen, bekam ich den Ruf als Professor der Kameralwissenschaften nach Lautern mit 600 Gulden Gehalt. Jetzt fühlte ich tief in meiner Seele die Pflicht diesem Ruf zu folgen: denn in dem Fach hatte ich mehr Kenntnis als in der Medizin, zum öffentlichen Vortrag war ich besonders geschickt, und das Gehalt setzte mich in den Stand, meine Familie zu ernähren, und auch nach und nach Schulden zu bezahlen; ich nahm also den Ruf aus Pflicht und Gehorsam an, ich zog 1778 nach Lautern, und der Herr segnete mein Lehramt außerordentlich, so daß ich nun nach 22 Jahren viele hundert Männer in Ämtern weiß, die zum Besten der Menschen nach meinen Grundsätzen wirken, und die ich unter Gottes Beistand gebildet habe.

Nach dreien Jahren starb meine erste Frau in Lautern, ich heiratete in Abhängigkeit von der Leitung des Herrn zum zweiten Mal und bekam nun eine vortreffliche Haushälterin, meine Schulden wurden nach und nach abgetragen, doch blieben noch immer viele übrig. 1784 versetzte uns

alle der Kurfürst an die Universität nach Heidelberg, meine Familie
wurde stärker, der Aufwand auch, und das Gehalt wurde nicht vermehrt,
folglich konnte ich keine Schulden mehr bezahlen; als mich daher im Jahre
1787 der Herr Landgraf von Hessen hierher nach Marburg gegen einen
jährlichen Gehalt von 1440 Taler berief, so mußte ich diesen Ruf notwen-
dig annehmen, um meine Schulden bezahlen zu können. Ich ging also
hierher, und bin nun beinahe 14 Jahre hier, und zwar mit außerordent-
lichem Segen in meinem Amt, auch sind nun meine Schulden getilgt, der
Herr sei gepriesen! Vor zehn Jahren starb denn auch meine zweite Frau,
ich hatte kleine Kinder, und mußte also abermals heiraten; ich bekam daher meine jetzige Frau, welche die älteste Tochter des sehr frommen und
rechtschaffenen Prof. der Theologie Coing ist; dieser mein Schwiegervater
starb aber bald nachher, sowie auch seine fromme, gottesfürchtige Frau,
und nun zeigte sich wieder die treue Führung des Herrn auch darinnen,
daß ich nun auch der Versorger dieser frommen Familie werden sollte; ich
nahm also die Kinder des seligen Coing zu mir, und sie sind nun zum Teil
bei mir. Dann mußte ich auch meinen alten 85jährigen Vater aus dem
Siegerland abholen und bei mir verpflegen, welches auch meine liebe vortreffliche Frau mit unaussprechlicher Treue und Geduld tut. Der gute
Mann ist ganz wie ein kleines Kind. Ich bin im Äußern so belastet, daß
es mir doch bei allem dem, besonders in diesen teuren Zeiten, schwer wird,
durchzukommen, und es bleibt mir nichts übrig — der Herr wird's versehen! Sehr geliebte Brüder! das ist meine äußere zwar schwere, aber
doch auch sehr gnädige Führung; ich weiß gewiß, daß mein gegenwärtiger
Stand nach dem Willen des Herrn ist. Er will in Gnaden, daß ich das
sein soll, was ich bin, denn meine Eigenheit, wie groß sie auch sein mag,
hat im geringsten daran keinen Teil, daß ich Professor in Marburg bin.
Den Hofratstitel gab mir der Kurfürst von der Pfalz ganz aus eigener
Bewegung, und ganz umsonst, ich hatte so etwas nie verlangt und
nie erwartet. Der Kurfürst liebte mich sehr und wollte mir dadurch
eine Gnade erzeigen, die ich also auch in dieser Beziehung annehmen
mußte.

Was nun meinen inneren Zustand und meinen Ruf als christlich-religiö-
ser Schriftsteller betrifft, so will ich Euch, lieben Brüder! auch darüber
Rechenschaft ablegen:

In meinem Lehramt mußte ich sehr viele Lehrbücher schreiben und
drucken lassen, weil es daran ganz fehlte; dadurch wurde ich in der gelehrten Welt sehr berühmt und mit allen, auch den vornehmsten Ständen,
bekannt; ich bekam Fürsten, Grafen und Adlige in Unterricht, und auch
dies war Plan der Vorsehung: denn dadurch bin ich mit vielen Herrschaften bekannt geworden; ich korrespondiere mit ihnen, und kann also

nun zum Besten des Reiches Gottes sehr nützlich auf sie wirken. So wurde alles vorbereitet. Im Jahre 1794 kam der hiesige Buchhändler Krieger zu mir und bat mich, ich möchte doch einmal etwas Hübsches schreiben, er wolle es verlegen und drucken; ich bedachte mich und fand mich willig dazu und nahm mir vor, des Bunians Christenreise nachzuahmen — so entstand also „das Heimweh" nebst seinem Schlüssel in fünf Bänden. Während dem Schreiben dieses Buches fühlte ich höhere Kraft; in meinem innern Seelengrund entwickelte sich die Überzeugung, der Herr wolle mich in diesen schweren und wichtigen Zeiten als Werkzeug in seinem Dienst brauchen, dahin ziele seine ganze Führung mit mir von Jugend auf. Zugleich fühlte ich auch den Zug der ewigen Liebe zur Einkehr und in die Gegenwart Gottes weit stärker, und ich ward von der Zeit an ein ganz anderer Mensch. Dies Buch nun, „das Heimweh", hat unbeschreiblich gewirkt und wirkt noch immerfort im Segen, daher entstand nun auch „der graue Mann", „die Siegesgeschichte" usw.

Meine innere Seelengestalt ist folgende: Ich fühle mein gänzliches Nichts äußerst lebhaft, ich bin seit vielen Jahren fast beständig im Gefühl der Gegenwart Gottes, und wenn ich einmal zerstreut bin und sie verliere, so habe ich keine Ruhe, bin äußerst elend, ja es ist mir, als könnte ich nicht leben, bis ich wieder in diesem meinem Elemente bin. Ich habe schlechterdings keinen Willen mehr, auch gibt es unter allen sinnlichen Vergnügen kein einziges, das mir Freude machte. Ich lebe in einem immerwährenden Zustand der Abgeschiedenheit von allem Irdischen. Zu nichts habe ich Lust, als zum einen, das not ist, ganz für den Herrn zu leben und zu sterben, ist mein einziger Wunsch. Stand und Ehre der Welt sind mir ganz und gar nichts, und ich sehne mich nur immer nach Ruhe und Einsamkeit, tue aber alle meine Geschäfte, deren erstaunlich viel von allerlei Art sind, munter und willig, aber nicht mit Lust, sondern bloß aus Pflicht. Das alles aber ist bloß Gottes Werk in mir; ich fühle sehr lebhaft, daß ich zu allem Guten, das in mir ist, auch nicht ein Jota beigetragen habe, im Gegenteil, wenn ich mein eigenes Wesen prüfe, so finde ich, daß keine Sünde, kein Laster, kein Verderben zu denken ist, wozu nicht ein sehr lebhafter Keim in mir läge; aber der Herr sei gelobt, diese ganze Welt voll Sünde in meiner Natur ist ganz unter der Herrschaft des Geistes Gottes, der seine Wohnung in meiner Seele aufgeschlagen hat, ohne daß ich das Geringste dazu beigetragen hätte. Mein schweres Leiden ist der Stand des dunklen und nackten Glaubens — diese Bürde trage ich schon lange. Aber der Herr wird mit helfen tragen, solange er es für gut findet.

Jetzt, liebe Brüder! kennt Ihr mich ganz. Von mir selbst könnt Ihr Euch keine zu niedrige Vorstellung machen, aber das Gute, das der Herr in mich gelegt hat, und wozu ich nichts beigetragen habe, das erwirbt mir doch Eure Liebe, um die ich nochmal demütig bitte. Forthin werde ich nun jedem von Euch einzeln schreiben; ach stärkt mich doch oft durch Eure Briefe.

Der Herr sei Euch allen nahe und

Eurem ewigen Bruder

Jung.

Jetzt bitte ich nun von Herzen, mich zu beobachten und mir zu sagen, wo ich fehle; meine Schriften könnten Euch dazu Anlaß geben.

7. Merkbuch Jung-Stillings mit wichtigen Daten aus seinem Leben (1809)

Die folgenden handschriftlichen Eintragungen Jung-Stillings mit Angaben aus den Jahren 1740—1814 finden sich in dem gedruckten Kalender: [Georg] Geßner, Memorabilien der Zeit (Wien, Baden, Triest 1809), jetzt im Besitz des Museums des Siegerlandes, Siegen, vgl. hierzu Hans Kruse, Johann Heinrich Jung-Stilling, in: Westfälische Lebensbilder 4 (1933) S. 205 bis 228, bes. S. 227.

1. 1. 1762 im Anfang dieses Monaths sollte ich praeceptor der lateinischen Sprache zu Hilgenbach werden, weil aber der Prediger Seelbach und die Bürgerschaft nicht einig werden konnten, so wurde ich einstweilen Hauslehrer bey dem Schöffen Friedrich Wirth im Bruch daselbst.

1802 den 1sten Jan. starb meine Tochter Lisette zu Heidelberg bey Herrn Kirchenrath Mieg. Sie war 15 Jahr und 9½ Monath alt.

5. 1. 1773 den 5ten Jan. wurde meine älteste Tochter, die Kirchenräthin Schwarz gebohren. Ihre Taufpathen waren mein seel. Schwager Arnold Heyder, meine Schwiegermutter Heyder und meine Stiefmutter. Ihr Name ist Johanna Magdalena Margretha.

4. 1. 1795 den 4ten Jan. wurde mir ein Sohn gebohren. Die Taufzeugen waren H. Pf. Schlarbaum, mein Schwiegersohn Schwarz, mein Schwager Coing, der Baron von Vincke, und mein Sohn Jakob. Er heist: Christian Ludwig Friedrich Jakob und ist mein 11tes Kind und 6ster Sohn.

5. 1. 1793 den 5. Februar starb meine Tochter Lubecka an den Folgen der Röteln, sie war 2 Jahr und 6 Monath alt.

12. 2. 1770 den 12ten Febr. verbande ich mich mit meiner ersten Gattin.

22. 2. 1799 den 22sten Februar wurde meine jüngste Tochter gebohren, die Taufzeugen sind: die Gräfin Christine von Waldeck, die Fr. GehRäthin Homberg zu Wittgenstein, die Fr. St. George zu Weilburg, die Fr. Pf. Eisenträger gb. Kraft, und nochmals der Herr von Seckendorf in Regensburg. Der Name ist Christine Elisabeth Henriette Maria; sie ist mein 13tes Kind und 7te Tochter.

1812 den 22sten Febr. führte mich der Herr aus einer schweren Probe, ich sahe keine Auskunft mich aus dem Geldmangel zu retten, und ich erhielt einen Wechsel von 500 Gulden von einem Unbekannten, der sich als Jude angab.

1. 3. 1756 um diese Zeit verheurathete sich mein Vater zum zweytenmahl mit der Witwe Joh. Henrich Klapperts zu Credenbach im Kirchspiel Ferndorf im Siegenschen. Sie hieß Anna Margretha geb. Feldmann von Hilgenbach.

8. 3. 1785 starb mein jüngstes Kind Louise in einem Alter von 6 Monathen, an dem heutigen Tage.

11. 3. 1775 als ich im Winter zu Frankfurth a. M. war und den Herrn von Lersner operirt hatte, gerieth ich in einen schweren Kampf, weil gedachter Herr nicht sehend wurde, ich that also ein Gelübde mich von nun an ganz der ewigen Weisheit zum Eigenthum zu übergeben.

15. 3. 1791 um diese Zeit starb mein Sohn Franz an einem Wasserkopf, nachdem er ungefehr 10 Monath alt geworden.

16. 3. 1786 den 16ten März wurde mein sechstes Kind oder 4te Tochter gebohren. Die Taufzeugen waren die Fr. Rennerin im Pfälzer Hof zu Mannheim, meine Schwägerin St. George zu Wallerstein, und abermal die Gräfin von Ortenburg, ihr Name war Elisabeth Sophie Christiane.

1807 den 16ten März empfieng das Rescript worinnen mir 800 fl. Zulage zugesichert worden, so daß nun mein Gehalt wieder so gros ist, wie in Marburg.

17. 3. 1770 den 17ten März begehrte ich die Einwilligung meiner Schwieger Eltern zu meiner ersten Heurath, und bekam sie ohne Anstand.

22. 3. 1817 den 22sten März ging Elisabeth Jung geb. Coing, unsere zärtlich geliebte Mutter, Ihrem treugeliebten Gatten in die Ewigkeit voran. Ueberm Grabe dort ist Vergeltung und Wiedersehen ewig. *[Eintrag von Jakob Jung.]*

23. 3. 1772, den 23sten März disputirte ich zu Strasburg um die Doktorwürde und reiste dann wieder nach Ronsdorf.

31. 3. 1763 zu Ende März floh ich aus Hartcops Hauß, die erbarmende Liebe Gottes führte mich nach Rade vorm Wald, zum Meister Joh. Jakob Becker, wo ich bis Anfangs Jul. auf dem Handwerck arbeitete, und wo mir sehr wohl war.

2. 4.   den 2ten Aprill 1817 mittags um 12 Uhr entschlief Vater Stilling in seinem Herrn und Erlöser; umgeben von fünfen seiner Kinder und zweyen seiner Enckel, denen er desselbigen Tages um 4 Uhr morgens das heilige Abendmahl selbst gereicht und sie gesegnet hatte. Möge dieser Segen auf ihnen allen bleiben, und Früchte bringen, zum ewigen Leben, Amen! Auf seinem Grabstein steht die Bibelstelle Joh. 2 v. 15 Herr, du weißt, daß ich dich lieb habe. *[Eintrag von Jakob Jung.]*

8. 4.   1787 den 8ten April zog ich als Professor der Staatswirthschaft nach Marburg.

12. 4.   1762 den 12ten April auf Ostermontag gieng ich aus meinem Vaterland Nassau-Siegen fort ins Bergische nach Solingen, arbeitete daselbst bey dem Meister Stöcker auf dem Schneider Handwerck bis in den August.

13. 4.   1792, den 13ten April wurde meine älteste Tochter mit Schwarz in meinem Hauß zu Marburg getraut.

15. 4.   1755 auf Ostern wurde ich confirmirt und gieng zum erstenmal zum Abendmahl.

1801 den 15ten April wurde ich auf meiner ersten Schweizerreise zu Winterthur durch die Frau Frey aus allen meinen Schulden gerettet.

26. 4.   1779 den 26sten April wurde mein ältester Sohn gebohren. Seine Taufzeugen sind: mein seel. Schwieger Vater Heyder, mein seel. Vater und des Apothecker Platenius Tochter zu Elberfeld. Sein Name ist Peter Jakob Helmann.

1. 5.   1755 den 1sten May wurde ich Schulmeister auf der Lützel, einem Walddorf im Siegenischen.

1756 um diese Zeit zog ich von Himmelmert zu meinem Vater nach Credenbach.

1768 im Frühjahr wurde ich von Innen aufgefordert, Medizin zu studiren.

1769 im Frühjahr bekam ich vom Herrn Pastor Molitor zu Attendorn das Mscpt von den Augencuren.

1772 den 1sten May zog ich mit meiner ersten Frau nach Elberfeld in Haushaltung und Praxis, ich durchlebte da sieben schwere Prüfungs-Jahre.

9. 5.   1755 den 9ten May wurde meine 3te Gattin Elisabeth gebohrene Coing gebohren.

10. 5.   1775 den 10ten May wurde mein 3tes Kind und 2ter Sohn gebohren, seine Taufzeugen waren mein Schwager Abraham Heyder, der Oberbergmeister Jung zu Dillenburg und meine älteste Schwester, sein Name war Johann Jonathan Henrich.

11. 5.   1790 den 11ten May wurde mir ein Sohn gebohren, seine Tauf-

pathen waren Prof. Coing, die beyden Grafen vonn Degenfeld Max und
Hans, die Grafen August Christian und Carl von Stollberg Rosla, der
Graf Taube, Hofrath Kröber, der Geheime Rath Rieß und mein Schwager
Hohbach, sein Name war Maximilian Franz Hans Carl Christian Albrecht,
er war mein 9tes Kind und 5ter Sohn.

14. 5. Auf die erhaltene traurige Nachricht, daß meine Braut zu Ronsdorf tödlich krank sey, reiste ich 1771 den 14ten May von Strasburg den Rhein hinab und nach Ronsdorf.

1786 den 14ten May starb mein Sohn Carl an schrecklichen Convulsionen, er war 2 Jahr, 9 Monath und 3 Wochen alt.

16. 5. 1789 den 16ten May wurde meine 2te Gattin von einem todten Knaben durch den Professor Busch entbunden. Diese Entbindung enthält etwas, das für mich Herzdurchbohrend ist, es war mein 8tes Kind oder 4ter Sohn.

23. 5. 1790 den 23sten May starb meine 2te Gattin Selma am Friesel und Kindbetten-Fieber, nachdem sie ihren Tod ein halb Jahr mit Gewisheit vorausgesagt und mir die Jungfer Elise Coing zur 3ten Gattin bestimmt hatte.

30. 5. Heut ist meines Schwiegersohns Schwarz Geburtstag, er wurde gebohren 1766 den 30sten May.

3. 6. 1775 den 3ten Jun. starb mein 3tes Kind Jonathan, nachdem es nur 3 Wochen und 3 Tage alt geworden.

10. 6. 1811 den 10ten Jun. morgens um 3 Uhr entschlief mein groser Gönner und Wohlthäter, der Grosherzog Carl Friedrich von Baden in einem Alter von 82 Jahren und 7 Monathen, nachdem er ungefehr 3 Jahr seines Geistes Gegenwart und Bewustseyn verlohren hatte.

17. 6. 1771 den 17ten Junii wurde ich zu Ronsdorf am Krankenbett von Herrn Pastor Dilthey zu Cronenberg mit meiner Braut copulirt.

1807 den 17ten Jun. zog ich mit meiner ganzen Familie von Heydelberg nach Carlsruhe, um von nun an dem Grosherzog Gesellschaft zu leisten.

20. 6. 1760 den 20sten Jun. wurde meine 2te Gattin Maria Salome oder Selma gebohren.

25. 6. 1782 den 25sten Jun. verlobte ich mich mit Maria Salome von St. George, des Oettingen Wallersteinischen CammerDirectors jüngsten Tochter, im Haus der Frauen Sophie von La Roche zu Speyer.

1. 7. 1763 Anfangs Jul. wurde ich durch die gütige Leitung der Vorsehung genöthigt, auf immer das Handwerk zu verlasen und den Ruf als Hauslehrer bey Herrn Peter Johannes Flender zu Krähwinkel anzunehmen, zu dem Ende gieng ich nach der Gemarke, um bey dem Sprachmeister Altena französisch zu lernen.

1771 den 1sten Jul. machte ich die merckwürdige Reise wieder von Ronsdorf nach Strasburg, nachdem ich 14 Tage vorher war copulirt worden.

10. 7. 1814 den 10ten Jul. hatte ich eine merkwürdige Unterredung mit dem Kayser Alexander von Rusland. Am nämlichen Tage erhielt ich von der Kayserin eine jährliche Pension von 300 Gulden.

12. 7. 1801 den 12ten Jul. verheurathete sich mein ältster Sohn mit meiner jüngsten Schwägerin Amalie Coing.

23. 7. 1783 den 23sten Jul. wurde mein 4tes Kind oder 3te Sohn gebohren, seine Taufzeugen sind der Herr von Seckendorf, Würtembergischer Gesandter zu Regensburg, mein Schwager der Geh. Rat St. George in Braunfels und die Tante Roosin zu Creuznach. Sein Name war Carl Christoph Henrich.

1. 8. 1762 in diesem Monath gieng ich als Hauslehrer zu Herrn Peter Hartcop auf der Bever im Amt Hückeswagen im Bergischen, diese Stelle war ein Ofen des Elends für mich.

6. 8. 1784 heute wurde mein 5tes Kind oder zweyte Tochter gebohren, ihre Taufzeugen waren die Gräfin Christiane von Ortenburg, ihre Schwester die Rheingräfin Louise von Grehweiler, die Fr. Assesorin Louise Ege in Zweybrücken, mein Schwager St. George zu Wallerstein und die Frau von La Roche, der Name war Christiane Louise Sophie Wilhelmina.

10. 8. 1814 den 10ten August erhielt ich aus Rußland vom Fürsten Galitzin 2000 Gulden zur Bezalung meiner Schulden.

15. 8. 1782 den 15ten August wurde ich mit meiner 2ten Gattin Selma zu Creuznach im Haus ihrer Tante der Fr. Doctorin Rooß von Herrn Inspektor Wund copulirt.

16. 8. 1802 den 16ten August zog die Fr. Superintendentin Julie Richerz zu uns und übernahm die Erziehung der beyden kleinen Mädchen Amalie und Christine. Sie ist die Tochter des seel. Bürgermeisters Eicke in Hannöverisch Münden.

24. 8. 1751 um diese Zeit fiel mein Grosvater Eberhard Jung von seinem Hausdach, es war Mittwochen, und am folgenden Freytag Abend starb er, er war 1680 gebohren und also 70 Jahre alt.

28. 8. 1770 den 28sten August reiste ich auf die Universität nach Strasburg, um Medizin zu studiren. Ich logirte mit H. Troost von Elberfeld im Hauß der Herren Reichard und Clemens.

1. 9. 1749 den 1sten 7br. wurde meine erste Gattin Christina Catharina Peter Heyders zu Ronsdorf ältste Tochter, gebohren.

2. 9. 1791 den 2ten 7br. wurde mir eine Tochter gebohren, die Taufzeugen waren die Frau Professorin Arnoldi, die Tante Kraft, meine Schwägerin Maria Coing und meine ältste Tochter, sie war mein 10tes

Kind und 5te Tochter, ihr Name war Elisabeth Lubecka Johanna Maria.

4. 9. Wunderbare Aushülfe mit 200 Gulden, durch den catholischen Pfarrer Lindl von Baindlkirch in Bayern, der uns besuchte.

6. 9. 1802 den 6sten 7br. starb mein Vater bey mir zu Marburg, nachdem er 5 Jahr von uns treulich verpflegt worden war.

10. 9. 1803 den 10ten 7br. zog ich mit meiner Familie wieder von Marburg nach Heidelberg, um mich nun ganz dem Dienst des Herrn zu widmen.

12. 9. Meine Voreltern vätterlicher Seite wohnten im unten benannten Dorf und waren Kohlbrenner und Bauers Leute, die von mütterlicher Seite waren Prediger. Sie waren alle biedere und gute Leute.

1740 den 12ten 7br. abends um 8 Uhr wurde ich im Grund Amts Hilgenbach im Fürstenthum Nassau-Siegen gebohren. Beyliegende Blume hat mein Enckel Wilhelm Schwarz im Jahr 1814 im October auf dem Geisenberger Schlos bey meinem Geburtsort gepflückt.

14. 9. Den 14ten September 1807 zog die Frau Superintendentin Julie Richerz mit vielen Thränen auf immer wieder von uns. Familien Umstände machten es unumgänglich nöthig.

17. 9. 1803 den 17ten 7br. kam ich mit meiner Familie hier in Heidelberg an, um nun ganz für den Herrn zu leben und zu würcken.

18. 9. 1802 den 18ten 7br. war ich in Carlsruhe auf meiner 2ten Schweizerreise, und erhielt bey dem Markgrafen die erste Aussicht zu meiner künftigen Bestimmung.

29. 9. 1749 auf Michaelis zog ich mit meinem Vater nach der Allenbach, einem Dorf eine Stunde weit von meinem GeburtsOrt, wo er Schulmeister wurde, und ich bey ihm in die Schul gieng.

1750 fieng ich an um diese Zeit, bey dem Praeceptor Weigel zu Hilgenbach in die lateinische Schule zu gehen, ich gieng von der Allenbach morgens dahin und abends wieder nach Haus eine halbe Stunde weit.

1756 auf Michaelis wurde ich Schulmeister zu Credenbach,

1757 auf diesen Tag zu Dreisbach und Tiefenbach im Kirchspiel Netphen,

1759, also nach zwey Jahren, zog ich wieder zu meinem Vater nach Kredenbach. 1760 wurde ich von dem Inspektor Winkel zu Siegen von Clafeld verdrängt, ich zog zu meinem Vater und durchlebte ein paar trauriger Jahre.

1763 um diese Zeit zog ich zu Herrn Peter Johann Flender als Hauslehrer, auch half ich ihm in der Handlung, ich war 7 Jahr bey ihm, diese Zeit war eine Vorbereithung zu meinem künftigen Stand und Beruf.

1. 10. 1769 im Herbst wurde ich in meines seel. Schwiegervatters H. Peter Heyders Haus zu Ronsdorf recht bekannt.

1784 den 2ten 8br. zogen wir mit der CameralSchule nach Heydelberg.

12. 10. 1760 den 12ten October wurde unsere liebe Hausfreundin, die Superintendentin Julie Richerz gebohren.

18. 10. 1781 den 18ten 8br. starb meine erste Gattin nach einer 9 Wochen langer Lungensucht an der Auszehrung, nachdem wir 10 Jahr und 4 Monath in einer Creuz- und Leydensvollen Ehe gelebt hatten.

20. 10. 1796 den 20sten 8br. wurde mir eine Tochter gebohren, die Taufzeugen sind die Frau von Kunckel in Cassel, die Fr. Sekretarius Dehn Rotfelser, die Jungfer Tante Duising, meine Schwiegertochter Amalie geb. Coing, der Name ist Elisabeth Amalia Sophie, sie ist mein 12tes Kind und 6ste Tochter.

25. 10. 1778, 25. October zog ich mit meiner ersten Gattin und zweyen Kindern als Professor der Cameral-Wissenschaften nach Kaysers-Lautern.

29. 10. 1801 den 28sten 7br. wurde ich nach einer vierwochentlichen tiefen Schwermuth bey Braach ohnweit Rothenburg in Niederhessen mit der Kutsche gefährlich umgeworfen.

1. 11. 1787 auf heute wurde mir eine Tochter gebohren, die Taufzeugen sind Caroline von Urf, Baron von Rieben, Hofrath Hartmann in Stuttgardt und Matthison. Sie heist Carolina Auguste Friederike sie ist mein 7tes Kind oder 4te Tochter.

7. 11. 1814 den 7ten 9br erhielt ich aus Rusland einen Wechsel von 880 holländischen Dukaten.

11. 11. 1747 auf Martini fieng ich an im Grund auf die Dorfschule zu gehen, welche ein Ofen des Elends für mich war, weil ich vom Schullehrer sehr mishandelt wurde.

1751 nach meines Grosvaters Tod auf Martini wurde mein Vater Schulmeister im Grund, wo er vier Jahr diesem Amt vorstund, während dieser Zeit half ich ihm nähen, die Kinder unterrichten, gieng täglich eine Stunde weit in die lateinische Schule nach Hilgenbach, machte Sonnenuhren und Knöpfe und half ihm auch bei dem Landmessen im Cöllnischen und Märkischen.

1755 auf Martini muste ich auf Befehl des H. Pastor Seelbach die Schul auf der Lützel wieder verlasen.

19. 11. 1790 den 19ten 9br. vermählte ich mich zum 3ten mahl mit Elisabeth, der ältesten Tochter des Professors der Theologie Coing und Elisabeth geb. Duising in Marburg.

1. 12. 1755 in diesem Monath wurde ich Hauslehrer bei H. Jost Henrich Stahlschmidt zu Himmelmert bey Plettenberg im Märkischen.

1759 In diesem Monath wurde ich Schulmeister zu Clafeld, Geyßweid, Dillenhütten und Bickenbach.

Meiner SchwiegerTochter Amalie Geburtstag.

8. 12. 1806 an diesem Tag zog ich für meine Person von Heydelberg ab nach Carlsruhe ins Schloß, um dem Grosherzog Carl Friedrich von Baden Gesellschaft zu leisten.

8. Sieben Briefe Jung-Stillings zur Abfassung und Drucklegung seiner Lebensgeschichte (1777/78 und 1788/89)

Die folgenden Briefe Jung-Stillings an seinen Verleger George Jakob Decker in Berlin, die sich in der Handschriftenabteilung der Staatsbibliothek Preußischer Kulturbesitz in Berlin (Nachlaß Decker) befinden, enthalten wertvolle zusätzliche Nachrichten und Selbsturteile Jung-Stillings über seine Lebensgeschichte. Unmittelbar nach dem Erscheinen von ›Henrich Stillings Jugend‹ stellte er dem ihm von Goethe vermittelten Verleger eine Fortsetzung in zwei Bänden in Aussicht. Bereits Anfang Dezember 1777 legte er ›Henrich Stillings Jünglingsjahre‹, Anfang Februar 1778 ›Henrich Stillings Wanderschaft‹ vor. Zehn Jahre später nahm Decker auch noch ›Henrich Stillings häusliches Leben‹ in Empfang, während der Verlag von seinem Schwiegersohn Heinrich August Rottmann übernommen wurde, an den der letzte Brief (Marburg, 22. 3. 1789) gerichtet ist.

[7. 11. 1777]   Elberfeld den 7ten 9bris 1777.
Mein Herr!
Gestern Abend erhielt ich durch Herrn Grünenthal den Abdruck meiner Bogen, worinnen ich Heinrich Stillings Lebensgeschichte angefangen und bis an den Tod seines Grosvatters fortgesetzt hatte. Ich überließ sie vor einigen Jahren an Goethe, damit zu machen was ihm beliebte, und erst verwichenes Frühjahr erhielt ich Geld und Nachricht zugleich, wuste aber so wenig den Verleger als Sie den Verfasser vielleicht wusten. Ich bin allerdings entschlossen dieses Werck fortzusetzen, denn das intressanteste ist noch zurück, und ich glaube, daß dieses Buch in seiner Art eben so orignell ausfallen wird, als Heinrich Stilling ein individueller Mensch ist, ich werde nichts als historisch wahre Geschichte hinschildern, man erlaube mir nur Schnörckel und Zierathen nach der Mode umher zu werffen, damit es etwas ins Auge falle und mit RomanenHunger gelesen werde. Stof gnug zu sechs Bänden mächtiger Scenen schweben in meinem Gedächtnüß, allein ich dencke, ich werde es in noch zween Bände, wie dieser erstere ist zusammendrängen. Drey Bände von einem Thema sind in unseren Bücher-

schwelgerischen Zeiten gnug, besonders da ich noch viel zu schreiben
willens bin und Teutschland gern recht satt auftischen mögte. Ich habe
einen Roman angefangen: Die Geschichte des Herrn von Rosenau betittelt.
Zwantzig Bogen eng voll geschrieben liegen schon da, hatt Stilling seine
Rolle ausgespielt, soll Rosenau auftreten. Ausser was noch meine Gluck-
henne in meinem Hauptfach, in der Medizin und Chirurgie ausbrüten wird,
es ist mein felsen vester Grundsatz viel zu schreiben, aber nichts, als was
bieder, nützlich, noch nicht gesagt, oder noch nicht so gut gesagt worden.
Sie haben einen S t i l l i n g vor sich, trauen Sie auf sein gutes Hertz,
teutschen Muth und Blut. Wir sagen, drücken die Hand, thun, und halten.
So schilderte mir Grünenthal auch meinen Verleger. Danck sey's Göthe,
um Sie und Ihre Bekantschaft. Vortrefflich daß Sie just in Berlin wohnen,
und dazu — mit Nicolai in einer Stadt!!! Friede sey mit Nicolai und mit
seinem Geist, damit kein Nothanker wieder erscheine, hat er Recht, so sag
ers gut, und mit liebevollem Hertzen.

Liebster Herr Decker! Das Kaufmanns Hertz bey Seit, das biedere teutsche an die Stelle, ist eine Louisd'or zu viel vor einen Bogen von Stillings
Lebensgeschichte? Ich bedarf's, bin nicht reich, habe aber die Nothdurft,
allein auch Schulden an Freunde, die mich empor huben. Thun Sie was Sie
können, und geben Sie mir einen Louisd'or, können Sie aber nicht, so
melden Sie mir, wie viel ich zu gewarten habe. Sie sind, und bleiben mein
Verleger, und ich bin und bleibe meiner Autorschaft unbeschadet

Ihr

ergebenster Diener

Johann Heinrich Jung

[*Nachschrift:*] Meine Addresse ist An Doctor Jung in Elberfeld.
[*am Rande:*] Goethens Feile ist die beste, sie poliert gut, aber meine
kennen Sie noch nicht, Goethe bekam meine Bogen roh und schraf, nun
will ich einmahl selber feylen, und sehn, ob man sich auch darinn spiegeln
könne, ich empfehle mich!

[**21. 11. 1777**]   Elberfeld den 21ten 9bris 1777.
Dank vor Ihren lieben Brief, warmen Dank! und nun die Antwort
drauf: Ich hab die Sache, was S t i l l i n g s Geschichte betrifft genau
überlegt und den Plan erwogen, es ist in der That eine wahre Geschichte,
und wenn ich nicht ins Trockene und weitschweiftige fallen will, so muß ich
Thatsachen zusammen drängen und sie so ordnen, daß sie abstechen und
frappant ins Auge und aufs Hertz fallen, dadurch zieht sich aber das
Gantze zusammen, und wird kleiner. Der erste Band wär würcklich noch
eins so starck, wenn ihn G o e t h e gelasen hätte wie er war. Will ich
vieles hinzudichten, so entwischt mir die Wahrheit, und es hat Kunst,

Natur und Dichtung so zu verweben, daß keins absticht. Darum lasen Sie's seyn, so wie ich jüngst geschrieben habe. Ich liefre Ihnen G[eliebt's] G[ott] binnen drey Wochen den 2ten Band ungefehr so starck wie den ersten, vielleicht etwas stärcker und in dem Anfang des neuen Jahrs den dritten und letzten Band eben so starck, dieser aber wird der allerschönste seyn.

Mit der Geschichte des Herrn von R o s e n a u hats eine andere Bewandnüß, die Geschichte ist Dichtung, intressante Dichtung, das Detail aber lauter ächte Menschen Natur und Wahrheit, wenn ich anders den heutigen edlesten Geschmack kenne, so darf ich Ihnen Muth machen, diesen Roman zu drucken und zu verlegen. Denselben kan ich alsdann auch so starck machen, als Sie's wünschen. Dieses wollt' ich Ihnen gern bald zu wissen thun und antworte deswegen mit umgehender Post. Leben Sie recht wohl theuerster Herr Decker! und lieben Sie Ihren

Jung.

Entschuldigen Sie die Eyle dieses Briefs, ich must ein paar Minütgen dazu stehlen.

[9. 12. 1777]   Elberfeld den 9ten Xbris 1777.

Ehegestern erhielt ich Ihren letsten Brief vom 29ten 9bris just da ich am letsten Bogen des zweyten Bandes abschrieb. Da haben Sie nun schon S t i l l i n g s   J ü n g l i n g s   J a h r e , bin ich nicht ein wackerer Mann? Geben Sie dem Herrn C h o d o w i e c k i einen Gruß und Händedruck von H e i n r i c h   S t i l l i n g , und sagen Sie Ihm: Er hielt Ihn vor das gröste Zeichner Genie in der Welt. Er möchte den 2ten Band aufmercksam durchlesen, und wo er Kraft fühlte, sich ans Zeichnen geben! S t i l l i n - g e n wirds recht seyn, was er macht. — Nur eins: bitten Sie ihn doch in meinem Namen: er möchte doch keine Prediger Scene weder in diesem noch in folgendem Band wählen, man nimmt mirs hier zu Land ausserordentlich übel, ein N o t h a n k e r -ähnliches Buch herauszugeben. Sonst kan Herr C h o d o w i e c k i machen was er will.

Ihrem Herrn Corrector sagen Sie: er sollte hübsch brav seyn, und nicht so viele Druckfehler einschleichen lasen, als im ersten Band, mir deucht es wär dienlich, wenn er das Manuscript ehe bedächtlich durchläse, vielleicht hab ich hie und da in der Orthographie und Signatur selber etwas überhüpft, und das müste doch verbessert werden. Ich hab eine ziemliche starcke Praxis, lese Collegia täglich vor junge Wundaertzte, hab sonsten allerhand gelehrte Verpflichtungen auf mir, so daß ich froh bin, wenn ich so was fertig habe, so sehr genau kan ich in der Eyl nicht wohl seyn, mit dem dritten Band hab ich nun mehr Zeit, und da solls recht gut gehen.

Um Sie Schadlos zu halten, will ich Ihnen von Zeit zu Zeit allerhand

schöne und nützliche medizinische, philosophische und belletristische
Sächelgen zuschicken, und die sollen Sie umsonst haben, die Hauptstücke
aber, als S t i l l i n g und R o s e n a u gehen in einem Preys. Sie
glauben nicht, was R o s e n a u vortrefliche Würkung in der Welt thun
wird. Gott bewahre Sie nur vor dem Nachdruck! Und C h o d o w i e c k i
wird in demselben auf allen Blättern Stof gnug finden. Es ist alles darinnen
Wahrhafte ächte Menschen Natur, wahre Religion und Caracteristik,
machen Sie nur Staat darauf, Liebster Freund! Wenn Herr Grünenthal
künftige Ostern nach Leipzig reist, so bringt er Ihnen S t i l l i n g s 3ten
Band und R o s e n a u 's ersten nebst noch einigen Nebenstückgen, die
Sie gratis bekommen, Und das soll uns so eine ewige Sitte seyn, damit das
schwere Porto verspart werde, ich schicke Ihnen durch diese Gelegenheit
alle halbe Jahr was ich fertig habe, und Sie schicken mir durch eben die-
selbige obrück was Sie zu senden haben.

Was von diesem Päcksgen an Porto bezahlt werden muß, das rechnen
Sie mir zur Halbscheid an.

Dieser zweyte Band von S t i l l i n g s Geschichte giebt Ihnen 12 gedruckte Bogen. Der dritte soll wenigstens nicht kleiner werden. Und da
denck ich setzen wir Heinrich Stillings wohlgetroffenes Bildniß selbsten
vor.

Nun weiß ich vorjetzo nichts weiter zu sagen, als das ich Sie Liebster
Decker! hertzlich lieb habe, und das ich bin

Ihr

Jung.

[1. 1. 1778]   Elberfeld den 1ten Jan. 1778.
Der 3te oder letzte Band von S t i l l i n g s Geschichte ist auch fertig,
ehgestern ist er fertig worden, aber noch nicht abgeschrieben. Ich war
willens meinem lieben D e c k e r nicht ehe zu schreiben, sondern ihn
binnen 8 Tagen auch damit zu überrumpeln. Allein eine vornehme Dame
zwo Stunden von hier ist heftig kranck worden, und ihr Zutrauen zu mir
ist so groß, daß ich täglich hin muß und das raubt mir die Zeit zu sehr,
denn ich hab auch noch mehrere Patienten als wie dise.

Zu Ende J a n u a r s kan ich Ihnen den 3ten Band liefern, die Oster
Meß kommt spät, ists dann noch früh gnug, so melden Sie mirs mit umgehender Post, vielleicht ists noch eher möglich, aber ich kans nicht versprechen. Da steht unser Erd Kügelgen wieder am Thor des 5727ten Jahrs
ihres Daseyns oder seyd dem sie die Ehre hat die Wohnstadt von Adams
Geschlechte zu seyn. Die Hand — lieber A d a m s Sohn und mein Bruder! wir wollen mit Händedruck und Wohlwollen gegen unsere gemeinschaftliche Brüder, die Menschen, und mit Gehorsam und Danck gegen

unsern gemeinschaftlichen Gott und Vatter noch einmal unsern Weg um die Sonne antretten. Trefen wir uns hie wieder, gut! so sagen wir uns aufs neue Guten Morgen Bruder! Ist aber einer von uns zum Mittelpunct der Welt verreist, so denckt der andere: auch gut! willst machen, daß wir uns am besten Örtgen treffen mögen. Ich bin

Ihr

Jung.

[3. 2. 1778]   Elberfeld den 3ten Febr. 1778.

Hier ist der Schluß, L i e b s t e r   F r e u n d ! von H e i n r i c h S t i l l i n g s Lebensgeschichte, Ob ich den Beyfall des Publicums haben werde, weiß ich nicht. Das weiß ich aber, daß hie und da stille Forscher der Wahrheit Fußtapfen der Gottheit in dieser Geschichte finden werden, und das wär Beyfall gnug.

Dieses Manuscript ist enger geschrieben als voriges, es wird wieder zwölf volle gedruckte Bogen geben. Herr Chodowiecki kan wählen wo und was er will.

Den ersten Band von Rosenau's Geschichte bekommen Sie wills Gott! durch Freund Grünenthal mit noch andern Sächelgen vor Sie, wie Sie wissen.

Nun liebster D e c k e r ! ich muß Ihnen doch auch ins Ohr sagen: daß ich selbsten der H e i n r i c h   S t i l l i n g bin. Ja ich selbsten bins, ich hab diesen schweren Weg durchwandeln müsen, eh ich bis in diese Zeit gekommen bin, alles was Sie in meiner Geschichte lesen ist Wahrheit ohne Erdichtung. Vielleicht lieben Sie mich nun noch ein Quintgen mehr. Ists doch ein sonderlichs Ding um die Rollen die unser Herr Gott in diesem Blumen oder Raupen Leben seinen Menschen austheilt, mir solls all gut seyn, was noch aus mir werden wird, denn fertig bin ich noch nicht, denn ich bin noch immer in der Schmelze.

Ich umarme, küsse und grüse Sie von Herzen mit wärmster Liebe und bin

Ihr ganz eigener

Dr. J u n g

genannt S t i l l i n g

apropos C. A. Mayens anatomische Beschreibung der Blutgefäse des menschlichen Cörpers, verwahren Sie ja ein Exemplar vor mich. Grünenthal bringt mirs mit, und sie sezens nur auf Conto.

[7. 5. 1788] Marburg, den 7ten May 1788.

Ich danck Ihnen von Hertzen, Mein theuerster! daß Sie mir geantwortet haben, ich hatte Ihnen ein paarmal geschrieben, und keine Antwort
erhalten, ich zweifelte also, ob Sie mich noch lieb hätten.

Mir ist Ihr Vorschlag ganz recht, ich schicke Ihnen also das Manuscript
zum vierdten Band, unter dem Titel H e i n r i c h S t i l l i n g s h ä u ß -
l i c h e s L e b e n, in etwa einem Monath spätstens. Sie können also sich
zum Druck richten, denn mein Leben bis hier in Marburg giebt weil ich
nur das Intressanteste wähle, gerade so einen Band wie der vorigen einer,
folglich kan er in der Herbst Messe erscheinen. Da doch jeder der vorigen
Bände ein Titelkupfer hat, so wünschte ich, Sie liesen mein Bildniß, so wie
es hier kommt, vor den vierdten Band stechen, und beykommende Vignette
auf das Titelblatt, wählen Sie den besten Kupferstecher dazu, denn der
Zeichen Meister hat mich sehr gut getroffen; folglich brauchten Sie Herrn
Chodowiecki für jezt nicht.

In Erwartung einer geneigten Antwort bin ich wie Sie wissen
> Ihr ewiger Freund
> > Jung.

N. S. Sobald mein Bildniß gestochen ist, lassen Sie zwey Duzend Stiche
abziehen, und schicken Sie mir sie zu.

[21. 6. 1788] Marburg den 21sten Jun. 1788.
Theuerster Freund!

Hier kommt schon ein Theil, etwa die Hälfte des Manuscripts, zum
vierten Theil S t i l l i n g s , die andre Hälfte wird bald folgen, ich lasse
sie nur noch abschreiben, und eben dies abschreiben hat mich gehindert,
daß es nicht eher gekommen ist. Da dies Werck doch eigentlich, nach der
allgemeinen Stimme des Publicums dasjenige ist, welches mir am mehrsten
Ehre und überhaupt vielen moralischen Nutzen gestiftet hat, so war ich
jezt bey der Ausarbeitung dieses Theils vorzüglich vorsichtig, denn er ist
bey weitem der wichtigste; ich ließ daher das Manuscript von einem ge-
prüften Kenner, aufgeklärten Religionskänntnissen, und feinem Gefühl
und Weltkänntniß, der zugleich mein inniger Freund ist, sorgfältig und
aufmerksam durchlesen; was er mir bemerkte zusezte oder wegwünschte,
das befolgte ich genau, und so ist das Werck so vollkommen geworden,
als ich glaube das es möglich ist. Drucken Sie es also nun mein Bester! in
Gottes Namen, Er der mich so heilig und wunderbar geführt hat, segne
es zu seiner Verherrlichung unter den Menschen.

Dem Corrector empfelen Sie doch sehr aufmerksam auf die Recht-
schreibung und Punctation zu seyn, damit das Werck correct gedruckt
werde, und dann haben Sie doch die Güte, wenns fertig ist, mir 12 Exem-

plare von den vorigen drey Bänden, und 18 von diesem vierdten Band
zu schicken.

Ich bin mit der innigsten Freundschaft

      Ihr

           ganz eigener

           Jung

[22. 3. 1789]   Marburg den 22sten März 1789.
Wohlgebohrner!
Hochzuehrender Herr!
Ich habe das Paquet richtig erhalten und dancke verbindlichst für alles,
denn alles ist nach Wunsch. In Ansehung meines Bildnisses giengs wie es
bey allen Gemälden geht, man tadelt immer, und findet auch immer
Aehnlichkeit, das ist aber auch sehr natürlich, der Zug am Mund wurde
für sehr heßlich angesehen und man bat mich ich möchte es weglaßen,
jedoch sagen auch wieder andre es sey gut, es bleibt also dabey. Wenn Sie
gelegenheit haben, so sehen Sie einmal die Zeichnung die ich Krünitzen
geschickt habe, die ist vortreflich. Überhaupt wollen wir nun mein häuß-
liches Leben in der Welt rouliren laßen, Gott lege den Segen darauf den
Er auf die ersten Theile gelegt hat. So bald nun die Auflage von allen vier
Theilen vergriffen ist, so sagen Sie mirs frühzeitig gnug, ich will alsdann
das ganze Werck vermehren und verbessern und dann denck ich wird wohl
damit meine Lebensgeschichte ihre intressante Scenen verlieren, weil ich,
wie ich glaube, meine Bestimmung erreicht habe.

Ihre gütige Offerte ferner etwas von mir zu verlegen, werde ich hoch-
schätzen, und bey Gelegenheit Gebrauch davon machen.

Empfelen Sie mich Ihrem Herrn Schwieger Vater, ich bin mit wahrer
Hochschätzung

           Ew. Wohlgebohrn

                  ergebenster Diener

                  Jung.

ANMERKUNGEN

(Siglen der Originalausgaben s. S. 759 ff., abgekürzte Titel s. S. 763—766)

[1] B⁴ und Bs haben: Heinrich Stillings Jugend — *Florenburg:* Hilchenbach (Kreis Siegen) war Kirchdorf seit 1328, Marktflecken seit 1697. Zeitweise Sommerresidenz der Fürsten von Nassau-Siegen, gelangte die Ortschaft 1742, als sie 97 Häuser umfaßte, an die Fürsten von Nassau-Diez; Deutsches Städtebuch III/2 (1954) 186 ff.; Walter Menn, Hilchenbach (1937). — *vor und nach:* nach und nach, allmählich. — *Meister Schulde:* Irle, S. 307 vermerkt: Hilchenbacher Bürgermeister: Hans Henrich Schulde, 1763. — *Tiefenbach:* Grund (ursprünglich: der Grund, Im Grund; vgl. S. 650, 668, 695), heute Stadtteil von Hilchenbach, zählte um 1720 17 Grundeigentümer, vgl. Wilhelm Güthling, Das Markbuch des Dorfes Grund von etwa 1720, in: Siegerland 38 (1961) 91—100. — *Giller:* Bergkuppe des südlichen Rothaargebirges (653 m ü. M.). — *Maibuchen:* Rotbuchen.

[2] *Geissenberg:* Ginsberg. Das Schloß Ginsberg, im 16. Jh. ein wichtiger Vorposten an der Nordgrenze der Grafschaft Nassau-Dillenburg, war seit dem Dreißigjährigen Krieg unbewohnt und verfiel; Gerhard Scholl, Die Ginsburg (Siegen ⁵1968). — *Eberhard Stilling:* Johann Eberhard (Ebert) Jung (1680—1751). Über ihn vgl. Julius Paulus, Wilhelm Wittekindt und Robert Herwig: Ebert Jung. Der Kohlenbrenner und Kirchenälteste im Grund, Jung-Stillings Großvater (Siegen 1955). — Die wichtigsten Daten der Familie verzeichnet Lothar Irle, Siegerländer Persönlichkeiten- und Geschlechter-Lexikon (1974) 165. — *Söhne:* Johann Heinrich Jung (1711—1786), der Oheim und Pate Jung-Stillings, Landwirt, Schulmeister und Landmesser in Littfeld, später Oberbergmeister des Fürstentums Nassau-Oranien, und Johann Helmann Jung (1716 bis 1802), der Vater Jung-Stillings, Schneider und Schulmeister in Littfeld, Grund (1751) und Kredenbach (1756). — *Töchter:* Es sind mit Namen freilich nur deren drei bekannt: Anna Katharina Jung, geb. 1722, verheiratet mit Jost Henrich Vetter, Kredenbach; Maria Elisabeth Jung, geb. 1723, verh. 1745 mit Simon Irle aus Kredenbach; Anna Maria Jung (= Mariechen), geb. 1726, verh. 1745 mit Johann Lenhoff, Grund; Julius Paulus (s. o.) S. 54. — *Einsmals:* an einem Samstagabend im Früh-

jahr 1739. — *Der lieben Sonnen* . . .: Abendlied, um 1670 verfaßt von
dem lutherischen Theologen und Erbauungsschriftsteller Christian Scriver
(1629—1693); Albert Fischer, Kirchenlieder-Lexikon I (1878) 111; im
heutigen Evangelischen Kirchengesangbuch Nr. 363.

[3] *siebenzig:* Ebert Jung war zu dieser Zeit freilich erst 58 Jahre alt.
— *Schatten des Todes:* vgl. Mt 4, 16. — *Winterberg:* Johannes Winter,
Pfarrer in Hilchenbach 1706—1725; Hermann Müller, Florenburgs Kirche
(1960) 149 f. — *Margrethe:* Margarethe Jung, geb. Helmes (1686—1765)
aus Helberhausen, die Großmutter Jung-Stillings. Mitteilungen über die
Vorfahren Helmes macht Jung-Stilling in seiner Erzählung: Der brave
Hirte, zuletzt abgedruckt in: Siegerland 37 (1960) 69—73.

[4] *Wilhelm:* Johann Helmann Jung, der Vater Jung-Stillings (1716
bis 1802). — *heurathet:* Bs hat: heirathet. — *Morizens Tochter:* Johanna
Dorothea (= Dorthe, Dortchen) Catharina Fischer (1717—1742), die
Mutter Jung-Stillings. Ihr Vater war der reformierte Pfarrer Friedrich
Moritz Fischer (ca. 1680—1740), der ohne Amt in Littfeld wohnte; Walter Kocher, Die Ahnen von Jung-Stillings Mutter, in: Siegerland 22
(1940) 40 f.; in dieser Ahnenreihe erscheint übrigens auch der Theologe
Gerhard Geldenhauer (Noviomagus) in Marburg (1482—1542). — *Lichthausen:* Littfeld, nach Jung-Stillings eigener Angabe (Kleine Schriften II,
1808, S. 175) damals ein Dorf von 70 Häusern.

[6] *Kümpchen:* kleiner Napf. Kumpf wurde zumeist das kleine Was-
sergefäß (aus Holz oder Horn) genannt, das die Schnitter zum Benetzen
des Wetzsteins am Gürtel zu tragen pflegten. — *lachte hart:* lachte laut. —
mir war als bang: mir war allezeit ängstlich zumute. — *darf nichts fürchten:* braucht, hat nichts zu befürchten. — *den Bauren:* B⁴ und Bs haben:
den Bauern. — *gebrechliche Füße:* Jung-Stillings Vater war durch Klump-
füße behindert; Max Göbel, Jung-Stilling's Jugendgeschichte, in: Protestantische Monatsblätter 15 (1860) 57 Anm.

[7] *Vögel des Himmels:* Anklang an Mt 6, 26. — *Dortee soll:* B⁴ und
Bs haben: Dorthe. —

[8] *aufhielte:* Bs hat: aufhielt. — *Capelle:* Die spätmittelalterliche
Kapelle in Littfeld, die bis 1864 an der Stelle des heutigen Schulhauses
stand, enthielt außer dem Gottesdienstraum ein Zimmer für den Schul-
unterricht; Wilhelm Schlüter, Etwas aus der Geschichte der Littfelder
Schule, in: Heimatland, Beilage zur Siegener Zeitung 5 (1930) 19—23;
Walter Volkmann, Die Kapellenschulen im Kirchspiel Hilchenbach und
Mitteilungen über das Schulwesen innerhalb des Kirchspiels, ebd. 6 (1931)
124—128.

[9] *im Buche des Lebens:* vgl. Phil 4, 3.

[10] *ich gebe niemals Acht:* ich überwache nie.

[11] *von des Junkers Knechten:* der Junker war Anselm von der Hees, Herr zu Burgholdinghausen.

[13] *Victualien:* Lebensmittel. — *Donnerstag:* den 25. Juni 1739; Irle, S. 165. — *wacker:* wach. — *Copulation:* kirchliche Trauung. — *die Löffel:* sie stammten vermutlich aus der Familie der Mutter Jung-Stillings, vgl. dessen Aufsatz von 1780: Über die Nassau-Siegensche hölzerne Löffel-Manufaktur zu Helberhausen, zuletzt abgedruckt in: Siegerland 37 (1960) 41—50.

[14] *Laboriren:* chemische, alchemistische Versuche machen.

[15] *Helvetius:* Johann Friedrich Helvetius (1625—1709), Alchemist in Den Haag, verfaßte Vitulus aureus quem mundus adorat et orat (1667); Christian Gottlieb Joecher, Allgemeines Gelehrten-Lexicon 2 (1750) 1477. — *vermiethen:* als Magd verdingen. — *fehlen:* fehlschlagen, mißlingen.

[16] *des Abends gegen Mittag:* am Abend im Süden. — *ich war schon dabei . . .:* ich wäre (unmittelbar) bei ihnen . . . — *den Wagen und den Pflug:* die Sternbilder des Großen Bären und des Orion. *gewiesen:* gezeigt. — *Liedlein:* Vgl. hierzu die Analyse von G. Stecher, Jung-Stilling als Schriftsteller (1913 = ²1967) 45—56, und Hans Kruse, Jung-Stillings Lieder, in: Siegerland 22 (1940) 48—51, sowie Hans Kruse, Ein Brief Jung-Stillings über seine Lieder an Friedrich Baron de la Motte Fouqué, ebenda 52.

[19] *Johann Stilling:* Jung-Stilling setzte diesem seinem charaktervollen und tüchtigen Oheim und Paten später (1806) ein eigenes kleines literarisches Denkmal: Johann Stilling, eine Biographie. Außer in den bei Vitt Nr. 5574 genannten Ausgaben findet sich diese Lebensskizze auch in: Stillings kleine gesammelte Schriften II (Frankfurt a. M. 1808) 171—190; hier heißt es (S. 190): „Mein Oheim liebte mich, nächst seinen Kindern, am meisten . . . Sein Segen ruht auf mir; er war auch eigentlich das Hauptwerkzeug, dessen sich die Vorsehung bediente, um Keime zu Künsten und Wissenschaften in mir zu entwickeln, die ohne ihn nie zum Vorschein gekommen wären." Biographien verzeichnet Vitt Nr. 5575 bis 5582. — *Astrolabium:* astronomisches Meßgerät und Sternenuhr.

[21] *wie sich der Diameter . . .:* in welchem Verhältnis der Durchmesser des Kreises zu seinem Umfang stehe. — *durch die Algeber:* durch die Algebra, mathematisch, rechnerisch.

[22] *er erhielt:* er erreichte . . ., er erlangte die Zustimmung. — *gutlich:* B⁴ und Bs haben: gütlich. — *Gebürge:* Bs hat: Gebirge. —

[23] *Gott ist ein Vater:* vgl. Eph. 3, 15. — *todt gefroren:* im März 1740; Walter Kocher, s. Anm. zu S. 4. — *Henrich Stilling:* Bs hat: Heinrich Stilling.

[24] *getauft:* am 18. September 1740; Hermann Müller, Heinrich Jung-Stilling (²1947) 4. — *Stollbein:* Pfarrer Johann Seelbach (1687—1768), seit 1725 Pfarrer in Hilchenbach; Hermann Stifft, Pastor Stollbein und seine „vornehmen Verwandten", in: Siegerland 22 (1940) S. 42; Hermann Müller, Florenburgs Kirche (1960) 149—158.

[25] *Fluch des Eli:* vgl. 1. Sam 3, 12—14 und 4, 18. — *in seinem Vermögen:* in seiner Kraft. — *bei den Zöllnern:* Lk 15, 1 f. — *der Fürst:* Friedrich Wilhelm Adolf von Nassau-Siegen (1697—1722).

[26] *keines wollte kommen, auch selber Margrethe nicht hinein:* so die älteren Ausgaben; B⁴ und Bs glätten so: keines wollte hinein kommen, auch selber Margrethe nicht. — *Cappes:* Weißkohl.

[27] *Mariechen:* Maria Elisabeth Jung, die jüngste Schwester des Vaters (s. Anm. zu S. 2) und Tante Jung-Stillings. — *Septentrio:* Norden. Die im folgenden vorkommenden fingierten Ortsnamen sind ohne Belang.

[28] *kopulirt:* kirchlich getraut.

[29] *alsdenn:* Bs hat: alsdann. — *Holdingen:* Bs hat (nach der ersten Erwähnung, s. o. S. 27, verbessernd): Goldingen.

[30] *in eine sanfte Schwermuth:* Über diesen „Vor-Tod" Dortchens, wie er ihn nannte, vgl. man die fein empfundenen Äußerungen Rilkes, in: Rainer Maria Rilke, Katharina Kippenbergs Briefwechsel (1954) 90—92.

[31] *Christus sagt ja:* Lk 16, 23 f. — *mißmuthig:* B⁴ und Bs haben: mißmüthig.

[32] *empfindlich:* empfindsam, mitempfindend, voll Mitleid. — *an den zerfallenen Mauren:* Bs hat: Mauern. — *Johann Hübner:* Vgl. hierzu Stecher, S. 46 ff.; Walter Menn, Zur Hübnersage, in: Siegerländer Heimatkalender 3 (1922) 41 f.; Vitt, Nr. 972.

[33] *Reuter:* Bs hat: Reiter. — *gaben sie Acht:* lauerten auf. — *fragte ihn aus:* fragte, spähte nach ihm.

[34] *Dortchen* sang: hierzu vgl. Stecher, S. 49—53.

[36] *todt:* am 19. April 1742; Julius Paulus u. a. (s. o. Anm. zu S. 2) Ebert Jung (1955) 82. — Dieses wichtige Datum fehlt in Jung-Stillings Merkbuch (s. S. 692).

[38] *Lineamente:* Gesichtszüge. — *den rauschenden Fuß:* den raschelnden Fuß. — *seinen Henrichen:* Bs hat: seinen Heinrich..

[40] *an einen gewissen Grafen:* Graf Casimir von Wittgenstein-Berleburg (1687—1741); über ihn Friedrich Wilhelm Winckel, Aus dem Leben Casimirs, weiland regierenden Grafen zu Sayn-Wittgenstein-Berleburg (1842).

[41] *Niclas:* der Prediger Victor Christian Tuchtfeld († 1745), ein Vertreter des separatistischen inspirierten Pietismus; Max Göbel, Die

Jugendgeschichte Jung-Stillings in: Protestantische Monatsblätter 15 (1860) 59; Stecher, S. 174.

[42] *Weiber haben, als hätten wir keine:* 1 Kor 7, 29. — *aller Welt-weisen:* aller Philosophen. — *fehlet nie:* läßt nie im Stich.

[43] *Er befiehlt:* Mt 7, 12 und Mt 5, 44.

[44] *seyd im Kleinen treu:* Lk 16, 10. — *Fenelon:* François de Fénelon (1651—1715), seit 1685 Erzbischof von Cambrai, befreundet mit der Mystikerin Madame de Guyon, Verfasser mystischer Traktate und Episteln; — Die kurzen Gedanken über die Treue in den kleinen Dingen finden sich in: Fenelon's Werke religiösen Inhalts, Aus dem Französischen übersetzt von Matthias Claudius I (1818) 16—140. — *Nachfolge Christi:* die bekannte, weitverbreitete Erbauungsschrift des Thomas von Kempen († 1471).

[45] *Elisabeth:* Elisabeth Jung (geb. 1723) heiratete am 4. 1. 1745 den Leineweber Simon Irle (1722—1756), vgl. Deutsches Geschlechterbuch 95 (1937) 130. — *viele Jahre:* Das folgende dritte Viertel von „Henrich Stillings Jugend" führt bis 1751, ins 11. Lebensjahr Jung-Stillings. Die Zeit der Erziehung des Kindes „ganz ohne Umgang mit anderen Menschen" endete jedoch schon 1747 mit dem Beginn des Schulbesuchs, über den Jung-Stilling hier freilich nichts berichtet. „1747 auf Martini fing ich an im Grund auf die Dorfschule zu gehen, welche ein Ofen des Elends für mich war, weil ich vom Schullehrer sehr mishandelt wurde." s. S. 696 (zum 11. 11. 1747). — *in eben den Grundsätzen zu erziehen:* vgl. hierzu auch Jung-Stillings Aussagen von 1780 und 1788 (S. 660 und 668 f.) — *Catechismus:* der in der reformierten Landeskirche des Fürstentums Nassau-Siegen gebräuchliche Heidelberger Katechimus von 1563.

[46] *Geschichten, theils geistliche, theils weltliche:* Die drei folgenden Titel gehören zu den auch noch im 18. Jh. beliebten, im 19. Jh. sog. „Volksbüchern" des 16. Jahrhunderts. Im Kaiser „Octavianus" (deutsch erstmalig Straßburg 1535) sind Entzweiung und Wiedervereinigung dieses sagenhaften Kaisers mit seiner Frau und seinen Söhnen erzählt, in den „Vier Haimonskindern" (Simmern 1535) die ritterlichen Taten der Söhne eines Grafen von Dordogne aus der Karolingerzeit, in der „Schönen Melusine" (Augsburg 1474) das Schicksal einer Nixe unter Menschen. Genaue Titelangabe mit Erscheinungsjahr, Fundorten und Sekundärliteratur bei Heitz und Ritter S. 134 ff., 70—73, 125—130. — *Leben der Altväter:* Gottfried Arnold (1666—1714), der bedeutende pietistische Historiker, verfaßte seine Vitae Patrum oder das Leben der Altväter und anderer gottseeligen Personen (Halle 1700), um in seiner Zeit den weltabgewandten Geist der Mystik und Askese neu zu beleben; Ritschl II, S. 294—322; NDB 1 (1953) 385 f. (Peter Meinhold); seine Schriften

verzeichnet der Gesamtkatalog der preußischen Bibliotheken 7 (1935) Sp. 139—149. — *Reizens Historie der Wiedergebohrnen:* Johann Heinrich Reitz (1655—1720), namhafter Vertreter des reformierten Pietismus, beschrieb in dieser Historie (zuletzt 7 Bände, 5. Auflage 1750) die Bekehrung und den vorbildlichen gottseligen Lebenswandel frommer Seelen.

[47] *den heiligen Antonius:* der ägyptische Einsiedler und große Mönchsheilige des 4. Jahrhunderts. — *Melusine, Marcebilla, Reinold:* Gestalten aus den S. 46 erwähnten drei Volksbüchern.

[48] *sobald merkte der Knabe nicht, daß ...:* Kaum merkte der Knabe, daß ...

[49] *Camisol:* kurze, blusenartige dünne Jacke. — *stark gelacht:* heftig, schallend gelacht. — *las er hart:* las er laut.

[50] *Das Gerücht ... erscholl:* vgl. Lk 4, 37. — *eh:* zuvor, vorher. — *seinen Henrichen:* Bs hat: seinen Heinrich.

[51] *Römer 1, 19 und 20:* „Denn was man von Gott weiß, ist ihnen offenbar; denn Gott hat es ihnen offenbart, damit daß Gottes unsichtbares Wesen, das ist seine ewige Kraft und Gottheit, wird ersehen, so man es wahrnimmt, an den Werken, nämlich an der Schöpfung der Welt, also daß sie keine Entschuldigung haben." — *grünen Stiel:* Bs hat: grünem Stiel. — *an einem schönen Herbstabend:* im Spätsommer 1749, vgl. S. 53.

[52] *durfte nicht:* bedurfte, brauchte nicht. — *mit Etzwasser geschrieben:* eingeätzt. — *wie zu seinem Freund:* vgl. etwa 2 Mose 33, 11.

[53] *alsdenn:* Bs hat: alsdann.

[55] *ganz umständlich:* ganz ausführlich, mitsamt allen Umständen und Einzelheiten.

[56] *großmüthig:* mutig, zuversichtlich. — *Stilling erzählte:* Die folgende Erzählung ist mit mehreren Unwahrscheinlichkeiten belastet, die indessen weniger auf Jung-Stilling als auf die mangelnde Zuverlässigkeit der ihm von seinem Großvater vermittelten Familientradition zurückzuführen sein dürften. Gegen die Forschungen von Walter Menn, Jung-Stillings Vorfahren (in: Siegerländer Heimatkalender 3, 1922, 37—40), suchte Arden Ernst Jung, Die Schweizer Abstammung Jung-Stillings (in: Siegerland 30, 1953, 47—62) im Sinne des hier folgenden Berichts nachzuweisen, während Julius Paulus (Die Ahnentafel von Jung-Stilling, in: Siegerland 19, 1937, 11—13) den tapferen Fuhrmann mit Johann Schweißfurth († 1612), dem Großvater von Ebert Jung mütterlicherseits, identifizieren konnte.

[58] *denn schießt:* Bs hat: dann schießt! — *accordirte:* vereinbarte (vertraglich).

[59] *Mein Vater starb 1704:* Wie Jung-Stilling selbst später korrigiert

hat, starb sein Urgroßvater 1724: vgl. unten Anmerkung zu S. 186; in Bs ist diese Korrektur bereits im Text (hier auf S. 113) vorgenommen.

[62] *vom Vater dem Teufel:* vgl. Joh 8, 33. — *mit Margrethen Hochzeit machte:* als Dreißigjähriger am 30. 4. 1710, vgl. Irle, S. 165.

[63] *Man trug ihm die Stelle auf:* Die Berufung von Johann Helmann Jung zum Schulmeister im Grund ist hier *vor* dem Tode von Ebert Jung († 13. 8. 1751) erzählt. In Wirklichkeit fällt sie aber auf Martini 1751. Außerdem verließ der Vater Jung-Stillings seine selbstgewählte Einsamkeit nicht erst jetzt zum ersten Mal, vielmehr hatte er bereits zwei Jahre früher, auf Michaelis 1749, eine Stelle als Schullehrer in Allenbach angenommen, S. 696 (zum 29. 9. 1747). Schließlich wanderte Jung-Stilling seit 1750 nicht von Grund, sondern von Allenbach aus nach Hilchenbach in die Lateinschule (ebenda). — *mit Furcht und Zittern:* vgl. Phil 2, 12.

[64] *Weiland:* Praezeptor Weigel in Hilchenbach, s. S. 695 (zum 29. 9. 1750). *schütteten . . . seine Seele aus:* vgl. 1 Sam 1, 15.

[66] *sein Genie:* sein Geist (ingenium).

[67] *abständig Holz:* altes, morsches Holz. — *Joringel und Jorinde:* Zur Einlage dieses Märchens vgl. Stecher, S. 54 f. sowie Johannes Bolte und Georg Polívka, Anmerkungen zu den Kinder- und Hausmärchen der Brüder Grimm II (1914 = ²1963) S. 69, Nr. 69.

[71] *acht und vierzig Jahre:* Hiernach hatte der Großvater das Haus 1703 erbaut. Es brannte im August 1928 ab, wurde aber in seiner alten Form wiederaufgebaut; Elisabeth Gahl, Einweihung des neuen Jung-Stilling-Hauses in Grund, in: Siegerland 11 (1929) S. 29 f. — *Michaelstag:* am 29. 9. 1751.

[72] *Diakonus bei dieser jährlichen Solennität:* geistlicher Helfer bei dieser alljährlichen feierlichen Handlung. — *als alle Tage:* alle Tage andauernd.

[74] *des folgenden Mittwochs Morgens:* den 11. 8. 1751; Jung-Stilling verlegte den Vorfall später in die vierte Augustwoche vgl. S. 694 (zum 24. 8. 1751); Irle, S. 165 nimmt den Tag des Sturzes irrtümlich für den Todestag. — *stund:* B¹ und F; B³, B⁴ und Bs haben: stand.

[75] *auf keinem Baum:* Bs hat: auf keinem Baume. — *verjüngt werden wie die Adler:* Ps 103, 5. — *des Endes:* zu diesem Zweck.

[76] *blutrüstig:* alle alten Angaben haben diese ältere Form für blutrünstig, d. i. mit einem Blutgerinnsel versehen; Bs hat: blutrünstig.

[77] *Freytags:* am 13. 8. 1751.

[78] *voll Geist und Leben:* vgl. Joh 6, 63. — *Es ist mir leid:* 2 Sam 1, 26. — *Wollte Gott:* 2 Sam 19, 1. — *Ei du frommer . . .:* Mt 25, 21.

[79] *da schläft Vater Stilling:* „Zu Hilgenbach . . . geht doch auf den

Kirchhof. Dort ruhen meine Vorfahren: an der Kirchthüre, mein Großvater Eberhard, weiter hinauf vor der Kirchthüre südwärts meine Mutter Dortchen ...“; Hans Kruse, Die Reise einer Enkelin Jung-Stillings ins Bergische und Siegerland. Ein Brief Jung-Stillings an Malchen Schwarz vom 8. Juli 1813, in: Siegerland 22 (1940) 56 f.

[81] *Voreltern:* so B¹, F, B⁶; B³, B⁴, B⁵, Bs haben: Vorältern.

[82] *zu den Füßen Jesus:* vgl. Lk 10, 39. — *Eidam Simon:* Simon Irle (1722—1756), s. o. S. 45 und 63 sowie Anm. zu S. 45. — *verwechselt:* ausgetauscht gegen. — *Balken:* das (unausgebaute) Dachgeschoß. — *Gewerbe:* Gelenk, Scharnier. — *Ohm:* Oheim, Onkel.

[84] *Schulmeister:* namens Weigel, s. S. 695 (zum 29. 9. 1749). — *ich will euch was erzählen:* Das folgende Märchen haben die Brüder Grimm unter dem Titel Der alte Großvater und der Enkel von hier in ihre Sammlung aufgenommen (Ausgabe 1812, Nr. 78); Joh. Bolte und Georg Polívka, Anmerkungen zu den Kinder- und Hausmärchen der Brüder Grimm II (1914 = ²1963) S. 135, Nr. 78.

[85] *Schnur:* Schwiegertochter. — *ehgestern:* vorgestern. — *Herr, stärke mich . . .:* vgl. Richter 16, 28.

[86] *schlängerte:* schlängelte.

[87] *Vorschub:* Unterstützung.

[88] *Tobias Beutel:* in der 2. Hälfte des 17. Jh. Mathematiker in Dresden; seine „Arithmetica oder sehr nützliche Rechenkunst" brachte es auf acht Auflagen; ADB² (1875) 587 f. — *Bions mathematische Werkschule:* Nicolas Bion (1652—1733), königlicher Ingenieur in Paris; seine Mathematische Kunst- und Werkschule erschien deutsch erstmals in Nürnberg 1712.

[89] *die weder kalt noch warm sind:* Apk 3, 15 f. — *Wer sich selbst erniedriget . . .:* Lk 14, 11.

[90] *Zellberg:* (auf der) Lützel, 570 m ü. d. M. gelegen; s. S. 692 (zum 1. 5. 1755). — *Westphalen:* so B¹, B⁴ und F; B³, B⁶ und Bs haben: Westpfahlen. — *ebenes Feld:* die Ginsberger Heide auf der Hochfläche (ca. 600 m ü. d. M.), unfruchtbares Moorgebiet. — *Meyerhof:* der Hof Ginsberg; in seiner Nähe lag die Antoniuskapelle, die im Mittelalter Ziel von Wallfahrern war, über diese vgl. Heinrich von Achenbach. Aus des Siegerlandes Vergangenheit 1 (1895) 188 f.

[91] *ein Bach:* die am Ederkopf entspringende Eder. — *Dieser Ort war also der erste:* Lützel zählte zusammen mit dem Hof Ginsberg (1807) 197 Einwohner, davon waren 35 Schulkinder zwischen 6 und 12 Jahren; vgl. Walter Volkmann (s. o. Anm. zu S. 8) S. 127, sowie Hermann Müller, Florenburgs Schulen (1957) 95—105, vgl. hier auch die Abbildungen vor S. 97. — *Jakob zu Mahanaim:* vgl. 1 Mose 32, 1 f.

[92] *nordwestlich lag ein hoher Berg:* der Kindelsberg bei Kreuztal (618 m ü. d. M.), in der Blickrichtung Jung-Stillings vom „Hitzigen Stein" aus zum Bergischen Land hin. — *zeitiger Schulmeister:* derzeitiger (huius temporis). — *Krüger:* der Förster Hans Heinrich Klein; Hans Kruse, Briefe II, S. 11: „. . . Zellberg ist die Lüzzel. Krüger muß gewiß der alte Vatter Hans Henrich sein, von dem mein Vatter weiß, daß er ein Spinnefeind von Seelbach gewesen, nicht bei ihm zur Kirche und zum Abendmahl gegangen ist . . ."

[93] *Ossian:* Die in der Geniezeit auch in Deutschland vielbeachteten, für echt und urtümlich gehaltenen Lieder des sagenhaften gälischen Barden Oisean (Ossian), die von dem Schotten James Macpherson (1736 bis 1796) verfaßt waren. Goethe machte Jung-Stilling in Straßburg auf sie aufmerksam (s. S. 271).

[94] *flisperten:* wisperten.

[95] *. . . keinen Berg, oder wir besannen uns:* keinen Berg, es sei denn wir . . .; keinen Berg, bei dem wir uns nicht besannen. — *der Kindelsberg:* Zu den Sagen vom Kindelsberg vgl. Gerhard Schrey, Siegerländer Sagen (²1924) S. 76—83, sowie Adolf Wurmbach, Siegerländer Sagen (1967) 49—53. — *sturben alle an der Pest:* so B¹ und F; B³, B⁴ und Bs haben: sturben an der Pest; B⁵ und B⁶: starben an der Pest.

[96] *Zu Kindelsberg auf dem hohen Schloß:* vgl. Stecher 48—53 und Hans Kruse, Jung-Stillings Lieder, in: Siegerland 22 (1940) 48 bis 50.

[98] *er durfte kaum:* er wagte kaum. — *Catechismus:* den reformierten Heidelberger Katechismus von 1563.

[99] *lase selbsten:* B¹, B³, B⁴ und F; B⁵ und B⁶ haben: las selbsten; Bs hat: las selbst. — *Paracelsus:* der bedeutende, vielumstrittene Arzt, Naturforscher und Naturphilosoph Theophrastus Bombastus von Hohenheim (1493—1541), genannt Paracelsus, der auch noch die Alchemisten des 18. Jahrhunderts unmittelbar anregte. Seine Schriften verzeichnet Karl Sudhoff, Bibliographia Paracelsica (1894 = ²1958). — *Stein Lapis:* der Stein (= lapis) der Weisen. — *Jacob Böhms:* Jakob Böhme (1575 bis 1624), der von seinen Freunden als Philosophus Teutonicus verehrte große Mystiker und Theosoph. Seine als ketzerisch geltenden Schriften kamen in der deutschen Romantik zu Ehren; NDB 2 (1955) 388 ff., (Werner Buddecke). Jung-Stilling erzählt später Anekdotenhaftes von ihm, s. S. 637 ff. Über Böhmes Nachwirkungen zuletzt: Heinrich Bornkamm, Pietistische Mittler zwischen Jakob Böhme und dem deutschen Idealismus, in: Heinrich Bornkamm, Friedrich Heyer, Alfred Schindler (Hrsg.), Der Pietismus in Gestalten und Wirkungen, Martin Schmidt zum 65. Geburtstag. Arbeiten zur Geschichte des Pietismus 14 (1975)

S. 139—154, über Jung-Stilling hier S. 145 ff. — *Graf Bernhards:* Bernhard von Treviso, italienischer Alchemist des 15. Jh., der sich selbst den Titel eines Markgrafen von Treviso beilegte.

[100] *Todfeinde:* s. o. Anm. zu S. 92. — *mit den Schiefersteinen:* Schiefertafeln.

[101] *satyrisch:* spöttisch, abwertend.

[102] *Des Sonntags Nachmittags vor Martini:* am 9. 11. 1755, s. S. 696.

[103] *Dorlingen:* Himmelmert bei Plettenberg. — *Steifmann:* Jost Henrich Stahlschmidt (1708—1784). Über ihn und seine Familie sowie über die kurze Tätigkeit Jung-Stillings (1. Dezember 1755 bis Ostern 1756) in seinem Hause vgl. Arden Ernst Jung, Jung-Stilling als Winkelschulmeister auf Hof Huxholl, in: Ein Schneidergesell aus Grund ... Neue Beiträge zur Stilling-Forschung (Kreuztal 1948) 3—30.

[105] *Die Gegenden:* Zum Verlauf der alten Fahrstraße von Littfeld nach Himmelmert vgl. Hermann Böttger, Die Verkehrswege des Siegerlandes bis zum Ausgang des 18. Jahrhunderts, in: Siegerland 16 (1934) 2—10, 34—44, 74—84, 120—128; 17 (1935) 11—21, hier bes. 16 (1934) 42 f. — *blöd:* scheu infolge Unerfahrenheit.

[107] *Patagonier:* wilde Indianer aus Patagonien im Süden Südamerikas. — *zum polnischen Reichstag:* im 18. Jh. sprichwörtlich für eine chaotische Versammlung. — *recht dauchte:* B[1], B[3] und F; B[4], B[6] und Bs haben: däuchte. — *Doctor Mel:* Conrad Mel (1666—1733), seit 1705 Inspektor, Stiftsprediger und Gymnasialdirektor in Hersfeld, Verfasser mehrerer Predigtsammlungen, unter diesen auch Zions Lehre und Wunder (1713); Strieder 8 (1788) 387—403.

[108] *Küchen:* B[1]; B[3] und B[4] haben fälschlich: Kirchen; F, B[6] und Bs haben: Küche. — *wirbelte ... zu:* verschloß mit einem Wirbel, einer hölzernen Flügelschraube.

[109] *Leindorf:* Kredenbach. — *Witwe:* Anna Margarete Feldmann aus Hilchenbach, Witwe des Johann Heinrich Klappert in Kredenbach, vgl. S. 691 sowie Irle, S. 165.

[112] *seinen Eltern:* so B[1] und F; B[3], B[4], B[6] und Bs haben: Aeltern. — *aus der Kirche:* Prediger der sehr kleinen, 1787 etwa 50 Familien umfassenden reformierten Gemeinde Plettenberg war von 1748—1805 Christoph Clemens Volkmann. „Außer angesehenen Adeligen wie den von Plettenberg zu Schwarzenburg ... gehörten ihr an ... noch manche aus dem Nassauischen und dem Siegerlande zugezogene Familien"; D. Fromann, Aus der Geschichte der Gemeinde Plettenberg (1927) 127. Zu letzteren gehörte als Presbyter Jung-Stillings Patron Stahlschmidt; er stammte aus Ferndorf.

[113] *den zweyten Ostertag:* so B¹, B⁴, F und B⁶; B³ und Bs haben: Osterstag. Ostermontag war der 19. 4. 1756.

[114] *Leindorfer:* Einwohner von Kredenbach.

[115] *Pastor Dahlheim:* Johann Adam Denhard (1680—1762), der wegen seiner mutigen Kritik am Lebenswandel des Fürsten Friedrich Wilhelm Adolf zu Nassau-Siegen einst versetzt worden war (1708), später (1710) jedoch seine alte Pfarrei Ferndorf wieder erhielt. Hans Kruse, Briefe II, S. 11 f.

[116] *Baalspfaffe:* vgl. die Baalspropheten 1 Kön 18, 19. — *so fuhr er nicht aus:* wurde nicht heftig, zornig. — *gegen die Laster, nicht gegen die Fehler:* gegen die Sünde, nicht gegen Fehlgriffe.

[117] *Segen und Fluch vorzulegen:* 5 Mose 30, 1. — *kein Zweig mehr:* Nach dem Tode seines erst achtundzwanzigjährigen Sohnes (1734) erlosch mit Fürst Friedrich Wilhelm Adolf die fürstliche Linie Nassau-Siegen im Mannesstamm.

[118] *sein achtzehntes Jahr:* Jung-Stilling war am 12. September 1757 17 Jahre alt geworden. — *Goldmann:* Johann Eberhard Goebel (1692 bis 1771), seit 1743 Pfarrer in Netphen. Hans Kruse, Briefe II, S. 11 f. — *Preysingen:* das heutige Dreis-Tiefenbach an der Sieg, s. S. 695 (zum 29. 9. 1756). — *Capellenthurn:* B¹, B³ und F; B⁴, B⁶ und Bs haben: Capellenthurm. — *Sal:* die Sieg.

[119] *Frau Schmoll:* Frau Solms; Arden Ernst Jung, Ein Schneidergesell aus Grund (Kreuztal 1948) S. 6. — Eine Abbildung des (inzwischen abgerissenen) Hauses, in dem Jung-Stilling in Dreis-Tiefenbach wohnte, findet sich bei Wilhelm Schäfer, Dreis-Tiefenbach (1962) Abb. Nr. XXX.

[120] *Paule, du rasest:* Apg 26, 24.

[121] *O du süße Lust!* usw.: drei pietistische Jesuslieder vom Ende des 17. Jh., vgl. Fischer II, 142; I (1878) 389 und 126 f.

[122] *Niemand war weniger sorgfältig:* Niemand brauchte weniger besorgt zu sein. — *Wolfs Anfangsgründe der Mathematik:* Anfangsgründe sämtlicher mathematischer Wissenschaften (1710), Frühwerk des berühmten Philosophen der deutschen Aufklärung Christian Wolff (1679 bis 1754). — *Coeli enarrant gloriam Dei:* vgl. Ps 19, 2 = Ps 18, 2 (Vulgata).

[123] *Antecessor:* Vorgänger. — *Kirchenhistorie:* Die berühmte Unpartheyische Kirchen- und Ketzerhistorie (1699/1700) von Gottfried Arnold († 1714) nennt Jung-Stilling im folgenden (S. 125). — *Martergeschichten:* wohl eines der in den reformierten Gemeinden weit verbreiteten Märtyrerbücher, in denen die Blutzeugen der westeuropäischen Reformation des 16. Jahrhunderts aufgeführt waren. Das in Herborn gedruckte Märtyrbuch, eine Übersetzung der Acta Martyrum des Jean Crespin in Genf, erlebte zwischen 1590 und 1641 acht Auflagen; Ferdinand

Van der Haeghen, Bibliographie des Martyrologes Protestants Néer-
landais, II (1890) 205—217, 223—233. — *Lebensbeschreibungen frommer
Menschen:* Jung-Stilling nennt Gottfried Arnold, Leben der Altväter
(1700) im folgenden (S. 125). — *Eulenspiegel:* Schalksnarr bäuer-
licher Herkunft († 1530 in Mölln). Die erste hochdeutsche Ausgabe der
z. T. auf ihn übertragenen Schwänke erschien in Straßburg 1515. —
Kosch ²1 (1949) 471 f. — *Reinike Fuchs:* die letzte Ausgabe dieser beliebten mittelalterlichen Tierdichtung stammte von Johann Christian Gott-
sched (1752). Kosch ²3 (1956) 2194 f. — *die Asiatische Banise:* Heinrich
Anselm von Zigler und Kliphausen, Die Asiatische Banise Oder Das
blutig- doch mutige Pegu (1689), ein beliebter höfischer Roman der
Barockzeit.

[124] *Hercules:* Andreas Heinrich Buchholtz, Des Christlichen Teutschen Groß-Fürsten Herkules und Der Böhmischen Königlichen Fräulein
Valiska Wunder-Geschichte (1659/60), christlich getönter höfischer Roman der Barockzeit.

[125] *großmüthig:* zuversichtlich, mutig. — *Arnolds Leben der Altväter:* s. o. Anm. zu S. 46; hiernach hatte Jung-Stilling die „Altväter"
schon als Schulkind kennengelernt. — *Kirchen- und Ketzerhistorie:* Dieses heftig umstrittene Werk machte seinen Verfasser berühmt. Es leitete
zu seiner Zeit einen tiefgreifenden Wandel in der Beurteilung von Kirche
und Kirchengeschichte ein.

[126] *Der Herr wird's versehen:* so richtig B¹ und F; B³ hat fehlerhaft:
vesehen; B⁴ hat: ersehen; B⁵ und B⁶ haben (B³ verschlimmbessernd): besehen; Bs richtig wie B¹ und F. Diesen Bibelspruch (1 Mose 22, 8; im
hebräischen Text: *Jehovah jireh,* im lateinischen der Vulgata: *Dominus
providebit*) zitiert Jung-Stilling mehrfach (z. B. auch S. 240, 255, 260)
als Motto der vertrauensvollen Übergabe seiner selbst an die göttliche
Vorsehung. — *bey der Stadt Salen:* bei Siegen.

[127] *Es war spät im October:* 1758; über parallele literarische Motive,
mit denen Jung-Stilling den Vorfall in „romantischer" Absicht ausge-
staltet hat, vgl. Stecher, S. 56 ff.

[128] *Altmutter:* Großmutter.

[129] *interessirt sind:* beteiligt, betroffen sind.

[132] *hart weinte:* laut weinte.

[134] *eine Schäferin vorstellte:* darstellte. — *rundum abgezügelt:* vermutlich: rundum nach unten gezogen, ohne Krempe oder Rand (wie ein
Hirtenhut).

[135] *Fuchsschwänzereyen:* Schmeicheleien, Liebedienereien.

[137] *Mitternachtswärts:* nordwärts. — *Lampe:* Friedrich Adolf
Lampe (1683—1729), namhafter Vertreter des reformierten kirchlichen

Pietismus, zuletzt Pfarrer in Bremen; Ritschl I, S. 427—454. Zu „Mein Leben ist ein Pilgrimstand" vgl. Fischer II, 78 f.; im Evangelischen Kirchengesangbuch Nr. 303.

[138] *eitle Freude:* vergebliche Freude. — *hattest kindische Anschläge:* vgl. 1 Kor 13, 11. — *Endlich wird das frohe Jahr* ... verfaßt von Gottfried Arnold (s. o. Anm. zu S. 46). Das Lied findet sich im Freylinghausenschen Gesangbuch von 1704, vgl. Fischer I, S. 164. — *Es war nunmehro Herbst:* des Jahres 1759.

[141] *Kleefeld:* Klafeld, vgl. S. 697. — *Meinhold:* Im folgenden heißt derselbe Inspektor stets Weinhold, daher hat Bs auch schon hier verändert in: Weinhold. Es handelt sich um Johann Ludwig Winckel (1698 bis 1762), seit 1744 Inspektor (= Superintendent) in Siegen, vgl. Hans Kruse, Briefe II, 11 f. — *Kleinhoven:* Buschhütten. — *die launigte:* mißgestimmte, übelwollende. — *Dockmäuser:* Leisetreter, die heimlich und mit betrügerischer Absicht umherschleichen.

[142] *das große Universal:* ein alles verwandelndes Element. — *Adeptus:* (in die Alchemie) eingeweihter Lehrling. — *Basilius Valentinus:* pseudonymer Verfasser einer Sammlung (alchemistischer) „Chymischer Schriften", die in Hamburg 1677 erschien. — *Vitriol:* Eisen-, Zink- oder Kupfersulfat.

[143] *Vortrag:* Antrag, Vorhaben. — *vor die Zeit:* für diesmal, vorerst. — *Pettschaft:* Petschaft, Siegel.

[144] *aufheben:* gefangennehmen. — *vor dem fürstlichen Consistorium zu Salen:* „In Siegen bestand ein der obersten Landesbehörde zu Dillenburg unterstelltes Unterdirektorium, ... Es hatte innerhalb eines Bezirks die Aufträge der vier Landeskollegien zu erledigen und an dieselben zu berichten. ... Wenn das Unterdirektorium in kirchlichen Angelegenheiten verhandelte, so geschah dies bis Ende des Jahrhunderts mit Zuziehung des geistlichen Inspectors unter der Bezeichnung Consistorium. Vor dieses Consistorium wurde Jung-Stilling geladen." H. v. Achenbach, Geschichte der Stadt Siegen XI (1894) S. 8 f. — *Consistorialstube:* Sie befand sich im Oberen Schloß in Siegen.

[145] *Präsident:* Präsident war damals Wolfgang Friedrich Schenck (1706—1778; geadelt 1775), seit 1742 Justiz- und Konsistorialrat; Irle, S. 285. — *Weinhold:* wie Meinhold (vgl. Anm. zu S. 141), Pseudonym für den Inspektor Winckel. Wahrscheinlich handelt es sich bei „Meinhold" nur um einen Druckfehler, denn „Weinhold" erscheint absichtlich geprägt, vgl. S. 148 unten. — *audiatur et altera pars:* Man höre auch die andere Partei!

[146] *ad forum ecclesiasticum:* vor das geistliche Gericht. — *heut vierzehn Tage:* heute vor 14 Tagen.

[147] *Wer da will . . .:* Lk 22, 26.

[148] *Leydische Kappe:* in der niederländischen Stadt Leiden verfertigte Mütze.

[151] *Der Mensch sieht, was vor Augen ist . . .:* 1 Sam 16, 7. — *profanatio sacrorum:* Entweihung der heiligen Elemente.

[152] *ins forum politicum:* vor das weltliche Gericht. — *nahm sehr
traurig Abschied:* Nach der Klafelder Kapellenrechnung von 1760 erhielt
Jung-Stilling für seinen neunmonatigen Dienst 18 Reichstaler Lohn. Hermann Böttger und Gustav Busch, Geschichte der Gemeinde Klafeld-
Geisweid (1955) 95. — *Goldmann:* Johann Eberhard Goebel (s. o. Anm.
zu S. 118).

[153] *Rothhagen:* Nach der Vermutung von Jacob Wilhelm Grimm
(bei Hans Kruse, Briefe II, S. 11) ist unter *Rothhagen* Hadamar zu verstehen, unter *Lahnburg* Oranienstein bei Diez an der Lahn. — *Schneeberg:*
Johann Samuel Winter († 1804), 1752—1756 Pfarrer im Stift Keppel,
danach Hofprediger zu Oranienstein, Sohn des Pfarrers Johannes Winter
(1674—1729) in Hilchenbach (s. o. Anm. zu S. 3); Irle, S. 353.

[154] *unglücklich:* glücklos, ohne Erfolg.

[155] *Hin- und Hervagiren:* Hin- und Herschwanken. — *Nativität
stellen:* den Stand der Gestirne im Augenblick der Geburt berechnen und
daraus das künftige Schicksal vorhersagen.

[156] *ein Etablissement:* eine Einrichtung, Firma, Betrieb.

[157] *berechneten Dienst:* einen kalkulierten, berechenbaren Dienst. —
Kohlbrennern: Alle Ausgaben B^1, B^3, B^4, F, B^5, B^6, Bs haben: Kohlbrennen; vgl. aber o. S. 650 und 695.

[160] *Notabene:* Merke wohl!; Merksatz.

[162] *voller lichter Blasen:* voll heller, weißer Blasen.

[163] *aus dem Grunde:* gründlich.

[164] *convulsivisch:* krampfartig.

[165] *stallen:* gemeinsam in einem Stalle stehen, übereinkommen; vgl.
Jakob Heinzerling und Hermann Reuter, Siegerländer Wörterbuch
(^{2}1968) 371.

[167] *und schrieb:* Vgl. hierzu Hans Kruse, Jung-Stillings Lieder, in:
Siegerland 22 (1940) 48—50.

[168] *auf den sieben Bergen:* auf dem Siebengebirge bei Bonn.

[169] *anfieng:* zu dieser Erzählung vgl. die Bemerkung von Stecher,
S. 59. — *keine Lust zu unzüchtigen Leben:* nur B^6 hat: unzüchtigem.

[171] *wie Gold im Feuer läutern:* vgl. Maleachi 3, 3 und Sprüche 27,
21. — *Taube Noä:* vgl. 1 Mose 8, 8 f. — *ins Preußische:* in die Grafschaft Mark nach Himmelmert bei Plettenberg (s. o. Anm. zu S. 103).

[172] *Der hiesige Magistrat:* die Einzelheiten des Kampfes um die

Besetzung der Stelle bei Hermann Müller, Florenburgs Schulen (1957) 50—63, bes. S. 57 f.

[173] *vor Weyhnachten:* des Jahres 1761. — *Keylhof:* Friedrich Wirth, s. S. 690 (1. 1. 1762). — *Liegenheit der Sache:* Sachverhalt.

[174] *die Nothdurft:* das Lebensnotwendige. — *Information:* Unterricht (als Hauslehrer, Informator); *Gayet:* = Cobet; so Fritz Klein in: Von Kindelsberg und Martinshardt (1927) 42.

[175] *Werkeltags-Mensch:* Werktagsmensch, alltäglicher Mensch.

[177] *sepperiren:* separieren.

[178] *melirt:* von se mêler, sich einlassen mit.

[179] *Familienstolz:* Hierzu vgl. Hermann Stifft, s. o. Anm. zu S. 24. — *ausgelassen:* unbeherrscht, heftig, scharf.

[180] *Wir . . . fehlen alle:* machen Fehler.

[181] *eintränken:* vergelten. — *starb Herr Stollbein:* am 24. 6. 1768; Hermann Müller, Florenburgs Kirche (1957) 158; Irle, S. 315. — *in ehrwürdigem Andenken:* Wohl um dieser Schilderung willen urteilt Jacob Wilhelm Grimm über Jung-Stillings Darstellung: „Dem alten Seelbach muß man am Ende bei all seinem Gäh-Eifer doch wieder ganz gut werden." Hans Kruse, Briefe II, S. 10. — *bis Ostern:* Ostern 1762. Während die Erzählung zuletzt bis ins Jahr 1768 ausgriff, kehrt Jung-Stilling damit wieder ins Jahr 1762 zurück. — *Geh aus deinem Vaterland:* 1 Mose 12, 1.

[182] *die Nothdurft nicht verschaffen:* den notwendigen Lebensunterhalt nicht einbringen.

[183] *von schlechtem Tuch:* von einfachem Tuch.

[184] *in einen Flecken:* Durch das Kölner Tor in Siegen zog Jung-Stilling nach Freudenberg. — *Schönenthal:* Elberfeld. — *Den folgenden Ostermontag:* Montag, den 12. 4. 1762, vgl. den Eintrag Jung-Stillings S. 692. — *gegen Morgen:* ostwärts, ins Siegerland zurück.

[185] *auf eine große Höhe:* auf den Löffelberg (457 m hoch); vgl. (ohne Verfasser), Jung-Stilling und das Siegerland, in: Siegerland 19 (1937) 42.

[186] *der letzte Blick:* der letzte Augenblick, Zeitmoment. — *ins Thal hinunter:* In B¹, B², B³ und B⁴ (nicht in F, B⁵, B⁶ und Bs) folgt auf diese Worte eine Berichtigung Jung-Stillings, die sich auf „Henrich Stillings Jugend" (s. o. S. 59) bezieht. Sie lautet: Anmerkung. In dem ersten Theil dieser Geschichte, Stillings Jugend genannt, ist auf der 126 Seite, in der vierten Zeile von oben herab, ein merklicher Fehler eingeschlichen; es heißt da: Mein Vater starb 1704 im 104ten Jahr seines Alters. Nun war aber dieser Vater 1620 geboren, folglich muß es heißen 1724, und in diesem Jahr ist er auch würklich gestorben. Johann Stilling war 1712, Wil-

helm Stilling aber 1716 geboren, und beyde haben ihn noch wohl gekannt. Der Verfasser.

[187] *ins Thal:* ins Tal der Bigge, nordwärts in Richtung Olpe.

[188] *aus dem Salenschen Land:* aus dem Siegerland; Anspielung auf die Erzählung vom Falschmünzer „Graser", o. S. 141—144.

[189] *Eyderdunen:* so alle Ausgaben (B¹, B², B³, F, B⁴, Bs). — *wir mögten nicht:* es könnte sein, daß wir nicht.

[192] *Wer nur den lieben Gott . . .:* Vertrauenslied von 1657, verfaßt von Georg Neumark (1621—1681); vgl. Fischer II, S. 343. — *Holzheim:* Hückeswagen; s. S. 200 f. in Verbindung mit Anm. zu S. 199. — *Rasenheim:* Ronsdorf, vgl. S. 246 und Anm. zu S. 246.

[193] *Condition:* Arbeitsverhältnis, Stellung, Rang. — *Dahlheim:* Johann Valentin Denhard (1715—1789), der Sohn des Pfarrers Johann Adam Denhard (s. o. Anm. zu S. 115) war seit 1751 Pfarrer in Gemarke; Rosenkranz II, S. 91. — *Dornfeld:* (Barmen-)Gemarke. — *Gelegenheit:* Verdienstmöglichkeit, Stellung. — *für baß:* weiter voran.

[194] *ziemlich:* geziemend, ansprechend. — *Schauberg:* Solingen. — *Stollbein:* Johann Justus Seelbach (1719—1802), 1750—1802 Pfarrer in Solingen; Herm. Stifft (s. o. Anm. zu S. 24) und Rosenkranz II, S. 480. — *der ehrliche Wandsbecker:* Anspielung auf den von Matthias Claudius herausgegebenen „Wandsbeker Boten". — *Meister Nagel:* Meister Stöcker, s. S. 692.

[197] *von den Niederländschen Geschichten:* wohl eine der deutschen Ausgaben von E. van Meteren, Historia . . . (1597 u. ö.); vgl. Joh. Pohler, Bibliotheca historico-militaris I (1887) 226.

[198] *etwa mitten im Julius:* wahrscheinlich am 11. 7. 1762.

[199] *stehendes Fußes:* B¹, B², B³, F, B⁴; Bs hat: stehenden Fußes. — *dem Herrn Hochberg:* Peter Hartcop, Fabrikant auf der Bever im Amt Hückeswagen, s. S. 694 (zum 1. 8. 1762).

[200] *stunk ihm an:* so alle Ausgaben (B¹, B², B³, F, B⁴, Bs).

[201] *nicht weit von der Landstraße, die Stilling gekommen war:* auf seiner Wanderung von Siegen nach Elberfeld am 14. 4. 1762; s. S. 192. — *gebückt:* einen Bückling, Verneigung gemacht.

[202] *vor einem der größten Fürsten Teutschlands:* Kurfürst Karl Theodor von der Pfalz, dem Jung-Stilling in Mannheim seine Dissertation überreichte, s. S. 287.

[203] *resolvirt:* entschlossen. — *zu serviren:* zu dienen. — *Ihre Connoissance:* Kenntnis (der lateinischen Sprache). — *convenirt:* gefällt. — *Ihre Conduite wird determiniren:* Ihr Betragen wird darüber entscheiden.

[206] *nicht denken, so daß:* nicht derart denken, daß . . .

[207] *geradebrecht:* aufs Rad geflochten, gerädert. — *Erquickung ge-*

wesen: vgl. über diese Leidenszeit auch die Bemerkungen Jung-Stillings S. 656 und 694. — *des Sonntags nach Neujahr:* am 2. 1. 1763. — *Pastor Brück:* Pastor Johann Heinrich Peill (1722—1786), reformierter Pfarrer in Hückeswagen 1750—1786; Rosenkranz II, S. 379.

[208] *den 12ten April 1762:* Die Ausgaben haben: 1762. In jedem Fall ist 1763 statt 1762 zu setzen. Warum jedoch Jung-Stilling den Jahrestag seines Abschieds aus der siegerländischen Heimat nennt, ist nicht ersichtlich. Er selbst notierte später (s. S. 691): „1763 zu Ende März floh ich aus Hartcops Hauß . . ."

[209] *siamoisenen Kittel:* Baumwollkittel; siamois (französisch) = siamesisch.

[210] *Waldstätt:* Radevormwald, s. S. 576 und 691 unten. — *auch ein Haar von eurem Haupt:* vgl. Mt 10, 30; Lk 12, 7. — *daß er ihnen zur rechten Zeit Speise gebe . . .:* vgl. Ps 145, 15. — *wie jeder Vogel:* vgl. Mt 6, 26.

[211] *Scheere und Fingerhut:* heute im Museum des Siegerlandes in Siegen; abgebildet in: Siegerland 22 (1940) 41; die 1940 noch vorliegende eigenhändige Beglaubigung Jung-Stillings, die jetzt nicht mehr vorhanden zu sein scheint, hatte folgenden Wortlaut: „Diese Scheere hat mein Vatter als Lehr-Junge Ao. 1730 bekommen, und ich hab sie von 1754 bis 1763 als Handwerksbursch gebraucht. Dr. Jung-Stilling." — *Meister Isaac:* Johann Jakob Becker (1706—1767), s. S. 576 und 691; Becker stammte aus Siegen; H. Pollmann, Meister Isaak, in: Monatshefte für rheinische Kirchengeschichte 34 (1940) 143—149.

[212] *Schauerhof:* Hölterhof; a. a. O. S. 144.

[213] *der letzte Feind:* vgl. 1 Kor 15, 25. — *Ich bin nackend gewesen:* Mt 25, 36.

[214] *Wachen und Beten:* vgl. Mt 26, 41.

[215] *bey Pfingsten:* Pfingsten fiel auf den 22. 5. 1763. — *Rothenbeck:* Neuenrade. — *längs einen plätschenden Bach:* so B¹, B², B³, B⁴, Bs; nur F hat: plätschernden.

[218] *für meinen Freund Lavater:* Jung-Stillings Freundschaft mit dem Theologen Johann Kaspar Lavater (1741—1801) begann mit ihrem Zusammentreffen in Elberfeld (22. 7. 1774), an dem auch Goethe, Jacobi und andere teilnahmen. Sie wurde durch eine (freilich mehrmals und für längere Zeit unterbrochene) Korrespondenz weitergeführt bis zum Tode Lavaters. Bei der hier geschilderten „merkwürdigen Geschichte" dürfte es sich um denselben Fall handeln, von dem Jung-Stilling Lavater am 13. 6. 1775 Mitteilung machte, vgl. Alexander Vömel, S. 3.

[219] *ein weidlicher:* ein stattlicher. — *Spanier:* Peter Johannes Flender (1727—1807) unternehmender, wohlhabender Eisenfabrikant und

Handelsmann, an der Kräwinklerbrücke; Wilhelm Weyer, Geschichte der Familie Flender 2 (1961) 153—195; über Jung-Stillings Tätigkeit hier bes. S. 185—187 und 189, dazu die Abbildungen Nr. 32, 36, 37, 40—42, 46, 60. — Nach S. 187 hat Jung-Stilling dieses Pseudonym vermutlich wegen Flenders Eisenexporten nach Spanien gewählt.

[220] *Guten Morgen, Herr Präceptor!:* Flender war der Schwager von Johann Engelbert Hartcop an der Bever und erkannte daher in Jung-Stilling den aus dem Hause Hartcop entflohenen Hauslehrer wieder; so Weyer, a. a. O. 186. — *bey meine Kinder:* nur B⁴ hat: bei meinen Kindern.

[222] *von Gott angewiesen:* vgl. S. 693 (zum 1. 7. 1763).

[223] *diesen Weg zuerst gereist:* s. S. 192.

[226] *Heesfeld:* Sprachmeister Altena, s. S. 693 unten. — *Camelot:* Wollstoff. — *latzige Mütze:* Mütze mit Ohrenklappen.

[227] *wie ehmals Glaser auch:* gemeint ist der Falschmünzer „Graser" s. o. S. 141. — *Murqui:* das Murki, kurze muntere Tanzweise, bei der der Baß durchweg aus gebrochenen Oktaven besteht.

[230] *Veränderung zu machen:* Abwechslung zu verschaffen. — *drey Stunden weit wöchentlich:* „... nach dem Tollen Anschlag, wo ich sieben Jahre lang oft und viel im Asbeckschen Hause logirt und Eisen gekauft habe." Der „Tolle Anschlag" war die Zollstelle an der Grenze zwischen dem Herzogtum Berg und der Grafschaft Mark; Hans Kruse (s. o. Anm. zu S. 79) S. 56.

[231] *informirte:* erteilte Privatunterricht. — *ein ausbündiger Landwirth:* ein musterhafter, vorbildlicher Landwirt. — *Miltons verlohrnes Paradies:* Paradise Lost (1667), Hauptwerk des englischen Dichters John Milton (1608—1674). — *Youngs Nachtgedanken:* Night Thoughts on Life, Death and Immortality (1742—1745), Hauptwerk des englischen Dichters Edward Young (1683—1765), deutsch erstmalig 1751 und 1760 bis 1764, von großer Bedeutung für das Zeitalter des Sturm und Drang.

[232] *sein Vater war nicht weit von Kleefeld gebohren:* Johannes Flender (1707—1771) stammte von der Hardt; Lothar Irle, S. 91.

[233] *lang und schwank:* lang und schlank.

[235] *starb Margarethe Stillings:* Margarethe, ⟨Ebert⟩ Stillings ⟨Witwe⟩, starb am 26. 4. 1765; Lothar Irle, S. 165.

[236] *Reizens Historie:* s. o. Anm. zu S. 46. — *Eilikrineia:* bedeutet Lauterkeit, Aufrichtigkeit, Reinheit.

[237] *Gottesgelahrtheit:* Theologie. — *Herr Seelburg:* Pastor Johann Christoph Finke (1727—1785), seit 1761 Pfarrer in Radevormwald; Rosenkranz II, S. 133.

[238] *an einem Nachmittag im Julius:* des Jahres 1768.

[239] *Krügers Naturlehre:* Johann Gottlob Krüger († 1759), Professor

für Philosophie und Medizin in Halle und Helmstedt, seine dreibändige
Naturlehre erschien 1740—1749.

[240] *im folgenden Frühjahr:* 1769. — *kostbar:* kostspielig. — *Jehovah
jireh (der Herr wirds versehen),* s. Anm. zu S. 126. — *sorgfältig:* sorgen-
voll. — *Molitor:* Johann Baptist Molitor († 1768), Pfarrer im Stift Keppel und in Rohrbach (1736—1748), trat in die Dienste des Freiherrn Ferdinand von Fürstenberg auf Burg Schnellenberg bei Attendorn und
wurde schließlich Vicarius in Attendorn; vgl. Arden Ernst Jung, S. 9. Das
Todesdatum (Juli 1768; laut Sterberegister von St. Sebastiani in Attendorn) ist ermittelt von Reiner Ullrich, Johann Heinrich Jung-Stilling,
Versuch einer Einordnung in die Geschichte der Pädagogik. (Zulassungsarbeit Pädagogische Hochschule Reutlingen 1964, Maschinenschrift) S. 93,
Anm. 51.

[241] *der ... genauen Freundschaft:* der ... engen Freundschaft. —
ohngeachtet der Religionsungleichheit: der Konfessionsverschiedenheit;
Johann Jung war, wie Jung-Stilling selbst, reformierter Konfession.

[242] *gab Molitor das Manuskript an Stillingen ab:* vgl. S. 692 (zum
1. 5. 1769). — *mit dem Beding:* unter der Bedingung.

[243] *seit acht Tagen in der Ewigkeit:* s. Anm. zu S. 240.

[244] *Meister Isaac zu Waldstätt:* Joh. Jakob Becker in Radevormwald
starb freilich schon am 25. 7. 1767; Pollmann (s. o. Anm. zu S. 211)
S. 147. Man muß daher annehmen, daß er von Jung-Stillings Vorbereitung auf das Medizinstudium und von seiner Zurüstung zum Augenarzt
keine Kenntnis hatte.

[245] *ist mir nicht bekannt geworden:* Deutlicher erklärt sich Jung-
Stilling S. 609 und S. 686. Daß Flender sich Jung-Stilling als Schwieger-
sohn gewünscht haben könnte, hält Wilhelm Weyer (s. Anm. zu S. 219)
S. 187 für unwahrscheinlich, da Flender Jung-Stillings Gevatterschaft im
Hause Heyder für nicht standesgemäß hielt, s. o. S. 247 f.

[246] *Friedenberg:* Peter Heyder, Bandfabrikant in Ronsdorf, s. S. 686.

[248] *um der Taufe beyzuwohnen:* Sie fand am Sonntag, den 11. 2.
1770 statt.

[249] *Zufälle:* Anfälle, Zustände.

[250] *„Ja! wir sinds auf ewig!":* Vgl. S. 690 (zum 12. 2. 1770). Daß
er diesen Schritt später als übereilt ansah, geht aus verschiedenen Äußerungen hervor, z. B. S. 314, 397, 610 f. und 686.

[253] *Angang:* Anfang.

[254] *Gottes Finger:* vgl. 2 Mose 8, 15.

[256] *seine wahre Absicht ... nie entdeckt:* vgl. o. Anm. zu S. 245. —
Ein viertel Jahr vor Michaelis: um den 1. 7. 1770.

[257] *Troost:* wie *Molitor* (s. o. S. 240) kein Pseudonym.

[258] *verzehrend erklärt:* für schwindsüchtig erklärt.

[259] *machte diesen Schluß:* zog diese Schlußfolgerung. — *führt es auch herrlich aus:* vgl. Jes 28, 29.

[260] *in der Wüsten so viel tausend Menschen:* Mt 15, 32—39, Mk 8, 1—10. — *letzte er sich:* grüßte er ein letztes Mal, verabschiedete er sich. — *Reisegeschichte:* Die Reise begann am 28. 8. 1770; s. S. 694. — *Ellefeld:* vielleicht mit Eltville gleichzusetzen, vgl. die Anspielung Jung-Stillings S. 456.

[262] *die milden Thränen:* reichliche Tränen, oder aber: Tränen aus Mitempfindung. — *in den großen Wald:* den Bienwald. — *bei Herrn Rathmann Blesig in der Aext:* bei Johann Heinrich Blessig in der „Axt" am Kaufhausstaden; Froitzheim (s. u. zu S. 263) S. 21.

[263] *ließen sie sich immatriculiren:* am 28. 9. 1770; der Eintrag lautet: „Johann Henrich Jung-Stilling, etudiant en Medicine, de Ronsdorf, logé chez Mess. Richard et Clement." Gustav C. Knod, Die alten Matrikeln der Universität Straßburg 1621—1793, I (1897) 87. — *ein ... reicher Kaufmann Nahmens R. . . .:* Reichard, s. S. 694. — *Hier veraccordirte er sich:* Bei den Jungfern Lauth in der Knoblochgasse speisten Troost und Jung-Stilling zu einem fest vereinbarten monatlichen Gesamtpreis; Johann Froitzheim, Zu Straßburgs Sturm- und Drangperiode. Beiträge zur Landes- und Volkskunde von Elsaß-Lothringen 7 (1888) S. 12 bis 17. — *Naturlehre . . ., Scheidekunst . . . Zergliederung:* Physik, Chemie, Anatomie. — *Kosthaus:* Speisehaus. — *sie sahen einen nach dem andern:* zur folgenden Charakterisierung der Personen vgl. Stecher, S. 82—87.

[264] *Waldberg:* Johannes Meyer (1749—1825), später Arzt in Wien und London; Stecher S. 83 f. — *Melzer* konnte von Stecher nicht identifiziert werden. — *Leose:* gemeint ist Franz Lerse (1749—1800). An Lerse richtete Jung-Stilling noch 1780 (Kaiserslautern, 6. 3. 1780) einen ganz im Stil des Sturm und Drang gehaltenen aufschlußreichen Brief, in welchem er, ähnlich wie an Lavater (s. S. 659—666), von seinem Ergehen seit 1772 berichtete (zuletzt abgedruckt bei Franz Götting, Goethes Straßburger Freund Jung-Stilling, in: Goethe-Kalender auf das Jahr 1937, S. 218—248, hier S. 233—238). — *ein guter Rabe mit Pfauenfedern:* Stecher, S. 85 ff. will ihn mit einem Juristen Gerhardi identifizieren. — *Actuarius Salzmann:* Johann Daniel Salzmann (1722—1812), seit 1753 Schreiber am Vormundschaftsgericht, Begründer der Gesellschaft zur Ausbildung der deutschen Sprache; Sitzmann II, 643.

[265] *Spielmann und Lobstein:* Jakob Reinhold Spielmann aus Straßburg (1722—1783) war seit 1759 Professor der Medizin und Pharmazie; ADB 35 (1892) 172 f., Sitzmann II, 807 f. — Johann Friedrich Lobstein

(1736—1784) war seit 1768 Professor der Anatomie und Chirurgie; ADB 19 (1884) 53 f., Sitzmann II, 185 ff. — *eingezogen:* zurückgezogen, in sich gekehrt. — *Carlinen:* der Karolin oder Karlin; pfälzische Goldmünze des 18. Jh. mit dem Kopfbild des Kurfürsten Karl Philipp (reg. 1716—1742). — *Louisd'or:* französische Goldmünze mit dem Kopfbild der Könige Ludwig XIII., XIV. oder XV. — *Manschesterne Unterkleider:* Hosen aus geripptem Baumwollcordstoff.

[266] *Nach Martini:* 11. 11. 1770.

[267] *Habacuc:* in der zu den Apokryphen des Alten Testaments zählenden Schrift „Vom Drachen zu Babel" v. 34—37. Vgl. S. 657.

[268] *wenn das all ist:* wenn das völlig verbraucht ist. — *tägliche Versuchungen genug:* vgl. S. 686.

[269] *mit mir anstünde:* sich zusammen mit mir bereitfände.

[270] *giengs ihm durch:* ließ man es durchgehen, wurde es ihm (stillschweigend) gestattet. — *Ehrmann:* Johann Christian Ehrmann (1710 bis 1797); Sitzmann I, 424 f.

[271] *Shakespeare:* Goethes Hochschätzung des großen englischen Dramatikers (1564—1616), der dem deutschen Sturm und Drang zum Vorbild wurde, schlug sich bald darauf im „Götz von Berlichingen" (1771) nieder. — *Fielding:* Henry Fielding (1707—1754), englischer Romanschriftsteller. — *Sterne:* Laurence Sterne (1713—1768), dessen breiten sentimentalen Roman „Tristram Shandy" (1760—1769) auch Jung-Stilling schätzte, s. S. 489. — *kam Herr Herder nach Straßburg:* Näheres über die Beziehungen Jung-Stillings zu ihm bei Stecher, S. 199—205. — *im April:* des Jahres 1771. — *Niederlande:* Unterland, Gegenden am Niederrhein.

[272] *Weisse:* Christian Felix Weisse (1642?—1708) hatte das Drama Shakespeares im Sinne des bürgerlichen Trauerspiels umgedichtet. — *Madam Abt:* Felicitas Abt (1746—1783), Schauspielerin in einer von ihrem Mann Karl Friedrich Abt geleiteten reisenden Schauspielertruppe. — *Des Dienstags vor Pfingsten:* den 14. 5. 1771, vgl. S. 693 zu diesem Tag. — *Zufall:* Vorfall.

[274] *des Freytags Abends:* am 17. 5. 1771.

[275] *Accord:* Vereinbarung. — *dreybortigen:* mit drei Sitzbrettern. — *das Fuhrwerk:* die Fahrt.

[276] *Jagd:* Jacht. — *ins Nächelgen:* in den kleinen Nachen.

[278] *über queer:* verkehrt, verwirrt.

[279] *Lavater:* vgl. Anm. zu S. 218: hier verteidigt Jung-Stilling Lavaters Theorie der „Physiognomischen Fragmente zur Beförderung der Menschenkenntnis und Menschenliebe" (1775—1778). — *zu profitiren:* Nutzen zu ziehen, Fortschritte zu machen.

[281] *Katzenkrieg:* Balgerei, Rauferei.

726 Anmerkungen zu S. 282—291

[282] *Leitersdorff:* vermutlich Leutesdorf am Rhein. — *im Geist:* In der Herberge zum (Heiligen) Geist. — *Des Morgens:* am Pfingstmontag, den 20. 5. 1771.

[283] *die heftigsten Convulsionen:* Jung-Stilling spricht später von dem „schrecklichen hysterischen Übel" seiner Frau, s. S. 298 f.

[284] *zum Ehestande eingeseegnet:* von Pastor Peter Lukas Dilthey (1748—1794), seit 1770 Pfarrer in Cronenberg; s. S. 693 und Rosenkranz II, S. 97. — *Dinkler:* Zu Johann Simon Dinckler († 1794) vgl. O. Schell, in: Monatsschrift des Bergischen Geschichtsvereins 9 (1902) 186—190. — Ein Brief Jung-Stillings (Ronsdorf, 22. 6. 1771), in dem er sich bei den Mitgliedern der Salzmannschen Gesellschaft für ihr Hochzeitsgeschenk bedankt, findet sich bei Froitzheim (s. o. zu S. 263) S. 18 ff.

[285] *Lenz:* Jakob Michael Reinhold Lenz (1751—1792), der bekannte Vertreter des „Sturm und Drang".

[286] *Den folgenden Winter:* Seine Eintragung vom 17. 2. 1772 „als Kandidat der Medizin" ist abgebildet in: Siegerland 37 (1960) 76. — *Ihro Churfürstlichen Durchlaucht zu Pfalz:* Landesherr des Herzogtums Berg war damals Kurfürst Karl Theodor von der Pfalz (reg. 1742—1799). Die Dissertation mit dem Titel „Specimen de historia Martis Nassovico-Siegenensis" war die erste Veröffentlichung Jung-Stillings. Sie behandelte das Berg- und Hüttenwesen im Fürstentum Nassau-Siegen; Güthling, S. 5. — *probieren:* auf die Probe stellen. — *Nun disputirte Stilling:* Auf der (vor der Disputation) gedruckten Dissertation war der 24. März für die Disputation vorgesehen. Nach Jung-Stillings Eintrag fand diese am Montag, den 23. 3. statt, s. o. S. 691.

[287] *Bey der ersten Doctorpromotion:* bei der nächstfolgenden; Jung-Stilling wurde demnach in absentia promoviert. — *daß mein Sohn Joseph noch lebt:* 1 Mose 45, 28.

[289] *Schönenthal:* Elberfeld zählte 1773 7500 Einwohner; Deutsches Städtebuch III/3 (1956) 420. — *auf die Höhe kamen:* dieselbe Anhöhe, auf der er nach seinem Abschied aus der Heimat auf dem Weg von Ronsdorf nach Elberfeld am 15. 4. 1762 sowie im Sommer 1763 haltmachte, s. S. 192 und 224. — *bis an die Märkische Grenze:* Die Grafschaft Mark begann oberhalb (östlich) von Barmen.

[290] *in das Haus:* Eskesgasse 7; Abbildung bei Flasdieck nach S. 18, dazu S. 19. — *Rosenheim:* Ronsdorf. Dieser Deckname ersetzt von nun an das frühere „Rasenheim" der „Wanderschaft".

[291] *Wohlstand:* Wohlanständigkeit, Anstand. — *seine pietistischen Freunde:* s. S. 247. — *als einen Engel Gottes empfiengen:* vgl. Gal. 4, 14. — *auf den alten Schlag:* auf die alte Art und Weise. — *sein Licht … müsse leuchten:* vgl. Mt. 5, 16.

[295] *ein Galimathias:* Wissen eines Anfängers, Stümpers („Gallus")
im Disputieren, verworrenes Gerede.

[296] *Polizey:* öffentliche Ordnung. — *Dippels thierisches Oel:* Johann
Konrad Dippel (1673—1734) Theologe, Alchemist und Arzt, eigenwilli-
ger Vertreter des separatistischen Pietismus; vgl. NDB 3 (1957) 737 f.
Das vielgebrauchte Oleum animale Dippelii wurde aus Tierabfällen (Knochen, Blut und Klauen) hergestellt. — *Rüsselstein:* Düsseldorf.

[297] *ihre fürchterlichen Zufälle:* Anfälle — *Convulsionen:* Krämpfe.
hectisch: schwindsüchtig. — *kostbar:* kostspielig. — *über Vermögen versucht werden:* vgl. 1 Kor 10, 13. — *geheimen Hausarmen:* Arme, die
nicht im Armenhaus oder vom Straßenbettel lebten, sondern einen eigenen
Haushalt führten, deren Notlage aber oft nicht bekannt war und die
daher nicht aus öffentlichen Mitteln unterstützt wurden.

[299] *Paroxismen:* Paroxysmus: Verschärfung, (Fieber-)Anfall.

[300] *Waschstein:* Spülstein (in der Küche). — *die fallende Sucht:*
epileptische Anfälle.

[303] *hofte, wo nichts zo hoffen war:* Rö 4, 18.

[304] *Brüder Vollkraft:* Die Brüder Jacobi. Auch nach dem persön-
lichen Bekanntwerden mit Goethe (s. S. 319 f.) hielt sich der Dichter
Johann Georg Jacobi — er war der ältere Bruder (1740—1814) — von
Sturm und Drang und Klassik entfernt; seit 1784 lehrte er als Professor
für Literatur in Freiburg im Breisgau; NDB 10 (1974) 224 ff. Friedrich
Heinrich Jacobi (1743—1819) war in seiner äußeren Stellung als kur-
pfälzischer Hofkammerrat (seit 1773) verantwortlich für das Zoll- und
Handelswesen des Herzogtums Berg. Als Philosoph wirkte er auf die
Romantik insbesondere durch seine Vermittlung des Spinozismus ein (seit
1785); NDB 10 (1974) 222 ff.

[306] *Ase-Neitha:* vgl. 1 Mose 41, 45; Jung-Stillings erste Veröffentlichung literarischen Inhalts; Max Geiger, S. 19. Sie erschien anonym im
Teutschen Merkur III/3 und IV/2 (1773). Friedrich Heinrich Jacobi schrieb
in der Vorbemerkung: „Der Verfasser beykommender Erzählung ist ein
aufkeimendes Genie ..."; Hermann M. Flasdieck, Goethe in Elberfeld
Juli 1774 (1929) 17. Ein Abdruck der Erzählung findet sich bei Arden
Ernst Jung (s. o. Anm. zu S. 103) S. 31—52. — *Anathema Maranatha:*
griechisches und aramäisches Wort für „verflucht", 1 Kor 16, 22. — *im
Verfolg:* in der Folge, in den folgenden Darlegungen.

[307] *Nothdurft:* das Lebensnotwendige, Lebensmittel. — *Conventionsthaler:* Die auch am Niederrhein kursierenden Taler, deren genauer
Silberwert durch den Vertrag (Konvention) von 1753 zwischen Öster-
reich und Bayern festgesetzt war.

[308] *eine Tochter:* Johanna Magdalena Margaretha, genannt Hann-

chen, s. S. 690. — *die Furie Hysterick:* Hysterie. — *wohlgestallte:* wohlgestaltete.

[310] *Theodor Müller:* (1732—1775), seit 1757 bis zu seinem Tode Pfarrer in Wichlinghausen; Rosenkranz II, S. 350. — *Lavater besang seinen Tod:* „An Hasenkamp über den seeligen Pfarrer Müller in Wichlingshausen. Im Jenner 1776", in: Joh. Caspar Lavater, Poesieen II (1781) 167 f., so Flasdieck, S. 51; Klaus Goebel, Theodor Arnold Müller, in: Wuppertaler Biographien 5 (1965) 63—68 (mit Abbildung).

[311] *das Staarmesser:* Hierzu Hermann Kunz, Über Jung-Stillings Staroperationen und seine Instrumente, in: Siegerland 22 (1940) 43 f. (mit Abbildung).

[312] *einen Orden anzuhängen:* eine Gefolgschaft zu bilden. — *im folgenden Herbst:* Herbst 1773.

[314] *auch bey seiner Heyrath:* vgl. Anm. zu S. 250.

[315] *Leidenfrost:* Johann Gottlieb Leidenfrost (1715—1794), seit 1743 Professor der Medizin in Duisburg. — Lavater notierte am 21. 7. (1774) in sein Tagebuch: „... Prof. Leidenfrosch, ein großer Arzt, Phisiker, Mathematiker, Zweifler am Christentum ..." Flasdieck, S. 79, Anm. 12.

[316] *Sorber:* Johann Jakob Sorber (1714—1797), seit 1754 Professor in Marburg; Gundlach, S. 114. — *einen Sohn:* Peter Jakob Helmann, geb. 26. 4. 1779, s. S. 692. — *seinen Vater ... wiederzusehen:* Es war das erste Wiedersehen seit 1769. Die Erzählung ist hier in den Frühsommer des Jahres 1774 versetzt. Einem Brief des Vaters an Jung-Stilling (2. 6. 1774) zufolge fand der Besuch in Elberfeld jedoch schon 1773 statt; Max Geiger, S. 135 f.

[318] *Einige Wochen nachher:* am Freitag, den 22. 7. 1774; Flasdieck, S. 18 f. — *Juvenal:* der Dichter Johann Jakob Wilhelm Heinse (1746 bis 1803), freizügiger Vertreter des Sturm und Drang. Ein bezeichnendes Urteil F. H. Jacobis über ihn findet sich bei Flasdieck, S. 36 (mit Abbildung nach S. 46); NDB 8 (1969) 438 ff. — *ihrem Herrn:* B hat: ihren Herrn.

[319] *Göthens Veranlassung zu dieser Reise:* hierzu vgl. Adolf Bach, Goethes Rheinreise mit Lavater und Basedow im Sommer 1774 (1923), vor allem aber Flasdieck (1929). — *bis Mülheim begleitet:* diese Angabe ist, nach Flasdieck S. 68, Anm. 17, „völlig unwahrscheinlich". — *bey einem bekannten und die Religion liebenden Kaufmann:* Anton Philipp Caspari (geb. 1732), Sohn des Tersteegenfreundes Conrad Adolf Caspari (1707 bis 1764), wohlhabender Ratsverwandter in Elberfeld; vgl. Flasdieck, S. 26 ff., 40 f. — *Hasenkamp:* Johann Gerhard Hasenkamp (1736—1777), seit 1766 Rektor des Gymnasiums in Duisburg. Jung-Stilling charakteri-

siert ihn S. 321, weitere zeitgenössische Urteile über ihn bei Flasdieck, S. 37 f., ein für seine religiöse Strenge sehr bezeichnendes S. 42 f.; vgl. NDB 8 (1969) 33 f. — *Collenbusch:* Samuel Collenbusch (1724—1803), Arzt in Elberfeld, war gleichfalls Pietist und in der Mystik bewandert, entfaltete aber auch eigene spekulative theologische Gedanken; Flasdieck S. 38 ff., NDB 3 (1957) 322, sowie Klaus Goebel, Samuel Collenbusch, in: Wuppertaler Biographien 2 (1960) 15—23.

[320] *Lavaters Ruf:* Über Lavaters damalige Situation und zeitgenössische Beurteilung vgl. Flasdieck, S. 33 ff. — *einen alten Tersteegianer:* Jacob Engelbert Teschemacher (1710—1782), Orgelbauer in Elberfeld, vgl. Flasdieck, S. 40 und 84 f., sowie Marie-Luise Baum, Jakob Engelbert Teschemacher, in: Wuppertaler Biographien 7 (1967) 88—98. — *sein Bruder der Dichter:* „Johann Georg Jacobi hat entgegen der eingehenden Darstellung Stillings nicht an dem Zusammensein teilgenommen"; Flasdieck, S. 35. — Friedrich Heinrich Jacobi an Dohm (München, 20. 6. 1818), in: F. H. Jacobis auserlesener Briefwechsel II (1827) 487 f. urteilt über Jung-Stillings Darstellung: „Seine Erzählungen sind nicht überall ganz lauter, sondern zusammengesetzt aus Wahrheit und Dichtung, mehr und noch ganz anders als die Götheschen ... Sein Gedächtniß war ihm oft sehr ungetreu ... So hat er z. B. Göthe's Zusammentreffen mit den Gebrüdern Vollrath (Jacobi) in Elberfeld durchaus unrichtig erzählt. Mein Bruder war gar nicht gegenwärtig u. dgl. m." — *zitzenen Schlafrock:* aus Zitz (englisch: chints), einem indischen Baumwollstoff hergestellt.

[321] *Tauben Einfalt:* vgl. Mt 10, 16. — B und T haben: tauben Einfalt.

[322] *Welträume:* B und T haben: Weltträume. — *ein junger edler Schönenthaler Kaufmann:* Sein Name war Grahe, vgl. Flasdieck, S. 94 f. Anm. 5.

[323] *kaum eine halbe Stunde:* diese Zeitangabe Jung-Stillings hält Flasdieck S. 41 für unglaubwürdig. Themen des Gesprächs waren Herders, Klopstocks und Gellerts Dichtung. Hasenkamp berichtet, Jung-Stilling habe es auch auf die geistliche Liederdichtung gelenkt, insbesondere lobte er die Lieder Christian Friedrich Richters, des bekannten Mitarbeiters von August Hermann Francke. Dazu sang und spielte er den Anwesenden eines von Richters Liedern vor. Flasdieck, S. 47 und 75, Anm. 23 und 87. — *zu besuchen:* T; in B fehlt: besuchen. — *ließ ihn für seine Physionnomik zeichnen:* Der Zeichner, den Lavater für die Anfertigung von Illustrationen zu seinen Physiognomischen Fragmenten auf die Reise mitgenommen hatte, war Georg Friedrich Schmoll aus Ludwigsburg († 1785); Thieme-Becker 30 (1936) 178. Ihm schrieb Jung-Stilling ins Stammbuch:

So wie im Lenz der erste Sonnenblick
Das Blumenheer das Kräuterfeld belebt
So wird der Tag an dem ich Dich gesehn
Den künftigen Tagen seyn
mir ists nicht Glück, wornach der Stoltze strebt
es ist mir Bahn die wahre Weisen gehn
ein Gnoß mit dir zu seyn
Gott! Laß die Wonne mir
Die jetzt in meinen Lidern fließt
mit Lebenskraft, des Würkens Triebrad seyn
Wenn Wonne dir in deinen Adern fließt
so sey gantz Gott — doch auch in Christo mein. Johann Heinrich Jung,
Med. Doct.; nach Flasdieck, S. 81 Anm. 14. — *an seinem Ort finden:*
vgl. S. 344.

[325] *Leesner:* von Lersner, vermutlich Heinrich Ludwig von Lersner
(geb. 1703), der bei Strieder 7 (1787) 501 als Holsteinisch-Sonderburgi-
scher Hofmeister aufgeführt ist.

[326] *Lehnpferd:* geliehenes, gemietetes Pferd.

[327] *besorgen:* befürchten.

[330] *denn:* dann, danach. — *seine Schwestern:* Stiefschwestern. —
Vater Stillings Töchter von Tiefenbach: Elisabeth Irle geb. Jung und Maria
Lenhoff geb. Jung; vgl. o. Anm. zu S. 2.

[332] *Doctor Burggraf:* Johann Philipp Burggrave (1700—1775), Hausarzt der Familie Goethe; ADB 3 (1876) 602.

[333] *Prediger Kraft:* Justus Christoph Kraft (1732—1795), seit 1769
Pfarrer der deutsch-reformierten Gemeinde in Frankfurt am Main; Jung-
Stillings Nachruf auf ihn s. S. 499 ff.

[334] *grinzig:* grinsend verzerrt. — *wenns nu nicht gerieth ...:* falls
es nun mißlingen sollte.

[335] *Gesicht:* Sehvermögen.

[336] *küß äm de Füß — kuß äm de Füß:* so B und T — *ä halb Koppstück:* Kopfstück, Münze mit einem aufgeprägten Porträtkopf. — *Stillings
schrecklichste Lebens-Periode:* Gemeint ist die ganze Zeit von der Niederlassung in Elberfeld (Frühjahr 1772) bis zur Übersiedelung nach Kaiserslautern (Herbst 1778), so wie er selbst später urteilte „ich durchlebte da
sieben schwere PrüfungsJahre", s. S. 692 (zum 1. 5. 1772). Genauer sprach
er von „seiner sechs und ein halbjährigen feurigen Prüfung" S. 369. —
er rung mit Gott um Hülfe: Später notierte Jung-Stilling nicht nur seinen
„schweren Kampf", sondern auch die Erneuerung seiner Übergabe an
Gott: „ich that also eine Gelübde mich von nun an ganz der ewigen Weisheit zum Eigenthum zu übergeben." s. S. 691 (zum 11. 3. 1775).

[337] *Der liebe Theodor Müller:* er starb am 28. 3. 1775; Rosenkranz II, 350.

[338] *Im Frühjahr 1775:* am 10. 5. 1775, vgl. S. 692.

[339] *würde ihn ... vergolten:* so B und T.

[340] *bey einem Freunde:* vermutlich bei Goethe. — *Sebaldus Nothanker:* Diese vielgelesene Schrift, verfaßt 1773—76 von dem Berliner Aufklärer Friedrich Nicolai (1733—1811), wandte sich übertreibend gegen die bornierten Vertreter der Orthodoxie und des Pietismus. — *Die Schleuder eines Hirten Knaben:* Nach „Ase-Neitha" die zweite und zugleich erste selbständige Veröffentlichung literarischen Inhalts, vgl. Max Geiger, S. 20, Nr. 5, Güthling, S. 5. — Zur Charakteristik dieser polemischen literarischen Anfänge Jung-Stillings vgl. Stecher, S. 152—158. — *unter dem Titel:* genau lautet er: „Die große Panacee wider die Krankheit des Religionszweifels" (Frankfurt 1776); Max Geiger, S. 20 Nr. 6, Güthling, S. 5.

[341] *ein gewisser niederländischer Kaufmann:* der niederrheinische Kaufmann Engelbert von Bruck aus Krefeld, der zweite jener drei Rezensenten, gegen den sich Jung-Stilling 1779 wandte (s. S. 653 f.), vgl. auch Stecher, S. 155 und Register. — *die Theodicee:* genauer Titel bei Max Geiger, S. 20 Nr. 7 und Güthling, S. 6. — *eine geschlossene Gesellschaft:* vgl. A. von Carnap. Zur Geschichte Wupperthals. Die geschlossene Lesegesellschaft in Elberfeld, in: Zeitschrift des Bergischen Geschichtsvereins 1 (1863), 54—104; hier S. 55 f. eine Aufstellung von 12 Themen (abgedruckt bei Max Geiger, S. 19 f.), die Jung-Stilling zwischen 1775 und 1778 dort behandelte. Unter diesen Themen findet sich auch (23. 7. 1777) das folgende, für ihn bezeichnende: „Über die besondere Vorsehung Gottes in Absicht auf die Handlungen der Menschen." — Flasdieck, S. 63 urteilt: „Die Lesegesellschaft lenkte das geistige Leben der Stadt in neue Bahnen." — *Eulers Briefe an eine deutsche Princessin:* eine vielgelesene populäre Darstellung der naturwissenschaftlichen Erkenntnisse der Zeit, verfaßt von dem berühmten Mathematiker Leonhard Euler (1707—1783).

[342] *Richtet nicht ...:* Lk 6, 37. — *Salz der Erde:* Mt 5, 13. — *sie lag am untern Ende der Stadt:* am Wall; Näheres bei Flasdieck, S. 19.

[343] *blöde:* scheu.

[344] *Während Stillings letzten Reise:* B; T hat: letzter. — *zum Druck befördert:* Nach dem Brief Jung-Stillings an George Jakob Decker (7. 11. 1777) erhielt Jung-Stilling das Honorar erst im Frühjahr 1777 (s. S. 697). Die hier (S. 342 ff.) vorgenommene Verknüpfung von Umzug (Frühling 1776), Mietschulden und Schuldentilgung mit Hilfe dieses Honorars steht dazu im Widerspruch.

[345] *fühlbar:* mitfühlend. — *Eisenhart:* Friedrich Casimir Medicus (1736—1808), seine zahlreichen naturwissenschaftlichen Schriften verzeichnet Joh. Gg. Meusel, Das gelehrte Teutschland, 5. Aufl. 5 (1797) 108—113. — *Rittersburg in Austrasien:* Kaiserslautern in der Kurpfalz.

[346] *Revenüen:* Einkünfte, Geldmittel. — *Siamois-Fabrike:* Textilfabrik für Webstoffe nach siamesischer Art, s. o. Anm. zu S. 209. — *bey seiner Durchreise:* s. S. 287. — *endlich:* eventuell, schließlich. — *eine Schrift nach der andern:* Drei Titel s. S. 650, Anm. 1, 651, Anm. 3 und 649.

[348] *die Geschichte des Herrn von Morgenthau:* sie erschien freilich erst 1779; Max Geiger, S. 22 Nr. 17, Güthling, S. 7.

[349] *den Doctor:* T; B hat: dem Doctor. — *Adramelech:* vgl. 2. Könige 17.

[350] *dem großen Tage der Offenbarung:* Rö 2, 5. — *Basilisk:* fabelhaftes Mischwesen mit tödlichem Blick (vgl. Jes 11, 8).

[352] *großmüthig:* großzügig.

[353] *Handlung:* Handel, Handelslehre. — *Polizey:* öffentliche Ordnung; Lehre vom Staat, Staatswissenschaft. — *Cameral-Akademie:* Kameralhochschule, Wirtschaftshochschule.

[355] *Osemund-Schmieden:* Ein besonderes Verfahren der Veredelung des Eisens, so benannt nach der Eisenhütte zu Osemund in Schweden.

[356] *in den Strom . . . hinein:* T; B hat: in dem Strom hinein. — *nebst der Interesse:* zusätzlich zu den Zinsen.

[357] *die förmliche Vocation:* die rechtskräftige Berufung in Form des offiziellen Berufungsschreibens. — *Über diesen angenehmen Beschäftigungen:* B hat: diese. — *Beruf:* Berufung. — *seine ganze Seele war System:* vgl. S. 677 f.

[358] *demüthigte sich . . .:* vgl. 1 Pt 5, 6. — *so gings ihm auch ehemals:* zum Folgenden vgl. S. 199 ff., 211, 219—222.

[359] *acht Tage vor Michaelis:* um den 21. 9. 1778. — *Stoi:* Der bisher nicht entschlüsselte Deckname ist vielleicht aus der folgenden Charakteristik („Kaltblütigkeit, Gelassenheit und Ergebenheit in Gottes Willen . . .") und aus dem entsprechenden Verhalten dieses „Stoikers" abgeleitet.

[360] *ein goldener Apfel in einer silbernen Schale:* vgl. Spr 25, 11. — *das Scharlachfriesel:* der mit Scharlach verbundene Hautausschlag. — *gelehntes Haus:* geliehenes, gemietetes Haus.

[361] *Fieberrinde:* Chinarinde, aus der das fiebersenkende, schmerzlindernde Chinin gewonnen wird. — *Feldbett:* tragbares Klappbett. — *der Stumpen:* der Armstumpf.

[363] *bonis cediren:* die Gläubiger durch Abtretung des (verschulde-
ten) Vermögens zufriedenstellen. — *steckte man ihm unter der Hand:*
man teilte ihm insgeheim mit.

[364] *ranzionirten:* mit Lösegeld freikaufen würden. — *mit Laubthalern:* in Westdeutschland kursierende französische Talermünzen, deren
aufgeprägtes Lilienwappen von Lorbeerlaub umgeben war.

[365] *Abschlag:* Ablehnung. — *wie jener Engel den Habacuc:* vgl.
die apokryphe alttestamentliche Schrift „Vom Drachen zu Babel" Vers 35,
s. auch S. 267 und 657.

[369] *des Mittags fand er ...:* Die Verabschiedung von der geschlossenen Gesellschaft fand am Mittwoch, den 14. 10. 1778 statt. Die
Abschiedsrede ist gedruckt: Joh. Simon Dinckler, Rede auf Jung-Stilling,
in: Siegerland 36 (1959) 69 f. — Hierbei nahm Dinckler nicht nur auf
Jung-Stillings Glauben an die göttliche Führung Bezug, sondern auch auf
die Widrigkeiten seiner Elberfelder Zeit: „Der Höchste, dessen wunderbare Führung Sie alle Zeit mit tiefster Demuth verehret, begleite sie auff
Ihrer Reise, er führe Sie vergnügt an den Ort, den seine Vorsehung Ihnen
bestimmt hat ... Sie haben hier öfters melancholische Tage gehabt, der
hiesige Horizont hat sich Ihnen manchmal mit duncklen Wolcken überzogen, und den sanften Sonnenschein geraubet ... Die unanständigen
und lieblosen Urtheile, welche von einer gewissen Art von Leuten von
Ihnen gefället werden konnten, sind Blitze aus einem Becken, die Ihnen
keinen Schaden thun können, und wir, die wir Sie von einer andern und
liebenswürdigeren Seite her kennen, werden sie gegen dergleichen
Schlangenbiße auff alle mögliche Art vertheidigen." — *Hauderer:* Lohn-
kutscher, B und T haben fälschlich: Haukerer. — *Sophie von La Roche:*
(1731—1807) Schriftstellerin und gefeierter Mittelpunkt verschiedener
literarischer Zirkel, seit 1771 in Koblenz, seit 1780 in Speyer wohnhaft,
vgl. ADB 17 (1883) 717—721; Kosch² 2 (1953) 1466.

[371] *Professor Siegfried:* vgl. S. 680: Hofrat Ludwig Benjamin
Schmid (1737—1792). Schmid war seit 1775 Professor in Kaiserslautern, seit 1784 in Heidelberg, seit 1787 Professor und Prediger an der
Karlsschule in Stuttgart; Johannes Müller, Korrespondenten der Christentumsgesellschaft in der Pfalz, in: Blätter für pfälzische Kirchengeschichte 30 (1963) 155—173. — *und seiner Ehefreundin:* B 1789 hat: seine
Ehefreundin. — *Professor Stillenfeld:* vgl. S. 680: Georg Adolf Suckow
(1751—1813); ADB 37 (1894) 105 f. — *Gottesgelahrtheit:* Theologie. —
in allen unterrichtete: T hat: in allem. — *der Abstand zwischen Schönenthal und Rittersburg groß:* Elberfeld zählte 7500 Einwohner (s. Anm. zu
S. 289), Kaiserslautern hingegen (1776) nur 2159; Deutsches Städtebuch
IV/3 (1964) S. 169. — Das Gebäude der Kameralhochschule befand sich

am Eingang von der Steinstraße zum Rittersberg; Michael Kesselring, Jung-Stilling und die Kameral Hohe Schule, in: Pfälzische Heimatblätter 8 (1960) 37 f. — *die Hochzeit zu Cana:* vgl. Joh 2.

[372] *Versuch einer Grundlehre:* Das Buch erschien in „Lautern im Verlage der Gesellschaft 1779"; Güthling, S. 8.

[373] *Den folgenden Sommer:* 1779, vgl. S. 679. — *von seinem himmlischen Schmelzer ausgeglüht:* vgl. Maleachi 3, 3. Jung-Stilling an Lavater (Kaiserslautern, 7. 10. 1779): „... Du sahst mich in Elberfeld, aber nur meine Außenseite, den Schmelzofen, worin ich sas, sahst du nicht. Wenn ich noch einmahl einen 4ten Band von meiner Geschichte schreibe, so wirst Du viel davon lesen, aber das geheime, wichtige erzähl ich Dir dermahleins etwa auf einem der Planeten oder Fix Sternen, wenn wir, dieser Zubereitungszeit entrissen, Aeonen voller Wonne zusammen durchleben werden ..." — *legte eine Fabrike an:* eine Leinwandfabrik im Jahre 1771. — *Siegelbach:* Über das Dorf, das (1787) 31 Häuser mit 34 Familien und 182 Einwohnern umfaßte, sowie über seinen ehemaligen Deutschordenshof vgl. Heinz Friedel, Siegelbach — ein Blick in die Dorfchronik, in: Kaiserslautern, Stadt und Land 4 (1973) 16—22.

[374] *Pharaons sieben mageren Kühen:* vgl. 1 Mose 41, 3. — *aufs genaueste:* aufs engste.

[375] *der Oberbeamte:* Stadtschultheiß Joseph Karmer (1741—1787); „Spässel" war bisher nicht zu identifizieren. Freundliche Mitteilung von Herrn Archivar Heinz Friedel in Kaiserslautern.

[376] *neun und neunzig edle Menschen:* vgl. Lk 15, 7.

[377] *promovirte:* beförderte.

[378] *Um diese Zeit:* um Ostern 1779; Stecher, S. 132. — *ein abermaliges Meteor:* ein zweiter „Stern" in Gestalt des Abenteurers Ibbeken, der sich gewöhnlich Thompson nannte; Stecher, S. 132 f. — *Naturalismus:* hier: natürliches, innerweltliches und diesseitsbezogenes atheistisches Denken. — *Charakter:* Titel. — *fallirt:* Konkurs gemacht.

[381] *Ihre Anstalten:* ihre Vorbereitungen, Machenschaften. — *Cabalisten:* Verschwörern. — *welche Werk von der Religion machten:* welche ihre Religion in die Tat umsetzten, verwirklichten. — *eine Veränderung zu machen:* eine Abwechslung zu bereiten.

[382] *Sensation:* Erregung, Eindruck.

[383] *Herr W. ...:* der reformierte Pfarrer und Inspektor Friedrich Peter Wundt (1748—1808); Georg Biundo. Die evangelischen Geistlichen der Pfalz seit der Reformation (1968) S. 521, Nr. 6057, sowie der lutherische Pfarrer und Superintendent Franz Heinrich Schneider (1753—1822) vgl. ebenda S. 415, Nr. 4830; s. auch o. S. 665. — *mit Schande bekleiden:* vgl. Ps 109, 29. — *machinirten:* intrigierten. — *cassirt:* verhaftet.

[384] *die eigentliche Liegenheit der Rittersburger Verfassung:* die wahren Umstände der Kaiserslauterer Verhältnisse. — *zugleich Decanus:* Jung-Stilling war Dekan im Jahre 1780.

[386] *alterum tantum:* aufs Doppelte. — *warf sein Vertrauen nie weg:* vgl. Hebr 10, 35. — *Stilling schrieb Romanen:* Max Geiger, S. 22 Nr. 22 und 26 und Güthling, S. 8 f. — „Florentin von Fahlendorn" war 1780 verfaßt und erschien 1781. — *Tropfen im Eymer:* Jes 40, 15. — *Er schrieb an . . . Freunde:* vgl. seinen Brief an Lavater o. S. 659—666.

[387] *ich ahnde:* ich ahne voraus. — *wie ein Lamm auf die Schlachtbank:* Jes 53, 7.

[388] *flohen:* flogen. — *Herr, schone meiner . . .:* vgl. Nehemia 13, 22.

[391] *folgende Strophen:* Das Lied ist verfaßt von Johann Konrad Ludwig Allendorf (1693—1773), Pfarrer in Halle; Fischer II, 288.

[392] *Christine war nicht mehr:* s. S. 696 (zum 18. 10. 1781). — *milde Thränen:* viele Tränen.

[393] *gehe ein zu deines Herren Freude:* Mt 25, 21. — *Den 21sten October:* Der Eintrag im lutherischen Kirchenbuch Kaiserslautern nennt allerdings den 20. 10. 1781 als Tag der Bestattung; Wilhelm Güthling, Jung-Stilling und seine drei Ehen, in: Siegerland 46 (1969) 33—39, hier S. 36.

[394] *nach Zweybrücken:* Vielleicht gehörte zu den dortigen Freunden Frau Luise Ege, die S. 694 (zum 6. 8. 1784) erwähnt ist.

[395] *Adjunction auf eine Cameral-Bedienung:* Stelle als Adjunkt (Assistent) einer (staatlichen) Finanzverwaltung. — *ihren Beifall haben wird:* ihnen gefallen wird, angenehm sein wird.

[396] *Kühlenbach:* vermutlich Philipp Christoph Reibel(d), Sohn des kurpfälzischen Hofkammerrats Reibel in Speyer. Er immatrikulierte sich an der Kameralhochschule am 19. 11. 1781; Friedrich August Pietzsch, Das Inscriptionsbuch der Kameral-Hohen-Schule zu Lautern 1774—1784 und Staatswirthschafts Hohen Schule zu Heidelberg 1784—1804, I (1961) S. 16. — Da er Jung-Stilling eine junge Dame in Speyer empfiehlt (s. S. 398), muß er dort bekannt gewesen sein. — *seine Lehrbücher:* vgl. S. 682, die Titel aller sechs Lehrbücher einzeln bei Güthling, S. 8—10 und 12.

[397] *seinen zehnjährigen schweren Ehestand:* vgl. hierüber auch S. 686 und 696 (zum 18. 10. 1781).

[398] *gegen diesen auch nunmehro verklärten edlen Mann:* er starb 1784, s. S. 427 f. — *nämlich in S. . . . :* in Speyer, vgl. S. 399 unten.

[399] *auf Pfingsten:* Pfingstsonntag fiel auf den 19. 5. 1782. — *Sophie von La Roche:* Jung-Stilling hatte die Schriftstellerin ein erstes Mal in Koblenz 1778 besucht (s. o. S. 369). Seit 1780 lebte sie in Speyer. 8 Briefe

Jung-Stillings an sie aus den Jahren 1779—1805 finden sich in: Euphorion 2 (1895) 579—587.

[400] *Selma von St Florentin:* Maria Salome oder Selma von Saint George, s. S. 693 (zum 20. 6. 1760).

[401] *Reichenburg:* Mannheim. — Von hier aus reiste Selma später nach Kreuznach, s. S. 406. — *Table d'hote:* Table d'hôte = Wirtstisch für die gemeinsame Mahlzeit der Gäste.

[403] *gegen Mittag:* südwärts. — *Nebengeländer:* Seitengeländer.

[404] *frappiren:* stark überraschen. — *die Abrede genommen:* die Verabredung getroffen. — *wenn allenfalls:* für den Fall, daß ... — *ihre Engels-Seele:* gemeint ist: der Frau von La Roche.

[405] *Nun umfaßte die erhabene Seele beyde:* „... Ganz ohne mein Suchen erfuhr die grose vortreffliche La Roche die edle Verfasserin der Sternheim und Rosaliens Briefe meine Wünsche, sie wohnt in Speyer und hatte eine Freundin die sich ganz für mich schickte, ein Mädgen von ganz ausgezeichneten Talenten, die ebenfalls von Jugend auf durch schwere Prüfungen geläutert und daher vorbereitet war, Stillings Freundin, Gattin und ein Engel seiner Kinder zu werden, sie schlug sie mir und mich ihr vor, unsere Herzen und Geister flossen bey dem ersten Blick zusammen und wir wurden Eheleute ..." Jung-Stilling an Pfeffel (Speyer, 9. 8. 1782), Handschrift im Besitz der Historical Society of Pennsylvania, Philadelphia, Pa., USA.

[406] *nach Creuznach zu ihrer Mutter-Schwester:* nach (Bad) Kreuznach zu ihrer Tante, der Arztfrau (oder Arztwitwe?) Roos geb. Thielen, vgl. S. 694 (zum 15. 8. 1782 und 23. 7. 1783).

[407] *Frau Cammer-Directorin von St. Florentin:* über Frau von St. George vgl. S. 412 f. — *Schmerz:* kein Pseudonym. In den Rheinischen Beiträgen zur Gelehrsamkeit 1781/II S. 337—346 findet sich ohne Verfasserangabe — wahrscheinlich aber von Jung-Stilling verfaßt — der Beitrag „Garten des Herrn Schmerz, Handelsmannes in Kreuznach". — *Linger-Thor:* das Binger Tor.

[408] *Superintendenten Göz zu Winterberg:* Johann Nikolaus Götz (1721—1781), seit 1761 lutherischer Pfarrer und Superintendent in Winterburg, „die Nachtigall vom Hunsrück"; Rosenkranz II, S. 163, Kosch ²1 (1949) 692, NDB 6 (1964) 589; seine Mutter war eine geb. Roos aus Kreuznach.

[409] *Compliment:* Verbeugung. — *Nohthal:* Nahetal.

[410] *Zemire und Azor:* eine Oper des Komponisten Christian Gottlob Neefe (1748—1798). — *im Vorhause:* Vorbau, Eingangshalle oder auch Hausflur. — *rückfällig wurde:* ihre Entscheidung rückgängig machte.

[412] *das große Unglück:* die Zerstörung der Stadt Worms (1689)

durch die Truppen Ludwigs XIV. — *zu W....:* zu Worms. — *Rothingen:* Oettingen (s. zu S. 445).

[413] *im Fürstenthum U....:* Nassau-Saarbrücken-Usingen. — *Consulent in S....:* Speyer, s. S. 400, 403 ff. — *einen braven Prediger in Franken:* Jakob Albrecht Hohbach in Dorfkemmathen bei Dinkelsbühl s. zu S. 445. — *allerhand Anschläge:* Vorschläge, Pläne. — *eine sehr reiche weitläufige Anverwandtin:* Maria Salome von Donop (1709 bis 1797), verheiratet mit Karl Emil Ulrich Freiherrn von Donop zu Schötmar und Brockschmidt in der Grafschaft Lippe (1732—1777), gefallen im amerikanischen Unabhängigkeitskrieg als hessischer Obrist in englischen Diensten; vgl. L. Rhodon, Das Rittergut Brockschmidt (Detmold 1934) und Friedrich Henkel, Die von Donop, in: Blätter für lippische Heimatkunde 1 (1902) S. 20. — *Selma's Gothe:* Selmas Taufpatin.

[415] *Ofen des Elends:* vgl. Jes 48, 10. — *Anschläge zum Heirathen:* s. S. 399. — *ihr Geburtstag:* am 20. 6. 1782 war sie 22 Jahre alt, s. S. 693.

[416] *als den 16ten, geschah die Einseegnung:* Jung-Stillings Eintrag (s. S. 694) nennt den 15. 8. 1782, der Eintrag im Kirchenbuch der reformierten Pfarrei Kreuznach den 14. 8. 1782; Wilhelm Güthling (s. o. Anm. zu S. 393) S. 37. — *Herrn Inspector W....:* Daniel Ludwig Wundt (1741—1805), reformierter Pfarrer und Inspektor in Kreuznach seit 1773, der Bruder des Inspektors Friedrich Peter Wundt in Kaiserslautern (s. o. Anm. zu S. 383). Die folgende Traurede findet sich auch in: Daniel Ludwig Wundt, Sammlung einiger Predigten, gröstentheils bei besondern Gelegenheiten gehalten (Heidelberg 1784).

[422] *auf den Niederwald:* Jung-Stilling veröffentlichte eine ausführlichere Beschreibung unter dem Titel: Stilling und Selma in den Osteinischen Gärten, in: Rheinische Beiträge zur Gelehrsamkeit 1782/II, S. 186 bis 192, 228—248. — *mit Spazierengehen zugebracht:* T hat: mit Spaziergehen.

[423] *mit genauer Noth:* mit knapper Not. — *die Nöh:* die Fähre.

[424] *Kom her Abbadona ...:* aus Klopstocks Messias, 9. Gesang. — *Alteration,* Veränderung, Aufregung. — *Färcher:* Fährleute.

[425] *buxirt:* bugsiert, am Bug befestigt und abgeschleppt.

[426] *Mobilien:* Möbel. — *nie wurde tractirt:* bewirtet, aufgetischt. — *die Interessen:* Zinsen. — *politische Körper:* staatliche Behörden. — *Umstände, die Stillings Wirkungskreiß sehr einschränkten:* zum Folgenden vgl. S. 680 f.

[427] *Gründung eines Familienglücks:* dies im Sinne wachsenden Wohlstands gemeint. Die Familie erweiterte sich durch einen am 27. 7. 1783 geborenen Sohn und eine am 6. 8. 1784 geborene Tochter; beide

starben im frühen Kindesalter, s. S. 431. — *Hofraths-Patent:* offizielle Ernennungsurkunde zum Hofrat.

[428] *Kirchenrath Mieg:* Johann Friedrich Mieg (III.) (1744—1819), 1776—1806 Pfarrer an der Heiliggeistkirche in Heidelberg; Neu II, S. 415. — *Mitglied der deutschen Gesellschaft:* sie war 1775 begründet und führte in der Pfalz zur Besinnung auf die zeitgenössische deutsche Literatur, vgl. Ludwig Häusser, Geschichte der rheinischen Pfalz 2 (²1856, Nachdruck 1970) 946 f. — *die feyerliche Jubelrede:* Jubelrede über den Geist der Staatswissenschaft, gehalten den 7ten November 1786, als die Universität zu Heidelberg ihr viertes Jubiläum feierte (Mannheim 1787); Max Geiger, S. 24, Nr. 40.

[429] *Landgraf von Hessen-Cassel:* Wilhelm IX. (reg. 1785—1821), Kurfürst seit 1803, einer der letzten, ruhmlosen Regenten des fürstlichen Absolutismus in Deutschland, vgl. ADB 43 (1898) 64—75. — *von Selchow:* Johann Heinrich Christian von Selchow (1732—1795), Jurist, seit 1783 Kanzler der Universität Marburg; ADB 33 (1891) 670 f., Gundlach, S. 116 f. — *Baldinger:* Ernst Gottfried Baldinger (1738—1804), seit 1785 Professor der Medizin in Marburg; Gundlach, S. 212, NDB 1 (1953) 550 f. — *Leske:* Gottfried Leske (1751—1786); Gundlach, S. 437 Anm.

[430] *schwerlich gewachsen:* gegen derartige Vorurteile verteidigte sich Jung-Stilling im Jahre 1788; s. S. 666—683, bes. S. 666 f., 679 f., 682 f. — *die Tochter ließ er ... reisen:* die Tochter Hanna, nunmehr 14 Jahre alt, reiste nach Ronsdorf zu Familie Heyder (ihre Paten dort s. S. 690), der Sohn Jakob kam zu Pfarrer Georg Ludwig Grimm (1750—1800), der seit 1786 reformierter Pfarrer in Schluchtern bei Heilbronn war; Neu II, S. 212.

[431] *Selma hatte drey Kinder gehabt:* Carl Christoph Heinrich (1783 bis 1786) s. S. 694 und 693; Christiane Louise Sophie Wilhelmina (1784 bis 1785) s. S. 694 und 691. Das jüngste Kind war Elisabeth Sophie Christine, genannt Lisette, geb. am 16. 3. 1786; s. S. 691. — *auf Ostern 1787:* vgl. Jung-Stillings Eintrag zum Ostersonntag, den 8. 4. 1787, s. S. 692. — *als käm er in sein Vaterland:* deutlicher Anklang an 1 Mose 12, 1, hier in gegenläufigem Sinn verwendet, vgl. Anm. zu S. 181. — *der Sohn Johann Stilling:* Jung-Stillings gleichaltriger Vetter, s. S. 332, 583. — *seinen Oheim, den Johann Stilling:* er war am 27. 2. 1786 verstorben; Irle, S. 165.

[432] *in seinen Hörsaal:* Jung-Stilling hielt seine Vorlesungen im oberen Stockwerk seines Hauses Hofstadt 11 (vgl. auch S. 502 unten); eine Abbildung dieses Hauses in: Siegerland 39 (1962) 16.

[434] *Sie ist etwas kurz und gesetzt:* eine Abbildung in: Siegerland 46 (1969) 37.

Anmerkungen zu S. 435—445

[435] *angewandt:* wohlangewendet, angebracht. — *Wen Gott lieb hat:*
so richtig T; B hat: Wem. — „Wen Gott lieb hat, dem geb er so eine
Frau ...“; Goethe, Götz von Berlichingen 3. Aufzug, in: Goethes Werke 39
(Weimar 1897) S. 109. — *Noch immer sey das Weib geseegnet:* s. S. 308
bis 312. — *des ehrwürdigen Molitors:* s. S. 240—244.
[436] *sey reinen Herzens ...:* Mt 5, 8. — *den geraden schmalen Steg
..., der zum Leben führet:* Mt 7, 14.
[437] *die sich dem Publico nicht entdecken lassen:* die vor der Öffent-
lichkeit nicht aufgedeckt werden dürfen.
[441] *von der Pique auf:* vom Spieß (des Rekruten) auf, von der nied-
rigsten Stufe an aufwärts. — *nur einen Meister haben:* vgl. Mt 23, 8. —
Lehrbuch der Staats-Polizey usw.: Lehrbuch der Staats-Polizey-Wissenschaft (Leipzig 1788; Nachdruck 1970), Lehrbuch der Finanz-Wissenschaft
(Leipzig 1789), Lehrbuch der Kameralwissenschaft oder Kameralpraxis
(Marburg 1790), System der Staatswissenschaft. 1. Theil, welcher die
Grundlehre enthält (Marburg 1792), Henrich Stillings häusliches Le-
ben (Berlin und Leipzig 1789); vgl. Max Geiger, S. 25 f. und Güthling,
S. 12 ff.
[442] *Elisabeth von Hessen:* die 1235 heiliggesprochene Landgräfin von
Thüringen (1207—1231), die sich seit 1228 in Marburg dem Dienst an
Armen und Kranken widmete; NDB 4 (1959) 452. — *Coing:* Johann
Franz Coing (1725—1792), aus Siegen gebürtig, daher ein Landsmann
Jung-Stillings, war seit 1752 Professor der Philosophie, seit 1778 der
Theologie in Marburg; ADB 4 (1876) 397 f.; Gundlach, S. 33 f., Maurer I,
4, 10 f.
[444] *Uz:* Johann Peter Uz (1720—1796), Jurist in seiner Vaterstadt
Ansbach, dichtete ursprünglich im Sinne der lebensfrohen Anakreontiker
um Gleim, später im Stil Klopstocks; vgl. ADB 39 (1895), 443—449;
Kosch² 4 (1958) 3100. — *Cramer:* Johann Andreas Cramer (1723—1788),
lutherischer Theologe, seit 1774 Professor in Kiel, zu seiner Zeit gefeierter
Dichter der frommen Aufklärung im Stile Gellerts. ADB 4, 389 f., Kosch³
2 (1969) 807 f. — *Kloppstock:* Friedrich Gottlieb Klopstock (1724 bis
1803), der gefeierte Dichter, der mit seinem „Messias“, seinem Lebens-
werk (1748—1773), über die Aufklärungszeit hinaus zur religiösen Empfindsamkeit vorstieß; Kosch² 2 (1953) 1306 ff. — *Assaphs, Hemans, Jedithums:* hervorragender Sänger des alten Israel, 2 Chr 5, 12. — *Scenen
aus dem Geisterreich:* s. S. 488 f. — *Dorf Kemmathen:* Dorfkemmathen
bei Dinkelsbühl in Mittelfranken.
[445] *der Herr Pfarrer:* Jakob Albrecht Hohbach (1748—1813), seit
1777 verheiratet mit Sophie von St. George, seit Ende 1785 Pfarrer in
Dorfkemmathen, vgl. S. 413 und 693 (zum 11. 5. 1790); Matthias Simon,

Ansbachisches Pfarrerbuch (1957) 209. — *Kraft Ernst von Oettingen-Wallerstein:* (1748—1802) gefürsteter Graf seit 1774. —

[446] *Weckherlin:* Wilhelm Ludwig Wekhrlin (1739—1792), Journalist, Aufklärer und vielgelesener satirischer Kritiker, war seit 1787 auf Schloß Hochhaus verhaftet; ADB 41 (1896) 645—653, hier wird übrigens (S. 648) die Darstellung Jung-Stillings bestritten; Kosch² 4 (1958) 3285 f. — *requirirte dem Fürsten:* ersuchte den Fürsten um Rechtshilfe (zur Strafverfolgung Wekhrlins). — *Graf Franz Ludwig:* (1749—1791), zeitweilig kurpfälzischer Obrist.

[447] *Hannchen:* s. o. S. 430. — Hanna war jetzt 15 Jahre alt. — *Raschmann:* Hofrat Karl Kröber, so Strieder 18 (1819) 310. Kröber war Erzieher der Grafen Stolberg-Stolberg. Zum Folgenden vgl. die Bemerkungen zu „Stilling als Freimaurer" bei Stecher, S. 133 ff. — Die Grafen August Christian und Carl von Stolberg, sowie Hofrat Kröber bat Jung-Stilling (1790) zu Gevattern, s. S. 465 und 692 f.

[448] *schätzbar:* hochgeschätzt, wertvoll. — *Die Leibniz-Wolfische Philosophie:* Der Determinismus, der sich aus der umfassend demonstrierenden philosophischen Methode Christian Wolffs und aus dem Ziel ergab, das Weltganze und seine Einzelheiten als durchgehende Verkettung von Ursachen und Wirkungen zu verstehen, schien Jung-Stilling keinen Raum mehr zu lassen für das übernatürliche Eingreifen Gottes in den Lauf der Welt, so daß damit das Bittgebet hinfällig wurde. — *krittlich:* kritisch bis ins Kleinliche.

[449] *ihre Verheißung dieses und des zukünftigen Lebens:* vgl. 1 Tim 4, 8. — *von ohngefähr:* zufällig, unbeabsichtigt. — *Handle so . . .:* Der kategorische Imperativ Kants lautet: „Handle so, daß die Maxime deines Willens jederzeit zugleich als Prinzip einer allgemeinen Gesetzgebung gelten könne." Kritik der praktischen Vernunft (1788) § 7. — *Kants Kritik der reinen Vernunft las er:* Über die Folgen, die sich für Jung-Stilling ergaben, s. S. 449 ff.; im Zusammenhang Maurer I, S. 40 ff., 54—63 und Max Geiger, S. 497—501.

[450] *die Worte Pauli:* 1 Kor 2, 14. — *wo Stilling an Kant schrieb:* Jung-Stilling an Kant (1. 3. 1789), abgedruckt in: Kant's gesammelte Schriften XI = Briefwechsel II (Berlin 1900), Nr. 324, S. 7—9; Kants Antwort lautet (im Konzept ebd. S. 10) zurückhaltender als von Jung-Stilling berichtet; vgl. Max Geiger, S. 499. — *Religionen innerhalb den Gränzen der Vernunft:* so B¹, B², B³; Kants Schrift „Die Religion innerhalb der Grenzen der bloßen Vernunft" erschien 1793, ²1794. — *dem Otaheitaner:* Bewohner der Insel Tahiti im Pazifischen Ozean.

[451] *Heischesatz:* Forderung. — *aus dem Licht der Offenbarung zugeflossen:* vgl. Römer 1, 19. — *zu berücken:* zum Angriff, zur Eroberung

anrücken, überwältigen. — *Sozinianismus, Deismus, Naturalismus, Atheismus, Widerchristentum:* Leugnung der Dreieinigkeit und der Gottmenschheit Christi sowie der Erlösungsbedeutung seines Kreuzestodes; Leugnung der Offenbarung überhaupt; diesseits bezogenes Denken, Gottlosigkeit; Auflehnung gegen die christliche Lehre.

[452] *scheinbar:* den bloßen Anschein (der Wahrheit) an sich tragend. — *die züchtigende Gnade:* Titus 2, 12. — *die regierende Gräfin von Stolberg-Wernigerode:* Auguste von Stolberg-Wernigerode geb. von Stolberg-Stolberg, zusammen mit ihrem Gemahl, Graf Christian Friedrich (1746—1824) Mittelpunkt eines jener kulturell aufgeschlossenen und musterhaft frommen Grafenhöfe des 18. Jahrhunderts; ADB 36 (1893) 387—391; zwei Briefe Jung-Stillings an sie bei Hermann Müller, S. 43—46.

[453] *den Dienstag in der Charwoche:* am 7. 4. 1789. — *die Ausgeburt der Natur:* der Vorgang ihrer Wiedergeburt (im Frühjahr) — *vor der Kirche:* vor dem Gottesdienst am Ostersonntag, den 12. 4. 1789.

[454] *aus der Suite:* aus dem Gefolge. — *der 50ste Geburtstag:* der 12. 9. 1789 als Tag der Vollendung des 49. und des Eintritts in das 50. Lebensjahr.

[455] *auf dem fahlen Pferd:* vgl. Apok 6, 8. — *Sartorius:* Georg Ludwig Sartorius († 1793), seit 1770 Pfarrer in Rüsselsheim, war ein Gegner der rationalistischen Theologen, der „neumodischen Heterodoxen". Wilhelm Diehl, Hassia Sacra I (1921) 123; II (1925) 507. — *ein Mißbegriff:* Mißverständnis. — *Graf Maximilian von Degenfeld:* er war zusammen mit den beiden Grafen Stolberg Student in Marburg, vgl. auch S. 692 f. (zum 11. 5. 1790). — *Herrn von Dünewald:* vgl. A. Börckel, Ein Mainzer Sonderling und sein Haus, in: Mainzer Anzeiger 76 (1926) Nr. 83, S. 23: „Nicht größer als ein gewöhnlicher Flügel, besaß es vier aufeinanderliegende Manualien (= Klaviaturen) nebst einem Pedal mit verschiedenen Registern und gab die Klangwirkung von 12 Einzelinstrumenten (Fagot, Flaute, Echo, Klarinet, Klavier, Hautbois, Harmonium, Pianoforte, Kontrabaß, Waldhorn, Glockenspiel und Pizzicato) wieder."

[456] *Es gieng jetzt besser als im Jahr 1770:* s. o. S. 260 und 275 ff. — *Erxleben:* Johann Heinrich Christian Erxleben (1753—1811), seit 1783 Professor der Jurisprudenz in Marburg; ADB 6, 335; Gundlach, S. 117. — *Pastor Minz:* (Druckfehler in B¹, B², B³.) Johann Philipp Winz (1759 bis 1813) war seit 1785 reformierter Pfarrer in Neuwied; Rosenkranz II, S. 570. — *Fürst Johann Friedrich Alexander:* Er regierte von 1737—1791; 1757—1762 erbaute er das Jagdschloß Monrepos; J. St. Reck, Geschichte der gräflichen und fürstlichen Häuser Isenburg, Runkel und Wied (1825) 262. — *Machenhauer:* Erasmus Ernst Christoph Machenhauer (1728 bis

1794), war seit 1757 lutherischer Pfarrer in Wetzlar; Rosenkranz II, S. 317. — *Sophie Hohbach:* B¹, B² und B³ haben: Gohbach, doch ist dies nach S. 445 und 693 (zum 11. 5. 1790) zu korrigieren.

[458] *ein unglückliches Kindbett:* s. S. 693 (zum 16. 5. 1789).

[459] *Wohlstand:* Wohlanständigkeit, Anstand.

[460] *Den 11ten May:* vgl. S. 692 f. (zum 11. 5. 1790).

[461] *Sie entschlief:* s. S. 693 (zum 23. 5. 1790). — *Herr dein Wille geschehe:* vgl. Luk 22, 42.

[462] *Lebensart:* Lebensweise, Verhalten, Betragen.

[463] *dem Schiffbruch:* So B¹ und B²; B³ hat: den Schiffbruch drohenden. — *Lisette, Karoline und der verwayste Säugling:* Lisette (Elisabeth Sophie Christiane, geb. 16. 3. 1786 in Heidelberg, s. S. 691), Karoline (Carolina Auguste Friderike, geb. 1. 11. 1787 in Marburg, s. S. 696), und der noch nicht 14 Tage alte Karl (Maximilian Franz Hans Carl Christian Albrecht) geb. 11. 5. 1790, s. o. S. 460, 693.

[464] *ein anders:* so B¹ und B²; B³ hat: ein anderes. — *Rieß in Marburg:* vermutlich Geheimrat Franz Benjamin Rieß († 1823); Karl Wilhelm Justi, Grundlage zu einer hessischen Gelehrten-, Schriftsteller- und Künstler-Geschichte vom Jahre 1806 bis zum Jahre 1830 (1831) 535—549.

[465] *waren die Gevattern:* s. S. 693 (zum 11. 5. 1790).

[466] *der Erbprinz von Hessen:* Wilhelm (1777—1847) 1821—1831 Nachfolger seines Vaters Wilhelm IX. — *Dieser Elisabethen-Tag:* s. S. 696 (zum 19. 11. 1790).

[467] *Schlarbaum:* Johann Christian Schlarbaum (1742—1820) war seit 1767 zweiter, seit 1785 erster reformierter Pfarrer in Marburg; Oskar Hütteroth, Kurhessische Pfarrergeschichte 2 (1927) 99.

[469] *Barruel:* Abbé Augustin Barruel (1741—1820), über die verschiedenen Ausgaben seiner gegen die Illuminaten gerichteten Mémoires pour servir à l'histoire du Jacobinisme (1797/98) vgl. August Wolfstieg, Bibliographie der freimaurerischen Literatur 1 (1923) 324 f., Nr. 6367. — *Triumph der Philosophie:* über diese anonym veröffentlichte Schrift vgl. ebenda Nr. 6376, nach Stecher, S. 134 f. war sie verfaßt von Johann Kaspar Müller, Gymnasialprofessor in Mainz.

[471] *ein junger Mensch, der Theologie studirte:* er hieß Schraf.

[472] *namens Schwarz:* Friedrich Heinrich Christian Schwarz (1766 bis 1837), seit 1790 Pfarrer in Dexbach, 1796 in Echzell, 1798 in Münster bei Butzbach, seit 1804 Professor der Theologie in Heidelberg; ADB 33 (1891) 235 f.; Max Geiger, S. 168—188; Daten zuletzt bei Erbacher, S. 690 ff. und Reg.

[473] *im Frühjahr 1792:* am 13. 4. 1792, s. S. 476 f. — *der kleine Franz:* geboren am 11. 5. 1790, s. S. 692, starb am 15. 3. 1791, s. S. 691. — *an*

der Kopfwassersucht: an einem Wasserkopf. — *schweres:* so B² und B³; B¹ hat: schwers.

[474] *mit unaussprechlichem Seufzen:* vgl. Römer 8, 26 f.

[475] *Prediger Grimm zu Schluttern:* richtig: Schluchtern, s. S. 430 und Anm.

[476] *Im Herbst 1791:* am 2. 9. 1791, s. S. 694 f. — *Oberhofrath Michaelis:* Christian Friedrich Michaelis (1754—1814), seit 1785 Professor der Anatomie in Marburg, Oberhofrat seit 1798; Gundlach, S. 193. — *Hannchens Verheirathung:* am 13. 4. 1792, s. S. 692; B² und B³ haben: Verheirathen. — *Stilling rechnet diese Tage:* B¹; B² und B³ haben: rechnete.

[477] *Landrath von Vincke:* Ludwig Freiherr von Vincke (1774—1844), seit 1799 Landrat in Minden, seit 1815 Oberpräsident der preußischen Provinz Westfalen; ADB 39 (1895) 736—743; Westfälische Lebensbilder 2 (1931) 254—273. Jung-Stilling blieb bis an sein Lebensende mit ihm verbunden; vgl. Dr. Kochendörffer. Ein Brief Jung-Stillings an Ludwig von Vincke [8. 7. 1816], in: Siegerland 17 (1935) 10. — *der Herzog von Weimar:* Herzog Karl August von Sachsen-Weimar, der Freund Goethes; ADB 15 (1882) 338—355. — *Zufall:* Umstand.

[478] *zu den lieben Geschwistern:* Maria, Amalie und Justus Coing, s. S. 441. — *Steckfluß:* Herzschlag.

[480] *zwischen Christo und Belial:* vgl. 2 Kor. 6, 15.

[481] *par honneur de lettre:* um der Ehre dieses Namens willen. — *Neologie der Christlichen Religion:* neutönende, vernunftgemäße Fassung der christlichen Religion. — *mit alterirten Prüfungs-Organen:* mit veränderten Maßstäben. — *der Beginn des großen Abfalls:* vgl. 2 Thess 2, 3—8. — *Zeichen der Zeit:* vgl. Mt 16, 3.

[482] *in der Kurfürstlichen Deutschen Gesellschaft zu Mannheim:* Jung-Stilling war ihr Mitglied seit 1784, s. S. 428.

[485] *Ich hebe meine Augen auf ...:* Psalm 121, 1. — *Ich will eine feurige Mauer ...:* Sacharja 2, 9.

[486] *Preußisch-Minden:* Minden in Westfalen. — *in genaue freundschaftliche Verhältnisse:* in enge freundschaftliche Beziehung. — *Fürstin Juliane von Bückeburg:* (1761—1799), seit 1780 Gräfin von Schaumburg-Lippe; ADB 55 (1909) 810—813. — *Kleucker:* Johann Friedrich Kleu(c)ker (1749—1827), seit 1787 Rektor in Osnabrück und Freund Mösers; 1799 Professor der Theologie in Kiel. Von Herder angeregt, wandte er sich der vergleichenden Religionsforschung im Sinne der Romantik zu; ADB 16 (1882) 179 f. — *Möser:* Justus Möser (1720—1794), Politiker und leitender Beamter des Fürstbistums Osnabrück, trat auch als Publizist und Geschichtsschreiber hervor; ADB 22 (1885) 385—390, Westfälische Lebensbilder 5 (1935) 48—65. — *Christine von der Lippe:* (1744—1803) die

geborene Gräfin Solms-Braunfels, seit 1782 verwitwet, war ein treues
Glied der reformierten Kirche und „den hin und her im Lande Verstreuten,
die noch am einfachen Bibelglauben festhielten, der Mittelpunkt, um den
sie sich scharten." Vgl. [Luise Koppen], Christine, Fürstin zur Lippe ...
ein Lebensbild (1884). — *Ewald:* Johann Ludwig Ewald (1748—1822),
ein Freund Lavaters, seit 1787 Generalsuperintendent in Detmold, 1796
Pfarrer in Bremen, 1805 Professor in Heidelberg und Kirchenrat in Karlsruhe (1807), wo Jung-Stilling die alte Bekanntschaft erneuerte; NDB 4
(1959) 693 f.; Erbacher, S. 694—697 und Reg. — *Passavant:* Johann
Ludwig Passavant (1751—1827) aus Frankfurt, seit seiner Jugend mit
Goethe bekannt, seit 1787 Pfarrer in Detmold, wurde 1795 als Nachfolger des „Stillingfreundes" Justus Christoph Kraft Pfarrer der deutsch-
reformierten Gemeinde in Frankfurt am Main. — *von Cölln:* Ludwig
Friedrich August von Cölln (1753—1804), mit Lavater befreundet, seit
1789 Pfarrer in Oerlinghausen, wurde 1797, als Nachfolger von Johann
Ludwig Ewald, Generalsuperintendent in Detmold; Strieder 19 (1831)
64 Anm. — *Scherf:* Johann Christian Friedrich Scherf († 1818). — *Passavant von Cölln:* so B[1], B[2] und B[3] irrtümlich; es handelt sich aber um zwei
Personennamen.

[487] *die Wittwe ... Stosch:* ihr verstorbener Mann, Ferdinand Stosch
(1717—1780), war 1771—1780 Generalsuperintendent in Detmold; ADB
36 (1893) 472 f. — *ein Schwerd fuhr durch seine Seele:* vgl. Luk 2, 35. —
Vier Kegel Moxa: aus leicht brennbaren Stoffen (Moxa = Brennkraut) ge-
formte Kegel; ostasiatisches Heilverfahren. — *Candidat Coing:* Justus
Coing (1771—1818), der Schwager Jung-Stillings; Gundlach, S. 66.

[488] *Scenen aus dem Geisterreiche:* Sie erschienen I (1795) und II
(1801), s. Max Geiger, S. 26 Nr. 74; abgedruckt in: S. S. II (1835) und
S. W. II (1843). — *Heimweh:* Das Heimweh I und II (1794), III (1795),
IV (1796). Der Schlüssel zum Heimweh erschien 1796; vgl. Max Geiger
S. 26, Nr. 72 und S. 27 Nr. 75; abgedruckt in: S. S. IV und V (1836) und
S. W. IV und V (1841). — *Wielands Übersetzung des Lucians:* Lucians
von Samosata Sämtliche Werke 6 Bände (1788 f.), übersetzt von Christoph
Martin Wieland (1733—1813); Kosch[2] 4 (1958) 3345—3348.

[489] *verschrieb er es für sich:* subskribierte er. — *Lorenz Sterne:* s. zu
S. 271. — *Lebensläufe in ansteigender Richtung:* anonym veröffentlichter
autobiographischer Roman (1778) des Königsberger Oberbürgermeisters
Theodor Gottlieb von Hippel (1741—1796). — *Stilling hatte seit Jahr
und Tag:* Ein Teil dieser von ihm selbst so genannten „Bibelübungen" ist
unter dem Titel „Schatzkästlein" in S. S. XIII (1837) veröffentlicht.

[490] *Buchhändler Krieger:* Johann Konrad Christian Krieger (1746
bis 1826), seit 1783 Universitätsbuchhändler und -drucker in Marburg;

Strieder 19 (1831) 370 ff. — *nach Johann Bunians Beyspiel:* Vorbild war das berühmte Werk des englischen Puritaners John Bunyan (1628—1672), The Pilgrim's Progress from this world to that which is to come (1678). [492] *des Herrn, der der Geist ist:* vgl. 2 Kor 3, 17. — *Imagination:* Vorstellungskraft. — *die ausübende Arzneykunde:* die praktische Medizin, die medizinische Praxis.

[493] *der Revolutionsgeist:* vgl. Jung-Stillings Schrift Über den Revolutions-Geist unserer Zeit zur Belehrung der bürgerlichen Stände (Marburg 1793); Schulte-Strathaus, S. 77, Nr. 24; abgedruckt in S. W. XI (1842).

[495] *starb Lubecka:* vgl. S. 690 (zum 1. 2. 1793). Dieses wie auch das folgende Datum (Lavaters Besuch) fällt in Wirklichkeit ins Jahr 1793. — *Lavater:* Lavaters Besuch fällt in den Juli 1793. In einem Brief an Jung-Stilling (Zürich, 29. 8. 1794) spricht Lavater von der Freundlichkeit, die ihm „das vorige Jahr" entgegengebracht wurde; vgl. Sendschreiben, S. 3. — *in Elberfeld:* s. o. S. 319—323. — *Briefe mit ihm gewechselt:* Sie sind zum Teil gedruckt in: Sendschreiben, S. 1—23 und bei A. Vömel, S. 1—63; G. A. Benrath, Die Freundschaft zwischen Jung-Stilling und Lavater, in: Bernd Moeller und Gerhard Ruhbach (Hrsg.). Bleibendes im Wandel der Kirchengeschichte (1973) 251—305. — *Frau Pfarrerin Geßner:* Lavaters Tochter Anna verheiratete sich 1795 mit Georg Geßner (1765—1843), seit 1795 Helfer am Fraumünster in Zürich, dem Freund und Biographen Lavaters; HBLS 3 (1926) 500.

[496] *Die Studenten wurden wüthend:* zum folgenden vgl. Georg Heer, Der Professor J. H. Jung (Stilling) und der studentische Constantistenorden in Marburg 1794 und 1795, in: Volk und Scholle 5 (1927) 232 f. — *ein Privatlehrer in Marburg:* Carl Daub (1765—1836), seit 1796 Professor der Theologie in Heidelberg, nach seinem Übergang von Kant und Schelling zu Hegel ein Hauptvertreter der sog. spekulativen Theologie; NDB 3 (1957) 522; Erbacher, S. 699 f. und Reg.

[497] *Alcoven:* Alkoven, Nebenraum, Schlafzimmer.

[499] *den 4ten Jänner . . .:* s. S. 690 (zum 4. 1. 1795).

[500] *nahm der Herr seinen Geist auf:* vgl. Apg 7, 58.

[501] *Hausknecht:* Hausknecht († 1813), ein Schwiegersohn von Kraft, war bis dahin zweiter Pfarrrer der deutsch-reformierten Gemeinde, später ein besonders treuer Korrespondent Jung-Stillings. — *Burckhardi:* B¹ und B² haben fälschlich: Burckhardt.

[502] *die Jungfer Duising:* sonst oft „Tante Duising" genannt (z. B. S. 510), jüngste Tochter des Professors der Medizin in Marburg Justin Gerhard Duising (1705—1761); Gundlach, S. 188. — *ihrem sie so zärtlich liebenden Mann:* B¹ und B² haben: ihren.

[503] *Stauchen:* weite Ärmel. — *der merkwürdige:* sehr wahrscheinlich gehört hierher, was Jung-Stilling seinem Freund Wilhelm Berger am 19. 5. 1799 vertraulich mitteilte (abgedruckt bei Alexander Vömel, S. 131 f.):
„... Ich kenne Kinder von einer großen morgenländischen Fürstin mit einem vornehmen Juden im Ehebruch gezeugt; unter diesen Kindern ist ein Sohn, der mich oft besucht hat, der große weit aussehende Pläne hat — der durch geheime Mächte unterstützt wird — der nicht weniger als dumm, sondern ein großer geniereicher Kopf, nach dem Weltsinn ein sehr edler majestätischer Mann ist — der in seiner Familie Christum in seiner zweiten Herkunft sucht, — wo fast alles zusammentrifft, was auf das Tier aus dem Abgrund Bezug hat, nur daß alles noch unentwickelt daliegt. Er wollte mich, nachdem er das ‚Heimweh' gelesen und mißverstanden hatte, in seine Dienste ziehen, allein ich wies ihn, nachdem ich eine Zeitlang durch Korrespondenz ihn geprüft hatte, männlich und auf ewig ab ..."

[504] *noch zween Fälle:* vgl. S. 524 und 554 ff.

[505] *apodictisch bewiesen:* durch Nachweis, unbezweifelbar bewiesen.
— *sie haben Mosen und die Propheten:* Luk 16, 29 — *namenlosem:* so B² und B³; B¹ hat: namenlosen.

[506] *den Fürsten ..., der Frieden gemacht hatte:* Landgraf Wilhelm IX. von Hessen-Kassel, Jung-Stillings Landesherr, s. Anm. zu S. 430. — *der graue Mann:* vgl. Max Geiger, S. 26, Nr. 73, enthalten in: S. S. VII und VIII (1837) und S. W. VII und VIII (1841). — *Prinz Friedrich:* (1741—1812) Reichsgeneralfeldmarschalleutnant. — *Gräfin Louise:* (1747 bis 1823) seit 1766 mit Friedrich Carl Fürst von Wied zu Neuwied verheiratet, später getrennt von ihm lebend.

[507] *Kurfürst von Baden:* Markgraf Karl Friedrich von Baden (1728 bis 1811), seit 1803 Kurfürst, zunächst ein Vertreter der frommen Aufklärung, später ein Freund Lavaters, machte in 65jähriger Regierungszeit (1746—1811) sein Land zum „Musterland"; vgl. Max Geiger, 237—243. — *Prinz Karl von Hessen:* (1744—1836); jüngerer Bruder Kurfürst Wilhelms IX. von Hessen-Kassel; er stand jahrelang in dänischem Militärdienst, bis er sich auf Schloß Gottorp bei Schleswig zurückzog; über seine geistlichen Interessen und seine Beziehungen zu Jung-Stilling vgl. Max Geiger, S. 224—236.

[508] *Keindorf:* für Leindorf = Kredenbach. — *Steckfluß:* Herzschlag.

[509] *auf einem anatomischen Theater:* Schausaal für anatomische Übungen.

[510] *was du diesem meinem Knecht ...:* vgl. Mt 26, 13. — *Bürgerin des neuen Jerusalem:* Apok 3, 2. — *kam sie wieder in die Wochen:* vgl. S. 696 (zum 20. 10. 1796). — *Amalia Coing, die künftige Enkel-Schwieger-*

tochter: verlobt seit 1794 (s. S. 499), verheiratet mit seinem Enkel Jakob Jung seit 1801, s. S. 554. — *ein Bruder der seeligen Mutter Coing:* vgl. Namen und Daten der Geschwister Duising bei Strieder 3 (1783) 264.

[511] *seiner ältesten Schwester Tochter Mariechen:* die Tochter seiner Stiefschwester aus Kredenbach.

[513] *Gräfin Christine von Waldeck:* geb. Pfalzgräfin von Zweibrücken-Birkenfeld (1725—1816). — *Siegsgeschichte der christlichen Religion ...:* vgl. Max Geiger, S. 27, Nr. 80; Güthling, S. 17; enthalten in S. S. III (1835) und S. W. III (1841).

[514] *die Zeichen der Zeit:* vgl. Mt 16, 3. — *Kokuarde:* Coquarde, Kokarde; die seit der Französischen Revolution übliche blau-weiß-rote Nationalfarbe. — *die Zeichen des Thiers:* Apok 13, 11—13. — *das Thier aus dem Abgrund:* Apok 11, 7. — *Prälat Bengel:* der schwäbische Pietist Johann Albrecht Bengel (1687—1752) errechnete 1836 als das Jahr des Weltendes, vgl. Ritschl III, S. 62—84, bes. S. 77 f. — *ein Ungenannter in Carlsruhe:* der badische Hofrat Georg Friedrich Fein (1741—1817) in seiner „Einleitung zu näherer und deutlicher Aufklärung der Offenbarung Jesu Christi oder St. Johannis. Nach Chronologie und Geschichte als Beitrag zum Beweis, daß Bengels apokalyptisches System das wahre sey." 2 Teile (Karlsruhe 1784).

[515] *Aufschluß über eine Haupt-Hieroglyphe:* Entschlüsselung eines wichtigen heiligen Rätselwortes. — Bereits Apok 2, 25—28 bezog Jung-Stilling auf die Brüdergemeine, vgl. S. S. III (1835) 70. — *die ... große Missionsanstalt:* vermutlich die 1795 begründete London Missionary Society.

[516] *in alle Wahrheit führen:* Joh 16, 13. — *in Nachträgen zur Siegsgeschichte:* Ein „Erster Nachtrag zur Siegsgeschichte der christlichen Religion ..." erschien 1805, vgl. Geiger, S. 28 Nr. 86, Güthling, S. 19; abgedruckt in S. S. III (1835) und III (1841). — *zu Bolzen drehen:* zu Pfeilen spitzen.

[517] *Hypochondrie:* Schwermut. — *in den Niederlanden:* am Niederrhein. — *den Stand des dunkeln Glaubens:* s. S. 686 und 689.

[518] *Pfahl im Fleisch:* vgl. 2 Kor 12, 7. — *Treibheerd:* Herd zum Abtreiben (Ausschmelzen) des Silbers aus bleihaltigem Erz; Schmelzofen.

[519] *Wienholt:* Arnold Wienholt (1749—1804), seit 1777 Amtsarzt in Bremen; von Lavater angeregt, befaßte er sich mit Hypnose und schrieb „Heilkraft des thierischen Magnetismus" (2 Bände 1802/03); ADB 42 (1897) 422.

[520] *die Reise nach Bremen:* vgl. Günter Schulz, Meta Post im Briefwechsel mit Lavater (1794—1800). Mit Bemerkungen über Jung-Stillings Aufenthalt in Bremen (1798), in: Jahrbuch der Wittheit zu Bremen 7

(1963), 153—301. — *Falck:* Ernst Friedrich Falcke (1751—1809), seit 1776 Konsistorialrat und 1784 Bürgermeister von Hannover; vgl. ADB 6 (1877) 543 f. — *der Bürgermeister:* Dr. iur. Diederich Meier d. Ä. (1748—1802).

[521] *Doctor und Professor Meister:* Christoph Georg Ludwig Meister (1738—1811), seit 1774 Pastor und Professor in Duisburg, seit 1784 in Bremen; ADB 21 (1885) 253 f. — *Ewald:* s. Anm. zu S. 486. — *Der berühmte Doctor Olbers:* Heinrich Wilhelm Matthias Olbers (1758—1840), seit 1781 Arzt in Bremen, als Astronom bekannt; ADB 24 (1887) 236 ff. — *Oberamtmann Schröder:* Johann Hieronymus Schröter (1745—1816), Oberamtmann in Lilienthal bei Bremen, gleichfalls als Astronom berühmt; ADB 32 (1891) 570 ff.

[522] *kam Elise . . . glücklich nieder:* vgl. S. 691 (zum 22. 2. 1799). — *Mit Lavatern:* vgl. hierzu den bei Anm. zu S. 495 genannten Aufsatz, hier bes. S. 272—288.

[523] *Hotze:* Johann Konrad Hotz(e) (1734—1801), Arzt in Richterswil bei Zürich, seit 1794 in Frankfurt, Freund Lavaters, bekannt mit Goethe; HBLS 4 (1927) 298. — *de Neufville:* Matthias Wilhelm de Neufville (1762—1842), Arzt in Frankfurt, „durch sein frommes Herz Berater und Tröster vieler Leidenden"; Staehelin II, S. 108. — *den vor kurzem so äußerst unglücklich gewordenen Unterwaldnern:* nach ihrem tapferen, aber aussichtslosen Widerstand gegen französische Truppen (1798) wurde ihr Kanton grausam verheert.

[524] *Antistes Heß:* Johann Jakob Hess (1741—1828), Verfasser des zu seiner Zeit bekannten Werkes „Von dem Reich Gottes" (1774), war seit 1795 Pfarrer am Großmünster und Antistes in Zürich. Briefe Jung-Stillings an ihn finden sich bei Alexander Vömel, S. 64—102, sein erster, hier erwähnter Brief (vom 13. 7. 1799) S. 64 ff.; Wernle III, S. 317—332.

[525] *Es wird einst eine Zeit kommen:* Jung-Stilling will hier die Überzeugung von seinem eigenen eventuellen Märtyrertod jetzt (1804) noch einmal bekräftigen. — *reiste Stilling nach Frankfurt und Hanau:* zusätzliche Angaben über diese Reise, s. Max Geiger, S. 118 f. — *der regierende Landgraf zu Homburg:* Friedrich Ludwig Landgraf zu Hessen-Homburg (1748—1820), Reichsgeneralfeldzeugmeister. — *Caroline von Bentheim-Steinfurt:* (1759—1834). — *Polyxene:* von Bentheim-Steinfurt (1749 bis 1799), lebte unverehelicht in Siegen, der Heimat ihrer Mutter.

[528] *Regierungsrath Rieß:* Wolf Christoph Ries, geb. 1759; Strieder (1799) Tab. 4 nach S. 20; Jung-Stilling hatte ihn auch 1799 besucht, s. Max Geiger, S. 118. — *Handlungs-Genie:* Begabung als Kaufmann. — *Nürnberger Waaren:* Nürnberger Spielwaren.

[529] *Achelis in Göttingen:* Heinrich Achelis (1764—1805), später Pfarrer in Arsten bei Bremen. — *Hannöverisch-Minden:* Hannoversch-

Münden. — *Richerz:* Georg Hermann Richerz (1756—1791); ADB 28 (1889) 435.

[530] *das einzige Nothwendige:* vgl. Lk 10, 42. — *Lavater correspondirte ...:* vgl. Alexander Vömel, S. 49—63 und den bei Anm. zu S. 495 genannten Aufsatz, hier S. 288—302. — *Lavaters Verklärung:* erstmals erschienen 1801, vgl. Max Geiger S. 27, Nr. 82; Güthling, S. 18, abgedruckt in S. S. II (1835) und S. W. II (1841).

[531] *pays de Vaud:* das Waadtland, der heutige Kanton Vaud. — *Briefe an den französischen Director Reubel ...:* erschienen 1798; genaue Nachweise bei Karl Goedeke, Grundriß zur Geschichte der dt. Dichtung IV/1 (1916; Nachdruck 1955) S. 275, Nr. 84.

[532] *Stillings Hausgenossen:* vgl. hierzu die Stammbäume bei Ernst Vömel. — *die drey kleinen Kinder:* Friedrich wurde 1801 sechs, Amalie fünf, Christine zwei Jahre alt.

[534] *aus oben ... angeführten Ursachen:* s. S. 493 f.

[535] *wie ich weiter unten ... erzählen werde:* S. 583 f.

[536] *Das Heimweh und die Siegsgeschichte:* s. S. 491 und 513—517. — *der junge Kirchhofer:* Melchior Kirchhofer (1775—1853), seit 1798 Pfarrer in Schlatt am Randen, seit 1808 Pfarrer und Kirchenrat in Stein am Rhein; verfaßte mehrere kirchenhistorische Schriften.

[537] *die vier christlichgesinnten ... Schwestern:* ihre Namen und ein Brief Jung-Stillings (25. 9. 1800) an sie findet sich bei Alexander Vömel, S. 180—183. — *Pfarrer Sulzer:* Johann Konrad Sulzer (1745—1819), seit 1799 erster Pfarrer in Winterthur, Neffe des Philosophen Johann Georg Sulzer (1720—1779) in Berlin, des Verfassers der „Allgemeinen Theorie der Schönen Künste"; HBLS 6 (1931) 605; Wernle III, S. 357. — *kostbaren Reise:* kostspieligen Reise.

[538] *Lisettchen:* s. o. S. 475 f.

[539] *Minister von Seckendorf:* Christoph Albrecht Frhr. von Seckendorf-Aberdar (1748—1834), bis 1803 in württembergischen Diensten; vgl. S. 694 zum 23. 7. 1783; ADB 54 (1908) 292 ff. — *Reus:* August Christian Reuß (1756—1824); ADB 28 (1889) 309. — *Israel Hartmann:* (1725 bis 1806); vgl. Walter Grube, Israel Hartmann, in: Zeitschrift für württembergische Landesgeschichte 12 (1953) 250—270.

[540] *Storr:* Gottlob Christian Storr (1746—1805), 1777 Professor der Theologie in Tübingen, seit 1797 Oberhofprediger in Stuttgart; ADB 36 (1893) 456 ff. — *Hofcaplan:* Gottlieb Heinrich Rieger, später Dekan in Stuttgart († 1814). — *Dann:* Christian Adam Dann (1758—1837), seit 1794 Helfer an der Leonhardskirche in Stuttgart, hochgeachteter erwecklicher Prediger und Seelsorger; ADB 4 (1876) 740 f.; mehrere Briefe Jung-Stillings an ihn (1797—1814) sind abgedruckt bei Hermann Müller.

— *Matthison:* Friedrich Matthison (1761—1831) wurde 1801 badischer Legationsrat; zu seiner Zeit hochgeschätzter Dichter; Kosch² 2 (1953) 1663. — *Hofrat Hartmann:* Johann Georg Hartmann (1731—1811); vgl. Schwäbische Lebensbilder 2 (1941) 200—207. — *auf grünen Donnerstag:* den 2. 4. 1801. — *den Sonntag vor Ostern:* so B¹ und B² fälschlich anstatt: Samstag vor Ostern.

[541] *Glärnitsch ... Sentis ... Kuhfirsten:* Glärnisch, Säntis, Churfirsten. — *bis Osterdienstag:* den 7. 4. 1801. — *ein blindgeborner Jüngling:* Johann Caspar Altorfer, Sohn des Pfarrers und Theologieprofessors Johann Jakob Altorfer (1754—1829) in Schaffhausen. Jung-Stillings Briefe an Vater und Sohn sind gedruckt bei A. Vömel, S. 107—129, das Dankschreiben des Vaters an ihn S. 122. — *geschrieben im Glauben ...:* Anspielung auf 2 Kor 5, 7.

[542] *Andolfingen:* Andelfingen.

[543] *Diethelm Lavater:* (1743—1826); vgl. Hist.-Biogr. Lexikon der Schweiz 4 (1927) 636. — *der liebe christlichfrohe Geßner:* (1765—1843); Charakteristik bei Wernle III, 312—315. Seine Frau Anna, die Tochter Lavaters, hatte Jung-Stilling bereits 1793 in Marburg kennengelernt, s. zu S. 495. — *am Crystall-Meer:* vgl. Apok 4, 6.

[544] *die verehrungswürdige Gattin ... Lavaters:* Anna Lavater geb. Schinz aus Zürich (1742—1815). — *ein Schreiben vom Magistrat zu Schaffhausen:* abgedruckt bei A. Vömel, S. 123 f. — *der Doctor Steiner:* Karl Emanuel Steiner (1771—1846); HBLS 6 (1931) 535.

[546] *ein offenes Schreiben:* abgedruckt bei A. Vömel, S. 103—106. — *Heß:* s. zu S. 524. — *Hirzel Vater und Sohn:* Johann Kaspar Hirzel (1725 bis 1803), vielseitig gebildeter Arzt, Ratsherr und Schriftsteller, und sein gleichnamiger Sohn (1751—1817), Kantonsarzt und Kirchenrat; HBLS 4 (1927) 235. — *Professor Meyer:* vielleicht der Landschaftsmaler Hans Jakob Meyer (1749—1829), seit 1793 Professor an der Kunstschule; HBLS 5 (1929) 103. — *Lips:* Johann Heinrich Lips (1758—1817), 1789—1794 in Weimar; HBLS 4 (1927) 691; Thieme-Becker 23 (1929) 279. Über die Zeichnung (s. Abbildung vor S. 441) urteilte Jung-Stilling selbst (an W. Berger, 16. 9. 1801): „Lips hat mich en face gezeichnet und gestochen; das ist vollkommen ähnlich ...“; Hermann Müller, S. 81.

[547] *Frau Flühebacherin:* 13 Briefe Jung-Stillings an sie finden sich in: Christlicher Volksbote aus Basel 51 (1883) Nr. 38—41, vgl. Max Geiger S. 33. — *Daniel Schorndorf:* (1750—1817) Kaufmann und Ratsherr in Basel; Hist.-Biogr. Lexikon der Schweiz 6 (1931) 240; Staehelin I, Register.

[548] *Huber:* Johann Rudolf Huber (1766—1806), seit 1800 Pfarrer an St. Elisabethen in Basel, Mitbegründer der Basler „Gesellschaft zur Verbreitung erbaulicher Schriften“, eines Zweiges der Christentumsgesell-

schaft; Staehelin II, S. 79. — *La Roche:* Andreas La Roche (1757—1817); seit 1789 Diaconus an St. Peter in Basel; ebenda S. 48. — *von der deutschen Gesellschaft zu Beförderung wahrer Gottseeligkeit:* von der deutschen Christentumsgesellschaft; über ihre Geschichte vgl. Staehelin I und II, über ihre Selbstbezeichnung II, S. 5. — *seinen Freunden giebt er es schlafend:* Psalm 127, 2. — *Die gute Seele, welche ein paar Jahre vorher ...:* s. o. S. 513.

[549] *Am Schluß dieses Büchleins:* Vorverweis auf den „Rückblick" S. 599—628, bes. S. 615.

[550] *Sichtungen:* Versuchungen, Prüfungen. — *zum Kurfürsten:* Markgraf Karl Friedrich von Baden (s. Anm. zu S. 507) wurde 1803 in den Stand eines Kurfürsten, 1806 zum Großherzog von Baden erhoben. — *Auflösung des Stillings-Knoten:* gemeint ist die Veränderung der (S. 493 f. und 533 f. geschilderten) ausweglosen Situation Jung-Stillings in Marburg durch die Berufung nach Baden (S. 594).

[551] *ihre Lisette ... zum letztenmal:* s. S. 564 f. — *Sonntags den 2ten May:* so B^1, B^2 und B^3. Das Datum ist falsch; vermutlich Sonntag, 3. 5. 1801. — *Burggraf Rullmann:* Johann Christian Rullmann; Strieder 12 (1799) 149. — *das Hauptcapital:* 1500 Reichstaler, s. S. 661, 663.

[553] *unstät und flüchtig:* vgl. 1 Mose 4, 14. — *sprach er noch mehreres:* so B^2 und B^3; B^1 hat irrtümlich: sprach noch er mehreres. — *in Münster:* s. S. 525.

[554] *die Trauung geschah:* s. auch S. 694. — *ich habe oben gesagt:* S. 530. — *Felix Hess:* über seine Freundschaft mit Lavater vgl. Wernle III, S. 223 ff. u. ö. — *Pfenninger:* Johann Konrad Pfenninger (1747—1792), Freund und Kollege Lavaters an St. Peter in Zürich; Wernle III, S. 285 bis 288 u. ö. — *Breidenstein:* Pfarrer Johann Philipp Breitenstein († 1825); vgl. Gundlach, S. 30.

[555] *Lebens-Beschreibung von Felix Heß:* in Lavater, Vermischte Schriften I (1774) S. 1—196: Denkmal auf Herrn Felix Heß, weiland Diener des Göttlichen Wortes in Zürich.

[556] *im zweyten Band der Scenen:* in der vierten Scene, vgl. S. S. II (1835) S. 255; hier ist Heinrich Heß als Jesanjah eingeführt. — *Lavaters Jesus Messias:* Jesus Messias oder Die Evangelien und Apostelgeschichte in Gesängen I (1783) — IV (1786). — *Stobwasser:* Johann Heinrich Stobwasser (geb. um 1740) stand auch in Verbindung mit der Christentumsgesellschaft in Basel, vgl. Staehelin II, S. 142, 243 ff., 343. — *Münden:* Hannoversch-Münden. — *bey Julien:* Julie Richerz, s. S. 529 f.

[557] *von Kunckel:* Johann Franz Kunckel, geb. 1739; vgl. Strieder 7 (1787) 324. — *Prediger Klugkist:* Dietrich Heinrich K. (1758—1835), seit 1787 Pfarrer in Hannoversch-Münden.

[558] *Beyreiß:* Gottfried Christoph Beireis (1730—1809), seit 1759 Professor der Physik in Helmstedt; ADB 2 (1875) 293 f. — *Campe:* Joachim Heinrich Campe (1746—1818), bekannter philanthropischer Pädagoge und Schriftsteller; ADB 3 (1876) 733—737, NDB 3 (1957) 110 f. — *von Zimmermann:* Eberhard August Wilhelm von Zimmermann (1743—1815), Naturforscher und Geograph, seit 1766 Professor am Collegium Carolinum in Braunschweig; ADB 45 (1900) 256 ff. — *Eschenburg:* Johann Joachim Eschenburg (1743—1820), seit 1777 Professor der Literatur und Philosophie ebenda, Verfasser bekannter literarhistorischer Handbücher; ADB 6 (1877) 346 f.; NDB 4 (1959) 642 f. — *Pokels:* Karl Friedrich Pockels (1757—1814), Theologe und Pädagoge, Prinzenerzieher seit 1790, Hofrat in Braunschweig; ADB 26 (1888) 338 f. — *der Herzog:* Karl Wilhelm Ferdinand von Braunschweig (1735—1806); ADB 15 (1882) 272—281.

[559] *einen kleinen Umweg über Wernigerode:* vgl. Jung-Stillings erste Reise dahin (1789), S. 452—454. — *den Superintendenten Schmid:* Johann Friedrich Schmid, bereits 1754 Erzieher des regierenden Grafen Christian Friedrich von Stolberg-Wernigerode (1746—1842), rückte später als Hofprediger in die Leitung der kleinen Landeskirche der Grafschaft auf; erwähnt, zusammen mit Fritsche, in ADB 36 (1893) 387, Johann Lorenz Benzler ebenda S. 389. — *sein Lied im Heimweh:* abgedruckt auch in S. S. XIII (1837) 286 f.

[560] *Gräfin Friderike von Ortenburg:* Friderike von Ortenburg (1752 bis 1834), lebte nach der Auflösung des Stifts am Hof in Coburg. — *wo wiederum:* so B² und B³; B¹ hat statt dessen, auch im folgenden Text einige Male: wiedrum. — *Meine Leser werden sich erinnern:* s. S. 532 und 537 f.

[561] *Morschen:* bei Melsungen. — *ledig:* ohne Passagiere, mit leerem Wagen.

[562] *die Langwit:* Langwiede, Langbaum; starke Längsachse, durch die das vordere und das hintere Fahrwerk der Chaise miteinander verbunden waren. — *Kehrnagel:* senkrechter Zapfen, durch den der Langbaum in dem vorderen Fahrwerk befestigt war.

[563] *mit genauer Noth:* mit knapper Not. — *Leibarzt Meiß:* Druckfehler für Weiß, Friedrich Wilhelm († 1744), seit 1784 Hofrat und Leibarzt des Landgrafen von Hessen-Rotenburg; Strieder 16 (1812) 519. — *Wabern:* B¹, B² und B³ haben irrtümlich: Mabern.

[564] *Sonntags den 3ten Januar:* s. S. 690 (zum 1. 1. 1802).

[565] *Elise litt sehr:* vgl. S. 475 unten. — *Mieg gab ein klein Büchelchen heraus:* Johann Friedrich Mieg, Erinnerungen an Elisabetha Sophia Christiana Jung (Heidelberg 1802), 30 S. (vorh. Bibliothek des Freien Deut-

schen Hochstifts, Frankfurt am Main). — *im folgenden August:* vgl. S. 694 (zum 16. 8. 1802).

[567] *durch nichts laß Dir die Krone rauben:* vgl. Apk 3, 11. — *treu bis in den Tod:* Apk 2, 10. — *Erbauungsbücher-Gesellschaft:* die Religious Tract Society von 1799. — *das Kameralfach:* Staatswissenschaft und Volkswirtschaft.

[568] *wollte sich mit seinem Gewissen nicht vertragen:* s. S. 535.

[570] *am sechsten September Abends . . .:* s. S. 695 (zum 6. 9. 1802). — *er gieng hin und weinte:* vgl. Ps 126, 5.

[571] *wie ich oben bemerkte:* s. S. 566, hier auf Amalie Jung, geb. Coing bezogen. — *ursprünglich ein Pfälzer:* Jakob Jung war 1774 in Elberfeld im Herzogtum Berg geboren, das seit 1614 zum Herzogtum Pfalz-Neuburg gehörte und seit 1685 mit dem Kurfürstentum Pfalz vereinigt war; vgl. auch Anm. zu S. 287; die rechtsrheinische Pfalz war aber seit kurzem (1802) mit der Markgrafschaft Baden vereinigt worden.

[575] *Marquard Wocher:* Maler und Kupferstecher (1760—1830); Thieme-Becker 36 (1947) 160 f. Wocher hatte im April 1801 ein Porträt Jung-Stillings angefertigt; vgl. Max Geiger, S. 8. und Abb. 1 (nach S. 16), sowie Wilhelm Güthling, Jung-Stilling in den Augen seiner Zeitgenossen (1970) S. 5 und Abb. 12. — *Herrn Reber:* Nikolaus Reber (1735 bis 1821), Handelsmann in Basel; HBLS 5 (1929) 547. — *des Meister Isaacs zu Waldstädt erinnern:* s. S. 213 und 223, sowie Anm. zu S. 211.

[576] *Der älteste Sohn des Meister Isaacs:* Peter Adolf Becker; Briefe Jung-Stillings an ihn bei Hermann Müller, S. 38—41. — *den 24sten August:* 1801. — *das 12te Stück des grauen Mannes:* enthalten in S. S. VII (1837), hier S. 476 f.

[577] *eine Erbauungs-Rede halten:* am 22. 9. 1802 „über den Sündenfall, die nöthige Erkenntnis unsers tiefen Verderbens, Wiederkehr zu Gott durch Christum und gänzliche Überlassung an Ihn und Unterwerfung unter seinen Willen"; Staehelin I, S. 467 f. — *Liestall . . . Leufelfingen:* Liestal, Läufelfingen (Basel-Land).

[578] *Cabriolet:* leichter, einspänniger, zweirädriger Wagen mit Gabeldeichsel. — *Mutterhorn:* wohl das Mutthorn (3041 m) vor dem Tschingelhorn.

[579] *Pestaluzzi:* Heinrich Pestalozzi (1746—1827), der berühmte Pädagoge, leitete 1800—1803 auf dem Schloß in Burgdorf eine Schule nach seinen Grundsätzen; dort verfaßte er auch „Wie Gertrud ihre Kinder lehrt". HBLS 5 (1929) 404 f.

[580] *Niehans:* der Ziegelverwalter Jakob Emanuel Niehans, ein Kor-

respondent der Deutschen Christentumsgesellschaft in Basel; Wernle III, S. 52 f., 446 (hier: Niehaus); Staehelin I, S. 55 u. ö. — *Wyttenbach:* Jakob Samuel Wyttenbach (1748—1830), seit 1783 Pfarrer an der Heiliggeistkirche in Bern, Naturwissenschaftler, Haupt einer Erbauungsversammlung; HBLS 7 (1934) 615 f. — *Müeßlin:* David Müsli(n) (1747—1821), seit 1782 zweiter Pfarrer am Münster in Bern; ADB 23 (1886) 101; Wernle III, S. 472 ff., HBLS 5 (1929) 204. — *Lorsa:* Jeremias Lorza (1757—1837), in Neuwied in der Schule der Brüdergemeine erzogen, seit 1801 Pfarrer in Bern; HBLS 4 (1927) 713; Wernle III, 161, 164. — *Brüder Studer:* Samuel Studer (1757—1834), seit 1796 Professor der Theologie in Bern, und Sigmund Gottlieb Studer (1761—1808); HBLS 6 (1931) 582. — *Nahl:* Johann August Nahl (1710—1785), Architekt und Bildhauer in Kassel, 1777 Akademiedirektor. Das berühmte Grabmal für die 1751 verstorbene Frau des Pfarrers Georg Langhans (1724—1790) in der Kirche von Hindelbank ist zerstört; HBLS 4 (1927) 603; Thieme-Becker 25 (1931) 332 f. — *Stähelin:* Peter Staehelin (1745—1815), seit 1795 Dekan in St. Gallen, 1803 Antistes; HBLS 6 (1931) 492.

[581] *einen Expressen:* einen Eilboten. — *Mößkirch:* Messkirch.

[582] *Frau Metropolitanin Wiskemann:* ihr Mann, Jakob Wiskemann († 1791) war zuletzt Metropolitan (leitender Pfarrer) in Treysa bei Ziegenhain; Strieder 11 (1797) 69 und 14 (1804) 348. — *der Rat Cnyrim:* B¹ und B² haben fehlerhaft: Cnyeim; B³: Cnyelm. — Dietrich Christoph Cnyrim († 1807) war Rat und Senator in Kassel. Vgl. Dreizehn Briefe von Jung-Stilling, mitgeteilt von Rudolf Homburg, in: Archiv für Kulturgeschichte 2 (1904) 364—379. — *Ein Bruder dieses würdigen Mannes:* sein jüngerer Stiefbruder Daniel Theodor Cnyrim, Pfarrer in Homberg; Strieder 3 (1783) 487.

[583] *rechtschaffenen:* B² und B³ haben: rechtschaffenem. — *Im Anfang des 1803ten Jahres:* Jung-Stillings noch vorhandenes Tagebuch von 1803 bildet eine wertvolle Ergänzung der hier folgenden Chronik dieses Jahres (S. 583—598); vgl. „Jung-Stillings Tagebuch von 1803". Hieraus ergibt sich übrigens (S. 79) die Abfassungszeit der ›Lehrjahre‹: November und Dezember 1803.

[584] *die theologischen Annalen von Wacheler:* Johann Friedrich Ludwig Wachler (1767—1838), seit 1802 Professor der Theologie in Marburg, gab die Fortsetzung der (1789 begonnenen) Annalen der neuesten theologischen Literatur und Kirchengeschichte unter dem Titel: Neue theologische Annalen heraus (seit 1798). — *der Kurfürst von Hessen:* Wilhelm IX., vgl. Anm. zu S. 429.

[585] *Kammer-Director von Göchhausen:* Ernst August Anton von Göchhausen (1740—1824), seit 1769 in sachsen-weimarischen Diensten,

Vetter der bekannten Hofdame Louise von Göchhausen in Weimar; Neuer
Nekrolog der Deutschen II/2 (1826) 613—617.

[586] *von Burgsdorf:* Christoph Gottlob von Burgsdorff (1736—1807),
sächsischer Konferenzminister und Konsistorialpräsident. — *Hutberg:* B¹,
B² und B³ haben fälschlich: Gutberg. — *von Cuningham:* vgl. Felix Falk,
Lavaters Freundschaft mit Rijklof Michael Cunningham van Goens, in:
Zwingliana 1941, Nr. 2, S. 366—381.

[587] *die neue Creatur:* vgl. 2 Kor 5, 17. — *aus Wasser und Geist
wiedergeboren:* vgl. Joh 3, 5. — *Frohbergers Briefe:* erschienen 1797.

[589] *Prinz Carl von Hessen:* vgl. Anm. zu S. 507.

[591] *Der gräfliche Canzley-Director Hombergk zu Vach:* der Jurist
Christian Henrich Wilhelm Hombergk, seit 1781 wittgensteinischer Regie-
rungsrat; Strieder 6 (1786) 129. — *ein Jacobs Kampf:* 1 Mose 32, 25—29.

[592] *Vocation:* Berufung. — *Zwölfhundert Thalern im zwanzig Guldenfuß:* Auf 1200 Taler zu je 20 Gulden belief sich Jung-Stillings Besoldung in Marburg, während 1200 Gulden Reichswährung, die ihm in Baden
in Aussicht gestellt wurden, einen wesentlich geringeren Wert hatten.

[594] *ihre Augen auf ihn warten müssen:* Ps 145, 15. — *der zweyte
große und größte Knoten:* der erste „Knoten" war für Jung-Stilling die
langjährige Schuldenlast, die er nach der ersten Schweizerreise von 1801
abzutragen vermochte (s. S. 553).

[595] *lebt eine Dame . . .:* Gräfin Hohenthal, vgl. „Jung-Stillings Tagebuch von 1803", S. 63. — *Ich bin, der ich war:* vgl. 2 Mose 3, 14. — *Jesus
Christus, gestern, heute und derselbe in Ewigkeit:* Hebr 13, 8.

[596] *Münster:* Münster bei Butzbach, s. auch S. 525.

[597] *Stillings Geburtstag:* vgl. „Jung-Stillings Tagebuch von 1803"
S. 75.

[598] *Euer großer Lohn:* vgl. 1 Mose 15, 1.

[599] *Rückblick auf Stillings bisherige Lebensgeschichte:* Jung-Stilling
verfaßte ihn zwischen dem 22. und dem 25. 12. 1803; vgl. „Jung-Stillings
Tagebuch von 1803", S. 79. — *Raschmann:* s. S. 447 f. und Anm. — *einen
gewissen Candidaten:* s. S. 471 f.

[602] *Jetzt aber da meineMutter starb:* s. S. 38—49.

[604] *Ich setze fest:* ich stelle, halte fest.

[607] *eine weltlich gesinnte, gefühllose Frau:* s. S. 109, 114, 137 f., 162 f.
— *nicht mehr zu Schulämtern:* von Herbst 1760 bis Ende 1761, s. S. 163
bis 173. — *Spener:* Philipp Jakob Spener (1635—1705), das anerkannte
Haupt des lutherischen Pietismus, Senior in Frankfurt, Hofprediger in
Dresden, Propst in Berlin. — *Franke:* August Hermann Francke (1663
bis 1727), Schüler Speners, Pfarrer und Professor in Halle, Begründer des
Waisenhauses in Halle, der führende Theologe und Pädagoge des luthe-

rischen Pietismus nach Spener. — *in demselben:* so B² und B³; B¹ hat: in denselben.

[608] *ich gieng fort:* s. S. 183, 692 (zum 12. 4. 1762). — *in Solingen:* s. S. 195, 692 (zum 12. 4. 1762).

[609] *die Hauslehrerstelle bei einem Kaufmann:* Bei Peter Hartcop auf der Bever, s. S. 199—209, 694 (zum 1. 8. 1762) und 691 (zum 31. 3. 1763). — *Herrn Spanier und der Meister Becker:* Peter Johannes Flender und Johann Jakob Becker, s. S. 220 ff. — *Aufenthalt bei Spanier:* 1763—1770, s. S. 230—257; 693 (zum 1. 7. 1763).

[610] *ich müßte Medizin studiren:* s. S. 238 f. — *Pastor Molitor zu Attendorn:* s. S. 240—244. — *Augen-Arcana:* augenärztliche Geheimrezepte. — *Bekanntschaft mit der würdigen Familie ... Peter Heyders:* s. S. 246 f., 696 (zum 1. 10. 1769). — *am Krankenbette versprechen:* s. S. 249 f., 690 (zum 12. 2. 1770).

[611] *auf die Universität nach Strasburg:* 1770—1772, s. S. 260—287, 694 (zum 28. 8. 1770), 691 (zum 23. 3. 1772). — *in Elberfeld:* 1772—1778, s. S. 289—369, 692 (zum 1. 5. 1772) und 696 (zum 25. 10. 1778), zu der folgenden Reflexion jedoch bes. S. 302 ff. — *die arme Frau zu Wichlinghausen:* s. S. 308—312.

[612] *die drückende Last meiner Schulden:* s. S. 353—355.

[613] *die Schleuder eines Hirtenknaben ...:* s. S. 340 f. — *Göthe ganz ohne mein Wissen und Wollen:* s. S. 323, 344, 654 f., 698.

[614] *Abhandlung über die Forstwirthschaftliche Benutzung ...:* s. S. 346 f., 650 Anm. 1. — *an die neuerrichtete Kameralschule zu Kaysers-Lautern:* s. S. 359, 664 f., 677. — *in der Schweiz zuletzt vor drittehalb Jahren:* vor zweieinhalb Jahren, auf der ersten Reise in die Schweiz (Frühjahr 1801), s. S. 548 f., 551. — *Jetzt glaubte ich aber nun gewiß:* s. S. 296, 355, 662, 669 f.

[615] *meine eilf Lehrbücher:* zu den auf S. 667 (Anm. 1) und 682 angegebenen acht Lehrbüchern traten nach 1788 noch hinzu: 9) Lehrbuch der Finanz-Wissenschaft (Leipzig 1789), 10) Lehrbuch der Cameral-Wissenschaft oder Cameral-Praxis (Marburg 1970), 11) System der Staatswirthschaft (Marburg 1792), vgl. Max Geiger, S. 25 f., Nr. 53, 56, 62 und Güthling, S. 13 f. — *der graue Mann:* erschienen seit 1795, s. S. 506. — *die Scenen aus dem Geisterreich:* von 1795, s. S. 488 f. — *die Siegsgeschichte:* von 1799, s. S. 516.

[616] *Thon in der Hand des Töpfers:* vgl. Jes 64, 7, Jer 18, 6.

[617] *Arbeiter in seinen Weinberg sendet:* vgl. Mt 20, 6—9. — *Obscuranten:* Dunkelmann, Irrlehrer.

[618] *das Dichten und Trachten des menschlichen Herzens:* 1 Mose 6, 5. — *eine Classe höherer geistiger Wesen:* vgl. 1 Mose 6, 1 und 4.

[620] *dann überantwortet der Sohn . . .:* 1 Kor 15, 24, 28.

[621] *Natur-Religion:* natürliche, vernunftgemäße Religion.

[624] *Naturalisten:* Vertreter der Aufklärung und ihrer natürlichen Religion. — *Laodicea:* vgl. Apok 3, 15 f.

[629] *im Anfange meines sieben und siebenzigsten Lebensjahres:* das Folgende ist demnach zwischen September 1816 und März 1817 in Karlsruhe verfaßt.

[630] *Christine:* sie war nunmehr 17 Jahre alt; vgl. Ernst Vömel, S. 11. — *und zehen Kinder:* das jüngste war 1814 geboren; vgl. Ernst Vömel, S. 13. — *ihre älteste Tochter:* Amalie Schwarz (1794—1834), seit 1815 verheiratet mit Johann Theodor Vömel (1791—1868); der Urenkel Heinrich Vömel wurde am 3. 9. 1816 geboren; Ernst Vömel, S. 21. — *der älteste Sohn Wilhelm:* Wilhelm Schwarz (1793—1873), 1818 Pfarrer in Weinheim, 1831 in Mannheim, hütete das geistliche Erbe seines Großvaters; Ernst Vömel, S. 13; Neu II, S. 560. — *des Herrn von Berkheim:* Carl Christian von Berckheim (1774—1849), seit 1813 badischer Innenminister, vgl. Badische Biographien 1 (1881) S. 73—75; Erbacher, S. 668 f. — *Mein Sohn:* Jakob Jung (1774—1846), in badischen Diensten seit 1803 als Jurist in Mannheim (s. S. 591 f.), wurde 1816 Hofgerichtsrat in Rastatt; Ernst Vömel, S. 11. — *seine älteste Tochter Auguste:* Auguste Jung (1802—1830).

[631] *meine dritte Tochter Amalia:* Amalie Jung (1796—1860) wurde später (1834) die Leiterin des seit 1819 von Karlsruhe nach Mannheim verlegten Graimbergschen Pensionats für höhere Töchter; Ernst Vömel, S. 11. — *meine ältere Tochter Karoline:* Caroline Jung (1787—1821) übernahm 1816 die Leitung des Graimbergschen Pensionats (a. a. O.). — *mein zweyter Sohn Friederich:* Friedrich Jung (1795—1853) wurde von Alexander I. 1816 nach Petersburg berufen und 1827 geadelt, seit 1838 war er Oberpostmeister und Staatsrat in Riga; Ernst Vömel, S. 13. — *Bei meyner Ankunft:* am Samstag, den 17. 9. 1803, s. S. 693. Das Folgende knüpft an S. 597 an. — *des andern Tages:* am Montag, den 19. 9. 1803, vgl. „Jung-Stillings Tagebuch von 1803", S. 76. — *meine politische . . . Vocation:* meine offizielle Berufung.

[632] *Nur ein Hauptpunkt störte:* vgl. den „Hilferuf" vom Ende des Jahres in: „Jung-Stillings Tagebuch von 1803", S. 82. — *dritthalb tausend Gulden:* 2500 Gulden.

[634] *Aschenbergs Taschenbuch:* W. Aschenbergs Taschenbuch für bildende, dichtende und historische Kunst. Einige Titel bei Max Geiger S. 27, Nr. 81, vgl. auch Nr. 89.

[636] *Den 23.:* so richtig B; H hat: Den 13. — *im Gemeinlogis:* im Gästehaus der Brüdergemeine.

[638] *Jacob Böhm:* vgl. Anm. zu S. 99.

[644] *nach Baden:* in die Stadt Baden-Baden. — *des christlichen Menschenfreundes:* Noch in Marburg (1803) begann Jung-Stilling seinem Pro-
gramm gemäß (s. S. 616, Nr. 3) diese Zeitschrift: Der Christliche Menschenfreund in Erzählungen für Bürger und Bauern, vgl. Max Geiger, S. 28,
Nr. 84.

[645] *Rhein:* H hat fälschlich: Schein.

[646] *Pfarrer Faber zu Gaißburg:* Johann Gottfried Faber (1725 bis
1808), seit 1759 Pfarrer in Gaisburg.

AUSGABEN DER ›LEBENSGESCHICHTE‹

Für die vorliegende Neuausgabe sind die zu Lebzeiten Jung-Stillings veröffentlichten Ausgaben der Lebensgeschichte verglichen und zugrunde gelegt worden; von mir nicht eingesehene Ausgaben sind mit (°) gekennzeichnet. Schulte-Strathaus = Ernst Schulte-Strathaus, Bibliographie der Originalausgaben deutscher Dichtungen im Zeitalter Goethes I (1913) S. 68—84: Johann Heinrich Jung genannt Stilling.

I. 1. Henrich Stillings Jugend. Eine wahrhafte Geschichte. Berlin und Leipzig, bey George Jacob Decker. 1777. 168 S., vorh. LB Speyer, ZB Zürich; = B¹. (Titelblatt abgebildet o. vor S. 1)

I. 2. (°) wie I. 1., „von demselben Satze ... ein wohlfeile Ausgabe", Schulte-Strathaus S. 70, Nr. 6b (Fundort nicht nachgewiesen); = B².

I. 3. Henrich Stillings Jugend. Eine wahrhafte Geschichte. Berlin und Leipzig, bey George Jacob Decker. 1779. 151 S., vorh. UB Marburg; = B³.

I. 4. Henrich Stillings Jugend. Eine wahrhafte Geschichte. Frankfurt und Leipzig. 1780. 134 S., vorh. UB Tübingen; = F.

I. 5. Heinrich Stillings Jugend. Eine wahrhafte Geschichte. Zweyte verbesserte Auflage. Berlin und Leipzig 1806. 118 S., vorh. UB Tübingen; = B⁴.

I. 6. Heinrich Stillings Jugend. Eine wahrhafte Geschichte. Neue Original-Ausgabe. Basel und Leipzig 1806. bei Heinrich August Rottmann. 151 S., vorh. UB Basel; = Bs.

II. 1 Henrich Stillings Jünglings-Jahre. Eine wahrhafte Geschichte. Berlin und Leipzig, bey George Jacob Decker. 1778. 220 S., vorh. UB Marburg, StB Siegen, LB Speyer; = B¹. (Titelblatt abgebildet o. nach S. 79.)

II. 2. (°) wie II. 1, jedoch „eine wohlfeile Ausgabe", Schulte-Strathaus, S. 71, Nr. 7b; = B².

II. 3. Henrich Stillings Jünglings-Jahre. Eine wahrhafte Geschichte. Berlin und Leipzig, bey George Jacob Decker. 1778. 192 S., vorh. UB Heidelberg (Seitenvignetten wie II. 1; enthält einige Druckfehler); = B³.

II. 4. Henrich Stillings Jünglings-Jahre. Eine wahrhafte Geschichte. Berlin und Leipzig, bey George Jacob Decker. 1778. 192 S., vorh. UB Mannheim (mit eigenen Seitenvignetten; Druckfehler gegenüber II. 3 verbessert); = B⁴.

II. 5. Henrich Stillings Jünglings-Jahre Eine wahrhafte Geschichte. Frankfurt und Leipzig. 1780. 188 S., vorh. UB Tübingen; = F.

II. 6. Henrich Stillings Jünglings-Jahre. Eine wahrhafte Geschichte. Berlin 1800. 166 S., vorh. StB Siegen; = B⁵.

II. 7. Heinrich Stillings Jünglings-Jahre. Eine wahrhafte Geschichte. Zweite verbesserte Auflage. Berlin und Leipzig. 1806. 160 S., vorh. UB Tübingen; = B⁶.

II. 8. Heinrich Stillings Jünglings-Jahre. Eine wahrhafte Geschichte. Neue Original-Ausgabe. Basel und Leipzig. 1806. Bei Heinrich August Rottmann. 192 S., vorh. UB Basel; = Bs.

III. 1. Henrich Stillings Wanderschaft. Eine wahrhafte Geschichte. Berlin und Leipzig, bey George Jacob Decker. 1778. 226 S., vorh. UB Marburg, StB Siegen, LB Speyer; = B¹. (Titelblatt abgebildet o. nach S. 186.)

III. 2. Henrich Stillings Wanderschaft. Eine wahrhafte Geschichte. Berlin und Leipzig, bey George Jacob Decker. 1778. 190 S., vorh. UB Heidelberg (Vignetten S. 3 und S. 190, desgleichen die Seitenvignetten wie in III. 1); = B².

III. 3. Henrich Stillings Wanderschaft. Eine wahrhafte Geschichte. Berlin und Leipzig, bey George Jacob Decker. 1778. 190 S., vorh. UB Mannheim (andere Vignetten als in III. 1 und III. 2); = B³.

III. 4. Henrich Stillings Wanderschaft. Eine wahrhafte Geschichte. Frankfurt und Leipzig. 1780. 176 S., vorh. UB Tübingen, LB Wiesbaden; = F.

III. 5. Heinrich Stillings Wanderschaft. Eine wahrhafte Geschichte. Zweite verbesserte Auflage. Berlin und Leipzig. 1806. 152 S., vorh. UB Tübingen; = B⁴.

III. 6. Heinrich Stillings Wanderschaft. Eine wahrhafte Geschichte. Neue Original-Ausgabe. Basel und Leipzig 1806. Bei Heinrich August Rottmann. 192 S., vorh. UB Basel; = Bs.

IV. 1. Henrich Stillings häusliches Leben. Eine wahrhafte Geschichte. Berlin und Leipzig 1789, bey Heinrich August Rottmann, Königl. Hofbuchhändler 275 S., vorh. UB Heidelberg, UB Mannheim, StB Siegen, ZB Zürich; = B. (Titelblatt abgebildet o. nach S. 288.)

IV. 2. Henrich Stillings häusliches Leben. Eine wahrhafte Geschichte. Mit allerhöchst-gnädigst Kaiserl. Privilegio. Tübingen, bey Joh. Friedr. Balz und Wilh. Heinrich Schramm. 1789. 208 S., vorh. StB Siegen, UB Tübingen; = T.

IV. 3. (°) wie IV. 1, aber 1806 mit I. 6, II. 8 und III. 6 vereinigt; Schulte-Strathaus S. 81, Nr. 37; = Bs.

V. 1. Heinrich-Stillings Lehr-Jahre. Eine wahrhafte Geschichte. Mit dem sehr ähnlichen Bildniß des Verfassers, von H. Lips in Zürich. Berlin und Leipzig 1804, bei Heinrich August Rottmann, Königl. Hofbuchhändler. 352 S., vorh. UB Mannheim, StB Siegen, ZB Zürich; = B¹. (Titelblatt abgebildet o. nach S. 440.)

V. 2. Heinrich Stillings Lehr-Jahre. Eine wahrhafte Geschichte. Berlin und Leipzig. 1805. 280 S., vorh. StB Siegen; = B².

V. 3. Heinrich Stillings Lehr-Jahre. Eine wahrhafte Geschichte. Neue verbesserte Auflage. Berlin und Leipzig. 1807. 280 S., vorh. UB Tübingen; = B³.

V. 4. (°) wie V. 1, aber 1806 mit I. 6, II. 8, III. 6 und IV. 3 vereinigt. Schulte-Strathaus, S. 80, Nr. 34b und S. 81, Nr. 37; = Bs.

VI. 1. Heinrich Stillings Alter. Eine wahre Geschichte. Oder Heinrich Stillings Lebensgeschichte Sechster Band. Herausgegeben nebst einer Erzählung von Stillings Lebensende von dessen Enkel Wilhelm Schwarz, Doct. d. Philos. u. Candid. d. Theol. Hierzu ein Nachwort von Dr. F. H. C. Schwarz, Großherzogl. Bad. Kirchenrath, Prof. d. Theol. zu Heidelberg. Heidelberg, bey Mohr und Winter. 1817. (Von den drei hier vereinigten Stücken ist in der vorliegenden Neuausgabe nur das erste berücksichtigt.) Das zweite Titelblatt lautet: Heinrich Stillings Alter, von ihm selbst beschrieben. Ein Fragment. Mit einer Beschreibung seiner letzten Tage. Herausgegeben von seinem Enkel Wilhelm Schwarz, Dr. d. Philos. Drittes Titelblatt (abgebildet o. nach S. 628): Heinrich Stillings Alter. Eine wahre Geschichte. Oder Heinrich Stillings Lebens-Geschichte. Sechster Band. Heidelberg bey Mohr und Winter. 1817. 36 S., vorh. UB Marburg; = H.

VI. 2. (Erster Titel wie in VI. 1, zweites Titelblatt). Zweites Titelblatt: Heinrich Stillings Alter. Eine wahre Geschichte. Oder Heinrich Stillings Lebens-Geschichte. Berlin und Leipzig 1817. 31 S., vorh. UB Tübingen; = B.

ZU DEN ABBILDUNGEN

Jung-Stilling-Bildnisse sind gesammelt wiedergegeben bei Wilhelm Güthling, Jung-Stilling in den Augen seiner Zeitgenossen (Siegen 1970), dazu ergänzend ders., Jung-Stilling in der Schweiz und ein unbekanntes Bildnis, in: Siegerland 48 (1971) 30 f.

[Frontispiz] Jung-Stilling im Alter von 33 Jahren. Kupferstich von Georg Friedrich Schmoll, vgl. S. 323 und 729 f. Aus: Johann Caspar Lavater, Physiognomische Fragmente zur Beförderung der Menschenkenntnis und Menschenliebe (1775), hier Lavaters Kennzeichnung (S. 208 f.): „Sein Blick ist nicht eines tiefgrabenden Erforschers! Aber Blick dennoch eines glücklichen, freyen Genies! die gerade, freye, unverstellte und dennoch überlegungsreiche Seele; dieß seltene Gemisch von Kindereinfalt, Kinderbiegsamkeit, reizbarem Enthusiasmus — und immer Herzensfestigkeit; diese Treue im Berufe; diese wahre, tiefe, unschwatzhafte Gottesfurcht, dieser Fleiß, diese Ruhe, diese plane hell fortfließende Stille der Seele..."

Bei den folgenden Abbildungen handelt es sich um Kupferstiche von Daniel Chodowiecki (1726—1801), vgl. S. 799.

[Nach S. XXIX] Abbildung zu S. 52 der vorliegenden Ausgabe: Vater und Sohn an der Ruine Ginsberg.

[Vor S. 1]: Zu S. 50 f.: Jung-Stilling weist Pastor Seelbach die Heilige Schrift vor.

[Nach S. 79] Zu S. 165: Weissagung der Großmutter.

[Vor S. 81] Zu S. 86 f.: Jung-Stilling spielt Pastor.

[Nach S. 186] Zu S. 243: Molitors Segen.

[Vor S. 187] Zu S. 163: Goethe tritt ein.

[Nach S. 288] Titelblatt mit Kupferstich (nicht von Chodowiecki). Zu S. 438: „Mein Pfad ging felsenan..."

[Vor S. 289] Jung-Stilling im Alter von 47 Jahren. Kupferstich von Eberhard Friedrich Henne (1759—1828) vgl. hierzu S. 702 f.

[Nach S. 440] Titelblatt mit dem Rottmannschen Verlagssignet von J. W. Meil.

[Vor S. 441] Jung-Stilling im Alter von 60 Jahren. Kupferstich von Johann Heinrich Lips, vgl. S. 750, Anm. zu S. 546: „... das ist vollkommen ähnlich."

LITERATURVERZEICHNIS

Eine Auswahl vor allem solcher Titel, die der Erläuterung der ›Lebensgeschichte‹ Jung-Stillings dienen. Im übrigen wird auf die Bibliographie von Vitt (1972) verwiesen.

ADB = Allgemeine deutsche Biographie 1 (1875) — 56 (1912).

Benz, Ernst, Jung-Stilling in Marburg (1949 = ²1971).

Croce, Elena Craveri, La „Giovinezza" di Jung Stilling, in: Quaderni della Critica 1949, XIII, S. 33—44 und XIV, S. 18—33.

Erbacher = Hermann Erbacher (Hrsg.), Vereinigte Evangelische Landeskirche in Baden 1821—1971. Dokumente und Aufsätze (1971).

Fischer I, II = Albert Fischer, Kirchenlieder-Lexikon I (1878), II (1879).

Fischer, Heinz, Gehalt und Gestalt von Jung-Stillings Jugendgeschichte. Staatsexamensarbeit 1936. Maschinenschrift 98 S. (vorh. Stadtbibliothek Siegen).

Flasdieck = Hermann M. Flasdieck, Goethe in Elberfeld Juli 1774 (1929).

Frels, Wilhelm, Deutsche Dichterhandschriften von 1400—1900 (1934).

Max Geiger = Max Geiger, Aufklärung und Erweckung. Beiträge zur Erforschung Johann Heinrich Jung-Stillings und der Erweckungstheologie (1963).

Göbel, Max, Jung-Stilling's Jugendgeschichte. Zur religiösen Geschichte Deutschlands im vorigen Jahrhundert, in: Protestantische Monatsblätter für innere Zeitgeschichte 15 (1860) 47—70 und 109—135.

Günther, Hans R. G., Jung-Stilling. Ein Beitrag zur Psychologie des Pietismus. Zweite, veränderte Auflage 1948.

Güthling = Jung-Stilling (Johann Heinrich Jung) Verzeichnis der selbständigen Schriften [bearbeitet von Wilhelm Güthling], hrsg. von der Stadt Siegen (1962).

Gundlach = Franz Gundlach, Catalogus Professorum Academiae Marburgensis 1527—1910 (1927).

HBLS = Historisches und biographisches Lexikon der Schweiz 1 (1921) bis 6 (1931).

Jakob Heinzerling und Hermann Reuter, Siegerländer Wörterbuch, 2. Auflage, neu bearbeitet von Hermann Reuter (1968).

Heitz und Ritter = Paul Heitz und Fr. Ritter, Versuch einer Zusammenstellung der deutschen Volksbücher des 15. und 16. Jh. nebst deren späteren Ausgaben und Literatur (Straßburg 1924).

Irle = Lothar Irle, Siegerländer Persönlichkeiten- und Geschlechter-Lexikon (1974).

Jung-Stilling, Johann Heinrich. Henrich Stillings Jugend, Jünglingsjahre, Wanderschaft und häusliches Leben. Mit einem Nachwort und Anmerkungen von Dieter Cunz. Reclam-Universal-Bibliothek Nr. 662—666 (1968).

Jung gen. Stilling, Johann Heinrich. Henrich Stillings Jugend, 1777, Henrich Stillings Jünglingsjahre 1778, Henrich Stillings Wanderschaft 1778, Rückblick auf Stillings bisherige Lebensgeschichte 1804, hrsg. von Karl Otto Conrady. Rowohlts Klassiker 516/517 (1969).

Jung-Stilling, Johann Heinrich. Lebensgeschichte. Mit einem Nachwort von Wolfgang Pfeiffer-Belli. Winkler, Die Fundgrube Nr. 37 (1968).

Jung-Stillings Tagebuch von 1803 = Gustav Adolf Benrath, Jung-Stillings Tagebuch von 1803, in: Heinrich Bornkamm, Friedrich Heyer, Alfred Schindler (Hrsg.), Der Pietismus in Gestalten und Wirkungen, Martin Schmidt zum 65. Geburtstag. Arbeiten zur Geschichte des Pietismus 14 (1975) S. 50—83.

Kosch[2] = Wilhelm Kosch, Deutsches Literatur-Lexikon 1 (1949) bis 4 (1958).

Kosch[3] = Deutsches Literatur-Lexikon. Biographisch-Bibliographisches Handbuch, begründet von Wilhelm Kosch 1 (1968) bis 4 (1972).

Kruse, Briefe II = Hans Kruse, Briefe von Jakob Wilhelm Grimm, dem Siegener Pfarrer und späteren Dillenburger Generalsuperintendenten, an seinen Bruder, den Duisburger Professor Henrich Adolf Grimm, aus den Jahren 1778—1783, II, in: Siegerland 12 (1931) 5—23.

Langen, August, Der Wortschatz des deutschen Pietismus, 2. Auflage 1968.

Mahrholz, Werner, Deutsche Selbstbekenntnisse. Zur Geschichte der Selbstbiographie von der Mystik bis zum Pietismus (1919).

Maurer I, II = Wilhelm Maurer, Aufklärung, Idealismus und Restauration. Studien zur Kirchen- und Geistesgeschichte in besonderer Beziehung auf Kurhessen 1780—1850, I (1930), II (1930).

Hermann Müller = Hermann Müller (Hrsg.), ... wenn die Seele geadelt ist. Aus dem Briefwechsel Jung-Stillings (1967).

NDB = Neue deutsche Biographie 1 (1953) — 10 (1974).

Neu II = Heinrich Neu, Pfarrerbuch der evangelischen Kirche Badens von der Reformation bis zur Gegenwart, II (1939).

Neumann, Bernd, Identität und Rollenzwang. Zur Theorie der Autobiographie (1970).

Paoli, Rodolfo, Goethe e Stilling ovvero Pietismo e Romanticismo nella prima autobiografia romantica (Roma 1949).

Pascal, Roy, Die Autobiographie. Gestalt und Gehalt (1965).

Reidel, Leo, Goethes Anteil an Jung-Stillings „Jugend", in: Jahresbericht der I. deutschen Staatsrealschule in Prag, 45 (1906) und 46 (1907).

Ritschl I, II, III = Albrecht Ritschl, Geschichte des Pietismus I (1880), II (1884), III (1886); Nachdruck I—III (1966).

Rosenkranz II = Albert Rosenkranz, Das Evangelische Rheinland, ein rheinisches Pfarrer- und Gemeindebuch II (1958).

Schneider, Ferdinand Josef, Die deutsche Dichtung der Geniezeit (1952).

Schulte-Strathaus = Ernst Schulte-Strathaus, Bibliographie der Originalausgaben deutscher Dichtungen im Zeitalter Goethes I (1913).

Sendschreiben = Sendschreiben geprüfter Christen an weiland den geheimen Hofrat Jung-Stilling [hrsg. von P. J. H. Jung] 1833.

Sitzmann = Fr. Edouard Sitzmann, Dictionnaire de Biographie des hommes célèbres de l'Alsace, I und II (1909); Nachdruck 1973.

S. S. = Johann Heinrich Jung's, genannt Stilling, sämmtliche Schriften, Stuttgart 1 (1835) bis 13 (1837).

Deutsches Städtebuch = Deutsches Städtebuch, Handbuch städtischer Geschichte, hrsg. von Erich Keyser I (1939) bis V/2 (1974).

Staehelin I = Ernst Staehelin, Die Christentumsgesellschaft in der Zeit der Aufklärung und der beginnenden Erweckung (1970).

Staehelin II = Ernst Staehelin, Die Christentumsgesellschaft in der Zeit von der Erweckung bis zur Gegenwart (1974).

Stecher = G[otthilf] Stecher, Jung-Stilling als Schriftsteller. Palaestra CXX (1913); Nachdruck 1967.

Strieder = Friedrich Wilhelm Strieder, Grundlage zu einer hessischen Gelehrten und Schriftsteller Geschichte 1 (1781) bis 18 (hrsg. von Karl Wilhelm Justi, 1819). In Band 18, S. 246—270 findet sich ein von Justi verfaßter biographischer Artikel über Jung-Stilling (Bibliographie S. 261 bis 270).

S. W. = Johann Heinrich Jung's, genannt Stilling, sämmtliche Werke. Neue vollständige Ausgabe 1 (1841) bis 12 (1842).

Thieme-Becker = Allgemeines Lexikon der bildenden Künstler von der Antike bis zur Gegenwart, begründet von Ulrich Thieme und Felix Becker, 1 (1907) bis 37 (1950).

Ullrich, Reiner, Johann Heinrich Jung-Stilling. Versuch einer Einordnung in die Geschichte der Pädagogik. Zulassungsarbeit Pädagogische Hochschule Reutlingen (Juni 1964), Maschinenschrift, 135 S.

Vitt = Siegerländer Bibliographie, bearbeitet von Hans Rudi Vitt (1972).

Alexander Vömel = Briefe Jung-Stillings an seine Freunde, hrsg. von Alexander Vömel (1905 = ²1924).

Ernst Vömel = Friedrich Alexander Ernst Vömel, Stammbäume der Familien Schwarz — Jung-Stilling — Vömel (Homburg v. d. H. 1894).

Wernle III = Paul Wernle, der schweizerische Protestantismus im XVIII. Jahrhundert, III (1925).

Wuthenow, Ralph-Rainer, Das erinnerte Ich. Europäische Autobiographie und Selbstdarstellung im 18. Jahrhundert (1974).

REGISTER

Personen- (auch pseudonyme) und Ortsnamen

784 Register